法医学

改訂4版

監修

福島弘文

元 科学警察研究所長
信州大学名誉教授

編集

舟山眞人

東北大学大学院教授

齋藤一之

順天堂大学大学院教授

南 山 堂

執筆者一覧（五十音順）

浅村英樹	信州大学医学部法医学教室教授
安達　登	山梨大学医学部法医学講座教授
井上博之	国際医療福祉大学医学部法医学教授
井濱容子	横浜市立大学医学部法医学教授
岩志和一郎	早稲田大学名誉教授
上野易弘	神戸大学大学院医学研究科地域社会医学・健康科学講座法医学分野教授
金涌佳雅	日本医科大学法医学教室教授
黒田直人	福島県立医科大学医学部法医学講座教授
齋藤一之	順天堂大学大学院医学研究科法医学教授／埼玉医科大学客員教授
鈴木廣一	大阪医科薬科大学名誉教授
関口和正	科学警察研究所法科学第一部付主任研究官
髙田　綾	埼玉医科大学医学部法医学教室教授
高橋識志	弘前大学大学院医学研究科法医学講座教授
中西宏明	順天堂大学医学部法医学研究室准教授
福永龍繁	科学警察研究所長
舟山眞人	東北大学大学院医学系研究科公共健康医学講座法医学分野教授
水口　清	東海大学医学部医学科客員教授／東京歯科大学名誉教授
宮坂祥夫	元 科学警察研究所法科学第一部長
村井達哉	目白大学 客員教授／榊原記念病院顧問
渡邉和美	科学警察研究所犯罪行動科学部長

死体現象（2章）

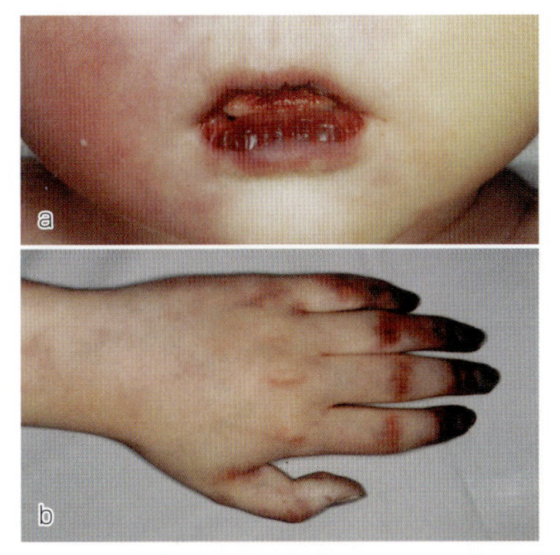

写真 1. 乾燥
a：口唇 b：手指

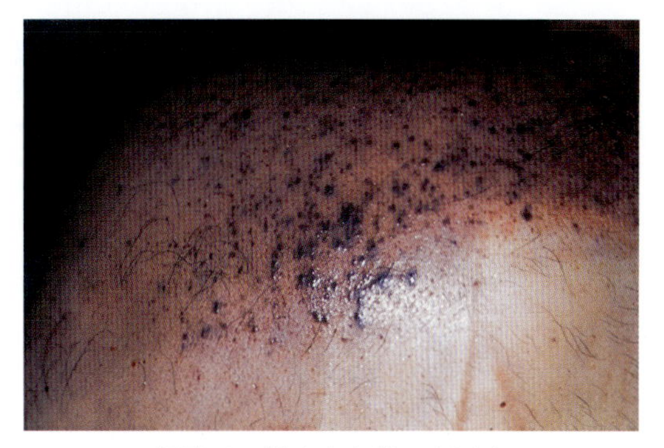

写真 2. 溢血点を伴った死斑

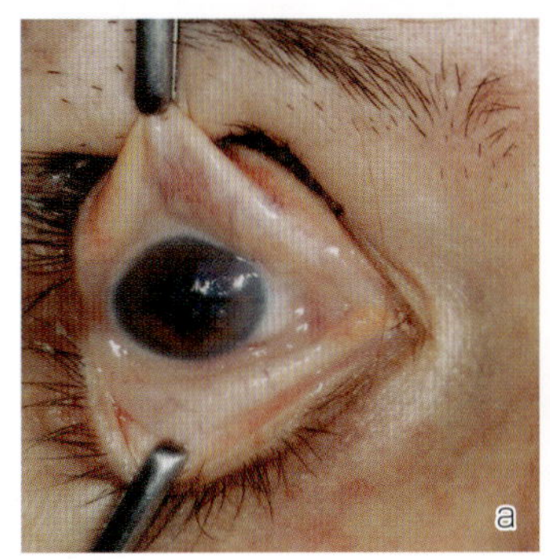

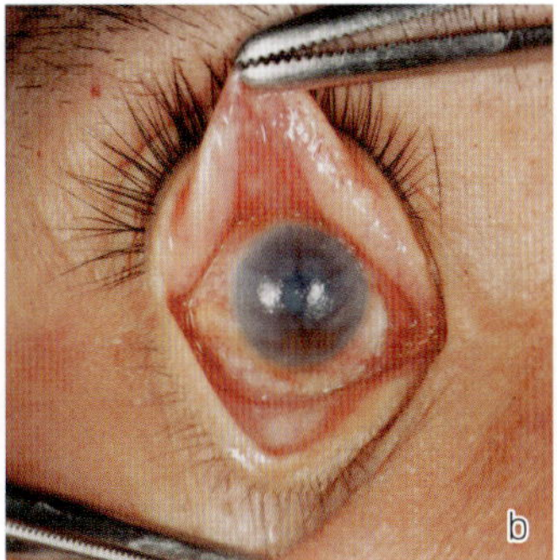

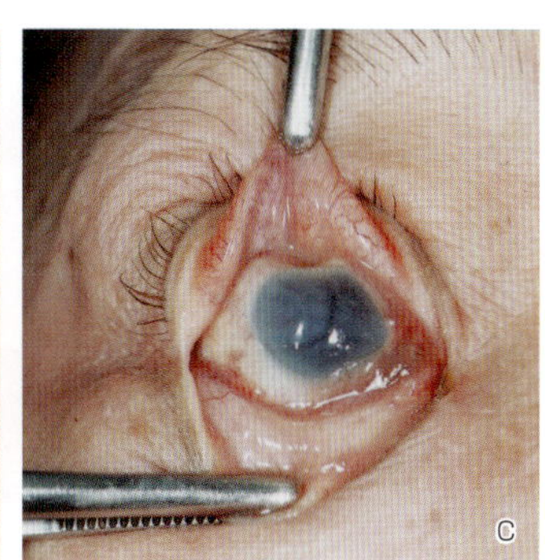

写真 3. 角膜混濁
a：死後約半日・b：死後約1日・c：死後約2日

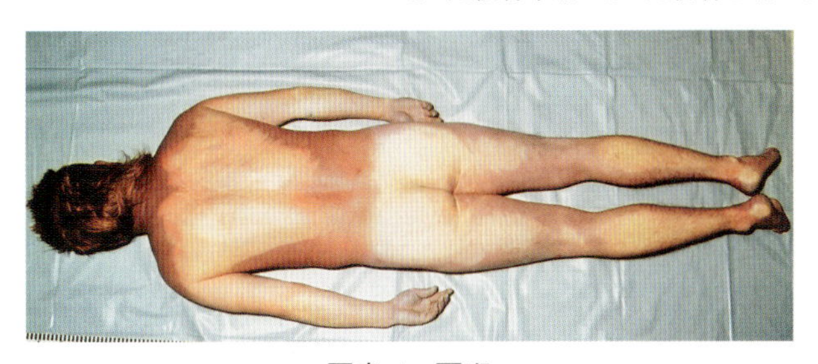

写真 4. 死斑
仰臥位に置かれていた死体に発現する死斑. 床面と接地していた背部・殿部・大2部や下2部の後面・踵には発現していない

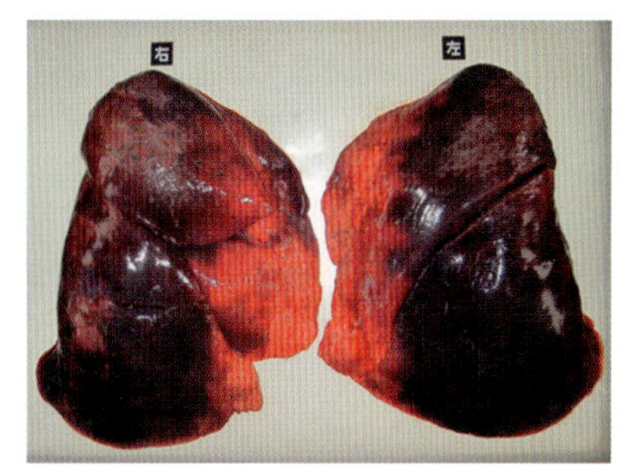

写真 6. 肺の血液就化
仰臥位に置かれていた死体の肺. 背側を中心に強い血液就化がみられる.

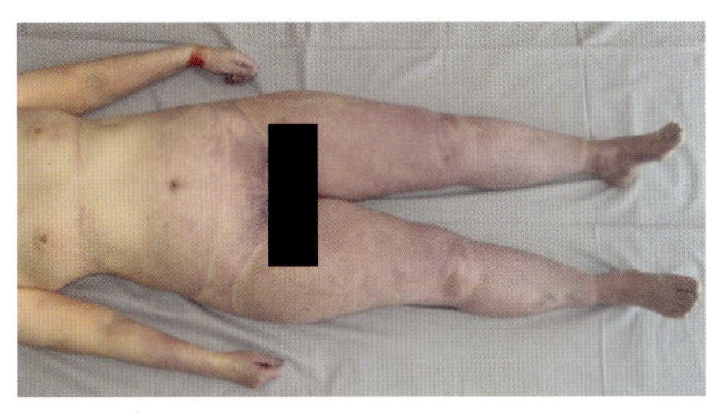

写真 5. 縊頚の死斑
縊頚の場合, 下半身や前腕部を中心に死斑が発現する. なお, 下着のゴムで圧迫されていた部分は蒼白で死斑は発現していない.

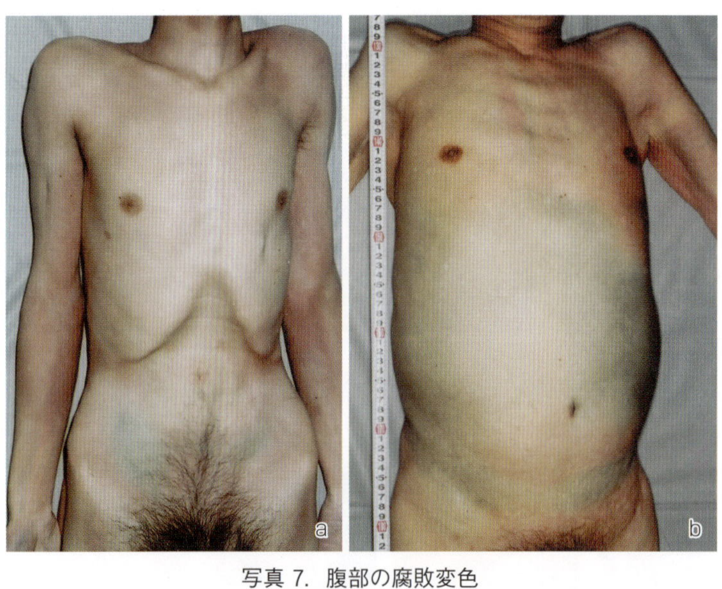

写真 7. 腹部の腐敗変色
a：死後 1 日半，b：死後 3 日．腐敗変色の多くは下腹部から発現し，腹部の全体に広がっていく．

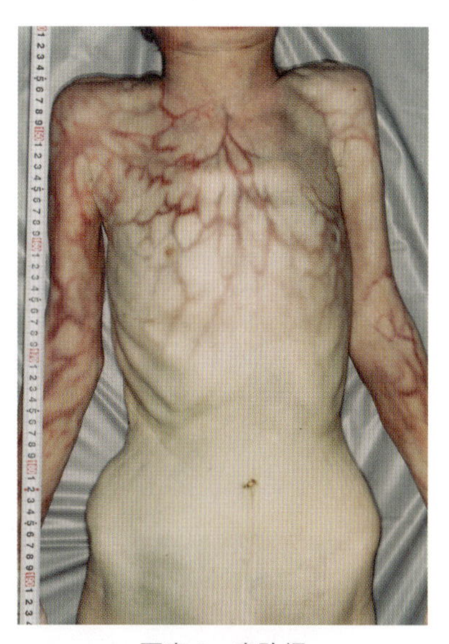

写真 8. 腐敗網
死後 2 日半（浴槽内死亡）．血管の走行に沿って樹枝状の腐敗変色がみられる．

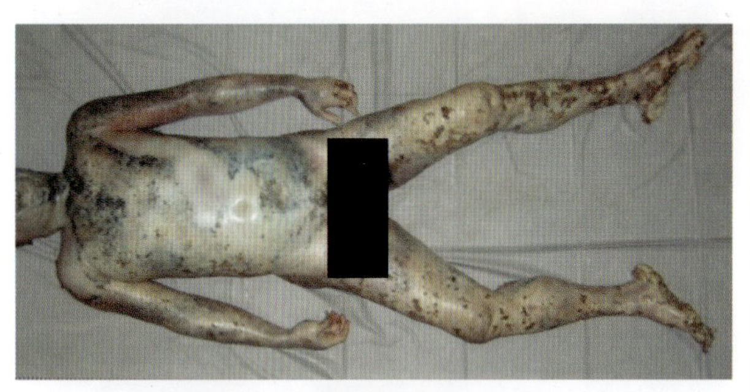

写真 9. 環境因子の腐敗への影響
死後 2 ヵ月間以上にわたって土中に埋まっていた死体.

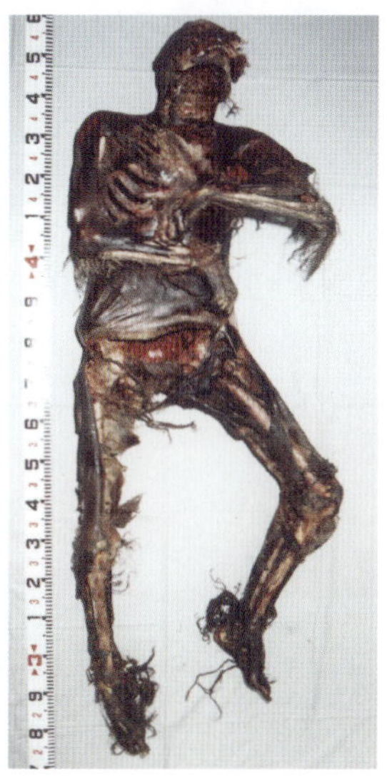

写真 12.
焼死体のカラスによる損壊

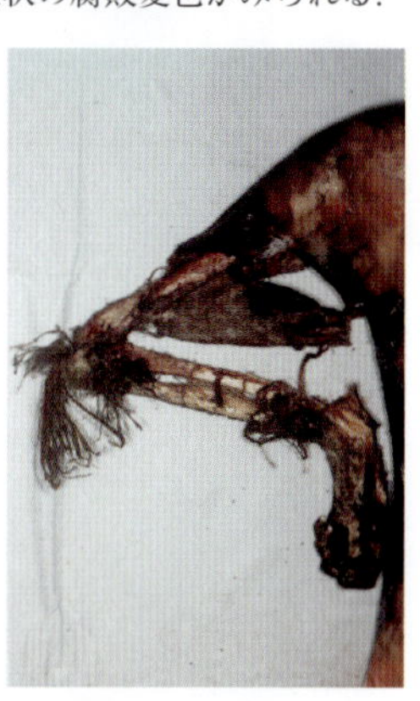

写真 13.
関節部に残存する腱組織

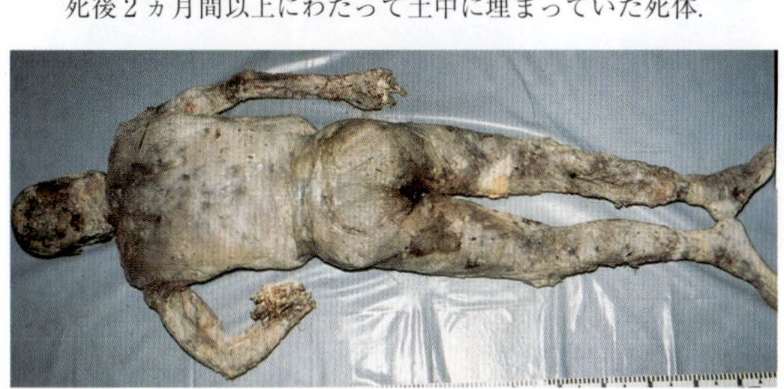

写真 10. 死ろう化
行方不明後（6 カ月），河川敷で発見.

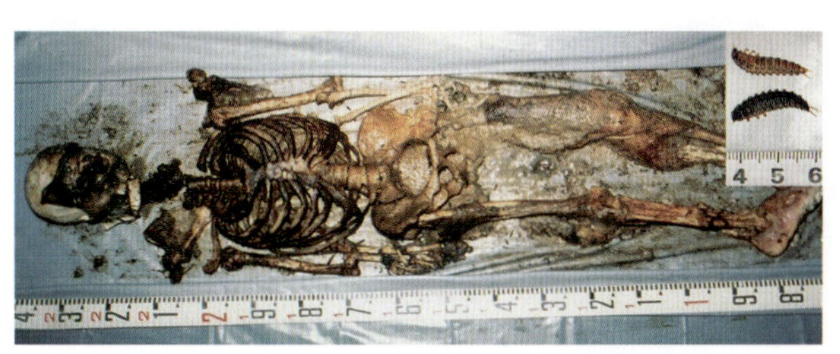

写真 11. シデムシの幼虫による白骨化
死後約 1 カ月経過.

内因による死（3 章）

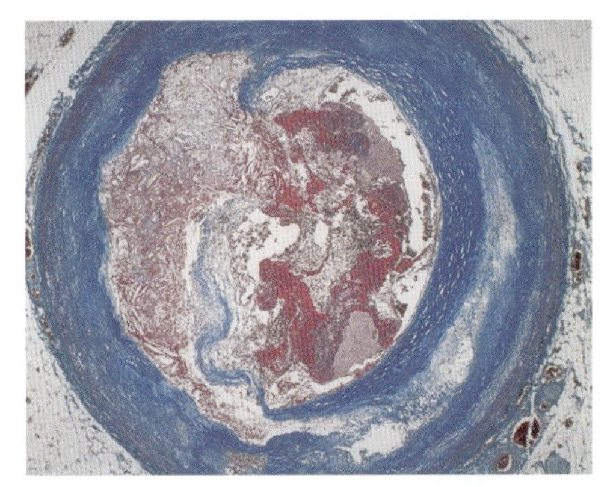

写真 14. 冠動脈の粥腫破綻と血栓形成
向かって左側がプラーク，右側がプラーク破綻に伴う血栓形成のみられる動脈内腔.

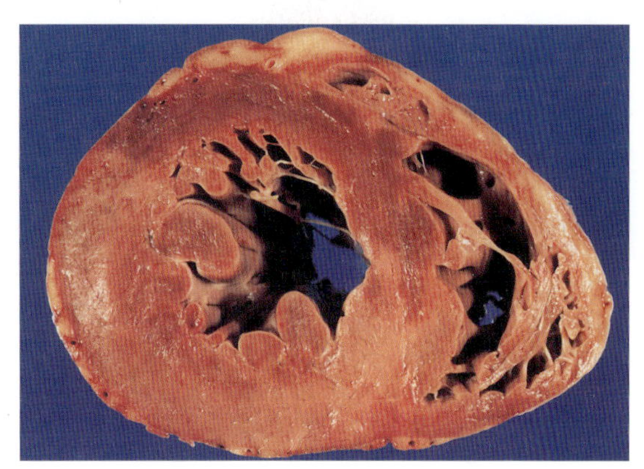

写真 15. 急性心筋梗塞（初期）
左心室前壁～中隔前半部の色調の暗い部分.

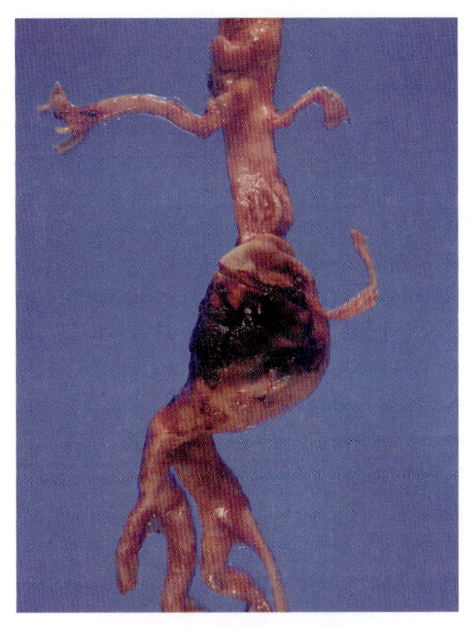

写真 16. 腹部大動脈瘤

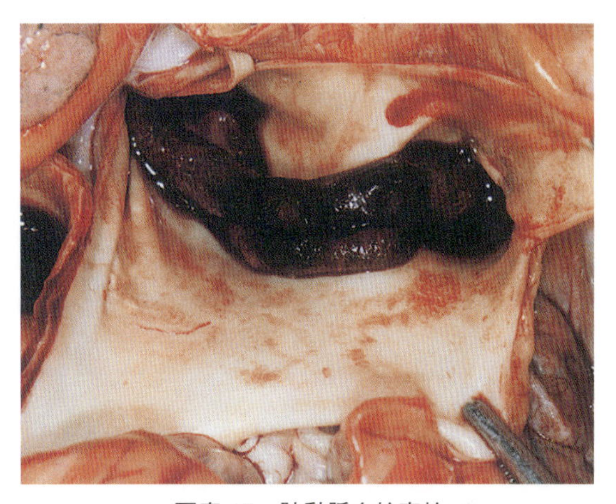

写真 17. 肺動脈血栓塞栓
肺動脈幹分岐部にまたがる鞍状塞栓（saddle emboli）形成.

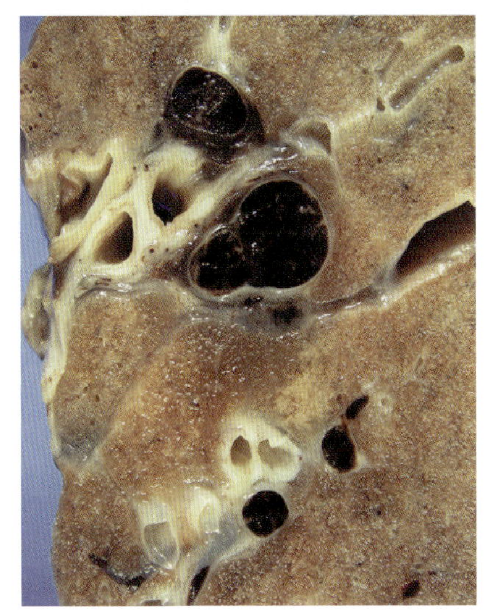

写真 18. 肺動脈血栓塞栓
肺内の肺動脈を閉塞する血栓塞栓（割面）：黒い塊の部分が血栓．気管支が隣接.

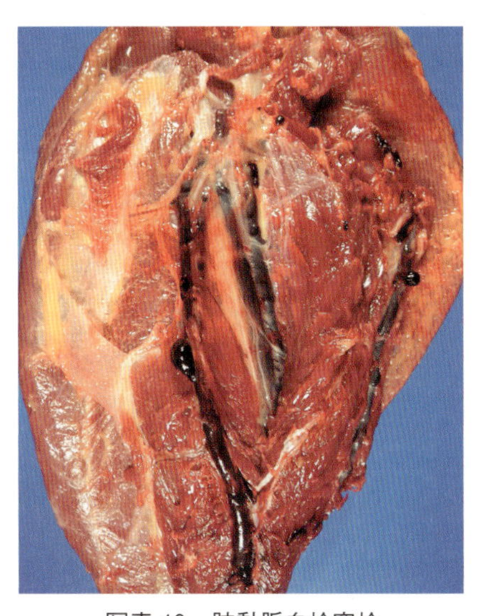

写真 19. 肺動脈血栓塞栓
下肢深部静脈血栓：下腿筋肉内の深部静脈に広範な血栓形成.

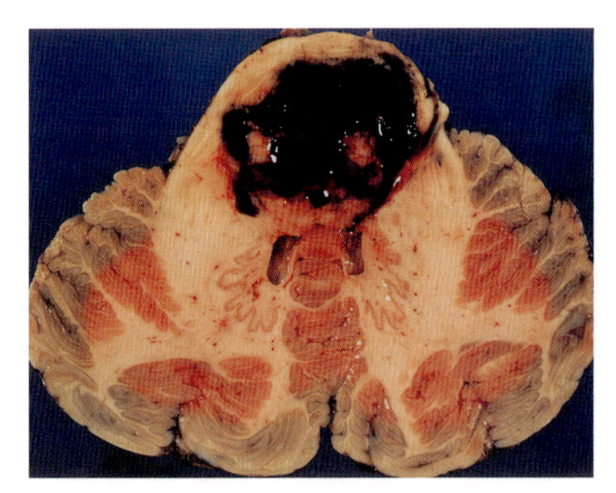

写真 20. 橋出血
橋・小脳の水平割面.

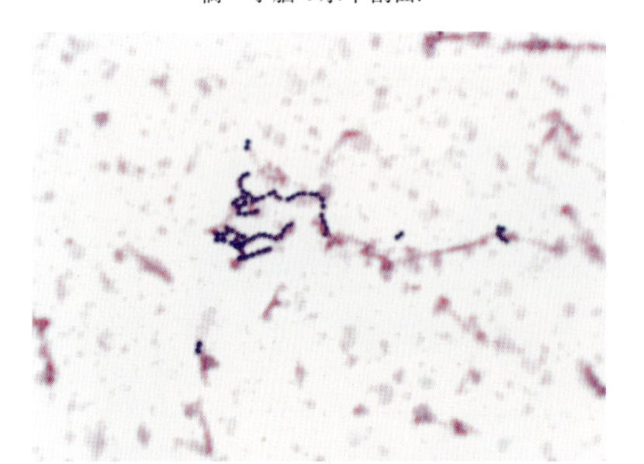

写真 22. 劇症型 A 群溶連菌感染症
血液中にみられたレンサ球菌

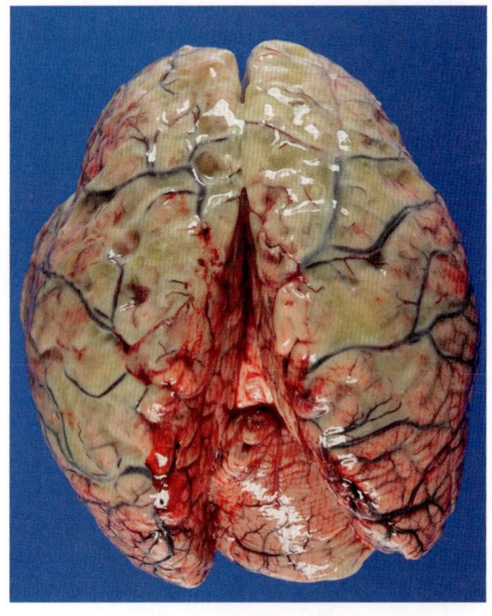

写真 23. 化膿性髄膜炎
大脳半球吻側（写真では上方）に髄膜の混濁が強い.

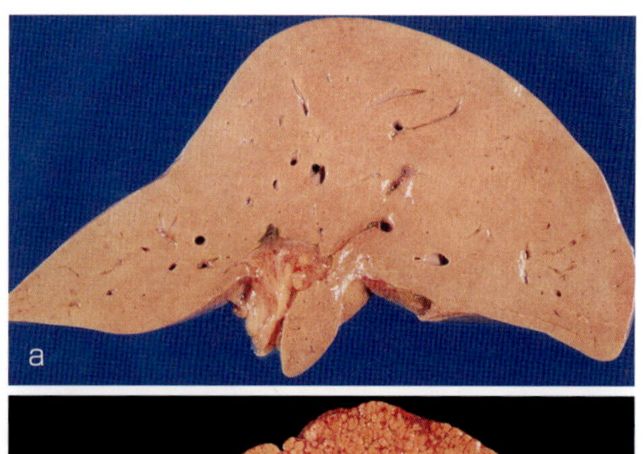

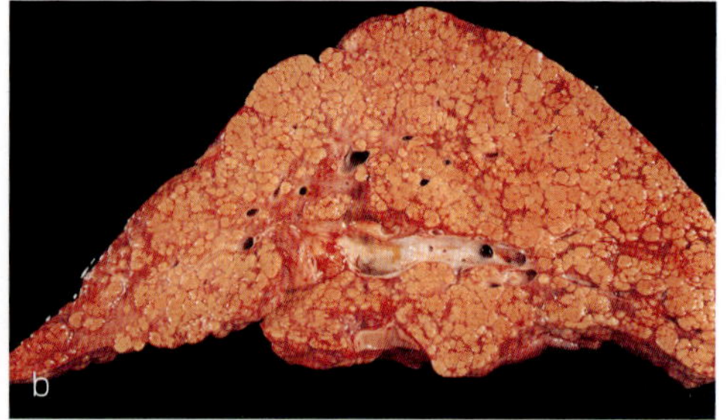

写真 21. アルコール性肝障害
a. 脂肪肝, b. 脂肪性肝硬変

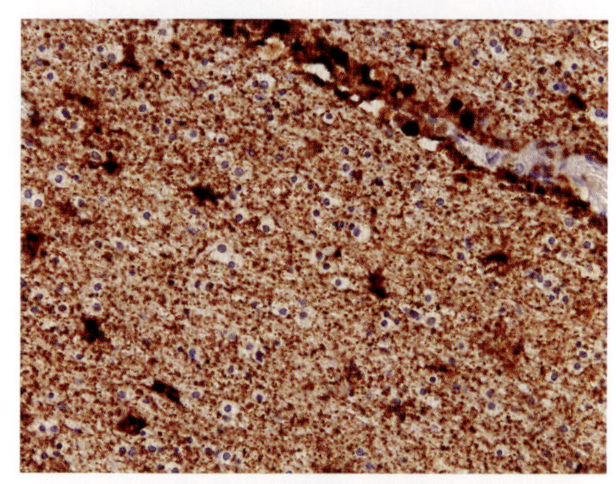

写真 24. クラスマトデンドローシス
星状膠細胞の腫大と広範な突起崩壊（GFAP 染色）

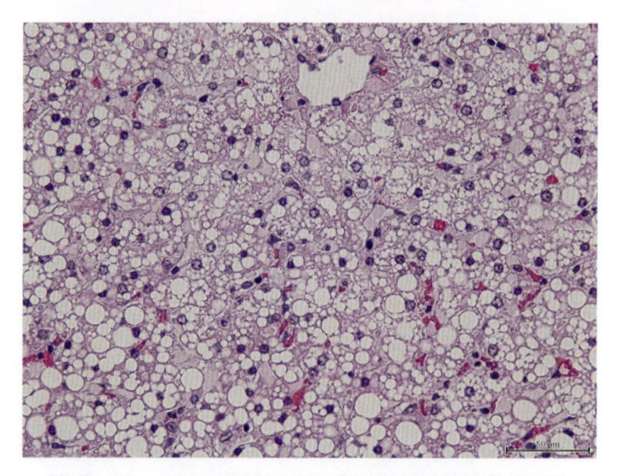

写真 25. 肝の脂肪変性（脂肪酸代謝異常症）

外因による死（4 章）

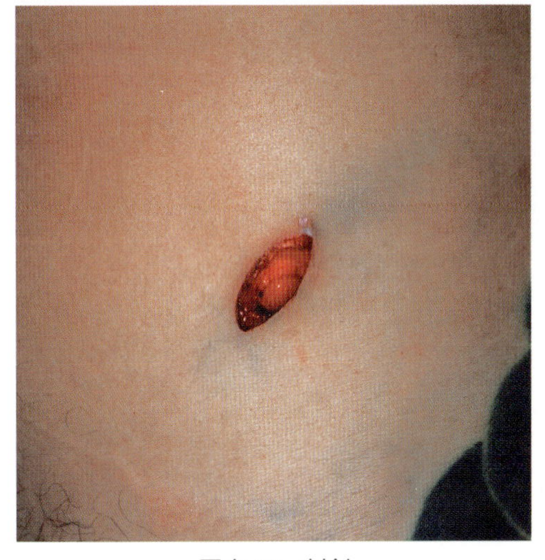

写真 26. 刺創
上創角が鈍であり，刃（小刀）を下向きの状態で腹部に刺入.

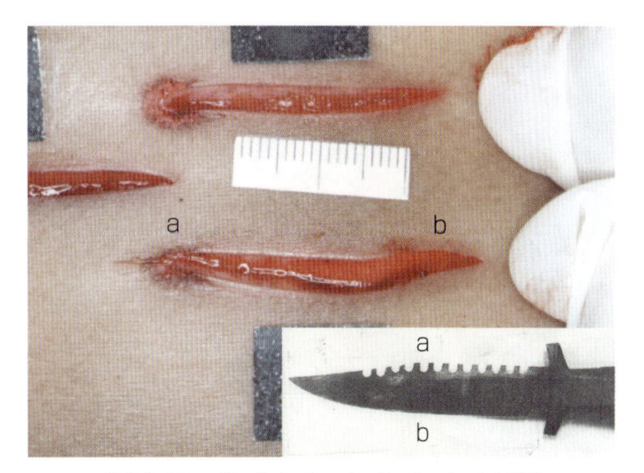

写真 27. サバイバルナイフによる刺創（a-峰，b-刃）

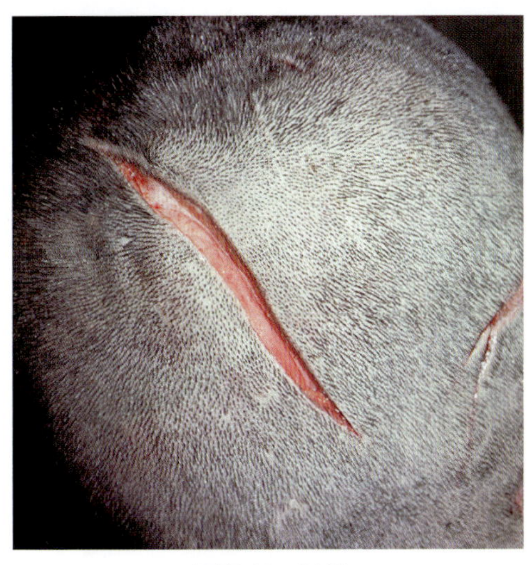

写真 28. 切創
創縁は整，創角は尖鋭.

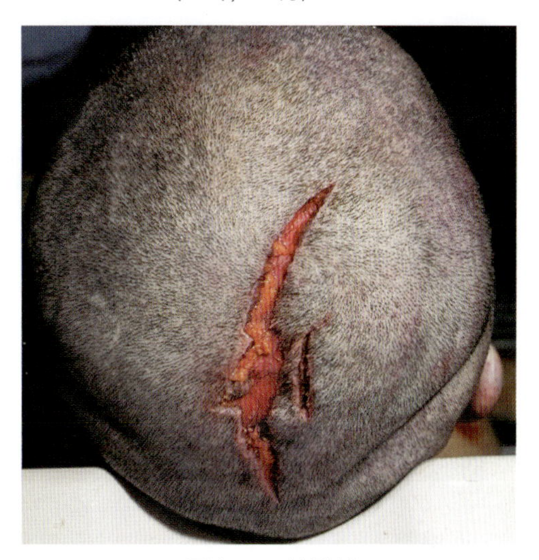

写真 29. 挫裂創
創縁は直線的であるが，創洞面は不整で鈍器損傷である．創縁の一部に表皮剝脱を伴い，この部分に鈍器が作用し，二次的に裂傷が生じた.

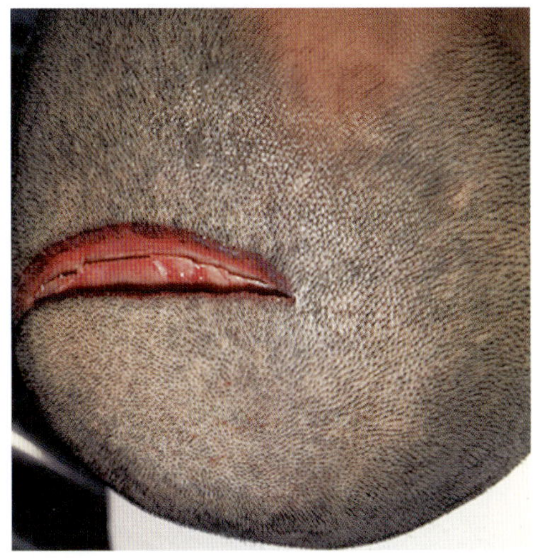

写真 30. 割創
切創に似るが，底部の頭蓋骨に骨折がみられる.

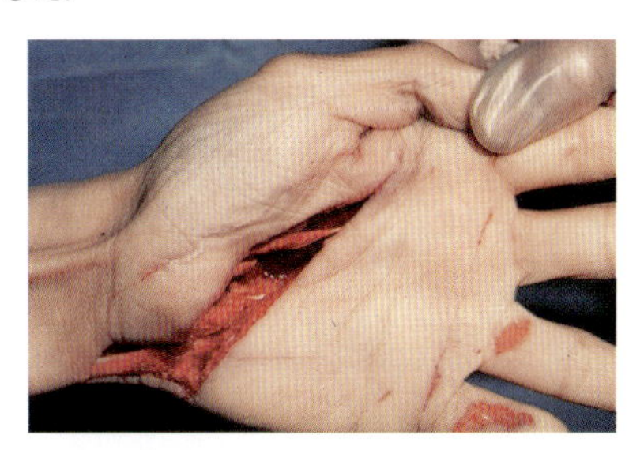

写真 31. 防御創

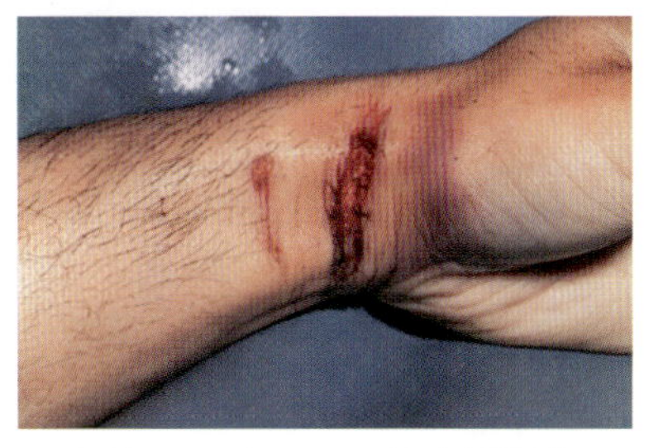

写真 32. ためらい創（逡巡創）

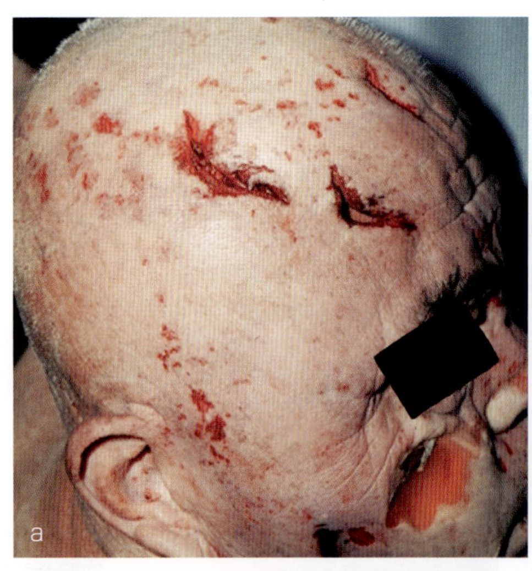

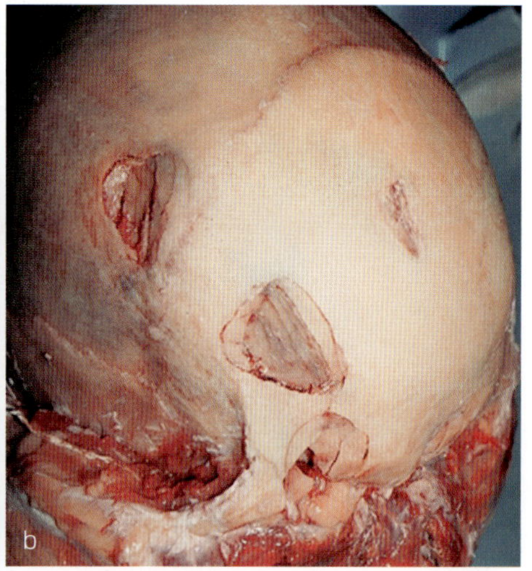

写真 33. 頭部の挫裂創（a）と底部の陥没骨折（b）

金槌（玄能）によるものである．金槌による挫裂創は，このように三日月形を呈する場合が多い．

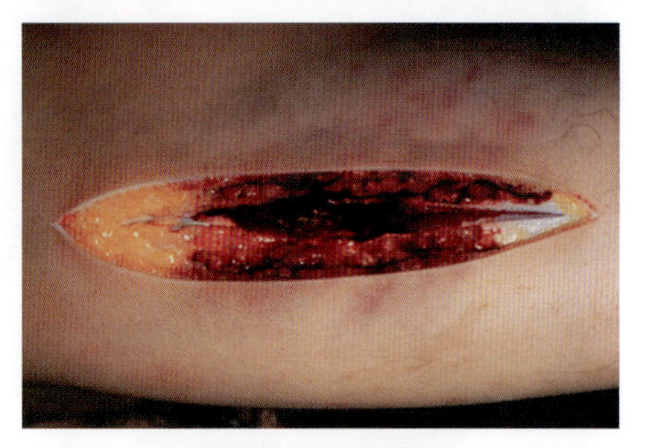

写真 34. 皮下出血

外表に皮膚変色がある．皮膚切開による皮下の出血を示す．

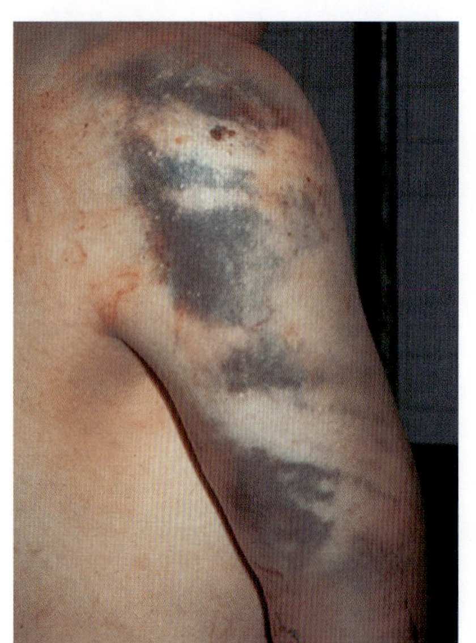

写真 35. 二重条痕

鉄パイプによる殴打で生じたもの．

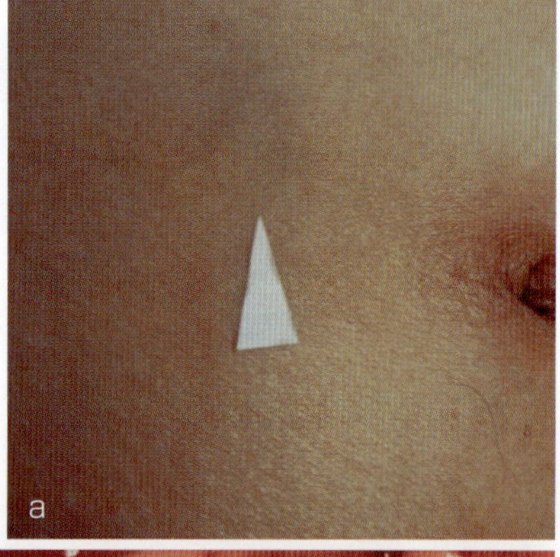

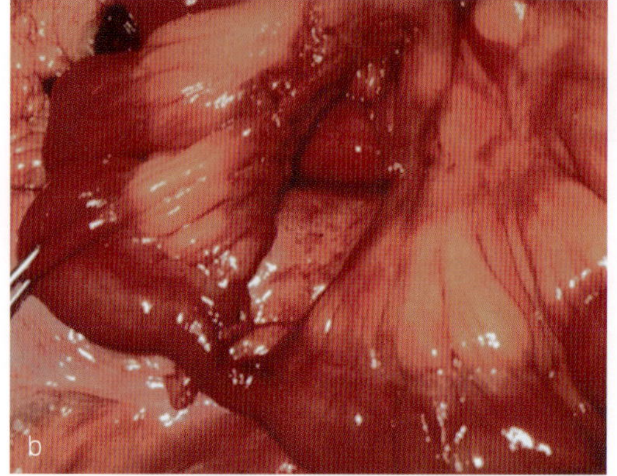

写真 36. 腸間膜損傷

a：腹部にごくわずかに認められる皮膚変色．

b：小腸間膜の損傷により致死的な腹腔内出血を生じた．

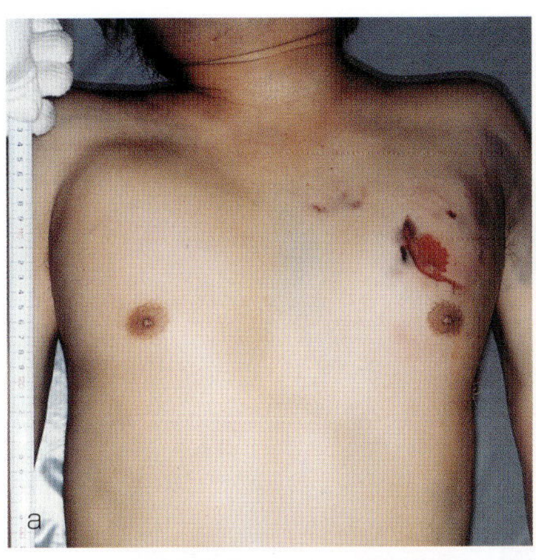
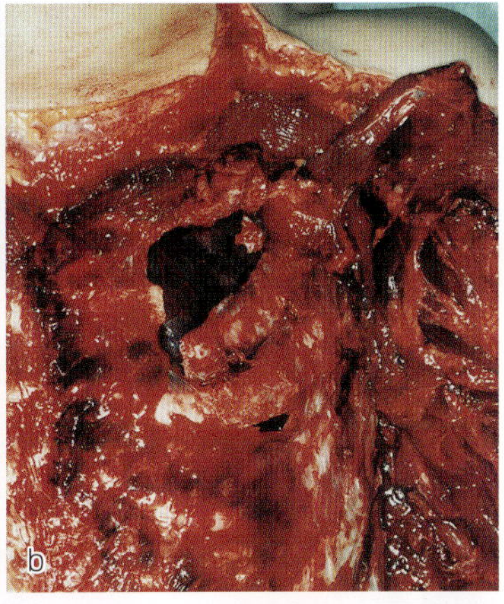

写真 37.
墜落による肋骨損傷

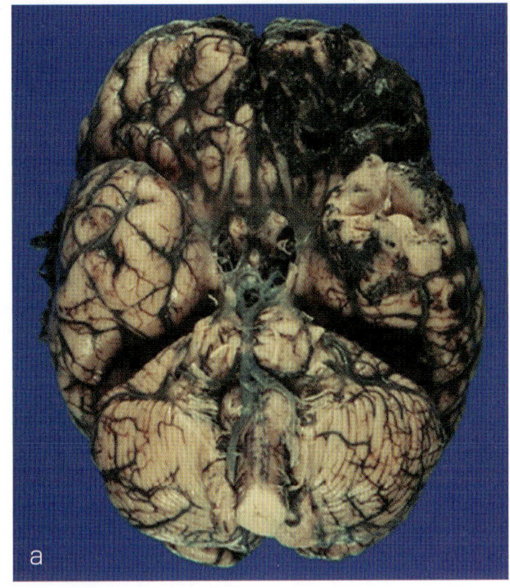
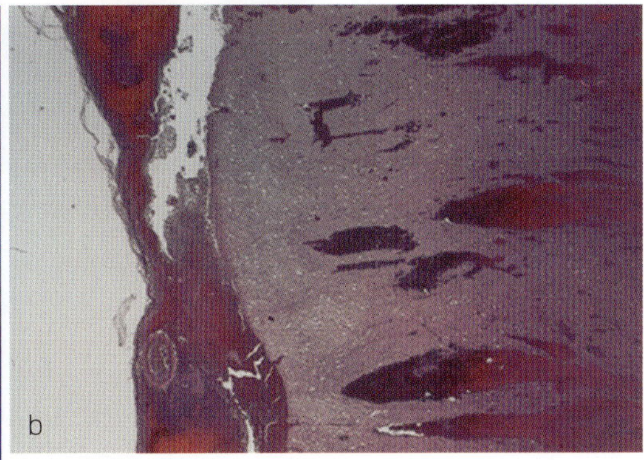

写真 38. 脳挫傷および外傷性クモ膜下出血
肉眼像（a）および組織像（b）を示す.

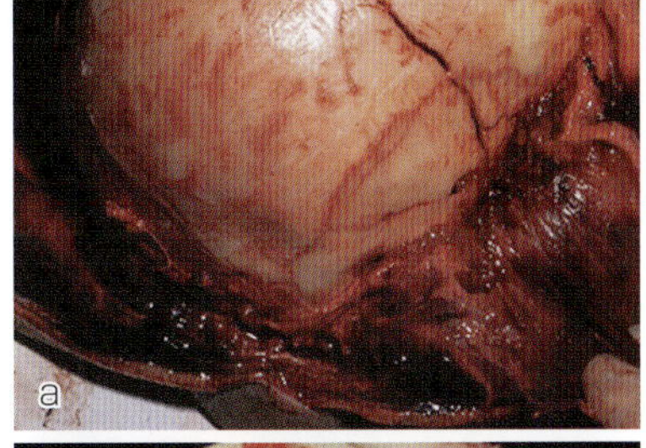

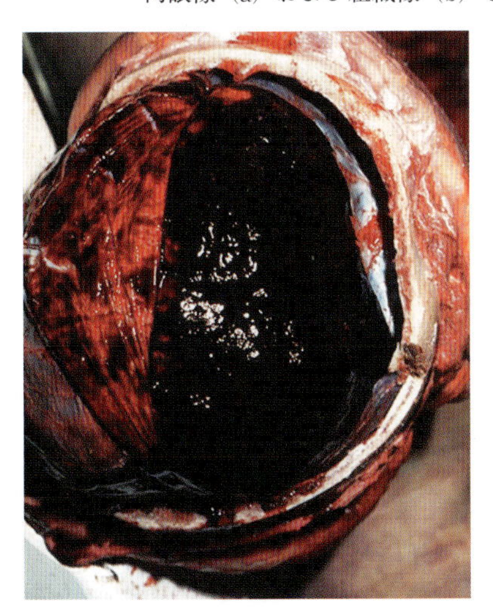

⇦ 写真 39. 硬膜下血腫
硬膜を反転したところ.

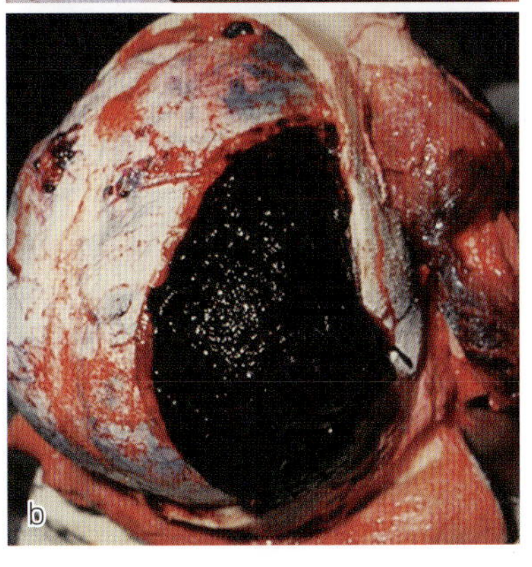

写真 40. 側頭部の線状骨折（a）と硬膜外血腫（b）
硬膜外血腫は，骨折線による右中硬膜動脈の破綻で生じたもの.

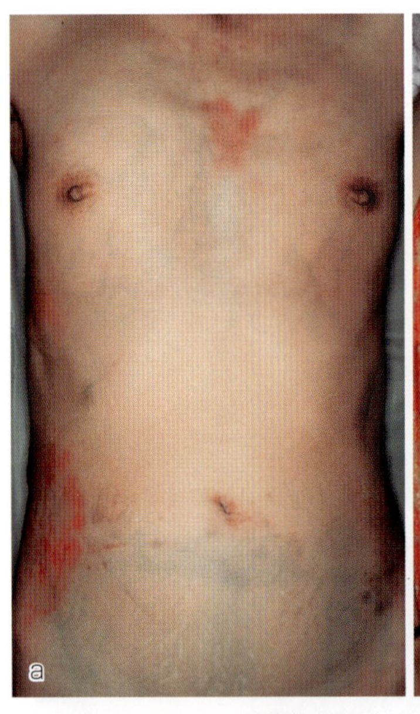

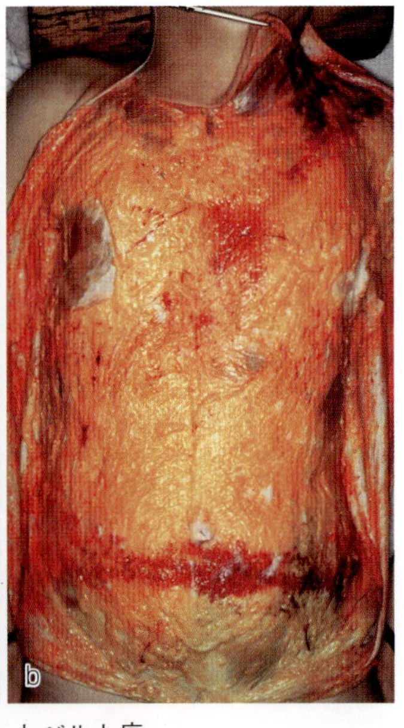

写真 41．シートベルト痕
a：左肩から前胸部，下腹部にかけての変色．
b：シートベルト痕部位の皮下出血．

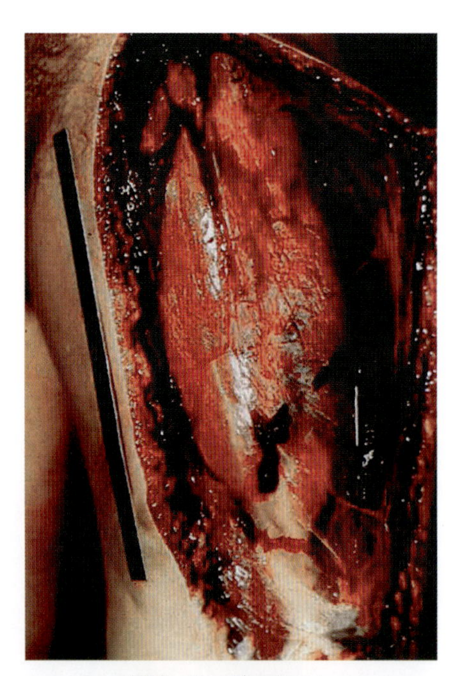

写真 42．デコルマン
左外側大 2 部に形成．

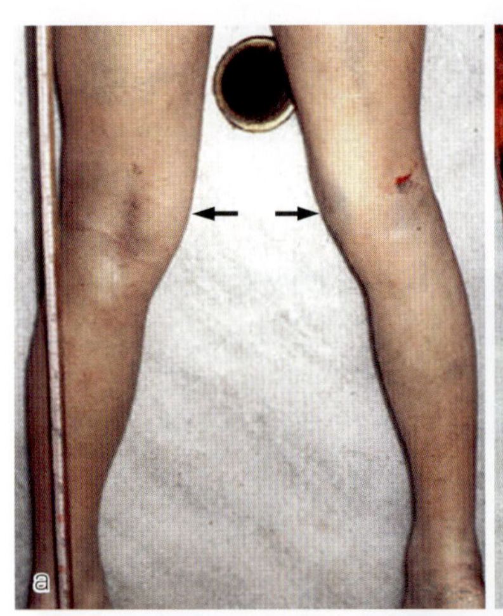

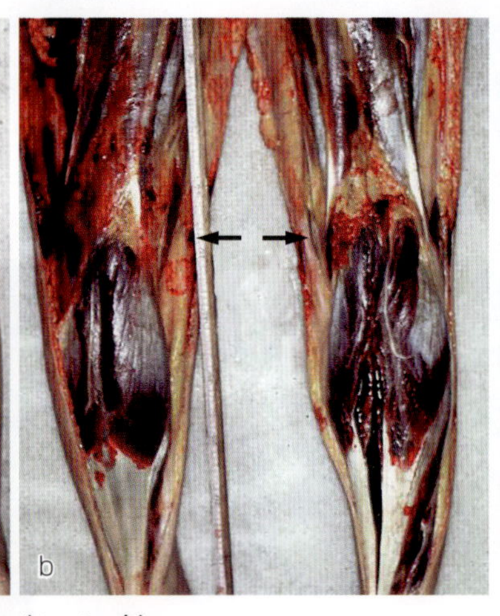

写真 43．バンパー創
a：膝窩に変色．b：皮下出血．

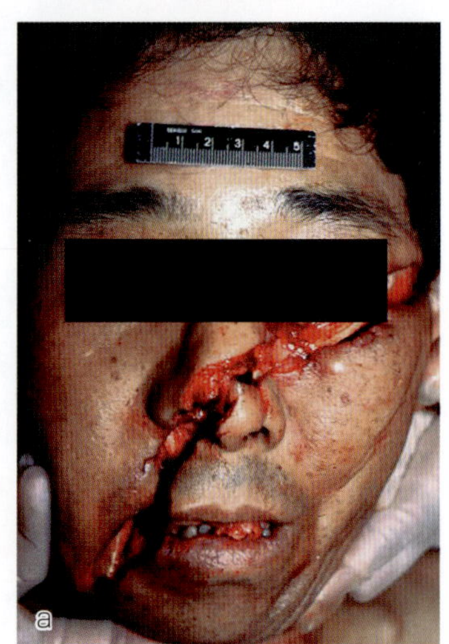

写真 44．スクリュー創
a：小型船にモーターボートが衝突し，モーターボートのスクリューで左耳から右下顎部まで切断．
b：左顔面部の内景所見．

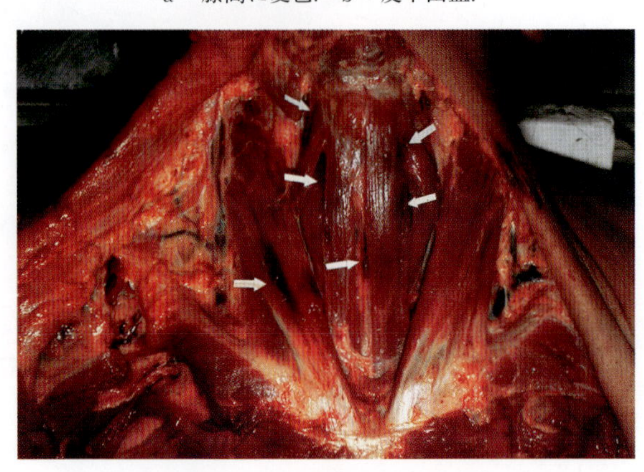

写真 45．前頚部の筋肉出血
頚部圧迫例では筋肉出血が高頻度にみられる．

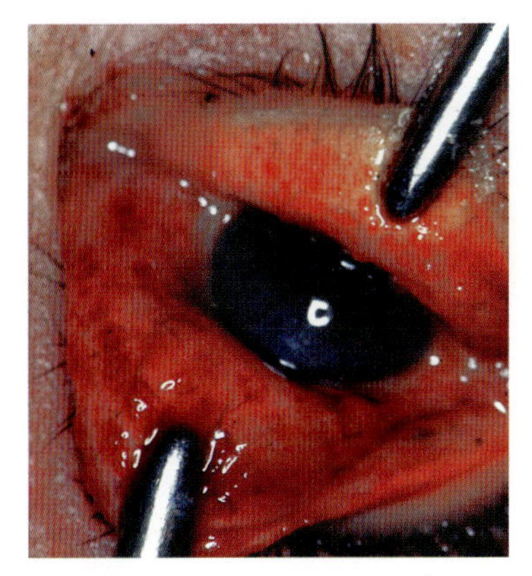

写真 46.
絞頚例にみられた眼瞼結膜の
点状出血（溢血点）

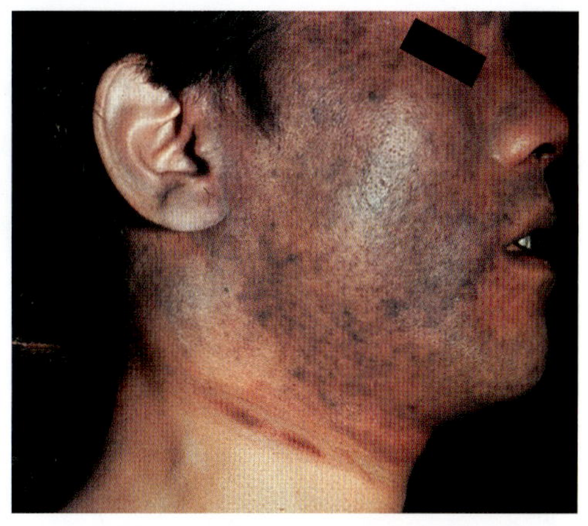

写真 47. 顔面のうっ血（絞頚例）

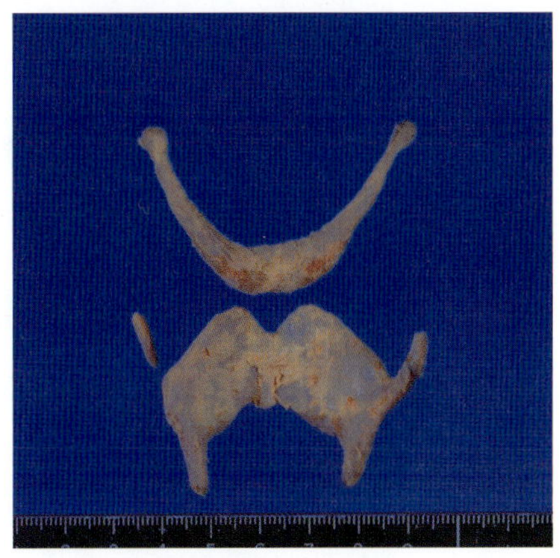

写真 48. 甲状軟骨上角の骨折（後方からみたところ）

頚部圧迫による右上角の骨折．本例では左上角は先天的に欠如し，巨大な麦粒軟骨が認められる．

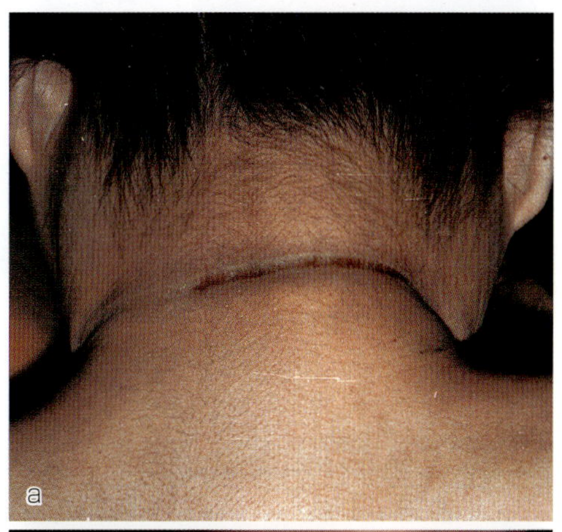

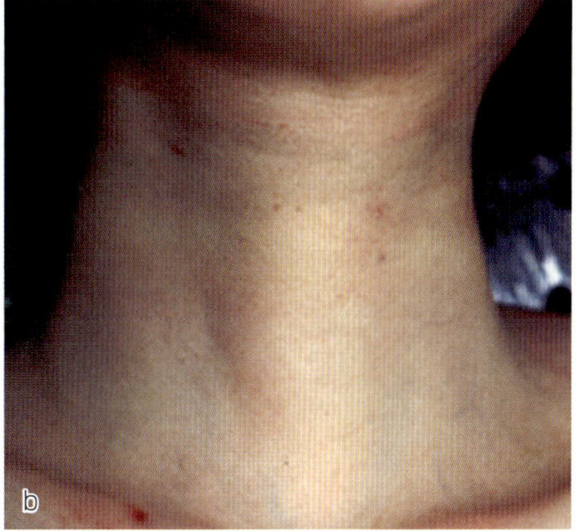

写真 49. 同種の索状物（ストッキング）で生じた形状の異なる索痕

索痕の形状からは，a．は他殺例で辺縁が明瞭な細い紐状のもの，b．は自絞死例で辺縁が不明瞭で幅が広く柔らかいものが凶器として疑われてしまうので注意が必要である．

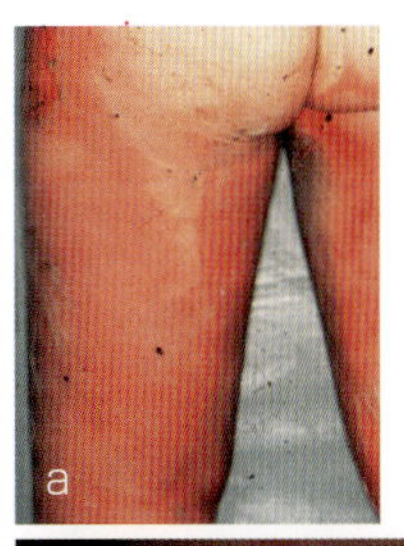

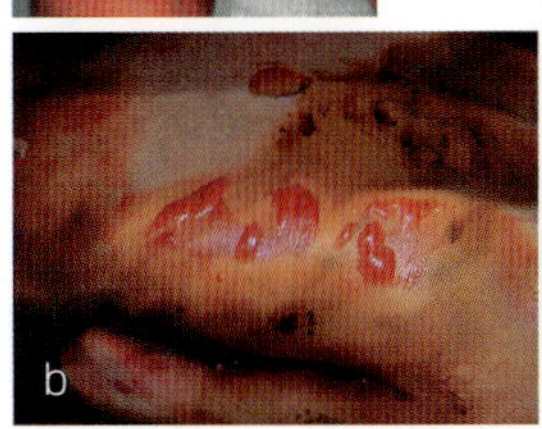

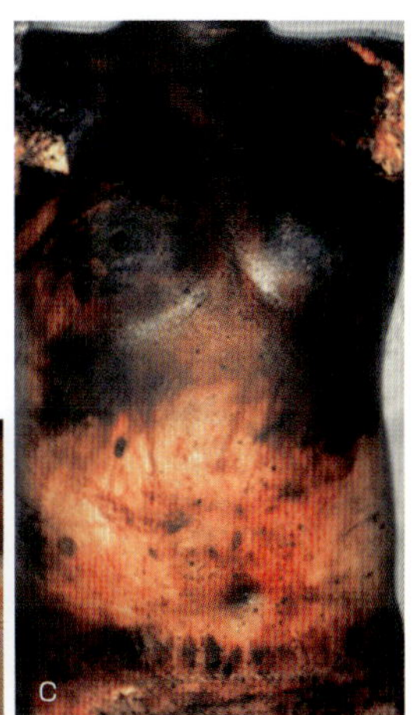

写真 50. 熱　傷

a ：第Ⅰ度熱傷（紅斑）．
b ：第Ⅱ度熱傷（水疱）．
c ：第Ⅲ度熱傷（灰黄色調凝固壊死），第Ⅳ度熱傷（炭化）．

写真 51. 焼　疱
背面に破裂して多数の噴火口状を呈す.

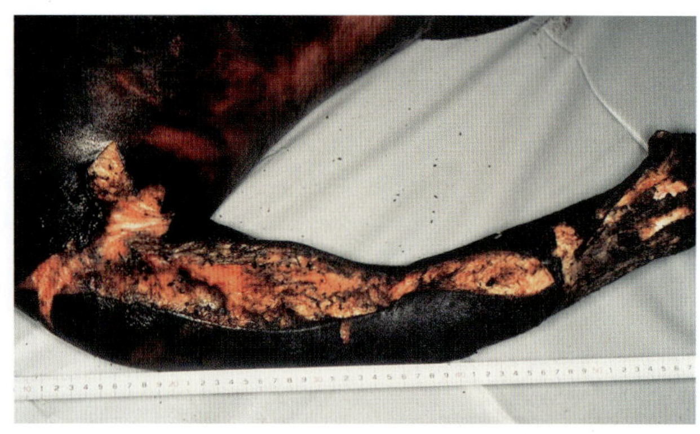

写真 52. 炭化した皮膚に生じた亀裂

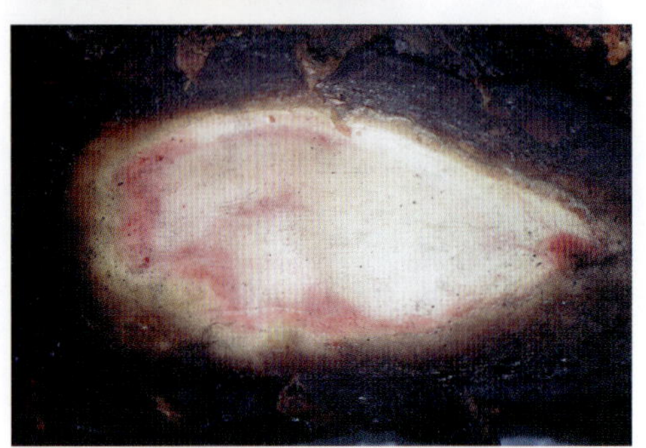

写真 53. 焼死体にみられる紅斑
死斑のような鮮紅色皮膚変色が特徴である.

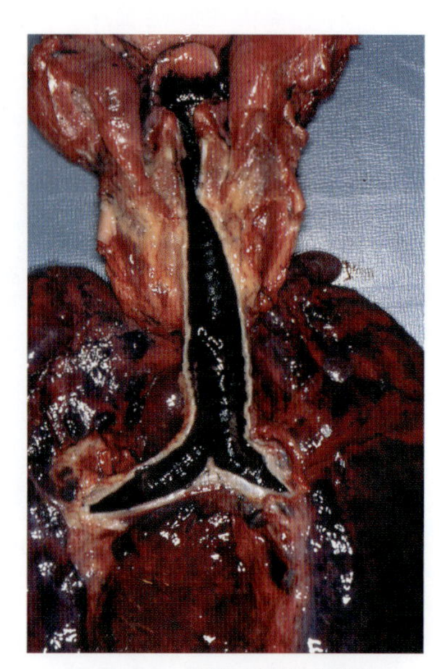

写真 54. 多量の気道内煤片

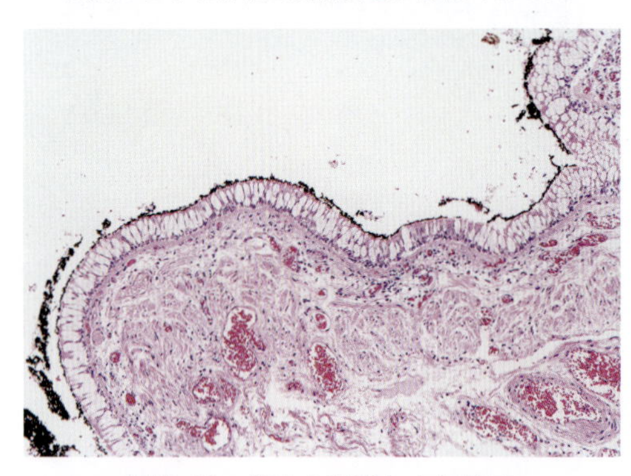

写真 55. 煤片を吸引した気管支

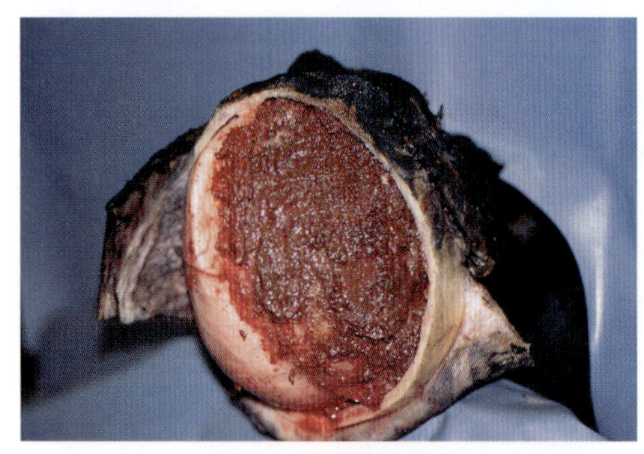

写真 56. 燃焼血腫

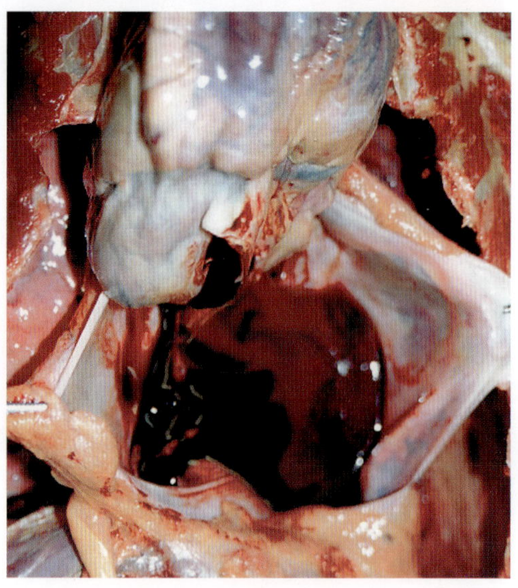

写真 57. 低体温症における左右心血の色調差

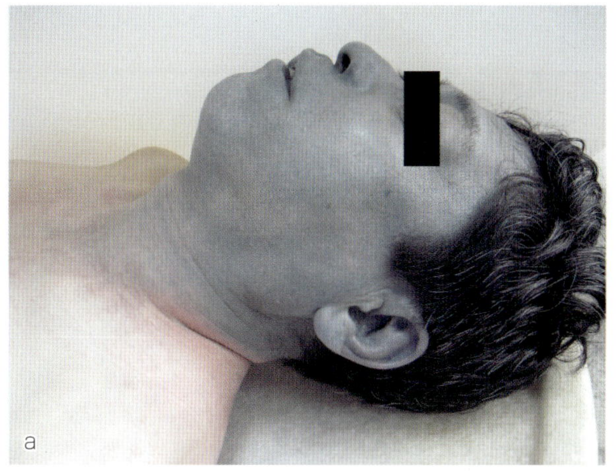

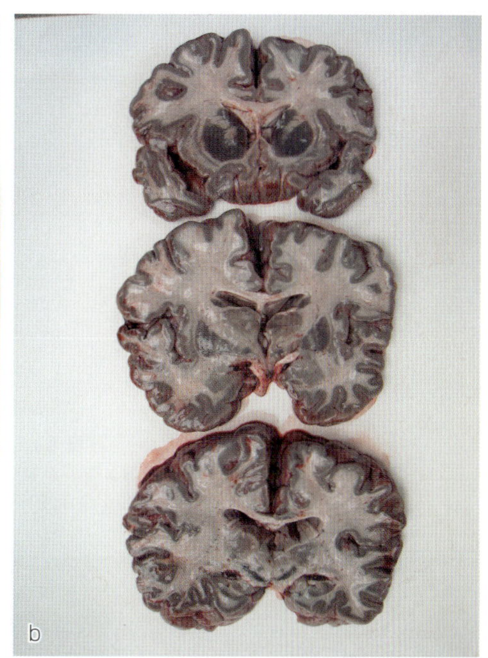

写真 58. 硫化水素による顔面皮膚の緑色変色

a：左側面. 含硫黄入浴剤と酸性洗剤を混ぜた洗面器を容れたポリ袋を頭部に被って自殺.

b：a の写真男性の大脳. 硫化水素中毒死に於ける大脳切割面の緑色変色が見られる.

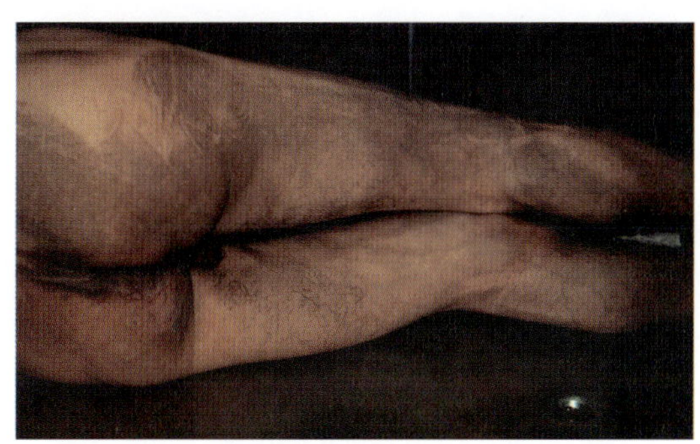

写真 59. 塩素酸カリウムによる暗褐色の死斑

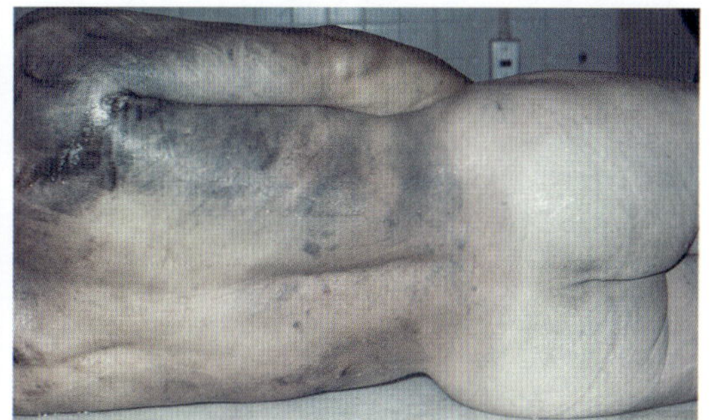

写真 60. 硫化水素による緑色の皮膚変色

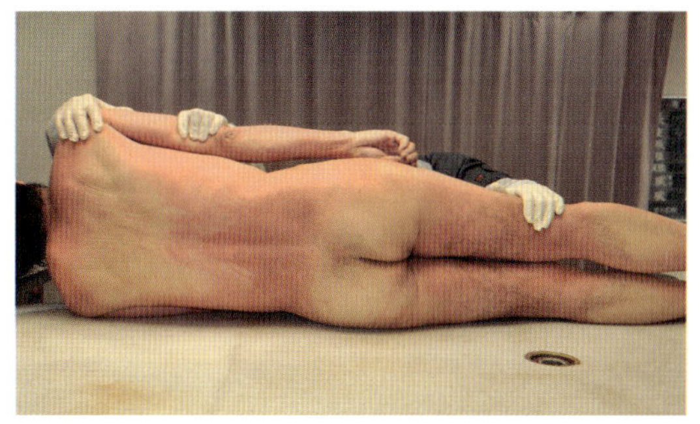

写真 61. 一酸化炭素中毒による鮮紅色の死斑

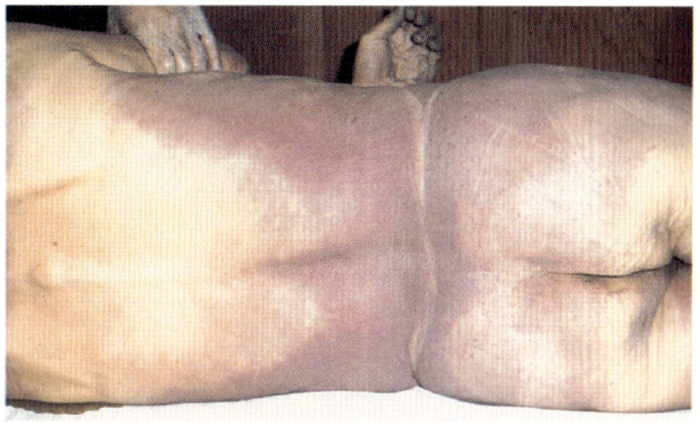

写真 62. 病死による急死の死斑

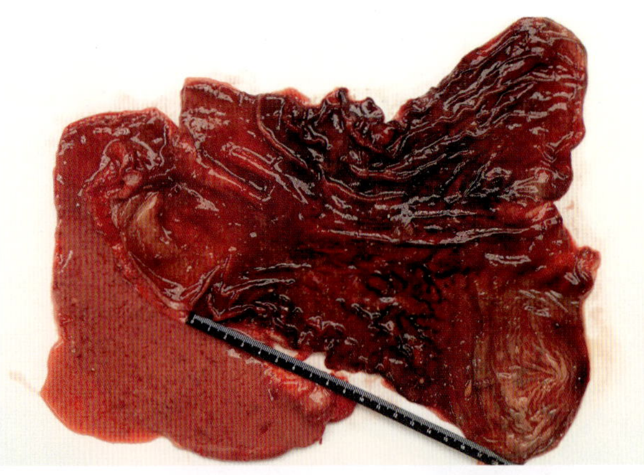

写真 63. 青酸塩中毒死の胃粘膜
食道粘膜および胃粘膜のびらん，発赤を認めた．胃内容物から 100 μg/ml の青酸を検出.

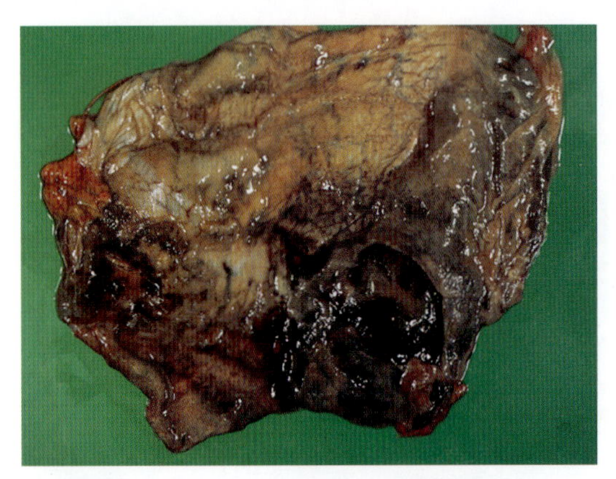

写真 64.
有機リン（スミチオン）による胃粘膜の変性

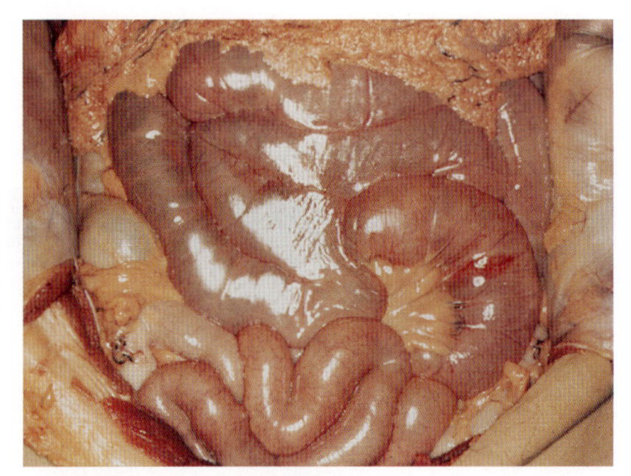

写真 65.
亜ヒ酸による小腸の腫脹
小腸内に米のとぎ汁様便を充満.

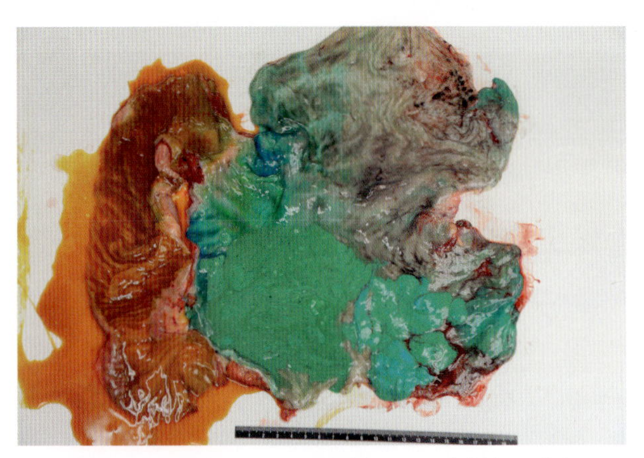

写真 66. フルニトラゼパム服用により青緑色に変色した胃内容物

※写真 60，61，63，65，66 は，井尻巌香川大学名誉教授所有

小児の法医学 (5 章)

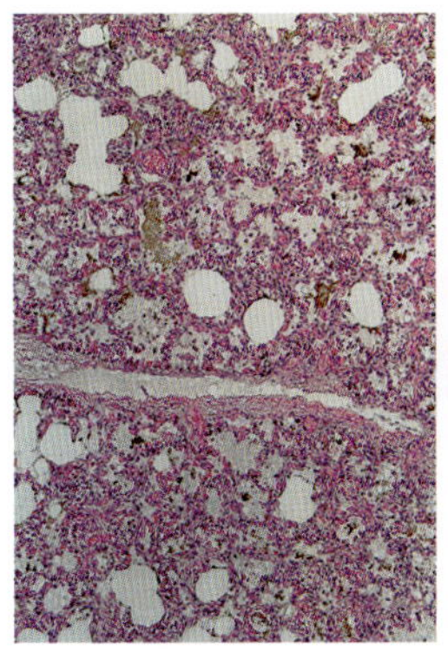

写真 67.
生産児の肺組織
吸引した羊水成分を含む.

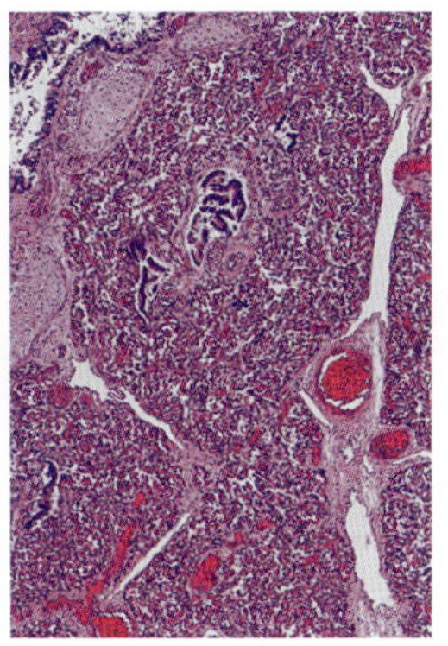

写真 68.
死産児の肺組織
妊娠約 30 週齢の嬰児死体の未呼吸肺.

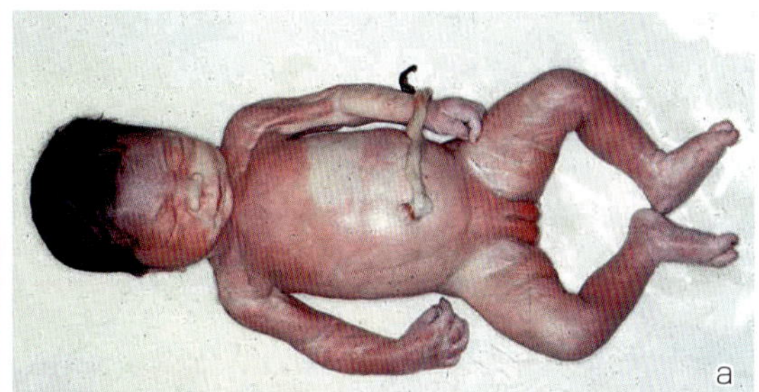

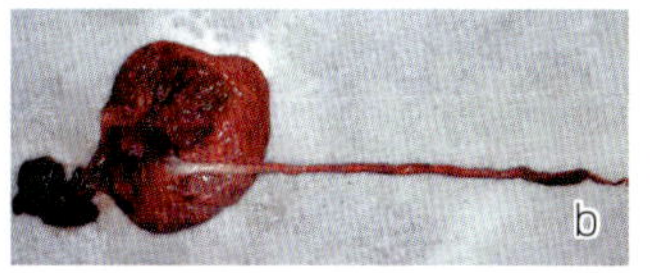

写真 69. 墜落産 (a) 胎盤 (b)
妊娠約 40 週齢の嬰児死体.

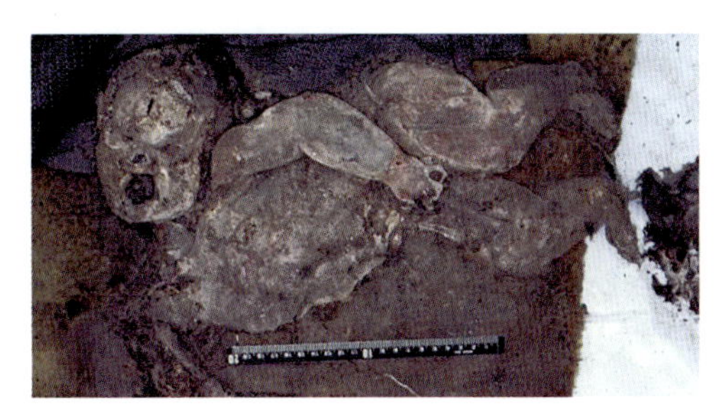

写真 70. ミイラ化した嬰児死体
死後約 2 年経過.

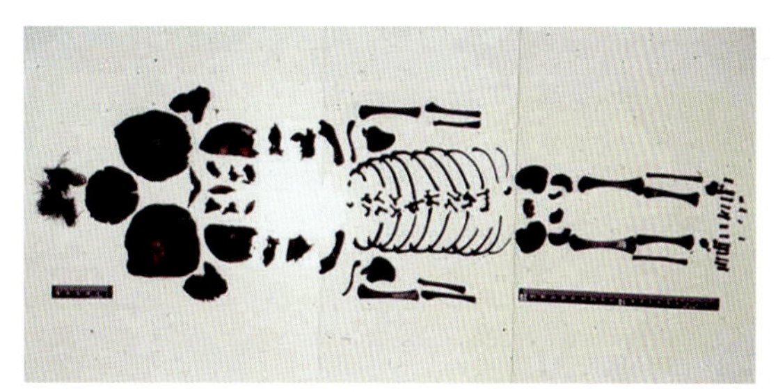

写真 71. 白骨化した嬰児死体
妊娠約 40 週齢の嬰児でビニール袋に入れられ放置.

遺伝形質と親子鑑定 (8 章)

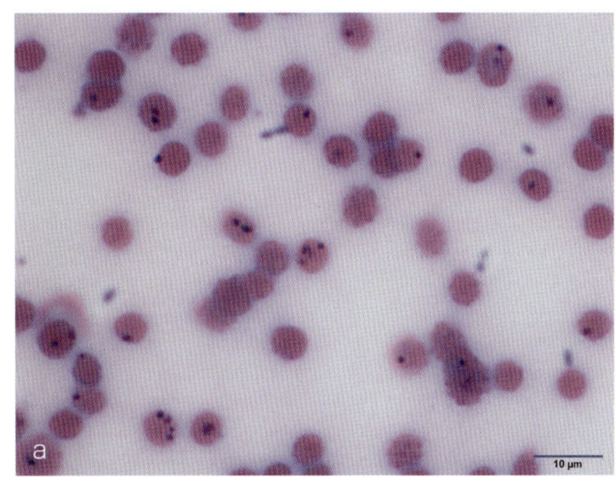

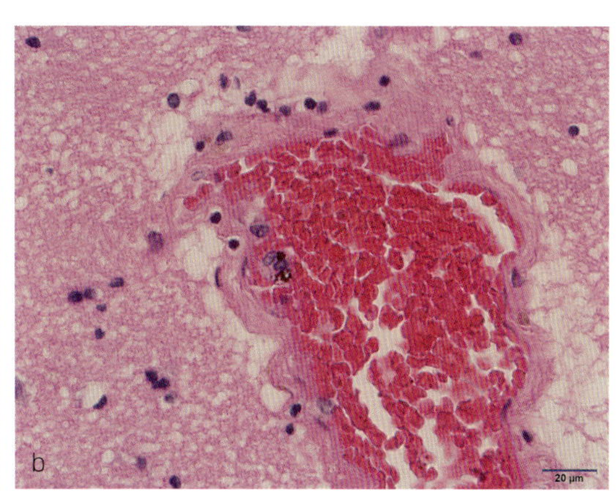

写真 72. 熱帯熱マラリア感染
a：心臓血スメアのギムザ染色（1,000 倍油浸観察），b：大脳切片の HE 染色（400 倍）

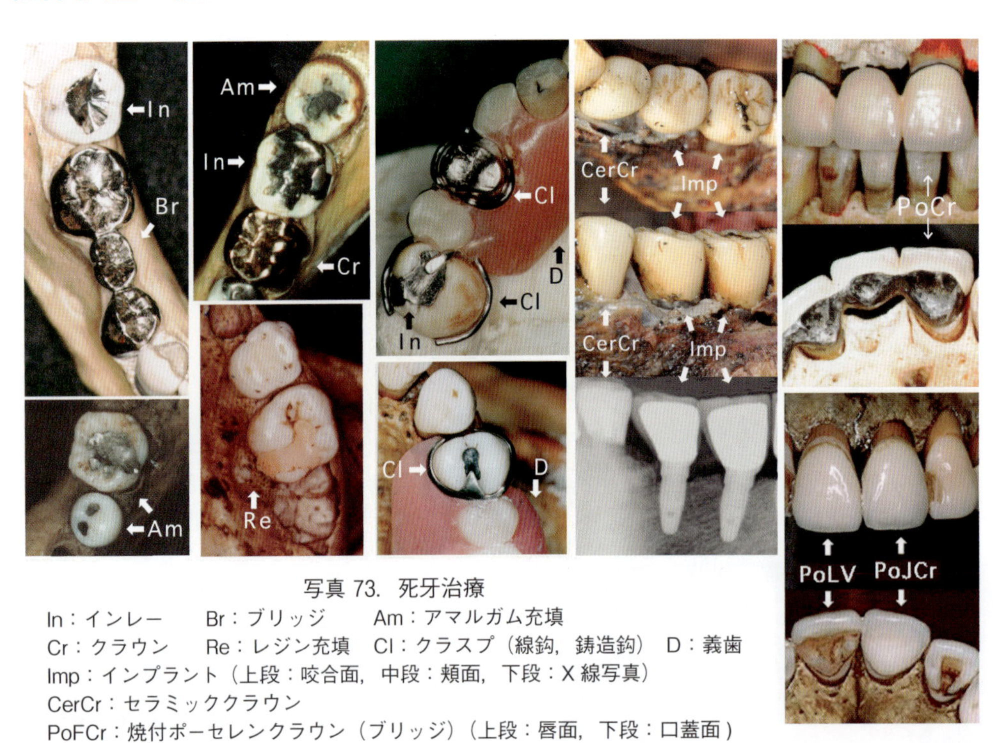

写真 73. 死牙治療

In：インレー　Br：ブリッジ　Am：アマルガム充填
Cr：クラウン　Re：レジン充填　Cl：クラスプ（線鈎，鋳造鈎）　D：義歯
Imp：インプラント（上段：咬合面，中段：頬面，下段：X 線写真）
CerCr：セラミッククラウン
PoFCr：焼付ポーセレンクラウン（ブリッジ）（上段：唇面，下段：口蓋面）
PoJCr：ポーセレンジャケットクラウン（上段：唇面，下段：口蓋面）
PoLV：ポーセレンラミネートベニア（上段：唇面，下段：口蓋面）

改訂4版の序

2019年12月に新型コロナウイルス感染症（COVID-19）が発生し，翌年3月にはWHOによってパンデミックが宣言され世界の死亡者数は2021年末までに500万人を超えた．現在の日本の累計死亡者数は約1万8,000人で死因順位は9位となり，毎年発生するインフルエンザの約6倍である．「ウィズコロナ」を前提として，人々の健康と安全を最優先と位置づけ，ワクチンと治療薬によって完全な社会生活の回復を期待したい．

人口動態調査から今後の年間死亡数は増加傾向を示し，2020年の約137万人から2040年には約166万人に達すると推計されている．2020年の死因順位として老衰が2年連続の3位となり，これは急激な高齢化率の動向を反映したものであろう．警察が取り扱う死体数は2010年に約17万体に達し，解剖率も11%前後とそれほどの変動はない．他殺による死亡が1955年に戦後最大の2,119件発生していたが，2020年には250件にまで減少している．犯罪死の見逃し例の発生を懸念して，2013年に推進計画が閣議決定され，2020年4月1日には「死因究明等推進基本法」が施行された．この法律により特に人材の育成と教育・研究の充実と発展が期待され，死因究明がさらに推進することを祈念したい．

2015年に開始された「医療事故調査制度」に基づく詳細な年報が毎年報告されている．2020年までに医療事故報告が1,931件，年間では355件前後の発生状況がある．医療事故が発生した場合，医療機関が自ら調査し届け出を義務づけた制度であるが，事故として「医療事故調査・支援センター」に報告することを躊躇するケースが多くあることも否定できない．

コロナ禍での大学教育はオンラインも取り入れて行われるようになってきたが，医学教育には実習を除外できない科目も多い．本書は学生の教科書としての内容説明に重点を置き，同時に臨床医，法曹，警察関係等での実務的活用にも役立つ構成となっている．今回の改訂版では福島弘文が編集から監修に移り，新たに舟山眞人と齋藤一之が編集を担当し，より充実した体制で臨むこととなった．「法医学総論」は2人の編者が分担し法医学の歴史や業務・鑑定を解説している．コロナ禍で児童虐待対応件数が年間20万件以上に急増し，臨床医，法医学者，児童福祉司，自治体などとの連携強化が急務である．このような背景から，「児童虐待」を井濱容子先生に，さらに「物体検査」と「個人識別」を中西宏明先生に，「死亡診断書の作成」を金涌佳雅先生にそれぞれの専門の立場から新たに執筆をお願いした．血液型は輸血以外にも個人識別の重要な検査項目であり，発見から100年間法医学の研究や教育内容に大きな位置を占めてきた．2019年の国際輸血学会が報告した38種類の血液型とその合成に関する責任遺伝子の内容を鈴木廣一先生が「血液型」で紹介している．法医学会などで医療事故関係の研究発表が極端に少なくなり，各教科書でもその扱いが減少傾向にあるなか，本書では高橋識志先生が「医療事故・医事紛争」を詳細に解説している．

改訂3版の執筆に携われた吉田謙一先生と太田正穂先生に深甚なる謝意を表し，また本改訂版の企画・編集にご協力いただいた各分担者ならびに南山堂編集部や，印刷に携わった方々に心から感謝申し上げたい．

2021年12月

監修者，編集者 一同

初版の序

本書は推薦をいただいた勾坂馨東北大学名誉教授編集「TEXT 法医学」の内容を受け継ぎ，分担の変更と新たな執筆者を加え南山堂の「法医学」としてスタートすることとなった．この数年の社会情勢の変化は司法解剖数の増加（5 年前の 1.5 倍増）にも反映されている．昨今の検案における内因死，外因死の判断の困難さは多くの医師が経験することでもあり，慎重かつ正確な検案書（診断書）の作成が求められる．このような社会的要請を踏まえ，検案・解剖業務の質的向上の目的から平成 9 年に日本法医学会は法医認定医と死体検案認定医制度を発足させた．したがって本書は学生の教科書としての役割のほかに，研修生や臨床家を対象とした内容構成となっている．

日本医師会の報告によると，この 20 年間に 2 回以上の医療事故を起こした医師が全国で 500 人近くに上り，そのうちの 16 人は 5 回以上繰り返したことが明らかにされている．医師としての倫理観の欠如を指摘するよりもむしろ欠陥医師と言わざるを得ない．平成13年に医師法の第 2 章「医師の免許」に関して絶対的，相対的欠陥事由が一部改正されたが，まさに医療事故リピーターもこのなかに含まれてもおかしくない状況にある．医師は免許取得後，医療関連法規に係る機会が多くなる．「医師に必要な法律概念」，「医師と患者の関係」など，岩志和一郎教授に法学者の立場から新たに執筆していただいたのも本書の特徴である．

今後の医学教育プログラムにコア・カリキュラムの導入が決定しており，法医学の担当分野についてもこの点に配慮した教育内容が求められる．本書では「TEXT 法医学」での分担の一部変更と，さらに舟山眞人教授（2 章と 9 章），齋藤一之教授（3 章），水口清教授（8 章の歯牙）に加わっていただき新しい視点からの執筆をお願いした．

本文内容をより理解する上で口絵の写真の重要性は説明するまでもないであろう．現代医療がより分子レベルでの診断・治療を指向するのに対してマクロでの診断に意味があることも忘れてはならない．全分担者の協力によって貴重な口絵の写真構成が可能であったことも理解していただきたい．

本書の出版にあたり，推薦と貴重なご意見をいただいた勾坂馨東北大学名誉教授に衷心よりお礼申し上げます．また，各分担執筆者ならびに南山堂の方々に深く感謝申し上げます．

2002 年 1 月

福島弘文

目　次

3 内因による死 …… 31

4 外因による死 …… 61

5 小児の法医学 …… 179

6 性に関する法医学 ………… 197

7 犯罪と心理 ………… 207

8 遺伝形質と親子鑑定 ………… 221

9 物体検査と個人識別 …… 265

12 医と法 ……… 327

1 法医学総論

●重要事項●

1）法医学は応用医学 applied medicine である．その目的は，医学的解明助言を必要とする法律上の案件，事項について，科学的で公正な医学的判断を下すことによって，個人の基本的人権の擁護，社会の安全，福祉の維持に寄与することにある．
2）法医学には，法（医）病理学，法中毒学，裁判化学，法遺伝学，法人類学などの，幅広い専門分野がある．
3）検案とは死体に対して医師が行う行為であり，具体的には死因ならびに死体現象を用いた死亡時刻推定，損傷診断などがある．
4）検視とは警察などの捜査関係者が犯罪の有無を調べるために行う行為であり，単に死体だけの調査に限らず，着衣や所持品，遺族などから聞く死亡状況といったものも調査対象に含まれる．
5）法医解剖とは大学法医学教室で行われる，あるいは法医医師が行う解剖の総称である．
6）法医解剖は司法解剖，行政解剖，死因・調査法解剖，承諾解剖に分かれるが，これら呼称は通称名である．
7）司法解剖は疑いを含めた犯罪死体，あるいは変死体に対し，裁判官の許可のもとで行われる．裁判官の許可，とは，裁判官の発する鑑定処分許可状を示し，解剖する者を鑑定人と呼ぶ．
8）監察医による解剖を行政解剖と称されることが多い．監察医制度が敷かれている地域は2020年4月の時点で，東京特別区，大阪市，神戸市，名古屋市がある．
9）死因・身元調査法解剖は2013年4月から，「警察等が取り扱う死体の死因又は身元の調査等に関する法律」，に基づき開始された解剖制度である．解剖資格は警察署長が指名する医師であればよい．
10）司法解剖，行政解剖，死因・身元調査法による解剖はいずれも遺族の承諾は必要ない．

I 法医学の社会的役割と歴史

1．法医学とは

「無知の自覚」は学問の基礎である．自然への疑問，興味を契機として，学び・探求が始まり，知識が集積され理論が体系化されると，そこに1つの学問領域（解剖学，病理学などといった）

が成立する．法医学は，そのような自然発生的なりゆきから生まれた学問ではない．法という社会規範（制度）の適切な運用・改善，あるいは創造の「道具 tool」として成立した応用医学 applied medicine である．社会秩序の維持という人間の都合を背景に置くことからして，法医学にはともすれば常識の世界に堕し，学問としては不純ともいえなくもない側面を有していることは否めない．しかし，法の支配する社会では不可欠な学問であり，その活躍は，近代社会の証のひとつともいえる．日本法医学会(1982年）は，法医学を「医学的解明助言を必要とする法律上の案件，事項について，科学的で公正な医学的判断を下すことによって，個人の基本的人権の擁護，社会の安全，福祉の維持に寄与することを目的とする医学」と定義している．

一般に法医学は，死体解剖により死因や凶器などの鑑定を行っている学問分野であるように思われている．たしかにそれは法医学の重要な部分であるが，すべてではない．法（広義の）が関わるあらゆる場面において法医学的思考過程が必要となる．臨床の場面においても例外でない．例えば，臨床医が傷病の治療とは別に公的判断を求められることは非常に多い．その際，客観性をもち，利害を異にする当事者たちを納得させることができるような，不偏不党の判断を示すことが必要で，そのような判断の根底には法医学的な思考過程が不可欠となってくる．

法医学は，「法律上問題となる医学的事項を検査・研究し，それによって問題点を解明して，法的な解決に寄与することを目的とする医学である」(上山滋太郎）ことはすでに述べた．法律上の問題点の解明には，基礎医学，臨床医学あるいは他の自然科学の知見を用いることになるが，複雑を極める現実のなかに混在する問題点を明確にし，医学・自然科学の知見をどのように適用 apply するか，その応用技術（智慧）こそが法医学の真骨頂ともいえよう．

なお，法医学の英語名は，forensic medicine あるいは legal medicine が使用されるが，後者は英米圏では医事法学 medical jurisprudence のニュアンスに近い場合もある．ドイツ語圏では Rechtsmedizin，forensische Medizin，フランス語圏では médecine légale，漢字文化圏では明治日本の造語である「法医（醫）学」が一般的である．

2．法医学の諸分野と研究・検査機関

1 法医学・法科学の研究・検査機関

わが国のほぼすべての大学医学部・医科大学には法医学教室（講座，分野）が置かれ，医師資格を有する教員がこれを主宰し，法医解剖（司法解剖，行政解剖，死因調査法に基づく解剖）に関する研究・業務を主体として活動している．また，一部の大学歯学部，歯科大学には歯科法医学・法歯学の研究室が置かれている．一方，都道府県警察には，科学捜査研究所が置かれ，技術職員が法科学的検査・研究を行っている(基本的な鑑識科学的検査，例えば，指紋，足跡，写真などは，訓練を受けた警察官が担当)．科学捜査研究所の首尾範囲は広く，DNA や血清学的検査，薬物分析，心理（ポリグラフなど)，物理（火災の現場検査，銃器，交通事故など)，文書（筆跡鑑定など）など多岐に及ぶ．都道府県警察所属の科学捜査研究所の検査・研究を指導し，法科学の研究を行っているのが，国の機関である警察庁科学警察研究所である．かつては大学法医学教室が多くの法科学的検査を受け持っていたが，現在，そのほとんどを科学捜査研究所など警察関係機関が担当し，法医学教室の業務は，死因究明に関する鑑定・検査・研究を主体とするようになっている．

2 法医学の専門領域

法医学には多くの専門領域がある．死体を解剖し，死因や受傷機転などを明らかにする領域は，現在の法医学の主な研究・検査の領域であることはいうまでもない．英米圏ではこの分野

を法病理学（法医病理学）forensic pathologyと呼び，病理学のなかの専門領域subspecialityのひとつに位置づけられている．

法中毒学forensic toxicology，裁判化学forensic chemistry，法医画像診断学forensic radiologyなども死因診断に不可欠な領域である．また，法歯学forensic dentistry，法人類学forensic anthropologyは歯や骨などの知見を用いて，法遺伝学forensic geneticsではDNAや血液型などの遺伝的多型を研究・利用して，個人識別personal identificationや犯罪鑑識に寄与している．欧米諸国では，生体における創傷鑑定やアルコールなどの薬物分析，被虐待児の診察などは，臨床法医学clinical forensic medicineが大きな役割を演じているが，わが国では，いまだ発展途上の分野である．一般臨床医や一部の法医学者がこれに寄与しているにすぎないが，児童虐待や性犯罪などに法医学者が臨床法医学的な側面から積極的に関与している地域も増えてきている．被疑者の責任能力や精神的背景を鑑定，研究する司法精神医学forensic psychiatryは，明治期に法医学から分離し，精神医学の一分野となっている．

法医学を含め，裁判における科学的立証や鑑識科学に関連する学問領域を包括して，法科学forensic sciencesと呼ぶこともある．

3．法医学の歴史

1 西洋における法医学の成立

西洋医学史のなかで，法医学の淵源をいずこに求めるかは難しい問題である．先に述べたように，法医学の本質は法の世界への医学の応用であって，本来の医学の成り立ちの流れに沿う学問や技術とは内容を異にする．ローマ以後，法律上の諸問題に医師が関与する例は少なくなく，法医学的視点についての挿話的な記録は，医学史のあちらこちらにみられる（暗殺されたユリウス・カエサルの致命傷の判定とか，堕胎や医療事故の考察など）が，刑事司法と法医学との関係を法律的に初めて位置づけたのは，1532年（カール5世治下の神聖ローマ帝国）に成立したカロリーナCarolina刑法典であるとされる．同法典において，刑事事件には剖検を含む医師の助言を要すると規定されている．

一方，学問体系として「法医学」の名に値するものが生まれたのは16世紀末から17世紀初頭のイタリアで，法王庁の医師パウロ・ザッキアPaulo Zacchia（1584～1659年）およびナポリの教授フォルトゥーナート・フェデーレFortunato Fedele（1551～1630年）がその建設者とされている．2人は「法医学」を冠した初めての体系的法医学書を著している．17世紀には，現在でも死産児・生産児の鑑別に用いられる「肺浮遊試験」がシュライアーJohann Schreyer（生没年不詳）によって初めて裁判の実地に用いられた（1681年）．

19世紀後半には，欧州において，現在の法医学の体系と社会的実践が確立したといえよう．死体現象に関するカスパーの法則のカスパーJohann Ludwig Casper（ドイツ，1796～1864年），窒息死を研究（タルデュー斑に名を遺す）する一方，児童虐待にも強い関心を示したタルデューAuguste Ambroise Tardieu（フランス，1818～1879年），毒物学の創設者の一人とされるオルフィラMathieu Joseph Bonaventure Orfila（スペイン，1787～1853年），英国における近代法医学の父とも呼ばれるテイラーAlfred Swine Taylor（1806～1880年），衛生学の分野でも活躍したブルアーデルPaul Camille Hippolyte Brouardel（フランス，1813～1906年），病理学の大家ロキタンスキーCarl von Rokitansky（オーストリア，1804～1878年）にも学び，法病理学の先駆者ともいうべきホフマンEduard von Hofmann（オーストリア，1837～1897年）など多くの学者が輩出し，多数の体系的な法医学書が成立した．わが国法医学の開祖とされる片山国嘉はホフマンに師事し，当時の最先端の法医学を学んでいる．

2 中国の法医学書と日本における受容

世界最古の“法医学書”は，中国において生まれた．司法官僚であった宋慈によりまとめられた『洗冤集録』［南宋，淳祐7（1247）年］である．「冤罪をそそぐ」と命名された本書は，“司法官のための検視マニュアル”ともいうべきもので，人体観も西洋近代のそれとは異なることは当然であるが，このような著作が，法を統治の要諦としその整備と運用に高い関心を持ち続けた中国において成立したことは興味深い．その内容は，その後，元代に司獄官・王與の『無冤録』［（元，至大1（1308）年］へと受け継がれ，これが朝鮮をへて室町時代にわが国にも伝えられた．

江戸時代には，漢文の『無冤録』を和訳・編集した『無冤録述』［著者は泉州の河合甚兵衛尚久，元文1（1736）年成立）］が刊行されている．溺死体で男性はうつ伏せに女性は仰向けになって流れる，など，根拠のない記述もみられるものの，丁寧な死体観察と慎重な環境調査の重要性を強調している点など，死体検案の基本的な姿勢には現代と共通する部分も少なくない．『無冤録述』は明治時代初期まで，検視実地面での指南書として広く用いられた．

3 日本における近代法医学の誕生

日本の法医学（当初は，裁判医学，断訟医学などと呼ばれていた）は，明治時代に西洋から移入され，成立した．まずは，社会情勢に応急的に対処する形で導入され，ついで，ドイツ医学の移入および明治刑法の成立に歩調を合わせて発展していくこととなる．

明治7（1874）年，東京警視庁が設置され，警視病院を置いて検視には医員を立ち会わせることとした．当時，欧米人が被害者・加害者として関係する事案が頻発し，裁判における法医学的判断の重要性が認識されるようになっていたが，専門知識を有する医師はもちろんいない状況であった．そこで，明治8（1875）年12月，警視庁（東京）は裁判医学校を設立し，解剖学・病理学を専門とする東京医学校（現東京大学医学部）のドイツ人教師，デーニッツ Friedrich Karl Wilhelm Doenitz（1838～1912年）を招いて，裁判医学の教育（検案・解剖医の養成）を開始した．デーニッツは，講義［講義録は，明治11（1878）年「断訟医学」として刊行］だけでなく，刑務所内で，生徒とともに変死体の検死・解剖などを行った（現在の東京大学医学部法医学教室の始まりとされる）．

明治10（1877）年には太政官布告「変死者検視の際解剖方」を発布され，医師の申し立てにより検事の許可を得て変死体を解剖できることが明文化された．明治11（1878）年4月には裁判医学校が，明治14（1881）年に警視病院がそれぞれ廃止されて，法医学教育と司法解剖は大学医学部に吸収され，検視時の立ち会い（死体検案）は開業医などの臨床医に委ねられることとなった．

わが国法医学の開祖は，片山国嘉（1855～1931年）である．明治10（1877）年に来日した，東京大学医学部（東京医学校の後身）の生理学講師ティーゲル Ernst Tiegel（1849～1889年）は，裁判関係者や警視庁医員などに裁判医学の臨時講義も担当した．片山は東京大学の学生としてその通訳を務めていたという．

当時は近代国家への黎明期であり，司法制度も旧幕府時代のそれから中国の律令を基礎にしたものを経て，西洋式の法体系へと改革されつつあり，政府においても法医学の必要性が認識される機運にあったと思われる．明治13(1880)年の刑法の制定にあたり，「裁判官不明のときは，医師に鑑定せしむ」の条文について，「医学校において裁判に関する医学を教育しつつあるや」との明治帝のご下問に，大木喬任司法卿が十分な説明ができずに恐懼して退出した，という挿話も伝えられている．明治刑法（旧刑法）の成立と，医学・医療・学制へのドイツ医学の移植が，法医学の教育と実践を促し，その成立の基盤となった．

明治15（1882）年，片山は，ティーゲルの講義（生理学，裁判医学）を通訳していたことから，東京大学での裁判医学教育を担当することとなった．その後，4年間の欧州留学（法医学，病理学のみならず，生化学，細菌学，精神医学なども広く学んだようである）を経て，帝国大学医科大学（現在の東京大学医学部）教授として明治21（1888）年，裁判医学講座を開講した．同年，始審裁判所医務（現在の司法解剖鑑定）を司法大臣より嘱託され，司法解剖が開始される（片山が執刀，第1例は，嬰児殺の被害者，当初は司法省構内で実施）．

明治24（1891）年，片山の提案により，裁判医学講座は法医学講座と改称され，以後，「法医学」がこの分野の名称となった．名付け親である片山は，「法医学とは，医学および自然科学を基礎として法律上の問題を研究し，又之を鑑定するところの医学科也」と定義しているが，現在でもその基本概念に大きな変更はない．

片山の教室からは多くの法医学者が輩出し，京都大学，九州大学を皮切りに各地に新設された法医学教室の指導者として赴任，多くの研究者・実務家が育成されていく．大正3（1914）年には法医学会が発足し，わが国の法医学発展の基礎が築かれていくこととなる．

Ⅱ　法医学領域における社会的活動と最近の動向

法医学の社会的活動は多岐に及ぶ．例えば，大規模災害・事故への寄与もそのひとつであろう．日航機123便墜落事故（1985年），阪神淡路大震災（1995年），東日本大震災（2011年）など，大規模災害・事故の際には，法医学会の指揮のもと，法医学・法歯学の多くの専門家が派遣され，身元確認，死体検案に従事した．

児童虐待や高齢者虐待事例での，行政へのサポートも最近比重を増している分野である．『児童虐待防止対策の抜本的強化について』（2019年・児童虐待防止対策に関する関係閣僚会議）では，「小児科医，精神科医，法医学者など事実に即した専門性を有する医療関係者との連携体制の強化を図る」とされ，自治体・児童相談所と法医学者との連携強化が進められている．

そのほか，法医学領域をめぐるいくつかの話題について解説する．

1．死因究明制度の問題点

死因究明は法医学の最も重要な業務・研究領域である．警察が取り扱う遺体は，2020年には16万9,496体となり（図1-1），全死亡の約12.3%を占めている．わが国の法医学の開祖・片山は，適切な死因究明のための「市区郡医制度」の導入を提唱したが，これは現在でいうところの「監察医制度」であり，その慧眼には驚かされる．しかし，21世紀の現在においても，わが国の死因究明制度は十分に整備されているとは言い難い．

わが国の法医学は，草創期から犯罪死体の鑑定（司法解剖）を主体として活動してきた．戦後，1947年に，連合国軍最高司令官総司令部General Headquarters（GHQ）の指令により，公衆衛生上の目的から，東京などの主要7都市に「監察医制度」が布かれ，非犯罪死体の広範な死因調査が開始された．しかし，本制度は，従来の司法解剖と併存する形で実施され，全国的な広がりには至らず，また，その後は，福岡，京都，横浜で廃止，名古屋では縮小され，現在では，東京23区，大阪市，神戸市の一部でのみ実施されているのが現状である．

21世紀に入り，首都圏連続不審死事件（2007年），時津風部屋力士事件（2007年）をはじめとして，警察における犯罪死の見逃し例が全国

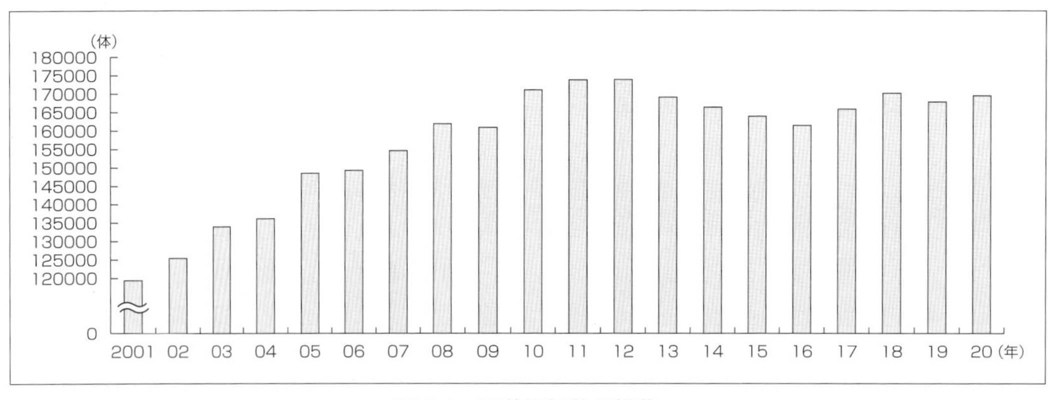

図 1-1　死体取扱数の推移

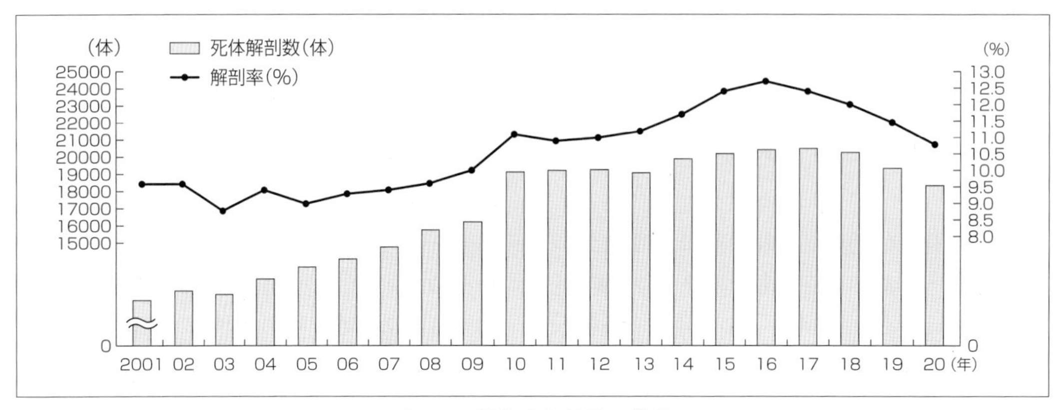

図 1-2　解剖率と総数の推移

で少なからず発生していることが明らかになった．これを契機に「死因究明等の推進に関する法律」（2011 年 4 月施行）が定められ，「死因究明等推進計画」が閣議決定（2013 年）され，①死因究明を行う専門的機関の整備，②死因究明に従事する人材の資質の向上，③法医学に係る教育および研究拠点の整備など，死因究明のための多くの強化策の方向性が示された．

警察においては，検視官の増員や検視現場で実施する検査キット（薬毒物関係）の充実などが図られ，検視官の現場臨場率が大幅に上昇した（2020 年の臨場率は 81.2%）．また，「警察等が取り扱う死体の死因又は身元の調査等に関する法律」（死因・身元調査法）によって，2013 年から，司法解剖，行政解剖に加えて，いわゆる調査法解剖（新法解剖，署長権限解剖）が開始された．非犯罪死体のうち，特に死因究明が必要と警察署長が判断した場合に行うもので，2020 年には全国で 2,983 例が実施された．

異状死体の解剖率については，従来，わが国は，欧米諸国と比べてかなり低く，犯罪死の見逃しだけでなく，死後の権利関係（生命保険，過労死など）の判断や，公衆衛生上の問題（死因統計の信用性など），さらには個人の尊厳にかかわる問題として，その改善が急務とされてきた．先に述べたような国による死因究明へのてこ入れの結果，解剖率は 10.8%とやや増加はしたものの（**図 1-2**），なお欧米諸国には遠く及ばない状態が続いている（スウェーデン 89.1%，英国 45.8%，ドイツ 19.3%，米国 12.5%，いずれも 2009 年）．

死因究明制度の整備には，複数の法的枠組み

（司法，行政，調査，承諾の各解剖）が併存する現行制度の複雑さに加え，財政上の大きな制約や，国民の解剖に対する心理的抵抗，人材の不足（法医解剖医の少なさ，多くの地域で検案を一般臨床医に依存している現状）など課題が多い．

2．DNA 鑑定の進歩と課題

法医学領域において，血液型は，指紋や足跡などと並んで，個人識別の有力な検査項目であった．ABO 式血液型は，1900 年にオーストリアの病理学者ラントシュタイナー Karl Landsteiner（1868～1943 年）によって発見された．それ以後多くの遺伝的多型（血液型や血清型）が発見され，長らく犯罪捜査や親子鑑定に利用されてきた．しかし，識別能力には限界もあり，また，血液型鑑定に依存した捜査が一部の誤判（冤罪事件，1949 年の弘前事件，1950 年の財田川事件など）の背景となったとの指摘もある．

1985 年，英国の遺伝学者ジェフリーズ Alec John Jeffreys（1950～）が DNA フィンガープリント法による個人識別法を報告した．これが実際の犯罪捜査に使用され，驚異的な個人識別能力が実証されたのは 80 年代半ばの英国の性犯罪事件においてである（ピッチフォーク/ケリー事件）．

1983 年にマリス Kary Banks Mullis（1944～2019 年）が発明した PCR 法を利用することで，微量・腐敗試料についても DNA 検査の可能性が拡大した．検査対象も当初のミニサテライト variable number of tandem repeat（VNTR）からマイクロサテライト short tandem repeat（STR）へと変わり，安定した検査キットも開発され，STR 検査は，日本を含め世界で広く犯罪捜査や親子鑑定などに利用されるようになった．現在，殺人事件はもちろんのこと，性犯罪，窃盗，交通事故に至るまで，犯罪捜査の必須アイテムとなっている．2004 年からは，わが国でも警察庁において DNA 情報のデータベース化が始まり，被疑者の特定や過去の未解決事件の解決などに利用されている．米国では，1992 年から，DNA 鑑定を利用して過去の冤罪を立証する活動「イノセンス・プロジェクト Innocence Project」が行われ，2011 年までに 266 人の潔白が証明されたという．

犯罪捜査に威力を発揮する DNA 鑑定であるが，捜査・裁判におけるその証拠としての用いられ方によっては，冤罪事件の温床となることすらありうる．開発初期の技術を用いた DNA 鑑定が問題となった1990年の足利事件は，その 1 例である．“現在進行形”で開発・研究が進む科学的知見や検査を，実際の事件に利用する際に，その限界と問題点を正しく認識することは，法医学実務上最も重要な注意点である．DNA 鑑定の場合，現場試料は，汚染や混在，変性・変質，そして採取量の少なさなどの特徴があり，検体の採取・保管，検査方法，検査結果などについて慎重な検討が必要（これらの全過程がきちんと記録されていることも鑑定の信用性確保のために不可欠）で，さらには第三者による再検査が可能なように検体の一部を保存しておくことも重要であることが指摘されている．

3．裁判員裁判への法医学の対応

国民が直接，裁判に参加する制度は諸外国でも広く取り入れられている．2009 年から実施された裁判員裁判制度は，裁判制度などの改革（裁判の迅速化など），人的基盤の整備（法科大学院の設置など司法人材養成の改革，法テラスの整備など司法へのアクセスの拡充など）と並んで半世紀ぶりの大きな司法制度改革となった．

一定の重大事件（殺人，強盗致死傷，傷害致死など）について，一般の国民から選ばれた裁判員（4 名）が職業裁判官（3 名）とともに公判審理を行うもので，一種の参審制である．公判前整理手続きでは，裁判官，検察官，弁護人により論点が整理され，問題となった点が公判で議論となる．法医を含む専門的な鑑定内容については，裁判員が理解できるような説明が必要となるが，殺害現場や解剖の写真を見た裁判員が急性ストレス障害を発症し，国に賠償を求める訴えが提起された（2016年10月に請求棄却が確定）ことをきっかけに，遺体写真などが「刺激証拠」として裁判から排除されるようになっている．

法医解剖鑑定書は，裁判での判断の資料（証拠）として，専門家である法医学者が，非専門家のために自らの学識・経験を注いで作成したものであり，他の証拠と同様，真実の発見，裁判官・裁判員の正しい判断など，正当な裁判を行ううえで不可欠なものである．これらが有効に利用できない現状は，法医学の存在意義に関わるのみならず，被害者，被告人双方の人権に関わる問題を内包しており，裁判所の適切な対応が求められる．

4．異状死の概念と医療事故調査制度

医師には異状死体の届出義務が課せられている（医師法第21条）が，届出の基準は具体性を欠いてわかりにくく，法の趣旨（犯罪捜査の端緒）に照らして，医師が個別に判断せざるを得なかった．これを補完する目的もあって，日本法医学会は，1994年，「異状死ガイドライン」を公表し，厚生労働省の「死亡診断書（死体検案書）記入マニュアル」にも参考資料として掲載された．

一方，本ガイドラインでは「医療に関連した予期されない死亡」も届出対象としているが，医療関連死（医療過誤を含め）が警察・検察の捜査対象となることに，以前から違和感を抱いていた医療関係者も少なくなかった(ちなみに，米国では，医療関連死は，監察医 medical examinerに届け出るべきケースに含まれる)．いくつかの医療事故が社会の注目を浴びるなか，1999年の都立広尾病院事件で，異状死体届出義務違反を問われて院長が起訴される（のちに有罪確定）に至り，主に医療サイドから医療関連死の異状死届出（および医療事故への警察の第一義的な介入）についての異論が示され，法医学会の「ガイドライン」も批判の対象となった．

そして，医療，患者，行政各分野の10年に及ぶ議論を経て，2014年，改正医療法により「医療事故調査制度」が発足した．この制度では，医療機関に対し，医療に関連した予期しない死亡例を第三者機関（医療事故調査・支援センター）に届け出ることが義務づけられる一方，第一義的には医療関連死の警察への届出は行われないこととなった．本制度の発足によって医療関連死の異状死体としての届出が明示的に免除されたわけではないが，届出自体は大きく減少している．

Ⅲ　法医学の業務・鑑定

1．検査の対象

NPO法人日本法医学会における法医学の定義では「法医学とは医学的解明助言を必要とする法律上の案件，事項について，科学的で公正な医学的判断を下すことによって，個人の基本的人権の擁護，社会の安全，福祉の維持に寄与することを目的とする医学である．」とされている．したがって，大学法医学教室において法医解剖は教育・研究を含めたもっとも重要な業務の一つであるが，解剖以外にも多くの業務をこなしている．もっとも，それらの内容には時代変遷がみられる．かつては血痕検査が解剖と並ぶ主要な鑑定業務であった時代があった．これ

はアルコール医学とともに血液型・血清型研究が主流であった時代に，それらの技術を応用し，重大な犯罪現場から採取された血痕・体液と思われる試料の鑑定を担っていた．しかし大学自体の業務負担の増加と教職員の人員削減，DNA検査に関わる捜査機関からの予算措置の停止，警察施設でのDNA解析のルーチン化などの理由から同鑑定を行う大学は激減した．親子鑑定も同様であり，現在裁判所は民間のDNA多型解析会社に鑑定依頼しているという．一方で，犯罪に関係はない，すなわち捜査機関では行っていない仕事として，例えば震災試料や戦没者遺骨のミトコンドリアDNA多型鑑定による身元確認のための解析がある．ちなみに“法科学”と称される分野の中には，生物学領域では上述した血痕・体液痕のほか，毛髪や体組織の検査，化学領域では薬毒物分析のほかに塗装や金属片などの微細証拠物検査，工学領域では銃器・火災・爆発・交通事故解析などがあるが，これらの鑑定は大学法医学教室ではなく，都道府県警察所属の科学捜査研究所が行っている．

英国など一部の先進国では臨床法医学と称し，生体検査も法医学の重要な業務とされている．わが国でも小児虐待に関心のある法医医師が所属する教室では，児童相談所からの要請により，年に数回程度，生体検査を引き受けているようである．しかし現在，生体検査をルーチン化している大学法医学教室は少ない．

2．検案・検視および非犯罪死体の取り扱い

1 検案

医師法第20条に「医師は…自ら検案をしないで検案書を交付してはならない」，また第21条には「医師は，死体…を検案して異状があると認めたときは，24時間以内に所轄警察署に届け出なければならない.」という規定がある．では検案とはどのような行為をいうのであろうか．わが国では多くの場合，医師による検案は，捜査関係者が行う検視と平行して行われる．具体的には死体に対しての医学的判断，すなわち，死因ならびに死体現象を用いた死亡時刻推定，損傷診断などがある．ただこれはすでに死体が捜査機関扱いになった後の行為である．しかし21条は医師が最初に死体を診るという前提で作られている．これが考えられる状況としては，救急室などに搬入された患者がすでに死亡していたか，治療に反応せず死亡確認を行った場合，あるいは在宅療養患者が自宅で死亡，その後に主治医が呼ばれた，というような場合であろう．ただ後者に関しては医師法第20条に例外事項があり，「但し，診療中の患者が受診後24時間以内に死亡した場合に交付する死亡診断書については，この限りでない」との記載がある．これは，1）最後の診察から24時間以内にその診療中の傷病で死亡した場合は死体を直接観察（死後診察）せずとも診察した医師が死亡診断書が交付できること，2）24時間を超えた場合はその医師が死体を自ら死後診察し，同じく診療中の傷病で死亡したことが判断できれば死亡診断書が交付できる，という意味である．もちろん最終診察から死亡までの日時にかかわらず，診療中の傷病で死亡したと判断できなければ，自ら検案という行為を行った上で，死体検案書を発行することになる．ちなみにこの検案行為の中で死体が異状死であれば警察に届け出ることになる．ただ死後診察でも検案でも死後CT撮影を行わなければ外表所見だけからの死因診断となるが，この少ない情報だけで確実な死因を導くことは困難であることは言うまでもない．

2 検視

死体に対して捜査関係者が行う行為であり，刑事訴訟法第229条「変死者又は変死の疑のある死体があるときは，その所在地を管轄する地方検察庁又は区検察庁の検察官は，検視をしなければならない.」という条文がある．あくまで

も犯罪の有無を調べる行為であるため，単に死体だけの調査に限らず，着衣や所持品，遺族などから聞く死亡状況といったものも調査対象に含まれる．検視は検察官により行われるが，警察官に代行させることが可能であり，実務上，わが国の大部分の死体は警察官が検視を行っている．なお，検案や検視の代わりに検死（屍）という単語が使われている書物があるが，検死（屍）は法律用語にはなく，法医学者の間でも考えが統一されておらず，この用語は使用しないほうがよい．

3 捜査関係者による死体の取り扱い

捜査関係者による死体の取り扱いには1）犯罪死体，2）変死体，3）非犯罪死体に分けられ，それぞれ根拠となる法律がある．すなわち，変死体であれば上述した刑事訴訟法第229条などであるが，犯罪死体の場合は刑事訴訟法第189条など，非犯罪死体であれば戸籍法ならびに死体取扱規則が該当する．

なお，非犯罪死体において，2013年4月から試行された警察等が取り扱う死体の死因又は身元の調査等に関する法律（死因・身元調査法などと略される）では，犯罪死体・変死体を除いた死体において，ある一定の体内検査が行うことができるとした．これは死後画像撮影に加え，警察署長は身元確認のための血液，歯牙，骨など死体の組織の採取を医師または歯科医師に命ずることができるというものである．そして採取が軽微な措置にとどまるものであれば，警察官でも行うことが可能となった．なお埋め込み式ペースメーカーの切開・摘出行為もこの法律に規定されている．ちなみに解剖も警察署長の命により医師であれば可能となった（法医医師は専門家としての意見の進言には関与するが，必ずしも解剖医が法医医師でなければならないということではない）．ちなみに解剖の実施にあたって，遺族に対し解剖の必要性を説明する必要があるが，遺族が不明でも解剖を妨げるものではないと規定されている．

3．鑑定

1．鑑定人

鑑定自体に法的な定義はないが，専門性の高い分野において，第3者である学識経験者（専門家）が，科学的分析に基づいて行う判断であり，その結果を記した報告書を鑑定書という．大学で行われる司法解剖の場合，鑑定人は通常，医師である教授が引き受けることになる．ただ裁判所が許可するための鑑定人の条件は特にない．すなわち捜査機関が裁判所に申請すれば，准教授や助教でも許可が下りることになる．

2．鑑定方法

通常，鑑定は1人の鑑定人が行い，その結果も単名で報告する（単独鑑定）．しかし場合によっては，教室員2人以上，例えば助教と教授とによる複数名鑑定が採用されることがある（複数鑑定）．また，医事紛争で複数の診療科が重なった事例では，それぞれの専門医が共同で1つの鑑定書を作成することも可能である（共同鑑定）．鑑定結果は鑑定書として書類で提出するのが一般的であるが，医療訴訟事件などでは，例えばCT画像などの読影解釈に関して放射線診断医が鑑定人となる場合，医師の負担軽減のため，書類を作成せずに口頭で所見を述べ，それを鑑定意見として採用することがある（口頭鑑定）．

3．書式

司法解剖後に提出される鑑定書の書式は決まっていない．数頁にとどまるものや数十頁に及ぶものまである．いずれにしても，嘱託前に嘱託者から嘱託事項が知らされているので，それに応じた回答を行う．なお，口頭鑑定が認められているように，必ずしも鑑定書作成が鑑定人に義務づけられてはいない．したがって，司法解剖を例にとれば，ほぼ全例鑑定書を嘱託先に提出する鑑定人もいれば，重大事件のみ提出する鑑定人もいる．

Ⅳ 解剖資格と法医解剖

1．わが国における死体解剖と解剖資格

わが国ではかつては許可なく無断で解剖した者を処罰する法（警察犯処罰令）があったが，戦後の同法廃止に伴い，死体の解剖は新たに死体解剖保存法により規定されることとなった．死体解剖は大きくわけて，1）人体の構造を調べるために医学・歯学生の教育目的で行われるもの（系統解剖・正常解剖・教育解剖などの名称），2）病死者に対し医学的研究のために医療施設内で病理医が行うもの（病理解剖），そして3)法医医師が行う法医解剖に分類できる．死体の解剖には原則として，解剖する地の保健所長の許可が必要とある．もっとも，これでは円滑な運用は不可能なので，さまざまな例外規定が設けられている．例えば，医学部・医科大学の解剖学・病理学・法医学の教授，准教授の役職にある者，あるいは厚生労働省が主催する死体解剖資格審査会で解剖資格を認定された者であれば系統解剖や病理解剖の実施が可能となる．法医解剖の場合の解剖資格は，後述する法医解剖の種類ごとに記す．

2．法医解剖

大学法医学教室で行われる，あるいは法医医師が行う解剖の総称．死体解剖保存法第2条の各号にあげられた規定に基づき，司法解剖，行政解剖，死因・調査法解剖，承諾解剖に分かれるが，これら呼称は通称名である．

1．司法解剖

疑いを含めた犯罪死体，あるいは変死体に対し，刑事訴訟法168条・225条の規定に基づき，裁判官の許可のもとで行われる．裁判官の許可とは，裁判官の発する鑑定処分許可状を示し，解剖する者を鑑定人と呼ぶ．鑑定人は特に医師でなければならないという規定はなく，単に専門的な学識・経験を有している者とされているが，通常は法医学教室に所属する医師が捜査機関（主に警察や検察）から嘱託される．ちなみに変死体とは警察における死体区分上の名称で，犯罪の有無が不明な死体が対象となる．ここで用いる変死という用語は刑事訴訟法第229条にあり，同法では検察官あるいはその代行である司法警察員などが死体に対して検視を行うとある．司法警察官などが行った検視内容は調書として記録，検察庁に送られる．もし明らかな犯罪死体の場合は，犯罪捜査目的として，司法警察員は検証（令状を元にした強制捜査）や実況見分（任意）を行い，それぞれ調書を作成し，事件送致となる．

なお，司法解剖では嘱託元の捜査機関は鑑定嘱託書という書類を発行し，鑑定人に提示する．これは，死因や推定死亡時刻，成傷器の種別，身元不明の場合は個人識別に関する事項，といった具体的な鑑定項目が記載されており，鑑定人はこの項目に従って，解剖結果を嘱託者に報告することになる．

2．監察医制度と行政解剖

わが国で法医解剖の大部分は司法解剖の範疇に入るが，地域によっては監察医制度が敷かれているところがある．2020（令和2）年4月の時点で，東京特別区，大阪市，神戸市，名古屋市が該当している．この制度は終戦後間もなく，主要7都市・地域に進駐軍（GHQ）の指示で設立されたが，1985（昭和60）年に財政的理由で京都市，福岡市，さらに2014（平成26）年に横浜市が廃止，また名古屋市も年間1～2体規模の，名ありて実なしの状況である．監察医が行う法医解剖は死体解剖保存法第8条に規定されており，すなわち，知事が任命する監察医職

が解剖資格を有していることになる．なお，この監察医による解剖を，正式用語ではないが，行政解剖と称することが多い．米国では監察医は犯罪死体も扱うが，わが国では犯罪死体は司法解剖として大学機関で行われ，監察医は変死体ならびに非犯罪死体を扱うことが一般的である．

3. 承諾解剖

かつては法医解剖といえば，監察医制度のない地区ではほぼすべてが司法解剖として行われていた．ただ，法医医師も病理解剖と同じ規定のもと，解剖を行うことがまれにあり，法医が行う病理解剖，あるいは承諾解剖などと呼ばれている．警察の捜査によって司法解剖の必要性がないと判断されたものの，遺族の解剖希望により警察経由で，あるいは遺族が相談した弁護士を通じて法医学教室に依頼されることが多い．大学機関によっては，承諾解剖を行わないところもある．

4. 死因・身元調査法による解剖

2013（平成25）年4月から，「警察等が取り扱う死体の死因又は身元の調査等に関する法律」，に基づいた解剖制度が開始された．この法律では，解剖資格は警察署長が指名する医師であればよく，ただ実務上は法医医師が指名されている．都道府県別の解剖数の年度別統計は出されていないが，年間数体から数十体，東京都では数百体を数えるなど，各都道府県によって運用方法に違いがあり，それに各法医機関のマンパワーの差も加わり，実施件数の大きな差となって現れている．法律名が長いので，この法律に基づく解剖は新法解剖，死因・調査法解剖などと称されている．

3．遺族の承諾

解剖には遺族の承諾が必要なことは死体解剖保存法第7条の規定にある．ただし，司法解剖，行政解剖，死因・身元調査法による解剖はいずれも遺族の承諾は必要ない．もっとも，各都道府県の対応にもよるが，犯罪死体の解剖以外は，警察官が立ち会った親族に解剖の必要性を述べ，口頭での承諾を得ている場合が多い．

[参考文献]

1）石山昱夫訳：メンデ　法医学小史．東京大学医学部法医学教室，1994.
2）死体検案マニュアル2010年版．日本法医学会，2010.
3）日本法医学会：異状死ガイドライン．日法医誌48，357-358，1994.
4）Butler, J. M.：Forensic DNA Typing Second edition, Elsevier Academic Press, 2005.
5）東京帝國大學醫學部法醫學教室五十三年史編纂会編：東京帝國大學法醫學教室五十三年史，1943.
6）小関恒雄編著：明治法医学編年資料断章，玄同社，1995.
7）片山國嘉：法醫學説林，片山先生在職十年祝賀会，1899.
8）石山昱夫，張維東，龐文喜訳：洗冤集録，洗冤禄詳義，群衆出版社，1990.
9）河合甚兵衛尚久：無冤録述　2巻，須原屋嘉助，丹波屋理兵衛梓，1768.

2 個体死・死体現象

重要事項

1) 脳死の概念が広まる以前は，不可逆的な呼吸停止，心拍停止，瞳孔ならびに対光反射の停止の三徴候が揃って初めて死と認めると考えられてきた（三徴候説）．
2) 医療機器の発達と移植医療の進歩に絡み，三徴候説による死の判定に大きな問題が生じてきた．前者は脳死と心臓死との間に大きな時間的乖離を引き起こし，また後者は脳死が臓器移植に直接連動していたためである．
3) 脳死とは全脳の永久的あるいは不可逆的機能停止であるが，全脳髄すべての細胞の死を意味するのではない．
4) 脳死の判定基準として 1985 年に厚生省基準が出された．1992 年には脳死臨調（臨時脳死及び臓器移植調査会）の最終答申が出され，さらに立法化の必要性から，1997 年 7 月に臓器移植法（臓器の移植に関する法律）が公布された．ちなみに同法による最初の脳死判定は 1999 年 2 月である．2009 年 7 月に法改正が行われ，死者が生前，移植を拒否していない場合には遺族の承諾のみで移植可能となったことや，意思表示の際にあらかじめ親族に対し臓器の優先提供の意思ができること，15 歳以上という年齢制限が撤廃されたこと，などが主な改正点としてあげられる．
5) 大脳機能の大部分が失われ，脳幹機能のみが残っている状態を「植物状態」という．これは精神活動は喪失しているものの，自発呼吸，睡眠・覚醒のサイクル，外部刺激に反応，嚥下運動，眼球運動といった生命活動は維持されている状態であり，脳死とは根本的に異なっている．
6) 死体現象とは，死後に現れる物理的・化学的・生物学的変化を総称したもので，死後まもなく現れる早期死体現象と死体の分解過程である晩期死体現象とに分けられる．
7) 死体現象は環境要因により大きな差が生じ，また個体差もある．これらのさまざまな因子を考慮せずに，ただ機械的に成書の数値を当てはめて判断すると大きな誤りを引き起こすことになる．
8) 早期死体現象には乾燥（例えば角膜の混濁），死斑，死後硬直，冷却（例えば直腸温低下）などがある．
9) 死後，体の低い位置の血管に赤血球が集簇し，皮膚を通してその色調が見えるものを死斑という．
10) 死亡後数時間以内に死体の体位を変えると，新しい低位部に死斑が発現し，元の死斑は消失する．これを死斑の完全転移という．さらに時間が経てから体位を変えると，新しい低位部に死斑が発現するが，元の位置の死斑も程度の差こそあれ消えずに残ることが多くなる（両側性死斑）．これがさらに時間を経ると，いくら死体を移動させても死斑の転移は起こらなくなる（死斑の固定）．

11）死後硬直はアデノシン三リン酸 adenosine triphosphate（ATP）の減少によって生じる筋収縮で，生化学的にはアクチンとミオシンの解離抑制と考えられており，現象的には死体の置かれていた体位のまま筋肉が硬くなることである．生前からATPの減少が生じているような状況下（例えば激しい体動時での急死）では硬直も早く発現する．

12）硬直の強さならびに継続に関しては，その人の持つ筋肉量に左右される．したがって，青中年で筋肉質の死体のほうが小児や老人で低栄養状態の死体より硬直の程度が強く，継続時間も長い．

13）体温は死後，外気温に依存する．正常体温で死亡した死者の冷却による体温降下は逆シグモイド曲線を描く．

14）晩期死体現象には自家融解，腐敗，動物損壊などがある．

15）腐敗や動物損壊が進めば死体は白骨化する．無数の昆虫・水棲動物の蚕食があれば，1週～数週間で白骨化することがある．

16）特殊な現象として死ろう化がある．死体が通気性の悪い湿潤環境下あるいは水中に置かれた場合に，生体内の脂肪が高級脂肪酸に合成され，一部はけん化することである．

17）著しく乾燥した環境下ではミイラ化が生じる．ただし完全なミイラ化に遭遇することはまれで，腐敗による組織融解やウジの蚕食も併せてみられることが多い．

I　個体死

1．ヒトの死

一部の高等動物を除いて生物は同類の死には無関心のようである．しかし人は社会的な意味において，ヒトの死を確認する必要がある．きわめて重篤な外傷があったり，腐敗など明らかな死体現象が発現している場合を除き，死の確認は昔から医療に携わる職種の人が主に担っていたであろうし，現在では医師しかできない（死亡診断書の発行という意味では歯科医師も可能）．

生物学的にみれば，ヒトの体は細胞が集まり組織を形成し，複数の組織が立体的に構成され器官をつくり，それぞれの器官が特定の役割を営み生命活動を維持している．さらに精神という上位の統合中枢が生命活動を規定し，その目的・意義を与えていると考えられている．

ヒトがその死を迎えるということは，個々の細胞の死・器官の死ではなく，ヒト個体として生命維持機能が永久的に停止した場合であるといってもよいだろう．ヒトの生命機能維持には持続的な酸素の供給が不可欠であり，それを担う器官が生命機能維持にとって重要な器官であるとの認識がある．すなわち，酸素の取り入れ口である肺（呼吸），酸素を全身に送り込む心臓（心拍動），呼吸を含めたヒトの生物学的な働きをコントロールする脳，これら三器官が生・死に関する上位器官であり，個体死とはこれら上位器官の永久的（あるいは不可逆的）停止であるとされてきた．したがって，これまでわが国では不可逆的な呼吸停止・心拍停止が揃った時点が死であるとしたり（二徴候説），あるいはこれに瞳孔ならびに対光反射の停止を加えた三徴候が揃って初めて死と認めると考えられてきた

(三徴候説). そして現在, 多くの臨床医は上記の三徴候が揃って初めて死と判定しているものと思われる. なお臨床の場ではこれら三徴候が揃ったとしても, ある程度時間が経過した後, 心拍動・呼吸が再開しないことを十分確認してから死を宣告しているものと思われる. すなわち, 理論的には三徴候が揃った時刻が死亡時刻となるが, 実際には最終的に死を確認した時刻を死亡時刻としている場合が多いであろう.

三徴候説に対して, 1980年代前半にわが国の法医学者の一人である錫谷は, 脳・肺・心臓いずれかの永久的機能停止がヒトの死であると提唱した (生命の環説). 医療の手を加えなければ, そのいずれかの器官の機能停止があれば, それに引き続いて短時間のうちにほかの二器官の機能停止も起こることはいうまでもなく, したがって三徴候説と錫谷の考えとに実務上は大きな問題はなかった.

しかし医学の進歩に絡み, 三徴候説による死の判定に大きな問題が生じてきた. その原因は医療機器の発達と移植医療の進歩である. 全脳そして肺の不可逆的機能停止にもかかわらず, 人工呼吸器によりガス交換と心拍動はある期間維持できる. すなわち, 脳死と心臓死との間に大きな時間的乖離が生じてきた. またこのような行為が人の尊厳を汚しているのではないかという意見もある. 加えて脳死判定が臓器移植に連動していたため, かつてわが国で行われた和田心臓移植の問題とも絡んで, 医師・医療に対する不信感・警戒感が根強くあったことも, すべての国民が脳死と個体死とが同等であるとはただちに受け入れられない理由の一つであろう. さらに脳死を確認するための検査方法は多種類あり, それぞれの判定結果も慎重な判断が求められることから検査法に熟知した医師でなければ脳死の判定が難しく, それがまた一般の人にも判定の複雑さ・わかりにくさとしてうつる側面もあった. それでも, 脳死の意義 (定義) とその診断の正確さ (判定基準) とが長年にわたり厚生省 (当時) や医学会・法曹界, 政界, そしていろいろな市民団体のなかで議論され, 徐々にコンセンサスが得られ, 最終的には臓器の移植に関する法律 (臓器移植法, 1997年) という法律のなかでヒトの死としての脳死が定められるに至ったのである.

2. 脳 死 brain death (表2-1)

肺機能は呼吸運動とガス交換との2つに分かれるが, 呼吸運動は脳幹の機能に基づくものであり, 脳幹機能は呼吸に対して上位に位置するともいえる. 一方, ガス交換は人工臓器で代用でき, また心臓についても人工心臓の代用により生命活動の維持は可能である. しかし脳機能そのものは人工器官で代用不可能である. 脳は精神活動だけではなく, 生命維持機能を統合的に支配しているのであり, 脳のみが生・死に関する最上位器官であるといえる. そうすると個体死とは全脳の永久的 (あるいは不可逆的) 機能停止であるという考えが成り立ち, それがそのまま脳死の定義ということになる. もちろん全脳髄すべての細胞の死を意味するのではない. ちなみに大脳の機能の大部分が失われ, 脳幹機能のみが残っている状態を「植物状態」という. これは精神活動は喪失しているものの, 自発呼吸, 睡眠・覚醒のサイクル, 外部刺激に反応, 嚥下運動, 眼球運動といった生命活動は維持されている状態であり, 脳死とは根本的に異なっている.

脳死判定基準については1974年にすでに日本脳波学会が報告しているが, その後1985年に先の脳波学会の基準を基に, より詳細な厚生省 (当時) 基準が出された. 1992年には脳死臨調 (臨時脳死及び臓器移植調査会) の最終答申が出され, ① 脳死は医学的だけではなく, 法的・社会的にも人の死であること, ② 医学上脳死判定は確実に診断できること, ③ 臓器提供者の任意の善意を尊重し臓器移植を推進すること, といった内容で, 脳死判定に基づいた臓器移植の道が開かれた. しかしその具体的実施には立法

表 2-1　法的判定脳死の実際

前提条件の確認
1．器質的脳障害により深昏睡，及び無呼吸を呈している症例 2．原疾患が確実に診断されている症例 3．現在行いうるすべての適切な治療をもってしても回復の可能性が全くないと判断される症例
除外例
1．脳死と類似した状態になりうる症例 　1）急性薬物中毒，2）代謝・内分泌障害 2．知的障害者等の臓器提供に関する有効な意思表示が困難となる障害を有する者 3．被虐待児，または虐待が疑われる18歳未満の児童 4．年齢不相応の血圧 5．低体温（深部温） 6．生後12週未満（在胎週数が40週未満であった者にあっては，出産予定日から起算して12週未満）
生命徴候の確認
1．体温：直腸温，食道温等の深部温 2．血圧の確認 3．心拍，心電図等の確認をして重篤な不整脈がないこと
深昏睡の確認 瞳孔散大，固定の確認 脳幹反射消失の確認 脳波活動消失の確認 自発呼吸消失の確認（無呼吸テスト）
判定間隔
第1回目の脳死判定が終了した時点から6歳以上では6時間以上，6歳未満では24時間以上を経過した時点で第2回脳死判定を開始する
法的脳死の判定
脳死判定は2名以上の判定医で実施し，少なくとも1名は第1回目，第2回目の判定を継続して行う 第1回目の脳死判定ならびに第2回目の脳死判定ですべての項目が満たされた場合，法的脳死と判定する 死亡時刻は第2回目の判定終了時とする

（参考：法的脳死判定マニュアル：「脳死判定基準のマニュアル化に関する研究班」平成22年度報告書）

化が必要であるとの結論から，臓器移植法案が議員立法で国会に上程され，1997年7月16日に臓器移植法が公布された．ちなみに同法による最初の脳死判定は1999年2月28日であり，施行（1997年10月16日）から1年4か月後のことである．

脳死判定による死亡時刻については，次の2つが考えられる．

① 脳死判定を開始後，すべての基準が満たされた時刻．

② 6時間以上経過し，再度確認した時刻．

理論的に考えれば，① の判定後に脳機能の永久停止が起こっている以上，脳死の死亡時刻は ① の時刻であるべきで，② の時刻はあくまでも6時間以上経過した時点における脳死（個体死）の確認時刻にすぎない．法医学会では，① の時刻を脳死の死亡時刻とするよう提唱してきたが，厚生省（当時）基準では，② の確認時刻を脳死の死亡時刻とするよう定めている．したがって，法律では死亡診断書に ② の時刻を死亡時刻としている．

わが国では2009年7月に臓器移植法の改正が行われ，その1年後に施行された．主な改正点として，第1に「脳死した者の身体」の定義から「移植術に使用するための臓器が摘出されることとなる者であって」とする部分が削除されたことがあげられる．これは脳死が一般的な死であることを示唆するように思えるが，一方で脳死判定はあくまでも臓器移植を目的としたものであり，本人あるいは遺族が移植を拒否すれば脳死判定のプロセスは行われないため，改正後もこれまで通りわが国において脳死と心臓死との2つの死が併存することには変わりはないと思われる．第2点は死者が生前，移植を拒否していない場合，遺族の承諾のみで移植可能となったことである．ただ遺族とはどこまでの親等なのか，かつ同意をどこまで広げるのかなど明確な定義はなされていない．また本人が生前に移植を希望しても，遺族が反対すれば移植ができないことは旧来法と同じである．第3点は意思表示の際に，あらかじめ親族に対し臓器の優先提供の意思ができるようになったことである．第4点は15歳以上という年齢制限が撤廃されたことが注目される．これに付随して，移植に際し小児虐待の有無を確認し，被虐待児からの臓器提供が行われないよう対応すべき点が新たに規定された．第5点は普及・啓蒙に関して，国および地方公共団体は移植の意思の有無について，運転免許証および医療保険の被保険者証などに記載することができることとした．

Ⅱ　死体現象

1．早期死体現象

早期死体現象とは，人が死亡した後にまもなく出現する死体特有の現象であり，乾燥・死斑・死後硬直・体温降下などがあげられる．実際には，これらの現象は死の確徴であるとともに死後経過時間を推定する根拠として利用され，一部の現象が死因を示唆することもあり，法医学的にはきわめて重要な観察項目である[1]．

1 乾燥 drying

生きているヒトの皮膚表面では，持続的な水分蒸発が生じているのと同時に相応の水分の供給が行われることで，適度な保湿状態が維持されている．ところが，死体の場合，このような水分の供給がまったく行われずに水分蒸発のみが生じるため，死後経過とともに乾燥という現象が顕在化してくる．乾燥した皮膚は褐色調となり，さらに乾燥が進むと革状に硬くなり革皮様化といわれる状態を呈する．乾燥の程度に影響を及ぼす環境要因としては，湿度，温度，日当たり，風などがある．一般的に乾燥しやすい部位としては，着衣などに被覆されずに外気と直接接している露出部，水分含有の多い角膜，口唇，陰嚢，四肢末端などがあげられる（図2-1，口絵写1）．表皮剥脱面も乾燥しやすく，索条痕が死後経過時間を経るに従って明瞭に判別できてくるのはそのためである．屋外にしばらく置かれていたような死体では，着衣による被覆部が蒼白であるのに対して露出部が褐色調を呈し，あたかも死後に「日焼け」をしたような印象を与える場合がある．これは，いわゆる「日焼け」が紫外線による皮膚の炎症反応であるのとは成因が異なり，単なる死後の乾燥による皮膚の色調変化にすぎない．

角膜の乾燥（角膜含水量の減少）は白濁とし

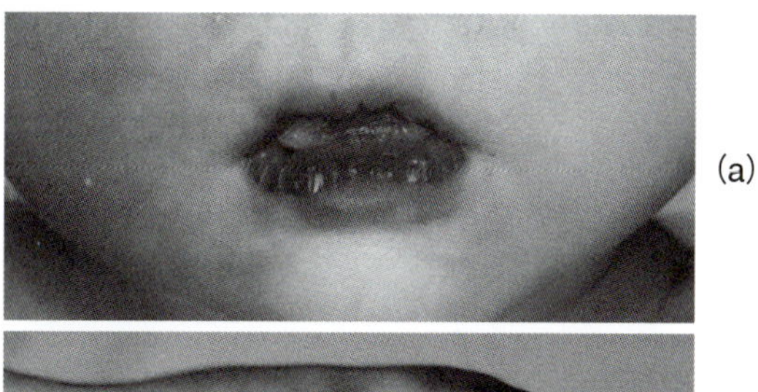

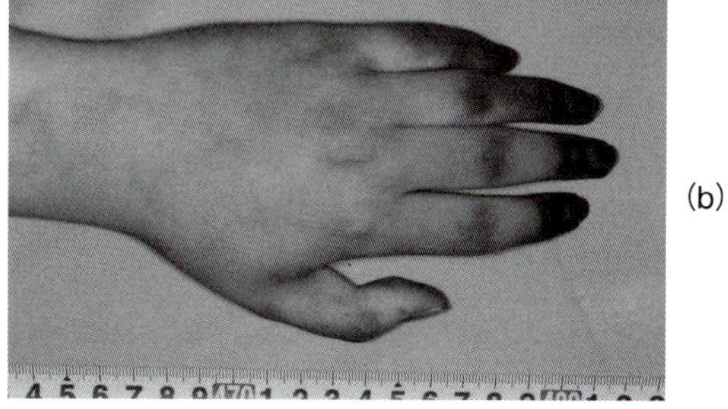

図2-1　乾燥
(a) 口唇，(b) 手指

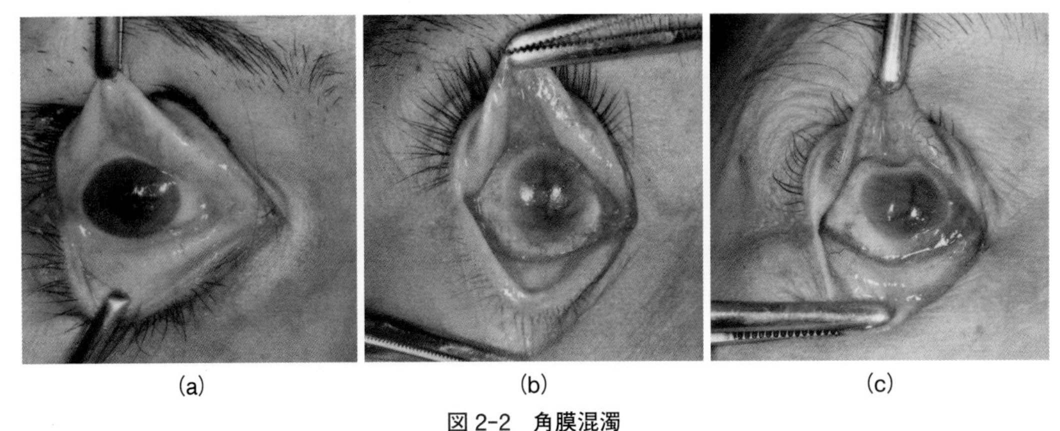

図 2-2　角膜混濁
(a) 死後約半日，(b) 死後約 1 日，(c) 死後約 2 日

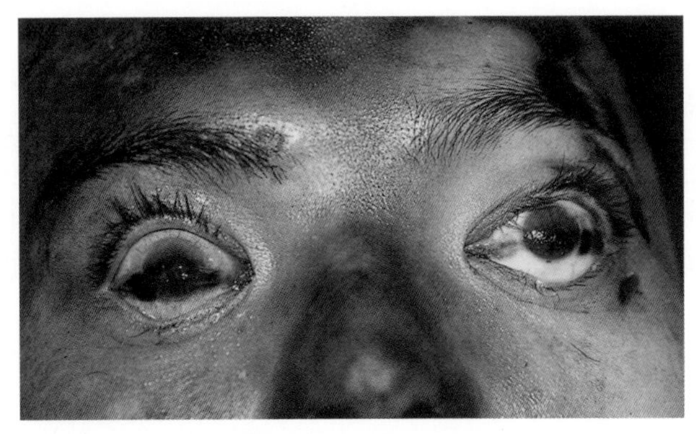

図 2-3　tache noire
当初の開眼範囲に応じて角膜ならびに眼球結膜は乾燥し，暗赤色に着色している．皮膚は乾燥し，若干の腐敗も生じているが高温環境下での死亡であり，死後経過としては数日以内．顔面右側を下にして死亡していたため，右結膜の充盈が強い．

て観察されるが，老人環や白内障との鑑別を要する．まず角膜全体に霞がかったような混濁からはじまり，時間とともに混濁の程度を増し，死後 48 時間程度経過すると瞳孔が透見できなくなるほどに強く白濁する(**図 2-2，口絵写 3**)．このような角膜混濁の程度が死後経過時間の推定に応用されることがしばしばあるが，死後に開眼状態にあった場合は急速な角膜混濁の経過をたどるため，開眼状態の把握が必要となる．死後に半開眼状態に置かれていた死体では，開眼範囲に合わせて角膜および眼球結膜の乾燥が進み，帯状の着色として観察されることがある(tache noire)(**図 2-3**)．角膜の混濁は乾燥のみに起因した変化ではなく，角膜自体のタンパク変性なども関与していることから，水中死体であっても角膜混濁が生じうる．一方，眼球自体の硬度は，死後の水分の蒸発などによって徐々に軟化していくのが一般的である．

2 死斑 hypostasis

心臓のポンプ機能が停止すると，血流の止まった血管内では，血液成分が重力の影響を受けて時間経過とともに体の低いほうへと血管内を移動していく．その結果，体の低位に位置する毛細血管や小血管などに赤血球が集簇し，皮膚表面を通して肉眼的にその色調変化を判別で

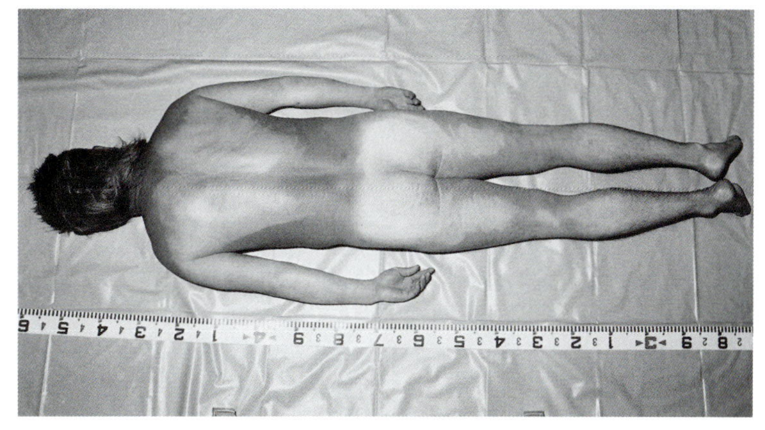

図 2-4　死斑

仰臥位に置かれていた死体に発現する死斑．床面と接地していた背部・殿部・大腿部や下腿部の後面・踵には発現していない．

きるようになる．これを死斑といい，一般的に血液の色を反映した色として観察される．

1．発現部位

死斑は体の低位に位置する領域に発現することから，その発現の分布は死後に置かれていた体位に強く影響される．つまり死斑の発現部位を観察し，死後に置かれていた体位との整合性を常に検討することが重要である．死後に置かれる通常の体位は仰臥位であり，死斑は背面に発現する．ただし，床面と接している背部中央部や殿部では血管内腔が狭小化し，赤血球がここに集簇することができないため，死斑が発現せずに蒼白を呈することが多い（**図 2-4，口絵写 4**）．同様の理由で，下着などで比較的強く圧迫されている部位では，たとえ体の低いほうに位置する領域であっても死斑が発現しにくい．一方，縊頚の死体では下半身や前腕部を中心として死斑が発現してくることはいうまでもない（**図 2-5，口絵写 5**）．

2．強度

死斑は時間とともに強度を増し，死後半日程度で最高に達する．このような時間的要因を除けば，死斑の強度は血管の拡張程度，赤血球数，血液の粘性などの因子に大きく影響される．窒息死，虚血性心疾患，くも膜下出血などの急死例では，毛細血管などが拡張してうっ血状態にあり，血液が流動性で赤血球が血管内を移動しやすいため，死斑の発現が早くその程度も強い．このような場合，血管壁から赤血球が血管外へ漏洩し，死斑発現部位に多数の点状や斑状の出血をみることがあり，外力に起因した出血

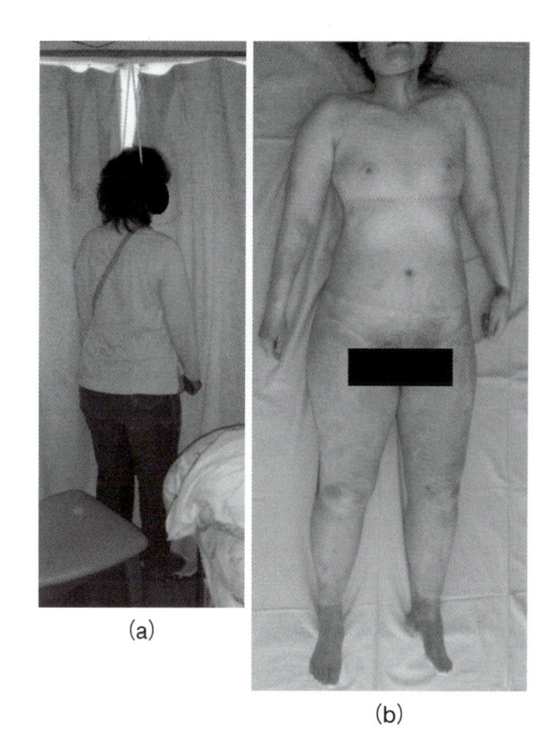

図 2-5　縊頚の死斑

縊頚（a）の場合，下半身や前腕部を中心に死斑が発現する．なお，下着のゴムで圧迫されていた部分は蒼白で死斑は発現していない（b）．

との鑑別を要することがある．一方，死亡時に貧血状態にあった場合，死斑の程度が弱いことが多く，生理的に赤血球数が減少している高齢女性ではしばしば弱い死斑が観察される．損傷によって多量の血液を喪失している場合も通常死斑は弱く発現も遅延するが，まれに心臓刺創による失血死などでは比較的強い死斑が発現していることがある．これは，静脈や毛細血管内の血液を多量に喪失するまもなく即死したためと考えられよう．

3. 色調

死斑は毛細血管などに集簇した赤血球の色を外表から観察しているものであるため，一般的には死体の血液の色（赤血球中のヘモグロビンの色）を反映した紫赤色調を呈し，死斑の強度に応じて暗紫赤色，紫赤色，淡紫赤色などと表現される．言い換えれば，紫赤色調ではない死斑に遭遇した場合，その理由を考察する必要がある．

紫赤色調以外の代表的な色調例として，一酸化炭素中毒で生成される一酸化炭素ヘモグロビンの色調を反映した鮮紅色，硫化水素中毒での硫化ヘモグロビンの緑色，塩素酸カリ中毒でのメトヘモグロビンによる褐色調の死斑などがあげられる．このうち，特に鮮紅色調の死斑には留意を要する．一酸化炭素中毒では鮮紅色調の死斑を呈することが多いが，低体温症（凍死）で死亡した場合にもしばしば鮮紅色調の死斑を呈する．ヘモグロビンが低温環境下において酸素と結合しやすいことによるが，死後に冷所に置かれた場合でもヘモグロビンと酸素の結合が死後反応として生じることを理解しておく必要がある．つまり，生前の低温環境下への曝露のみならず，死後の曝露でも鮮紅色の死斑を呈しうることから，鮮紅色調の死斑だけに基づいた低体温症の診断はしてはならない．

4. 時間的経過

死斑は心停止直後から確認できるものではなく，死斑の発現が明らかとなるには，心停止後に重力の影響で赤血球が体の低いほうに移動するまでの時間が必要である．通常は死亡後しばらく経ってから死斑が発現しはじめ，時間経過とともに徐々に増強していき最も強い色調に達する．最終的には腐敗などの影響から明瞭な死斑として確認することができなくなっていく．死斑が発現しはじめる時間については心停止後30分から数時間，最強に達するのが12時間としている成書が多いが，実際には血液の状態を含めた個体差が大きく，かなりの幅があることを考慮しなければならない．

一方，死斑が最強になる前に死体を動かした場合には死斑の発現領域が変化する現象をみることがある（死斑の転移）．例えば，死後数時間程度の死体を仰臥位から腹臥位に体位を変換すると，背面に発現していた死斑が前面に移動し，元の背面の死斑が消失する（完全転移）．この時点では，赤血球がまだ容易に血管内を移動できるからと解釈できる．同様に，死後1日程度経過した死体の体位を変換した場合，このような死斑の移動はみられないことが多く，元の背面に死斑が残ったままとなる（死斑の固定）．つまり，赤血球が血管内を移動できない状態にあることを意味し，死後経過とともに血漿成分が血管外に漏出することで血管内の血液が濃縮されて赤血球の移動が起こりにくくなることや，死後の赤血球の崩壊（溶血）によって血色素自体が血管外に染み出てしまうことが理由と考えられる．なお，同じように死後6時間から半日程度の時点で体位を変換した場合，前面への死斑の移動が生じるものの，元の背面にも死斑が残存することがある（両側性死斑）．この時点では，血管内で移動できる赤血球と移動できない赤血球が混在していることや一部の赤血球の血色素が血管外へ漏洩しているためである．

実務上，死斑の固定の程度を確認するために，発現部位を指で圧して退色の有無を観察する方法がよく用いられる（図2-6）．体表からの指による圧力で直下の血管内腔を狭小化させ，集簇している赤血球を押しのけることによって死斑の退色を確認するものである．一般に死後

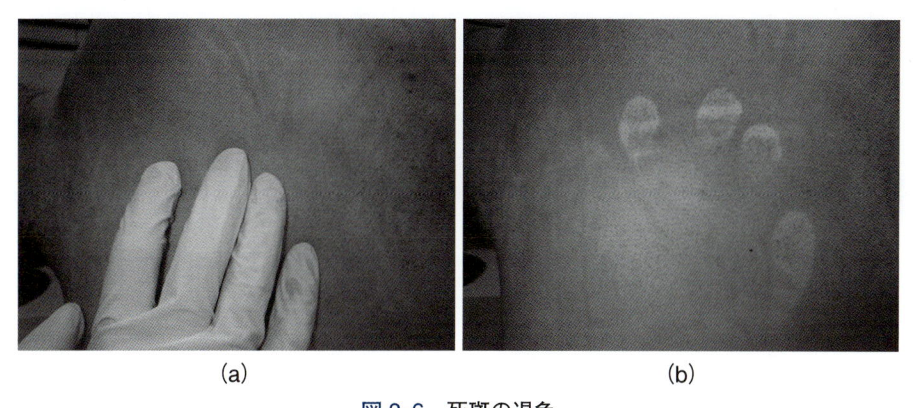

図 2-6　死斑の退色
死斑の発現から早期の段階では指で圧迫する（a）と死斑が退色する（b）.

数時間程度の時点では死斑が容易に退色し，死後 1 日程度経過した後では死斑が固定しているため退色しなくなる.

5. 死斑と打撲傷の鑑別

死斑の一般的な色調が紫赤色調であることから，損傷である打撲傷との鑑別が必要な場合がある．簡便な鑑別法としては圧することで退色の有無を確認する方法があり，早期の段階の死斑では退色するが，打撲傷は圧しても退色しない．解剖事例では，皮下組織内の凝血形成の有無を観察することで鑑別できることが多いが，腐敗した死体の場合必ずしも容易とはいえない.

6. 内部臓器の血液就下

死斑と同様の機序によって，内部臓器でも赤血球の就下による色調変化が生じ，特に肺で顕著にみられる．例えば，仰臥位のまま置かれた死体では，前胸部側の肺領域の色調は淡く血液量は少ないが，背側の肺領域の色調は濃くうっ血状である（図 2-7，口絵写 6）.

7. 特異な血液就下

血液就下は臓器に限らず体内組織のいずれにも生じうることに留意が必要である．例えば，死亡後に頭部低位の姿勢で置かれていた場合，死体現象である血液就下によって，頭部顔面部の外表のうっ血状変化のみならず頚部リンパ節や咽頭部粘膜に出血様の変化が生じることがある．これらは頚部圧迫窒息の所見と類似したものであり，きわめて慎重な鑑別を要する.

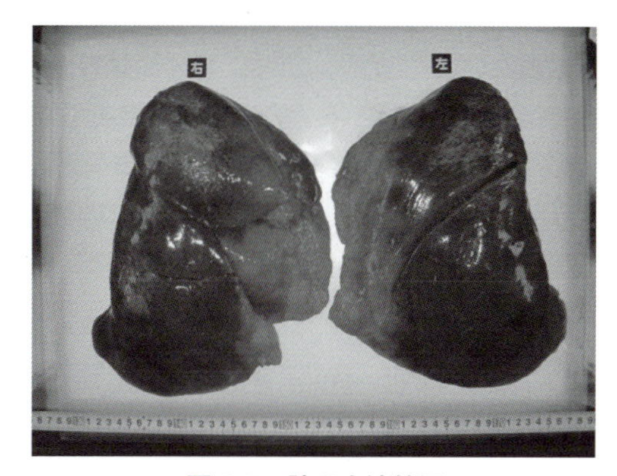

図 2-7　肺の血液就下
仰臥位に置かれていた死体の肺．背側を中心に強い血液就下がみられる.

3 死体硬直 rigor mortis

通常，死亡直後には全身の筋肉が弛緩した状態となるが，時間とともに筋肉が収縮して硬くなる．この現象を死体（死後）硬直という．生体にみられる筋収縮が「動く」ことで表現されるのとは異なり，死体が置かれていた状態のまま「固まる」ことを意味する（図 2-8）．死体硬直の発生機序に関しては，すべてが解明されているわけではないが，死後の ATP の減少による筋収縮と考えられている.

1. 死体硬直の経過

死体硬直は諸関節の動きの悪さ（固さ）として観察されるのが一般的である．硬直が他覚的に観察できはじめるのは死後数時間経過した以降である．多くは顎関節の可動性が悪くなるこ

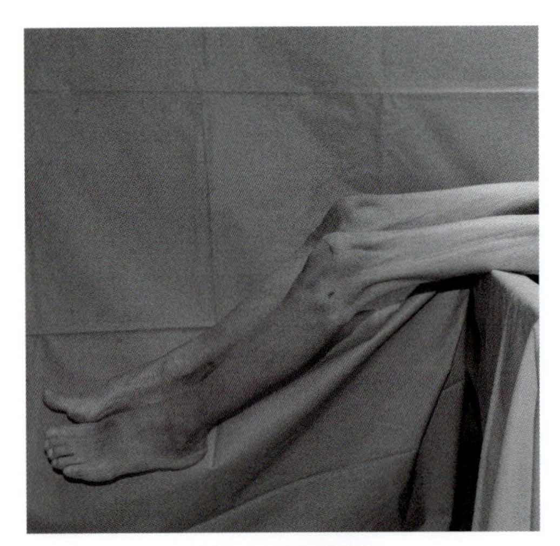

図 2-8　死体硬直
死後約 1 日経過した死体. 死体硬直によって支えがなくても膝関節は伸展したままの状態を保持している.

とで認識されやすい. さらに時間が経過すると全身の関節で硬直の発現がわかるようになり, 死後半日程度以内で最強の硬直に達し, 大きな力でもこのような関節を曲げるのは困難となる. 通常は顎関節, 頚部, 上肢, 下肢の順で下行性に硬直が発現していくことが多いとされるが, 逆に上行性に発現する場合もある. このような強い硬直が数日にわたって持続するが, 筋肉を構成するタンパク質の変性によって徐々に緩解していき, 夏場で 2 日, 冬場で 4〜5 日で完全緩解することが多い. ただし, 死体硬直は環境因子や死体の筋肉量などに大きく影響されるため, 時間経過はあくまでも単なる目安にすぎない.

また, 運動中の急死例では, 死体硬直の発現がきわめて早いことがある. これは, 死亡時点においてすでに運動による ATP 消費状態にあったことで説明できる. まれに死亡直後から弛緩をみないまま短時間のうちに全身の強い硬直が発現することがあり, 強硬性硬直 instantaneous rigor, cadaveric spasm とも呼ばれるが, これは激しい筋肉疲労中の急死例などにみられるという. 一方, 硬直が最強に達しない死後 5 時間程度以内に, 発現している硬直を人為的に緩解させても再び硬直が発現することがあるが, その程度は弱い (再硬直). 硬直が最強に達することを ATP の枯渇によるとした場合, ATP が残存するうちは緩解しても再度硬直が生じうることは理解できよう.

なお, 実際に死体硬直を観察するうえでは, 死体発見から観察時点までの死体を動かした状況の把握が重要である. 解剖時点の観察で頚部や肩関節の硬直がほかに比べて弱いことをしばしば経験するが, これは, 事前見分などで警察官が頚部を詳細に観察するために何度も動かしたことや, 着衣を脱がすために肩関節の硬直を一度人為的に緩解させていたことが原因であることが, 少なくない.

2. 関節以外にみる死体硬直

死体硬直は諸関節の固さとして観察することが一般的であるが, その他骨格筋や心筋の筋肉自体の硬度が増強し, さらには瞳孔の大きさにも関係している.

心筋は活動量が大きいことから硬直も早期から生じる. 死後 1 時間程度ではすでに硬直が発現し, 死後比較的早期の解剖例では, 心筋が硬く左室内腔の狭い心臓として確認できることがある.

瞳孔は, 死亡直後には散大して直径10 mm程度と計測されるが, 時間とともに縮瞳していく. これは元来, 瞳孔収縮筋の筋力が瞳孔散大筋より大きいため, 両者が硬直したとしても縮瞳側に傾くからである.

3. 死体硬直の強度と持続時間の影響因子

死体硬直の強さや持続時間は, 主に筋肉量に影響される. つまり, 筋肉量の多い青年男性のほうが, 高齢者や小児よりも硬直が強く持続時間も長い. 個体内でも上肢や下肢の筋肉は屈筋のほうが伸筋よりも筋肉量が多いため, 関節が若干の屈曲位で固定されることが多い.

一方, 死体の置かれていた環境温度は, 硬直の経過に強く関連し, 温度が高いと発現が早く, 持続時間が短い. 逆に温度が低いと発現が遅く, 持続時間が長い.

4. 死体硬直と鑑別すべきもの

死体硬直と鑑別すべき現象として，熱硬直と凍結硬直があげられる．いずれも死体硬直と同様の筋肉の硬直として観察されるが，いわゆる死体硬直とはまったく異なる機序によるもので，熱硬直は焼死体における筋肉の熱凝固変性，凍結硬直は寒冷環境下で凍結した死体にみられる筋肉の凍結を原因としている．

また，凍結硬直に至らないまでも寒冷環境下に曝された死体では，脂肪組織が硬くなり，あたかも死体硬直のような所見をみることがある．

一方，寝たきり状態の高齢者などでは，元来の関節の拘縮が死体硬直と見誤られることも少なくない．

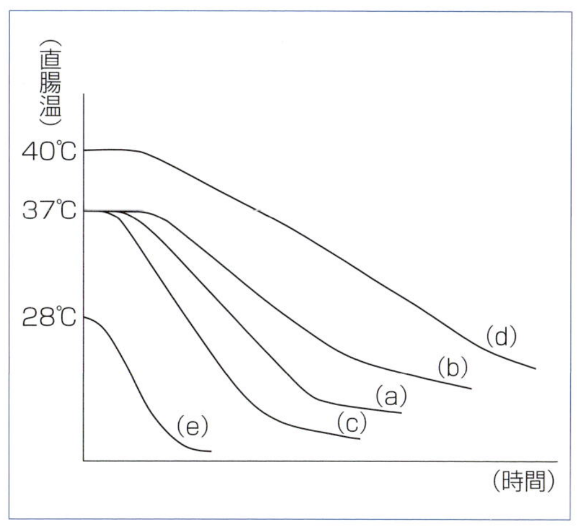

図 2-9 体温降下曲線

(a) 平均体，(b) 比較的高温環境下・肥満・厚着など，(c) 比較的低温環境下・るい痩・裸など，(d) 感染症・熱中症・覚醒剤中毒などの死亡時高体温，(e) 低体温症

4 体温降下 body cooling

生体は恒常性によってほぼ一定の体温で維持されている．しかし，死亡すると体内での熱産生が停止し，次第に周囲の環境温度に近似していく．通常は周囲環境温度が体温よりも低いことから体温は降下し，この現象を死後の体温降下（死体冷却）という．

死後の体温とは，生体で測定する場合の腋窩部の皮膚表面温度ではなく直腸内温度(直腸温)を用いる．直腸温は中心部の温度を反映し，外部要因に影響されにくく，死体をほぼ侵襲することなく容易に測定できるという利点がある．

直腸温降下の経時的変化として，皮膚が冷却されるまでの保温効果および生体組織の低熱伝導性の影響で，死亡後しばらくはほとんど降下しないものの，死後1～2時間からは比較的直線的に降下していき，周囲環境温度に近づくにつれゆっくりとした速度で降下するようになる．つまり，逆シグモイド（S 字状）曲線を描くのが一般的であり，死後経過時間の推定に応用されることが多い．簡便な直腸温降下の指標として死後 10 時間までは 1 時間当たり 0.75～1℃降下し，それ以降は 1 時間当たり 0.5℃降下するという目安があり，夏は 1.4，冬は 0.7 を乗じて補正する．

1. 体温降下の影響因子

体温降下はさまざまな因子に大きく影響を受ける（図 2-9）．皮下脂肪の多い肥満者は脂肪による断熱効果で体温降下が緩やかな傾向にあり，るい痩の場合は急激な体温降下を示すこともある．

通常，死亡時の直腸温を 37℃とするが，感染症，頭部外傷，脳出血，熱中症，覚醒剤中毒などが原因で死亡した場合，死亡時の直腸温が高体温である可能性も考慮しなければならない．もちろん低体温症で死亡した場合には，死亡時 30℃を下回る直腸温の可能性もある．

また，厚着か薄着かといった着衣の状態，死体の置かれていた周囲環境の気温，湿度，通気性は体温降下度に大きく影響を与える因子である．

2. 晩期死体現象

晩期死体現象とは死体の分解過程を示し，主に自家融解，腐敗，死後動物損壊があげられ，各々が単独で生じるというより混在しているのが一般的である．また，このような死体の分解過程は，一部の特殊な場合を除いて最終的に白骨化を終点とするが，時間経過や条件によってはさらに分解が進み，完全分解に至ることもある．

1 自家融解 autolysis

自己の保有している酵素によって死体が無菌的に分解される過程を，自家融解という．生体では消化酵素などが産生されているが，同時に相応する防御機能が働いていることで自家融解が起こらない．しかし，死亡後にはこのような防御機能が消失するため自ら保有の酵素によって組織が分解されていく．

例えば，膵臓の自家融解は多くの事例で経験されるが，あたかも出血性膵炎であるかのように実質や周囲の脂肪組織が暗赤色調を呈していることがある．同様に，副腎の髄質が赤褐色調を呈して軟化している所見にもしばしば遭遇する．

一方，胃では胃壁が菲薄化して粘膜ヒダ構造を認めない場合が多い．これは死亡後胃酸や消化酵素に対する胃壁の防御機能が破綻することでの自家融解である．特に，頭部外傷後にしばらくの時間経過を経て死亡した場合，胃底部の粘膜が融解状に穿孔して胃内容物が腹腔内に漏洩していることがあり，横隔膜の穿孔を伴って左胸腔内に胃内容物を認めることも少なくない．このような胃壁の融解を gastromalacia といい，頭部外傷によって胃の神経支配バランスが崩れて自家融解が促進された結果と考えられるが，生前からすでに自家融解がはじまっていたとも解釈できる．

なお，自家融解現象が生前の炎症や損傷と鑑別しにくいこともあり，このような場合組織検査による細胞反応の確認が必要であり，通常自家融解に細胞反応はみられない．

2 腐敗 putrefaction

細菌による死体の分解過程を腐敗という．生体には常在菌といわれる細菌が存在し，特に最も多くの常在菌が存在するのは腸内で，その数は兆をはるかに超えるとされる．その他，皮膚表面，鼻腔，口腔，女性生殖器などにも多数の常在菌が存在している．

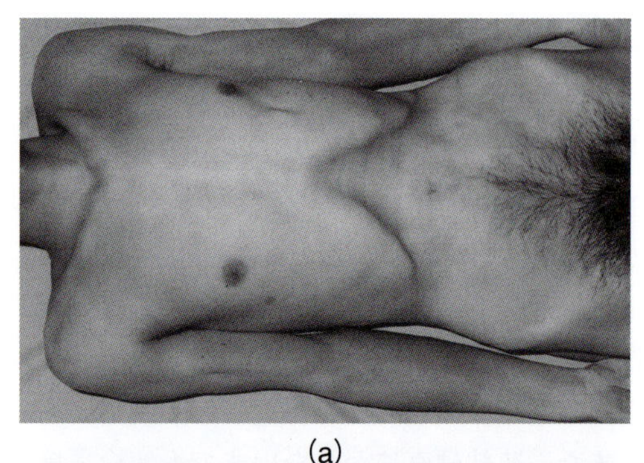

(a)

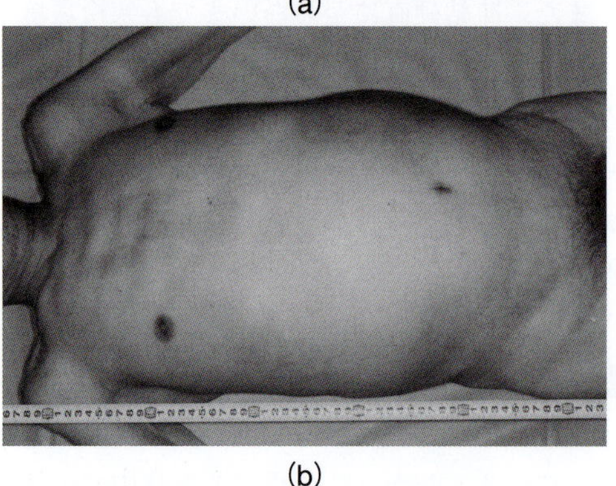

(b)

図 2-10　腹部の腐敗変色

腐敗変色の多くは下腹部から発現し（a），腹部の全体に広がっていく（b）．

通常，生体ではこのような常在菌に対する防御機能が働いているため健康に影響はなく，いわば共生関係にあるといえる．しかし，死亡後はこのような防御機能が消失するため細菌が急激に増加して腐敗現象が生じることになる．

1. 腐敗の進行

腐敗現象としてまず観察されやすいのは，腐敗変色である．腸内細菌が関与して形成される硫化ヘモグロビンの影響と考えられ，死後1日程度経過すると腸管が体表面に近く位置する下腹部からはじまり，次第に全身に広がっていく（図 2-10，口絵写 7）．しばしば胸部や四肢に樹枝状の変色がみられることがある（図 2-11，口絵写 8）．これは，血管内の血液が細菌の増殖しやすい条件にあり，増殖した細菌の作用によって溶血が生じ，ヘモグロビンや硫化ヘモグロビンが血管壁に浸潤することで比較的太い皮静脈

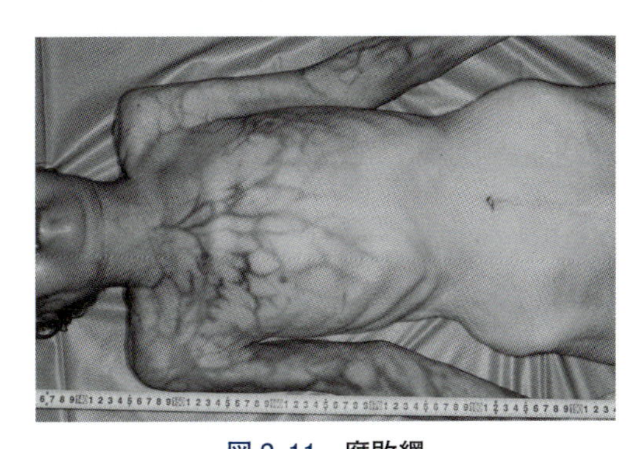

図 2-11 腐敗網

死後２日半（浴槽内死亡）.
血管の走行に沿って樹枝状の腐敗変色がみられる.

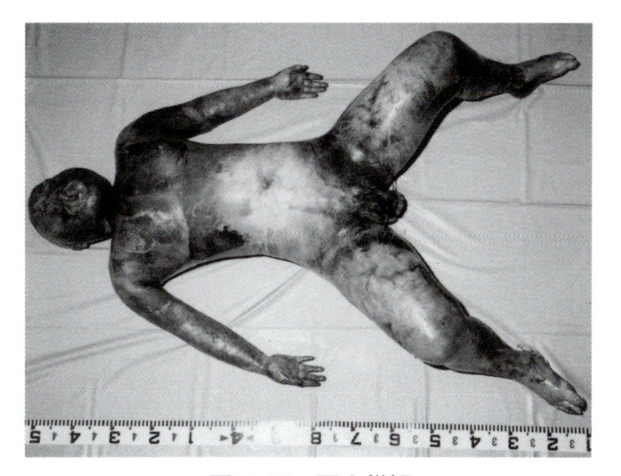

図 2-12 巨人様観

死後約１週間．全身が膨隆して腐敗変色を呈している．表皮はほぼ全域で脱落.

が褐色調に着色したためであり，腐敗網と呼ばれる.

一方，腐敗現象が進むと腐敗体液やアンモニア，硫化水素といったガスが産生される．表皮と真皮の間に体液が貯留して暗赤色調の腐敗水疱を形成し，胸腔内や腹腔内にも腐敗体液の貯留をみる．腐敗ガスが腹腔内に貯留すると，腹部の膨隆をもたらし，これによる腹圧の増加によって胃内容物の逆流，尿や便の漏出が生じる．ついには腐敗ガスによって全身が膨隆し，眼球や舌の突出を伴ったいわゆる巨人様観の状態に至る（**図 2-12**）.

この段階では表皮と真皮の結合は緩く，表皮が脱落しやすくなる．内部臓器の腐敗は軟化や色調の変化として観察される．臓器内に貯留したガスは，実質内の気泡として観察され，特に肝臓はスポンジ状の泡沫肝となる.

2. 腐敗進行の影響因子

腐敗現象は細菌による有機物の分解であるため，腐敗の進行速度は細菌活動の程度に影響される．つまり，細菌が活動しやすい環境では腐敗が急速に進み，このような環境として適度な温度・湿度・通気があげられる．一般に高温で高湿度の環境では腐敗が進みやすいが，極端な高温や高湿度では逆に腐敗は進みにくくなる．通気性がよいことも腐敗速度を促進する要因である.

また，死体の栄養状態も影響し，肥満のほうがるい痩よりもはるかに腐敗が進行しやすい．死因が影響することもあり，感染症や熱性疾患で死亡した場合，腐敗の進行が早い傾向にある．自験例では，夏場のガス壊疽菌による敗血症の死亡例で，死後24時間程度の時点ですでに巨人様観に至っていたことがある.

一方，古くからCasperの法則という腐敗速度に関する目安がある．これは，地上における腐敗速度を１とすると，水中では1/2，土中では1/8の速度で腐敗が進行するというもので，言い換えれば地上で死後１週間経過した腐敗の状態となるには，水中では死後２週間，土中では死後８週間の経過時間を要することになる（**口絵写 9**）．現在でも大まかな推定には有用な指標として活用できる.

ただし，水中死体であっても入浴中の浴槽内死亡例ではその水温の高さから急速な腐敗の進行をみることがあり，事例ごとの状況を考慮する必要がある．また，海や河川の水中死体では水から地上に引き上げた以降は急激に腐敗が進行するため，引き上げた直後の腐敗の状況を詳細に観察することも必要である.

3 死後動物損壊

postmortem damage by predators

死後に死体を蚕食・損壊すると考えられている動物は多種にわたって存在する．このうち無

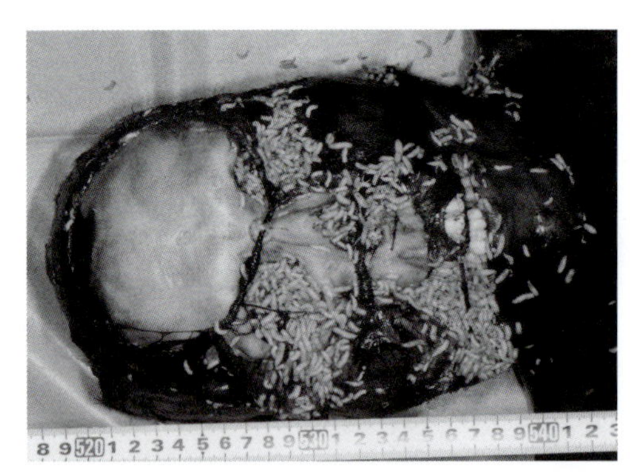

図 2-13　ウジの蚕食

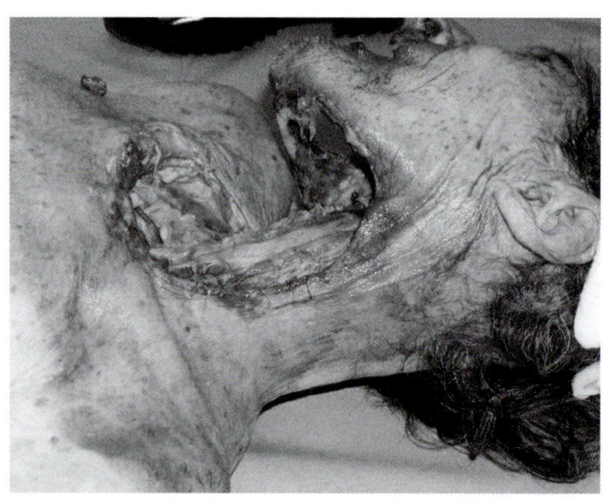

図 2-14　ネコによる死体の損壊

脊椎動物では昆虫類，脊椎動物では鳥類と哺乳類によるものがほとんどであり，腐敗現象とあいまって死体現象の終点である白骨化に大きく関与している．自験例では主に死後動物損壊によって約1週間のうちに白骨化した事例がある．

1. 昆虫類

死体を蚕食する昆虫類で最も知られているのがキンバエ・クロバエ・ニクロバエなどのハエの幼虫（ウジ）である．死後まもなくからハエが死体に卵を産み付け，数日以内には卵が孵ってウジが発生する．ウジは自らの消化酵素で死体の組織を体外消化しながら蚕食することができる．皮膚に点状の蚕食創がみられることがあるが，ここから体内に侵入して臓器を蚕食していく（図 2-13）．

ウジの成長の程度から死後経過時間を推定しようという方法がある．ウジの成長が春秋で1 mm/日，夏で2 mm/日として，ウジの長さを各々1，2で割ると該当季節における死後経過時間が推定できるというものである．さらに，ウジが蛹から成虫になった際に発生する蛹の殻が死体からみつかれば，少なくとも2週間程度経過しているともされる．しかし，個々の事例でハエの集まりやすさ，ハエの種類，ウジの成長にかかわる環境因子（温度・湿度）などが異なることから，かなりの誤差が生じるため必ずしも実務的とはいえない．

ウジ以外の昆虫では，日本全土に生息するシデムシによる蚕食が散見される（口絵写 11）．林間や河川敷などの湿気を帯びた場所に多く生息し，腐敗が進んだ段階の死体に集まる傾向にあるとされ，死体は死後数週間のうちに白骨化する．同様にカツオブシムシによる死体の蚕食もよくみられ，一般に乾燥した組織を好む昆虫であることから，しばしば乾燥傾向のある死体を蚕食している．さらに，身近な昆虫として知られるアリやゴキブリも死体を蚕食することがあり，アリの蚕食痕が小さな表皮剥脱様の集簇としてみられることがある．

2. 鳥類および哺乳類

鳥類や哺乳類による死後損壊も観察されることがある．一般には屋外に置かれた死体に多いが，家屋内死亡の場合でもネズミや飼育している犬猫による損壊例が散見される（図 2-14）．

鳥類による損壊は鳥葬として知られているように比較的短期間のうちに白骨化に至ることがあり，屋外に置かれた焼損死体がカラスによって短期間のうちに部分的白骨化に至った事例がある（口絵写 12，13）．このような事例では，残存する臓器にカラスのくちばしの形状に一致する欠損部分が確認できることがある．

3. 水棲生物

水棲生物である魚類や甲殻類も死体を蚕食し，特にスナホリムシモドキはよく知られている．また，淡水中の死体であってもコイや小魚などによる蚕食事例も少なくない．水中死体の

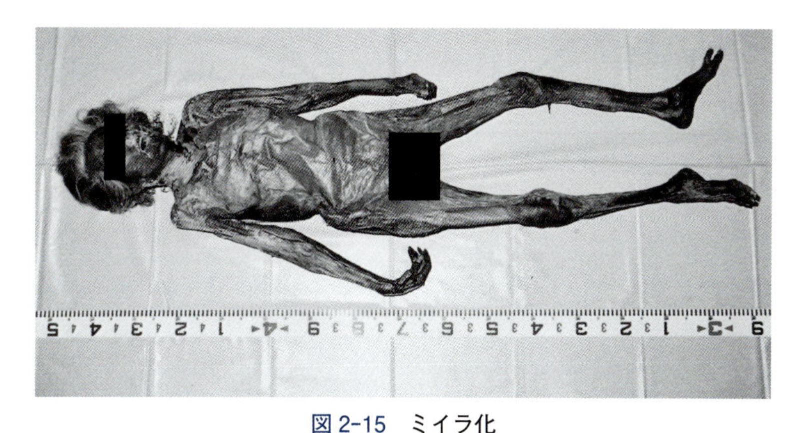

図 2-15　ミイラ化
死後１年以上にわたって風通しのよい室内に置かれていた死体.
全身が高度に乾燥してミイラ化を呈している.

場合，このような生物による損壊のみならず，漂流物や水底の岩などとの接触による損壊もしばしば見受けられる.

これらの死後損壊と生前の損傷との鑑別は，必ずしも容易ではなく，特に死後経過時間を経た死体では慎重な判断が必要である.

4 白骨化 skeletonization

死体現象の進行は一般的に白骨化を終点とする．単に白骨化といっても，手足や関節付近に軟部組織が残っていたり，完全に白骨化している場合などさまざまである．前者では死後１年も経っていないことがわかるが，後者では死亡時期の推定は困難となる．もちろん，白骨化が最終的な状態ではなく，期間や条件によってはさらに分解が進んでいくものも少なくない.

5 死ろう化 adipocere formation

通気性の悪い高度な湿潤環境下に死体が置かれた場合，一般的な腐敗が進行せずに皮下脂肪を中心として不飽和脂肪酸の飽和化やけん化が生じ，灰白色チーズ状の組織に変化することがある（**口絵写 10**）．これを死ろう化といい，この状態の組織は半永久的に保存されると考えられている．皮下脂肪以外にも，臓器の周囲に付着する脂肪や腸間膜でも死ろう化がみられることがある.

最も起こりやすい環境は水中であり，淡水よりも海水のほうが死ろう化しやすいといわれている．水中死体以外でも，土中に埋められた死体にもしばしば死ろう化が認められる.

通常，死ろう化が生じはじめるのには湿潤な環境下に1～2か月程度置かれる必要があり，全身の皮下脂肪が死ろう化するのには１年以上かかるとされる.

実際には全身が一様に死ろう化している事例よりも腐敗や白骨化が混在している死体が多い．例えば，林間で発見された死体では，湿潤した地面と接している部分が死ろう化し，その他の領域では乾燥や白骨化していることがある.

6 ミイラ化 mummification

通気性がよく高度な乾燥環境下に死体が置かれた場合，死ろう化と同様に一般的な腐敗が進行せずにミイラ化することがある（**図 2-15**）．ミイラ化が完成すると半永久的に保存されるとされるが，昆虫類の蚕食が原因で崩壊が進むこともある.

通常，全身が完全にミイラ化した死体に遭遇することはまれで，頭部や四肢などの一部がミイラ化した場合や，腐敗がある程度進行した後に外表だけがミイラ化した場合が多い.

3. 死後経過時間の推定

estimation of the time since death

死体の死後経過時間を判断することは法医学的最重要事項の一つであり，一般的に死体現象の進行程度に基づいて行われている．実務では，角膜の混濁，死斑，死体硬直，体温降下，腐敗，動物による死後損壊などといった多くの死体現象を参考にして総合的判断のもと死後経過時間を推定している（表 2-2）．しかしながら，死体現象の進行には個体差があり，死体が置かれていた環境要因にも大きく影響されることから，豊富な経験を有する法医学者であってもある程度の幅を持たせて推定している．

もちろん，死体現象に加えて警察情報（最終生存確認，新聞の取り込み状況，携帯電話の着信履歴，買い物のレシートなど）を参考にする場合も多い．

死体現象のうち最も死後経過時間の推定に有効と考えられているものに体温降下があり，多くの推定法が報告されている．なかでも Henssge のノモグラム法[2]は，着衣の状況や通気性などに応じて体重を補正し，外気温を考慮して

表 2-2　早期死体現象に基づいた死後経過時間推定の目安

角膜混濁	軽度混濁 高度混濁で瞳孔透見不可	半日～ 2 日程度
死　斑	発現開始 最強の色調 死斑の固定	30 分～数時間 半日 半日～1 日
死体硬直	発現開始 最高の硬直 再硬直 完全緩解	数時間 半日 ～5 時間 （夏）2 日 （冬）4～5 日
体温降下	死後 10 時間まで 死後 10 時間以降	0.75～1℃/時間 0.5℃/時間 （夏は×1.4，冬は×0.7）

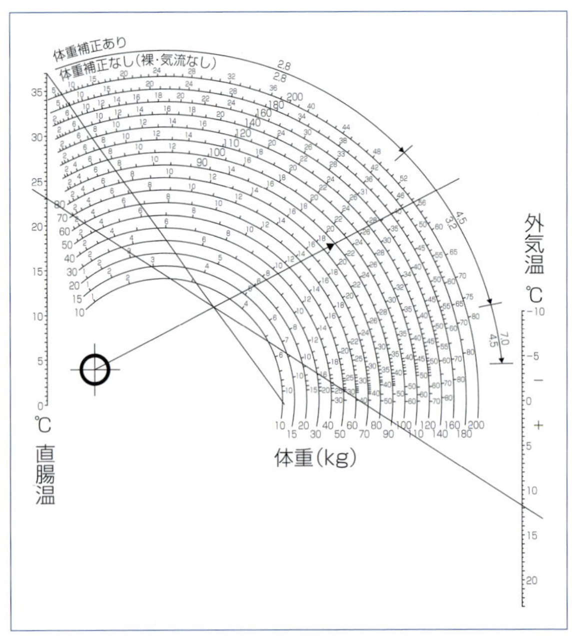

図 2-16　Henssge ノモグラム法

直腸温 23℃，外気温 12℃，体重 50 kg（ベッド上で羽毛布団を被って死亡）

1）直腸温と外気温の該当目盛を直線で結ぶ

2）円の中心から引いた直線と基準線の交点を通る直線を引く

3）表 2-3 に応じて体重補正を行う．（体重補正＝50 kg×1.8＝90 kg）

4）円からの直線と補正した体重に相当する曲線との交点を死後経過時間とする．（21±4.5 時間）

表 2-3 Henssge の体重補正

乾いた被覆（着衣など）	外気中	補正値（×体重）	濡れた被覆（着衣など）濡れた体表面	外気中	水中
		0.35	裸		水流あり
		0.5	裸		水流なし
		0.7	裸	気流あり	
		0.7	1，2枚の薄い被覆	気流あり	
裸	気流あり	0.75			
1，2枚の薄い被覆	気流あり	0.9	2枚以上の厚い被覆	気流あり	
裸	気流なし	1			
1，2枚の薄い被覆	気流なし	1.1	2枚の厚い被覆	気流なし	
2，3枚の薄い被覆		1.2	2枚以上の厚い被覆	気流なし	
1，2枚の厚い被覆	気流の有無はどちらでもよい	1.2			
3，4枚の薄い被覆		1.3			
5枚以上の被覆		1.4			
厚い寝具カバー		1.8			
厚い寝具カバーと着衣		2.4			

死後経過時間を推定するもので，比較的大きな誤差が出にくい方法の一つといえる（**図 2-16，表 2-3**）．一方，複数時点での直腸温測定や経時的な直腸温のモニタリングを死後早期から行う方法として，ボタン電池型温度データロガが利用されている．死後できるだけ早く記録を開始し，また環境温度の変化の少ない条件下では，死後推定時間の誤差が少ないことが報告されている．

生前最後の食事時刻が判明している場合，その消化の進行程度から死後経過時間の推定を試みることがある．例えば，胃が空虚になる時間の目安として軽い食事では食後2時間程度，普通量の食事では3～4時間程度，多量の食事では4～6時間程度ともいわれている．しかしながら，食事内容によって消化の速度は大きく異なり，食後の運動の状況や食事から睡眠までの時間，健康状態なども消化速度に強く影響を与える因子である．したがって，相当の誤差が生じることもまれではなく，死亡の6時間以上前に摂取した食事が胃の中に多量に存在していたという事例もしばしば経験され，あくまでも参考程度にとどめるべきといえよう．

［参考文献］

1）Saukko, P., et al.：Knight's forensic pathology. CRC press, 52-97, 2004.
2）Henssge, C., et al.：The estimation of the time since death in the early postmortem period. CRC press, 77-93, 2002.

3 内因による死

重要事項

1）突然死とは，“一見健康そうに生活していた人の急な病死”をいう．世界保健機関 World Health Organization（WHO）では，“発症 24 時間以内の急病死”と定義している．全死亡の 10％が突然死で，虚血性心疾患や脳血管障害などの循環器疾患によるものが 2/3 を占める．

2）法医学が扱う異状死の多くは突然死であり，その原因疾患について十分な理解が必要である．また，一部の突然死症例では，① 犯罪性や中毒死の否定，② 外傷との因果関係，③ 医療行為の適否，④ 労災の認定などについて社会医学的（法医学的）判断が必要となる．

3）虚血性心疾患による突然死は，全突然死の半数前後を占め，急性冠動脈症候群・急性心筋梗塞，陳旧性心筋梗塞，冠攣縮などによるものが多い．

4）肥大型心筋症は，若年者の特に運動中の突然死の原因として重要である．

5）大動脈解離は，高血圧のある中高年男性に多いが，若年者では Marfan 症候群に合併することがある．

6）肺動脈血栓塞栓の危険因子としては，手術後，臥床，下肢の外傷，肥満，血液凝固系の亢進，精神疾患などがある．下肢の外傷などでは，受傷から 1～2 週間後に発症することが多い．

7）胸痛や胸部苦悶感，呼吸困難を訴えて突然死する疾患としては，① 虚血性心疾患，② 急性大動脈解離，③ 肺動脈血栓塞栓が重要である．

8）突然死例で心タンポナーデの原因として重要なのは，① 急性心筋梗塞の破裂，② 急性大動脈解離である．

9）くも膜下出血は，突然死の原因としても重要で，その 90％以上は脳動脈瘤／解離の破裂による．突然死例では，定型的な“頭痛，嘔吐”などの症状を訴えることなく，急に意識を消失して死亡する例も少なくない．

10）気管支喘息による死亡例の約半数は突然死である．

11）大酒家の突然死は，心疾患，脳血管障害に次いで多い．多くの症例でアルコール性肝障害（脂肪肝，肝線維症，肝硬変）を伴っている．アルコール性ケトアシドーシスや，心肥大を基盤とした不整脈などが突然死の原因となる．

12）子宮外妊娠は，若い女性が下腹部痛を訴えて急死した場合の原因として重要であるが，近年，死亡例がまれになった．

I 突然死（内因性急死）と法医学

1．突然死と内因性急死

突然死 sudden death とは，“一見健康そうに生活していた人の，病気による急死”をいう（sudden, unexpected, natural death）．WHO では「発症 24 時間以内の内因性（＝病気による）死亡」と定義しているが，より短時間の「発症 1 時間以内の死亡」などを指すこともあり，その定義は一律ではない．一方，“内因性急死”は，主に法医学領域で使われる用語である．“内因性”（＝病気による）という形容詞を冠して，事故や自殺などの外因による急性死亡と区別する．実際には，内因性急死，突然死，いずれもほぼ同じ意味だと思ってよい．

2．突然死の社会医学的意義と問題点

1）法医学が扱う異状死の 2/3 以上を，突然死などの予期されない内因死が占めている．突然死の原因疾患に精通していることは異状死の診断に欠かせない．

2）病気が外傷の原因となっている場合がある．例えば，自動車運転中に心臓発作を起こし，頭部外傷などで死亡したような場合．

3）交通事故や喧嘩のあと突然死亡することがある．そのようなケースでは，外力と死亡との因果関係が問題となる．例えば，飲み屋で隣の客と口論となり，胸を押されて転倒し，まもなく意識を失って死亡し，死因がくも膜下出血であるような場合．

4）診療中，診療直後の急死では，医療の適否が問われることがある．

5）労働中の急死では，過労死や労災認定をめぐって，死因判定がその後の手続きの基礎資料となる．

6）死亡状況がはっきりしない死亡，家族が留守，独居者，屋外，浴槽内などの突然死などは，死因を判断しにくいだけでなく，犯罪性の否定が必要となる．

7）中毒死と病的原因による突然死は，死体の外表所見からは区別がつきにくい．心筋梗塞と診断されていた突然死例が，あとで青酸中毒による殺人事件と判明したというケースもある．

3．突然死と救急医学

突然死に関しては，救急医学と法医学は積極的な協力関係が求められている．突然死症例の多くは，救急医療の対象となるが，そのほとんどは，病院搬入時心肺停止状態 cardiopulmonary arrest on arrival（CPAOA）であり，死亡した場合には，異状死として法医学的検査（検死，解剖）の対象となる．救急医は，臨床の立場から異状死の診断に協力し，一方，死因究明によって得られた知見は，法医領域から救急医療に還元され，治療成績の向上や突然死の予防に貢献することが期待されている．

II 突然死の疫学

わが国では，全死亡の約 10％を突然死が占めている．その原因の 2/3 は循環器疾患であり，これに消化器疾患（アルコール関連障害を含む），呼吸器疾患などが続く．一方，日本人死因

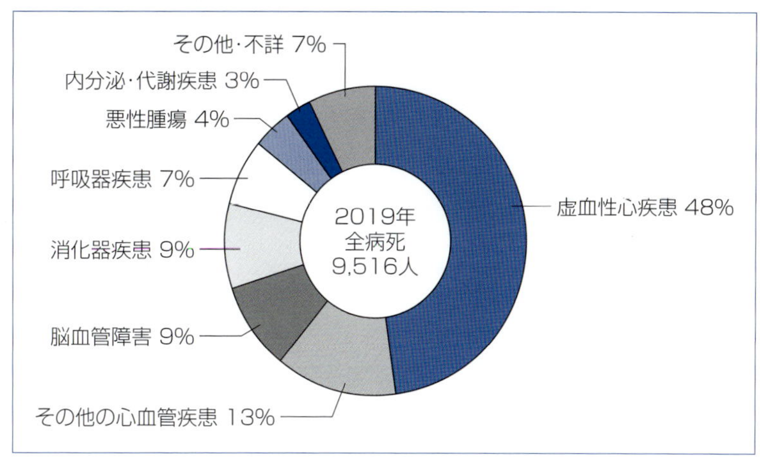

図 3-1 突然死の原因疾患（東京都監察医務院）

の第1位を占める悪性腫瘍は，突然死例では数%以下にすぎない（**図 3-1**）．

突然死の原因となる循環器疾患のなかでは，虚血性心疾患が最も多く（全突然死の約半数），脳血管障害（約8.5%）が第2位である．

Ⅲ 突然死の原因となる疾患

突然死の原因疾患は多様だが（**表 3-1**），ここでは，法医学実務でよく経験され，臨床的にも重要と思われる疾患に絞って解説した．「症例」は実際例を参考に類型化したもので，理解の一助としてほしい．

1．虚血性心疾患
ischemic heart disease

1 虚血性心疾患とは

冠動脈の血流不足により心筋が虚血に陥り，そのために心臓の機能不全が生じた状態の総称で，心臓性突然死の2/3，全突然死の約半数を占める．

実務上は“虚血性心疾患＝冠動脈の粥状硬化を基盤とする疾患群”と考えてよいが，冠動脈攣縮が突然死に関与することも少なくない．また，ごくまれな原因として，冠動脈の起始異常や冠動脈塞栓，冠動脈解離，冠動脈瘤（川崎病後遺症）などがある．また，高血圧や大動脈弁狭窄などで心肥大が起こると，心筋の酸素要求量が増大して相対的に（需要＞＞供給）虚血が生じやすくなり，心筋虚血という点では共通した病態を呈する．

虚血性心疾患のうち突然死症例でみられるのは，① 急性冠動脈症候群・急性心筋梗塞，② 陳旧性心筋梗塞，③ 冠攣縮の関与が示唆される例，④ 冠動脈硬化のみ，あるいは心肥大のみの症例群，などである．

虚血性心疾患の発作時には胸痛，胸部圧迫感を訴えるのが典型的な症状とされている．一方で心窩部の痛みを“おなかが痛い”などと訴え，消化器疾患と誤診される例もあるし，高齢者や糖尿病患者などでは典型的な胸痛の訴えがなく，“かぜ気味”や“だるい”などといった非定型的な症状にとどまることも多い．また，ほとんど無症状のまま，突然意識を失って倒れ，死亡してしまう例も少なくない．

表 3-1　心臓性突然死（成人）の主な原因疾患

虚血性心疾患 （主に冠動脈硬化を基盤とする）	急性冠動脈症候群/急性心筋梗塞 ← 冠動脈の粥腫破綻と血栓形成 陳旧性心筋梗塞 高度の内腔狭窄（75%以上）を伴う冠動脈の粥状硬化 冠動脈攣縮（冠攣縮性狭心症，異型狭心症） 高血圧性心肥大
冠動脈疾患 （粥状硬化性疾患を除く）	冠動脈起始異常（左冠動脈肺動脈起始：Bland-White-Garland 症候群など） 冠動脈塞栓（粥腫，腫瘍など） 冠動脈炎・冠動脈瘤（川崎病など） 冠動脈解離（原発性，二次性） 好酸球性冠動脈周囲炎（梶原）
心筋疾患（虚血性心疾患を除く）	原発性心筋症：肥大型心筋症，拡張型心筋症，不整脈原性右室心筋症 心筋炎（急性，慢性） 二次性心筋症：サルコイドーシス，筋ジストロフィー，アルコール性心筋症，脚気心，内分泌代謝疾患（Basedow 病，糖尿病など）に伴うもの，左室心筋緻密化障害など
弁膜疾患	大動脈弁狭窄（石灰化大動脈弁狭窄など） 僧帽弁逸脱症（僧帽弁逆流を伴う） 感染性心内膜炎，弁置換術後など
先天性心疾患（成人先天性心疾患）	心房中隔欠損，Ebstein 奇形，修正大血管転移など 外科手術後の症例
不整脈	器質的病変に基づく不整脈/器質的病変に基づかない不整脈 頻脈性不整脈/徐脈性不整脈 遺伝性不整脈：Brudaga 症候群，QT 延長症候群，WPW 症候群，カテコラミン誘発性多形性心室頻拍など
形態学的に説明困難な突然死	睡眠時無呼吸症候群に伴う突然死 てんかんに伴う突然死 いわゆる“興奮性譫妄”に伴う突然死

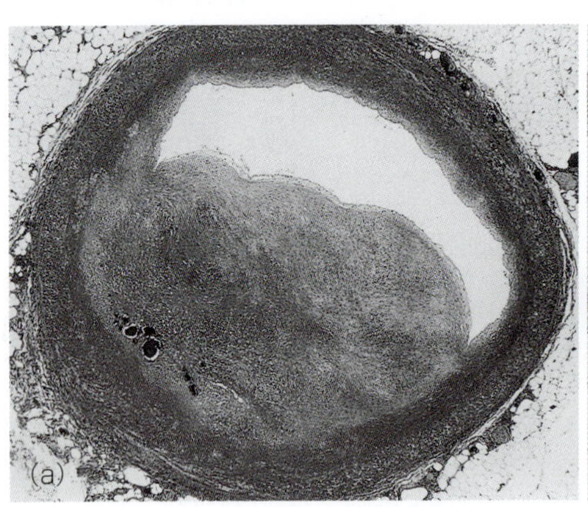

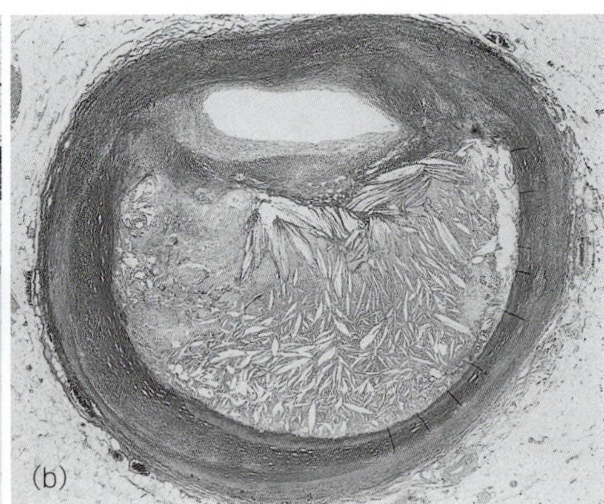

図 3-2　冠動脈のプラーク
(a) 安定したプラーク，(b) 不安定なプラーク

2 急性冠動脈症候群，急性心筋梗塞

acute coronary syndrome, acute myocardial infarction

冠動脈内膜にできた粥状硬化性病変をプラーク（plaque，粥腫）といい，病理学的に 2 種類に分類されている（図 3-2）．① 脂質成分が多く，破綻しやすい不安定なプラーク（lipid-rich, vulnerable plaque）と，② 線維成分が多く，狭窄の原因とはなるものの安定したプラーク（fibrous, stable plaque）である．不安定プラー

クがひとたび破綻・崩壊（plaque rupture，粥腫破綻）すると，冠動脈内腔に血栓（**口絵写 14**）が形成され，灌流域の冠血流が低下して急激な心筋虚血が起こる．さらに血栓によって内腔が完全に閉塞されると，心筋の壊死（つまり急性心筋梗塞）が生じるが，血栓による閉塞が不完全な場合でも（壁在血栓），胸痛（狭心症）や重篤な不整脈の原因となる．

このような冠動脈の粥腫破綻・血栓形成を共通の原因とする急性心筋虚血性疾患群（不安定狭心症，急性心筋梗塞，突然死）を総称して，臨床領域では急性冠動脈症候群と呼んでいる．虚血性心疾患の基本的な病態で，突然死の原因として最も重要である．なお，病理学的に心筋梗塞とは，冠動脈の閉塞（←粥腫破綻・閉塞性血栓）によって生じた，一定範囲以上（最大長径 1 cm 以上など）の心筋壊死をいう．

▶**病　理**：粥腫破綻・血栓形成は，冠動脈主要 3 枝（左前下行枝，左回旋枝，右冠動脈）のうち，左前下行枝に最も多く，その場合，左室前壁～中隔の広範囲が梗塞に陥るため臨床的にも重要である．

虚血による心筋壊死の形態像は，発症から時間経過とともに変化していく（詳細は病理学書を参照のこと）．発症のごく初期（数時間以内）には，肉眼的・組織学的に心筋壊死の所見がはっきりしないが，数時間（4～6 時間）以上経過すると，梗塞部は肉眼的にやや赤味を帯び，組織学的にも間質の浮腫，心筋の凝固壊死など初期の変化がみられるようになってくる．炎症細胞浸潤などが現れるにはさらに時間経過が必要である．

突然死の症例では，発症数時間で死亡する例が多いため，心筋の病理学的変化がはっきりしないことも多いが，冠動脈の粥腫破綻・血栓についても，冠動脈を詳しく検査すればほとんどの例で確認される．

3 心筋梗塞後の心破裂（図 3-3）

心筋梗塞の致命的な合併症の一つとして，心筋梗塞破裂による心タンポナーデが知られている．心破裂の結果，心膜腔に急速に血液が貯留し，心臓を圧迫（心タンポナーデ，**図 3-4**），静脈還流が阻害されてポンプ失調をきたし，突然死に至る．

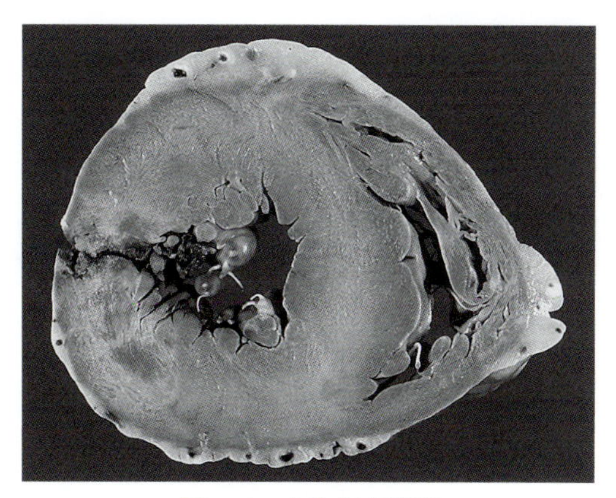

図 3-3　心筋梗塞破裂
側壁（左心室自由壁）の破裂．

心破裂は，心筋梗塞の病理学的時期からいえば，初期（1 日以内）と 1 週間前後（やや時間が経過して梗塞巣の吸収が開始された時期）に発生のピークがあるが，冠動脈における粥腫破綻や血栓の時期をみると，梗塞の時期とは関係なく，新たな粥腫破綻や血栓形成が観察されることが多く，これらの新たな冠動脈病変が破裂の引き金になっている可能性が指摘されている．

なお，心タンポナーデを生じて突然死する疾患としては，心筋梗塞破裂と急性大動脈解離の 2 つが重要である．

4 陳旧性心筋梗塞（図 3-5）

心筋梗塞巣の器質化が進んで瘢痕となった状態．瘢痕が不整脈の原因となって突然死することが知られている．また，慢性的に左室のポンプ機能が低下してうっ血性心不全の原因となることも少なくないが，異状死の症例ではあまり経験されない（心不全で医療を受けているケースが多いため）．

また，陳旧性心筋梗塞のみられる突然死剖検例では，それとはまったく独立して新しい冠動

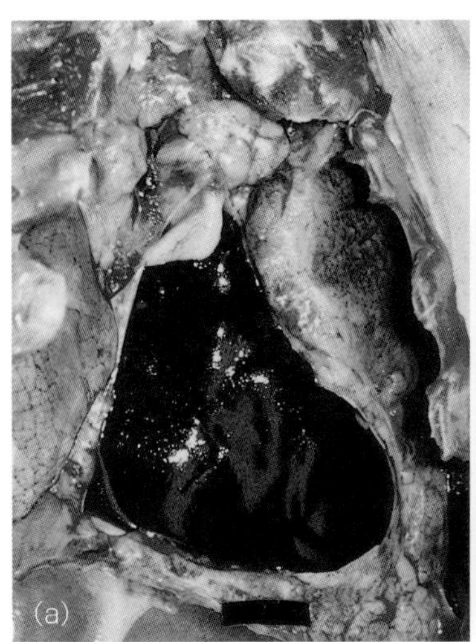
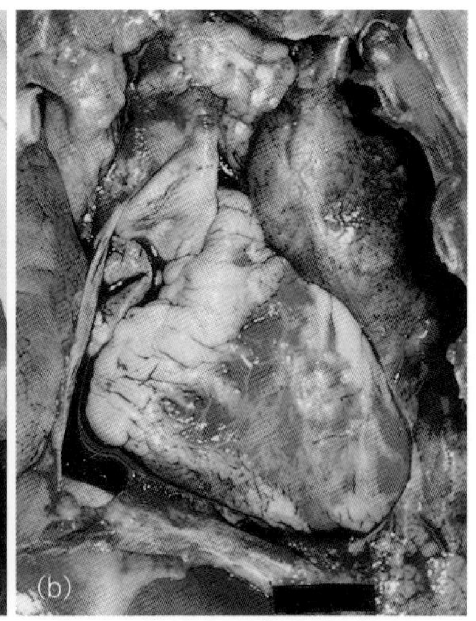

図 3-4　心タンポナーデ（a），血腫を取り除いたところ（b）

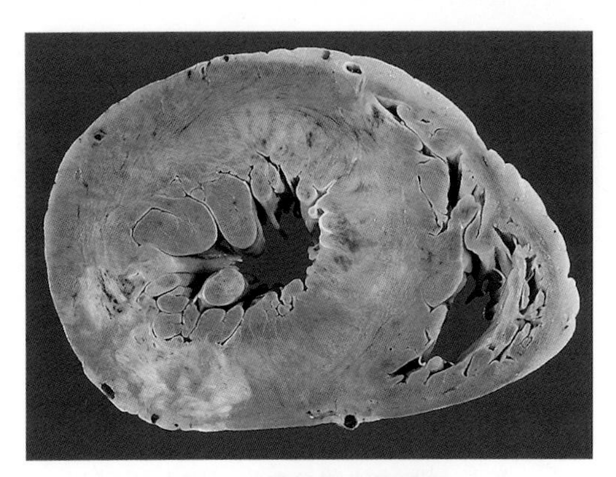

図 3-5　陳旧性心筋梗塞
側壁（左心室自由壁）の線維性瘢痕.

脈粥腫破綻・閉塞性血栓（つまり新たな急性心筋梗塞）が生じていることも少なくない.

5 粥状硬化による高度の冠動脈狭窄

動脈硬化により冠動脈の内腔が狭くなっている状態．突然死例のなかには前述のような冠動脈の粥腫破綻・閉塞性血栓（およびこれによる急性心筋梗塞）も陳旧性心筋梗塞もみられず，高度の冠動脈狭窄がみられるのみの例が少なくない．心筋には，せいぜい顕微鏡レベルの小さな線維化巣が散在している程度である．おそらく何らかの機序で致死的な不整脈が生じて死亡するものと考えられるが，形態学的にはその直接死因を証明することができない.

実務上は，主な冠動脈のうち 1 枝以上に 75% 以上の狭窄がみられれば，それが原因で十分突然死が起こりうるのだとする考え方が一般的である.

6 冠動脈攣縮 coronary spasm

わが国に比較的多いとされる病態である．臨床的には冠攣縮性狭心症（vasospastic angina，とくに攣縮の活動性が亢進した症例群は異型狭心症）と呼ばれ，安静時，とくに朝方の発作が特徴とされている．攣縮自体は機能的な異常であり，形態学的に証明することはできないが，攣縮を繰り返していた症例では，冠動脈に，粥腫とは異なる内膜の多層性の線維性肥厚（攣縮に伴う内膜浮腫や壁在血栓に続発して形成される，**図 3-6**）がみられ，心筋にも相応の虚血性変化が観察される場合がある.

また，冠動脈外膜に多数の好酸球を含む炎症細胞浸潤を伴い，内膜に上述の攣縮例と同様の線維性肥厚がみられる例がある（好酸球性冠動脈周囲炎，梶原）．その病態には不明な点が少なくないが，アレルギー的な機序の関係する異型狭心症の一型ではないかとの指摘もある.

7 動脈硬化以外の冠動脈疾患

冠動脈起始異常には多くの種類があるが，そ

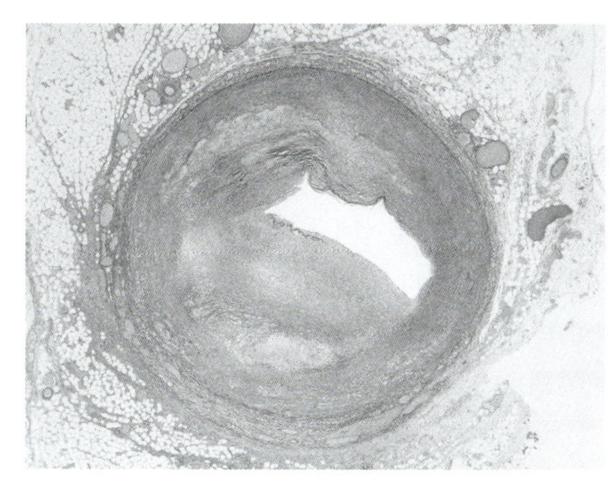

図 3-6 冠動脈攣縮
冠動脈内膜の多層性線維性肥厚．この例では粥腫性病変も加わっている．

のなかで突然死の危険のあるパターンは，冠動脈が肺動脈から起始する場合（左冠動脈に生じた場合は，Bland-White-Garland 症候群という）と，冠動脈が大動脈と肺動脈との間を走行するような場合とに限られる．後者では，冠動脈が両動脈の間に挟まれるとともに，その起始が鋭角となるため，運動時などに，冠血流が不利な条件に置かれるといわれている．

冠動脈解離には，冠動脈造影に伴う医原性のもの以外に，急性大動脈解離に合併するもの（解離が冠動脈まで進展してきた場合）と原発性冠動脈解離（冠動脈のみに解離が発生する場合）とがある．後者は，きわめてまれな疾患であるが，冠動脈造影約 1,000 例に 1 例の頻度で遭遇するという．経口避妊薬服用や妊娠・分娩などとの関連が指摘されており，若年女性の心筋梗塞の原因として重要である（一般に若年女性には冠動脈硬化を基盤とした急性心筋梗塞をみることは少ない）．

川崎病（冠動脈瘤を形成）や結節性多発動脈炎などは，とくに小児や若年成人における心筋虚血の原因として重要である．

8 心肥大と突然死

高血圧や大動脈弁狭窄などでは，後負荷の増大により左室肥大が生じる．肥大心では，酸素需要が増大することで相対的に心筋が虚血に陥りやすく，心室性不整脈などによる突然死例が散見される．

9 虚血性心疾患による突然死の直接死因

① 重篤な心室性不整脈，② ポンプ失調，③ 心筋梗塞破裂による心タンポナーデなどが重要である．突然死例では，心筋虚血や線維化巣を基盤とした重篤な心室性不整脈による死亡が多いと考えられている．ポンプ失調は，広範な心筋梗塞により心筋の収縮力が低下した症例でみられ，心原性ショックやうっ血性心不全を呈する．

症例

55 歳の男性．会社役員．高血圧，糖尿病，脂質異常症で通院中．喫煙歴：40 本/日×30 年以上．数日前，駅の階段を上っていて胸が苦しくなった．当日は，夕刻，会社から帰宅し，夕食前にビールを飲んでいたが，急に「“胃” が痛い」と訴え近くの医院を受診，胃薬を投与されて帰宅した．夜半，再び激しい胸痛を訴え，やがて意識がなくなった．救急車で病院に搬送されたがすでに心肺停止状態．剖検により左冠動脈前下行枝に粥腫破綻と閉塞性血栓，左室前壁～心室中隔にかけての急性心筋梗塞が確認された．

2．虚血性心疾患以外の心疾患

1 心筋症

心筋を主座に形態・機能異常が生じ，しかも冠動脈疾患や高血圧，弁膜症，先天奇形などの明らかな原因がないような一連の疾患群をいう．日米欧で分類が異なり，定義についての見解も変遷がみられる．個々の疾患は比較的まれなものであるが，突然死の原因としては重要である．

1. 肥大型心筋症

hypertrophic cardiomyopathy（HCM）

心肥大とこれに伴う左心室の拡張機能低下（コンプライアンスの低下）を特徴とする心筋症．左室内腔の拡大はなく，左室の収縮は正常か増大している．約60％に家族内発症がみられ，そのうちの約半数に心筋構成タンパク関連の遺伝子変異がみられるという．

HCMには自覚症状のない症例も多い（心臓の収縮力は原則として障害されないため）．一般に予後は良好で天寿を全うする例も多い一方で，突然死の危険も指摘されている（1年間に患者の1～2％程度）．突然死の危険因子として，失神の既往，若年発症，突然死の家族歴，高度の左室肥大などが指摘されているほか，スポーツや軽度の体動により突然死が誘発されることもある．

▶病　理：左心室の非対称性肥大（心室壁が均一に肥厚するのでなく，部分的に厚くなり，いびつな形態を呈する；図3-7）．とくに左室自由壁よりも心室中隔の肥厚［非対照性中隔肥大 asymmetrical septal hypertrophy（ASH）］が目立つことが多い．左室流出路閉塞を伴うHCM（閉塞性HCM）では，僧帽弁前尖の収縮期前方運動によって，大動脈弁下の心内膜に線維性肥厚（“mirror image”）がみられる．組織学的には，心筋線維の肥大と錯綜配列（disarray）が特徴的である．心筋線維の形態も奇異で，核の形態異常も伴う［bizarre myocardial hypertrophy with disorganization（BMHD）］．間質には線維化を伴う．

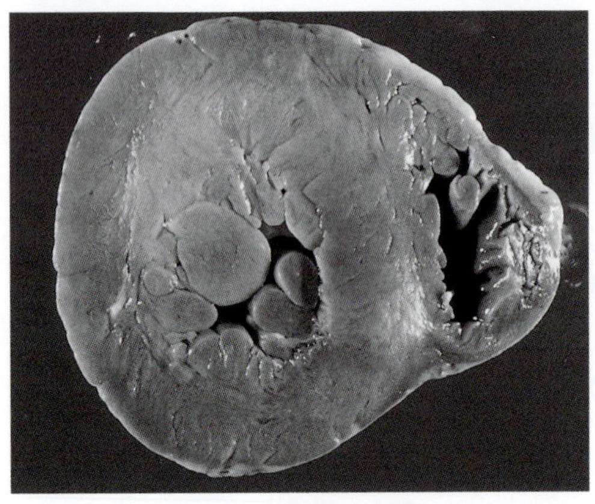

図3-7　肥大型心筋症
左心室前壁の肥厚が目立ち，全体にいびつな形態を呈する（非対称性肥大）．

拡張相肥大型心筋症に移行した症例では，臨床的に拡張型心筋症類似の病態を呈する．

▶問題点：学童や生徒のスポーツ中の突然死では，学校健診などでの管理指導の適否が問題となることもある．

症例

35歳の男性．既往歴なし．母方の伯父が若いころ突然死したという．当日午前9時ごろから友人とテニスの試合に出ていたが，午前10時ごろ，飛び上がってボールを受け，そのまま前方に昏倒．救急車到着時には心肺停止状態．剖検所見：心重量500 g．左心室の非対称性肥大が著明．組織学的に心筋の錯綜配列がみられた．

2. 拡張型心筋症

dilated cardiomyopathy（DCM）

左心腔の拡張と左心室の収縮力低下を特徴とする心筋症で，多くは進行性である．遺伝子異常（本症の約20～40％が家族性）や心筋の慢性的なウイルス感染，自己免疫異常などが背景にあるものと考えられている．うっ血性心不全による症状がみられ，肥大型心筋症よりも予後不良とされる．心不全の進行により死亡する例が多いが，致死的な不整脈により突然死的な経過をとる例もみられる．

前述の拡張相肥大型心筋症のほか，虚血性心疾患や高血圧心，心筋炎，アルコール多飲者，脚気，甲状腺機能亢進症，筋ジストロフィー症などで類似の病態を呈することがあり，鑑別が必要となる．

▶病　理：心房，心室の内腔が拡張し，心室壁はしばしば薄くなっている．組織学的に，心筋線維の変性，萎縮，代償性肥大が混在し，間質には線維化を伴っている．

▶**補　足**：同じ突然死でも，HCM は自覚症状のない元気な若年者の突然死，DCM は心不全症状のある患者の急変といった臨床像の違いがある．

3. 不整脈源性右室心筋症 arrhythmogenic right ventricular cardiomyopathy（ARVC）

右室心筋細胞の脱落と右室の拡張，および右心室起源の不整脈(左脚ブロック型の心室頻拍)を特徴とする心筋症．心不全症状をみる例は少なく，心室性不整脈により突然死することがまれでないといわれている．若年～中年の突然死の原因疾患として重要で，運動選手やスポーツ中の突然死例でも経験される．

▶**病　理**：右室心筋の脱落と脂肪組織（線維化を伴う）による置換が特徴．右室は多少なりとも拡張している．左室（とくに後側壁）や心尖部に病変が及ぶこともある．

2 心筋炎 myocarditis

種々の原因により心筋に炎症が生じている状態をいうが，臨床領域では，“急性心筋炎＝ウイルス性心筋炎”の意味で使われることが多い．急性心筋炎には軽症状あるいは無症候性の症例も多いが，突然死の原因として重要なのは，急激にショック状態に陥る劇症型と呼ばれる心筋炎である．原因ウイルスは，エンテロウイルス（とくにコクサッキーB群）やアデノウイルスが重要とされている．乳児から高齢者まで幅広くみられるが，小児や若年者では虚血性心疾患で死亡する例が少ないので，心筋炎による急死例が目立つ印象を与える．

劇症型の急性心筋炎でも，感冒症状が先行することが多い．死亡前に，胸痛や胸部圧迫感，頻拍などの心症状のほか，悪心・嘔吐などの消化器症状，全身倦怠感などを訴えることも少なくない．

▶**病　理**：心筋線維の壊死（ウイルスによる心筋線維の障害像），心筋間質にリンパ球を主体とする炎症細胞浸潤と浮腫（図 3-8）．

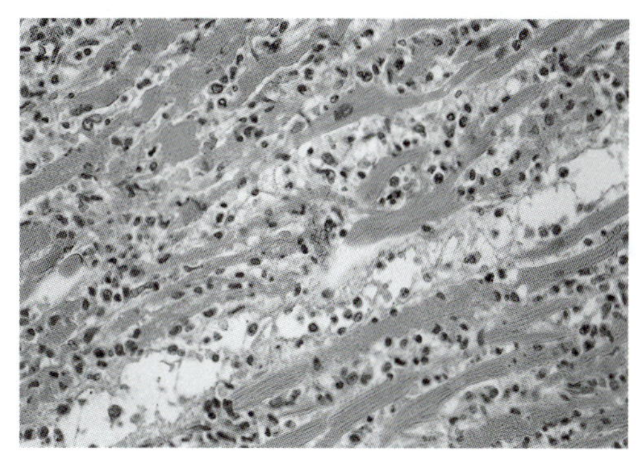

図 3-8　急性心筋炎（組織所見）
心筋の壊死と間質の炎症細胞浸潤．

▶**問題点**：感冒症状や胸痛，悪心・嘔吐などを訴えて医療機関に受診しながら，心筋炎であることがわからずに急死してしまうこともある．医療側の対応が悪いと医事紛争に発展する場合もある．

症例

20歳の男性．大学生．数日前から感冒症状があり，胸痛を訴えて講義は欠席していた．近くの医院を受診し，感冒薬を投与．当日，自室で意識がないのを家族が発見し，救急病院に搬送されたが，すでに心肺停止状態．剖検所見：心重量 350 g．左右心室の軽度の拡張．やや混濁した微黄色の心嚢液貯留（50 mL）．組織学的に心筋線維の壊死と間質の炎症細胞浸潤がびまん性にみられる．

3 心サルコイドーシス cardiac sarcoidosis

サルコイドーシスは，肺やリンパ節など全身に非乾酪性肉芽腫が多発する原因不明の疾患である．一般に予後良好だが，心臓を侵した場合には致命的な経過をとる場合があり，サルコイドーシス全体の死因としては，心病変がその大半を占める．心病変が死因となった場合，突然死の経過をとることもまれでない．病理学的に心筋には非乾酪性肉芽腫や二次的な瘢痕（冠動脈の支配域に一致しない点で虚血性心疾患と鑑別される）が多発し，しばしば刺激伝導系に病変をみる．

4 その他の心疾患

1. 弁膜疾患

突然死の原因としては，**大動脈弁狭窄**が重要であり，後負荷の増大により高度の左室肥大を生じやすく，不整脈によると思われる突然死例が散見される．先行する自覚症状がみられないことも多い．大動脈弁狭窄の原因は，リウマチ性のものと動脈硬化性のもの（石灰化大動脈弁）が大部分だが，現在ではリウマチ性のものが減少し，動脈硬化性のものが多くを占めるようになっている．

そのほか，感染性心内膜炎（僧帽弁>大動脈弁）や乳頭筋断裂（心筋梗塞合併症または外傷性）による僧帽弁閉鎖不全，僧帽弁逸脱症候群，弁置換手術後の突然死などがみられる．

2. 心奇形

乳児医療の向上によって，臨床医に気づかれていない心奇形で突然死する例はきわめてまれになった．むしろ成人まで持ち越した心奇形（成人先天性心疾患　adult congenital heart disease，とくに心房中隔欠損や Ebstein 奇形，修正大血管転位など）や外科治療後の経過観察例の突然死が大半を占める．

3. 筋疾患に伴う心病変

筋ジストロフィーなどの筋疾患の患者の突然死例に遭遇することがある．ごくまれな疾患ではあるが，突然死の原因として重要である．とくに，心伝導障害が特徴的な Becker 型や Emery-Dreifuss 型ジストロフィー，筋緊張性ジストロフィー（糖尿病や白内障などの多系統障害を合併する）などが重要である．臨床的に診断されていなかった症例も少なくない．

5 不整脈と突然死

心臓性突然死の直接原因は，（基礎疾患は何であれ）心筋虚血などによって誘発された致死的な不整脈が大半である．

そのような致死性不整脈のほとんど（80％以上）が頻脈性不整脈で，10％前後が房室ブロックや洞不全症候群などの徐脈性不整脈であろうと考えられる．前者は心室頻拍（torsades de pointes など）から心室細動などの経過をとることが多い．

一方，形態学的な観点からいうと，不整脈には，心筋梗塞や心筋症などの器質的病変に基づく不整脈と，器質的病変のみられない不整脈とに分けられるが，器質的病変のない致死的不整脈は，剖検では証明することができない．法医実務上は，除外的に（急死であり，ほかに急死を説明できる病変がないなど）診断している．

突然死の可能性が指摘されている不整脈性疾患としては，Wolf-Parkinson-White（WPW）症候群（一般に予後良好だが，若年男性などで突然死例が散見される），Brugada 症候群（夜間の突然死がみられ，“ぽっくり病”との関連が指摘される），先天性 QT 延長症候群（10％は心停止が初発症状），カテコラミン誘発性多形性心室頻拍（学童期に発症することが多い）などが知られている．

心房細動を有する異状死症例（とくに高齢者）に遭遇する機会も増えている．心房細動患者では，心不全への進展や心腔内（左心耳など）血栓からの脳塞栓のほか，重篤な心拍性不整脈が誘発されて突然死する例がみられる．弁膜症性心房細動は少なく，肥満や高血圧などのメタボリックシンドローム，睡眠時無呼吸症候群，常習過量飲酒などに伴う非弁膜症性心房細動心が大半である．左右心房・心耳が拡張し，左心房心内膜の線維性肥厚がみられる．

3．大血管疾患など

1 大動脈解離 acute aortic dissection，解離性大動脈瘤 dissecting aneurysm

大動脈中膜が内外 2 層に裂け（解離し），動脈走行に沿って大動脈が二腔になった状態である

(図 3-9). 高血圧のある中高年男性に多いが, 若年者では, Marfan 症候群 (高身長, クモ状指, 水晶体脱臼などの身体特徴) や Ehlers-Danlos 症候群などの先天性結合組織疾患に合併してみられる. まれな原因として巨細胞性動脈炎 (とくに高齢女性) も重要である. 胸部や背部などの激痛を訴えて意識を失うことも多いが, 何ら症状の訴えがなく瞬間的に意識を消失し死亡する例もみられる.

▶病　理：解離は中膜の外層 (外 1/3～1/4) で生じ, 大動脈は真腔 (本来の内腔) と偽腔 (解離によってできたスペース) に分離する. 内腔と偽腔とは内膜にできた出入口 (entry, re-entry) である内膜亀裂 intimal tear で交通する. 組織学的に大動脈中膜には変性像 (嚢状中膜壊死) がみられることがあり, とくに Marfan 症候群などの結合組織疾患例では著明である.

突然死例での死因は外膜側が破綻することによる出血がほとんどである. 破綻の部位により, 胸腔内出血 (血胸) か心嚢血腫 (心タンポナーデ) となる.

▶問題点：交通事故などが関与した症例では, 外傷性大動脈破裂との鑑別が必要となる.

症例

55 歳の男性, 運転手. 高血圧で投薬を受けている. 帰宅途中, めまいと悪心を訴え, 救急車で病院に収容された. 病院収容時には意識がはっきりしており, 背部痛と手足のしびれを訴えていた. 入院手続き中に急に意識を失い, まもなく心停止. 剖検所見：大動脈起始部～腹部大動脈に及ぶ急性解離 (図 3-9). 外膜破綻による心タンポナーデ. 上行大動脈に内膜亀裂.

2 大動脈瘤破裂 ruptured aortic aneurysm

大動脈壁が瘤状に限局的に拡大 (正常の 1.5 倍以上) した状態 (図 3-10, 口絵写 16). 発生部位により“胸部大動脈瘤”“腹部大動脈瘤”などと呼ばれる. 動脈硬化によるものがほとんどである. 動脈硬化性動脈瘤の進行は緩やかなので, 死亡時点まで自覚症状に乏しい例も少なくない.

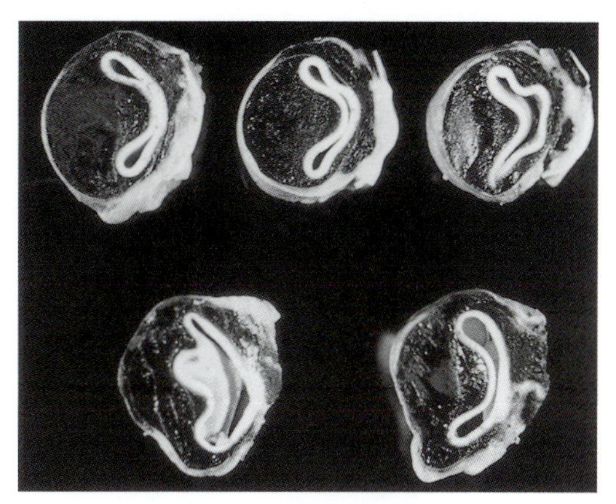

図 3-9 急性大動脈解離
大動脈を輪切りにしたところ, 血腫が内腔を圧排している.

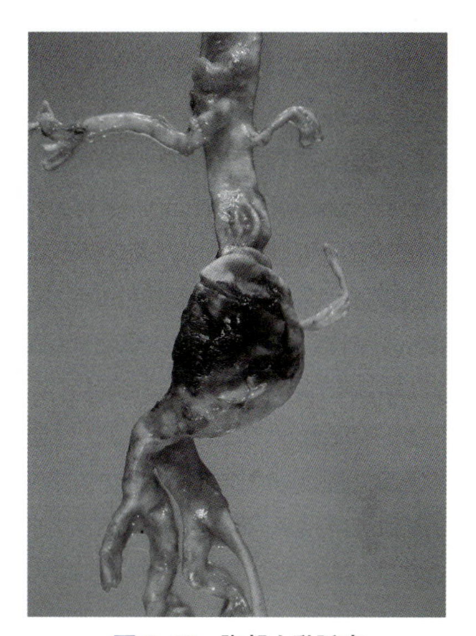

図 3-10 腹部大動脈瘤

▶病　理：大動脈壁が全層的に拡張 (真性動脈瘤) している. 大動脈解離とは異なり, 動脈壁の解離はない. 動脈壁は粥状硬化が強く, 瘤の内壁には新旧の血栓が付着 (→塞栓源になりうる) している. 瘤の破裂による出血で死亡する. 胸腔内出血や後腹膜出血が一般的だが, ごくまれに, 動脈瘤が肺や消化管 (食道や小腸など) と癒着・穿通し, 致命的な喀血や消化管出血を

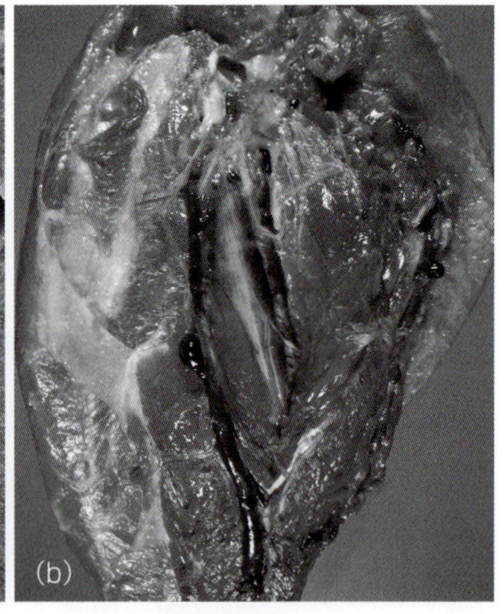

図 3-11　肺動脈血栓塞栓（a）と下肢深部静脈血栓（b）

生じることもある．

3 肺動脈血栓塞栓症 pulmonary thromboembolism（図 3-11，口絵写 18，19）

肺動脈の主な枝が，肺外から流入した血栓塞栓子により閉塞される疾患．重篤な場合には右心系から肺への血流が急激に途絶し死亡する．わが国の診断患者数は年間約 1 万 6,000 人程度で，欧米と比較して日本では比較的少ないとされてきたが，近年，増加傾向にある．全肺動脈血栓塞栓症患者の 14％は突然死し，死亡例からみると，その43％は突然死の経過をとっている．

血栓塞栓子はほとんどの場合，下肢の深部静脈で形成される．血流うっ滞に起因する血栓形成は，静脈弁のポケットとひらめ静脈に始まり，中枢側に向かい進展していく．成長した静脈内の血栓は，何らかのきっかけで剝離し，塞栓子となる．

危険因子として，下肢の外傷（とくに交通外傷）やそれに伴うギプス包帯固定，下肢の麻痺，外科手術，長期臥床などに関係した運動低下 immobilization，精神疾患，肥満，うっ血性心不全，経口避妊薬使用，分娩・産褥などが知られている．先天的・後天的血栓性素因（血が固まりやすい病態）が関係する場合もある．また，年齢とともに発症のリスクが高くなる．

臨床症状としては，呼吸困難や胸痛を訴える例が多く，重症例では失神やチアノーゼ，ショックから突然死に至る．下肢の外傷を伴うような例では，受傷から1〜2週間の経過を経て発症することが多い．

▶病　理：塞栓源は，下肢深部静脈がほとんど（ほかに骨盤内静脈や右心系）である．大腿静脈などの比較的中枢側の血栓は，死亡時にはすでに剝離してしまっていることが多く，剖検で血栓を証明するには，両側下腿の静脈群の検索が必須である．また，肺動脈枝や下肢深部静脈には，新鮮な血栓以外に，器質化した血栓が観察される場合もある．

▶問題点：法医実務上は，外傷と関連した症例が問題となる．例えば，交通事故で下肢の打撲傷を受傷．外傷自体は軽いのに，肺動脈血栓塞栓を合併して死亡したような場合で，運転手の刑事責任や損害賠償をめぐって判断が必要となる．また，原疾患が別にある入院中の突然死では，医療の適否が問われることもありうる．

症例

55歳の肥満傾向のある女性．横断歩道でバイクと接触し，右下肢を打撲．骨折のため入院．入院12日後，病棟内の便所で突然の呼吸困難を訴えて倒れ，まもなく死亡．肺動脈幹を完全に閉塞する血栓塞栓．右下肢の深部静脈血栓．

▶参　考：胸痛（胸部苦悶感）を訴えて突然死する疾患の鑑別 → ① 急性心筋梗塞，② 急性大動脈解離，③ 肺動脈血栓塞栓など．

4 その他の血管疾患

1．腸間膜動脈血栓症

腸間膜動脈に急激な血流の途絶が生じる病態で，上腸間膜動脈幹部に多い．動脈硬化による血栓や心房細動に伴う塞栓などが原因．突然の下腹部痛を訴え，下痢や下血，麻痺性イレウスなどの症状を呈し，死亡率の高い疾患であるが，わが国の突然死の原因としてはまれである．

2．脾動脈瘤などの臓器動脈瘤と動脈解離

腹部臓器の中型筋性動脈に生じる動脈瘤としては，脾動脈瘤が最も多い．病理学的には動脈硬化性の囊状動脈瘤がほとんどで，破裂すると致命的な腹腔内出血を生じる．肝硬変の合併が多いことも指摘されている．

腹部の比較的細い筋性動脈（胃大網動脈などの腹腔動脈の枝，あるいは上下腸間膜動脈の枝）には，まれに動脈解離が生じ，ときに致死的な腹腔内出血の原因となる．解離により中膜が融解し，外膜側に途切れ途切れに島状に残るような形態となることから，分節性動脈中膜融解（segmental arterial mediolysis）と呼ばれている．

4．脳血管障害

突然死の約9%程度を占める．その原因としては，くも膜下出血と脳出血がほとんどで，両者を比較すると突然死例ではくも膜下出血のほうがやや多い．脳梗塞が直接の死因となるような突然死例は少ない．

1 くも膜下出血 subarachnoid hemorrhage（図3-12）

クモ膜下腔への広範な出血が起こるもので，その90%以上は脳動脈瘤の破裂による（まれに動静脈奇形やもやもや病など）．突然死の原因疾患としても重要で，平均年齢が50歳代と比較的若いことも特徴であろう．

激しい頭痛，嘔吐などの髄膜刺激症状で発症し，急激な意識消失をきたすのが典型的とされるが，突然死例では，自覚症状を訴えることなく意識消失や急激な肺水腫（神経原性肺水腫）をきたす例もみられ，数分で心停止に陥る例すらある．

▶病　理：脳底部の脳槽を中心とする厚層のくも膜下出血．脳動脈瘤は剖検例の95%以上で確認され，発生部位は，Willis動脈輪の前半分（内頚動脈系）が大半（臨床例では95%，突然死例では75%）である（表3-2）．

動脈瘤は，肉眼的に，① 囊状動脈瘤（主として動脈分岐部）と，② 紡錘形動脈瘤（動脈非分岐部）に分類される（図3-13）が，囊状動脈瘤が圧倒的に多い．なお，椎骨動脈系の紡錘形動脈瘤のほとんどは“解離性動脈瘤（または動脈解離）”である．

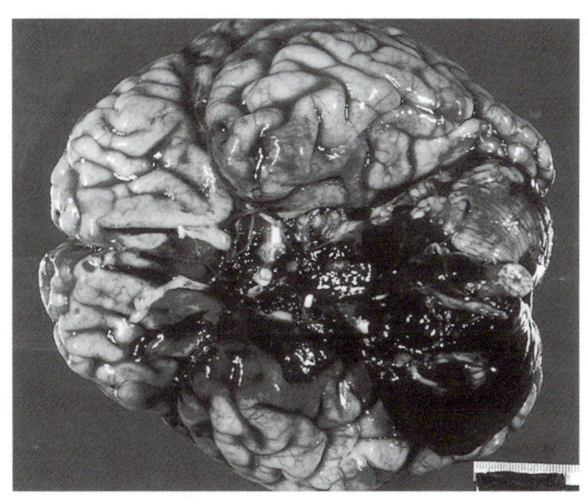

図3-12　くも膜下出血

▶問題点：① 発症直前に喧嘩や事故などの外因が関与している場合，因果関係が問題となる．② 外傷性くも膜下出血との鑑別は頭部コンピュータ断層撮影 computed tomography（CT）などでは不可能で，出血源となった血管の病理学的検索が必要である．③ 頭部CTなどの画像情報が得られない死亡例では，後頭下穿刺（後頭部から後頭蓋窩に穿刺して髄液を採取し，出血の有無を判定する）により診断することが多いが，手技的に難しく，また偽陽性も多いので診断には注意を要する．

症例

45歳の女性．主婦．高血圧で病院を受診したことがあるが，現在は無治療．数日前，頭が痛いといい，市販薬を服用．朝食の支度をしていたが，ドスンという物音がしたので夫が見に行くと，調理台の前で倒れていた．病院収容後まもなく心停止．剖検所見：前交通動脈瘤（米粒大）の破裂．脳底部脳槽につよい広範なくも膜下出血．

表 3-2　脳動脈瘤の発生部位；臨床例との比較

（%）

報告者/施設	臨床例[1]	突然死例[2]
（症例数）	3,898	328
内頚動脈	41.4	11.6
前大脳・前交通動脈	33.9	34.8
中大脳動脈	20.8	28.4
椎骨・脳底動脈系	4	25.3
内頚動脈系	96	74.7
椎骨・脳底動脈系	4	25.3
合計	100	100

1）鈴木二郎：日本医事新報，2407，11，1970.
2）東京都監察医務院症例（1996～2000年）を集計

2 脳出血 intracerebral hematoma

脳実質内に血腫が形成された状態をいう．内因性（非外傷性）脳出血の主な原因の一つは，高血圧である（持続性高血圧 → 小動脈の硬化（lipohyalinosis）→ 破綻・出血）．まれに動静脈奇形や，脳動脈瘤の脳実質への破綻などが出血源となる．高齢者では脳アミロイド血管症による脳出血もみられる（図 3-14）．

▶病　理：高血圧性脳出血の好発部位は，① 被殻，② 視床，③ 橋，④ 小脳であり，これ以外の部位の脳出血では，高血圧以外の原因（外傷

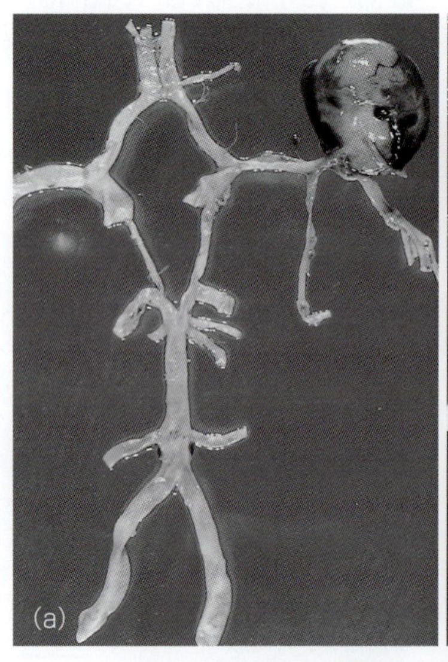

図 3-13　脳動脈瘤

(a) 嚢状動脈瘤（左中大脳動脈に巨大な動脈瘤）
(b) 紡錘形動脈瘤（右椎骨動脈の動脈解離）

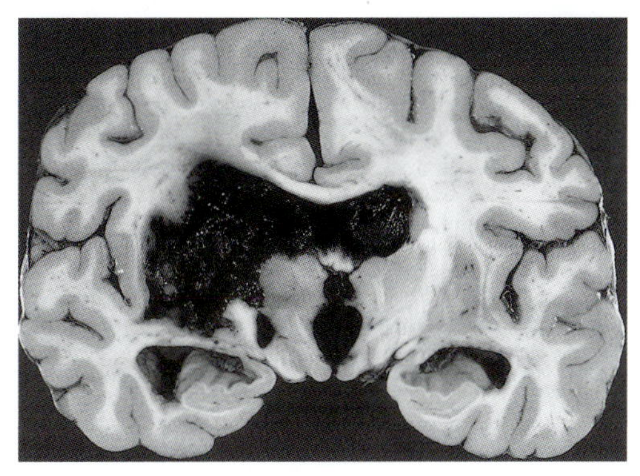

図 3-14 脳出血（右被殻出血）
脳室への広範な穿破を伴っている．

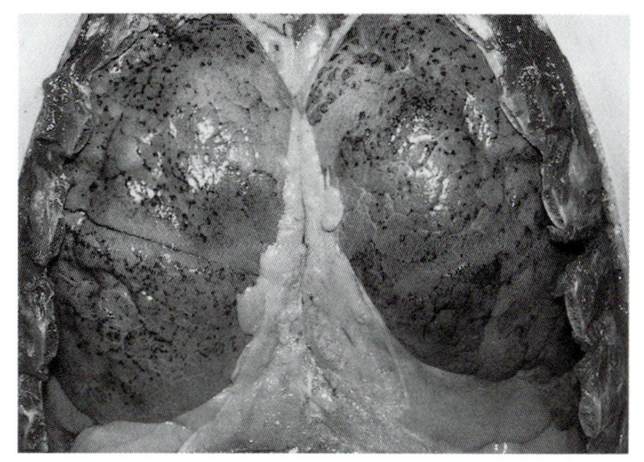

図 3-15 気管支喘息（発作による急死例）
両肺が高度に膨隆している．

や，血液疾患・肝硬変などによる出血性素因）を考慮する必要がある．大酒家での合併も多い．出血源となった小血管を同定することは困難な場合が多いが，非出血側の大脳基底核などに小動脈の lipohyalinosis や微小動脈瘤（器質化した不全破綻部）を見出すことがある．

死因は，実質内血腫 → 頭蓋内圧亢進 → 脳ヘルニア．大脳基底核の出血では脳室への穿破が急変に関与する．また，橋出血は生命中枢に近く，経過も急激である．

▶**問題点**：外傷性血腫との鑑別は，明らかな挫傷性血腫などの場合を除き，ときに困難である．外傷によるものは，出血が外力の加わった部位（皮膚表面や頭蓋骨骨折でみる）と関連づけられるなどの特徴があるが，判定は必ずしも容易でない．

3 脳梗塞 cerebral（brain）infaction

突然死の直接原因としては少ない．ただし，脳梗塞の既往のある患者では，四肢麻痺や嚥下障害などの運動障害の結果，① 転倒事故，② 入浴中の溺死，③ 食物の誤嚥（窒息）などが起こりやすく，脳梗塞が間接的に死因に関与する．

近年では，独居などの生活事情により，病院にアクセスすることなく死亡・発見される急性期脳梗塞例（主に高齢者）が，異状死体として診断の対象となるケースが散見される．このような例では終末期の意識障害に伴う初期の褥瘡（周囲に紅斑形成を伴う圧迫痕，時間経過例では浅い潰瘍形成）がみられることが多い．

5．呼吸器疾患

1 気管支喘息 bronchial asthma

気道の攣縮や粘液分泌の亢進によって気道の狭窄が生じ，呼気性の呼吸困難を呈する疾患．背景に各種の刺激に対する気道過敏性の亢進が存在し，自律神経異常の関与も指摘される．気道攣縮による呼吸困難は一般に可逆性だが，激烈な発作で突然死する例や，発作の持続（喘息発作重積状態）から死亡に至る例が散見される．1990 年代には全国で年間 6,000 人程度の喘息死がみられたが，近年では約 1,700 人程度に減少した（2017 年）．少なくともその 3 割程度が発症 3 時間以内の急死で，また，死亡例の多くを高齢者が占めている．

▶**病　理**：肉眼的に肺は過膨張（空気がトラップされて膨らんでいる，図 3-15）し，気道内には粘度の濃い粘液が充満（粘液栓）している．組織学的には，気管支内腔に粘液が充満し，気管支粘膜上皮は鋸歯状（凹凸状）に波打ち，粘膜上皮の杯細胞化と基底膜の硝子様肥厚，平滑筋の肥大，気管支腺の過形成などがみられる．好酸球を交える炎症細胞浸潤をみることも特徴の一つである．

▶**問題点**：喘息発作を誘発する薬物（交感神経

遮断薬など）があり，患者には禁忌（投与してはならない）とされている．喘息の既往歴を十分に聴取せずに使用し，患者が死亡したような場合には医療の適否が問題となりうる．また，公害補償を受けていた喘息患者の場合，死亡との因果関係を問われることがある．

2 呼吸器感染症

本当の意味での“突然死”はまれで，独居者などで看護を受けずに死亡したり，老人や幼児のように症状がはっきりしないまま病状が進行して死亡し，異状死として扱われる例がほとんどである．また，インフルエンザなどのウイルス感染に伴う脳症も散見される．

1. 肺結核 pulmonary tuberculosis

異状死の症例で経験されるのは，免疫力の低下が関与している例［高齢者での結核再燃例，糖尿病，後天性免疫不全症候群 acquired immune deficiency syndrome（AIDS）］や，日常生活管理が不十分で病状が進行した例（過労，ホームレス，外国人労働者など），陳旧性結核による肺性心（慢性肺機能低下 → 右心不全）などである．

肺結核の進展による呼吸不全のほか，粟粒結核への進展や結核性空洞からの喀血を吸引しての窒息などが死因となっている．医療を受けずに結核症が進展した異状死例では，空洞形成に至らず，乾酪性肺炎の形態をとる例も多い．

なお，臨床的に診断されていない重症肺結核の症例に遭遇した場合，感染症予防法に基づき届出を行ったうえで，死亡者が生前接触した人の検診が必要となる場合がある．

2. 肺炎 pneumonia

細菌感染による気管支肺炎，大葉性肺炎がほとんどである．まれに乳幼児（一部成人でも）では間質性肺炎がみられる．高齢者では，発熱や咳などの典型的な症状がみられずに死亡してしまう症例が少なくない．脳梗塞後遺症などで寝たきりの患者の，就下性肺炎（誤嚥性肺炎）などもみられる．

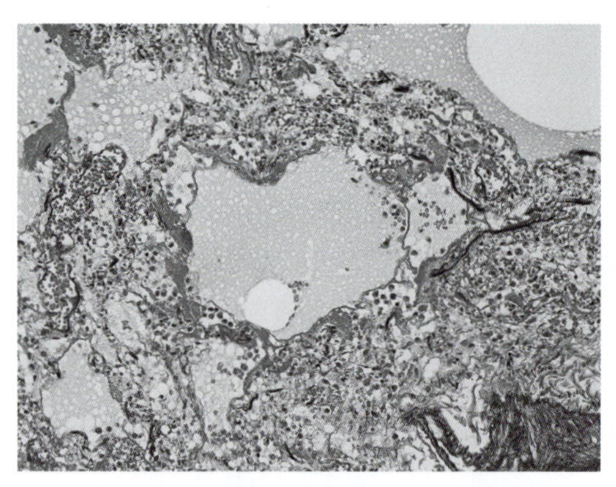

図 3-16　新型コロナウイルス感染症
硝子膜形成を伴う急性間質性肺炎．マクロファージの浸潤．肺胞壁の炎症細胞浸潤は弱い．

新型コロナウイルス感染症（covid-19）の死亡例では，病理学的に硝子膜形成を伴う急性間質性肺炎（びまん性肺胞傷害　diffuse alveolar damage）の像を呈する（図 3-16）．インフルエンザウイルス感染症の一部にも同様の急性間質性肺炎を呈する症例がみられる．いずれもサイトカインストームの関与が指摘されている．

▶参　考：頭部外傷や睡眠薬中毒などに続発した肺炎 → 病死でなく外因死となる．

3. 上気道の炎症による窒息

急性喉頭蓋炎，急性声門下喉頭炎，咽後膿瘍など，上気道の急性化膿性炎は，ときに，急激な気道狭窄を生じる．上気道症状から急激な呼吸困難，窒息に至る突然死例もみられる．幼児，高齢者，糖尿病などの免疫機能低下がみられる例が少なくない．

3 慢性閉塞性肺疾患 chronic obstructive pulmonary disease（COPD）

異状死の症例では，① 在宅酸素療法などを受けている患者の自宅での呼吸不全，② 肺炎など呼吸器感染の合併，③ 肺性心による心不全，④ 高齢者で呼吸不全が進行した例，などが散見される．胃潰瘍を合併していることがまれでない．

6．消化器疾患

1 消化性潰瘍 peptic ulcer

胃，十二指腸の組織が限局的に欠損した状態で，突然死の原因となるのは次の２つの場合に限られる（図 3-17）.

① 潰瘍からの出血：潰瘍底で動脈が巻き込まれ，吐血，下血，消化管内出血を合併．比較的急激な経過で貧血に陥り死亡することがある.

② 潰瘍穿孔：胃，十二指腸壁全層に潰瘍が進展 → 穿孔 → 腹膜炎．穿孔後ただちに死亡することはまれで，数日程度の腹部症状（悪心，嘔吐など）がみられることが多い．この間，適切な医療を受ける機会を失って死亡すると，異状死体として扱われることになる.

▶病　理：胃，十二指腸粘膜に円形，楕円形などの粘膜欠損．慢性に経過した例では粘膜集中像などの治癒過程を示唆する所見を伴う.

▶補　足：全身疾患などに続発して二次的に潰瘍が生じることがある．頭部外傷に続発するものをCushing 潰瘍，火傷に続発するものをCurling 潰瘍などという．その他，薬剤やストレス，死戦期の変化としてもみられる.

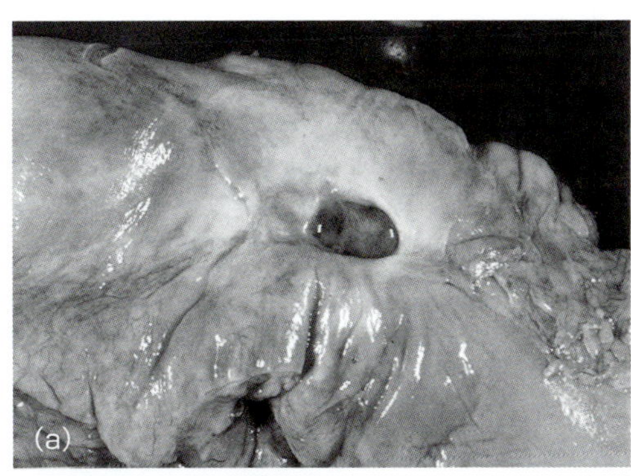

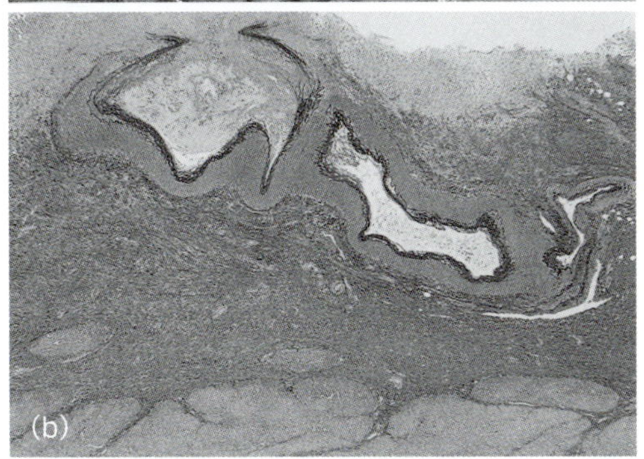

図 3-17　消化性潰瘍の穿孔（漿膜面）(a)，消化性潰瘍の底部で動脈が破綻したところ (b)［(a)，(b) は別の症例］

2 Mallory-Weiss 症候群（図 3-18）

食道下部～胃噴門部に粘膜亀裂（縦走，しばしば複数）が生じた状態で，亀裂部から出血が生じ，吐血や消化管出血を合併し，ときに致命的となる．多くは大酒家で，しばしば飲酒後の嘔吐に関連して形成される．肝硬変を合併した大酒家では，止血機能の低下から致死的な出血となりやすい.

3 腸閉塞とイレウス intestinal obstruction and ileus（図 3-19）

何らかの原因により腸管の病的な通過障害が生じた状態．腸管内腔の物理的（機械性）閉塞によるものを“腸閉塞”，腸管運動の機能的な障害よるものを“イレウス”と呼んで区別する（わが国では両者とも“イレウス”としている場合がある)．癌や糞塊，あるいは腸管の癒着による“単純性腸閉塞”，腸管の循環障害（血管の閉塞を伴う）を合併する“複雑性（絞扼性）腸閉塞”，腸管運動の麻痺により腸管内容の滞留が生じる“麻痺性イレウス”などに分類される．異状死例として扱われるのは次のような場合である.

① S 状結腸軸捻転，内ヘルニア陥頓などによる複雑性（絞扼性）腸閉塞.

開腹手術後の陳旧な癒着や，自然に形成された空隙，癒着などにより内ヘルニアが生じる．鼠径ヘルニアが陥頓し腸閉塞になる場合もある.

② 気がつかれないまま進行した大腸癌などの腫瘍による単純性腸閉塞．口側の腸管が拡張に耐えられず破綻すると，腹膜炎を合併する.

③ 高齢者や認知症患者，人工透析後の麻痺性イレウスによる予期されない急変.

▶問題点：悪心，嘔吐などの腹部症状を訴えて救急外来を受診したのに，腸閉塞やイレウスと

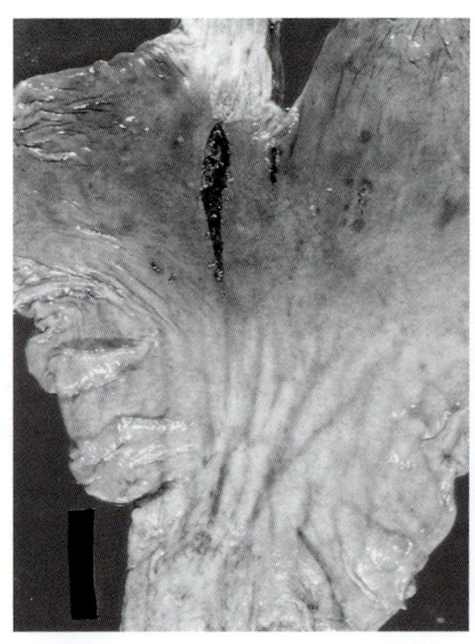

図 3-18　Mallory-Weiss 症候群
噴門部小弯側に複数の線状亀裂.

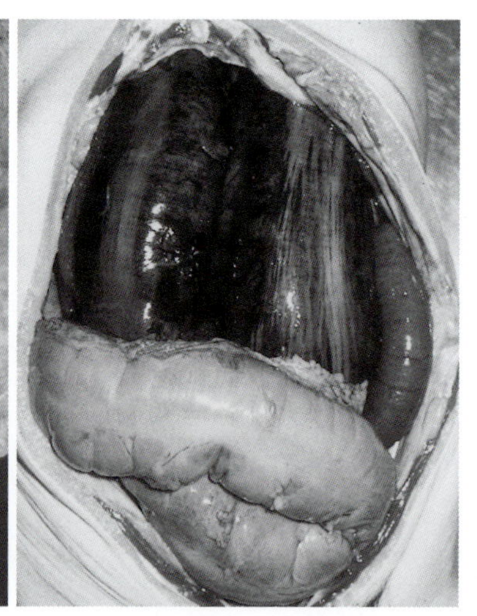

図 3-19　腸閉塞　S 状結腸軸捻転
出血壊死に陥ったＳ状結腸が膨隆.

診断されずに死亡してしまう例が異状死体として経験される．特に高齢者や激烈な訴えに乏しい患者，便秘と下痢を繰り返しているような場合には注意が必要である．

4 肝硬変 liver cirrhosis

種々の原因により肝小葉の改築が起こり，肝臓全体が偽小葉で置換された状態で，肝疾患の終末像である．わが国ではウイルス性肝炎によるものが大部分を占めるが，異状死の症例ではむしろアルコール性肝硬変のほうが多い．

▶**アルコール性肝硬変の病理**：典型例では肝臓は大きく，小型の偽小葉が比較的狭い線維性隔壁に取り囲まれている．しばしば肝細胞に高度の脂肪変性を伴う．ときにＣ型肝炎の合併がみられ，そのような例ではグリソン鞘や間質の細胞浸潤が目立つ傾向がある．

▶**死　因**：① 肝不全，② 食道静脈瘤の破裂，③ 肝癌の合併．突然死例では ① は比較的まれ．② は消化管出血・吐血で急死の経過をとる．③ ではまれに肝臓表面の癌が出血・壊死を起こして腹腔内出血で死亡することがある．

▶**補　足**：肝硬変の患者では，しばしば出血傾向がみられる．このため，① 軽微な打撲傷でも皮下出血が浸潤・拡大して一見重症にみえたり，② 頭部外傷や臓器損傷からの出血が止まりにくく，比較的軽症と思われた例でも致命的な経過をとることがあるので注意が必要である．

5 急性膵炎 acute pancreatitis

大酒家，胆道系結石，肥満のある例などでは重症の急性壊死性膵炎による突然死例が散見される．病理学的に膵臓は硬く腫大し，出血や壊死を伴う（図 3-20）．しばしば膵実質や周囲組織の脂肪壊死，限局性腹膜炎を合併．

▶**問題点**：① 腹部外傷による膵壊死との鑑別が必要となる例もある．腹壁への外力の有無を精査しなければならない．② 腹部症状があるのに適切な診断がつけられず，急激な経過で死亡した場合，医療の適否が問題となることがある．

6 腹膜炎 peritonitis

異状死の症例でも種々の原因による腹膜炎がみられ，原因疾患の鑑別が必要となる．とくに急死例では，① 腸管穿孔（胃，十二指腸潰瘍穿孔，結腸癌に伴う穿孔，憩室炎の穿孔，急性虫垂炎の穿孔，潰瘍性大腸炎など），② 急性壊死性膵炎，③ 絞扼性腸閉塞，④ 女性生殖器疾患（付属器炎など）などによるものの頻度が高い．また，外傷によるものを鑑別する必要がある．

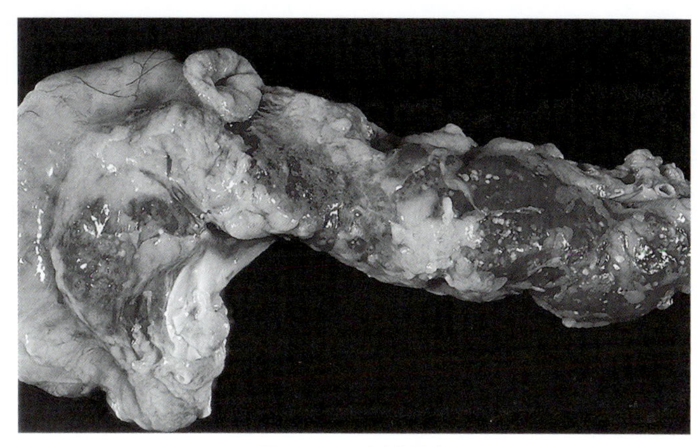

図 3-20　急性膵炎
膵は腫大し，出血や脂肪壊死を伴う．

7．腎・尿路疾患

慢性腎不全で人工透析を受けている患者ではまれに突然死がみられる．虚血性心疾患を合併する例も多く，直接的には電解質異常（高カリウム血症）や不整脈（腎性高血圧による心肥大や虚血性心疾患に伴うもの）などが突然死の原因となっている例が大半である．透析シャントからの出血（しばしば瘤の形成を伴う）も，突然死の原因となる．

その他，腎・尿路系の感染症，とくに化膿性腎盂腎炎（とくに女性．男性では前立腺肥大症による尿路通過障害のある例）が重要である．

8．アルコール関連障害

長期にわたる多量の飲酒は，全身の諸臓器にさまざまな障害を生じる．このような大酒家の急病死は，中年男性の異状死例では心疾患に次いで第2位を占める．

大酒家には，肝病変（脂肪肝，肝線維症，脂肪性肝硬変，**口絵写 21**）を中心に，心病変（心肥大，アルコール性心筋症），脳病変（Wernicke 脳症，中心性橋髄鞘融解，小脳虫部や前頭葉の萎縮，ペラグラ脳症など），慢性膵炎・膵線維症，睾丸の萎縮など多彩な病変がしばしば並存して認められる．また，生活の乱れや栄養状態の悪化を背景にした肺炎・結核などの感染症や脳卒中，あるいは未治療の悪性腫瘍などで死亡する例もある．糖尿病の合併も少なくない．さらには，酩酊や脳病変に伴う転倒，交通事故に関連した死亡例にもしばしば遭遇する．

大酒家の死因としてとくに問題となるのは，次のような疾患であろう．

1 大酒家突然死症候群とアルコール性ケトアシドーシス

大酒家の突然死例には，解剖によって肺炎や脳出血，消化管出血などの死因が特定される症例のほかに，脂肪肝や肝線維症程度の病理所見しかみられないものが多く，これらの症例の突然死の機序には不明な点が多い．

このような大酒家の突然死の原因のひとつとして，“大酒家突然死症候群”という病態概念が提唱されている（杠岳文，1997）．その特徴は，① 食事を摂らないで飲酒している大酒家の大量飲酒直後から離脱期にみられ，② 意識障害を伴い，しばしば低体温，低血糖，代謝性アシドーシス，肝腎機能障害などを呈し，短時間のうちにショック状態から死亡する．発症前には，腹痛や嘔吐などの消化器症状があり，③ 病理学的には線維化を伴う脂肪肝や脂肪性肝硬変などが主要所見としてみられる，などがあげられる．

一方，アルコール性ケトアシドーシス alcoholic ketoacidosis は，大酒家に起こる急激な代謝不全状態で，栄養不良と脱水を契機に，代謝性アシドーシスとケトン体（β-ヒドロキシ酪酸が主体）の上昇をみる．剖検では，線維化を伴う脂肪肝などの大酒家の臓器所見に加え，腎尿細管上皮のびまん性空胞変性や“黒色食道（急性壊死性食道炎）”がみられるほか，血中ケトン体（とくにβ-ヒドロキシ酪酸）の高値が証明される．なお，pH や重炭酸の測定値は死体血では診断上意義がない．

“大酒家突然死症候群”とアルコール性ケトアシドーシスの臨床像，病理学的特徴はほとんど共通しており，両者は同一の病態である．“大酒家突然死症候群”はアルコール性ケトアシドーシスのうち，異状死例でしばしば経験されるような重症群（致死群）を指しているものと考えられる．

症 例

60歳の男性．長年にわたる大酒家．3年前からアルコール性肝障害で通院中．数日前から元気がなく，食欲が低下していたが，飲酒は止めなかった．当日朝には立って歩けず，便所の前で横になっていた．下痢便を失禁．夕方，家族が便所の中で動けなくなっているのを発見し，救急車を要請．車内で呼吸が停止，まもなく心停止．剖検所見：高度の脂肪変性を伴う肝線維症．膵臓の線維化．睾丸の萎縮．骨格筋の萎縮傾向．小脳虫部と前頭葉の萎縮．血中ケトン体高値．

2 Wernicke 脳症，ペラグラ脳症 Wernicke encephalopathy，pellagra encephalopathy

Wernicke 脳症は，ビタミン B_1（サイアミン）欠乏による脳症．しばしば致命的な経過をとる．病理学的に，乳頭体の出血壊死が特徴的．第三脳室周囲（視床内側部）や中脳水道周囲，第四脳室底などにも同様の病変をみる（**図 3-21**）．

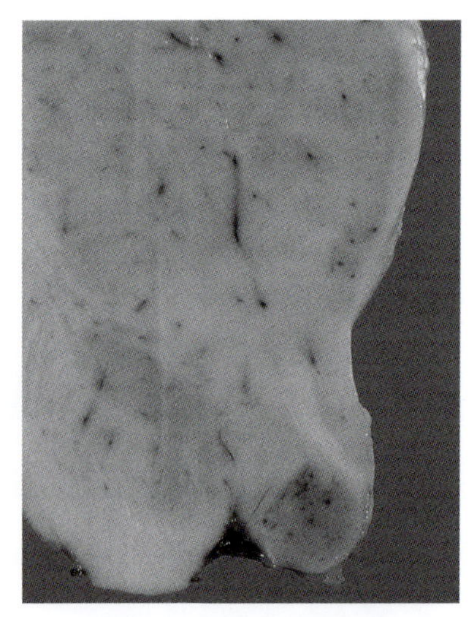

図 3-21　Wernicke 脳症
比較的急性期．乳頭体の変性，点状出血，新生血管の増生．

ペラグラ脳症はナイアシン欠乏が原因で，形態的には大脳・脳幹などの神経細胞の central chromatolysis を特徴とする．皮膚病変の目立たない例も少なくない．

3 アルコールによる心障害

大酒家には軽度～中等度の心肥大をみることが多い．また，臨床例では大酒家に拡張型心筋症に似た病態（アルコール性心筋症）をみることがあるが，異状死例では心不全症状が顕在化した症例はあまり経験されず，むしろ不整脈などにより比較的急激な経過で死亡したと思われるもののほうが多い．

9．内分泌・代謝性疾患

とくに問題となるのは，糖尿病に関連した死亡と，急激な経過をとる甲状腺クリーゼであろう．また臨床的に診断されていなかった橋本病も少なくない．ほかに，まれな疾患として副腎クリーゼや下垂体卒中（下垂体腫瘍の急激な出血・壊死），自己免疫性下垂体炎なども経験される．

1 糖尿病 diabetes mellitus（DM）

インスリン作用の絶対的，あるいは相対的不足により引き起こされた代謝異常．一次性糖尿病は，1型（インスリン依存型）と2型（インスリン非依存型）に分類されるが，異状死例で問題となるのは，未治療（臨床的に診断されていない）の1型と，心血管合併症を有する2型である（絶対数は後者が断然多い）．また，糖尿病合併症について，つぎのような点での理解も必要である．

① 動脈硬化の促進要因：糖尿病は，心筋梗塞など突然死の原因疾患の重要なリスクである．

② 糖尿病性昏睡：未治療例や血糖値コントロールが不良な症例での死因として重要である．

ケトアシドーシス（インスリン中断や感染などのストレス，清涼飲料水多飲などが契機），高浸透圧性非ケトン性昏睡（高齢者など），低血糖（インスリン使用患者など）などにより死亡することがある．

③ 易感染性：とくに重症化した細菌感染症例では基礎疾患に糖尿病を有することがある．

なお，近年，劇症1型糖尿病（非自己免疫的機序による膵β細胞の急速な破壊が生じ，数日〜1週間以内にケトアシドーシスに陥る病態）が注目されるようになった．異状死例でもときおり経験される．上気道の感染症状（発熱，咽頭痛）や消化器症状（嘔気・嘔吐，腹痛など）が先行することが多い．

糖尿病の死後診断において，死体血では生化学検査にはかなり限界がある．血糖値やpHなどは診断意義がまったくないが，HbA1cやグリコアルブミン，1,5-AG，ケトン体などはある程度有用である．

▶病　理：インスリン非依存型糖尿病では形態学的異常には乏しいことが特徴．組織学的に膵ランゲルハンス島の硝子様硬化がみられることもあるが，必発ではない．

劇症1型糖尿病では，ランゲルハンス島に軽度のリンパ球浸潤がみられ，免疫染色でインスリン産生細胞の極端な減少が観察される．

糖尿病性昏睡例では，ケトアシドーシスの所見として，腎尿細管上皮の空胞変性や“黒色食道（急性壊死性食道炎）”，小脳顆粒層の融解などがみられ，診断に有用である．

なお，長期にわたって血糖値のコントロールが悪い例では，しばしば腎に糖尿病性変化（糸球体のびまん性病変，結節性病変，輸出入動脈の硝子様硬化など）が観察される．

2 甲状腺クリーゼ（甲状腺中毒症）

Basedow病患者で，甲状腺機能亢進の急激かつ重篤な増悪が生じた状態．感染や外傷など，何らかの誘因がみられることもある．頻脈，ショック，発汗，不安興奮状態，嘔吐，腹痛，下痢など多彩な症状を呈して死亡するが，臨床的にBasedow病と診断されていない症例もある．慢性に経過した症例では，心筋障害（内分泌性心筋症のひとつ．拡張型心筋症に類似した形態を呈する）によるうっ血性心不全をみることがある．甲状腺は腫大して“肉様”を呈し，濾胞上皮の過形成をみる．

橋本病（慢性甲状腺炎）の急性期にも甲状腺クリーゼを呈する場合がある．急性期には甲状腺は腫大してやや白色調を帯び，組織学的に濾胞の破壊と上皮の好酸性変化，高度の炎症細胞浸潤（リンパ球，形質細胞主体）を伴う．

10. 産科的疾患

1 妊娠に関連した突然死

1. 子宮外妊娠 ectopic pregnancy

正常な着床部位（子宮体腔）以外の場所に起こる妊娠で，全妊娠の1%弱で発生．経産婦に多い．95%が卵管妊娠（膨大部が大部分）で，通常妊娠12週までに中絶が起こるが，卵管破裂が生じると高度の腹腔内出血を合併する．かつては「若年女性，下腹部痛 → ショック，子宮外妊娠」というパターンがみられた．最近では医療の向上などにより，死亡症例がほとんど経験されなくなったものの，女性の突然死の原因として記憶しておく必要がある.

2. 子癇 eclampsia

妊娠高血圧症候群（妊娠中毒症）に伴う重篤な合併症. 現在では死亡例はきわめてまれになった.

▶問題点："産科的ショック"は, 予後不良な疾患が多く, 死亡例では, 医療処置の適否が問題となることがまれでない.

2 分娩に関係した突然死

1. 羊水塞栓 amniotic fluid embolism

羊水成分が子宮内膜から母体静脈血中に入り, 肺血管に塞栓を生じる予後不良な病態. 急激な呼吸不全, 右心不全, さらには播種性血管内凝固症候群 disseminated intravascular coagulation（DIC）を合併してくる. 剖検例では, 組織学的に肺動脈枝に羊水成分が観察されるが, ほとんど観察されない症例もある.

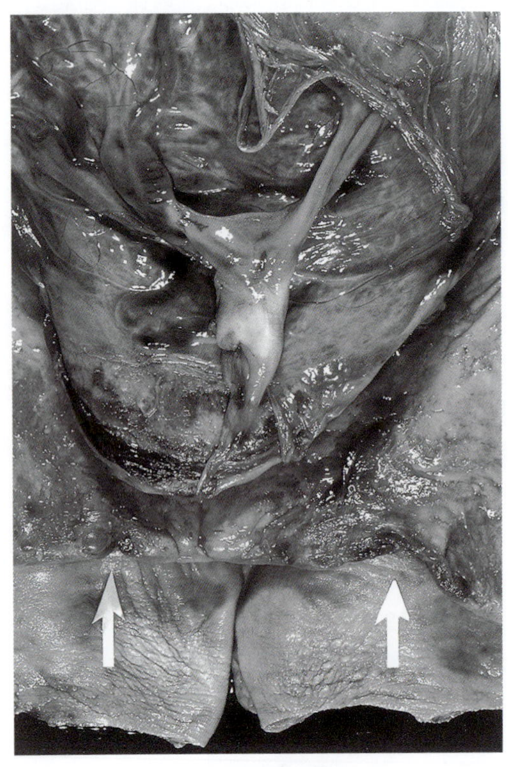

図 3-22　頸管裂傷
子宮を開いたところ. 矢印：裂傷部位. 胎盤と断裂した臍帯が残存.

2. 分娩に伴う多量の出血

産道損傷（頸管裂傷など, 図 3-22）, 子宮破裂, 子宮内反, 弛緩出血などによる. とくに自宅での出産など適切な医療が行われていない場合.

3 妊娠・分娩が危険因子となる疾患群

肺動脈血栓塞栓, 急性大動脈解離, 冠動脈解離（経口避妊薬使用や卵巣機能の変調などとも関係する）, 劇症1型糖尿病（妊娠中に発症する1型糖尿病のほとんどは劇症型）, 劇症型A群溶連菌感染症などは記憶しておく必要があるだろう. 免疫機能の変容に伴って, 結核などの感染症や悪性腫瘍が顕在化してくる場合もある.

11. 呼吸器系以外の感染症

異状死例のなかには, 敗血症（細菌感染による全身性炎症反応）を生じて急激な経過で死亡する症例が散見される. とくに糖尿病など免疫機能の低下を伴う基礎疾患を有する場合が多い. グラム陰性桿菌による endotoxin shock や黄色ブドウ球菌による toxic shock syndrome のほか, 劇症型A群溶連菌感染症 streptococcal toxic shock like syndrome（STSS）などが重要である.

劇症型A群溶連菌感染症は, A群レンサ球菌を原因とし, 多くは壊死性筋膜炎, 筋炎などの軟部組織壊死を伴い, 急激な経過で敗血症性ショックに陥る重篤な感染症である（図 3-23）.

中枢神経系の感染症としては, **化膿性髄膜炎** purulent meningitis が重要である. クモ膜下腔を中心とする急性化膿性炎症で, 教科書的には発熱や髄膜刺激症状などをみるとされるが, 小児や高齢者などでは症状がはっきりせず, 診断がなされないまま死亡して異状死として扱われることがある.

化膿性髄膜炎の原因菌としては, 肺炎球菌, 髄膜炎菌, インフルエンザ桿菌などが多い. 細菌感染経路は, ① 鼻や耳など隣接部位からの炎

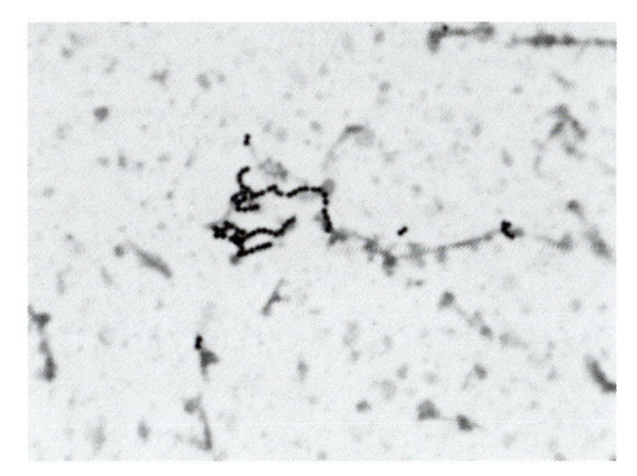

図 3-23 劇症型 A 群溶連菌感染症
血液中にみられたレンサ球菌.

症の波及，② 肺や皮膚などの病巣からの血行性播種，③ 頭蓋骨骨折（前頭蓋窩など）による直接の侵入，が重要で，とくに ③ の場合には外傷と死因との関連が問題となる．剖検所見上は，脳を被う軟膜に膿が付着して灰緑色や汚い黄色調を呈する（**口絵写 23**）．組織学的には軟膜炎 leptomeningitis が主体で，軟膜とその下に多数の好中球浸潤がみられ，しばしば脳実質内にも炎症の波及を伴う．

▶Waterhouse-Friderichsen 症候群：髄膜炎菌による敗血症で，両側副腎の出血壊死を生じたもの．髄膜炎菌以外の細菌による敗血症でも類似の状態をみることがある．

なお，異状死例で遭遇する感染症（細菌，ウイルスなど）には，臨床的に把握されていない症例が少なくない．医療関係者，消防，警察，家族を含めた感染予防対策がきわめて重要である．

12. 悪性腫瘍

悪性腫瘍は日本人の全死因の第 1 位であるが，突然死は少なく，全体の数％程度にすぎない．異状死例で経験されるのは，在宅療養中の死亡例か，医療を受けていないなどの理由で癌と診断されていなかった症例である．医療管理下の症例でも，肺癌からの喀血吸引による窒息や，肝癌の破裂による腹腔内出血，喉頭癌の浸潤による頚動脈破綻，脳腫瘍の腫瘍内出血など，予期されない急変で死亡することがある．

13. 血液疾患

白血病では，血小板減少による出血傾向から脳出血や消化管出血などを合併し，急激な経過で死亡することがある．急性前骨髄性白血病では，感染などを契機として DIC を合併し急死する例がある．このような症例のなかには，臨床的に白血病の診断がなされていないものも散見される．

14. その他の疾患・病態

1 睡眠時無呼吸症候群

sleep apnea syndrome（SAS）

睡眠中に一定回数以上（30 回以上/7 時間）の無呼吸発作（10 秒以上）をきたす病態で，習慣性のいびき habitual snoring，昼間の過眠傾向 excessive daytime sleepiness が特徴である．扁桃肥大を含む Waldeyer リンパ組織の過形成や，下顎の低形成（高口蓋を伴う例がある），肥満やそれに伴う太くて短い頚などによる上気道の狭窄あるいは閉塞が原因とされている（閉塞性睡眠時無呼吸症候群）．高血圧や虚血性心疾患のリスクが増すほか，夜間睡眠時の突然死をきたす可能性が指摘されている．

剖検では，上述のような気道狭窄をきたす解剖学的異常と急死の所見群に加え，軽度の心肥大（右室内腔の拡大を伴う）や脂肪肝がみられることが多い．

2 神経，精神疾患と突然死

てんかん患者にはまれに突然死がみられるが，その機序は明らかでないことが多い．てんかん重積状態（けいれん発作が続いてしまう状態）による死亡はむしろ少なく，不整脈死などが疑われる例もある．多くは脳腫脹や肺水腫など急性循環不全を示唆する非特異的な所見が認められるのみである．なお，けいれん発作で死亡した症例では早期に死後硬直が出現し，その程度も強いことが多い．死体温が高い傾向もある．

Parkinson 病（Lewy 小体病）や多系統萎縮症などの神経変性疾患では突然死例が散見される．誤嚥の合併や浴槽内の突然死（後述）のほかに，自律神経異常や不整脈死（心電図上の QT 延長に基づく）が示唆される例もみられる．

精神疾患（統合失調症やうつ病など）で加療中の患者の突然死もときおりみられる．未治療の内臓疾患によるもののほか，悪性症候群 neuroleptic malignant syndrome などの向精神薬に関連した急変，水中毒に伴う死亡例もみられるが，突然死の機序が不明な症例も少なくない．なお，精神疾患は，肺動脈血栓塞栓の危険因子の一つとされている．

激しく興奮し暴れていた人が，急に意識を失い，心肺停止に陥ることがあり，興奮性譫妄（excited, agitated delirium）と呼ばれている．死因になるような特異的な所見に乏しい．統合失調症などの精神疾患や，精神興奮剤（コカインや覚醒剤など）・アルコールの使用を背景に有する例がほとんどである．精神的緊張・身体的興奮による交感神経系の異常亢進，およびそれに引き続く致死性不整脈などが，直接死因の一つとして想定されている．興奮性譫妄では，暴れていたために身体的に制縛され，制縛中，あるいは制縛の中止後まもなく死亡するような状況があり，制縛と死亡との因果関係が問題となる．

3 入浴中の突然死

浴室内での突然死は，高齢者などでしばしばみられる重要な病態である．東京23区での全検死例の約 10%は，浴槽内あるいは洗い場での死亡例で占められ，全国的にみれば，年間約 1 万 5,000 人以上が入浴中に死亡しているものと推定されている（交通事故死者数の数倍である）．冬に多いことも特徴である．

入浴中，とくに浴槽内でのこのような突然死の機序は不明な点が多い．剖検で動脈硬化や加齢性変化はみられるものの，脳出血や心筋梗塞などただちに死亡につながるような疾患がみられる例はほとんどなく，しかも多少なりとも溺水の所見を伴っていることが多い．おそらく何らかの理由（血圧低下やそれに伴う不整脈，一種の熱中症状態など）で意識消失を起こし，死戦期に溺水し死亡するものが大半であろうと考えられている．

4 いわゆる“ポックリ病”

10〜30 歳代の若年者（比較的筋肉質の男性）が夜間にうなり声をあげて突然死するものの俗称で，急死の所見のほか病理学的には器質的な異常所見が見出されない．青壮年急死症候群や“急性心機能不全”などと呼ばれることもある．洞結節の線維化などの刺激伝導系異常，不整脈，内分泌異常，自律神経系の異常など種々の原因が想定されてきたが，真の病態は不明である．一方で，かつて（1970 年代に）みられたような典型例はまれとなり，また，“ポックリ病”という俗称もほとんど使用されなくなった．

最近では，このような就寝中の突然死症例の多くは閉塞性睡眠時無呼吸症候群や冠動脈攣縮に関連する急死であり，それらを除くと，Brugada 症候群などによる不整脈死がその本態と考えられるようになっている．

5 脱水，低栄養

独居者や精神疾患患者の死亡で，高度な脱水や低栄養状態でありながら，その原因となる基礎疾患（悪性腫瘍などの慢性消耗性疾患や糖尿病など）が認められないことがある．独居者や精神疾患・摂食障害患者の死亡例が多いが，家族がいる場合や小児では，保護責任者遺棄致死やネグレクトが疑われることがある．

6 高齢者の症例―「老衰」―

異状死体数はこの 30 年でほぼ倍増している

が，その原因は，主として高齢者の症例が激増したことによる．東京都監察医務院の統計（2019年）によれば，東京23区の異状死体症例の実に71.3%が65歳以上の高齢者で占められている．

加齢により全身機能が低下して死に至った状態をいわゆる「老衰」という．典型例では，諸臓器に加齢性変化がみられるだけで，死因となるようなはっきりとした病変は見出されない．徐々に衰弱して寝たきりとなり食欲も低下して死亡することが多いが，転倒など軽微な外傷や，寒暑などの環境要因が衰弱のきっかけとなっている場合もみられる．

高齢者医療の整備や高齢者の受診率の増加によって，このような例は減少していると思われがちである．しかし医療を受けずに自宅で老衰死（加齢による多臓器不全）する高齢者は現在でも少なくない．そのような場合は異状死に含まれることになる．

高齢者の異状死例では，認知症を示唆する病変（脳血管性認知症，Alzheimer型認知症，Lewy小体型認知症，前頭側頭型認知症など）が脳にみられ，生前の異常行動や生活の乱れ（いわゆる“ごみ屋敷状態”となる場合もある）などの理由が解明できる場合がある．また，軽い外傷や慢性硬膜下血腫を伴う例や，極端に栄養状態が悪い場合には，高齢者への虐待やネグレクト（elder abuse）が疑われることもある．高齢者施設での急変例では施設の管理責任が問題となる．

Ⅳ　小児の突然死

1．疫　学

わが国では，乳児期を除けば，若年者が何らかの内因性疾患により突然死することはきわめて少ない．東京都監察医務院などの統計によれば，20歳未満の急病死は，全急病死の0.5%程度で，その2/3は5歳未満である．若年者の突然死は，その原因が成人とは大きく異なっており，それぞれの疾患の発生頻度も低い．また，生前には診断が確定していない例も少なくない．

若年者の突然死は，家族や周囲の人たちに大きな衝撃と悲しみを与え，場合によっては，さまざまな社会的問題を生じさせる原因ともなる．家族にとってはつらいことであるが，解剖を含む手段を尽くし，死亡原因を明らかにすることがきわめて重要である．

以下に，若年者における突然死の原因疾患について，乳児期とそれ以降に分けて解説する．成人にもみられる疾患については省略したので，前項を参考にしてほしい．

2．乳児期の突然死

乳児期の突然死の原因として最も多いのは，乳幼児突然死症候群である．ここでは，乳幼児突然死症候群を中心に解説する．

1 乳幼児突然死症候群

sudden infant death syndrome（SIDS）

▶概　念：「それまでの健康状態および既往歴からその死亡が予測できず，しかも死亡状況調査および解剖検査によってもその原因が同定されない，原則として1歳未満の児に突然の死をもたらした症候群」（厚生労働省研究班，2008年）である．除外診断的な概念ではなく，一つの疾患単位（あるいは疾患単位群）であるとする考え方が一般的であるが，一部に異論もある．

▶疫　学：乳児期（1歳未満）の突然死の原因として最も多く，また乳児期の死因全体についてみても，先天奇形，周産期の呼吸障害についで第3位を占める（表3-3）．わが国では，出生

表 3-3　乳幼児，小児の年齢階級別死亡順位（人口 10 万人対，2020 年）

年齢（歳）	第 1 位		第 2 位		第 3 位		第 4 位		第 5 位	
	死　因	死亡率	死　因	死亡率	死　因	死亡率	死　因	死亡率	死　因	死亡率
0	先天奇形等	64.8	呼吸障害等	27.4	乳幼児突然死症候群	9.6	出血性障害等	7.4	不慮の事故	6.9
1〜4	先天奇形等	2.3	悪性新生物	1.6	不慮の事故	1.5	心疾患	0.6	インフルエンザ	0.5
5〜9	悪性新生物	1.6	不慮の事故	1.0	先天奇形等	0.6	心疾患	0.4	インフルエンザ	0.2
10〜14	自殺	2.3	悪性新生物	1.6	不慮の事故	1.0	心疾患	0.5	先天奇形等	0.4
15〜19	自殺	11.4	不慮の事故	4.1	悪性新生物	2.0	心疾患	0.8	先天奇形等	0.4

（2021 年　人口動態統計月報年計）

呼吸障害等：周産期に特異的な呼吸障害および心血管障害
出血性障害等：胎児および新生児の出血性障害および血流障害

6,000〜7,000 人に 1 人程度の発生頻度で，減少傾向にはあるが，なお年間 150 人前後の死亡がみられる．

発症月齢は，生後 2〜4 か月に多い．概ね首がすわって（頚定），寝返りを打つくらいの月齢である．1 か月未満および 6 か月以降には少なく，それらの月齢での突然死は，コアな SIDS 症例とはやや異なる病態の可能性がある．また，1 歳以降は定義上 SIDS から除外され，臨床・病理像も典型的でない．男児にやや多いが，統計的な有意差はない．

▶**臨床像**：それまでとくに異常のなかった乳児が，睡眠中に突然死してしまう，というのが典型的な経過である．死亡前に軽い上気道感染がみられることがある．死亡後に診断されるので，生前あるいは死亡経過中にどのような症状，検査所見を呈するのかわからない．

▶**危険因子**：うつぶせ寝，喫煙環境（妊娠中の母親，出生後の保育者），人工栄養による哺育，高温になりやすい保育環境の 4 つが知られている．実際，わが国においても，これら危険因子を避けるよう（例えば，あおむけ寝を推奨するなど）キャンペーンを行ったところ，SIDS の発生数は 1/5 以下に減少した．ただし，現在でもこれら危険因子のまったくない SIDS 症例が少なからずみられ，「危険因子＝原因」ではないことを示唆している．さらに，この 4 危険因子以外に，柔らかい寝具，横向き寝，顔を覆う寝具，添い寝，低出生体重児，経済的に低い家庭環境などが，危険因子となる可能性を指摘されているが，それぞれ異論もある．

▶**原因・病態**：原因不明であり，本質的な病態も解明に至っていない．

SIDS の多くは，SIDS を起こしやすい（vulnerable な）乳児において，低酸素状態を主とする危機的状況からの覚醒反応 arousal response が低下あるいは欠如していることが主な病態ではないか，と考えられている（有力な仮説の一つ）．つまり，乳児が，うつぶせ寝や無呼吸（apnea，閉塞性または反射性），再呼吸（rebreathing，自分の呼出した空気を再度吸引する）などによって，窒息や低酸素状態などにさらされた場合，健常児であれば覚醒反応によって危機的状況から脱出することができるのに対し，SIDS になりやすい乳児はこれができず，低酸素状態が進行して死に至る，という考え方である．そして，このような覚醒反応の低下あるいは欠如の背景には，延髄呼吸中枢の異常があるのではないかと考えられている．

このような「覚醒反応低下・欠如説」以外に，一部の SIDS 症例では，イオンチャンネル異常などによる致死性不整脈や，体温調節機能の障害などが死亡に関与しているという指摘もある．

▶**病　理**：徹底した死亡状況の調査と，詳しい剖検（病理学的，生化学的，細菌学的な検査を含む）を行っても，突然死を説明できるような

表 3-4 SIDS と鑑別が必要な乳児期の突然死の原因疾患・病態

全身性疾患	感染症（敗血症など），DIC，先天性代謝異常症（脂肪酸代謝異常症など），脱水症
中枢神経系	重篤な奇形，髄膜炎，脳炎，動静脈奇形，神経筋疾患，外傷
心疾患系	重篤な奇形，心筋炎，冠動脈病変（川崎病など），心内膜線維弾性症，心筋症，横紋筋腫，不整脈（QT 延長症候群など）
呼吸器系	肺炎，高度の細気管支炎（RS ウイルスなどによる），肺高血圧症，気管支喘息，頚部腫瘤（上気道閉塞）
消化器系	巨細胞性肝炎，腸炎（脱水や電解質異常を伴う），消化管穿孔，腹膜炎
造血器系	白血病などの造血器腫瘍，血球貪食症候群
外　因	外傷，事故，窒息，溺水，うつ熱，凍死，虐待，殺人，傷害致死，中毒など

［出典：日本 SIDS 学会診断基準検討委員会：乳幼児突然死症候群（SIDS）診断の手引き　改訂第 2 版，2006］

所見が見出されない．急死の所見のみである．開胸時，肺はやや虚脱し，胸腺表面に点状出血を認める例が多い．気道内へのミルクの流入がみられる例があるが，死戦期の二次的所見であり，死因としての吐乳吸引による窒息ではない．また，軽微な上気道感染など死因になるほどでない軽い病変がみられることがある．

鼻口部閉塞などによる窒息と SIDS との鑑別は，剖検所見からはきわめて困難であり，詳しい死亡状況調査が必要である．柔らかい寝具に顔が包み込まれるように沈み動きが取れない状態になっていた，ベビーベッドの柵と布団との間に挟み込まれていた，布団や枕などが覆いかぶさっていた，などの状況があれば窒息の可能性が考慮されるが，断定は難しい．ただし，通常の寝具条件で，単にうつ伏せで顔が布団についていた（face down）だけでは，鼻口部の閉塞による窒息は生じないとされている．

発育が不良で栄養状態が悪い場合などは，ネグレクトの可能性を考慮する必要がある．新旧の外傷，骨折がみられれば，当然，児童虐待を鑑別する．

診　断：詳細な剖検と死亡状況調査を行い，ほかに死因となるような疾患，外因がみられない場合に，SIDS と診断することができる．剖検が行われていない場合，死亡状況が不明な場合には死因診断としては「不詳」となる．なお，単にうつ伏せで発見されたというだけでは「窒息死」と診断することはできない．

原則として，原因が明確な病死である場合を除き，医師法 21 条に基づく警察への届出が必要である．

▶**予　防**：上述の 4 危険因子，つまり，① うつぶせ寝，② 喫煙，③ 人工栄養，④ 高温環境，を避けるべきである．ほかに，柔らかい寝具を避け，乳児専用のかたい寝具を使用することが推奨されている．母親との添い寝の是非については議論があるが，健康な（飲酒や過労状態でない）母親の適切な添い寝は，育児上むしろ有益であるという考え方がある一方で，一部の国では，寝室は分けずベッドは分けたほうがよい，という提案もある．

▶**社会的な問題**：① 子を亡くした両親・家族へのサポートの問題がある．家族が立ち直っていく過程において，医師・医療関係者の関与は非常に重要である．児の死亡原因を明らかにすることがその出発点となるので，死因究明はきわめて重要である．② SIDS が親以外の第三者（病院，託児所など）のもとで発生した場合，その管理責任が問題となる．③ 事故（ベッドの柵に頭を挟み込むなど），育児ノイローゼからの殺児，児童虐待などの外因死との鑑別が重要である．

2 SIDS 以外の乳児期の突然死

「SIDS 診断の手引き」（厚生労働省研究班）に，SIDS と鑑別を必要とする疾患名が掲げられているので，提示しておく（**表 3-4**）．

乳児突然死の原因としては，概ね SIDS が 80％程度である．それ以外には，不整脈（イオンチャンネル異常，5％程度），脂肪酸代謝異常症（1～2%程度），心奇形などが重要である．後述のReye症候群はやや年長の児のほうが一般的である．

3．乳児期以降の若年者の突然死

1歳以降の小児の突然死の原因疾患について概観すると，循環器疾患が最も多い（半数以上）が，成人の循環器疾患とは様相が異なる．その他，各臓器系に多様な疾患がみられるが，本来の意味での「突然」死だけでなく，症状があり，ある程度時間経過もありながら診断・治療に至らず死亡する場合も少なくない．

1 心血管疾患

臨床的に診断されていなかった先天奇形（Ebstein奇形，左室低形成症候群，三心房心など）はとくに乳児期の予期されない急死の原因として重要である．小児の突然死の原因としては，冠状動脈起始異常も重要である．左冠状動脈肺動脈起始（Bland-White-Garland症候群）には側副血行路の発達が悪く乳児期に重症化する症例がみられる．冠状動脈が大動脈から起始しているものの大動脈と肺動脈との間を走行するタイプの起始異常では，学童期になって運動負荷などから突然死する例が散見される．

先天性QT延長症候群，カテコラミン誘発性多形性心室頻拍（小学校高学年を中心とする学童期にみられ，運動負荷が誘因となる．失神や突然死などの家族歴がみられる），Brugada症候群などの遺伝性不整脈は，形態学的には診断が困難である．遺伝子解析が必要となる例もある．

その他，ウイルス性心筋炎，心内膜線維弾性症（endocardial fibroelastosis），左室心筋緻密化障害（left ventricular noncompaction），肥大型心筋症などが重要である．川崎病の心血管病変（冠動脈瘤）で死亡する症例は治療法の改善によりまれになった．

図3-24　クラスマトデンドローシス（clasmatodendrosis）
星状膠細胞の腫大と広範な突起崩壊（GFAP染色）

2 呼吸器疾患

乳幼児期には，肺炎球菌，インフルエンザ桿菌などの細菌性肺炎のほか，喘息様の症状を呈するRSウイルス感染による細気管支炎などが重要である．喘息死は減少傾向にあるが，いまだに散見される．

3 神経疾患

インフルエンザなどのウイルス疾患に続発した脳症では，きわめて急激に死亡する例がまれにみられる．脳は腫脹し，組織学的にはクラスマトデンドローシスclasmatodendrosis（星状膠細胞の突起崩壊；図3-24，口絵写24）がみられる．発症年齢は，乳児から若年成人に及ぶ．

学童以上の世代では，脳動静脈奇形からの出血や脳動脈解離など脳血管障害による突然死がまれにみられるほか，臨床的に診断されていなかった脳腫瘍が腫瘍内出血などにより急変し，突然死の経過をたどることがある．

てんかんに伴う突然死も若年者に認められる．「失神，けいれん＝てんかん」という短絡的な臨床診断は危険で，上述の重篤な不整脈による意識消失発作を見逃してしまう恐れがあり，注意を要する．

4 内分泌代謝疾患

先天性代謝異常症，とくに脂肪酸代謝異常症

図 3-25　肝の脂肪変性（脂肪酸代謝異常症）

が重要である．現在では新生時期にタンデムマススクリーニングが行われるようになったため，未診断例が少なくなった．

脂肪酸代謝異常症は，先天的な酵素欠損によりβ酸化の障害があるため，体内の脂肪からエネルギーを調達できない．このため，飢餓状態によるエネルギー供給の低下や，発熱などによるエネルギー需要の増大が生じたとき，急激な代謝不全に陥る．欠損している酵素により疾患名が与えられているが，中鎖アシル-CoA 脱水素酵素 medium-chain acyl-CoA dehydrogenase（MCAD）欠損症（MCAD 欠損症，日本人で 13 万人に 1 人，白人で 1 万人に 1 人，常染色体性劣性遺伝）が代表的である．臨床的にはそれまで健康であった児が，感染や長時間の飢餓をきっかけに，嘔吐，意識障害，けいれんなど急性脳症の症状を呈する．死亡例では，肝，腎などの脂肪変性（図 3-25，口絵写 25）や脳腫脹（クラスマトデンドローシスを伴う）がみられる．診断には，該当する酵素活性の低下や遺伝子変異の証明が必要となる．

このほか，乳幼児急死の原因の一つとして，呼吸鎖酵素の異常があるとの指摘もある．

学童期には糖尿病，とくに 1 型糖尿病の重症化により急激な経過で死亡する例がみられる．臨床的に診断されていなかった症例もあり，急激なケトアシドーシスに陥る例もみられるので注意を要する．

5 消化器疾患

新生児期には特発性胃破裂，乳幼児期には腸閉塞（腸重積を含む）や虫垂炎の穿孔に伴う腹膜炎などで診断が遅れて死亡する例が散見される．感染性腸炎などで治療が遅れる例やまれに急性脳症を合併する例もある．

6 感染症

劇症型 A 群溶連菌感染症をはじめとする敗血症が重要である．白血病や再生不良性貧血などの血液疾患が背景にある場合がある．

インフルエンザウイルス感染症に伴う脳症については上述した．重症のインフルエンザ感染では，出血性気管支炎が特徴的で，気管支粘膜は炎症と出血により肥厚する．

7 Reye 症候群

インフルエンザや水痘などのウイルス感染症の回復期に急激な脳症を生じる，原因不明，予後不良な病態で，1963 年に Reye らがその臨床病理学的特徴をはじめて報告した．米国では，サルチル酸塩（アスピリン）が発症に関与しているとされて使用が控えられた後，その発生が激減した．わが国ではもともと米国などより発生数は少なかったが，近年死亡例に遭遇することがとくにまれになった．発症年齢は乳児から若年成人に及ぶが，臨床的には学齢期が典型的とされる．

臨床的には，脳症による精神症状のほか，肝酵素*（AST，ALT，CK）の上昇，高アンモニア血症，低プロトロンビン血症などがみられるが，黄疸はみられず，脳炎を示唆する検査所見も認められない．剖検所見上，肝は腫大し，組織学的に，肝，腎，骨格筋，心筋などの細胞に脂肪変性がみられ，電顕的にミトコンドリアの

*aspartate aminotransferase（AST），alanine aminotransferase（ALT），creatine kinase（CK）

異常が観察される．肝の脂肪変性は，特徴的な微小滴状である．脳は高度に腫脹し，クラスマトデンドローシスがみられる．

Reye 症候群は，その臨床・病理像が，脂肪酸代謝異常症などと酷似しており，鑑別がきわめて重要である．また，かつてわが国で猛威を奮った「疫痢」とも類似性がみられる．これら疾患群に共通する病態は急激な代謝不全（おそらくミトコンドリア障害）と脳症であり，感染などに対する若年者（何らかの素因を有する）の一種の劇症反応なのかもしれない．

なお，わが国では，本症の発症に関与しているとして，15 歳以下の小児のウイルス性疾患（インフルエンザ，水痘など）へのサルチル酸塩（アスピリン®）およびジクロフェナク（ボルタレン®）の投与が原則禁忌とされている．

4 外因による死

I 損　傷

A 総　論

重要事項

1) 創と傷を区別する場合，皮膚の連続性が断たれたものを創，皮膚の連続性が保たれたものを傷という．
2) 創傷の記録に当たっては，① 創傷の位置，② 創傷形態，③ 創傷の個数，④ 生活反応の有無などを客観的に観察，記録しなければならない．

一般的な医学用語としての「損傷」injury は，何らかの原因によって生じた組織構造の破壊に対して広く用いられており，例えば大動脈瘤の破裂や胃潰瘍の穿孔など内的要因によるものや，化学物質による組織障害，熱傷なども損傷の一種と考えることができる．しかし法医学で損傷を論じる場合には，機械的（物理的）外力によって生じた病理学的変化のみを対象としていることが多く，結果的に「創傷」wound「外傷」trauma とほぼ同義に用いられている．本書においても損傷を traumatic injury の意味に限って用いることとする．それ以外の広義の損傷，例えば化学物質による障害については「Ⅳ．中毒」p.138，熱傷は「Ⅲ．異常環境による死」p.113を参照されたい．

1．皮膚の構造 と 損傷

外力の多くは皮膚表面にまず作用するという事実を考えると，皮膚の損傷はあらゆる損傷のなかでも最も基本的かつ法医学的に重要なものといえるので，損傷を考える際の予備知識として皮膚の解剖につき簡単に述べることにする．

皮膚の構造をシェーマ化して図 4-1 に示す．解剖学・組織学で学んだように皮膚は表皮・真皮・皮下組織の三層からなっている．このうち表皮には血管がみられないのに対して，真皮・皮下組織にはそれぞれ網状構造の血管が存在する．後述するように，これらの血管の局所的充血や血管からの出血はしばしば皮膚の変色として認識される．また表皮は主として重層扁平上皮，真皮は密な膠原線維および弾性線維，皮下組織は脂肪組織と疎な膠原線維など異なった成

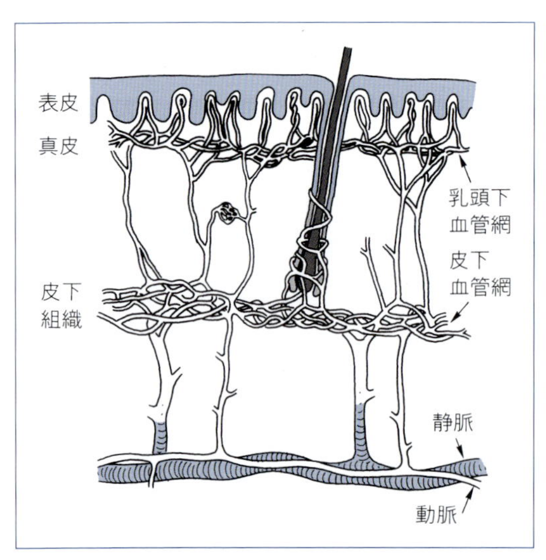

図 4-1　皮膚の血管構築

表 4-1　損傷の分類

Ⅰ. 皮膚表面からみられる損傷
a. 皮膚の連続性が断たれた損傷（「創」） ・刃器や先端の尖った凶器によるもの 刺創，切創，割創 ・鈍器，鈍体によるもの 挫創，裂創 ・銃器によるもの 射創（または銃創） ・開放性骨折 b. 皮膚の連続性が保たれた損傷（「傷」） ・表皮剝脱 ・皮膚の変色（および蒼白部） 紅斑，皮内出血，皮下出血 ・皮膚の腫脹 浮腫，皮下出血
Ⅱ. 深部組織の損傷
a. 軟部組織（筋組織，結合組織）の損傷 b. 骨の損傷（骨折） c. 内部臓器の損傷

分から構成されており，さらに皮下組織の深層には筋や腱，骨など異種の組織が存在する．外力が加わった際のこれら各部分の動きや抵抗のしかたは一様ではない点にも注意すべきである．また，筋の厚みや皮膚の厚みは体の部位によって大きく異なり，個人差も多い．したがって同じような外力が加わっても，体の部位や体形の違いからまったく形態の異なった損傷が生じることもある．

皮膚の構造を主体としたこのような解剖学的事項を念頭においたうえで，外力による正常組織構造からの破綻，すなわち損傷について考えていきたい．

2. 損傷の分類法

損傷の分類法は必ずしも一通りではない．一般的には損傷を，① 鋭器損傷，② 鈍器損傷，③ 銃器損傷として成傷器の種類により分類していることが多い．しかし実際には医師が死体あるいは患者をみる際に，胸に包丁が刺さったままになっているような事例はむしろ少なく，成傷器の種類が判明していないことも多い．そこで本章では法医診断学的立場から，損傷の形態を主眼として損傷を分類することにする（**表 4-1**）．

死体に存在する損傷は，皮膚表面からみえるものと，皮膚表面からはみえない深部組織の損傷とに大別される．後者は解剖時に切開を加えてはじめてその存在が確認されるものである．

皮膚表面からみえる損傷は，皮膚の連続性が断たれた損傷（開放性損傷 open wound）と連続性が保たれた損傷とに，さらに分類することができる．その際前者に対しては「創」，後者には「傷」という語を使い分けて用いる考え方と，そうでない考え方とがある．どちらがよいとは一概にいえないが，本章では基本的に「創」と「傷」の語を区別して用いることにする．なお，内部臓器の損傷に関しては「創」と「傷」の使い分けは一般にやや曖昧で，慣用的なところが多い．

皮膚の連続性が断たれた損傷には，刃器や先端の尖った硬い凶器（「鋭器」ということもある）により切られたり刺されて生じたもの（切創，刺創など），鈍器または鈍体により生じたもの（挫創，裂創など），銃器によるもの（射創または銃創），開放性骨折がある．

皮膚表面からみえる損傷で皮膚の連続性が保たれたものとしては表皮剝脱，皮膚の変色（および蒼白部），皮膚の腫脹などがあり，これらは鈍的な物体により圧迫，擦過，打撲するなどして生じるものである．

深部組織に生じる損傷としては，筋組織や結合組織など軟部組織の損傷，骨の損傷（骨折），内部臓器の損傷がある．なお，開放性損傷以外の損傷，すなわち深部組織の損傷を含めて皮膚の連続性が保たれたすべての損傷を非開放性損傷（閉鎖性損傷 closed wound）ともいう．

これらはいずれも損傷を個別にとらえたものであり，当然ながらこれらの損傷が同一の成傷器で同時に生じることもありうる．例えば，道路に寝ていて胸部を自動車に轢過されたような事例では，皮膚のタイヤマークと皮下出血，筋肉出血，肋骨骨折に加えて肺損傷（挫傷や肋骨骨折による刺創など）がしばしばみられる．成傷器分類的にはこれを「轢過創（轢創）」と呼ぶことができるが，法医解剖医としてはあくまで第一に損傷形態を個別に分析し，それらの分析結果を総合してはじめて轢過によるものと判断すべきである．このように「個別の所見の詳細な分析→分析結果をもとにした総合的判断」というのは法医解剖における基本的プロセスである．

3．創傷の観察と記載法

死体の検案・解剖のみならず臨床医として患者の診察に当たった場合でも，認められた創傷の所見をきちんと記録に残すことは医師の重要な務めである．創傷の観察に当たっては，まず第一に創傷の存在する位置や創傷形態などを客観的に記載する必要がある．

1 創傷の位置

損傷が存在する身体区分（例えば左側頭部，右下肋部など）を示したうえで，詳細な部位の規定を行う．その際，体の基準となる点からの方向と距離を測定するのであるが，より正確を期すためには2つの基準点からの距離を記載することが望ましい．これを2点法と呼ぶ．基準点には特に決まりがあるわけではないが，体表から確認しやすく，しかもぶらぶらと動かない点が理想的である．例えば，耳介付着部上端や胸骨剣状突起部などは比較的よく用いられるが，女性の乳頭のように可動性の大きい部は基準点としては不適当な場合もある．

2 創傷形態

皮膚の連続性が保たれているか否か，皮膚表面における創傷の全体的な形や大きさ，皮下組織以下の深部の状態などを記載する．詳細については各論で述べる．

このような客観的な創傷の観察の次の段階として行わなければならないのは，創傷の発生メカニズムの考察である．すなわち，成傷器の種類とその作用のしかたを検討する．これによってはじめて「刺創」「挫創」「擦過傷」などの判断もなされるわけである．

3 創傷の個数

創傷の個数を数えて記載するのが原則である．ただし，1回の外力によっていくつかの皮膚変色が同時に生じたと考えられるような場合には，それらの変色の個数にはあまり意味がないので，1個の創傷「群」と記載して差し支えない．また刺創や射創が貫通創になっている場合には，刺入口（射入口）と刺出口（射出口）は1つの創に含まれることになる．

B 各　論

●重要事項●

1) 創口の開いた創では，① 創口，② 創縁，③ 創角，④ 創縁角，⑤ 創洞，⑥ 創底の形態を総合的に判断して成傷器の種類や用法を推定する．
2) 刃器による刺創では成傷器の形態の推定がある程度可能であるが，切創では成傷器の形態はほとんど推定できない．
3) 挫創と裂創の形態的相違点としては，挫創でしばしば創縁に表皮剝脱を伴っていることがあげられる．
4) 近射の場合の射入口には，① 煤輪，② 挫傷輪，③ 汚物輪がみられるが，このうち煤輪は遠射の射入口には認められない．
5) 表皮剝脱は鈍体による，① 擦過あるいは，② 圧迫で生じる．
6) 打撲傷の多くは皮下出血による皮膚変色として認められるが，二重条痕のように打撲部は血管の圧迫のために蒼白になりその周囲に変色がみられることもある．
7) 骨折には，① 直達力によるものと，② 介達力によるものとがある．高齢者では若年者に比べて骨折を生じやすい．
8) 頭蓋骨骨折は骨折形態から，① 陥没骨折，② 線状骨折に分類される．陥没骨折は作用面積が狭い鈍器・鈍体による打撲で生じるのに対して，線状骨折は作用面積が広い鈍体による打撲で頭蓋骨が歪んで生じるものである．
9) 頭蓋底骨折を疑わせる外表所見としては，① ブラックアイ，② 耳出血・血性中耳，③ 乳突部の変色（Battle 徴候）がある．
10) 外傷による頭蓋内血腫のうち，硬膜外血腫ではほぼ全例に頭蓋骨骨折がみられるのに対して，硬膜下血腫では骨折を伴わないことも少なくない．意識清明期の認められる頻度は硬膜外血腫のほうが硬膜下血腫よりも高い．
11) 頭部の打撲部位と脳挫傷との関係は，後頭部打撲では contre-coup injury が多く，前頭部打撲では coup injury が多い．
12) 頭部外傷では，脳挫傷に伴う脳浮腫や頭蓋内血腫による脳圧迫によって頭蓋内圧亢進を生じたことによる死亡が多い．
13) 腸間膜，膵，十二指腸の損傷は，腹部を前方から作用面積の狭い鈍体で打撲・圧迫された際に，鈍体と脊柱との間に挟まれて生じることが多い．
14) 交通事故損傷は，成傷器である交通機関の構造とそのエネルギーのため，重篤な損傷が多発する．また，その受傷機序によって特徴ある損傷を生じる．
15) ヒト対自動車事故の際には，① 衝突，② 転倒，③ 轢過など受傷機序を考慮して所見を読み取る．
16) バンパー創，タイヤマーク，デコルマンなどの特徴的な損傷が，受傷機序の解明，被疑車両の特定に役立つ．
17) 列車による轢断損傷の生活反応は，一見乏しくみえるが，轢断部から離れた場所に出血としてみられることがある．

18) 大量死傷者を生じる事故の検案の際，個人識別が最も重要な要素の一つである．
19) 窒息とは，換気障害によって酸素の摂取ならびに二酸化炭素の排泄が阻害された状態をいう．
20) 窒息の原因は，① 気道の閉塞，② 呼吸運動の障害，③ 低酸素環境，④ その他に大別される．頚部圧迫による死亡は，本来の窒息死とは言いがたいものであるが，法医学の分野では『窒息』に含めて論じられる．
21) 窒息死の死体所見には特異的なものはない．かつては，① 粘膜・漿膜の溢血点（点状出血），② 暗赤色流動性の血液，③ 内臓のうっ血を『窒息の三大徴候』と称していたが，これらはうっ血性急死に共通してみられる所見であり，これらの所見のみで窒息死と診断することはできない．
22) 頚部圧迫の手段は，① 縊頚，② 絞頚，③ 扼頚，④ その他に分類される．頚部圧迫により死に至るメカニズムについては，脳の栄養血管の閉塞，気道閉塞，頚動脈洞反射の関与が考えられるが，最も主要なものは頚部の血管系の閉塞による脳虚血である．
23) 頚部圧迫が疑われる場合には，顔面のうっ血，眼結膜・口腔粘膜の点状出血（溢血点），圧迫痕（索痕，扼痕），頚部の筋出血，舌骨・喉頭軟骨の骨折などの死体所見に注意する．
24) 気道閉塞による窒息には，① 溺水，② 溺水以外の気道内異物による窒息，③ 鼻口部閉塞による窒息がある．
25) 溺水の死体所見としては，両肺の過膨張を伴う溺死肺（水性肺気腫），気道内の白色細小泡沫のほか，一般的なうっ血性急死の所見，水中死体としての所見などがみられる．
26) 乳児の死亡例では，鼻口部閉塞による窒息か乳幼児突然死症候群 sudden infant death syndrome（SIDS）かがしばしば問題になる．

1．皮膚の連続性が断たれた創傷

1 創の各部の名称と観察時のポイント

創を観察，記録するに当たって，創各部の名称を知っておく必要がある（図 4-2）．

1．創　口

創の入口，つまり創の開いている皮膚面の全体を指す．したがって「皮膚の連続性が断たれた」というのは，「創口の開いた」と言い換えることができる．創の観察時には創口の全体的な形態を調べることが大切であり，創口の開いた状態だけではなく，つぎに述べる創縁を接着させた状態についても検討する必要がある．例えば図 4-3 に示すように複数の刺創が重なっている場合には，各創縁を接着して観察しないと創としての全体像がみえてこない．

2．創　縁

創口の縁をいう．全体として直線的か曲線的か，細かな凹凸がなく正鋭かあるいは不整で鈍

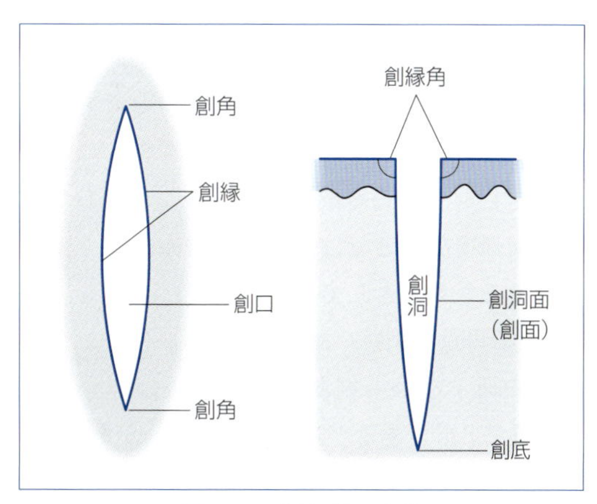

図 4-2　創各部の名称

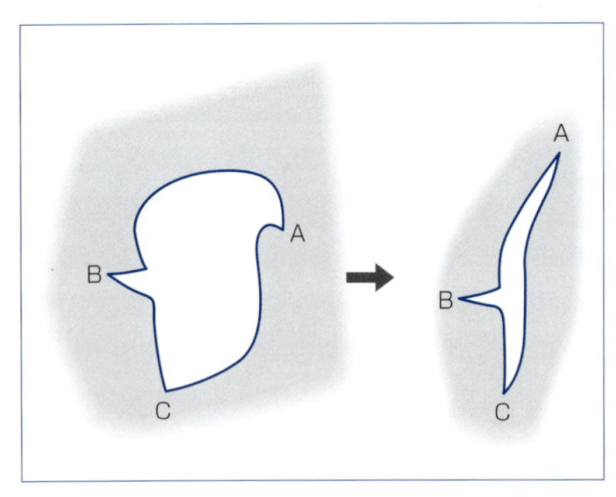

図 4-3　重なりあった刺創

創口は皮膚割線の方向に特に強く開いている（左）．各創縁を接着させると右のようになる．

か，表皮剝脱を伴っているか否かなどに特に注意する．

3．創角（創端）

創口の端部をいう．鋭くとがっている（尖鋭）か，丸みを帯びている（鈍）かを検する．この場合も創縁を自然な状態で接着させた状態で判定する必要がある．

4．創縁角（創稜）

創縁部で皮膚面と創洞面のなす角度をいう．刃器が皮膚に対して垂直に作用した場合には創縁角は直角であるが，斜めに作用した場合には一方は鋭角，他方は鈍角になる．

5．創　洞

創によって生じた創口より内部の空間全体をいう．刺創，射創（銃創）などで創洞が細長い場合には刺創管，射創管ともいう．創洞の形状とともに，創洞内の異物の有無についても調べる．射創の場合には弾丸，刺創の場合には刃こぼれをした刃の先端が認められることがある．また交通事故などでは衝突車両の塗膜片やガラス片なども見落としてはならない．

6．創洞面（創壁，創面）

創の面すなわち創洞に接した壁の部分をいう．面が平滑であるか，あるいは凹凸がある（不整）か，毛根が創洞内に突出していたり結合組織が架橋状に介在していないかなどについて観察する．

7．創　底

創の最も深い部分をいう．創口から創底までの長さ（深さ）を測定する．

2 刃器による創と鈍器による創の鑑別

創の形態から成傷器の種類を判別することは法医学実践上，きわめて重要である．その場合，成傷器の形態や種別まで具体的に規定するのは必ずしも容易なことではない．しかし刃器でできたものか鈍器によるものかの判定はさほど困難ではないので，たとえ法医学の専門家でなくともその程度の鑑別には努めるべきである．

刃器でできた創は，当然ながら創縁がくっきりとあざやかで鋭く整，創洞面もきわめて滑らかで細かい凹凸がない．それに対して鈍器で生じた創では，創縁は一見して不整であるか，あるいは直線状であっても詳細に観察すると細かい凹凸がみられる（不整，鈍）のが通例である．さらに重要なこととして，創洞面は一般に不整で，毛根の突出や結合組織の架橋状介在が認められる（図 4-4）．鈍器損傷では，刺創のような創洞が細長く深い損傷は通常は生じない．

このように刃器による創と鈍器による創との鑑別は創形態から概ね可能であるが，皮膚表面の形態だけでなく創洞面など創内部の状態もよく観察することが必要である．したがって，生前に行われた医療処置により創が縫合されているような場合には，縫合糸を除去してからでないと刃器によるものか鈍器によるものかを判定できないことがある．

3 刺創 stab wound

刺創とは先端が尖った硬い凶器で刺して生じた創である．原則的には，創口の大きさに比べて創洞が細長く深い．多くは刃器によるものであるが，刃器以外にも千枚通し，アイスピック，傘の先端（石突），ドライバー，ガラス片，開放性骨折の際の骨片などさまざまなものが成傷器となりうる．刃器によるものとそれ以外では，

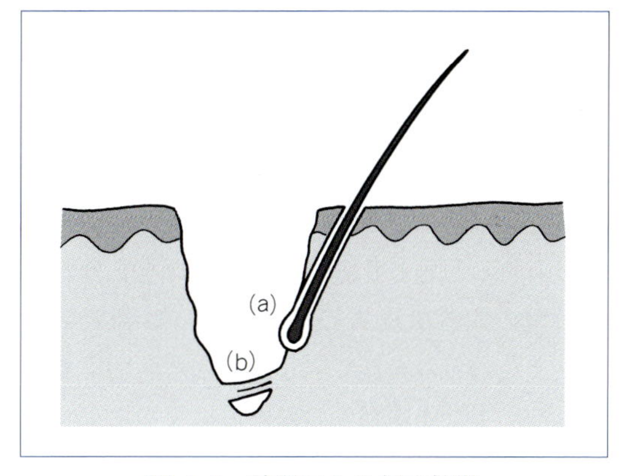

図 4-4　鈍器による創の特徴

創洞面は不整で創洞内に毛根の突出（a），結合組織の架橋状介在（b）を認める．

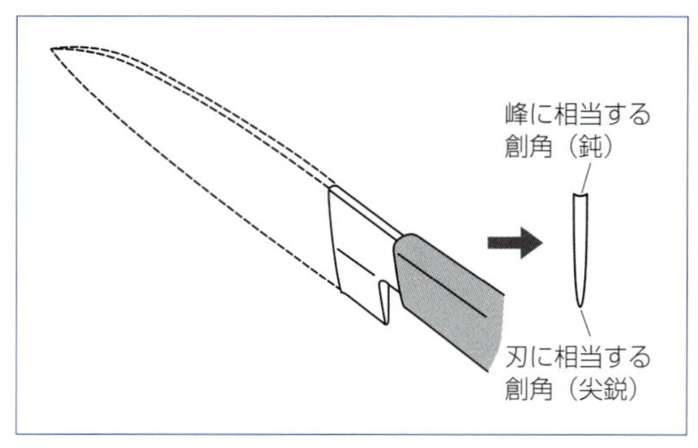

図 4-5　片刃の刃器による典型的な刺創

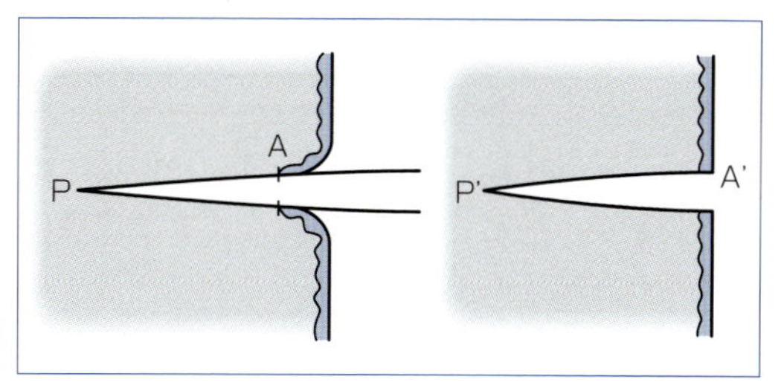

図 4-6　腹部の刺創管の長さ

刺入された刃の部分の長さ AP よりも，刃を抜いた後の刺創管の長さ A′P′ のほうが長くなる．

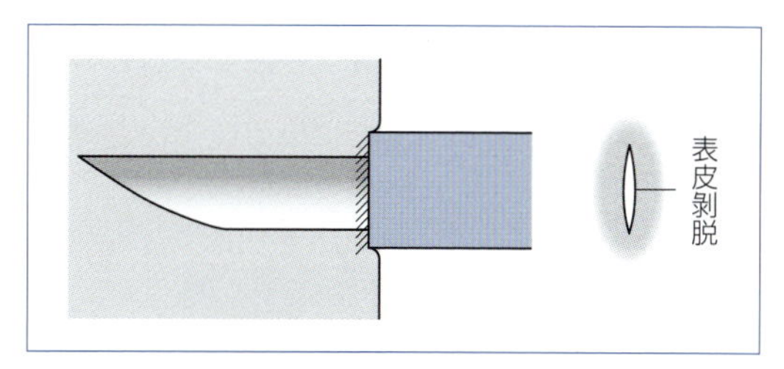

図 4-7　刃器の柄のところまで刺入した場合

創縁に表皮剝脱が付着する．

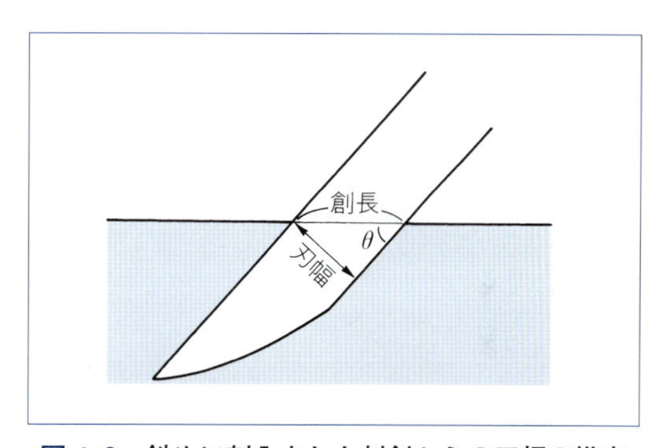

図 4-8　斜めに刺入された刺創からの刃幅の推定

創形態にかなり相違がある．

1．刃器の形状

刃器には大別して両刃のものと片刃のものがあるが，現在日常的に用いられている刃物では片刃のものが主流である．片刃の刃器で皮膚を刺すと，最も典型的な場合には図 4-5 に示すような形態の創が形成される．すなわち刃および峰にそれぞれ相当する 2 つの創角があり，創縁は一直線状で整，創洞面も当然整になる．

このような創形態から成傷器の形状を推定するためには，以下のようなプロセスを経て行う．

▶**刃長**：原則的として，創洞の深さは皮膚に刺入された刃の長さに相当する．したがって凶器の刃の長さは，創洞の深さ＋α（刺入されなかった部分の長さ）となる．ただし，腹部などでは刺入時に皮膚が陥凹するために，実際に刺入された刃の長さよりも創洞の深さのほうが長くなることがある（図 4-6）．また刺創の創縁の周囲に表皮剝脱が帯状に付随している場合があるが（図 4-7），これは刃の根元まで刺入したために凶器の柄の部分が皮膚を圧迫ないし擦過して生じたと考えられる．したがってこのようなときには創洞の深さ≒刃の長さと考えてよい．

▶**刃幅**：刃器を皮膚に垂直に刺した場合には，創口の長さが概ね刃幅に一致する．皮膚に対して斜めに刺入した場合には（図 4-8），刃幅は創口の長さよりも一般的には短くなる．その場合，理論的には $y = x \sin\theta$（y：刃幅，x：創口の長さ，θ：刺入角）となるが，実際には斜めに刺入した場合には刺切創（後述）になりやすいなど，必ずしも理論どおりにはならない．いずれにしても注意しなければいけないのは，創口の長さから推定された刃幅はあくまで皮膚に刺入された部分の刃の幅であることである．いかに優れた法医学者であっても，人体内に刺入していない部分の刃の形状まで推定することはできない．

▶**刃と峰の関係**（口絵写 26）：2 つの創角のうち，刃に相当するほうの創角は当然尖鋭になる．峰に相当する創角は峰の形態を反映して鈍的になるはずであり，実際に出刃包丁など峰の厚い刃物では刃と峰の鑑別は創角をみれば比較的容易である．しかし果物ナイフのように峰の厚みの薄い場合（通常 2 mm 以下）には，鈍的にはならず尖鋭にみえてしまうことが多く，これは皮膚は粘土などと違って弾力性が高いことに起因すると思われる．このような場合は刺入時の刃の向きは皮膚の創形態からは判定できず，また両刃の刃器で刺した場合と区別できなくなる．また先端部分のみ両刃になったような複雑な形態のナイフもあり，創角の形態だけでは刃と峰の判定が困難なことも少なくない（口絵写 27）．

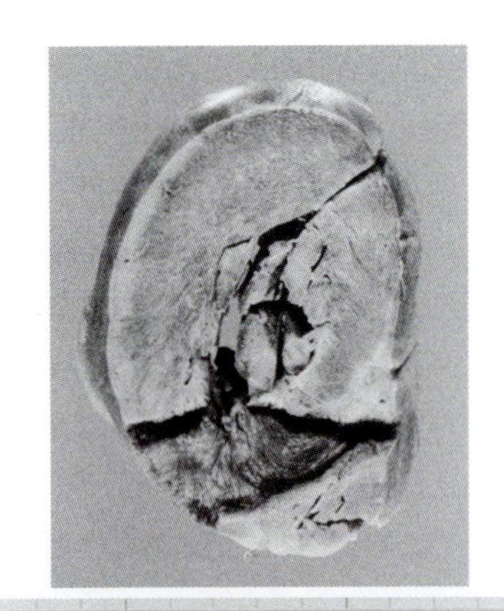
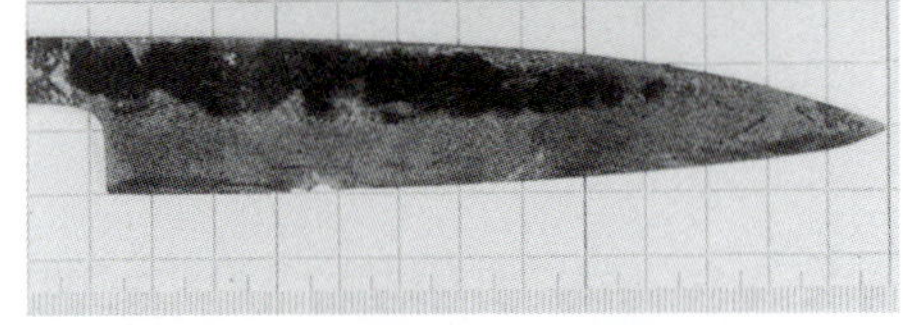

図 4-9　心刺創からの成傷器の推定

▶**刃の先端部の形態**：刃の先端に相当する創洞の最深部が骨組織や軟部組織に存在する場合には刃先の形態の詳細は判定困難であるが，刃先が臓器内で止まっている場合には臓器内に残された創形態から刃先の形状を推定できることがある．この場合の臓器としては肝が最も適当であり，腎や心がこれに次ぐ（図 4-9）．肺や脾は損傷を受けると虚脱してしまうため，刃先の形態を推定するには不適当である．

2. 刃器以外による刺創

成傷器により創形態はさまざまである．例えば創口が円形をしている場合には，千枚通しやアイスピック，傘の先端などが成傷器として考えられる．このような場合には射創（特に遠射の射入口）に酷似しており，創縁周囲にはしばしば帯状の表皮剝脱を伴っている（図 4-10）．

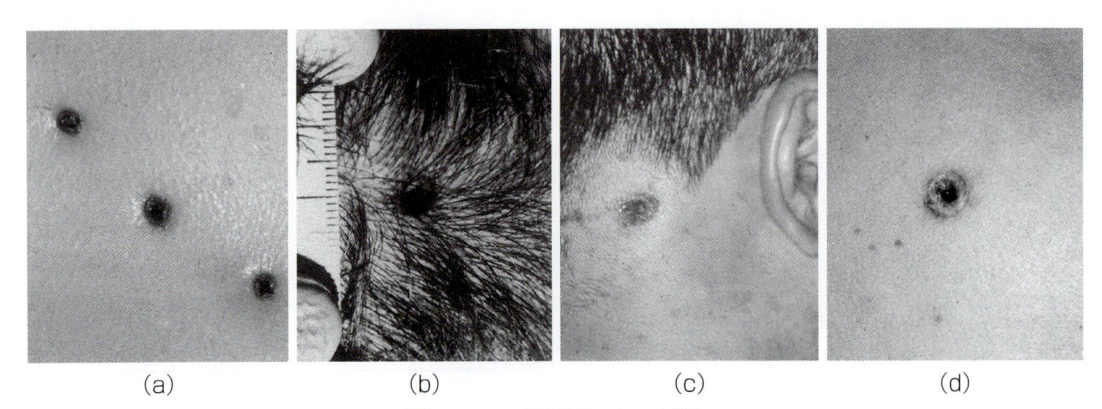

図 4-10　刃器以外による刺創

(a) キリ（四つ目キリ），(b) アイスピック，(c) 傘の先端，(d) 参考として射創（遠射の射入口）を示す．

3. 好発部位

他殺の目的で刃器で刺された場合には胸背部に刺創が認められることが多く，腹部や頚部がこれに次ぐ，頭部に刺創が存在することは比較的少ないが，傘の先端によるものは頭部に認められることが多い．

4 切創 incised wound

切創では創縁は直線状整で，両創角はともに尖鋭，創洞面は平滑である（口絵写 28）．また刺創に比べると，創口の大きさのわりに創洞が浅いのが特徴であるが，小さな創では刺創との鑑別は容易でないこともある．切創の多くは刃器で生じたものであるが，刃器以外にも鋭利な角をもった硬い物体（ガラス片，薄い金属片など）であれば生じうる．切創では刺創と異なり，創形態からは刃の長さなど成傷器の形状を推定することはできない．

1. 刺切創

「刺す」要素と「切る」要素がともに加わって生じた創を刺切創と呼ぶ．

2. ためらい創（口絵写 32）

手根部（手掌側）や頚部（通常は側頚部）に浅い切創が平行して認められる場合は，自殺の際にためらったことにより何回も浅く切ってしまった可能性が高い．そのように判断された創をためらい創（逡巡創 hesitation wound）と呼んでいる（図 4-11）．一つひとつの創には比較的浅い切創ということのほかに特徴はない．

3. 防衛創（口絵写 31）

手掌や手指掌側に切創がみられるときには，刃物をもった相手の攻撃から身を守ろうとして手で刃物を受けてしまったことが考えられる．そのような創を防衛創（防御創 defence wound）と呼んでいる．ただし，創自体には目立った特徴はなく，普通の切創の形態である．

5 割創 cut wound

割創の形態は切創と次項で述べる挫創との中間的な特徴を有している．すなわち創縁は直線状であるが，しばしば周囲に帯状の表皮剝脱を伴っている．また創洞面は切創ほど平滑ではなく，ときに毛根の突出を認めることもある．

割創は重量のある刃器でたたかれたときに生じるもので，例えば日本刀，薪割，鉈（なた）などが成傷器となる．したがって，刃の鋭利さによって切創に近い形態のもの（例えば日本刀）から挫創に近いものまで含まれていることになるが，成傷器に重量があることからしばしば創底に骨折を伴っている点では共通している（口絵写 30）．

また，同一の凶器で同程度の力でたたいた場合でも，身体の部位によって割創のできやすさは異なる．すなわち，底部の骨が比較的浅く皮膚の緊張が高い頭部に割創は最も生じやすく，その反対に腹部には割創は生じない．

6 挫創，裂創 contused wound, lacerated wound（図 4-12）

1. 挫創と裂創の鑑別

定義から先に述べると，挫創とは皮膚が 2 つの硬い鈍体に挟まれるような形で押し潰されて破綻した創をいうが，2 つの鈍体のうち一方は骨であるのが通例である．そのため挫創は皮膚と骨の間の組織の厚みが薄い部分（頭部など）

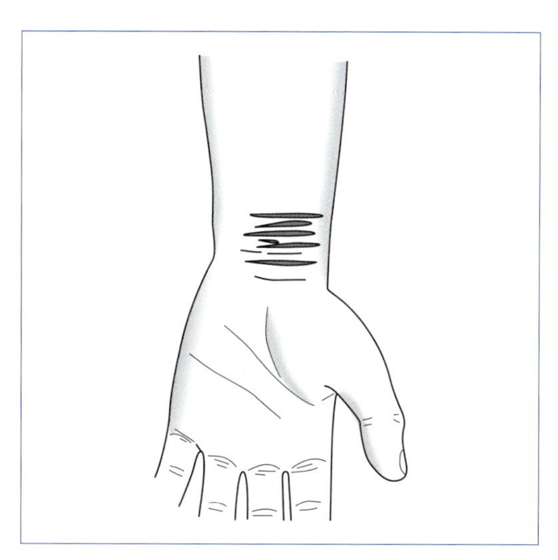

図 4-11 ためらい創

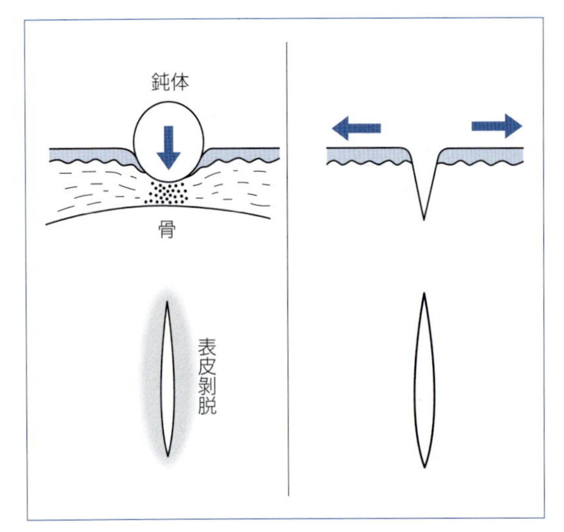

図 4-12　挫創（左）と裂創（右）の鑑別
挫創には創縁に表皮剝脱が付着している.

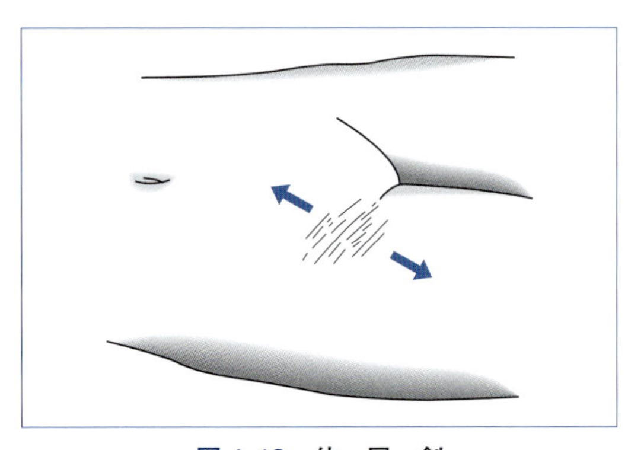

図 4-13　伸　展　創
タイヤによる轢過や，墜落時の関節の過伸展などで皮膚が強く牽引されて生じる.

に生じやすい．一方，裂創は皮膚が強く引っ張られて破綻したものである．このため裂創では創口から少し離れた部位に成傷器が作用していることも少なくない.

創形態からみると挫創，裂創ともに創縁や創洞面が不整で，特に創洞面には毛根の突出や結合組織の架橋状介在がみられる．挫創の創縁は表皮剝脱を伴っているのが通例である．純粋な裂創の多くは皮膚割線に並行して生じ，創縁には表皮剝脱を伴わない.

▶**挫裂創**（**口絵写 29，33**）：実際に鈍器で生じた創をみると挫創，裂創の鑑別は必ずしも容易ではない．これは純粋の挫創，裂創というのは案外少なく，1 つの創のなかでもある部分は「挫」，ある部分は「裂」の要素が合わさっていることが多いことによる．このようなものに対しては「挫裂創」という表現をするのが妥当である.

▶**伸展創** stretch wound：皮膚が強く伸展させられた結果，皮膚割線に沿って多数の線状創が並行してみられるもので，純粋な裂創の一種である（**図 4-13**）．一般に創底は浅く，ほとんど線状表皮剝脱のようにみえることもある．タイヤに轢過され鼠径部などの骨盤付近に（交通外傷の項 p.93 も参照）生じるものが代表的であるが，高所からの墜落の際に関節の過伸展で皮膚が牽引されて生じるものも少なくない.

2. 開放性骨折について

骨折が生じた際に皮膚，軟部組織の損傷によって骨折部と外界が連続したものを開放性骨折という．開放性骨折には皮膚にみられる挫裂創の創底が骨に達している場合と，骨折端によって皮膚に内側から刺創が形成されている場合があるので両者の鑑別が必要である．前者の場合には創の部位に必ず直接外力が加わっているのに対して，後者の場合には必ずしも創の部位に直接外力が加わっているとは限らない.

7 射創（銃創） gunshot wound

火薬の爆発エネルギーによって銃器から発射された弾丸による損傷を射創または銃創という．弾丸は一種の鈍体であるから厳密にいえば挫創または裂創に分類されるべきものであるが，成傷器が銃器という特殊なものであるため，射創として別に分類するのが通例である．弾丸のエネルギー量の大小により，体内を貫通して体外に弾丸が出てしまう場合（貫通射創）と弾丸が体内にとどまっている場合（盲管射創）とがある．貫通射創の場合には射入口と射出口が形成される．なお，弾丸が皮膚表面に対して水平に近い角度で作用した場合には，体表のみを擦過するように弾丸が通過するのでこれを擦過射創と呼び（**図 4-14**），弾丸が体内に射入することなく跳ね返った場合には反跳射創と呼んでいる．また，弾丸は体内を必ずしも一直線に進むわけではなく，特に頭蓋内に入ったときなどは頭蓋の内板に沿ってぐるりと回って進むことがあり，これを回旋射創という．

1．射撃距離と射入口の形態（図 4-15）

銃口を皮膚に密着させて弾丸を発射した場合（接射）には射入口は大きく破裂し星型状を呈するが，拳銃などではそれより距離が離れていると創口はほぼ円形になる．その場合，比較的近距離では創口の周囲に煤片の付着（煤輪）や火薬粉粒の付着がみられるが，遠距離になるとみられなくなる．これらの付着の有無によって近射，遠射と分類されているが，何 cm 以上は遠射と決めることはできず，銃によって差がある（目安としては概ね上肢の長さ以上）．また近射，遠射とも射入口の最内縁には油状の物質の付着（汚物輪）がみられ，それよりも少し外には射入時に生じた火傷を伴う表皮剝脱（挫傷輪または挫滅輪）がそれぞれリング状にみられる．前述したように，遠射の射入口は千枚通しや傘の先端などによる刺創に一見類似している（図 4-10）．

2．射入口と射出口の鑑別

貫通射創における射入口と射出口の形態的な相違点としては，次のようなものがある．

① 射出口には煤輪，汚物輪，挫傷輪はみられない．

② 接射の場合を除いて射出口のほうが射入

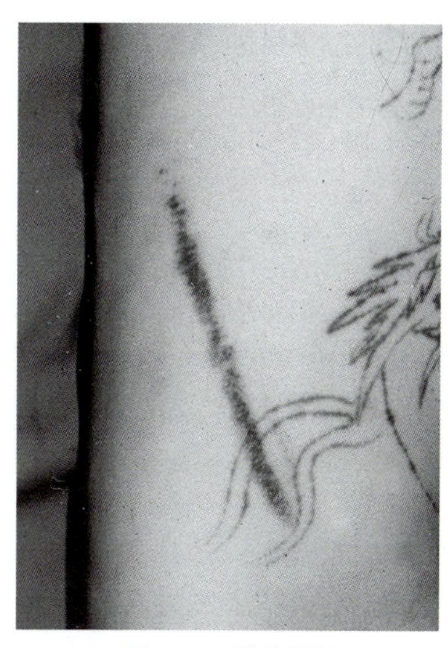

図 4-14　擦過射創
この損傷だけをみた場合には，鈍体による帯状擦過傷と区別しがたい．

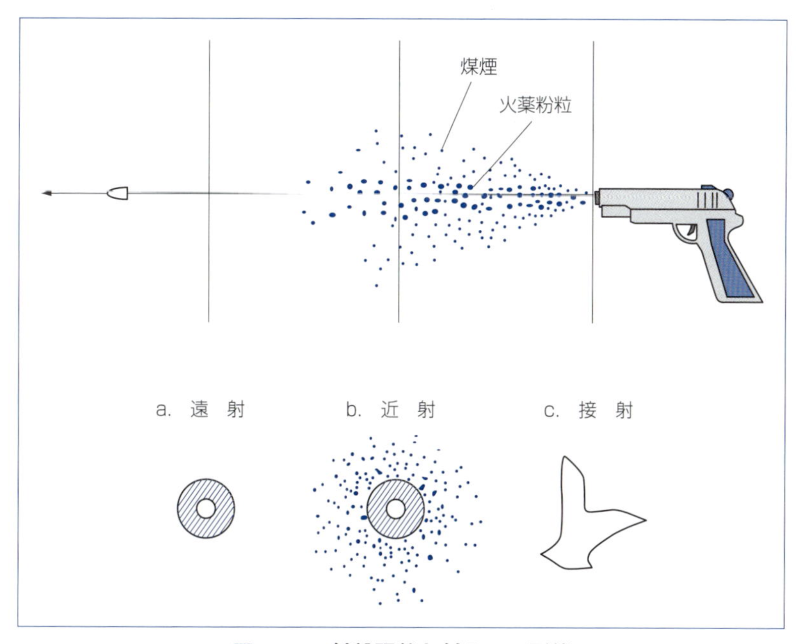

図 4-15　射撃距離と射入口の形態

口よりも大きいことが多い．しばしば射出口は線状を呈し，切創あるいは刺創様となる（図 4-16）．

②に関しては弾丸が骨に当たった場合に小骨片をも射出口から噴出させることや弾丸の変形，射出時の皮膚の伸展などによるとされるが，例外も少なくないので判定には注意を要する．

3．散弾銃による射創（図 4-17）

わが国で用いられている銃器には拳銃，ライフル，散弾銃などがあるが，散弾銃の場合は鉛や鉛合金の多数の小弾丸が発射後しだいに広がっていくのが特徴である．したがって近距離では射入口は全体として１つのまとまりをなしているが，距離が離れると（概ね１m 以上）個々の弾丸の射入口が認められるようになる．ただし１個１個の射入口は大きさが小さいだけで射創の特徴を備えている．

4．弾丸の検索

射創の解剖では体内に残された弾丸を検索することも重要な仕事である．しかし，散弾などの場合には剖検時に射創管を追って弾丸を検索するのには限界があり，X 線撮影で弾丸の存在部位を確認しておくなどの手段が有効である．

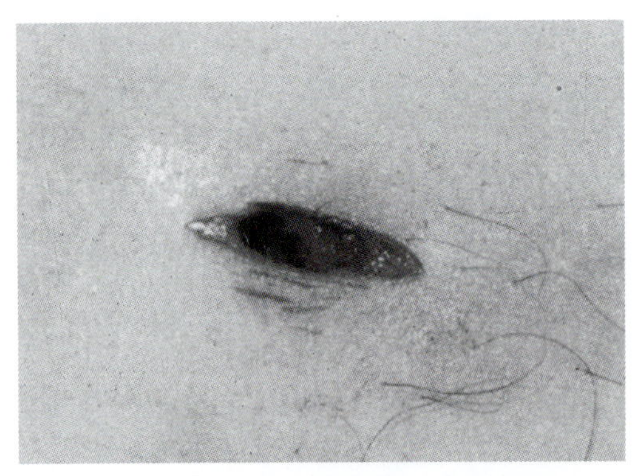

図 4-16　刺創あるいは切創様を呈する射出口
創縁に接して小伸展創を伴っていることに注目する．

2．皮膚の連続性が保たれた創傷

1 表皮剝脱 abrasion, excoriation

皮膚の最表層をなす表皮が剝がれて脱落した状態であるが，実際には真皮乳頭を主体に真皮表層まで剝脱しているものが大部分である．そのため，表皮には血管がないにもかかわらず「表皮」剝脱の多くは皮膚の出血を伴っている．自分で怪我をしたときによく観察すると，表皮剝脱部のところどころ（真皮乳頭のあるところ）からジワジワと点状に出血が起こってくるのがわかる．表皮剝脱の多くは鈍体による擦過傷であるが，圧迫によって生じるものもあり，それ

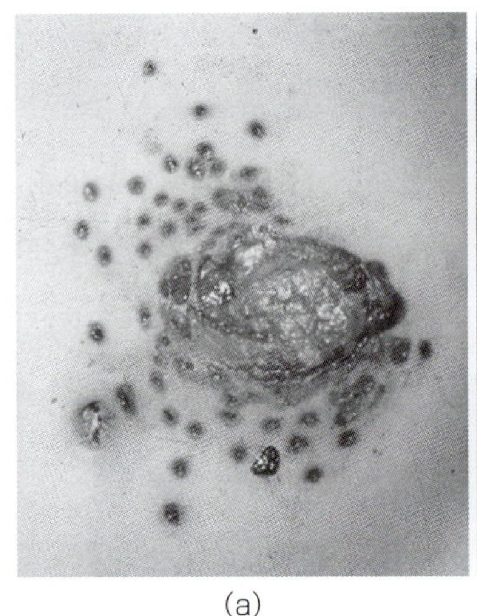

(a)

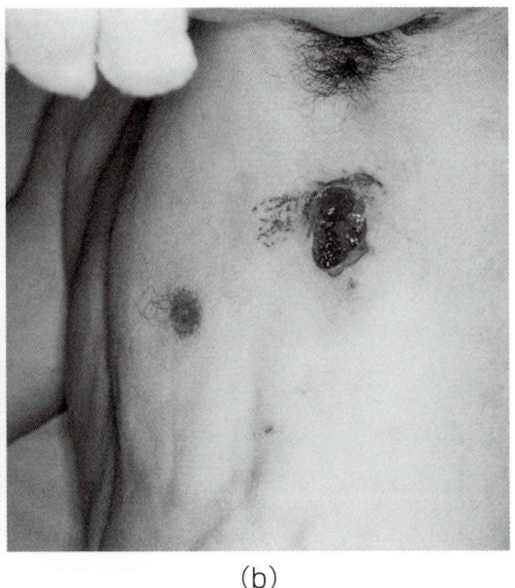

(b)

図 4-17　銃器による射創
(a) 散弾銃による射創，(b) 200 m 先から発射されたライフル銃による射創（遠射）・射入口

表 4-2 打撲傷や圧迫傷と鑑別を要する皮膚の変色

・出血傾向に伴う紫斑 ―急性白血病などの血液疾患 ―血管性紫斑病 ―重篤な肝障害 ・第 1 度の熱傷 ・紅斑を生じる皮膚疾患 ・死斑

ぞれ擦過性表皮剥脱 sliding abrasion，圧迫性表皮剥脱 pressure abrasion などとも呼ばれている．表皮の剥脱の程度は擦過性表皮剥脱のほうが強いことが多い．

表皮剥脱部は正常な皮膚に比べて水分を逃がしやすいため，死後速やかに乾燥が進行する．乾燥により硬度は増し，褐色調を帯びてくるが，これは革皮化 parchmenting と呼ばれている．そのため死亡時にはほとんど目立たなかったような軽微な表皮剥脱が，死後時間が経過すると革皮化によってだんだん明瞭になってくることがある．

擦過傷は軽傷ですんでしまうことが多いため，臨床医の間ではとかく表皮剥脱は軽視されがちであるが，法医学的には重要な意味を持つことが少なくない．例えば，交通事故の事例では車両との位置関係などの状況の再現が剖検時に要求されるが，表皮剥脱部を詳細に観察（表皮の残片の付着部位など）することで，外力の加わった方向をある程度推定できる場合もある．また頚部圧迫の事例では，索痕部の表皮剥脱の形状は索条の推定のためにきわめて重要である．

2 皮膚の変色および蒼白部

皮膚の変色のうち外傷との関連が問題になるのは，真皮・皮下組織の出血や局所的充血によるものである．これらの多くは鈍体による打撲や圧迫によって生じるものであるが，外傷によらない場合もあるので注意を要する（表 4-2）．

鈍体による打撲や圧迫に対して皮膚がどのような反応をするかを考えてみよう．本章の A.

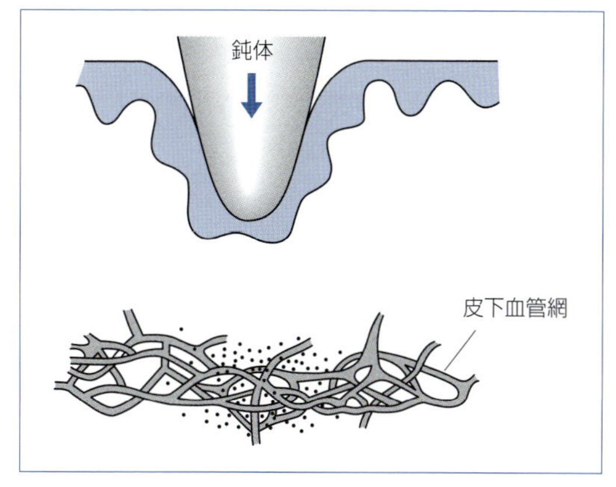

図 4-18 鈍体による打撲，圧迫時の皮下出血

総論（「1．皮膚の構造と損傷」p.61）に述べたように真皮および皮下組織には血管が存在しており，皮膚に鈍体が強く打撲（または圧迫）して内部組織の挫滅が起こるようになると，これらの血管が破綻して出血を生じる．上述のように解剖学的には真皮・皮下組織ともに皮膚の一部であるが，慣用的に真皮の出血は皮内出血，皮下組織の出血は皮下出血と呼ばれている（口絵写 34）．

打撲傷といわれるものの多くは皮下出血の形をとり，皮内出血が単独で起こることはまれである（図 4-18）．内部の挫滅が起こらない程度に打撲した場合には，出血は起こらず局所の皮膚の充血（紅斑）のみが生じる．例えば相撲で力士が張り手をした場合など，相手の体に手の形が残っていることがあるが，これも打撲による紅斑と考えられる．皮膚の紅斑は外力以外にも内因的疾患や熱傷，凍傷などさまざまな原因で生じるもので，損傷あるいは創傷として扱っていない成書も多いが，ここでは明らかに外力により生じた紅斑は損傷として扱うこととする．

以上のように鈍体による打撲，圧迫では原則的には打撲部位に一致した皮下出血，紅斑などの皮膚変色が生じることが多い．しかし，表面が平滑な鈍体により，しかも圧迫力を伴って強く打撲した場合には打撲部位では図 4-19（b）のように血管系から血液が押し出されてしまい，皮膚表面からみるとむしろ蒼白部として認

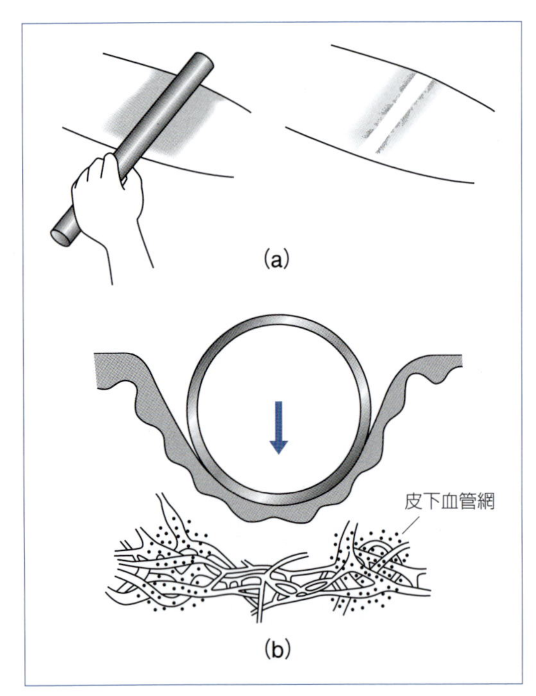

図 4-19　二重条痕（a）などにみられる皮膚蒼白部とその周囲の変色
圧迫部では血液が血管から押し出され，その周囲の皮下組織に出血または充血がみられる（b）．

識される．蒼白部周囲の血管には押し出された血液などによる充血や出血がみられ，皮膚変色を形成する．例えば，棒状のもので強く打撲した場合には帯状の蒼白部の両側に平行して二条の変色が認められ，二重条痕 double linear marks（二重出血帯）と呼ばれている［**図 4-19(a)，口絵写 35**］．このことは打撲を伴わない純粋の圧迫の場合にも当てはまる．例えば，車両による轢過の際のタイヤマーク（表皮剝脱は別にして）や頸部圧迫時の索痕，四肢の縛り痕（**図 4-20**）も同様のメカニズムで圧迫された部分が蒼白部となり，その周囲にしばしば変色が生じる．

なお，皮膚表面に局所的陰圧が加えられた場合に，その部の変色がみられることがある．これは陰圧によって主として真皮の血管が拡張して紅斑あるいは皮内出血を生じたものと考えられる．このような皮膚変色の例としてはキスマークがある．

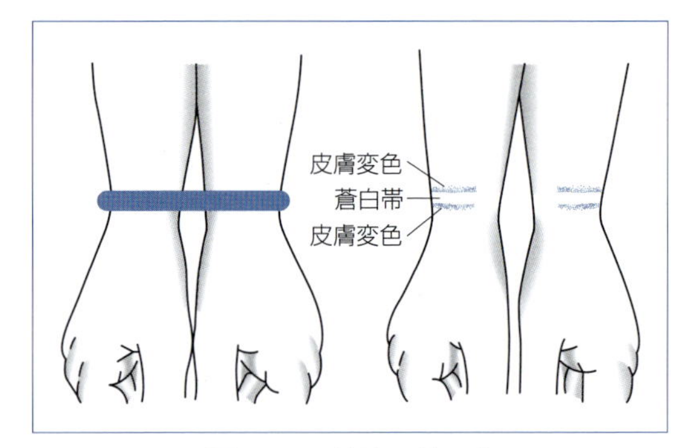

図 4-20　前腕の縛り痕
変色部には通常は出血はなく，充血だけがみられることが多い．

3 皮膚の腫脹

皮膚の限局的な腫脹は前項に述べた皮下出血によるものが多いが，皮下組織の浮腫によって腫脹している場合もある．例えば，いわゆる「たんこぶ」には皮下出血がきわめて軽度で，周囲に限局的浮腫のみが認められることが少なくない．

3．軟部組織の損傷

1 筋出血と挫傷

鈍器による打撲力(圧迫力)が強い場合には，皮下出血に加えて底部に筋出血がみられることがある．ときには皮下出血がなく筋出血のみがみられることもあるが，このようなときは表面が平滑な鈍体で強く打撲した場合に多い．

皮下組織や筋組織が出血に加えて押し潰された状態がみられ，しかも皮膚表面には開放創のない場合，臨床ではしばしばこれを挫傷と呼んでいる．

2 デコルマン décollement

皮下組織は表皮・真皮や骨格筋に比べて疎な組織であるため，鈍体の作用で皮膚と筋組織にズレが生じた場合に，皮下組織の深層で組織が剝離して空隙を生じたものをデコルマンという．剝離面から空隙内に出血が認められる．自動車による轢過で生じることがよく知られてい

表 4-3　骨折の分類

1. 骨折の程度による分類	
a）完全骨折	骨の連続性が完全に断たれ複数の骨片に分かれたもの
b）不全骨折	完全骨折に至らずヒビが入った程度のもの
2. 骨折の状態による分類	
a）線状骨折	
b）陥没骨折	
c）粉砕骨折	
3. 骨折線の走向による分類	
a）横骨折	
b）斜骨折	
c）螺旋骨折	
d）粉砕骨折	
4. 骨折部と外界との交通による分類	
a）開放性骨折	外界との交通があるもの「複雑骨折」ともいう
b）閉鎖性骨折	外界との交通がないもの「単純骨折」ともいう
5. 外力と骨折部位との関係による分類	
a）直達力による骨折	
b）介達力による骨折	

るが，それ以外にも，例えば墜落などで打撲した場合にも生じうる．

デコルマンに対して「剝皮傷」という訳語が用いられることもあるが，弁状に剝がれたような裂創を臨床では「剝皮創」ともいい，混乱を招く可能性があるので，デコルマンのままで用いたほうが誤解が少ない．

4．骨の損傷（骨折）

1 骨折の基本形態

骨は硬組織であると同時にある程度の弾性を有しているが，弾性の限界を超えると骨折を生じる．骨折の最も基本的な形態は1本の骨折線により2つの骨片が生じるものであるが，遊離骨片（第3骨片）が生じることもある．特に多数の骨片が生じている場合には粉砕骨折とも呼ばれる．また2つの骨片に分離（完全骨折）せず，ヒビが入ったのみの状態を不全骨折または不完全骨折と呼んでいる（骨折の分類の詳細については表 4-3 を参照）．

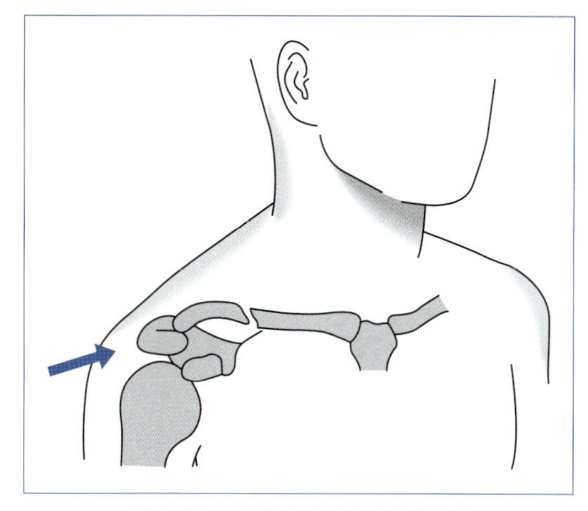

図 4-21　介達力による鎖骨骨折

なお，頭蓋骨骨折については頭部外傷の項で別に述べる．

2 開放性骨折と閉鎖性骨折

「挫創と裂創」の項で述べたように骨折部が外界と交通したものを開放性骨折といい，外界との交通がないものを閉鎖性骨折と呼ぶ．整形外科など臨床医学では治療上の観点から開放性骨折を複雑骨折，閉鎖性骨折を単純骨折とも呼んでいるが，この場合は骨折そのものの形態の複雑さとは関係がないので注意を要する．開放性骨折，閉鎖性骨折を用いたほうが誤解を生じない．

3 介達力による骨折

骨折の多くは外力が加わった部位に一致して生じる．しかしながら，外力の加わった部位とは離れたところに骨折が生じることもあり，これは介達力による骨折と呼ばれる．

例えば，鎖骨の骨折は外・中 1/3 の境界部にみられることが多いが，大抵の場合は肩の外端部を打撲して生じたものである．この骨折は鎖骨の持つS字状のカーブにより外・中 1/3 の境界部に歪みが生じたものと考えられる（図 4-21）．また恥骨上枝・下枝の骨折は自動二輪車に乗車している場合を除き直達力による骨折は少なく，むしろ腰部外側面を路面などで強く打撲して骨盤全体が歪んだことによる介達力で骨折するほうが多い．

介達力による骨折には以上のほかにもいくつかの好発部位があるが，骨の形状や解剖学的位置関係などとの関係が深い．

4 年齢と骨折の起こしやすさの関係

同程度の外力が加わった場合でも高齢者と若年者では骨折の起こしやすさに著しい差異がある．高齢者，特に骨粗鬆症の患者ではきわめて軽度の外力でも骨折を生じることがある（病的骨折）．逆に小児などでは胸腔内臓器が挫滅するほどの外力を胸部に受けても肋骨に骨折がみられないことがある．また甲状軟骨や舌骨は高齢者では完全に骨化しているが，若年者では軟骨に近く，頸部圧迫時の骨折の頻度は高齢者ほど高い（幼児では舌骨や甲状軟骨の骨折はほとんどみられない）．

5．内部臓器の損傷

1 頭部外傷 head injuries

1．頭部外傷の特徴ならびに特殊性

頭部（顔面を含む）の外傷は法医解剖においてしばしば遭遇するものであり，脳という重要な臓器を内部に有している点からも死因究明のうえできわめて大切な分野である．

頭部外傷においては，外力の作用のしかた，皮膚・軟部組織の損傷，頭蓋骨骨折の形態，頭蓋内損傷は相互にきわめて密接な関係があり，解剖に際してこれらを切り離して考えることはできない．そのため本項では，これらをまとめて論じることにする．

2．頭部の皮膚・軟部組織の損傷

頭部の皮膚・軟部組織の損傷に関しては前記1～3項に述べたことが原則的に当てはまるが，頭部という部位の特殊性からつぎのような特徴がある．

① 頭毛を有する部分では擦過力や打撲力が軽減する．そのため創形態からみても挫創の周囲に表皮剝脱が生じないことが少なくない．頭毛の状態にはかなり個人差が多く，打撲力の判定や成傷器の推定に際しては症例ごとに注意をはらわなければならない．

② 頭毛を有する部分では皮膚変色や表皮剝脱が見逃されがちである．頭部外傷が疑われる司法解剖例では頭毛を刈って行うことが望ましい．

③ 皮膚表面から骨までの距離が比較的近いことに加えて，皮膚の緊張が高くて伸展性が少ないことから，打撲によって開放創を生じやすい．しかし顔面，ことに頬部では軟部組織が豊富で皮膚の緊張も低いため，頭部・顔面を同一の凶器で打撲した場合，まったく形態の異なる創傷が生じることがある．

3．頭蓋骨骨折 skull fracture

頭蓋骨はほかの骨にはない特異な構造をしているが，骨折をみる場合には頭蓋冠部，頭蓋底部，下顎骨に大別して考えるとよい．

頭蓋冠部は比較的均一な厚みの板状の骨（厳密には外板・内板の二層）からなり，それを覆う皮下・軟部組織の厚みは比較的薄い．そのため皮膚表面に加わった外力の影響が骨折形態に直接反映されることが多く，成傷器の形状の推定に役立つ．

それに対して頭蓋底は皮膚表面から直接外力を受けることは少なく，骨の厚さも部位により著しく異なっている．頭蓋底骨折は頭蓋骨全体に加わったより大きな力を反映していることが多い．

下顎骨の骨折は，長管骨のそれに類似しており，頭蓋骨としての特殊性は少ない．なお，解剖学では舌骨も頭蓋骨に含めているが，頭部外傷との関係はほとんどなく，縊頸など頸部圧迫時の骨折のほうがはるかに重要である．少なくとも法医学領域では，舌骨は甲状軟骨などの喉頭軟骨の一種と考えたほうがよい．

▶**種類**：骨折の形態から頭蓋骨骨折を分類すると

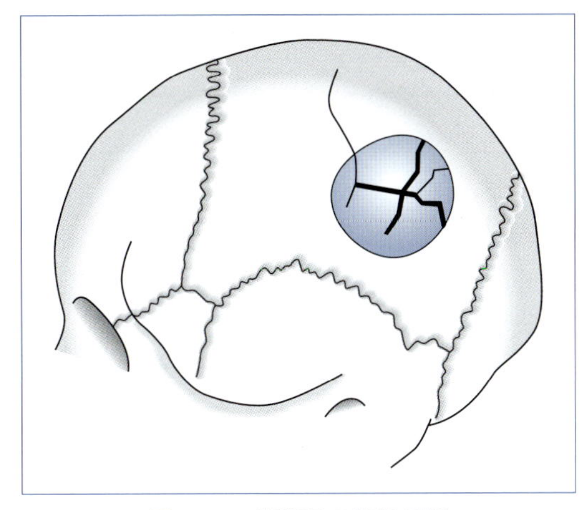

図 4-22　頭蓋骨の陥没骨折

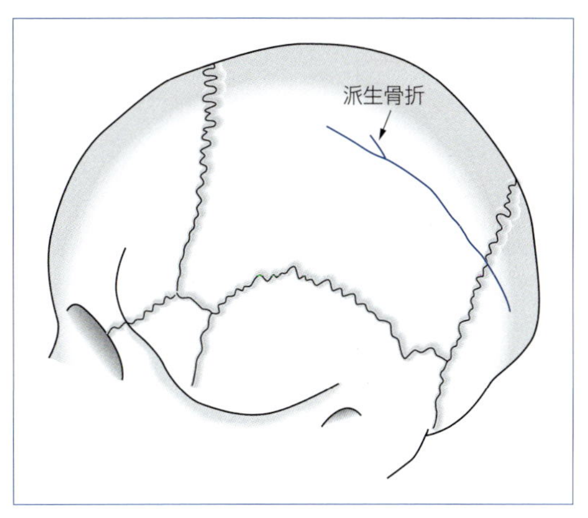

図 4-23　頭蓋骨の線状骨折

①陥没骨折 depressed fracture
②線状骨折 linear fracture または亀裂骨折 fissured fracture

に大別される.

陥没骨折は頭蓋冠にみられるもので，作用面積の小さい鈍器によって打撲されたときに生じる．例えば金槌で頭部を殴打された際には，しばしば凶器の打撃面の形態をとどめた陥没骨折が生じる（図 4-22，口絵写 33）．打撃力がやや弱い場合には頭蓋冠の外板のみが陥没し，内板には骨折がみられないこともある．したがって頭蓋骨骨折を観察する際は，頭蓋冠の外・内両面からみることが必要である.

線状骨折（口絵写 40）は作用面積の大きな鈍体で打撲，あるいは圧迫された際に，頭蓋骨全体に歪みが生じた結果として生じるものである．したがって墜落や転倒によって路面や床面などに頭部を強打するなどの原因が考えられる．線状骨折は頭蓋冠のみならず頭蓋底にまで達していることが少なくない．線状骨折の走向は打撲力（圧迫力）の作用した方向と原則的に一致する（図 4-23，26）.

このように陥没骨折になるか線状骨折になるかは，外力の強さよりもむしろ成傷器の形状（特に作用面積の大きさ）に依存する部分が大きいといえる.

▶**発生順序**：複数の骨折が認められる場合には骨折の発生順序がしばしば問題になるが，2つの骨折線が交わっている場合には骨折の状態から打撃順序が判定できることが多い．すなわち，後から生じた骨折線は前に生じた骨折線を横切ることは通常はない（図 4-24）.

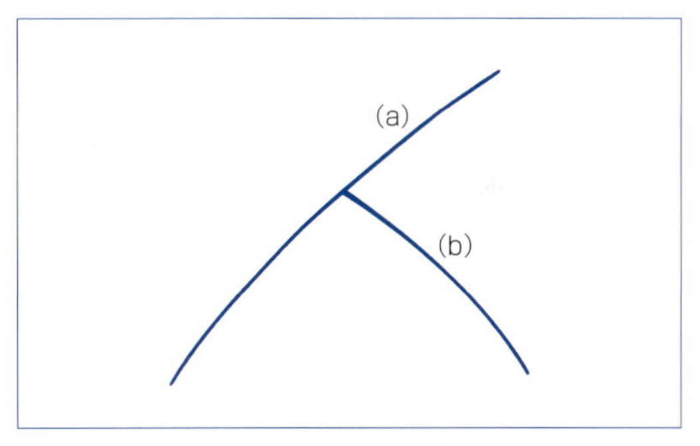

図 4-24　骨折の発生順序

(b) は (a) を横切っていないので (a) のほうが先に生じたとみなされる.

▶**特殊な頭蓋骨骨折**

①大後頭孔周囲の輪状骨折（突上げ骨折）：大後頭孔部は下方で脊柱と連結しており，例えば墜落などで殿部を強く打撲した場合に，介達力によって後頭骨が下方から上方へ突き上げられて輪状の骨折が生じることがある（図 4-25）．このような場合には頭部への直接的な外力なしに頭蓋内損傷をも生じうる.

②眼窩上壁の線状小骨折（飛び骨折）：眼窩上壁は卵の殻のように骨が菲薄な部位であるため，打撲や圧迫時の頭蓋骨の歪みにより，直接

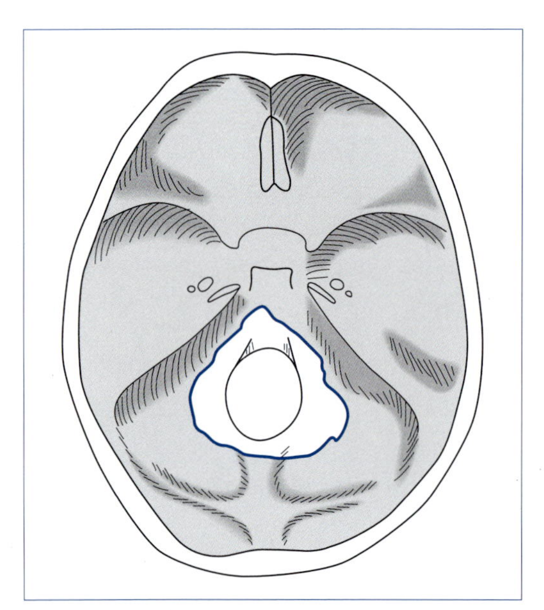

図 4-25　大後頭孔周囲輪状骨折（突上げ骨折）
殿部打撲により環椎が後頭骨を上方に突き上げて生じる．

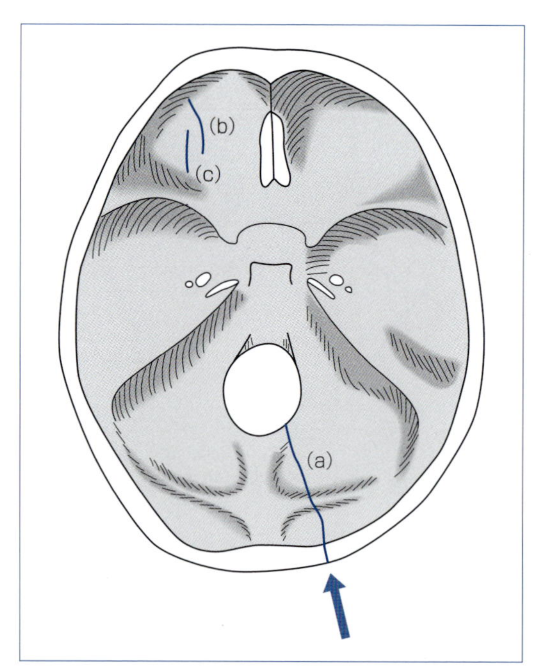

図 4-26　頭部（後頭部）打撲時の頭蓋底骨折
打撲部位から生じた線状骨折（a）と，眼窩上壁の「飛び骨折」（b），（c）．

外力の作用した部位とは別に小さな線状骨折を生じることがある．渡辺はこのような骨折を「飛び骨折」と呼ぶことを提唱している．また人によってはこれを「contre-coup fracture」と呼ぶが，必ずしも対側に生じるわけではなく，あくまで頭蓋骨が歪んだことを示唆する所見である（図 4-26）．外力の作用した部位には骨折がなく，本骨折だけが認められることもある．なお，眼窩上壁の骨折は「飛び骨折」以外にも眼球にボールが当たったときなどに，眼窩内圧の急激な上昇によっても生じることが知られている（blow-out fracture）．

③ 進行性頭蓋骨骨折 growing skull fracture：外傷後数週間以上経過しても線状骨折が一向に小さくならず，むしろ骨折線が拡大するようなものをいう．乳幼児期に骨折したときのみにみられ，成人には生じない．内板・外板間における軟膜嚢胞の形成や，小児脳の急速な発育と関係があるといわれている．頭部外傷の後遺症の一種である．

▶頭蓋底骨折を示唆する外表所見：頭蓋骨骨折そのものを外表からみることは高度の開放性骨折がない限り不可能であるが，外表からある程度頭蓋骨骨折の存在を疑うことができる所見として次のようなものがある．

① ブラックアイ black eye：眼瞼部に紫赤色～紫青色の変色が生じたもの．眼瞼部の皮下・軟部組織はきわめて疎であるため，眼窩部の頭蓋底骨折から生じた出血は眼瞼部に容易に浸潤しブラックアイを形成する．ただし，本所見は頭蓋底骨折のほかにも，前額部の打撲傷からの浸潤や眼瞼部そのものの打撲によっても生じうる．

眼鏡血腫 Brillenhämatom とも呼ばれるが，必ずしも眼鏡のように両側に生じるとは限らず，また上下の眼瞼の一方のみに認められることもある（図 4-27）．

② 耳出血と血性中耳：側頭骨の錐体を横切る頭蓋底骨折がある場合，外耳道あるいは中耳に出血を生じることがある．後者の場合は鼓膜の損傷を伴わないと耳出血にはならないが，鼓膜の損傷がない場合でも耳鏡を使用することによって中耳（鼓室）の出血を証明しうる．

③ 乳突部の変色（Battle 徴候）：中頭蓋窩後

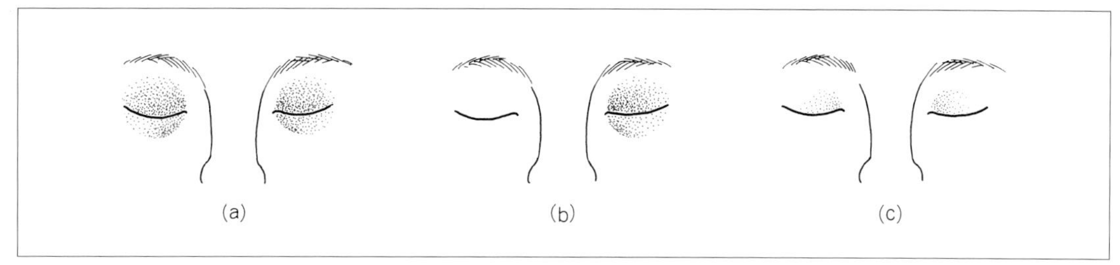

図 4-27 ブラックアイの種々相
(a) 両側性, (b) 片側性, (c) 上眼瞼のみ

部に骨折がある場合, 骨折部からの出血が耳介後部の乳様突起部に浸潤して変色として認められることがある (図 4-28).

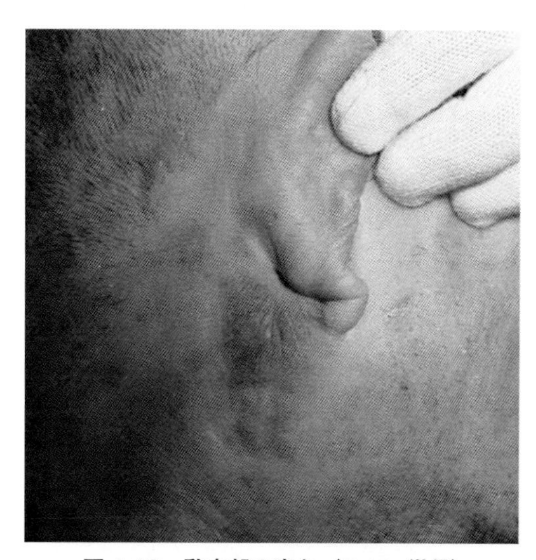

図 4-28 乳突部の変色 (Battle 徴候)

4. 頭蓋内損傷

頭部外傷時の頭蓋内損傷にはさまざまなものがあるが, 死因にはなりがたいものやきわめてまれなものは脳外科学の成書にゆずることにして, ここでは法医学的に特に重要なものを中心に述べる.

▶**硬膜外血腫** epidural hematoma(**口絵写 40**): 硬膜は頭蓋骨内面の骨膜を兼ねており, 両者の間に出血が生じた状態が硬膜外血腫である (図 4-29).

硬膜外血腫の多くは骨折線が中硬膜動脈を横切る際に同動脈を損傷することによって生じ, したがって大抵の場合側頭部〜頭頂部に認められる. 後硬膜動脈あるいは硬膜静脈洞の損傷で生じることもあるが頻度的にははるかに少ない. 骨折としては線状骨折のことが多いが, 陥没骨折に伴うこともある. いずれにしても, 硬膜外血腫は頭蓋骨骨折ときわめて密接な関係がある点が特徴である. なお, 硬膜外血腫は内因的要因によって起こることはほとんどなく, 大部分が外傷によるものである*.

硬膜外血腫の臨床的特徴としては, 意識清明期 lucid interval の存在が有名である.

「清明期」とは受傷直後に一過性の意識障害があり, その後意識が清明になったものが再び意識障害をきたした場合に中間の意識清明な時期に対して用いるのが本来の使い方であるが, 受傷時に意識障害がなかったものがしだいに意識障害をきたした場合(本来は潜在期 latent interval という) にも拡大されて使用されることがある. 両者をあわせて無症状期ともいう. 意識の清明な期間は受傷後概ね 2〜20 時間程度であることが多い. 硬膜外血腫はほかの頭蓋内損傷の合併を欠くことが多く, そのため血腫が脳を圧迫するまでの間は重大な症状が出ないことが清明期や潜在期の存在する理由となっている. したがって硬膜外出血でも脳挫傷を合併した症例では, しばしば受傷時から持続的な意識障害

＊後頭蓋窩硬膜外血腫: 硬膜外血腫は, 一般に骨と硬膜が密着している乳幼児には少ないが, 後頭蓋窩の硬膜外血腫は逆に乳幼児, 小児に多いとされている. 頻度的には高いものではないが臨床診断がなされにくいなどの特徴を有している. 後頭部の打撲時の後頭骨骨折により硬膜静脈洞の損傷を生じて出血することが多い.

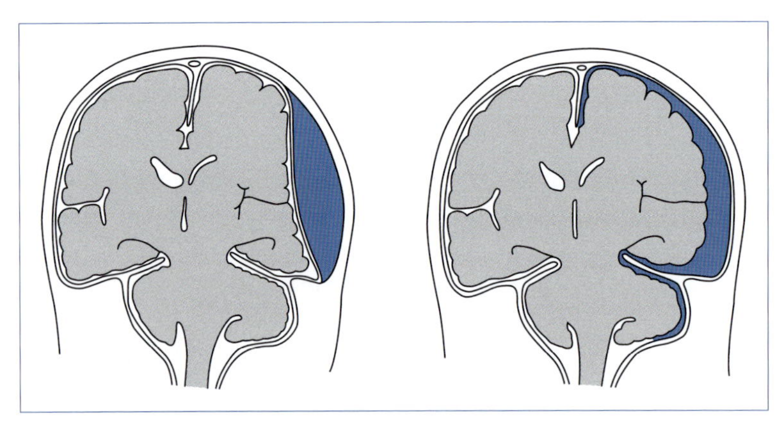

図 4-29 硬膜外血腫（左）と硬膜下血腫（右）

がみられる．

意識清明期に関する法医学的な問題点としては，受傷後にも十分な行動能力を有しているため，受傷現場とはかなり離れた場所で倒れているのを発見される場合が少なからずあることである．すなわち受傷後ただちにその場所で意識消失する場合に比べて，受傷した場所の特定が困難になる．そのため意識清明期の存在が考えられる症例では，警察による死亡者の足取り捜査がきわめて重要になってくる．

合併損傷のない純粋な硬膜外血腫では早期に血腫の除去手術を行って救命しうるが，手術の時期を逸すると血腫による脳圧迫から「脳ヘルニア」（p.85）を生じて死亡することが多い．

▶**硬膜下血腫** subdural hematoma（**口絵写39**）：外傷性硬膜下血腫の出血源としては①橋静脈の破綻，②脳挫傷（脳裂傷）に合併するもの，の2つが主なものである．

①橋静脈 bridging veins：脳表の静脈と硬膜静脈洞（上矢状洞）を結ぶ小静脈で，頭部が震盪されるような（特に回転加速度）外力を受けた場合に破綻するものである．ことに乳幼児ではクモ膜顆粒の発達が未熟で橋静脈と静脈洞との癒合が弱いために成人よりも破綻しやすいとされている．

②脳挫傷でクモ膜の破綻を伴う場合（および脳裂傷）：脳表面の血管損傷部からクモ膜破綻部を経て硬膜下に出血が認められる．したがって脳挫傷の好発部位である前頭極部や側頭極部，大脳半球穹窿部などに認められることが多い．脳挫傷の項で述べるように直接打撃 coup injury として生じることもあるが，頭部の震盪力（主として直線加速度）により対側打撃 contre-coup injury として生じることが少なくない．

①②，いずれの場合とも血管の破綻部を主体に出血が認められるが，硬膜外血腫と異なり硬膜下腔は血液の移動が容易であるために，剖検時には血腫というより硬膜下腔にわたる広範な出血になっていることもある．しかし受傷後数時間程度生存していた症例では線維素 fibrin の析出を伴う血腫が血管破綻部周囲に認められることが多い．

②によるものでは当然のことであるが，①による場合でも，脳挫傷やくも膜下出血などほかの頭蓋内損傷との合併が多く，単独の硬膜下血腫というのは比較的少ない．したがって硬膜下血腫では受傷当初から意識障害があることが多く，意識清明期が認められる頻度は硬膜外血腫よりも少ない．また，硬膜外血腫と異なり，硬膜下血腫では頭蓋骨骨折が認められないことも多い．

硬膜下血腫には外傷によるもの以外に，血液疾患や熱傷などで出血傾向が高まった場合にも生じうる．また内因的くも膜下出血と同様に脳動脈瘤の破裂により生じるものもあるが，全体としては硬膜下血腫の大部分は外傷に基づくものである.

慢性アルコール中毒者などを解剖した際に，被膜に覆われた硬膜下血腫がときおり認められることが古くから知られており，出血性内硬膜炎 pachymeningitis interna haemorrhagica などと呼ばれてきた．このような例では剖検時には外力の加わった形跡は認められないことが多いが，たとえ軽微なものであったとしても外傷が出血の原因になっている可能性が高い．このような硬膜下血腫の出血源としては，橋静脈の破綻がほとんどであると考えられている．ただし，高度のアルコール性肝障害がある場合には出血を助長する可能性は十分あると考えられる.

このように受傷から症状発現までの期間が長い硬膜下血腫は，臨床的に慢性硬膜下血腫 chronic subdural hematoma と呼ばれている．慢性硬膜下血腫では再出血 re-bleeding によって急激な血腫の増大を生じることも多いが，再出血を起こすためには外力の関与は必ずしも要しない.

児童虐待の一つとして注意が喚起されている『揺さぶられっ子症候群 shaken baby syndrome』においては，硬膜下血腫が死因となるケースが少なくない.

2 脳挫傷，脳挫滅，脳裂傷（口絵写 38）

頭部への打撃力によって脳表層に限局性の挫滅部と点状出血の集合体が形成されたものを脳挫傷 cerebral contusion と呼んでいる．車両による轢過などで脳全体が高度に損傷しているような場合には「脳挫滅」として区別することが多い．また，伸展力が加わったために脳実質の連続性が断たれた場合には脳裂傷と呼ばれることもあり，高度のものでは脳幹（特に橋・延髄移行部）の離断に至ることもある.

脳挫傷の発生機序としては脳実質の頭蓋骨への直接的な衝突のほか，脳が震盪されたときの頭蓋内圧の急激な変化（陰圧）などが想定されている.

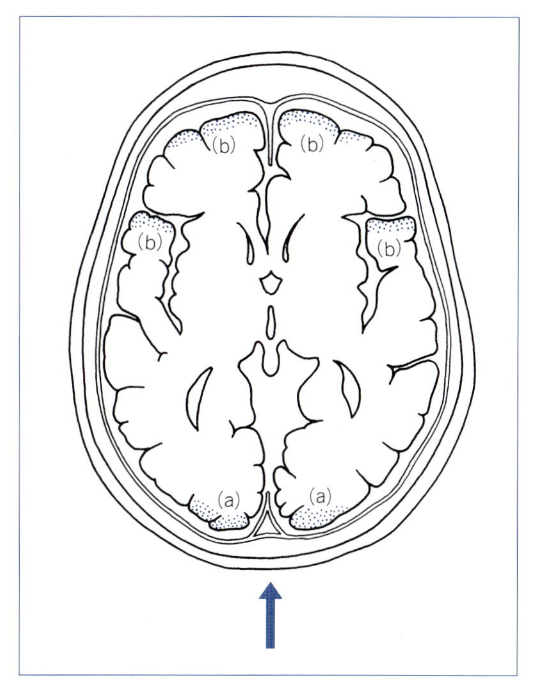

図 4-30　後頭部打撲時の脳挫傷
coup injury（a）と contre-coup injury（b）.

▶直接打撃（直撃損傷）と対側打撃（反衝損傷）：脳挫傷は打撲された部位に生じる場合と反対側に生じる場合とがあり，前者を直接打撃 coup injury，後者を対側打撃 contre-coup injury と呼んでいる（図 4-30）．例えば左側頭部を打撲された際に，左側頭葉に脳挫傷が生じれば coup injury，右側頭葉に脳挫傷が生じれば contre-coup injury である．coup injury と contre-coup injury のどちらが強く生じるかは打撲部位によって異なる．すなわち後頭部の打撲では contre-coup injury として前頭葉や側頭葉前部に脳挫傷が生じることが多く，前頭部の打撲では coup injury として前頭葉に生じることが多い．一方側頭部の打撲では coup injury と contre-coup injury とがほぼ同頻度に生じ，両者が併存することもかなりある.

Contre-coup injury は脳の震盪作用との関係が深く，脳が萎縮して頭蓋内での可動性が大きくなっている老人に生じやすい．反対に頭蓋骨と脳との隙間が少ない乳幼児では contre-coup injury はほとんど生じない．また，震盪作用と

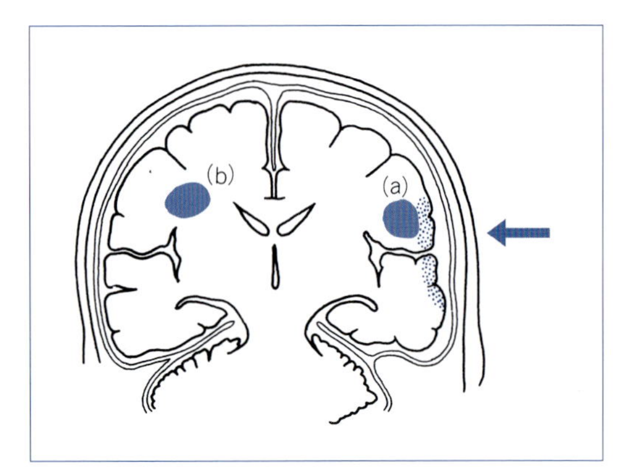

図 4-31　外傷性脳内血腫
脳挫傷に伴うもの（a）と，脳挫傷とは無関係に生じるもの（b）.

の関係から，陥没骨折を伴うような打撃では contre-coup injury は少なく，道路上での転倒（特に後方への転倒）などで頭部に直線的加速度が加わった場合に contre-coup injury は最も生じやすい.

3 外傷性くも膜下出血

外傷性くも膜下出血 traumatic subarachnoidal hemorrhage の多くは脳挫傷に随伴してその周囲に生じたものである．クモ膜自体の破綻を認める場合には，前述のように硬膜下出血をも合併する．脳挫傷と無関係に外傷性くも膜下出血が生じた場合は，大抵は脳表の小血管の破綻によるもので出血の程度は軽く，単独で死因になることはまずない．しかし，まれに脳幹が過伸展するような外力によって椎骨動脈あるいは脳底動脈が破綻して厚層の出血を生じることがある．この場合は出血の分布が脳底部に強いため，一見内因性くも膜下出血に類似している.

4 外傷性脳内血腫

外傷性脳内血腫 traumatic intracerebral hematoma には大きく分けて，① 脳挫傷に隣接して生じた血腫と，② 脳挫傷と無関係に生じた血腫とがある（図 4-31）.

① は脳挫傷のある脳表層からその深層にかけて血腫を形成したもので，脳挫傷と同様 coup injury および contre-coup injury がある.

② は主として打撲部位と反対側の脳深層（白質内や大脳基底核など）に比較的大型の血腫を形成することが多い．したがって，特に後者では内因性の脳出血との鑑別を要する.

5 び漫性脳損傷とび漫性軸索損傷

今まで述べた頭蓋内損傷はいずれも出血・血腫を主体とした損傷であり，剖検時に肉眼的に判断しうるものである．また，高度の脳挫滅などを除き個々の損傷の局在が明確なものであった．しかし，血腫などの明確な局在性損傷がないにもかかわらず脳が広範かつび漫性に傷害されるタイプの損傷が存在し，これらはび漫性脳損傷 diffuse brain injury と呼ばれている.

び漫性脳損傷のうち，比較的程度の軽いものは臨床的に脳振盪*と呼ばれ，一過性の意識障害を伴うことはあっても器質的脳損傷を欠き生命予後も良好である.

一方，脳白質の神経線維（軸索）が広範かつび漫性に損傷されるタイプの脳損傷として，び漫性軸索損傷 diffuse axonal injury（DAI）がある．これは主として回転加速度（角加速度）が頭部に加わった際に白質の軸索がび漫性に断裂するなどの損傷を受けるもので，交通事故死（特に歩行者）に多いことが知られており，直線加速度が主体の墜落死では比較的少ないとされている.

DAI の剖検所見に関しては，肉眼的には脳梁や脳幹，大脳白質などに小出血を認める程度のことが多く，組織学的にも受傷直後に死亡した例では顕著な所見を認めがたい．受傷後数日程

*脳震盪：外傷後に意識障害がありながら，脳に器質的異常を認めないものを臨床的に脳震盪といっている．一過性かつ可逆的な変化であるが，かつては脳震盪により死亡することがあるともいわれたことがあった．しかしそのような症例でも実際には脳実質に小出血があることが多く，少なくとも一部は DAI が見逃されて脳震盪と診断されていた可能性が高い．現在の医学常識からいうと脳震盪を死因とするのは好ましいことではない.

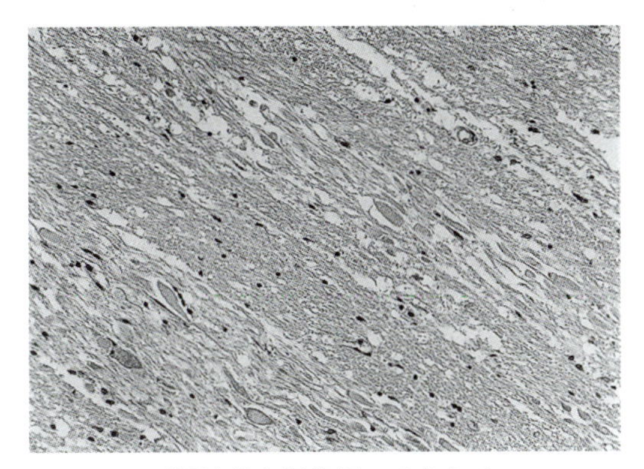

図 4-32 び漫性軸索損傷例にみられる retraction ball（変性）
自動車にはねられ 13 日後に死亡．入院当初から意識消失した状態が持続していた．

度生存していた例では著明な軸索の変性（retraction ball：図 4-32）が認められるようになる．

臨床的には受傷直後から持続する高度の意識障害があり，それにもかかわらずCT検査その他で血腫などの重大な異常所見が認められないのがDAIの特徴である．ただし，受傷の機序からみて通常の脳挫傷との合併例が少なからずあり，脳挫傷が高度の場合にはDAIの存在は見逃されがちである．

1．頭蓋内損傷に伴う脳の続発性変化

▶**脳浮腫** brain edema と**脳腫脹** brain swelling：一般に実質細胞への液の貯留による臓器の容積増加は「腫脹」，間質に液が貯留した場合は「浮腫」と呼ばれている．脳の容積増大の原因の多くは，主として実質細胞における液の貯留（すなわち「脳腫脹」）であるとの考えもあるが，実際問題として両者を個々の症例で鑑別するのは困難である．現在では脳腫脹の場合も含め脳の容積の増大一般に対して「脳浮腫」を用いることが多い．

頭部外傷に際して高度の脳挫傷など広範な皮質損傷があると，血液-脳関門の破壊から血漿成分が漏出して脳浮腫を生じる．このような脳損傷に続発する脳浮腫は早ければ受傷後数分以内に急激に生じ，数日間も続くといわれている．

脳浮腫の剖検所見としては，脳の容積・重量の増加に加え，脳表が頭蓋骨内面に押しつけられたことによる脳回の扁平化がみられ，しばしば次に述べる脳ヘルニアを伴っている．

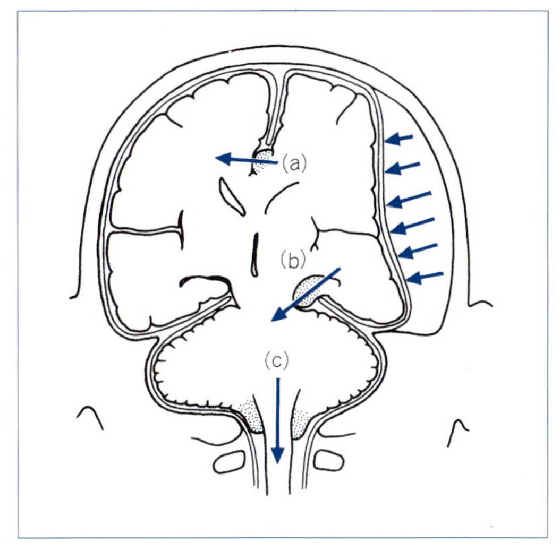

図 4-33 主な脳ヘルニア
(a) 帯状回ヘルニア（大脳鎌ヘルニア）
(b) テント切痕ヘルニア（鈎ヘルニア）
(c) 小脳扁桃ヘルニア（大後頭孔ヘルニア）

▶**脳ヘルニア（脳嵌頓）** brain herniation, cerebral pressure cone：前項に述べたような脳浮腫，あるいは硬膜外血腫などの頭蓋内血腫により頭蓋内圧が亢進すると，脳は頭蓋内を可能な限り移動して逃れようとする．その結果，本来あるべき部位から偏位 displacement した状態を脳ヘルニアという．脳ヘルニアが生じると頭蓋内の突出物に圧迫され，圧迫部局所の障害に加えて同部に存在する血管の支配領域の循環障害を生じる．

脳ヘルニアの代表的部位としては，次のようなものがある（図 4-33）．

① 帯状回ヘルニア cingular herniation：頭頂葉にある帯状回の一部が大脳鎌の下縁から正中線を越えて対側に入り込んだもの．大脳鎌ヘルニアともいう．

② テント切痕ヘルニア tentorial herniation：小脳テント切痕部を通じて脳の偏位が生じたもので，次のようないくつかのタイプに分けられる．

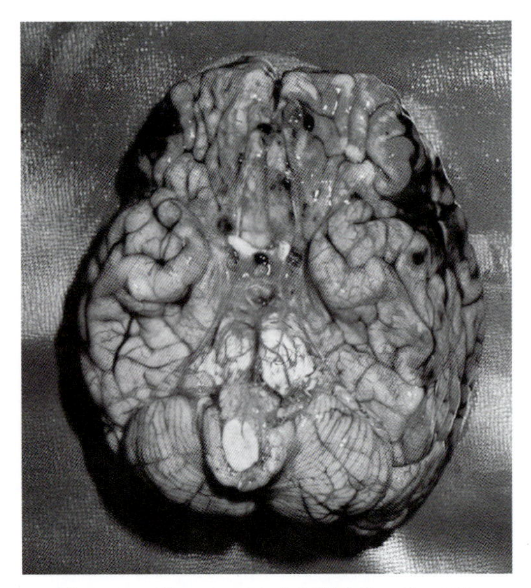

図 4-34　脳ヘルニア（小脳扁桃ヘルニア）

・鈎ヘルニアと海馬回ヘルニア：小脳テント上部の圧が高くなり，テント切痕部に側頭葉下内側部が入り込み，脳幹を圧迫するもの．テント下に入り込んだ部位によって鈎ヘルニア uncal herniation，海馬回ヘルニア hypocampal herniation などという．

・中心性ヘルニア central herniation：鈎ヘルニアに類似するが，側頭葉ではなく間脳がテント下に入り込んだもの．

・上行性テントヘルニア upward tentorial herniation：小脳テント下の圧が高まった場合に小脳虫部が上方へ偏位したもの．

③ 小脳扁桃ヘルニア tonsillar herniation（図 4-34）：小脳扁桃が大後頭孔を経て下方に偏位したもの．大後頭孔ヘルニア foramen magnum pressure cone ともいう．脳幹，ことに延髄の圧迫をしばしば伴う．

④ 蝶形骨縁ヘルニア sphenoidal herniation：前頭葉下面の一部が蝶形骨隆起を越えて中頭蓋窩に入り込んだもの．まれである．

▶**虚血性脳損傷**：頭蓋内圧亢進によって血管が圧迫され，その血管の支配領域の虚血を生じたもの．例えば前項の脳ヘルニアではしばしば入り込んだ部分に楔型の壊死（梗塞）が認められる．さらに太い動脈の圧迫，閉塞によって広範な梗塞を生じることもある．

▶**脳実質内の二次性出血**：代表的なものは脳幹，ことに中脳・橋にみられる．これは頭蓋内圧亢進からテント切痕ヘルニアを生じた際に，脳幹部の血管が強く伸展された結果生じると考えられている．橋に生じた場合には，内因性の橋出血との鑑別が必要である．

2. 頭部外傷の死因

頭部外傷に基づく死亡例は，法医解剖においてはしばしば経験するものである．損傷の程度は事例によってさまざまで，生存期間もほぼ即死状態のものから，受傷後数か月～数年を経て死亡するケースまである．したがって，同じ頭部外傷でも死に至るメカニズムは一様ではないと考えられる．

頭部の轢過などによる高度の脳挫滅を認めるものでは，脳全体にわたる直接的な損傷がただちに死に直結することは容易に理解できよう．脳挫傷や頭蓋内血腫のように局所的病変を主体とするものでは，即死にはならない場合が多いが，前項に述べたような続発性変化から脳機能障害を招来する．前項に述べたことから理解できるように，頭蓋内損傷の続発性変化の基本は頭蓋内圧亢進である．頭蓋腔は頭蓋骨によって本来は保護されているものであるが，頭蓋内圧亢進に際してはその閉鎖性が裏目にでて，種々の障害を引き起こすことになる．続発性変化は相互に深い関連を持ちつつしだいに脳全体としての高度の機能障害をもたらし，最終的に脳死から個体の死に至る．脳死に至る詳細なプロセスはきわめて複雑であり，個々の症例で異なるものの，頭蓋内圧亢進を基本とした脳の続発性変化を経て死亡するものが，頭部外傷による死亡例の大半を占めているといえる．

脳死に至るほどの機能障害がなくても，高度の意識障害が持続する場合には気管支肺炎（嚥下性肺炎，就下性肺炎）の合併はほぼ必発であり，直接的には肺炎が死因になっている症例もしばしばみられる．

3. 慢性外傷性脳症

ボクシングやアメリカンフットボールなどのコンタクトスポーツ，サッカーのヘディングなどによる脳への反復的な衝撃が原因となり，慢性外傷性脳症 chronic traumatic encephalopathy と呼ばれる後遺症が引き起こされることが近年注目されている．

慢性外傷性脳症の剖検所見として，大脳前頭葉・側頭葉などの萎縮や脳室拡大，透明中隔囊胞などがみられ，組織学的にタウタンパクの蓄積による神経原線維変化，TDP43 や β アミロイドの異常蓄積が認められる．臨床的には認知障害や抑うつ症状，パーキンソニズムなどを呈することが多いとされる．

本症単独で死因となることは考え難いが，自殺や犯罪の背景として重要な病態であり，このようなスポーツ経験者の死亡例の剖検に際しては注意すべきものであると考えられる．

6 胸腹部臓器の損傷

刺創や射創に伴う臓器損傷は，皮膚表面から連続するものであるので，ここでは省略し鈍的外力に伴う臓器損傷について述べる．刺創や射創に伴うものではもちろんのことであるが，鈍的外力に伴うものでも身体表面の損傷と内部の損傷との関係はきわめて重要である．したがって，臓器の損傷の記載は個別に行ったとしても，表面の損傷との関連から成傷機転（メカニズム）について常に考察を加えることが大切である．胸腹部臓器の損傷には，挫傷，裂傷，破裂の基本形がある．

挫傷とは，臓器が押し潰されたことによるものである．臓器の表面には破綻がある場合とない場合がある．

裂傷とは臓器が引き裂かれた場合で，通常は表面に破綻を伴う．

破裂とは血管や心，消化管などの中空臓器が内圧の上昇によって破綻し，内腔と外部とが交通した状態に用いるのが原則だが，肝や脾などの実質臓器の損傷にも慣用的に用いられている．

1. 心の損傷

▶**挫傷**：心は胸骨と脊椎の間に位置し，特に胸骨とは密接な位置関係にある．したがって，心の損傷の多くは，胸部を前方から後方に向けて打撲または圧迫して生じる．圧迫力が強大な場合には正中線上で胸骨と脊椎に挟まれ，肉柱や乳頭筋を主体とした挫傷が生じる．胸骨の直後方に位置するという点から，右室のほうが左室よりも挫傷を生じやすい．

▶**裂傷**：心の裂傷は比較的まれであるが，下大静脈の右房入口部にときにみられる．これは心は縦隔内での移動がある程度許されるのに対して，下大静脈は横隔膜に固定され移動しにくいためと考えられる．

▶**破裂**：内腔に血液が充満した状態のときに受傷すると，心筋壁が内圧に抗しきれずに破裂することがある．壁の厚さの差から，左室よりも右室に多い．

▶**乳頭筋・腱索の断裂**：心に圧迫力が加わった際に心室内圧が上昇し，房室弁を支える乳頭筋や腱索が張力に抗しきれずに断裂することがある．心室腔に血液が充満した状態で受傷した場合に多いが，破裂と異なり左室乳頭筋，腱索に多い．また，乳頭筋断裂は心筋の挫傷に伴って生じることもある．いずれにしても急激な僧帽弁閉鎖不全（逆流）が生じる．Marfan 症候群などの弁や腱索が脆弱化する疾患や乳児では，外傷によらず自然に腱索や乳頭筋が断裂することがあるので鑑別を要する．また，乳頭筋の断裂は心筋梗塞によるものとの鑑別が必要である．

▶**心臓震盪**：前胸部に打撃を受けた際，心臓などの胸部臓器に器質的な損傷がないのに心停止（心室細動）となり，死亡するようなケースが近年報告されており，『心臓震盪 commotio cordis』と呼ばれている．心臓震盪が生じるような状況として，野球のボールが胸にあたった（打球がピッチャーを直撃した場合や，キャッチボールの際）というものが多い．その理由として，心臓の電気的活動における特定のタイミング（心電図上で T 波の頂点の手前）に外力が

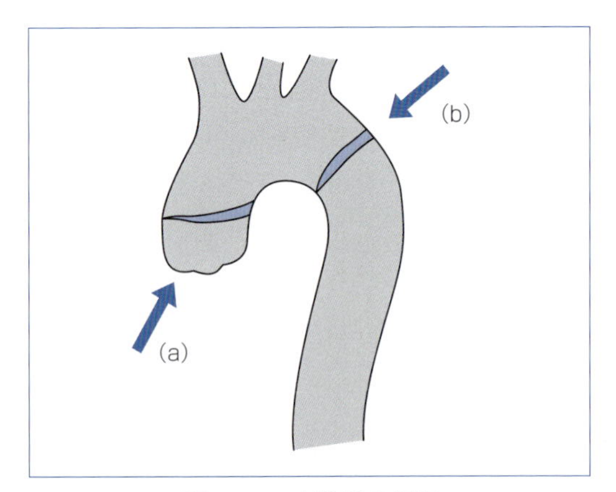

図 4-35　大動脈の損傷
(a) 前胸部の打撲，圧迫による上行大動脈破裂
(b) 背部の打撲による大動脈峡部破裂

加わって，心室細動が誘発されるのではないかと考えられている．胸郭の未発達な未成年者では，特に注意が必要である．

▶**心嚢破裂**：胸部に大きな外力が加わり，心臓が，左方や右方，後方などへ押しやられるような状況になった場合，心損傷とは別に心嚢損傷(破裂)が生じることがある．前方から後方への外力，あるいは右方から左方への外力による場合は心嚢の左側面に，左方から右方への外力による場合は心嚢の右側面に破裂が生じることが多い．筆者は，心・肺などに器質的損傷がないにもかかわらず，心嚢右側面の破裂部に右心耳が嵌頓（心臓ヘルニア）して死亡した例を経験したことがある．

2. 肺の損傷

▶**挫傷・裂傷**：肺の挫傷の高度なものは一見して肺組織が挫滅しており診断は容易であるが，軽度のものは限局的な出血と浮腫として観察され，病的な肺出血や出血を伴う肺炎との鑑別が必要である．前後方向に圧迫されて生じることが多い．裂傷は壁側胸膜との移行部や葉間胸膜に生じることが多く，前者の場合は例えば仰向けの状態で左右方向に轢過されるなど，縦隔の左右方向への移動を伴うような圧迫力が加わったときに生じやすい．

▶**肋骨骨折による肺損傷**：肋骨骨折の際に壁側胸膜を破って骨折端が胸腔内に露出すると，肺表面にも損傷（刺創）を生じることがある．血気胸を合併するのが普通であるが，大型車両による轢過など瞬間的に死亡した場合にはほとんど出血を伴わないこともある．

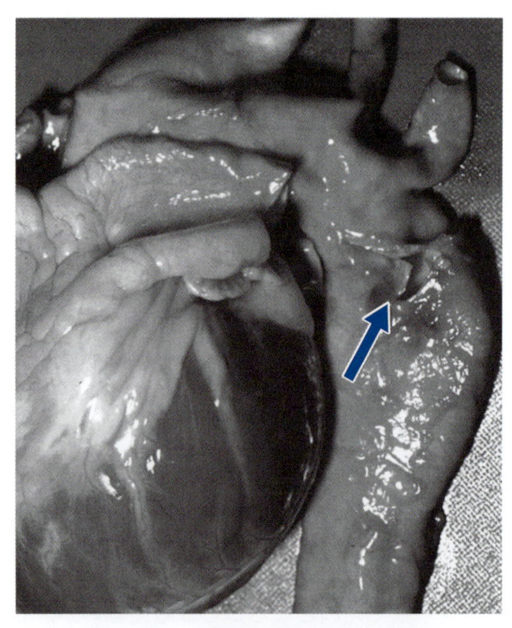

図 4-36　大動脈峡部の外傷性破裂

3. 大動脈の損傷

▶**破裂**：外傷性大動脈破裂には好発部位が2か所知られている．すなわち，① 上行大動脈，② 大動脈峡部(大動脈弓と下行大動脈との移行部)である（**図 4-35**）．前者の場合は，胸郭が前方から後方に圧迫されて上行大動脈がねじれることにより生じることが多く，破裂口は通常横ないし斜めに走っている．後者の場合には，下行大動脈が脊柱前方に固定され移動しにくいのに対して，大動脈弓は比較的ブラブラと動きやすいことから，衝撃が加わった際に両者の境界部が破綻すると考えられている．したがって大動脈峡部の破裂は高所からの墜落など比較的広い面積で胸背部を打撲した場合が多い(**図 4-36**)．

▶**中膜の解離（外傷性解離性大動脈瘤）**：胸背部を打撲した際に大動脈が直接破裂せず，内膜の亀裂 intimal tear が生じてそこから中膜に解離腔が形成されることがある．Marfan 症候群な

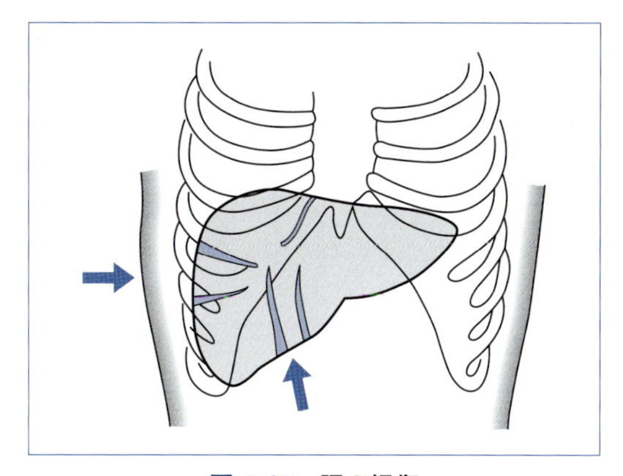

図 4-37 肝の損傷
前方あるいは右方からの外力によるものが多い.

どで大動脈壁が脆弱な場合には特に生じやすいが，内因的疾患としての大動脈解離（解離性大動脈瘤）に比べると頻度ははるかに低く，外傷性と判定するには外力の程度の評価や外力と発症との時間的経過などについて慎重でなければならない.

▶**大動脈弁の裂傷**：体幹部を打撲，圧迫された際に生じた急激な大動脈内圧の上昇が大動脈弁の破綻を生じさせることがある（water hammer effect).

4. 肝の損傷

肝は肋骨弓によって保護されているものの，大きな臓器であるだけに損傷を受ける頻度も高い．右葉の損傷が圧倒的に多い.

▶**挫傷・裂傷（破裂）**：肝の大部分は肋骨弓右半部に隠れた位置に存在しており，その損傷は胸郭下部右半を変形させるような外力を受けたときに生じやすい．したがって胸腹部右側や右前方からの打撲や圧迫による場合が多いが，轢過や墜落など大きな力が加わると胸郭全体の変形によって損傷が生じることがある．大抵の場合，挫傷と裂傷の両方の要素を併せ持っている．多くは多発性で，しばしば致命的な腹腔内出血を伴っている（図 4-37).

▶**中心性肝損傷**：肝の表面には損傷がなく，中心部のみに組織のズレが生じたもの．ほとんどは右葉に生じる．腹腔内出血を伴わないため，

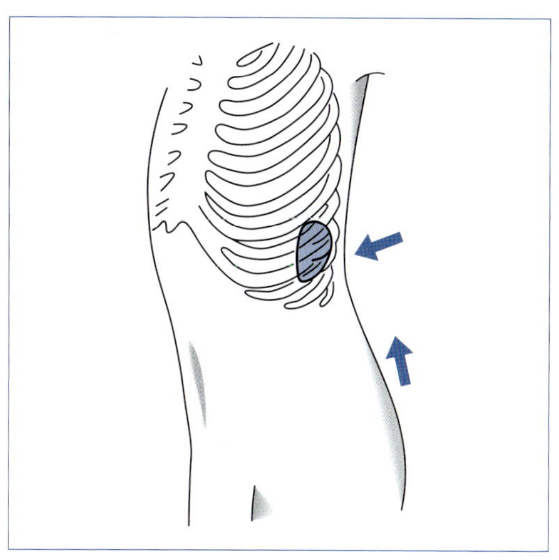

図 4-38 脾の損傷
背部左半の後方からの打撲，あるいは左側胸部・左側腹部の打撲によるものが多い.

単独で死因になることは少ない.

▶**胆嚢の肝床からの剝離**：胆嚢上面が外傷によって肝床から剝離すると，剝離部血管の損傷によって多量の腹腔内出血を生じることがある．重大な合併損傷がある場合にはあまり問題にならないが，腹腔内出血の1つの原因として記憶しておく必要があろう．脂肪肝など慢性アルコール性肝障害がある場合には，特に問題が大きいことが指摘されている.

5. 脾の損傷

▶**挫傷と裂傷（破裂）**：脾は肝に比べて小さな臓器であるため，その損傷はほとんど左側腹部または背部左半への打撲によるものである（図 4-38)．ただ，臓器としての性質上，損傷の大きさのわりに腹腔内出血量は一般に多い．血液疾患や感染症などで脾が病的に腫大している場合には，肋骨による保護を受けにくいなどの理由から，軽度の打撲で損傷が生じることがある．例えば慢性リンパ性白血病では患者は一見健康であるが，脾腫があるため球技で軽くボールが当たった程度でも致命的な脾損傷を生じうる.

6. 膵の損傷

▶**挫傷**：膵は脊柱の直前部という腹部臓器としては最後方に位置しており，後方は脊柱で保護

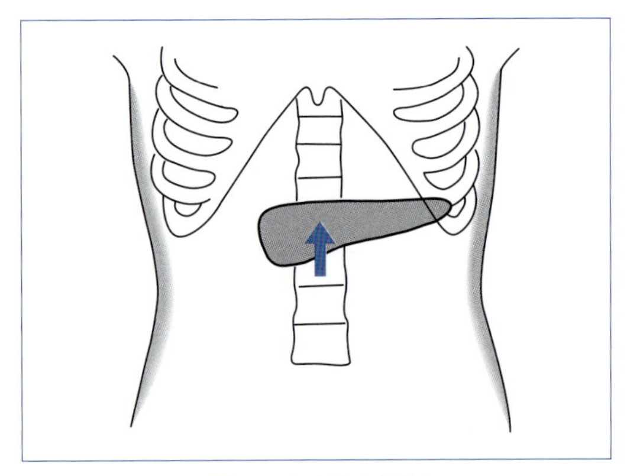

図 4-39　膵の損傷
比較的面積の狭い鈍体で前方から打撲あるいは圧迫されて生じる.

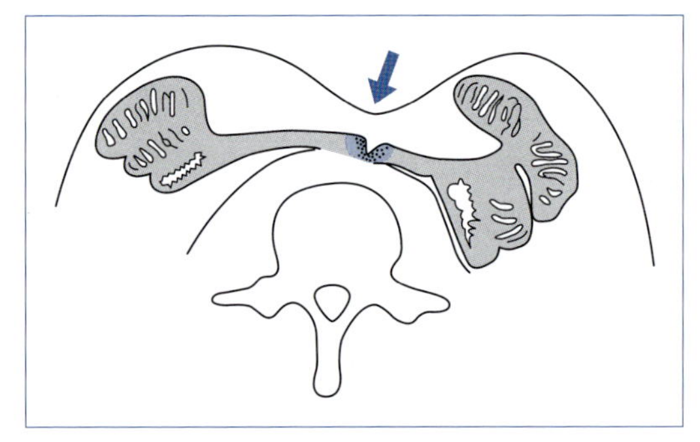

図 4-40　腸間膜根部の損傷
発生機序としては膵損傷に類似するが，腸間膜が強く牽引されたことによる裂傷的なメカニズムも関与する.

されているために面的な鈍体による打撲では損傷は生じない．しかしながら肋骨弓による保護はないことに加え，間膜を有さず可動性にはきわめて乏しいという弱点をかかえている．そのため，比較的作用面積が狭い鈍体で前方から後方へ打撲または圧迫された場合には，鈍体と脊柱との間に挟まれる形で損傷を受けやすくなる．したがって損傷の機序としては挫傷に分類されるものが大半で，裂傷はまず生じることはない．実際問題として膵損傷がみられるのは，自動車運転者が衝突時にハンドルで上腹部を強打した場合や，腹部を足で蹴られたり踏まれたりした場合など，かなり限られた条件下で生じていることが多い（図 4-39）.

膵の損傷では腹部の外表に変色や表皮剝脱を伴わない場合もあり，病死と見誤る恐れがある．また解剖例においては急性壊死性(出血性)膵炎と一見類似していることもあり，注意を要する．急性膵炎では膵全体にび漫性に出血が生じていることが多いのに対して，膵挫傷では脊柱の直前方に位置する部を主体に出血（および挫滅）が生じていることが多い.

7．腸間膜の損傷

▶**挫傷・裂傷**：腸間膜は可動性に富んでいるため，比較的損傷を受けにくい解剖学的特性をもっている．しかしその根部は後腹壁に固定されており，腹部に加えられた外力で腸間膜が強く牽引された場合には同部に裂傷が生じる．さらに小腸間膜根部ではその後方に脊柱が存在し，膵損傷と同様に前方から作用面積が狭い鈍体で打撲，圧迫された場合には挫傷もしばしば生じる（図 4-40）．腸間膜，ことに小腸間膜には比較的太い動静脈が存在し，その破綻による致命的な腹腔内出血を伴うことが少なくない．膵の損傷と同様，腹部の外表には損傷がみられないことも多い（口絵写 36）.

8．消化管の損傷

▶**破裂**：消化管の多くの部分は間膜を有し可動性があることから，長大なわりには損傷の生じる頻度は比較的低い．腹部を比較的作用面積が狭い鈍体で打撲した場合に多いが，損傷に伴う出血量は腸間膜損傷よりも少なく，むしろ腹膜炎を併発して死亡することが多い.

9．腎の損傷

▶**挫傷・裂傷**：腎は膵とともに後腹膜臓器の一つであるが，正中からは隔たりむしろ脊柱の横に位置している．そのため前方から後方への外力よりも側腹部あるいは背部の打撲で損傷を生じることが多い（図 4-41）.

7 脊髄の損傷

▶**挫傷・裂傷**：脊髄の損傷は脊髄の各部分に生じうるが，法医学的には頚髄の損傷が最も重要である．頚椎・頚髄の損傷は，直達外力によるものよりも介達外力による損傷が多く，頚部の

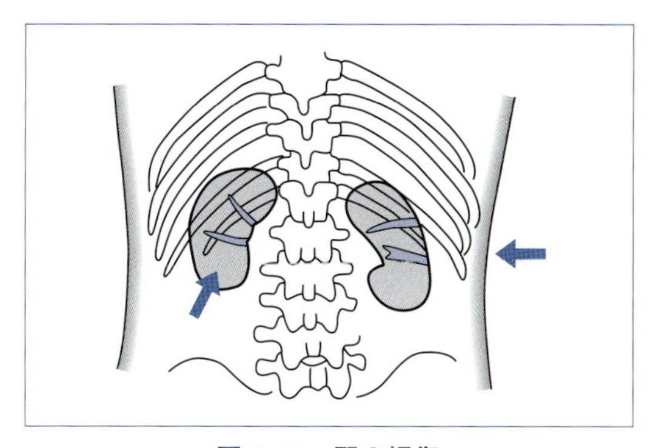

図 4-41 腎の損傷
側方あるいは後方からの外力による場合が多い.

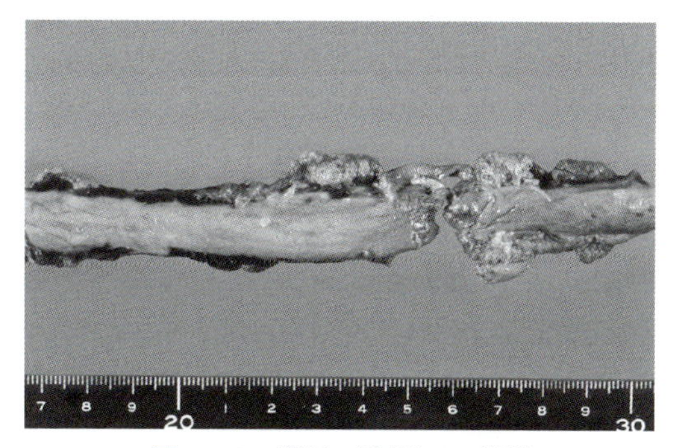

図 4-42 脊髄（胸髄）の離断
このような例では，通常は脊椎の離断を伴っている.

過屈曲・過伸展・圧迫・回旋などを複合的に生じる外力によって起こることが多いとされる.過伸展による高度損傷例では脊柱および脊髄の離断に至るような事例もあるが（図 4-42），頚椎の損傷がなくとも外力に伴う脊柱管の狭小化によって頚髄損傷が生じることがあり，このような例では脊髄実質内に小出血の集合体が観察される（図 4-43）．頚椎症や後縦靱帯骨化症 ossification of posterior longitudinal ligamentum（OPLL），脊柱管狭窄症などを有する患者では，頚髄損傷を生じる危険が高まる（口絵写 37）.

6．損傷と死因

1 損傷と生活反応

生体が何らかの損傷を受けた場合に，死体では起こらないような生体ならではのさまざまな反応が生じる．これを生活反応 vital reaction と呼んでいる．生活反応は一般に全身的生活反応と局所的生活反応とに大別される（表 4-4）.

生体であることの第一の特徴は，循環および呼吸機能が保たれていることであり，特に前者は損傷を受けた場合に早期から反応するため，生活反応の判定には最も有用である．損傷に対する生活反応のうち，循環系に関係するものとしては，① 出血，② 局所的な充血あるいはうっ血，③ 局所的な浮腫などがあるが，これらがどのような場合にどのような形で生じるかは，各損傷の項の記載を参照してもらいたい.

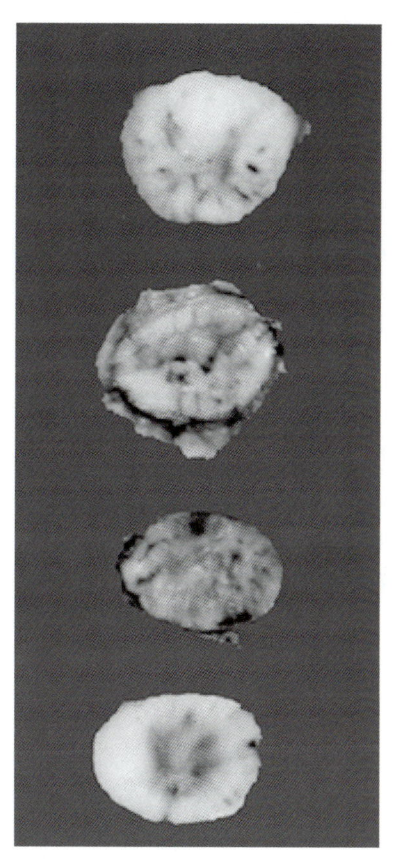

図 4-43 前頭部打撲に伴う頚部過伸展によって生じた頚髄損傷

人体の組織には一部の例外を除きほとんどの部位にわたって血管が存在し，組織の損傷は多くの場合に血管損傷（破綻）を伴う．そのため損傷部の出血は，受傷直後からみられる生活反応としてきわめて重要である．例えば打撲傷で

表 4-4　生活反応の種類

Ⅰ. 全身的生活反応
① 失血による全身・諸臓器の貧血 ② 脂肪塞栓，空気塞栓 ③ 気道内への異物吸引 ④ 臓器中への薬毒物の分布 ⑤ 新生児の肺・消化管への空気吸引
Ⅱ. 局所的生活反応
① 局所における出血，血液凝固 ② 創口が大きく開く（創口の哆開） ③ 血管拡張による紅斑，浮腫 ④ 白血球浸潤・線維素析出，線維化 ⑤ 酵素活性の変化：ATPase，エステラーゼ，アミノペプチダーゼ，酸性およびアルカリ性ホスファターゼ，カテプシンなど ⑥ セロトニン，ヒスタミンの増加

あれば主として皮下組織に，開放創であれば創洞面や創洞周囲組織に出血がみられるのが普通である．ただし，受傷後きわめて短時間でほぼ瞬間的に死亡した場合には，損傷部にほとんど出血がみられないことがある．例えば鉄道車両による轢過では，ほとんど出血がない例にしばしば遭遇する．逆に死後であっても比較的早期に血管を損傷したような場合には，多少の出血を生じることもあり，出血の有無だけで生前・死後の判定が100％可能なわけではない．

皮膚の局所的充血による紅斑は出血よりもやや遅れて出現するが，明らかに認められる場合には生活反応としての価値が高い．ただし，死後消失してしまうものや死斑に重なって識別が不可能になるものもあるので注意を要する．また，損傷に伴う浮腫は充血よりもさらに遅れて出現するが，ほかの原因による浮腫の合併のない限り生活反応としての意義は存在する．

これらの循環系の問題とは別に，刺創や切創では生前に生じたものは創口が大きく開いているのに対して，死後に形成されたものではあまり創口が開かないことが昔から知られている．創口が開くという現象は皮膚の緊張や筋肉の収縮に由来するものであるが，死後間もない死体に生じた創では創口が開いてしまうことが多い．特に，皮膚割線あるいは筋肉に垂直方向の創ではその傾向が強く，創口が開いているか否かのみで生前・死後の鑑別をするのは危険を伴う．このように局所的生活反応には，厳密にいうと生前の損傷と言い切れないものも含まれているので注意が必要である．

2 損傷に伴う死へのプロセス

損傷によって死がもたらされる場合，死に至るプロセスとして特に重要なものは次の2つである．その第1は血管損傷（臓器内血管を含む）による出血に起因するものであり，第2は臓器損傷に基づくものである．

1. 血管系の損傷と出血

血管損傷による出血量が多いか，あるいは出血のスピードが速い場合にはきわめて短時間（分単位）で死亡する．このような症例は「失血死」とするに相応しいものである．これに対して，出血の量やスピードがそれほどではない場合には，血圧低下を伴う末梢循環不全，すなわち「出血性ショック」（hypovolemic shock の一種）の状態で死亡し，受傷後の生存期間はいくらか長くなる（例えば数時間～数日程度）．

出血の量やスピードを決める因子としては，損傷血管の太さや動脈・静脈の別，損傷の程度が重要であり，動脈の場合でも体循環系と肺動脈とでは当然異なってくる．臓器の損傷でも脾，肝，腎などでは臓器の機能不全というよりも出血が主因となって死亡することが多い．

2. 血管以外の臓器損傷

損傷臓器の機能不全が最も問題になるのは頭部外傷による頭蓋内損傷の場合である．頭蓋内損傷時に死に至るメカニズムについては頭部外傷の項で詳細に述べたが，高度の脳挫滅あるいは脳幹の高度損傷例を除き，二次的な頭蓋内圧亢進を生じて死亡する症例が多い．

肺や心の損傷では，臓器自体の機能不全と重篤な出血がともに生じていることが多い．

消化管の損傷では機能不全というよりは，腹膜炎の合併によって重大な症状を引き起こす．したがって，ほかに合併損傷のない場合には受傷から死亡までに2〜3日程度を要するのが普通である．

膵の損傷では周囲血管系の損傷による出血性ショック，急性膵炎に類似した病態，腹膜炎などさまざまな要因で死亡することが多い．

3 重大な臓器・血管損傷を伴わない場合

重大な臓器損傷や血管系の損傷がないにもかかわらず，外傷後に死亡する症例は珍しいものではない．その一部は外傷とは関係がない内因的疾患による死亡（すなわち病死）であるが，それらは別としても外傷と密接な因果関係を持つ死亡例として，つぎのようなものがある．

1. 挫滅症候群 crush syndrome

骨格筋に対して強大な圧迫力が作用した場合に，筋の挫滅によって筋線維から血液中に逸脱したミオグロビンやカリウムイオンなどが人体に悪影響をもたらすものを，挫滅症候群と呼ぶ．高カリウム血症は不整脈を生じる原因となり，ときにそれ自身で致死的となる．また，血液中に流入したミオグロビンは腎尿細管を傷害し，急性腎不全やショックの原因となる．その場合，臨床的には血圧低下，尿量の減少などがみられ，尿中へのミオグロビン排泄が認められる．受傷後数時間〜数日を経て急激に重篤な症状が出現することがあり，特に長時間にわたる持続的な圧迫（瓦礫の下敷きなど）の後に，圧迫が解除されたような場合には急激に症状が悪化することが多いので，注意が必要である．挫滅症候群は古くから知られている概念であるが，わが国では阪神・淡路大震災で倒壊した建物の下敷きになっていた人に多発したことから注目されるようになった．

剖検所見としては広範な筋の挫滅に加えて，腎はショック腎の所見を呈する．すなわち，肉眼的には両腎の腫大と皮質の蒼白調，組織学的には下部ネフロンを主体とした尿細管上皮の壊死〜変性が認められる（いわゆる『下部ネフロン腎症』）．また，尿細管腔内にミオグロビン円柱が証明される．臨床的には血液中のカリウムイオン濃度や血液中・尿中ミオグロビン濃度の測定が診断上有用であるが，剖検例では死後変化の影響から血液を検体とすることは難しく，尿中ミオグロビンの測定が最も有用と考えられる．

2. 創感染に伴う敗血症，破傷風

損傷そのものは軽傷であっても，開放創の場合には受傷時や受傷後に創の感染をきたす危険は大きい．なかには医療行為による創感染もあるので注意を要する．特に全身状態が不良な患者の場合には，創感染から菌血症，さらに敗血症 sepsis へと進展し死に至ることもある（敗血症性ショック septic shock）．敗血症を生じうる菌にはさまざまなものがあるが，近年黄色ブドウ球菌 *Staphylococcus aureus* による敗血症で筋痛や血清 CPK 値の上昇などを認め，急激な経過で死亡する例があることが注目されている（toxic shock syndrome：TSS）．なお，創自体の感染による敗血症で死亡した場合には，死亡の種類は外因死となるが，外傷後に臥床したために生じた褥瘡（床ずれ）に感染を生じることもあり，その場合は損傷自体の重症度や内因的疾患の有無などによって，損傷と敗血症との因果関係の程度が決まってくる．

創に破傷風菌 *Clostridium tetani* が感染した場合には，破傷風 tetanus により死亡することも考えられる．破傷風はたとえ軽微なものであったとしても外傷のある部分から感染するので，破傷風による死亡は通常すべて外因死と考えてよい．ただし，創が破傷風菌で汚染されること自体は珍しいものではなく，発症には個体側の要素など複雑な要因が関係するといわれている．したがって創から破傷風菌が検出されたからといって破傷風の診断をただちに下せるわけではない．

3. 外傷性ショック

高度の外傷を受け，臨床的に血圧低下などショックの病態を経過して死亡したものの，致命的な臓器損傷・血管損傷を特定できないような場合に，『外傷性ショック』という診断がなさ

れることがある．

外傷性ショックは外傷に起因するショックの総称といえるものであるので，前述の挫滅症候群や出血性ショック，敗血症性ショックなどを含めた概念である．これらはショックという共通項を除くと，病態としては異なったものである．例えば，重篤な挫滅症候群の所見が証明されているような場合には，外傷性ショックという診断名をあえて用いる必要はないものと思われる．しかし，挫滅症候群，出血性ショック，敗血症性ショックなどの所見が重なり合っているような場合には，外傷性ショックという診断名（死因名）が法医実務上有用であるといえよう．

一方，器質的な損傷所見に乏しい外傷後の死亡事例に対し，神経原性ショック neurogenic shock（一次性ショック）などを含めた意味で『外傷性ショック』という死因名が法医学領域で用いられてきた歴史的経緯があるが，挫滅症候群や出血性ショックを主とした前記の概念とはかけ離れたものであるので，このような事例に対して外傷性ショックの死因名を用いることには慎重であるべきであろう．もちろん，十分な病理学的検索なしに安易に外傷性ショックと診断することは厳に慎むべきである．

4. 肺動脈の血栓塞栓症 pulmonary thromboembolism

肺動脈の血栓塞栓症の多くは骨盤内静脈や下肢静脈に生じた血栓が塞栓源となっている．本症は外傷とは無関係に内的要因（静脈炎，静脈瘤など）のみによって生じることも多いが，下肢の外傷時に損傷部付近の静脈に血栓が生じて肺動脈塞栓に至ることもある．そのような場合に静脈自体の基礎疾患がなければ外傷と肺動脈塞栓には直接的な因果関係があると考えられるので，死亡の種類は外因死とするのが妥当である．受傷から少なくとも数日程度経過してから肺塞栓症として発症することが多い．

5. 脂肪塞栓症 fat embolism

大腿骨，骨盤など比較的大型の骨に骨折が生じた場合に，静脈血に脂肪滴が侵入して肺の毛細血管（ことに肺胞壁）において塞栓を形成することがある．塞栓の形成が広範に及ぶ場合には，肺胞でのガス交換の障害から呼吸不全で死亡する．経過が遷延すると剖検で肺梗塞（出血性梗塞）の所見が明らかになるが，短時間で死亡した場合には毛細血管内に脂肪滴が証明されるのみである．脂肪滴が肺の血管系を通過した場合には左室を経て動脈系に脂肪滴が運ばれ，脳などに塞栓症を生じる．

脂肪塞栓自体は受傷後短時間で生じてくるものであるが，実際に重大な症状が発現するには数時間～半日程度を要することが多い．

肺の軽度の脂肪塞栓は大きな骨の骨折例の大多数に生じていると考えられるが，重大な臨床症状を呈するものはごく一部にすぎない．骨折以外にも，皮下脂肪の挫滅によって脂肪塞栓を生じることがある．

6. 血液の気道内誤嚥

頭蓋底骨折や顔面損傷がある場合に，鼻腔へ出血した血液が，咽喉頭を経て気管・気管支系へ誤嚥されることがある．誤嚥の程度が強い場合には気道閉塞(窒息)で死亡することもある．経過が遷延した場合には，しばしば誤嚥性肺炎（嚥下性肺炎）を生じる．

7. 胃・十二指腸の急性潰瘍（ストレス潰瘍）

それまで存在しなかった胃・十二指腸の潰瘍が外傷後に発生してくることがある（急性消化性潰瘍 acute peptic ulcer）．多発性の場合が多く，外傷によるストレスの結果，副腎皮質刺激ホルモン adrenocorticotropic hormone (ACTH)，さらに副腎皮質ステロイドホルモンの分泌がさかんになり潰瘍を生じると考えられている．頭部外傷などで重篤な損傷が認められる場合には，外傷との因果関係を求めるのは比較的容易であるが，先行する損傷の程度が軽い場合には心理的ストレスの関与も無視しがたく，因果関係の判定に苦慮することもある．いずれにしても既存の慢性潰瘍を否定することが大切である．

慢性潰瘍と同様，消化管出血や穿孔による腹膜炎を起こして死亡することがある．

8. 急性呼吸促迫症候群 acute respiratory distress syndrome（ARDS）

急性呼吸促迫症候群とは，敗血症や肺炎，外傷，熱傷などを背景として，急激に生じる呼吸不全の一種であり，外傷の場合には肺外傷（肺挫傷など）あるいは全身の多発外傷に伴うものが多い．肺胞の毛細血管内皮や肺胞上皮が傷害され，間質性・肺胞性肺水腫や肺胞内への硝子膜形成が組織所見として認められる．

4 複数の損傷が存在する場合の死因

複数の損傷がある場合，そのうち1つの損傷がきわめて重傷で，そのほかのものは比較的軽傷であれば重大な損傷のみに死の原因を帰することができる．しかし1つの損傷のみに死因を求めがたい症例も珍しいものではなく，これには①単独では死因となる損傷がない場合，②死因となりうる損傷が複数ある場合，の2つがある．

①は個々の損傷単独では死因とならないが，それらを総合してはじめて出血性ショックや挫滅症候群など死因になるような病態を生じうる場合である．このようなときは複数の損傷を並列させてそれを死因とすることが可能である．このような場合を「死因の共同（共同的死因形成）」と呼んでいる．

②については，致死的な損傷が複数ある場合にそれらの時間的な前後関係が生活反応の程度などから明らかに判定できれば，最も先に生じた損傷を優先させて死因にとるべきである．それはすなわち，死後あるいは死戦期に生じた損傷はたとえ損傷の程度が高度であったとしても，死因にとるのには相応しくないからである．時間的な前後関係が不明な場合や，ほぼ同時に損傷が生じたとみられるときは，より重大な損傷を死因としてとるのが原則である．しかし，それでもなおかつ単一の死因を抽出するのが困難である場合には，複数の損傷を並列させることもある（「死因の競合」ともいう）．

これらのことは損傷同士の関係だけではなく，損傷と内因的疾患の併存，複数の内因的疾患同士などさまざまな場合にも当てはまる．実際のヒトの死のプロセスはきわめて複雑なものであり，死因の決定には想像以上の困難な問題がある．ここでは一般論としての原則的な考え方を述べた．

7．交通事故損傷
transportation injuries

交通事故損傷といえば，自転車，自動車，軌道車（鉄道），船舶，航空機などすべての交通機関によるものを含む．損傷各論で述べられた鈍器損傷および鋭器損傷を総合したものに，温度や圧力異常による損傷が加わった多様で複雑なものであり，その運動エネルギーの大きさから重篤な損傷を生じることが多い．交通機関の持つ形状，重量，速度，さらに受傷機序によって，特徴的な損傷を生ずる．

法医学で取り扱う自動車による交通事故死の問題点としては，

- 轢き逃げ事故：受傷機序および加害車両の推定
- 死因と事故との関連性
- 単独事故か否か
- 複数の車両の関連する事故では，どの車両が致命的傷害を与えたか
- 車内の事故では運転者，同乗者の鑑別
- 既往症や病気の発症など疾病との関連性
- 飲酒や薬物服用と事故との関連性

などがあげられる．

事故に関連する刑事上，民事上の責任の所在とその程度を明らかにするために以下の検査が重要になる．

▶**事故現場**：周囲の地形，道路の状況，歩行者と車両の接触地点および位置関係，被害者の倒れていた位置および姿勢，被害者の携帯品の散乱状況，加害車両の遺留品［塗料やスキッド

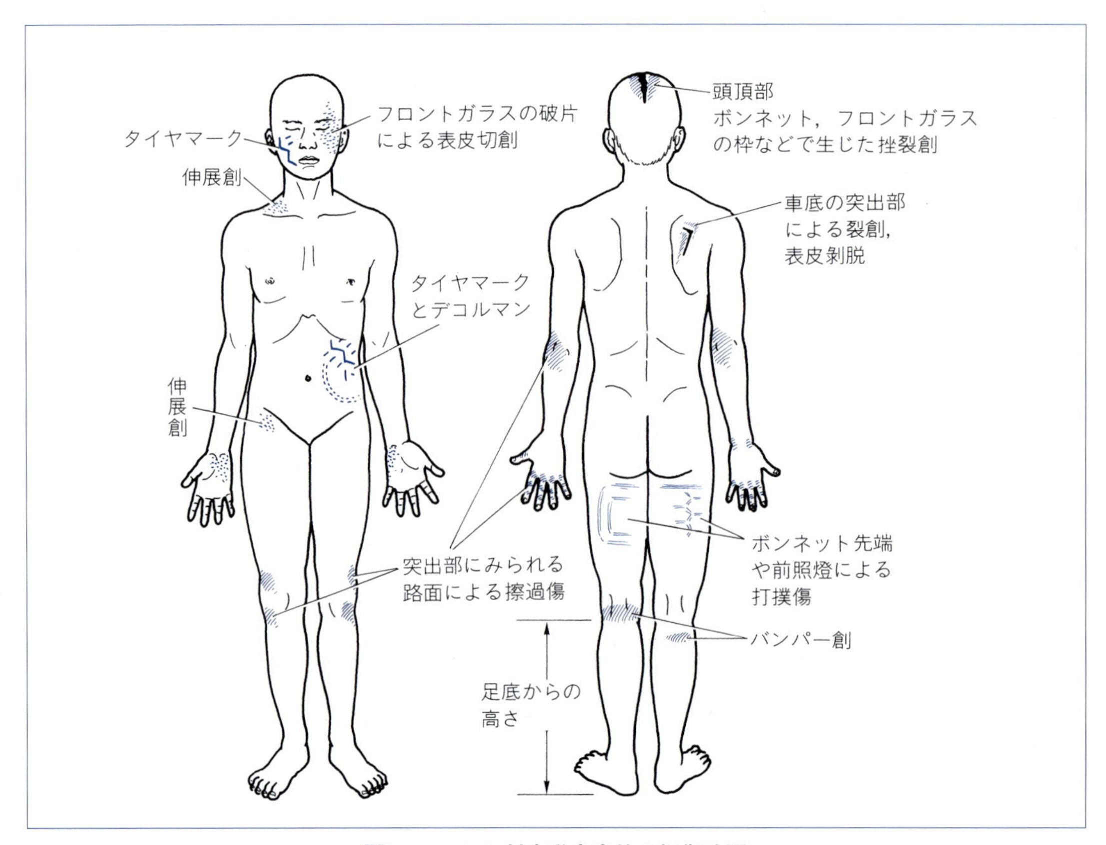

図 4-44 ヒト対自動車事故の損傷略図

マーク（スリップ痕）など］.

▶**被害者の着衣**：着衣の損傷，付着物の有無.

▶**被害者の身体損傷**：通常，皮下出血，表皮剝脱，挫創，裂創，骨折としてみられる損傷および付着物.

1 ヒト対車両の損傷

被害者の損傷検査に際しては，通常の剖検と同様に部位別に検査を進めるが，受傷機序から，車両の衝突によって生じた ① 衝突損傷，路面に転倒して生じた ② 転倒損傷，車両が轢過して生じた ③ 轢過損傷の 3 種類に分けて考えると整理しやすい（図 4-44）.

1. 衝突損傷 impact injuries

自動車の前面，側面の構造物が歩行者に衝突することにより生じる損傷である．通常，下腿，大腿，殿部など下半身に最初の衝撃が加わり，次いで上半身がすくい上げられボンネットなどに衝突することが多い.

▶**バンパー創 bumper injuries（口絵写 43）**：車両のバンパーが下腿などに衝突して生じたものであり，損傷としては，表皮剝脱，皮下出血，挫創，骨折がみられる．損傷部位の高さによって車種を見分けることができる．着衣によって皮膚表面には明瞭な表皮剝脱や皮下出血がみられず，筋肉内出血や骨折がみられることもある．歩行者の場合，必ずしも左右同じ高さに生じるとは限らず，上げている足側において低い位置に生じ，踏み足側に強くかつ高い位置に生じる．また，急制動（ブレーキ）によって車体の前方が低くなり，従来のバンパーの高さより低い位置にできることがある．前方や側方からの衝突の際に，骨折が生じることが多い．後方からの衝突の場合には，膝関節の屈曲による緩衝作用や，筋肉による衝撃力の吸収によって，骨折を生ずるには前方や側方からの衝突よりも

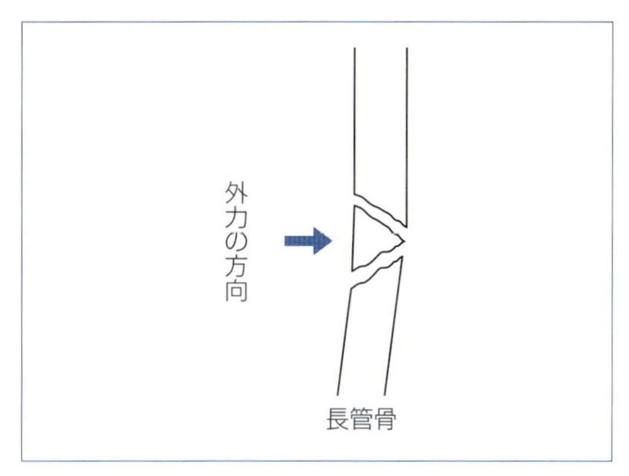

図 4-45 Messererの骨折（模式図）

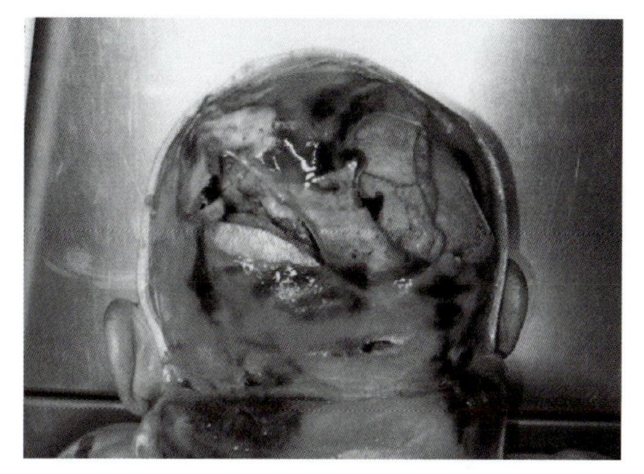

図 4-46 フロントガラスへの衝突（歩行者）

大きな衝撃が必要となる.

大腿骨や下腿骨が骨折し，その骨折端が皮膚を穿破していることがある．穿破創は，皮下からの損傷であるので，創縁に表皮剝脱を伴わず，創内に骨折端がみられるので，車底部の突出部などによって生じた挫裂創との鑑別が可能である.

バンパーなどによって大腿骨や脛骨に楔状の骨折を，Messererの骨折（図 4-45）といい，力の作用の方向が楔の底辺から頂点に向かう.

▶ヘッドライト，ボンネット，ワイパー，フロントガラスなどによる損傷：ボンネットタイプの車両が成人の後方より衝突した場合，下腿に明瞭なバンパー創が生じた後，過伸展によってボンネットやフロントガラスで頭部を打撲し，挫裂創や頭蓋骨骨折を生じることが多い（図 4-46）.

被害者が小児の場合，成人であっても坐位のとき，あるいは立位であっても車体の高い車両やボックスタイプ（箱型）の車両であれば，すくい上げられずに前方へ突き出される場合が多い.

ヘッドライトの外枠や前部構造が，表皮剝脱，皮下出血として，殿部，大腿背面などに明瞭に印象されることがある．フロントガラスによる細かい表皮切損や，サイドミラーやワイパーなどの突出物による損傷も特徴的である.

▶過伸展 overextension による損傷：側面および背面からの衝突の際には，脊柱が背側に反り返り，過伸展の状態になる．そのため頸椎・胸椎・腰椎の前方骨折，椎間板の離解が生じる．また，環椎後頭関節や環軸関節の離解，それに伴う延髄や脊髄の断裂が生じることが多い．さらに，頭蓋底大後頭孔周囲に「引き抜き型」の輪状骨折 ring fracture を生じることがある.

脊柱のみならず，大血管にも過伸展の損傷がみられる．大動脈の断裂が，大動脈弓と下行大動脈の間でみられることが多い．また，大動脈や左右総頸動脈の内膜に，伸展創様のほぼ水平に平行して走る細かい多数の内膜亀裂をみることがある.

2. 転倒損傷 road injuries

路面あるいは近傍の物体によってできる損傷で，表皮剝脱・皮下出血・挫創などが身体の突出部にみられる．すなわち，頭部・顔面・肩峰・手背・肘頭・膝蓋などに擦過傷・打撲擦過傷としてみられ，土砂が付着していることが多い．表皮剝脱にみられる擦過の方向が，受傷状況の推測に役立つ．車両の側面に歩行者が接触した場合には，衝突損傷が少なく，転倒損傷が多くなる.

3. 轢過損傷 run-over injuries

車両のタイヤや底部構造，路面によって生じる損傷である.

▶タイヤマーク tire-mark injuries：タイヤが着衣に接触した場合には，その山部（接地部,

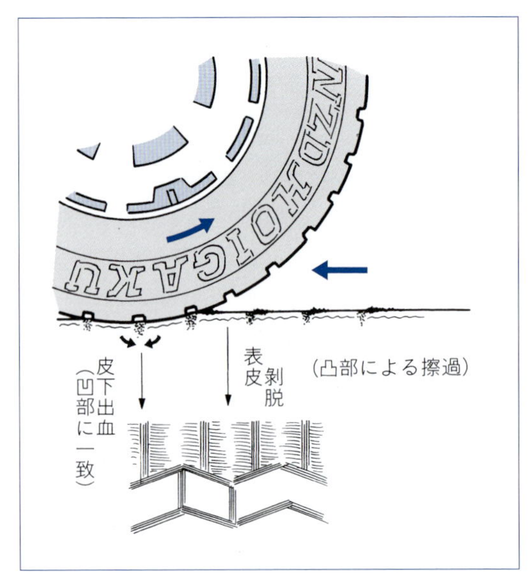

図 4-47　タイヤマーク

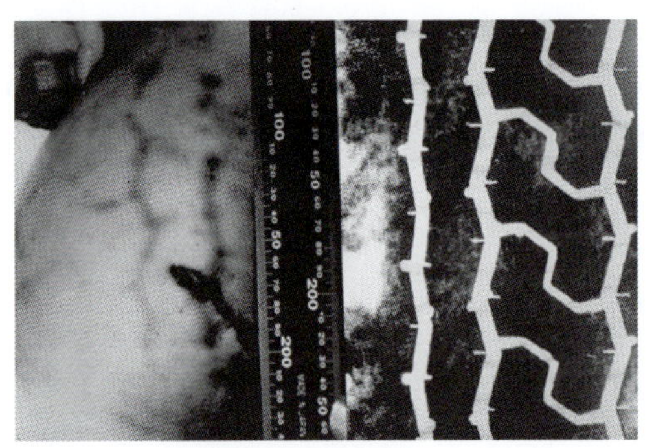

図 4-48　左大腿背面に生じたタイヤマークと被疑車両のタイヤ模様

凸部）の汚れによって，タイヤの模様が印象されるが，皮膚にタイヤが接触した場合には，山部の圧迫擦過によって表皮剥脱が生じ，その間隙である溝部（非接地部，凹部）に一致して皮下出血（二重条痕）が生じる（図 4-47，48）．大型車両の轢過時や，タイヤが皮膚に接触しながらスリップするように擦過した場合には，大きな表皮剥脱になる．

▶**デコルマン** décollement（**口絵写 42**）：タイヤの摩擦力と回転力によって皮膚が巻き上げられるように牽引され，皮膚と皮下組織あるいは筋膜との結合が離断され疎になり，そこに血液やリンパ液，破壊された組織が貯留したもので，

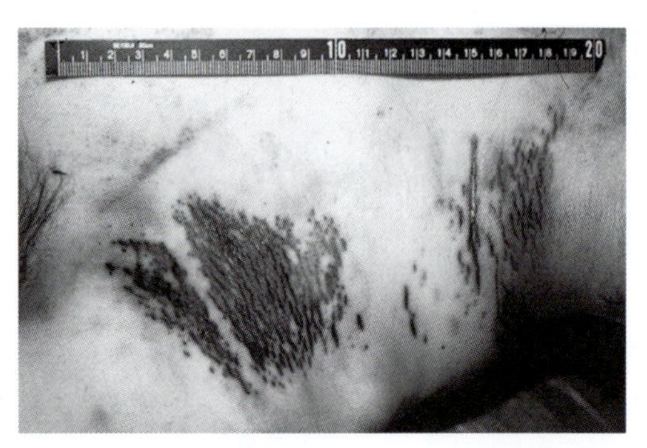

図 4-49　頭部を轢過されて生じた左側頸部～肩の伸展創

皮下剝離創あるいは剝皮創（傷）とも呼ぶ．外表から波動を触れ，胸腹部背面，大腿部や下腿部に起こりやすい．皮膚外表に明瞭な損傷を伴っている場合と，まったく伴わない場合がある．トラックやバスなどの大型車両の轢過で生じやすい．

デコルマンは，接触面積の広い鈍体が皮膚と皮下組織との間にズレを生じさせるような力が働いたときに形成されるが，轢過による損傷だけでなく，バンパーによる衝突の際や高所からの転落の際にも生じることがある．

▶**伸展創** stretch injuries, small parallel tearing：表皮のみの浅く平行して走る細かく短い皮膚の亀裂で，方向は皮膚割線の走行と一致する．鼠径部，肩，頸部によくみられる（**図 4-49**）．

ただし，高所からの転落の際など，皮膚に急激に強い張力が加わったときにも生ずる．

▶**その他，車底構造などによる損傷**：自動車の底部構造に着衣や身体の一部が引っ掛かり，長距離にわたって引きずられた際に生じる損傷（引きずり損傷 dragging injuries）は，軟部組織や骨が扁平になるまで磨耗され，摩擦熱によって生じた熱傷や，黒く焼け焦げた組織をみる（**図 4-50**）．排気筒に長時間接触した際には，それによる熱傷がみられる．また，車底の油汚れが着衣や身体に付着していることも重要な所見となる．

タイヤによる圧迫で，着衣の皺や織り目が明

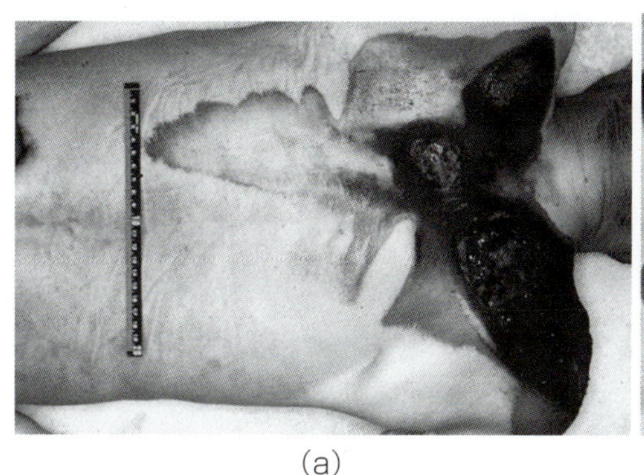

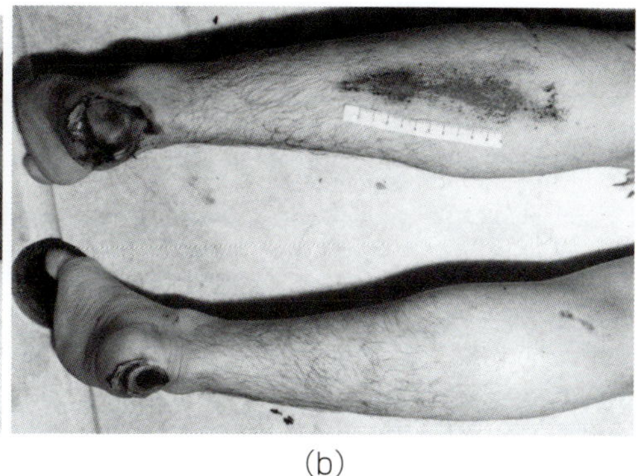

(a) (b)

図 4-50 引きずり損傷
(a) 胸背部,(b) 下肢背面

瞭に皮膚に強く印象されていることがある.顔面が轢過されると,左右に扁平化し,それに伴う頭蓋顔面骨の骨折,胸部であれば肋骨の多発骨折,腹部では肝臓など内臓の破裂,骨盤骨折が生じる.

2 自動車乗員の損傷

自動車が正面衝突などにより急激に減速が加わると,乗員は慣性の法則によって前方に向かって動き,フロントガラス,ダッシュボード,ハンドル,車内の窓枠などによる打撲を受ける.フロントガラスによる損傷は,前額部に皮下出血,表皮剝脱やガラス破片による表皮切損としてみられる.ダッシュボードによる損傷は,下腿前面や膝蓋部に表皮剝脱や皮下出血としてみられ,大腿骨の顆部や骨盤寛骨臼に介達性骨折がみられる.ハンドルによる損傷によって,前胸部の打撲傷,胸骨や肋骨の骨折のほかに,心・肺・肝の破裂,大動脈の断裂を生じることが多い.運転者と助手席乗員の鑑別には,ハンドルによる損傷の有無が役立つ.後部座席の乗員の損傷は,前部シートの背面や窓枠への衝突,そしてときには窓を破り車外に放り出されることによって生ずるものが多い.

シートベルトの着用によって,明瞭なダッシュボードによる損傷がみられないこともあるが,シートベルトによる損傷(シートベルト痕)が肩・前胸部・下腹部にみられることがある(口絵写 41).

高速道路の事故の際,車外に放り出され,路面による損傷や,ほかの車両による損傷が混在していることも多いので,注意深く損傷を観察することが必要である.また,多数の車両の関連する事故では,損傷の生活反応に注意し,損傷の生じた時期,いずれが致命傷かを判断しなければならない.

3 自動車事故での死因

重篤な損傷が,しかも全身に多発していることが多いので,頭部損傷,出血,大血管損傷,内臓破裂,骨盤骨折などで,受傷後短時間に死亡する例が多い.受傷後,入院加療あるいは自宅療養中の被害者が死亡した際には,疾病との関連,事故との因果関係の解明が重要である.特に,交通事故後入院中の患者が死亡し,その原因として事故との関連が少しでも疑われるときには,事故後の入院加療期間を問わず,異状死体として医師が所轄警察に届け出て,検視・死体検案の手順を踏まなければならない.そして,死因や疾病との関連が明らかでなければ,法医解剖を行い,決して病理解剖を先行してはならない.

解剖に際しては,外表上損傷がないようにみえても,皮下に重篤な損傷が広がっていることが多い．したがって，交通事故が疑われる死体については，胸腹部背面や四肢も切開して損傷の有無を確かめるべきである．また，損傷の記載には足底からの高さを測定しておくことが重要である．

飲酒と事故との関係が問題となることが最も多く，血中，尿中アルコール（エチルアルコール）濃度が，被害者の酩酊度および行為能力を推測するうえで重要な参考になる．

アルコール以外にも，覚醒剤，麻薬，眠剤，シンナーなどが関与している例も少なくないため，血液や尿の薬物検査は必ず実施する必要がある．

交通事故死の場合，生命保険や自動車損害賠償責任（自賠責）保険に絡んで訴訟になる例も多く，また，治療の経過，死因と既往症との関係が問題となることが多いことも医師として念頭に置かねばならない．

4 その他の交通機関による損傷

自動車以外の交通機関による損傷にはそれぞれ特徴的な所見が認められる．

1．鉄道事故

軌道車（鉄道）による損傷死のなかで，最も多いのは列車への飛び込み自殺であるが，ほかに駅のホームからの転落事故，軌道上の歩行中や子どもの遊戯中の事故，踏切内での事故，作業中の事故などがある．損傷としては，列車の前部による衝突，車輪による轢過，車底機械や軌道敷によるものがみられ，通常全身が圧挫され，轢過によって四肢，頸部，躯幹が離断されていることが多い．

轢断部の生活反応を観察することが重要である．轢断部は，大血管が損傷されていても，出血や凝血を伴っていないことが多い．これは，急激な循環の停止によって血圧がなくなるうえに，轢断部に車輪による強い圧迫が加わるためであると考えられる．しかし，詳細に検索すれば，轢断部から少し離れた組織で，しかも近位側に出血をみることが多い．車底構造の機械油類と血液を丁寧に拭い，損傷を詳細に観察することが肝要である．

鉄道乗客の損傷には，車内の柱などの部品による損傷，窓ガラスによる損傷，乗客同士の圧迫による損傷がみられる．多数の乗客を乗せた列車の事故の場合には，胸腹部の圧迫による窒息が死因となることがある．

2．水上交通機関事故

水上交通機関の事故には，大型小型を問わず船舶同士の衝突，船舶・遊泳者間の事故，あるいは船舶上での作業中の事故などがある．

ほかの交通機関の事故と同様に損傷が原因となって死亡する場合と，溺水が死因となる場合がある．また，水中に放り出されることにより，船舶のスクリューによる損傷（スクリュー創）がみられることがある（口絵写44）．スクリューは高速で回転するので，皮膚には割創用の鋭利な創がみられ，創角近くの創縁にジグザグ状の皮膚の切れ込みを伴い，創面も滑らかに平坦に切断されていることが多い．骨の表面に，同方向に平行して走る擦過痕をみることがある．

3．航空機事故

旅客機の衝突や墜落事故，小型セスナ機やヘリコプターの事故，軍用機の事故など，航空機事故による損傷は，衝突時の運動エネルギーが大きいうえに，高所から落下するので，重篤で多発している．全身にわたり圧迫，挫滅がみられるうえに，四肢や躯幹で離断するなど複雑な損傷がみられる．さらに爆発や炎上が加わり，損傷を複雑にしていることが多い．小型セスナ機や，ヘリコプターの墜落時の損傷は，高速道路における衝突事故の損傷に似ている．

5 大規模災害・事故の対策

大規模な自動車事故，大型旅客機の墜落，旅客列車の衝突，船舶の衝突など，交通機関による事故だけではなく，ビルや施設の火災，地震や火山の噴火などの災害のように，一度に多数の死傷者が出る事故は予知予測なしに起こる．その際には，生存者の救命，事故後の処理・対

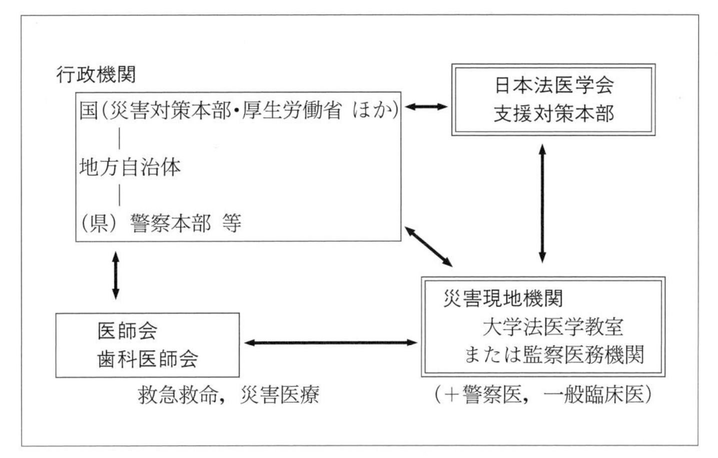

図 4-51　大規模災害事故時の連携

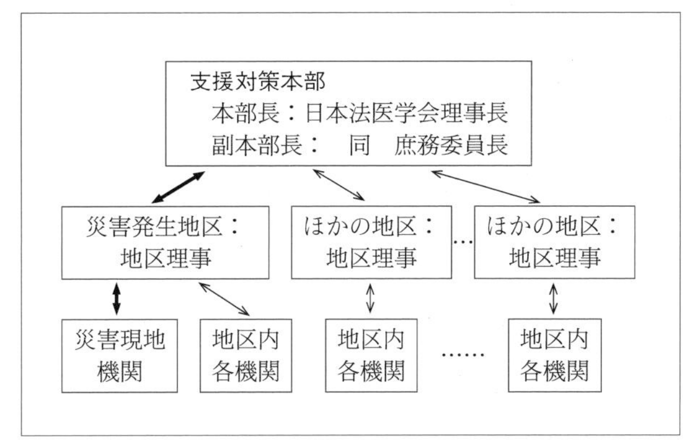

図 4-52　日本法医学会大規模災害・事故時死体検案支援体制

策，死体検案活動など，医療関係，警察，消防ほか，行政機関の連携が大切になる(**図 4-51**).死体検案を行ううえで，死因の決定，受傷機序の解明，死後経過時間の推定など通常の検案内容に加え，さらに個人識別が重要な要素となる．血液型検査，歯科診療録を参考にした歯牙検査が有効であることが多い．阪神・淡路大震災以降，日本法医学会では大規模災害・事故時死体検案支援体制が組まれている（**図 4-52**).

Ⅱ　窒　息

1．窒息総論

1 窒息とは

窒息 asphyxia とは換気障害によって酸素の摂取ならびに二酸化炭素の排泄が阻害された状態をいい，多くの場合に低酸素症 hypoxia と高炭酸ガス症 hypercapnia を伴う．窒息によって死亡することを窒息死と呼ぶ．

肺胞から組織・細胞レベルでの酸素交換（内呼吸）における障害を「内窒息」として窒息に含めることもあるが，ここでは狭義の窒息（「外窒息」あるいは機械的窒息）に限って論じることとする．なお,「内窒息」は心筋梗塞などの内因的疾患や一酸化炭素・青酸などの中毒，低体温症など種々の原因で生じうるものであり，それらの詳細については他項にゆずる．

2 窒息死に至る経過

気道閉塞などによる典型的な窒息死の経過は，一般に次のように分類される．

1．第１期（前駆期または無症状期）

気道が閉塞されたり呼吸運動が阻害されても，初期には呼吸困難などの症状は出現しない．どのくらいの間，耐えることができるかは個人差があり20～30秒程度から1分くらいまでの幅がある．

2．第２期（呼吸困難およびけいれん期）

窒息が顕在化して低酸素症と高炭酸ガス血症が出現する．高炭酸ガス血症の結果として呼吸中枢が刺激されて呼吸運動が強まる．自覚症状として呼吸困難が出現する．当初は吸気性呼吸困難が，次いで呼気性呼吸困難がみられ，意識消失・瞳孔散大・けいれんなどが出現する．けいれんは最初は間代性，次いで強直性けいれんがみられる．尿失禁や脱糞，射精などが出現する．1～3分程度とされる．

3．第３期（無呼吸期）

けいれんは止まり，呼吸筋が弛緩することにより呼吸が停止する．1分程度とされる．

4．第４期（終末呼吸期）

呼吸運動が再び現れるが，下顎を突き出すような特殊な呼吸運動で，終末呼吸と呼ばれる．1分程度の経過で再び呼吸は停止する．

呼吸が停止した後も心臓はしばらくの間は拍動する（数分～20分程度）．

なお，以上のような典型的な経過をとる窒息について『急性窒息』という表現がなされることがある．一方，これよりも経過がやや長くなった場合に『縊急性窒息』，さらにそれよりも長い場合には『遷延性窒息』という表現が用いられている．このような事例では，後述の古典的『三大徴候』をしばしば欠く．

3 窒息を生じる原因

窒息の原因は，1．気道の閉塞，2．呼吸運動の障害，3．低酸素環境の三種に大別される．

1．気道の閉塞

鼻あるいは口から肺胞に至る部のいずれかが閉塞して生じる．

① 鼻口部閉塞：外鼻孔および口を圧迫，あるいは粘着テープで塞がれるなど

② 気道内異物：気道内に異物が存在し，それによって気道内腔が閉塞

③ 気道の圧迫：頚部の圧迫，甲状腺腫による気管圧迫など

④ 気道の浮腫・炎症：声門浮腫（水腫），咽頭膿瘍，気管支喘息など

⑤ 舌根の沈下：薬物中毒による意識障害など

2．呼吸運動の障害

① 胸郭の運動障害：traumatic asphyxia, flail chest など

② 呼吸筋の麻痺：脊髄損傷，薬物中毒，神経筋疾患など

③ その他：気胸，血胸など

3. 低酸素環境

ガスの充満による低酸素環境，狭所に閉じ込められるなど．

これらの原因の多くは外因的なものであるが，内因による場合も少なからず存在する．

4 窒息死の診断

前述のように，窒息とは酸素の摂取と二酸化炭素の排泄の障害によるものであるので，重症例では低酸素症と高炭酸ガス症を伴う．したがって生体では動脈血を採取してガス分析を行うことで，臨床的に窒息の病態を診断することが可能である．しかし，死体においてはこのような分析を行うことの実務上の意義はなく，これらの結果から酸素分圧の低下と炭酸ガス分圧の上昇が認められたとしても，窒息死と診断することはできない．

かつては『窒息の三大徴候』と呼ばれるものが存在した．その三大徴候とは次の3つがあげられる．

① 粘膜・漿膜の溢血点（点状出血）

② 暗赤色流動性の血液

③ 内臓のうっ血

現在の法医学ではこれらを窒息死体の特異所見とは認めていないが，窒息を含めた『うっ血性急死』の所見としての診断的な価値はある．例えば，急性心筋梗塞やくも膜下出血などで突然死した症例でも，これらの三徴候はしばしば観察される．逆に，窒息死であっても経過が遷延した事例では三徴候を欠く場合がある．

また，典型的な窒息死の経過を辿った事例であっても，飲酒酩酊状態で死亡した事例では，心臓血にときおり凝血がみられることが知られている．

したがって，窒息死の診断においては，古典的な『三大徴候』はあくまでうっ血性急死を示す所見としてとらえることにとどめ，窒息に至るような要因の証明とほかの死亡原因の除外を中心とした総合的な死体所見の判断が必要である．

2．頚部圧迫による窒息

頚部圧迫による死亡は法医学領域では非常に多く経験されるもので，自殺および他殺の手段としてきわめて普遍的である．

頚部圧迫による死亡例は，実際には後述のように本来の窒息死とは言いがたいものであるが，法医学では習慣的に頚部圧迫を『窒息』に含めて論じてきた歴史的経緯があるので，本書でもそれに従って本項において記載することとする．

1 頚部圧迫の種類

頚部を圧迫する手段としてはさまざまな場合が考えられるが，大部分の事例は縊頚，絞頚，扼頚のいずれかに分類される．

① 縊頚：自己の体重を利用して頚部を圧迫するもの

② 絞頚：索状物を頚部に一周以上巻いて圧迫するもの

③ 扼頚：手または指で頚部を圧迫するもの

④ その他

2 頚部圧迫による死のメカニズム

頚部を圧迫された際に生じるさまざまな障害のうちで，生命にかかわる可能性があるものとしては次のようなものがある．

1. 脳の栄養血管の閉塞

総論において述べたように，気道閉塞などによる一般の窒息事例では1分程度の無症状期が存在し，その間は意識が保たれている．しかしながら，頚部圧迫例ではそれよりも早期に（頚部圧迫開始から10秒程度で）意識が消失してしまうことが知られている．これは頚部を走行する動脈系が圧迫され，閉塞することによって脳が虚血に陥るためであると考えられている．脳

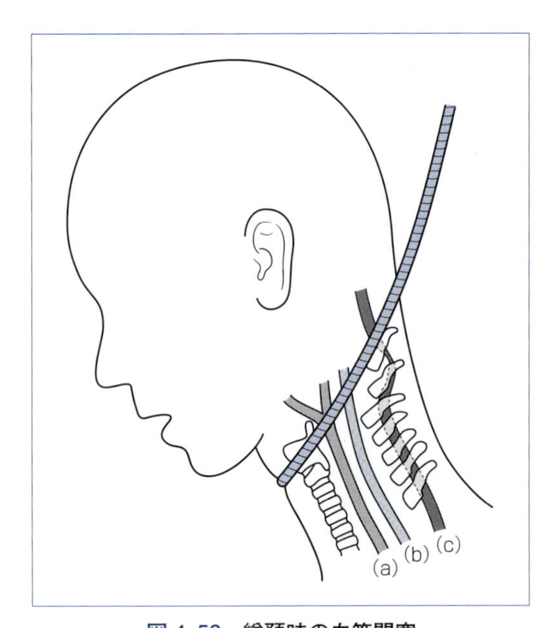

図 4-53　縊頸時の血管閉塞
(a) 総頸動脈, (b) 内頸静脈, (c) 椎骨動脈

の栄養血管は頸動脈（総頸動脈—内頸動脈），椎骨動脈であり，これらの閉塞が短時間で脳機能障害を惹起して意識消失に至るのである．なお，絞頸および扼頸では頸動脈は圧迫部で閉塞するが，椎骨動脈の閉塞は起こらない．縊頸では頸動脈の閉塞に加え，頸椎がずれることによって椎骨動脈の閉塞が生じうる点が特徴である（図 4-53）．

頸部圧迫時の血管閉塞については柔道の『絞め技』をみても明らかである．襟を利用した『十字絞』・『送襟絞』などの技では絞め始めから約10秒程度で意識がなくなり瞳孔も散大するが（いわゆる『落ちた』状態），本人の苦痛は少ないとされる．その一方で，腕のみを用いて前頸部を圧迫する『裸絞め』では，『落ちる』ことがなくきわめて本人の苦痛が強いという．これは裸絞めでは気道の閉塞のみが起こり，動脈系が閉塞されないことによると解される．なお，柔道では『落ちた』と判定されればただちに頸部の圧迫を解き，蘇生術を施すために危険は少ないとされているが，まれには死亡例が存在する．

また，このような脳虚血に陥る過程に性的快感を覚える人もおり，そのような目的のために縊頸する場合がある（sexual hanging）．

2. 気道閉塞

気道の閉塞は，圧迫の部位に相当した気管や喉頭が主として前後方向に脊椎との間で圧平されて生じる．また，扼頸では舌根が後上方に圧迫されて，咽頭後壁に押しつけられることによって気道を閉塞することがある．

3. 頸動脈洞反射

内外頸動脈の分岐部付近に圧迫力が加わった場合には，頸動脈洞の圧受容体 baroreceptor が刺激されて迷走神経反射が起こり，徐脈から心停止に至る可能性がある．特に小児や高齢者ではこのような反射が強く起こりやすい．

頸部圧迫による死亡例では，このようないくつかのメカニズムの関与を考慮する必要があるが，これらのうち最も主要なものは頸部の血管系の閉塞による脳虚血であると考えられている．例えば実際に，気管切開をされた患者が切開部よりも上方に索状物をかけて縊頸し，死亡した例がある．したがって，頸部圧迫による死亡は病態生理学的に本来の窒息死とはやや異なるものである．

頸部圧迫による死亡では血管圧迫による意識消失・瞳孔散大の後，激しいけいれんが起こり，その際に失禁や脱糞，射精などを伴う．頸部圧迫の代表的な事例である絞首刑（本来は縊首刑と呼ぶべきである）においては，執行開始から心停止までの全経過は平均12〜15分程度であるといわれている．

3 頸部圧迫による死亡例をみる際の基本的事項

1. 顔面のうっ血（口絵写 47）

頭部・顔面への血流は内外頸動脈，椎骨動脈によって心臓から運ばれる．一方，頭部・顔面からの血流は内外頸静脈によって心臓へと戻る（椎骨静脈は頸部の静脈をある程度集めるのみの小型の静脈である）．頸部圧迫時には，静脈の血流は比較的容易に阻害される一方で，動脈の血流は定型的縊頸の場合以外はある程度保たれ

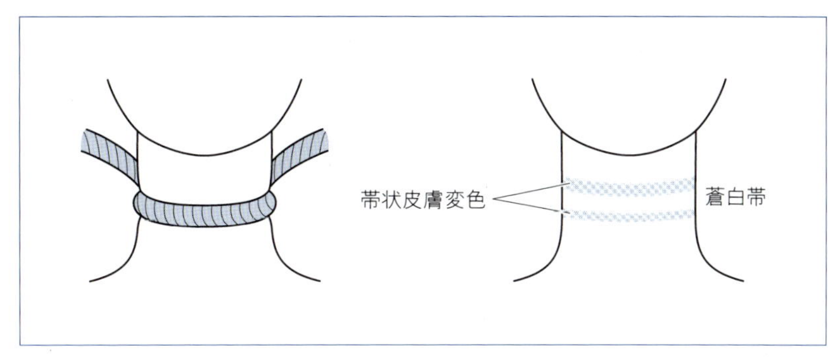

図 4-54 索痕の基本形態

る．その結果，絞頚や扼頚ではほぼ全例に，縊頚でも非定型例（索状物が左右非対称にかかっていたり，体重が十分にかかっていない）では，頭部・顔面のうっ血が観察されることになる．

2. 眼結膜・口腔粘膜の点状出血（溢血点）（口絵写 46）

前項のように静脈還流が阻害されて顔面うっ血が生じるような場合には，あちこちで毛細血管が破綻して点状出血を伴う．このような点状出血は軟部組織など頭部・顔面の至る所にみられるが，外表から観察できる部位としては皮膚，眼結膜（眼球結膜・眼瞼結膜），口腔粘膜などがあげられる．点状出血のことを法医学領域ではしばしば溢血点と呼んでいる．点状出血の大型のもの，あるいはこれらが融合したものは斑状出血（溢血斑）と呼ばれる．

『窒息の三大徴候』のところで述べたように，眼結膜などの点状出血は一般にうっ血性急死の徴候ととらえるべきであり，窒息死の特異所見ではない．しかし，頚部圧迫時には特に高度のうっ血が頭部・顔面に起こるため，眼結膜の点状出血の程度は一般の急死例に比してはるかに顕著であることが多い．また，口腔粘膜の点状出血は頚部圧迫事例以外では比較的まれであるので診断的価値があると考えられる．

顔面のうっ血や眼結膜・口腔粘膜の点状出血をみる際に，忘れてはならないのは死亡時の姿勢（体位）である．うつ伏せで死亡していた事例では顔面のうっ血は死斑と重なって判定が困難であるし，眼結膜や口腔粘膜の点状出血も仰向けの場合より生じやすくなることを念頭に置かねばならない．

3. 圧迫痕（索痕，扼痕）

頚部を圧迫する手段として最もよく用いられるものは索状物（紐状または帯状の細長い物体）である．索状物によって生じた頚部の圧迫痕を索痕（または索溝）という．

▶索痕の基本形態（図 4-54）：索痕の基本形態は，圧迫された部分に生じる帯状の皮膚蒼白部（蒼白帯）とその上下の辺縁にみられる線状～細い帯状の皮膚変色（紅斑）である．索痕の形成機序は損傷の項で述べた二重条痕の場合と類似している．すなわち，索状物により直接圧迫された部分は真皮や皮下組織の血管が潰されて皮膚は蒼白となり，非圧迫部との境界部（索痕の辺縁）に押しやられて血液が線状～帯状の皮膚変色として観察されるわけである．ただし，辺縁部の真皮・皮下組織には，二重条痕の場合とは異なり出血がみられないことが多い．なお，索状物が近接して多重に巻かれた場合には，索痕と索痕との間に水疱が形成されることがあり（索痕間水疱），生活反応の一つとして重要な所見である．

索痕部の皮膚には，蒼白帯に加えて表皮剝脱がしばしばみられる．このような表皮剝脱は，索状物が圧迫時に強く擦れた場合（擦過）に顕著にみられるが，表面が粗な索状物では圧迫のみによっても表皮剝脱が生じうる．

▶索痕をみる際の注意

① 一般的事項：索痕の形態は索状物の形状

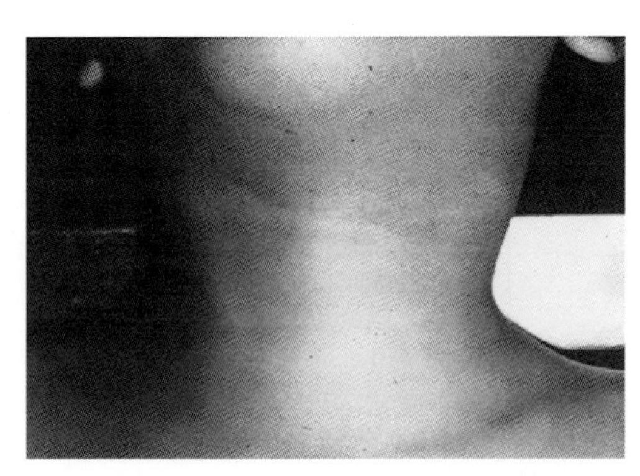

図 4-55　ネクタイによる絞頚例の索痕
幅が広く辺縁は直線的．

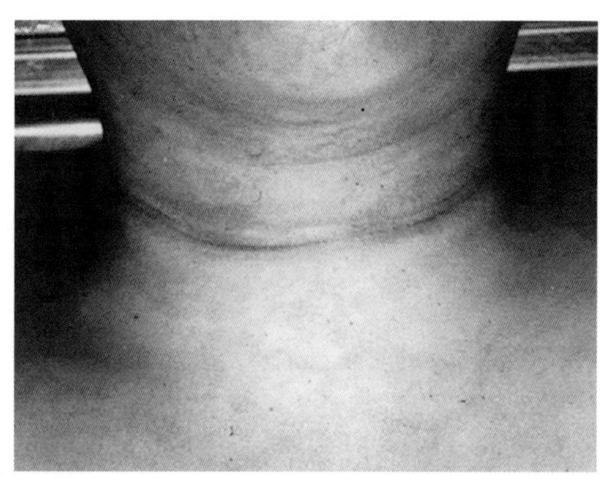

図 4-56　電気コード（二連）による絞頚例の索痕
溝の部分が帯状の皮膚変色を呈する．

をよく示していることが多いので，詳細に観察する必要がある．基本的には索痕の走行（水平に一周しているか後上方に向かって挙上しているかなど），位置（上縁がどの部位を通っているかを基準点から計測する），幅（各部位で計測する）などを観察する．索状物が結節された部分では，索痕の形態も不規則となるので注意する．また，複数の索痕が交差している部分では，どちらが内方（皮膚に近い方）になっているのかなどを判定する必要がある．

② 索痕の辺縁の形状：索痕の辺縁の形状（境界が明瞭であるか不明瞭であるか，直線的か否かなど）も重要な所見である．これらは索状物の辺縁の形状だけでなく素材の硬さによるので，例えばバスタオルのように柔らかい素材で，幅が広く丸まってしまうものでは索痕の辺縁は著しく不明瞭なことが多い．それに対して，ネクタイのようなものでは比較的柔らかい素材であっても辺縁が直線的なことが少なくない（**図 4-55**，**口絵写 49**）．

③ 索状物の印象痕：ロープのように編んだ索状物では編み目が印象痕として観察されることがある．表皮剝脱を伴う例ではこのような印象痕は明瞭になりやすく，革皮化を伴う例ではより顕著になる．家庭用の二連電気コードは頚部圧迫時の索状物としてしばしば用いられるものであるが，中央の溝の部分では圧迫を免れるために索痕の上下縁間に帯状の皮膚変色を形成することがあり，特徴的な所見を呈する（**図 4-56**）．

④ 革皮化による影響：表皮剝脱を伴う索痕が死後の乾燥によって革皮化し，それまでみえなかった印象痕が明らかになってくる場合がある．一般に索痕は生前における圧迫時間に加え，死後も圧迫されたままになっていた事例のほうが明瞭に観察される．

⑤ 着衣などの介在：頚部圧迫時に索状物と頚部皮膚との間に着衣が介在していることは，自殺・他殺を問わず珍しいことではない．また，女性などで長髪の場合には，後頚部で毛髪が介在していることが多い．このような場合には直接の圧迫に比べて索状物の形態が不明瞭となり，場合によってはまったく索痕が認められないこともある．反対に，着衣の上からの扼頚で，着衣の襟が圧迫力として関与しているようなときには，襟の部分の印象があたかも索痕のようにみえてしまうこともある．したがって，頚部圧迫が疑われる事例では，可能な限り着衣の状態をみたうえで，頚部の圧迫痕を評価する必要がある．

⑥ 圧痕反応：圧迫を受けた部分の皮膚は，組織標本を作製して Azan-Mallory 染色などの膠原線維染色を施すと染色性の変化が認められる（膠原線維が青染→赤染）．これによって圧迫の有無をみることが以前から行われているが，頚

部圧迫が生前になされたか，死後のものかの鑑別はできない．

▶扼痕の基本形態：扼痕は手または手指による圧迫痕であるので，比較的限局的な表皮剝脱または皮膚変色として観察されるが，ほかの鈍体による圧迫痕との鑑別は当然ながら容易ではない．弧状あるいは半月状を呈する爪の印象痕が認められれば比較的判断が容易であるが，そのような特徴的な所見を呈する事例は必ずしも多くはない（図 4-57，58）．

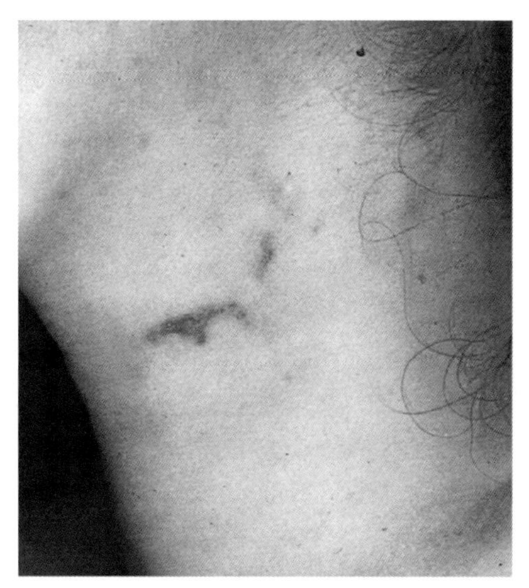

図 4-57 扼痕の基本形態

4. 頚部の筋肉出血（口絵写 45）

頚部の圧迫によって骨格筋ことに前頚部の筋に出血を生じることが多い．前頚部の筋は，胸鎖乳突筋，舌骨下筋群，舌骨上筋群などに大別されるが，特に頚部圧迫時の出血頻度が高いのは胸骨舌骨筋および胸鎖乳突筋である．なお，前頚部の最浅層には広頚筋があるが，この筋は顔面の表情筋に分類される皮筋の一種で，ほかの頚部の筋とはやや出血の態様が異なり皮下出血のみられる部位にそれと連続した出血が生じていることが多い．

解剖時に頚部の筋肉出血が認められた場合には，常に頚部圧迫の可能性を考慮する必要がある．しかし，筋肉出血は必ずしも頚部圧迫事例のみにみられるものではない．例えば死亡前に強いけいれんが生じた事例では，頚部の筋肉出血がみられることが知られている．ただし，こ

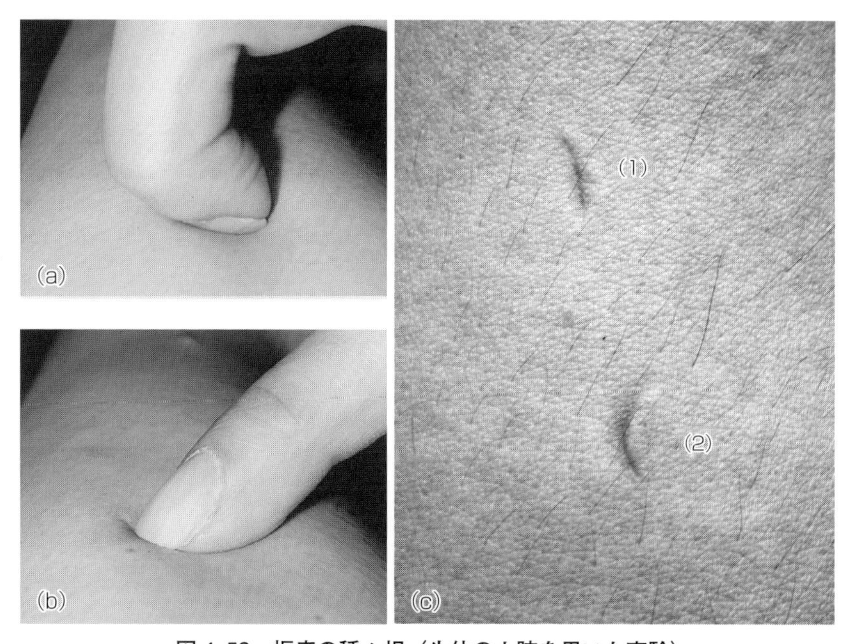

図 4-58 扼痕の種々相（生体の上肢を用いた実験）

同一の手指を用いて同方向に圧迫した場合でも，圧迫時の角度により皮膚の圧迫痕はまったく異なる形態を呈する．写真（c）-(1)は写真（a）のように，(c)-(2)は写真（b）のように圧迫してできた表皮剝脱で，互いに逆の方向に凸の弧状を呈している．

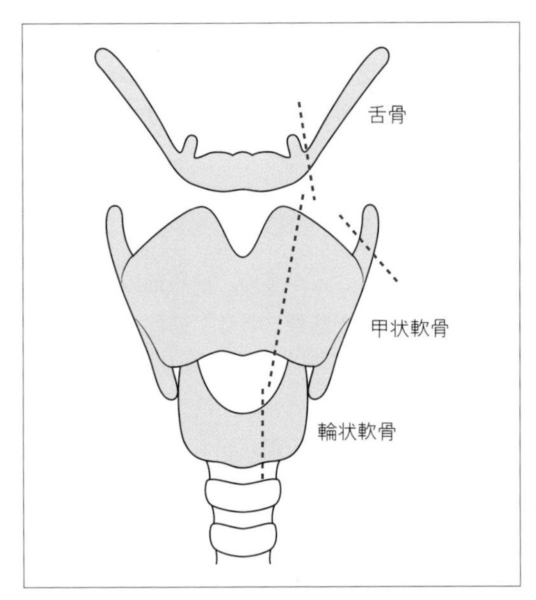

図 4-59　舌骨・甲状軟骨・輪状軟骨の骨折
頸部圧迫時の好発部位を破線で示す.

のような場合には，骨への付着部の筋肉内に出血がみられることが多い(付着部出血). また，全身的な出血傾向がある症例や，うつ伏せで発見された死体でも頸部の筋に出血がみられることがある.

5. 舌骨・喉頭軟骨の骨折（図 4-59，口絵写48）

舌骨および喉頭の諸軟骨は，縊頸や絞頸，扼頸によって圧迫される部位あるいはそれよりもやや上方にあることから，圧迫に際して骨折を生じることがある.

舌骨骨折は大角―舌骨体移行部に好発する. 喉頭の軟骨では甲状軟骨，輪状軟骨に骨折が生じやすく，特に甲状軟骨上角の骨折頻度が高い. 舌骨・甲状軟骨は，幼少時にはともに軟骨であり，加齢とともに骨化が進行していく. したがって，小児ではこれらに骨折がみられることはほとんどない.

骨折部周囲の出血の有無は生活反応の判定根拠として重要であるが，縊頸（ことに定型的縊死）では周囲の出血がほとんどみられないこともある.

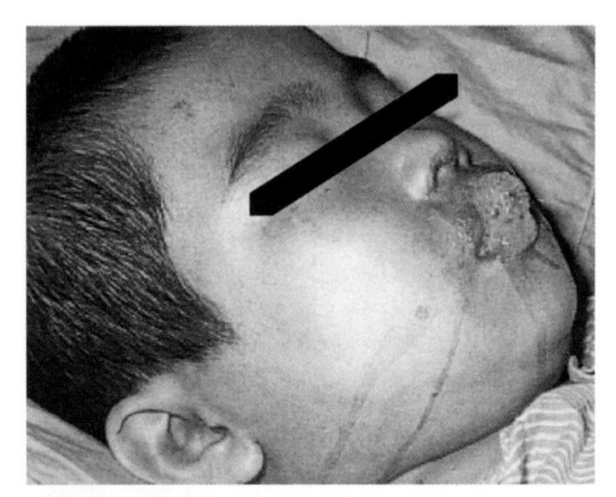

図 4-60　頸部圧迫例にみられた口腔からの泡沫液の漏出

6. その他の死体所見

頸部の圧迫によって頸動脈の内膜損傷が生じることがあるが，絞頸や扼頸例ではまれである. 縊頸の場合には，すぐに発見されて心肺蘇生に成功したような事例で頸動脈の内膜損傷部に閉塞性血栓が確認されることがある.

うっ血性急死の徴候であるかつての『窒息の三大徴候』は頸部圧迫による死亡例でも高頻度に認められる. ただし，圧迫力が弱いなどの理由によって死への全経過が多少遷延すると，心臓内血液に少量の凝血が含まれていることがある.

肺水腫は頸部圧迫事例では高頻度に認められる所見であり，気道内に多量の泡沫がみられる場合が少なくない. ときには鼻口部周囲に泡沫が付着していることもあり，このようなときは溺死との鑑別が必要である（図 4-60）. 溺死の泡沫のほうが一般に白色調が強く，細小な泡沫が主であることが多いが，鑑別困難な事例も存在する. 頸部圧迫時の肺水腫の発生には神経原性の因子の関与が疑われている. 圧迫力が弱く死亡までの経過が長い事例ほど，肺水腫は顕著にみられる.

4 頸部圧迫による死亡

1. 縊頸（縊死）hanging

頸部が圧迫される際に，圧迫力として本人

(死亡者)の体重が関与しているものをいう．いわゆる『首吊り』に相当し，通常は高所に固定した索状物（紐や帯のような細長いもの）を頚部にかけた（または巻いた）状態で，自己の体重をかけることによって頚部が圧迫される．縊頚による死亡を縊死と呼ぶ．縊頚の大部分は前述のように索状物によってなされるが，まれにそれ以外のものによる場合（例えば木の枝の分岐部に頚部を載せて体重をかけるなど)がある．縊頚は自己の身長よりもはるかに低い場所に索状物をかけることによっても可能である．例えば，ベッドの手すりやドアのノブなどに紐をかけて縊死している事例がときにみられる．なお，わが国では死刑の執行は絞首刑によってなされるが，実際には死刑囚本人の体重によって頚部が圧迫されるもので，絞頚ではなく縊頚である．なお，縊頚によって死亡するのに必要な圧迫力（荷重）は，全体重の20%以上であるとされている．

▶**死体所見**：縊頚による索痕（縊痕）は，体重が最もかかる部位を最下点としてそこから対側に向かって挙上する．すなわち，前頚部から後上方に向かう場合が最も多い．縊頚では索状物を頚部に完全に一周させる必要はないので，索痕はしばしば後頚部～後頭部で消失する．

索痕が前頚部から左右対称に後上方に挙上し，その人の全体重が頚部にかかっているような場合を「定型的縊死」，それ以外を「非定型的縊死」などと呼ぶ場合がある．前述したように，前者では顔面が蒼白であるのに対して，後者ではしばしば顔面がうっ血する．眼結膜や口腔粘膜の点状出血も定型的縊死ではむしろ観察されないのが普通であるのに対して，血管系の圧迫が不完全な例では絞頚や扼頚の場合と同様に点状出血が顕著にみられることが多い．

縊頚は頚部に対する圧迫力が強いため，舌骨大角や甲状軟骨上角の骨折頻度は絞頚や扼頚に比べて高い．しかしその反面，血流の遮断が持続的に起こるために頚部の筋肉出血の頻度は絞頚や扼頚よりもむしろ低い．この傾向は定型的縊死の際に特に顕著である．なお，絞頚や扼頚にはみられない縊頚特有の所見としては，軸椎の関節突起間骨折（hangman's fracture）やSimonの出血（後述）が知られている．

▶**自他殺災害の別**：縊死の大部分は自殺であり，わが国では地域に関係なく全国的に自殺の手段として縊頚が最も高頻度にみられる．ただし，小児では公園の遊具などで遊んでいて紐が頚部にかかったり，危険であるという認識なしにふざけて縊頚を試みるなどの原因による災害死例がまれにみられる．また，性的快感を得るために行われる縊頚（sexual hanging）で，過って死亡する例もある．縊頚による他殺はさらにまれであるが，頚部に索状物をかけたまま背中合わせにかつぎあげる『地蔵背負い』による他殺例が存在する．

▶**偽装縊頚**：実際には他殺であるのに，自殺を装うために死体を縊頚した状態にすることを偽装縊頚という．この場合は，縊頚によること以外に死因となるような所見がないか（頭部や胸部の外傷などのほか縊頚していた状態とは異なる不自然な索痕や扼痕など）を観察するとともに，縊頚時の生活反応の有無を判定する必要がある．しかしながら，縊頚では前述のように筋肉出血などの生活反応が明瞭でないことも少なくないので，判定は必ずしも容易ではない．縊頚時に生じる振子運動によって腰椎の腹側靱帯や周囲軟部組織に出血がみられることがあり（Simonの出血），縊頚時の生活反応とされるが，縊頚例のすべてに観察される所見ではない．

2．絞頚（絞死）

strangulation（ligature strangulation）

索状物を頚部に一周以上巻くことにより圧迫するものである．絞頚による死亡を絞死と呼ぶが，絞死の多くが他殺であるため一般用語としては「絞殺」のほうが理解されやすいであろう．

▶**死体所見**：絞頚の場合には，索痕（絞痕）は頚部を水平に一周（以上）しているのが普通である．絞頚では縊頚に比べて一般に圧迫力が弱く，圧迫時間（生前および死後）が短いことが

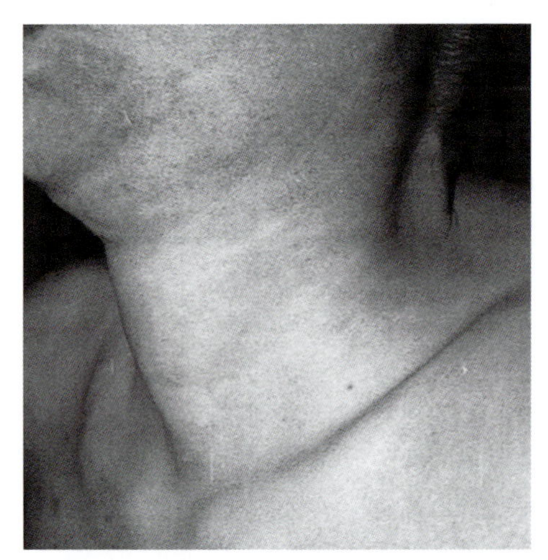

図 4-61　着衣の上から絞頚された事例
索痕はほとんど認められない.

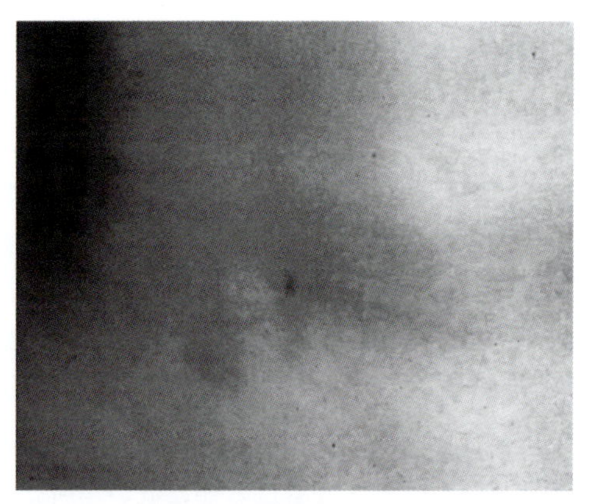

図 4-62　絞頚された被害者が抵抗した際に生じた表皮剝脱（いわゆる吉川線）

多いため，索痕は縊頚ほど明瞭でないことが多い．特に幅の広い柔らかい索状物（バスタオルなど）で絞頚された場合や，タートルネックのセーターのように頚部まである着衣の上から絞頚された事例（図 4-61）では，索痕が認められない場合もあるので注意が必要である．顔面のうっ血はほぼ全例にみられ，眼結膜・口腔粘膜の点状出血も多数出現する．

前頚部の筋肉出血はかなりの高頻度でみられ，むしろ圧迫力が弱い場合にも経過が遷延する結果として出血が明瞭にみられる．一方，舌骨や甲状軟骨の骨折の頻度は縊頚や扼頚に比べて低い．これは絞頚では頚部への圧迫力が頚部全周に分散してしまうことによると思われる．

▶自他殺災害の別：絞頚による死亡例は大部分が他殺であり，わが国における殺人のための手段としては，刃器に次いで普遍的といえよう．絞頚による自殺例も存在し，「自絞死」と呼ばれているが，その数は縊死に比べてはるかに少ない．小児の場合には縊頚と同様，災害死もまれにみられる．

絞頚が他為によるものか自為によるものかの鑑別は必ずしも容易ではないが，自絞死の場合は索状物が緩まないような条件が整っていなければならない．これは自分で絞頚して意識が消失した際に，索状物が緩んでしまうと頚部圧迫が持続できず死に至らないからである．したがって，頚部を何周にも巻いて結紮する，あるいはベルトのバックルを用いるなど，緩まないような何らかの方策がとられているのが通例である．また，他殺例では被害者が索状物を取り除こうとした際に，上下方向に走る線状表皮剝脱が形成されることがある（警察用語では『吉川線』と呼んでいる：図 4-62）．

3. 扼頚（扼死）manual strangulation

手または手指によって頚部を圧迫するものである．腕や肘を用いて頚部を圧迫する場合も含めて『扼頚』と呼ぶ法医学者もいるが，通常は手・手指による場合に限って用いられる．扼頚による死を扼死というが，「扼殺」という語がしばしば用いられるのは絞頚の場合と同様である．扼頚は加害者と被害者との間にかなりの体力差がないと困難であるので，被害者は女性である場合が多い．また，扼頚のみでは蘇生するのではないかと加害者が考えた場合には，扼頚の後に絞頚がなされる場合がある（絞頚が先行して扼頚が後から加えられる事例はまれである）．絞頚と扼頚の両者が生前になされている場合には，「絞扼頚」と呼んでいる．

▶死体所見：扼痕は前述のように，限局的な皮膚変色または表皮剝脱として観察される．ただし，指による圧迫部位のすべてに扼痕が形成されるわけではないので，外表からの判断が困難な事例も存在する．顔面のうっ血は大半の例にみられ，眼結膜や口腔粘膜の点状出血も多数観察されることが多い．ただし，頚動脈洞反射による心停止によってきわめて短時間で死亡した事例ではこれらがほとんどみられない場合もありうる．扼痕部の真皮あるいは皮下組織には，生活反応としての出血が観察される．

底部の筋肉出血は重要であり，皮膚表面に扼痕がみられない部位の筋肉に圧迫性の出血が認められることもある．舌骨や喉頭軟骨の骨折頻度は絞頚の場合よりも高い．これは扼頚では比較的狭い範囲に圧迫力が加わるので，底部に骨や軟骨があると骨折を生じやすいためであると考えられる．

▶**自他殺災害の別**：扼頚による自殺は，一般に不可能であるとされている．『自扼』の場合，意識を失うときに圧迫が緩み，通常は継続して死に至るまでの十分な時間圧迫し続けることが不可能だと考えられるためである．しかしドイツにおいて，30 歳代後半の女性が膝で肘を固定するような姿勢で頚部を圧迫して自殺を遂げたという報告がみられる．

自殺のほかに，戯れや親愛の表現により頚部を圧迫されて死亡するといった事故死もあるが，いずれもごくまれなケースであり，扼死の大半は他殺である．

4. その他の頚部圧迫

縊頚・絞頚・扼頚のいずれにも分類されない頚部圧迫には，例えば腕による圧迫（『腕絞め』：プロレスのヘッドロックや柔道の裸絞めなどの形態），パワーウインドウなどによる頚部圧迫事故などがあるが，いずれもその頻度は少ない．

3．気道閉塞による窒息

1 溺水 drowning

1. 定　義

溺水は気道内に液体（水）が浸入して気道を閉塞する病態を指し，溺水によって生じた死を溺死と呼ぶ．気道に浸入した水が淡水であるか海水（塩水）であるかにより，淡水溺死および海水溺死として区別することがある．

2. 溺水時の死へのメカニズム

溺水は気道閉塞による窒息の典型であるので，基本的には窒息の一般的経過によって死に至る．ただし，淡水に溺れた場合には，肺胞から毛細血管内に水が入り込んで左心血が希釈され，溶血による高カリウム血症から心停止が生じることがあるので，海で溺れた場合よりも一般に予後が不良であるとされる．

3. 死体所見

▶**溺死肺（水性肺気腫 emphysema aquosum）**：溺水時には，水が気道内に浸入してそれまで存在した空気が末梢に追いやられる．そのため左右の肺は肉眼的に膨隆し，含気量と含水量の双方が増すために肺重量は増加する．組織学的にも気腫状を呈する部と肺胞性水腫とが混在する像が観察される．肺胸膜にはしばしば赤色調を呈する斑状部がみられ，Paltauf 斑と呼ばれる．これは胸膜下の肺胞壁が破綻し，さらに溶血なども加わるなどして周囲に浸潤して斑状となったもので，辺縁はやや不明瞭である．ときには肺の表面が大理石紋様を呈することもある．

▶**気道内の白色細小泡沫**：呼吸運動によって気道内に水が浸入すると，気道の粘液と水，空気が激しく攪拌されて泡沫が形成される．この泡沫は，左心不全などによる肺水腫の場合に比べて白色調が強く，一般に細かいため「白色細小泡沫」と表現されることが多い．このような泡沫は解剖時に気道内に確認されるのみならず，鼻口部周囲に漏出して茸状に付着していることがある（図 4-63）．

▶**その他**：うっ血性急死の所見が一般にみられるが，脾臓はときに収縮してうっ血を欠くことがある．これはアドレナリンの分泌によるものと解される．心臓内血液もほかの窒息死に比べるとやや少ないことが多い．頭蓋底の側頭骨内に出血がときにみられ（錐体内出血），平衡神経障害によって溺れる原因となるともいわれてい

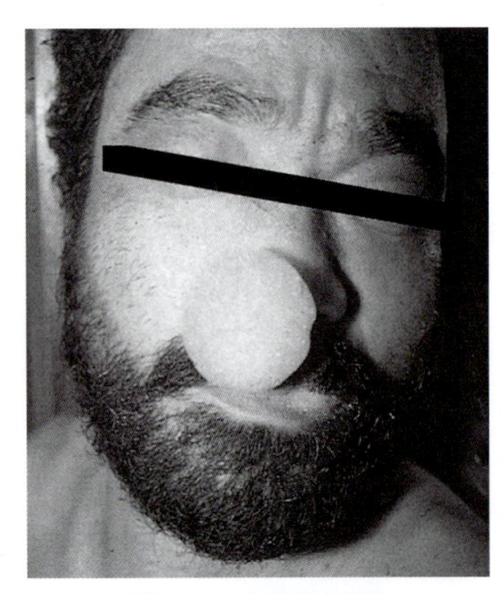
図 4-63　白色細小泡沫

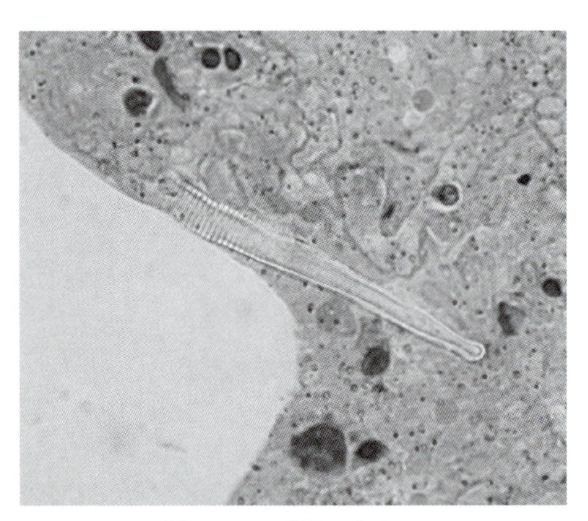
図 4-64　プランクトン

るが，溺死に特異的な所見とはいえない．なお，死後経過時間が長い死体では肺から水分が漏出して両側性の胸水がみられることが多い．

新鮮な死体では，左右の心臓血の塩素イオン濃度を測定すると，淡水溺死では左心血が希釈されて右心血よりも Cl^- 濃度が低く，海水溺死では逆に左心血のほうが右心血よりも Cl^- 濃度が高くなることが多いので，浸入した水の種類を鑑別するのにある程度有用である．

▶水中死体としての所見：水中に死体が長時間置かれると，皮膚が『ふやけた』状態となり，手足の表皮が真皮から剝離する．これを漂母皮形成といい，最終的にグローブ状あるいは靴下状に表皮が脱落するが，その際は手足の爪も表皮とともに脱落する．漂母皮形成は死後水中に投じられた死体でも生じるものであり，生活反応ではなく溺水に特有の所見でもない．

死後に水中で生じる損傷としては，船のスクリューによる損傷（スクリュー創）や，動物（魚など）によるものなどがあり，いずれも生活反応（出血）を伴わない．

4．溺死の診断

溺死の診断は，前述の溺死肺および気道内の白色細小泡沫が認められれば概ね可能であるが，これらの所見は死後経過時間とともに不明瞭となり，腐敗が進行した死体では判定が困難になる．特に鼻口部への泡沫の付着は新鮮死体のみに観察されるものであり，これが認められた場合の診断的価値は大きいが，実際例では認められないことも多い．

古くから，溺死の診断のためにプランクトン検査（図 4-64），ことに珪藻類の検出が重要視されてきた．珪藻はあらゆる水の中に存在しており，水を吸引すれば必ず珪藻も吸引されるとの理由で検査が行われるものであるが，珪藻は珪酸質よりなる細胞外被を有しているので耐酸性が強いことも理由の一つである．肺やその他の臓器を濃硫酸と発煙硝酸中で加熱して有機物を分解してもなお，珪藻は外形を保っているので沈澱を鏡検することで珪藻の有無を判定することができる（壊機法）．

壊機法によって珪藻が最も容易に検出される臓器は肺である．しかし，死後に水中に投じられた死体であっても，時間が経過すると肺内には水が浸入し，肺からは珪藻が検出されるようになることが知られている．そこで，死後経過時間が長い死体では，肺以外の臓器（特に骨髄）から珪藻を検出することが溺死の診断上必要であるとの考えが主流をなしてきた．しかしながら，肺以外の臓器では溺死例と非溺死例で珪藻の検出頻度に差がみられないとの報告もあり，珪藻の診断的価値については近年疑義が生じつつある．珪藻は硝酸などの試薬中にも少数ながら存在することもあるとされており，珪藻の検査に当たっては試薬や蒸留水，空気中からの混入などについて厳密に判断する必要がある．なお，壊機法は強酸を用いて有機物を破壊するため，環境への配慮が必要であると同時に，珪藻自体の変形も免れない．近年では，プロテアーゼによって組織を分解する方法が試みられ，珪藻の観察に十分良好な結果を得ている．

いずれにしても溺死の診断に当たっては，ほかの窒息死の場合と同様に解剖所見を総合的に判断する必要があり，珪藻の検出のみに依存するのはいささか危険であるといえよう．

5. 入浴中の溺死

浴槽内で発見された死体について解剖を行うと，溺水の所見がみられる例とみられない例とがある．溺水の所見がみられない例では，内因的疾患など溺死以外に死因を求めることになるが，溺死が直接死因と考えられる例では溺水に至る原因について判断に苦慮することが少なくない．自殺の目的で浴槽内に溺没する事例や他殺例，高度酩酊による不慮の溺没事故なども存在するので，周囲の状況や飲酒・薬物摂取の有無などに留意するのは当然である．

溺水を生じるような内因的疾患（高度の冠動脈硬化など）が解剖で証明されれば病死として処理することが可能であるが，その場合でも発作そのものは証明できないことが多い．このような原因不明の入浴中の溺水事例は高齢者に多く，特に冬期に多発することが知られている．臨床的には，入浴時には血圧の低下がみられることが知られており，高齢者ではこれによって一過性の脳虚血が生じて溺水に至るのではないかと疑われている．

6. 水浴死について

水によって気道が閉塞して窒息死に至るのが本来の（狭義の）溺死であるが，実際には吸引した水が少量で，気道閉塞を生じるには不十分と思われるにもかかわらず死亡している例がまれにみられる．このような例では，水によって気道が刺激されて迷走神経反射を生じて死亡するのではないかと考えられており，水浴死 Badetod（独）と呼ばれている．水浴死を含めた溺死を広義の溺死と呼ぶこともある．

2 溺水以外の気道内異物による窒息

1. 誤嚥に伴う気道内異物

誤嚥に伴う気道内異物としては，血液（鼻出血や消化管出血など）・食物・吐物・義歯などがある．これらのうちで液状のものや細かい米飯粒などは喉頭から気管・気管支に至る範囲に吸引されるが，ある程度以上の大きさのもの（もちなど）は喉頭内には侵入せず，下咽頭から食道入口部に嵌入して喉頭蓋を閉塞している場合が多い．両者の中間的な大きさのものでは喉頭内に嵌入して声門を閉塞する（筆者はかつてみかんの房が喉頭内に嵌入して死亡した事例を経験したことがある）．

誤嚥はさまざまな内的・外的要因によって引き起こされる病態であるので，直接死因は窒息であっても誤嚥を生じた原因によって法医学的意味が大きく異なる．例えば，『さるぐつわ』をかまされたことによって gag reflex が起こり，吐物誤嚥によって死亡した例で加害者が殺人罪に問われた事例もある一方で，病死と判断される例も少なくない．誤嚥による窒息例では，脳梗塞・心筋梗塞などの内因的疾患や日常的な微量誤嚥 microaspiration による嚥下性肺炎の有無，アルコールや薬物摂取の有無なども含めて詳細かつ総合的に検討する必要がある．

2. 外部から積極的に押し込まれた気道内異物

口腔から異物を挿入され，それらが咽頭後壁に押しつけられると気道を閉塞して窒息に至る．布片や紙（ティッシュペーパーなど）の場合には，水分を吸うことによって空気の流通がさらに妨げられるので特に危険である．

3. その他の気道内異物

肺結核による直接的な気道内出血，分娩時の羊水吸引などがある．

3 鼻口部閉塞による窒息

大気からの酸素の取り入れ口である外鼻孔と口の双方を閉塞されることにより，窒息に陥るものである．乳児など体力がない者に対しては濡れた布や手などを鼻口部に押し当てる程度の外力によって窒息死させることが可能である．しかし一般には中枢神経系抑制薬の使用や手足を縛るなどの方法により抵抗できない状況下に置かない限り，鼻口部閉塞によって他者を窒息死に至らせることは容易でない．

乳児の場合には，うつぶせ寝の事例では鼻口部閉塞による死亡が疑われることがあり，窒息死かSIDSかがしばしば問題となる．このような場合には乳児の月齢や運動発達の程度，敷布団の性状などを詳細に検討することが必要である．

4．低酸素環境による窒息

密閉された狭い空間や，酸素がほかのガスに置換されたような環境下で窒息するものである．前者の例としては，子どもが冷蔵庫内に閉じ込められるなど全身が閉所に置かれる場合や，頭からすっぽりとポリ袋をかぶって袋を結んで閉じるなどの場合がある．後者の例としては地下の作業現場でメタンガスなどが発生して低酸素環境になっているような場合などがあげられる．このような場合には，当初は低酸素症のみで高炭酸ガス血症を伴わない点がほかの窒息と異なるが，最終的には炭酸ガス分圧も上昇して死亡することが多い．

なお，地下駐車場などの消火設備に使用されている炭酸ガス放出装置の誤作動などによる死亡事例が時おり経験される．このような事例では，ガス放出による空気中酸素濃度の低下から予測されるよりも短時間で死に至る場合が多く，低酸素性窒息というよりはむしろ二酸化炭素中毒を死因として採用するのが適切であると考えられる．以前から指摘されているように，空気中の酸素濃度を低下させるための消火設備としては，人体への安全性を考慮するならば炭酸ガスよりも不活性な窒素などを使用すべきであろう．

5．その他の窒息（呼吸運動障害など）

1 traumatic asphyxia（いわゆる「圧死」）

胸部や背部を圧迫されることによって，胸郭の運動が妨げられて窒息に陥るものであり，上大静脈への静脈還流の阻害が同時にみられる．いわゆる『圧死』といわれる事例にはtraumatic asphyxiaによる死亡が多くみられるが，肋骨骨折の程度が強い場合にはむしろつぎのflail chestをも考慮しなければならない．

死体所見としては胸背部の圧迫傷とともに，上半身（頭部，顔面，頚部，上胸部，左右上肢）のうっ血が高度にみられるのが特徴で（上半身の静脈系は，下半身に比べて逆流防止のための静脈弁の発達が悪い），しばしば皮膚や眼結膜，口腔粘膜などに点状出血を伴っている．肋骨骨折はあってもよいが，致命的な臓器損傷や多量出血を伴わないことがtraumatic asphyxiaと診断する条件である．

2 flail chest（胸郭動揺）

肋骨の多発骨折によって呼吸運動が阻害される病態をいう．一般に，2か所以上の骨折を有する肋骨が連続して3本以上ある場合にflail chestが生じるとされる．flail chestでは吸気時に骨折部が内方に陥凹し，呼気時には外方に突出するために有効な呼吸ができなくなる（奇異性呼吸）．

3 体位性窒息

position asphyxia，postural asphyxia

気道を閉塞するような体位から逃れることができないような状態を強いられて窒息に陥る場合に用いられるようになった語である．近年になって欧米で提唱された概念で，わが国でも報告が散見されるが，診断に当たっては十分な除外診断を行うことが必要であり，安易に体位性窒息と診断してはならない．

4 気胸および血胸

気胸 pneumothorax とは胸腔に空気が貯留した状態をいう．気胸には内的要因によるもの（自然気胸）と，外傷に伴うもの（外傷性気胸）があり，自然気胸は肺の気腫性嚢胞（bulla, bleb など）の破裂によるものが多い．外傷性気胸は胸壁の開放性損傷（胸部刺創など），または肺胸膜の損傷によって起こるのが通例である．

気胸が両側に生じた場合や緊張性気胸（胸腔内への空気の流入が check valve の作用で一方的に生じ胸腔内圧が上昇した場合）の例では，高度の呼吸不全を生じて死亡することがある．

血胸 hemothorax は胸腔に血液が貯留した状態で，内的要因（胸部大動脈瘤破裂など）によるものと外傷（心・肺・大血管・肋間動脈損傷など）に伴うものとがある．血胸においても胸腔内圧の上昇により肺が圧迫されて呼吸不全を生じうるが，むしろ多量の出血に伴う循環不全（出血性ショックなど）が前面に出ることが多い．

気胸と血胸が同時に生じた状態は血気胸と呼ばれ，呼吸循環障害が著明となることが多い．

Ⅲ 異常環境による死

1．温度異常

1 火傷，熱傷，火傷死

高温により体が損傷を受けることを熱傷あるいは火傷という．腐蝕性化学物質あるいは有機溶剤などへの接触によって生じる損傷が「化学やけど」などと呼ばれる場合もあるが，ここでは主として高温による熱傷を扱い，化学物質による損傷については，中毒の解説で触れることにする．

熱傷は，臨床的な予後の観点から，皮膚への深達度によって主に第Ⅰ度，第Ⅱ（s）度，第Ⅱ（d）度，第Ⅲ度に区別される．さらに，特に炭化を伴う場合には「第Ⅳ度」という区分が用いられる場合もある（**表 4-5**，**口絵写 50**）．

第Ⅰ度熱傷の特徴的所見として紅斑（erythema）があげられる．しかし熱傷による紅斑は，色調や発現の様子が死斑ととてもよく似ていて，これらの鑑別はしばしば困難である（**図 4-65**）．

第Ⅱ度熱傷では水疱（blister）形成が特徴的である．水疱は容易に破けてしまうため，死体

表 4-5 深達度による熱傷の分類概要

<table>
<tr><th colspan="2">熱傷の程度</th><th>表面の所見</th><th>深達度</th><th>摘要（生体での予後など）</th></tr>
<tr><td colspan="2">第Ⅰ度</td><td>紅斑*1</td><td>表皮表層</td><td rowspan="2">瘢痕を残さずに治癒</td></tr>
<tr><td rowspan="2">第Ⅱ度</td><td>s</td><td rowspan="2">水疱形成</td><td>表皮浅層</td></tr>
<tr><td>d</td><td>表皮深層</td><td>処置不良の場合，第Ⅲ度に移行する</td></tr>
<tr><td colspan="2">第Ⅲ度</td><td>焼痂（皮膚壊死）</td><td>真皮</td><td>瘢痕を残す
植皮が必要</td></tr>
<tr><td colspan="2">第Ⅳ度</td><td>炭化</td><td>表皮～骨
ときに離断</td><td></td></tr>
</table>

*1：死体での紅斑は，しばしば死斑との鑑別が困難である．

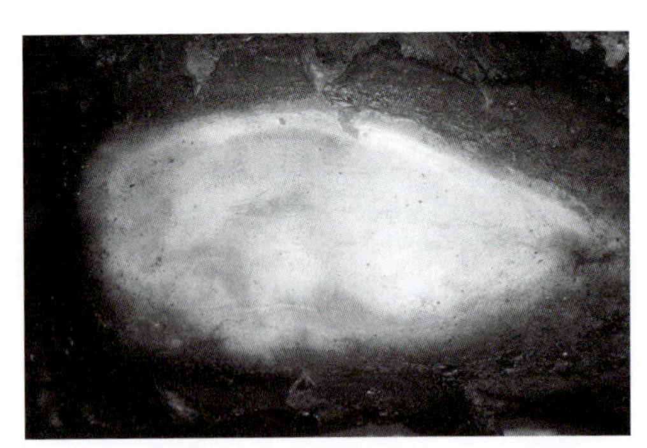

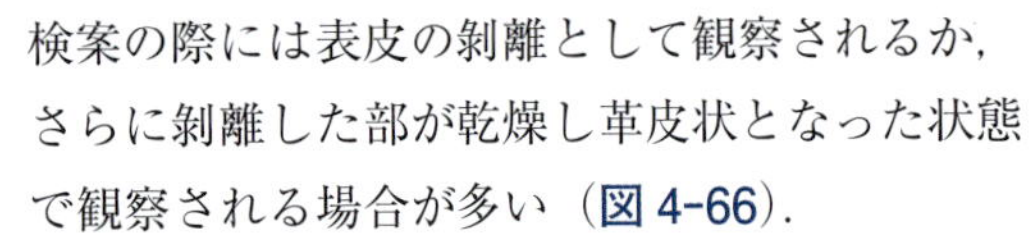
図 4-65　焼死体にみられる紅斑または死斑のような鮮紅色皮膚変色

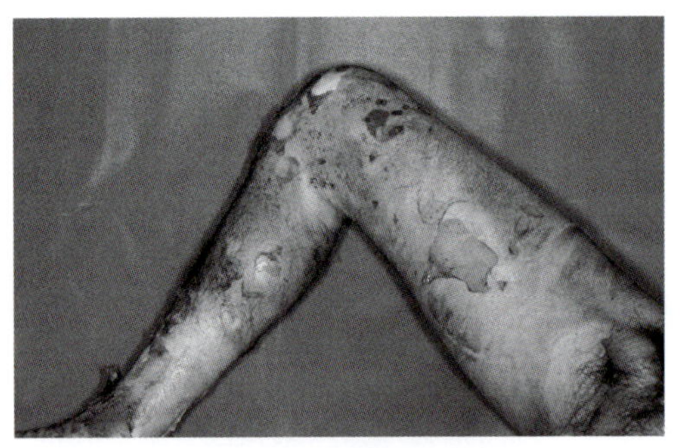
図 4-66　火傷水疱破綻

検案の際には表皮の剝離として観察されるか，さらに剝離した部が乾燥し革皮状となった状態で観察される場合が多い（図 4-66）．

なお，第Ⅰ度，第Ⅱ度の熱傷は，一種の生活反応ではあるが，死後数時間以内であれば生じうる．したがって，これらが存在しても，死者が生きている間に熱を受けたという決定的な証拠となるわけではない．

第Ⅲ度の熱傷は皮膚組織の全層性壊死である．火傷の場合にはさらに第Ⅳ度の火傷（炭化）がある．いずれも生体，死体での違いはない．

法医診断上は，火傷が生前に生じたものであるのかどうかの判断が最も重要であるが，実際には，以上述べたようにその鑑別は必ずしも容易ではない．

熱傷では，その程度（受傷面積や深達度）により種々の全身障害を生じる．その病態の詳細は臨床医学成書に譲り，法医解剖で観察される 2，3 の所見について述べる．

熱傷に伴う皮膚・皮下などの組織破壊に由来する所見として，例えば腎臓では，熱による溶血に伴う腎尿細管内のヘモグロビン円柱，あるいは筋組織の組織破壊によるミオグロビン円柱などの所見のみられる場合がある．熱傷面積が大きい場合には，いわゆる熱傷性ショックとしての臓器所見がしばしばみられ，ショック臓器として所見が顕著となる．また輸液治療を伴った例では，全身のあらゆる組織間や肺などに高度の水腫を生じる場合がある．

2 焼死 death by fire

火災による死亡では，火傷だけが原因となって死亡する場合はむしろまれで，燃焼ガスを含む煙を吸ったことによる一酸化炭素中毒や青酸中毒，さらには酸素欠乏による窒息が加わるなど，種々の要因が複合して死に至っている場合が多い．火災によるこのような複合的な死因を「焼死」ということが多いが，火傷以外の要素も含むという意味で，「広義の火傷死」と呼ぶ場合もある．

焼死例における法医学的に特に重要な検査内容は，a. 熱傷の生前・死後の鑑別を行うこと，b. 死因が熱傷であるかどうかを確認すること，さらに，c. 個人識別を確実に行うことなどである．

1. 広義火傷死における生前・死後の鑑別

もし生前に火焔に取り巻かれて死亡したとするならば，多少なりとも燃焼ガスを吸引しているはずである．このことを利用して，① 煤片の気道内吸引と気道粘液の産生亢進，② 気道熱傷，および ③ 一酸化炭素ヘモグロビン飽和度の増加などの所見を捜すことが焼死の解剖では重要となる．

▶**煤片吸引と気道粘液の産生亢進**：煤片の気道内における吸引の有無は，剖検時に肉眼的に観察できる場合が多い．頸部器官を丁寧に摘出し，舌から咽頭，喉頭，気管および主気管支までを開いてみることによって，多い場合には気道粘膜面に多量の煤片がコールタールを塗った

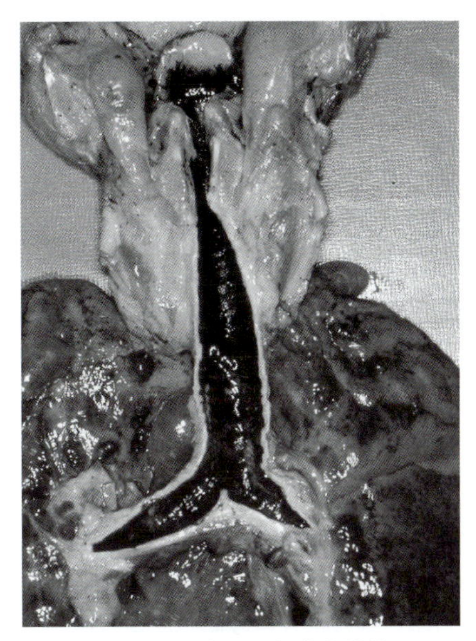

図 4-67　多量の気道内煤片

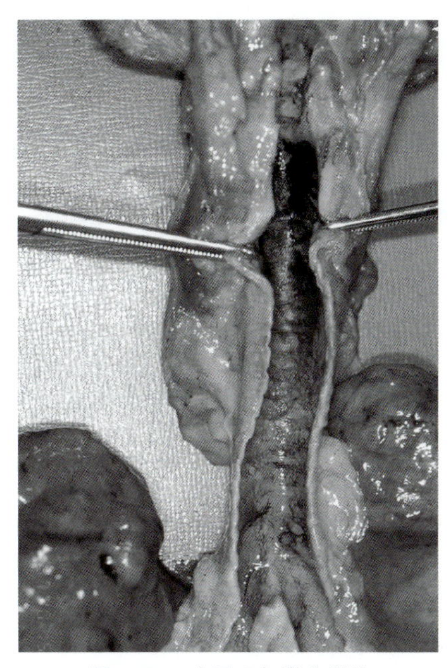

図 4-68　少量の気道内煤片

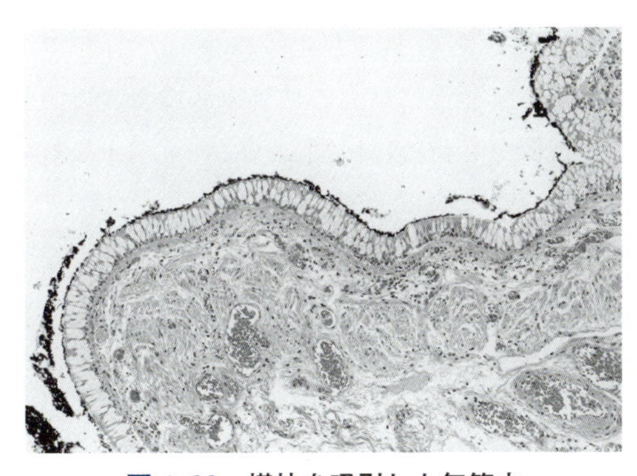

図 4-69　煤片を吸引した気管支

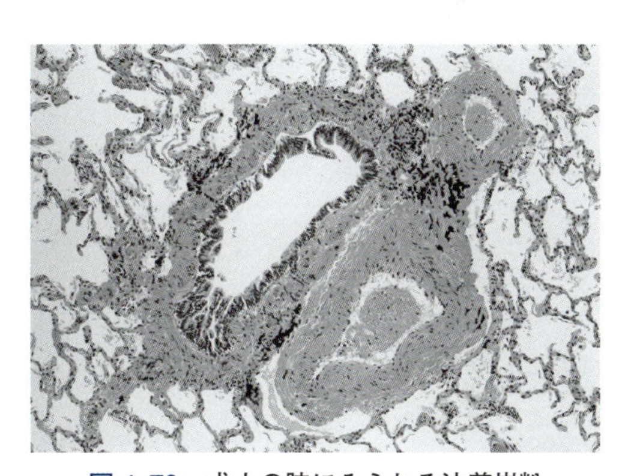

図 4-70　成人の肺にみられる沈着炭粉

ように付着して観察される（図 4-67）．また少ない場合でも，粘液に包まれた黒い筋状あるいは網状の所見として観察される（図 4-68）．組織学的にも気道粘液の産生亢進の所見が観察され，煙の吸引に対する生活反応として重要な所見である（図 4-69）．肺組織観察上の注意点として，小児以外では，肺の間質に長年の間に貯留した塵埃が炭粉の塊のようにみえ，これを吸引した煤片と見誤らないよう注意しなくてはならない（図 4-70）．

▶**気道熱傷** inhalation burns：気道熱傷は，主として閉鎖空間（閉め切った家屋や建物内や車両内など）で，爆発などを伴った急激な高温ガス発生に伴って生じる場合が多い．気道熱傷は喉頭や気管，気管支の粘膜浮腫や壊死を生じ，気道の閉塞をきたすことがある．また，火災現場から救出され一時は生存していても，気道熱傷による粘膜組織壊死成分が気道閉塞を生じ死に至る場合もある．したがって，閉所での爆発的な高温曝露の際には，気道熱傷の有無についてもよく観察しておく必要がある．

▶**一酸化炭素ヘモグロビン飽和度の増加**：一酸化炭素ヘモグロビン飽和度の増加に伴う症状や検査法は，「Ⅳ．中毒」の項 p.134 を参照されたい．

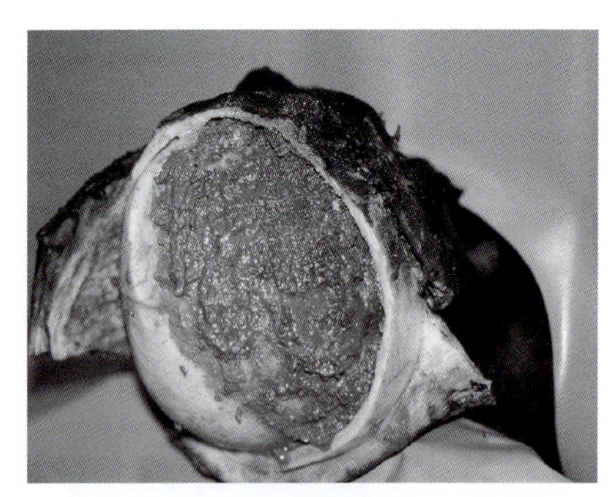

図 4-71　燃焼血腫

一酸化炭素ヘモグロビン飽和度については，たとえ焼死でなくとも，高度喫煙者では5%程度の値を示す場合がある．一方，焼身自殺のように，ガソリンや灯油を全身にかぶって点火し，短時間のうちに死亡したような場合には，一酸化炭素ヘモグロビン飽和度の上昇がまったくみられない場合がある．このような場合は，火傷に伴う胸腹部皮膚の熱凝固による胸郭運動制限や，循環虚脱と火焔による低酸素によってきわめて短時間のうちに死亡したものと考えられ，たとえ多少の気道内煤片吸引はあっても，一酸化炭素ヘモグロビン飽和度は低い値（まれならず0%のこともある）であることがしばしば経験される．

さらに，アクリル系建材の含まれる家屋の火災など，燃焼によって青酸ガスを大量発生した場合では，血中に青酸が検出される場合があり，まれにこれが死因となっている場合もあるという．家屋火災で一酸化炭素ヘモグロビン飽和度値のあまり高くない場合での焼死例では，青酸の濃度測定も死因推定の参考となるといわれている．

2. 死後に火で焼かれた場合にも生じうる所見

以上は燃焼ガスの吸引によって死亡した場合の主な所見についてであるが，生前に火に焼かれて死亡した焼死の場合，あるいは何らかの原因で死亡したあとに火で焼かれた場合でも，しばしば共通して次のような所見を認めることがある．

▶ **炭化 charring**：炭化は，第Ⅳ度の熱傷として生存している患者にもみられることがあるが，多くは火災や焼身自殺などで死亡したあとに，残った火焔や熱によって体の炭化に至るものである．炭化がさらに進行して，骨が灰の状態となっている場合もある．

▶ **燃焼血腫 heat hematoma**：頭部を強く焼かれた焼死体では，頭蓋骨と脳硬膜との間に赤褐色（赤レンガ色と表現されることもある）で脆い，ちょうどチョコレートプディングに似た血腫のような塊がしばしばみられる（図 4-71）．これは，脳硬膜の静脈洞やその他の血管内の血液が加熱され硬膜外に浸出し，さらに熱凝固したために生じたものと考えられている．これも，死因とは無関係に生じる所見であり，仮に急性硬膜外血腫と形状が似ることはあっても，燃焼血腫はあくまでも死後に生じたものである．さらに死後に高温の熱焼ガスによって頭蓋骨の破裂（骨折とは区別しにくい）が生じる場合も少なくない．

したがって，実務上，燃焼血腫と生前の硬膜外血腫との鑑別が必要となることもある．

▶ **拳闘様姿勢 pugilistic attitude, boxer's attitude**：タンパク質は熱によって変性し凝固する．体の軟部組織（皮膚，皮下，筋肉など）も例外ではなく，焼死であってもほかの死因によって死後に焼かれたものであっても，死因と無関係に，筋肉が熱凝固して収縮する場合がある．これによって，屈筋が優位な関節部が屈曲し，ちょうどボクシングの守備の際にみられるような体勢となることから，拳闘様姿勢と呼ばれる（図 4-72）．火焔に包まれて悶絶するために生じる所見ではないことはいうまでもない．また，四肢が焼失し，ギリシャ彫刻（トルソー）に類似した形態となるため，このような四肢の焼失した死体を死体トルソーという．

3. 死因の確認

焼死では，熱傷だけでなく一酸化炭素中毒が死因となる場合や，気道熱傷が呼吸不全の原因

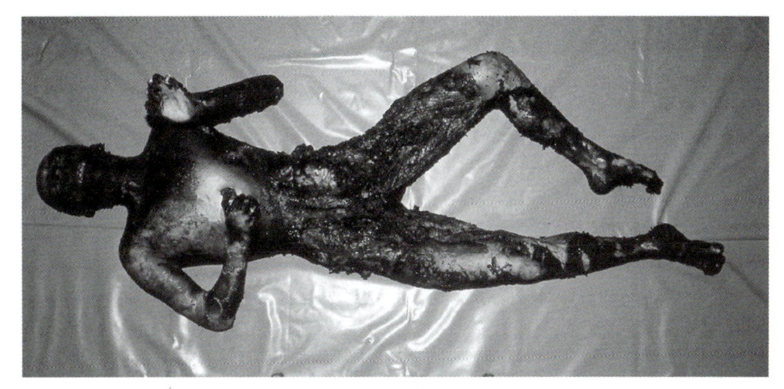

図 4-72 拳闘様姿勢

となって死亡する場合もある．いずれの場合においても，焼け残った部位の観察は丁寧に行い，かつ組織標本を作製できる場合には，できるだけ詳細に観察し死因を決定することに努める．

4. 個人識別

第Ⅱ度から第Ⅲ度でも高度の全身性浮腫を伴っている場合や，第Ⅳ度すなわち高度の炭化を伴う場合，死因ばかりではなく，個人識別のためにも丁寧な検査が求められる．

焼死では，年齢や性別までがまったくわからないほど焼けている場合が多い．個人識別は法医学的解剖検査の基本であるが，外表の損傷が激しい高度炭化死体では，歯牙や骨などの硬組織による年齢，性別，治療痕検査，残存する組織からのABO式血液型などを急いで行う．特定の候補者に絞られた場合，DNA検査によって確認を行う場合もある．

3 熱中症 heat illness, heatstroke

体温の調節機能が障害され高体温となると，熱中症をきたす．熱中症は，必ずしも炎天下のような高温の環境だけで発生するわけではない．普通の家屋内など正常の人が何の異常も訴えないような場合でも発生する．特に，高齢者や体調が悪く脱水傾向にある人，睡眠不足などにより疲労状態にある人，スポーツに慣れていない人など，環境のみならず，むしろ体の状態が主要な条件となって，体温の放熱障害によって発生する場合が多いことに留意すべきである．

臨床的な事項については，表4-6に示すような分類の紹介にとどめたい．熱中症による死亡例では，剖検所見上，死体温が高く，全身の脱水と急激な循環障害の所見などがみられることが多い．しかし，いずれも非特異的な所見であり，死亡時の気象条件や臨床的な経過を総合して診断されるのが一般的である．特に治療が加えられた後や，死後経過時間が長い場合には，剖検所見のみからの診断はきわめて困難である．

4 寒冷傷害 hypothermia

1. 凍傷 frostbite

局所的な寒冷傷害の代表が，凍傷である．凍傷は，低温によって血液の粘性が大きくなりsluggingを起こしたり，組織や毛細血管自体が氷結したりすることにより，末梢組織の循環障害から組織壊死が生じる状態をいう．霜焼けchilblainsは，この程度の軽い状態であり，表層の変化にとどまる．しかしこの範囲が大きい場合には，救出されたあとであっても，広範囲組織壊死により熱傷や挫滅症候群と同様に腎不全や心機能障害を起こして死亡する場合がある．

2. 偶発的低体温症（凍死） accidental hypothermia

全身的な寒冷傷害の代表が，偶発的低体温症である．低体温症は，深部体温が35℃以下に下がった状態の場合に起こり，放置されると意識障害とともに死亡する場合がある．低体温症に

表 4-6　熱中症分類（日本救急医学会，2015）

	症状	重傷度	治療	臨床症状からの分類
Ⅰ度（応急処置と見守り）	めまい，立ちくらみ，生あくび 大量の発汗 筋肉痛，筋肉の硬直（こむら返り） 意識障害を認めない（JCS＝0）	▲（上ほど軽症，下ほど重症）	通常は現場で対応可能→冷所での安静，体表冷却，経口的に水分と Na の補給	熱けいれん 熱失神
Ⅱ度（医療機関へ）	頭痛，嘔吐 倦怠感，虚脱感 集中力や判断力の低下（JCS≦1）		医療機関での診察が必要→体温管理，安静，充分な水分と Na の補給（経口摂取が困難なときは点滴にて）	熱疲労
Ⅲ度（入院加療）	下記の 3 つのうちいずれかを含む (C) 中枢神経症状（意識障害 JCS≧2，小脳症状，痙攣発作） (H/K) 肝・腎機能障害（入院経過観察，入院加療が必要な程度の肝または腎障害） (D) 血液凝固異常［急性期 DIC 診断基準（日本救急医学会）にて DIC と診断］		入院加療（場合により集中治療）が必要 →体温管理 （体表冷却に加え，体内冷却，血管内冷却などを追加） 呼吸，循環管理 DIC 治療	熱射病

Ⅰ度の症状が徐々に改善している場合のみ，現場の応急処置と見守りで OK

Ⅱ度の症状が出現したり，Ⅰ度に改善がみられない場合，すぐ病院へ搬送する（周囲の人が判断）

Ⅲ度のか否かは救急隊員や，病院到着後の診察・検査により診断される

付記
- 暑熱環境に居る，あるいは居た後の体調不良は**すべて熱中症の可能性**がある．
- 各重症度における症状は，よく見られる症状であって，その重症度では必ずそれが起こる，あるいは起こらなければ別の重症度に分類されるものではない．
- 熱中症の病態（重症度）は対処のタイミングや内容，患者側の条件により**刻々変化する**．特に意識障害の程度，体温（特に体表温），発汗の程度などは，短時間で変化の程度が大きいので注意が必要である．
- そのため，予防が最も重要であることは論を待たないが，早期認識，早期治療で重症化を防げれば，死に至ることを回避できる．
- Ⅰ度は**現場**にて対処可能な病態，Ⅱ度は速やかに**医療機関**への受診が必要な病態，Ⅲ度は採血，医療者による判断により**入院**（場合により集中治療）が必要な病態である．
- 欧米で使用される臨床症状からの分類を右端に併記する．
- Ⅲ度は記載法としてⅢC，ⅢH，ⅢHK，ⅢCHKD など障害臓器の頭文字を右下に追記．
- 治療にあたっては，**労作性**か**非労作性**（**古典的**）かの鑑別をまず行うことで，その後の治療方針の決定，合併症管理，予後予想の助けとなる．
- DIC は他の臓器障害に合併することがほとんどで，発症時には最重症と考えて集中治療室などで治療にあたる．
- これは，安岡らの分類を基に，臨床データに照らしつつ一般市民，病院前救護，医療機関による診断とケアについてわかりやすく改訂したものであり，今後**さらなる変更**の可能性がある．

（出典；日本救急医学会編：熱中症診療ガイドライン 2015，p.7，2015 より）

よる死亡を「凍死 fatal hypothermia」と呼ぶこともある．

偶発的低体温症の発生する条件にはつぎのようなものがある．

① 環境温あるいは接触部が低温であること．必ずしも氷点下でなくとも発生する．

② 着衣が薄い，あるいは着衣が濡れているなど，体の熱エネルギーが奪われやすい状況であること．さらに風が強い場合，体の熱エネルギー喪失はより著しくなる．

③ 睡眠剤や精神神経用剤，アルコールなどを服用した状況下，もしくは頭部外傷を負うなどの状況下にあり，意識レベルが低下していること．

④ 乳幼児または高齢者であること．

低体温症によって死亡した死体の特徴的な所見を以下に述べる．いずれも必発ではないが，低体温症によって死亡したことを示唆する重要な所見といえる．

なお，従来，凍死の所見として死斑の鮮紅色

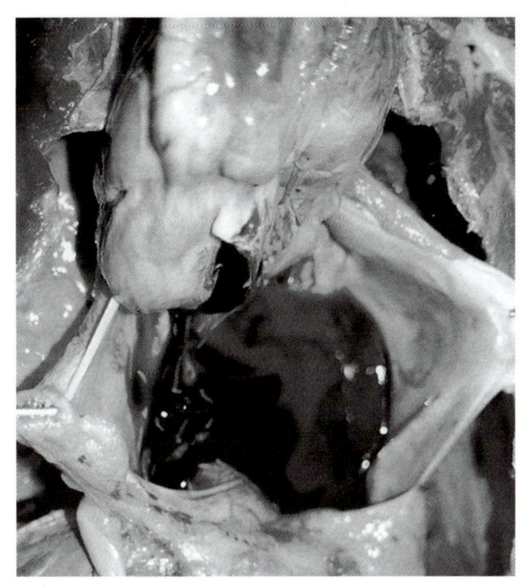

図 4-73　低体温症における左右心血の色調差

調が指摘されてきたが，これは死体が低温環境にあったことを示唆する所見にすぎず，凍死以外の死因で死亡した死体を寒冷環境に放置した場合でも死斑は鮮紅色調を呈する．つまり，この所見は凍死の診断根拠とはならない．

▶**死後経過時間と比べ異常に低い直腸温**：死亡時の体温が低いために，環境温と比較すると，見かけ上異常な低直腸温として観察される．

▶**左右心臓血の色調差（右：暗赤色，左：鮮紅色）と肺の虚脱**：最終的に低温に曝露された血液は，酸素飽和度の高い状態で維持されることが，この原因と推定されている．ただし低体温症以外の場合でも，この所見は，死亡直前の蘇生術施行時に高濃度酸素投与を施された死亡者でもみられることがあるので注意する（図 4-73）．

また，解剖時に胸腔を開いた場合，肺が鮮紅色調を帯びていることがしばしば眼に飛び込んでくるが，その肺は虚脱状となり通常よりもしぼんでみえる．肺の血液量があまり多くない割に含気量に富むため，触れると，フカフカとして柔らかい感じがして，割面はきれいな鮮紅色を帯びている場合が多い．このような死体を解剖前に X 線 CT で撮影すると，含気量の多い肺の画像が認められるという．

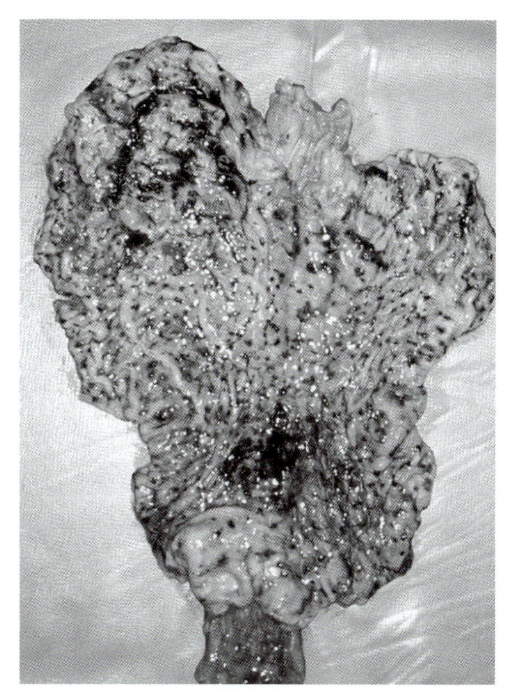

図 4-74　低体温症における胃粘膜の出血

▶**胃・十二指腸粘膜の点状出血（Wischnewski 斑）**：文献的には十二指腸にも出血をみる場合があるとされているが，胃粘膜のみで認められることが圧倒的に多い（図 4-74）．発生の原因はよくわからない．

▶**漿膜（胸膜，腹膜）の乾燥感および実質組織の間質の狭小化**：いずれも寒冷利尿 cold diuresis による水分喪失を反映する所見と考えられている．

漿膜の乾燥感とは，剖検時に，肺や腸管などの漿膜面の光沢が乏しく，ゴム手袋がペタペタくっついてくるような感じのする状態である．通常は，わずかな胸水や腹水により光沢を伴い湿潤しているため，このような所見をみることはあまりない．ただし，死後数日以上経過して乾燥した死体や，高度の脱水症でもこのような所見はみられる場合があるので注意する．

間質の狭小化は組織学的な特徴の一つで，心筋や腎，肝などでみられやすい．

例えば心筋組織では，心筋線維間の隙間が狭

図 4-75　低体温症で死亡した人の心筋組織

図 4-76　矛盾脱衣

隘化もしくはほとんど消失し，散在性に心筋細胞の壊死がみられる（松尾，舟山らは心筋組織のコンパクト配列 compact arrangement と呼んでいる，図 4-75）.

▶矛盾脱衣 paradoxical undressing：剖検所見ではないが，凍死の重要な状況証拠の一つなのでここに述べる.

矛盾脱衣とは，寒いはずなのに，死亡して発見された際に着衣を脱いでいることである（図 4-76）. これは低体温症死亡例では珍しいことではなく，60％程度にみられるともいわれる. 部分脱衣の状態で発見されることも多く，完全に裸となっている場合は必ずしも多くない. 女性で下半身のみの部分脱衣の場合は，性犯罪の関与についても検査が必要となる.

2．放射線傷害

1 マイクロ波の生体に対する影響

人体に影響を生じるマイクロ波は，極超短波以上の高い周波数の電磁波で，かつエネルギーの大きな場合に生じる可能性がある. 高い出力の極超短波は，水分子を振動させることにより食品を短時間で温めることができるため，電子レンジとして広く用いられている. しかし実際に人体に傷害（熱傷）が生じるのは，出力が数十ワット（W）以上の場合である. 一方無線通信に用いられる携帯電話や無線機器［通常数十～数百ミリワット（mW）］の使用によって人体の組織が傷害を受けることはないといわれている.

2 放射線の生体への影響

放射線には多くの種類があり，放射線の被曝に共通してみられる所見としては，放射線による正常な細胞分裂，細胞増殖が大きく障害されることである. 例えば消化管上皮や造血細胞はその影響を受けやすく，激しい消化器症状をきたしたり，高度の免疫不全を生じたりする. このため，全身の衰弱とともに，免疫不全による菌交代現象や日和見感染はもちろん，末期的には皮膚にかびの生えるような状態に陥る場合もある.

3．感電 electrocussion

1 感電（電撃）

人体内を電流が流れることにより生じる傷害を，感電あるいは電撃と呼ぶ. 電流の人体への影響は，電圧よりも電流の大きさに依存する. 冬期にしばしば経験される着衣の着替えの際や乾燥した室内で生じる静電気では，電圧は数万ボルト（V）に達するが，電流がきわめて少ないので，多少の痛みや刺激を感じる程度で，人体への影響はほとんどない. 逆に，100 V の家庭用電源は，電圧は比較的低いがいわゆる動電気であるため，人体を流れる際数十ミリアンペア（mA）以上の電流となり，ときに致死的な

表 4-7　人体に流れる電流値と人体の反応

電流値 （一般的にいわれている概略値） （単位：ミリアンペア mA）	人体の反応
1	やっと感じる状態
5	相当痛みを感じる状態
10	耐えられないほど苦しい状態
20	筋肉の収縮が激しくて感電者自身充電物から逃げることができない状態
50	相当危険状態
100	心臓の機能が失われ，数分以内で死亡する状態

（資料提供：財団法人 東北電気保安協会のご厚意による）

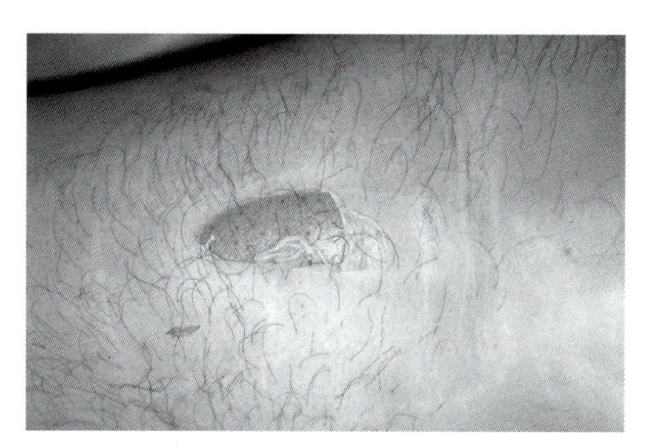

図 4-77　電流斑

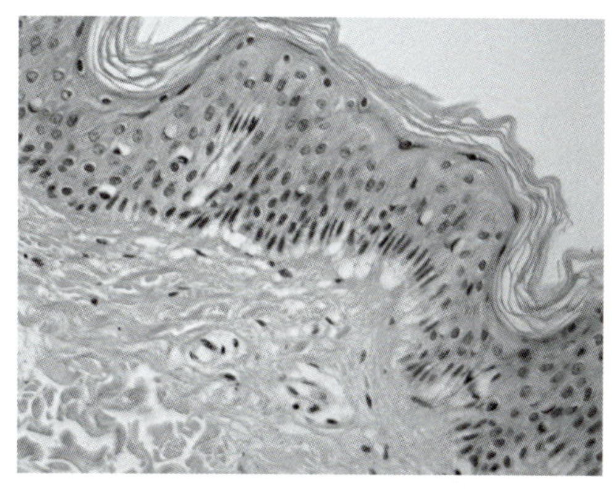

図 4-78　電流斑の皮膚組織

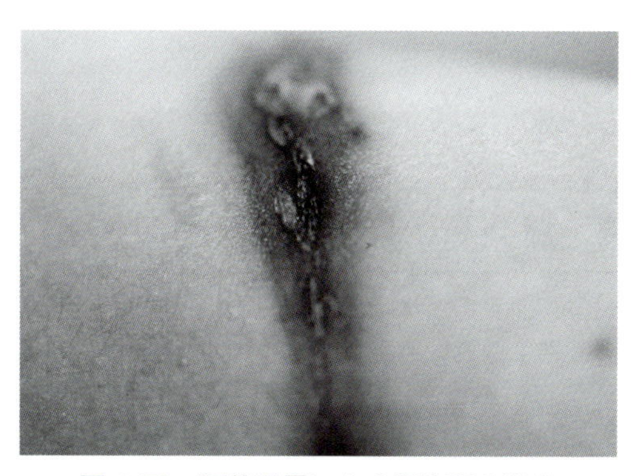

図 4-79　死後通電による電流斑の炭化

傷害を生じる場合がある（表 4-7）．

人体を電流が流れたことを証明できる代表的所見が電流斑である（図 4-77）．これは主として電流によるジュール熱が多く発生した皮膚に観察されるものであるから，広い面に接触した感電の場合には，かなり注意して探しても見つからない場合があること，および生体ばかりでなく死体に通電した場合にも同様の所見が現れることがあることに注意する．

電流斑の組織所見は特徴的で，正常の表皮組織と対比すると，① 表皮角化層基底細胞が電流の方向に向いて極端に細長く変形してみえるようになること（図 4-78），② 基底膜・基底細胞列間に空胞（ジュール熱による水蒸気発生によると考えられている）がみられること，③ 通電時間が長くなると炭化を伴う場合があること（図 4-79），などがわかる．

2 感電により生体に生じる傷害

感電で死に至るメカニズムとしては，① 心臓への電流通電による致死的不整脈（心室細動）の発生，② 電流による呼吸筋の不随意強直による窒息（呼吸障害），③ 電流のジュール熱による組織破壊（特に広範囲の筋組織に及ぶ場合）および，④四肢動脈内皮損傷による血栓形成に由来した末梢組織広範囲壊死，などが考えられる．

①心臓への電流通電による致死的不整脈の発生は，特徴的な形態学的変化を残すとは限らない．心室細動によるポンプ失調に基づいた，きわめて急性の肺うっ血水腫や肝・腎をはじめとする全身的な臓器うっ血が目立つ．これに電流斑があり，さらにほかの死因を除外できれば，感電による不整脈死と推定できる．

②電流による呼吸筋の不随意強直による窒息についても，①とほぼ同様である．

③電流のジュール熱による広範囲組織破壊および，④四肢動脈内皮損傷による血栓形成に由来した末梢組織広範囲壊死については，組織の広範囲壊死が確認でき，さらに腎尿細管腔内への著しいミオグロビン量の増加がみられたり，④では血栓形成と一致する部の内皮損傷および支配域の壊死などが証明されたりするなどに加え，その原因が感電以外考えられない場合に，この病態の診断が可能となる．③および④は，1,500 V以上の高電圧電源への接触で生じる場合が多い．①および②のような状態ながらも救命された例で，感電後数時間から数日を経て四肢の外科的処置（離断術）を余儀なくされたり，それを待たずに死亡したりする例は，上記のような理由によるものと考えられている．

4．異常気圧による傷害

1 気圧および酸素分圧の変動

低酸素分圧により窒息をきたすことは窒息の項でも述べた．酸素分圧に限らず，急激な減圧によって生じる代表的な異常気圧による傷害は，減圧症 decompression sickness（DCS）であろう．これには，潜水病（the diver's disease, the bends）や潜函病 caisson disease などが代表的であり，これらは高圧（場合によっては10気圧以上）から地上の通常気圧［1気圧＝1,013ヘクトパスカル（hp）内外］に急減圧された場合に生じる．

すなわち，減圧症の基本病態は，血液中に物理的に溶存している主として窒素が急減圧によって血管内で気泡化し，毛細血管などの血流を障害することに基づく．これは，空気塞栓症とよく似た状態といえる．

法医学的には，潜水病や潜函病の診断はきわめて難しく，死後経過時間が短い（半日以内程度）こと，腐敗がみられないこと，高圧タンク室での治療が行われていないこと，などの条件下でないと，減圧によって発生した気泡の発見はきわめて難しい．また小さな血管の気泡が多数みられることは，減圧症に関係なく解剖時にしばしばみられることがある．したがって，減圧症の診断は，減圧症を生じる状況を証明できる現場調査結果が得られていることと，ほかに死亡を説明できる原因がないことを総合して診断せざるを得ない．

5．爆発 explosion

爆発とは，固体・液体あるいは気体が，きわめて短時間のうちに急激にしかも巨大な体積へと膨張する現象である．爆発により人体が傷害を受ける場合としては，爆風による傷害，爆裂片による傷害，爆風中に含まれる化学物質による傷害，爆発に付随した熱傷による傷害などが考えられる．

Ⅳ 中　毒

A 総　論

重要事項

1) 薬毒物は水，体液などに溶けて毒性を発揮する．
2) 一酸化炭素はヘモグロビン hemoglobin（Hb）と結合して COHb を形成し，組織の酸素欠乏を生じて内窒息を引き起こす．一酸化炭素の Hb との結合能は酸素の 200～300 倍である．
3) 青酸化合物と硫化水素はミトコンドリアに存在するチトクローム酸化酵素と結合し，細胞呼吸を障害する．
4) シンナーはトルエンを主要成分として種々の有機溶剤を含む．乱用や慢性曝露の指標としてトルエンの代謝産物である馬尿酸の測定が有用である．
5) 農薬の有機リン剤とカーバメイト剤はコリンエステラーゼ活性を阻害する．死体ではムスカリン様症状（副交感神経刺激症状）として縮瞳，気道分泌亢進がみられる．解毒薬としてアトロピン，ヨウ化プラリドキシム pralidoxime iodide（PAM）があるが，PAM は一般的にカーバメイト剤には無効である．
6) パラコートとジクワットは生体内でスーパーオキサイドイオン，水酸ラジカルなどを生成し，これらが細胞膜脂質を過酸化して変質させ，細胞膜を障害する．これらの過程で酸素が関与するため，治療法として酸素の投与は禁忌である．
7) フグ毒は肝臓・卵巣などに含まれるテトロドトキシン tetrodotoxin（TTX）であり，きわめて安定な毒素である．TTX は末梢神経軸索の Na イオン透過性を阻害し，神経伝達を遮断して，呼吸筋麻痺により窒息死を招く．
8) アルコール酩酊は通常血中アルコール（エタノール）濃度に相関する．アルコールは肝臓でアルコール脱水素酵素 alcohol dehydrogenase（ADH）とミクロソームエタノール酸化系 microsomal ethanol oxidizing system（MEOS）によりアセトアルデヒドに酸化される．アセトアルデヒドはアルデヒド脱水素酵素 aldehyde dehydrogenase（ALDH）により酢酸に酸化される．
9) 日本人の約 45％にアルデヒド脱水素酵素のアイソザイム aldehyde dehydrogenase 2（ALDH2）に不活性型がみられる．これらの人では飲酒により血中にアセトアルデヒドが増加して顔面紅潮や脈拍数増加をきたす．ALDH2 の活性型・不活性型は ALDH2 遺伝子型によって決まる．
10) 健常な ALDH2 活性型の日本人のアルコール代謝速度（β 値）は 0.16 mg/mL/時程度であるが，ALDH2 不活性型の人の β 値は 0.14～0.09 mg/mL/時である．
11) 道路交通法で「酒気帯び」の基準は血中アルコール濃度が 0.3 mg/mL，呼気中アルコール濃度が 0.15 mg/L と規定されている．

12）医薬品中毒死は催眠鎮静薬，抗精神病薬，抗うつ薬などの精神科治療薬の過量服用によるものが多く，多種類の薬剤を一度に服用していることがまれではない．一般的に特徴的な死体所見は認められないため，死因診断には血液や諸臓器・骨格筋中の薬物の機器分析が必要である．

13）すべての依存性薬物は精神的依存を形成し，モルヒネ，バルビツール酸系睡眠薬，アルコールなどの中枢神経抑制薬は身体的依存を伴う．近年，危険ドラッグ（いわゆる「脱法ドラッグ」）の出現による乱用薬物の多様化が大きな社会問題となっている

1．法医中毒学

法医中毒学は，法医学領域における中毒学をいい，死体ならびに生体試料中の化学物質の有無の検査および検出された化学物質の医学的意義付けを行うことを目的としている．その研究・実務の対象事項は次のとおり．

① 薬毒物の性質
② 生体への作用，症状，死体所見
③ 中毒量と致死量
④ 治療・解毒方法
⑤ 分析（抽出・精製・同定・定量）

法医中毒学は裁判化学および鑑識化学とも密接に関連し，法医学における重要な一分野を形成している．

2．毒物および中毒

1 薬毒物の定義

毒物 poison とは，体内に摂取されると，その化学的または物理化学的作用で生理機能を一次的あるいは永久的に著しく害し，生命の危険を招く物質をいう．法律的には「毒物および劇物取締法」により毒物，劇物，特定毒物に分けて示され，保健衛生上必要な取締りを目的として，該当する物質が指定されている．

薬物は疾病の治療に役立つ物質をいう．「医薬品，医療機器等の品質，有効性および安全性の確保等に関する法律（薬機法）」は医薬品・医薬部外品・化粧品および医療機器などに関する事項を規制する法律で，医薬品は毒薬，劇薬，その他の医薬品に分類され，有害作用の強い薬物が毒薬および劇薬として厚生労働大臣により指定されている．

物質の毒性はその生理作用上の性質よりもむしろ量的な面で決まり，医薬品，工業用化学物質，農薬なども摂取量が多い場合には生体に障害を招き，死に至ることもある．このようなことから医薬品であるか否かを問わず，あるいは法律上の毒物，劇物などの分類にこだわらず，毒性面から中毒学の対象となる化学物質を総称して薬毒物という．法律で規制されている主な薬毒物を表 4-8 に示す．

2 中毒とは

中毒 poisoning とは，薬毒物により生体機能が障害されることであるが，その経過の相違によって急性中毒，亜急性中毒，慢性中毒に大別される．自殺や他殺では急性中毒が多く，薬毒物の乱用や職場で発生する中毒には慢性中毒が多い．

3．薬毒物の分類

中毒原因物質としての薬毒物は，種々の立場から分類することができ，起源，薬理作用，作用器官別，原因物質別，化学的性状などに基づいて分類される．

表 4-8　薬毒物の規制に関する法律

法　律	分　類	主な対象薬毒物
1. 毒物及び劇物取締法	毒物	青酸化合物，ヒ素，黄リン，水銀，ニコチンなど
	劇物	硫酸，硝酸，塩酸，メタノール，樒の実など
	特定毒物	パラチオン，四アルキル鉛，モノフルオロ酢酸など
2. 薬機法	毒薬	アトロピン，ジギタリス配糖体，スコポラミン，ストリキニーネなど
	劇薬	カフェイン，インスリン注射液，プロカイン，亜硝酸アミルなど
3. 麻薬及び向精神薬取締法	麻薬	アヘンアルカロイド，コカイン，合成麻薬，LSD
	第 1 種向精神薬	セコバルビタール，メチルフェニデート
	第 2 種向精神薬	アモバルビタール，ペンタゾシン，ペントバルビタールなど
	第 3 種向精神薬	アロバルビタール，オキサゾラム，クロルジアゼポキシド，ジアゼパム，トリアゾラム，フェノバルビタール，ニトラゼパムなど
4. 覚醒剤取締法	覚醒剤	アンフェタミン，メタンフェタミン
5. 大麻取締法	大麻	大麻草およびその製品
6. あへん法	けし属	けし，けしがら，あへん

1 生理，薬理作用（毒性）による分類

① 腐食毒(接触部位に腐食を生じるもの．強酸，強アルカリなど)

② 実質毒(臓器に壊死や脂肪変性を生じるもの．黄リン，ヒ素，重金属塩類など)

③ 酵素毒(酵素系を障害するもの．有機リン系農薬，青酸化合物，硫化水素など)

④ 血液毒(赤血球のヘモグロビンの機能を障害するもの．一酸化炭素，ニトロベンゼンなど)

⑤ 神経毒（主に中枢神経機能を障害するもの．アルコール類，睡眠薬，麻薬，覚醒剤，炭化水素など)

2 分析化学的（裁判化学的）分類

分析を目的としたもので，抽出ならびに単離の方法による薬毒物の分類である．

1. 揮発性薬毒物

酸性またはアルカリ性で水蒸気蒸留される物質（黄リン，青酸，アルコール類，クロロホルム，フェノール類など)

2. 難揮発性薬毒物

① 有機溶媒で抽出される物質（医薬品，麻薬，覚醒剤など)

② 有機溶媒に移行しない物質(第四級アンモニウム塩など)

3. 無機薬毒物

一般に有機溶剤で抽出や蒸留されない物質（水銀，ヒ素，カドミウム，鉛などの金属)

4. 酸・アルカリ類

透析法またはイオン交換法で分離される物質(強酸，強アルカリなど)

5. ガス体

一酸化炭素，二酸化炭素，硫化水素など

3 原因物質別の分類

近年新しい物質が次々と合成され，いわゆる薬毒物に該当しない物質でも多量摂取により中毒を引き起こすこともあり，救急医学領域では，この分類が多く使用される．有毒ガス，医薬品，工業用化学物質，農薬，家庭用品，自然毒などに分類される．

4. 中毒発現の条件

1 薬毒物自体の条件

1. 用　量

一般に多量あるいは量は少なくとも高濃度の薬毒物を摂取すれば，その作用の発現は早く，効果も大きい．

2. 性　状

摂取された薬毒物が毒性を発揮するには，その多くが吸収されることが必要であり，水・胃液などに可溶か不溶かで毒性が違ってくる．例えば，硫酸バリウムは生体のすべてのものに不

溶のため無害であり，消化管造影剤として使用されるが，炭酸バリウムは胃酸と反応して塩化バリウムとなり有害である．昇汞（塩化第二水銀）は水溶性で猛毒であるが，甘汞（塩化第一水銀）は水に不溶のため毒性はきわめて低い．また，保存中に有毒なものが無毒化されたり，無毒なものが毒性を発揮する場合もあり，例えば，青酸塩が空気中で炭酸塩になり無毒化したり，甘汞が昇汞となり猛毒化することがあげられる．

作用の発現する速さも毒物の性状で異なり，一般に気体，液体，固体の順に早く吸収され，症状の発現も早い．

2 薬毒物の用法による条件

1. 投与方法

同一薬毒物でもその投与方法により吸収速度が異なり，作用の現れ方に差が生ずる．一般に作用発現は血管内注射が最も早くかつ強く，次いで筋肉内注射，皮下注射，内服の順となる．しかし，薬毒物のなかには，クラーレ（d-tubocurarine）のように注射では猛毒であるが，第四級アンモニウム塩のため消化管からは吸収されず，内服ではほとんど無害であったり，逆に亜ヒ酸のように経口投与で強い毒作用を現すものもある．

薬毒物を他の物質と一緒に摂取した場合，その吸収や作用に差がみられる．例えば，脂溶性の黄リンやナフタリンは油とともに服用すると吸収が促進される．アルカロイドは茶やコーヒーなどで服用すると，それらに含まれるタンニン酸によってアルカロイドが沈殿し，吸収が遅れて作用が弱まる．また，アルコールに溶けやすい催眠薬は，アルコールとともに服用すると，その作用が促進される．

2. 相互作用

複数の薬毒物が併用されると，互いの作用を相加・相乗作用により増強したり，逆に拮抗することがある．併用により，単独投与の場合には予測されなかった副作用の発現や死亡事故につながることも起こりうる．

3. 中間代謝物の毒性

摂取された物質の代謝産物がより強い毒性を有する場合もある．エタノールの代謝産物であるアセトアルデヒドや，メタノールの代謝産物である蟻酸が代表的である．

3 生体自体の条件

中毒を起こす最少量である中毒量は絶対的なものではなく，摂取する生体側の条件によって中毒の程度に差がみられる．

1. 年　齢

一般に，小児は成人に比べて薬毒物に対する感受性が高く，高齢者では代謝酵素系の機能と排泄能に低下がみられるので，薬毒物の作用の発現が強くなる．

2. 体格，体重

体重の大きい個体が同程度の作用を得るためには，小さい個体より大量に摂取することを要する．

3. 性　別

一般に，女性は男性より薬毒物に対する感受性が高い傾向にあり，特に月経時には毒性が強く発現しうるといわれ，性ホルモンの薬毒物代謝への影響が考えられる．妊娠中の女性では，母体には副作用を呈さない濃度でも，胎児に有害な作用を及ぼす場合もある．

4. 体質および栄養状態

虚弱体質や栄養不良の者には一般に作用が強く現れる．薬毒物は体質により本来の作用とは別の異常反応を起こすことがある．最も多くみられるのは薬物アレルギーで，この場合，本来の作用とは別の異常反応（皮膚発疹，発熱，胃腸障害，呼吸困難，循環障害など）が起こり，ときには生命の危険をきたす．

また，まれな体質として遺伝的な酵素欠損のため，過敏または異常な薬毒物反応が現れる場合もある．例えば，塩化サクシニルコリンの神経筋遮断作用の持続時間は静脈内注射の場合通常2～3分であるが，血漿（血清）中の偽性コリ

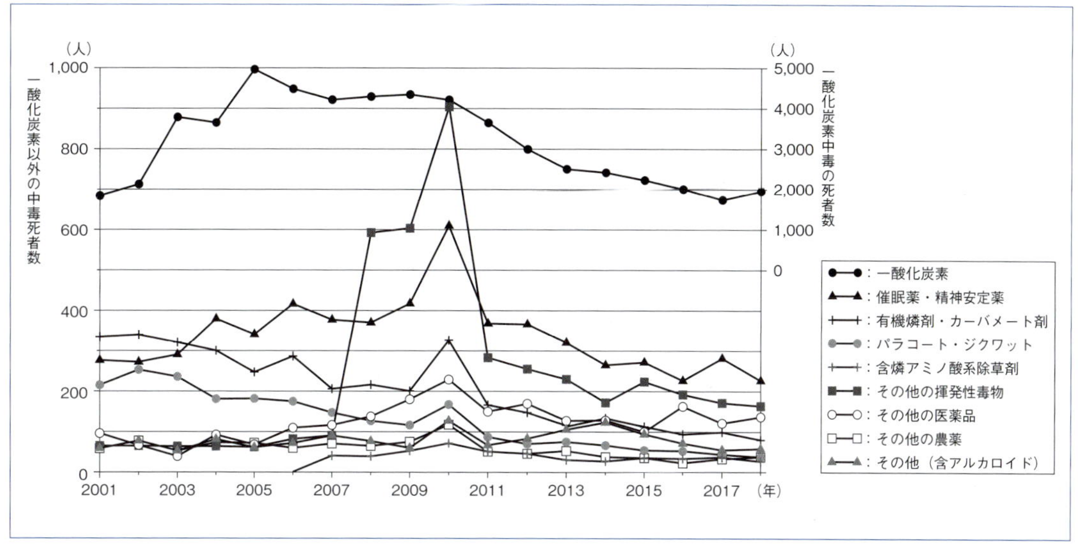

図 4-80　主な薬毒物による中毒死の発生状況（2001～2018 年）
（出典；科学警察研究所：科警研資料「薬物による中毒事故等の発生状況」第 45～62 報より作成）

ンエステラーゼが少ない遺伝的素質を持つ人では，その分解が遅れて数時間にも及ぶ筋弛緩をきたす．

5. 疾病および病的状態

健康時に比べ，病的状態では薬毒物に敏感になる場合が多い．特に肝臓，腎臓に高度の機能障害があれば代謝排泄が阻害され，薬毒物の効果は増強，遷延する．

6. 習慣作用（耐性）

同じ薬毒物または薬理活性の近似した薬毒物の反復投与により，生体の反応性が減弱することを耐性という．耐性獲得には吸収の低下，排泄促進などの要因もあるが，代謝酵素の活性が増強され，生体における解毒能が上昇することが最も大きな要因である．耐性を獲得する薬毒物として，モルヒネ類，バルビツール酸，リゼルグ酸ジエチルアミド lysergic acid diethylamide（LSD），覚醒剤，アルコール，ニコチン，カフェイン，ヒ素などがある．また，覚醒剤のように逆耐性が生じる場合もある．一方，分解が遅い有機水銀・ヒ素などは蓄積が生じる．

5．中毒発生の原因と現状

わが国における 2001 年以降の主な薬毒物による中毒死の発生状況を図 4-80 に示す．毎年一酸化炭素中毒が圧倒的に多く，次いで医薬品や農薬による中毒，2008 年から 2010 年まではその他の揮発性毒物中毒が多く，これらはほとんどが自殺である．2003 年には一酸化炭素中毒が前年の 1.8 倍に増加し，2005 年から 2010 年までは年 4,000 件を超えていた．これは，インターネットを通じて知り合った人々による，練炭の不完全燃焼による集団自殺を模倣した事例の急増が主な原因である．2003 年から 2010 年まで催眠薬・精神安定薬中毒が増加傾向にあったが，以後は漸減している．2008 年にはその他の揮発性毒物中毒が前年の約 7 倍に激増し，2010 年まで増え続けたが，そのほとんどは後述のとおり，硫化水素中毒自殺の流行によるものである．2010 年には一酸化炭素中毒以外の薬毒物中毒がいずれも前年の約 1.5 倍に増加し，総数も 1995 年以降で最も多かった．2011 年以降は硫化水素中毒が激減し，他の中毒死も年毎に多少の増減はあるが減少傾向が続き，薬毒物中毒死総数も漸減している．その他の揮発性毒物中毒では硫化水素の減少に対して2009年以降ヘリウムが増加傾向にあり，2015年以降は同中毒の半数弱を占めている．

自殺手段としての薬毒物中毒に，都市部では時代による流行と変遷がみられる．終戦後は青酸・黄リン中毒が多く，その後催眠薬中毒は増加したが，販売規制により激減した．代わって都市ガス吸引による一酸化炭素中毒が激増したが，都市ガスの天然ガス転換に伴い，激減した．一方，自動車排気ガスの車内引き込みによる一酸化炭素中毒死がみられるようになった．最近では，練炭や木炭を乗用車内で不完全燃焼させて自殺する方法に置き換わっている．2008年には含硫黄入浴剤と酸性洗剤を混合して発生する硫化水素で自殺することが流行し，社会問題となった．これに対し，農村地帯では有機リン剤やパラコートなどの農薬による自殺の頻度が時代に関係なく常に高い．

他殺目的に使用される薬毒物として，無色，無味，無臭で，致死量が微量であるものが選ばれる．かつて毒物の王者といわれた亜ヒ酸はこの目的に最も適したものであり，1998年に和歌山において自治会の夏祭りで供されたカレーに混入された．

化学・薬学の進歩により次々と新しい化学物質が開発され，現代社会には多種多様な薬毒物が存在している．殺虫剤のパラチオン，除草剤のパラコートなどは強力な効果を持つ反面，多くの急性中毒を発生させ，単独製剤は販売中止に追い込まれた．今日低毒性の農薬や医薬品が販売されているが，これらによっても急性中毒の発生をみる．多種類が開発されている催眠薬や精神安定薬は安全域の広いものも少なくないが，多剤を一度に多量に服用した中毒死がしばしば発生する．最近はこれらの乱用および犯罪での使用，さらに危険ドラッグの乱用が広がり，社会問題となっている．限られた対策ではあるが，飲食物への混入防止を目的に催眠鎮静剤への青色色素の混和（2015年）や，過量服薬による致死性が高い抗精神病薬・催眠薬・抗コリン薬の合剤（ベゲタミン）の販売中止（2016年12月）が行われた．

6．薬毒物の代謝と排泄

生体に摂取された薬毒物の大部分は主に肝臓で代謝（酸化・還元・加水分解・抱合）を受け，一般にその作用を減弱または消失したり，より極性の高い物質に変化して排泄される．肝臓以外の血液，脳，皮膚，腎臓なども弱い代謝活性を有する．通常，代謝により薬毒物はその作用が減弱または消失するが，クロルプロマジン，イミプラミン，エフェドリンなどは代謝を受けても生理活性を損なわない．また，逆に代謝によって毒性の強い物質に変化するものもある（表4-9）．

薬毒物は化学変化を受け水に溶けやすい，すなわち極性の高い代謝物に変化して，主として腎臓から尿中へ，また肝臓から胆汁中へ排泄される．胆汁中に排泄された代謝物は糞便中に排泄されることもあるが，通常腸管から再吸収され，最終的に尿中に排泄されることが多い．揮発性の有機溶剤や全身麻酔薬の未変化体は主に肺臓から排泄される．その他，汗，唾液，涙，乳汁からも排泄される．またメチル水銀，ヒ素，鉛，覚醒剤などは毛髪や皮膚に排泄，蓄積するので，これらの薬毒物に対する高感度の検出法は薬物依存・慢性中毒などの客観的証明法として裁判化学上重要な意義を有する．

表4-9　代謝により毒性の増強する薬毒物

薬毒物	代謝産物
エタノール	アセトアルデヒド
メタノール	蟻酸
抱水クロラール	トリクロロエタノール
コデイン	モルヒネ
五価ヒ素化合物	三価ヒ素化合物
エチレングリコール	シュウ酸
モノフルオロ酢酸	モノフルオロクエン酸
パラチオン	パラオクソン

7. 中毒および中毒死の判定

1 中毒の一般症状

中毒を疑われる患者では，いかにすばやく診断を下し，救急処置を行うかで患者の予後が決定される．原因薬毒物について情報が得られれば迅速診断はさほど困難ではない．しかし，薬毒物には特有な症状はほとんどなく，ときには消化器系疾患，中枢神経系疾患などと類似した症状を示すこともある．とにかく症状から中毒が疑われた場合には，薬毒物の検査を行い，その摂取の有無を確かめたうえで治療方針を立てることが重要である．臨床症状から推測される主な薬毒物を表 4-10 に示す．

2 中毒死の判定

外表ならびに内部所見から中毒死と判断できるのはごく一部の薬毒物だけであり，急死の共通所見を呈するのみの薬毒物中毒死が多い．死亡した人が生前に薬物を所持していた形跡，あるいは服用した形跡が現場には何ら認められなかったにもかかわらず，剖検後の血中薬物検査により薬物中毒死と判明することもある．それゆえ，死体検案や剖検に際しては，少しでも薬毒物中毒の疑いがあれば，各種の試料を採取して薬毒物の化学的検査を行い，検査結果，特に血中濃度の意義について，死体所見と合わせて評価し，中毒死か否かを総合的に判定する必要がある．

主な薬毒物の致死量ならびに中毒量，血中致死濃度は，後述の各論部分または表に示す．

1. 現場の検査

家族・救急隊員・警察官などの関係者から，死亡までの臨床経過，発見状況，薬物使用歴な

表 4-10 臨床症状から推測される主な薬毒物

中毒症状	主な薬毒物
1. 中枢神経症状	
昏　睡	麻薬，催眠薬，麻酔薬，有機溶剤，一酸化炭素，アルコール
昏　迷	アルコール，覚醒剤，コカイン，バルビツール酸 四エチル鉛，毒キノコ，ヒ素
麻　痺	アルコール，一酸化炭素，フグ毒，ヒ素，クラーレ
けいれん	ストリキニーネ，アトロピン，青酸塩，カフェイン，一酸化炭素，ニコチン，サリチル酸，有機フッ素，コカイン
頭　痛	一酸化炭素，ニトロベンゼン，硝酸塩，亜硝酸塩，アニリン，硫化水素，二酸化炭素
幻　覚	覚醒剤，コカイン，大麻，LSD，アトロピン，幻覚キノコ
2. 呼吸器症状	
呼吸抑制	麻薬，バルビツール酸，ベンゾジアゼピン類，青酸塩，抱水クロラール
呼吸困難	青酸塩，一酸化炭素，フグ毒，ホスゲン，塩素ガス
呼吸促進	アトロピン，コカイン，覚醒剤，ストリキニーネ，アスピリン
呼気の臭気	アルコール，フェノール，クレゾール，青酸塩，ヒ素
3. 循環器症状	
血圧低下	クロルプロマジン，バルビツール酸，三環系抗うつ薬，あへん，抱水クロラール，亜硝酸塩
血圧上昇	アドレナリン，ニコチン，鉛，覚醒剤，コカイン
徐　脈	ジギタリス，ピロカルピン，あへん
頻　脈	覚醒剤，コカイン，エフェドリン，アトロピン，三環系抗うつ薬
4. 消化器症状	
嘔吐，下痢，腹痛	腐食性毒物，重金属，有機リン，ニコチン，キノコ毒
流　涎	有機リン，水銀，有機フッ素，ニコチン
5. その他の症状	
散　瞳	アトロピン，有機塩素，青酸塩，一酸化炭素，アルコール，覚醒剤，コカイン
縮　瞳	バルビツール酸，麻薬，有機リン，モルヒネ
チアノーゼ	バルビツール酸，ニトロベンゼン，アニリン
低体温	バルビツール酸，エタノール，モルヒネ，フェノチアジン類，三環系抗うつ薬
体温上昇	覚醒剤，コカイン，抗コリン薬，フェノチアジン類

どの情報を得る．死体発見現場では，室内ならごみ箱の中も含めて，薬包紙・空瓶・残りの薬剤などの有無を調べることが必要である．通院先病院から薬剤投与履歴の情報を得ることも重要である．

2. 外表所見

一酸化炭素中毒では死斑が鮮紅色である（**口絵写 61**）．青酸塩中毒でも死斑の色調が限局性に赤味を帯びる場合もあるが，通常の死斑を示すことが少なくなく，注意を要する．またメトヘモグロビン形成毒［塩素酸カリウム（**口絵写 59**），亜硝酸ソーダなど］では灰褐色の死斑が観察され，硫化水素中毒では皮膚の色が斑に緑色を帯びる場合がある（**口絵写 60**）．強酸，強アルカリなどの腐食毒は口腔粘膜，口角，口周囲の皮膚に灰白色あるいは黒褐色の変色を生じる．

特有の色を持っていたり，着色された薬毒物は接触部位を着色する．口腔粘膜や口の周囲が，パラコート製剤では青緑色に，重クロム酸カリウムでは黄色を呈する．

有機リン系農薬では副交感神経刺激による縮瞳がみられるが，死後経過時間が 1 日以上に及ぶと縮瞳が認められない場合もある．

3. 内部所見

経口的に摂取された薬毒物によっては，剖検により中毒とわかるものもある．薬毒物が最初に接触する消化管，特に滞留時間の長い胃には，変色・びらん・出血などの種々の所見がみられ，これらの所見から薬毒物の推測が可能なことがある．

胃を開いたとき，特有な臭気を発する薬毒物として，石炭酸臭はフェノール・クレゾール，苦扁桃（アーモンド）臭は青酸塩，ニンニク臭はヒ素，石油臭は有機リン剤などの農薬，アルコール臭はエタノールなどがある．アルカリ類や青酸塩摂取では胃内容物がアルカリ性を示す．強酸，強アルカリなどの腐食毒は口腔，食道，胃腸壁の粘膜に凝固壊死や融解壊死を起こし，粘膜を灰白色ないし黒褐色に変色させる．剖検時，胃粘膜に広範囲な強いびらん性出血が認められる場合には腐食性毒物をまず疑ってみる必要がある．青色に着色されたフルニトラゼパム錠の服用では胃内容物が青色を呈する．ヒ素中毒では小腸内に米のとぎ汁様便を入れる．ヒ素・黄リン・四塩化炭素中毒では肝臓に脂肪変性を認める．ホルマリンを服用すると胃粘膜の凝固，収縮を生じる．

8. 薬毒物分析用の試料採取とその保存

試料採取は薬毒物検査の重要な一歩である．中毒死が濃厚な場合だけでなく，疑われる場合でも後日問題となることを考慮して，試料は必ず採取・保存すべきである．試料の採取に際しての基本的留意点は，必要量の確保，分析目的に適した試料の選択，汚染・放散・変質の防止である．

1 生体からの試料採取

血液，胃洗浄液，尿だけでなく，毛髪，爪なども検査試料となる．経口摂取では吐物や胃洗浄液中に錠剤，粉末を含むことも多く，これらは分析の有用な試料となる．

生体試料を採取する際の留意点として，血液は 10 mL 以上採取し，採血時の消毒にはアルコールを使用しないこと，抗凝固剤の使用はできるだけ避け，尿は全量を採取することなどがあげられる．

2 死体からの試料採取

薬毒物の生体における分布状態，代謝・排泄の各過程，薬毒物の諸性質などを熟知したうえ，分析目的に適した試料を選んで採取すべきである．

死体検案では，必ず文書または口頭で遺族の承諾を得たうえで心臓血と尿を穿刺・採取する．

剖検に際しては，血液，尿，各臓器（10～20 g），胃および腸内容物，骨格筋，脂肪組織などを採取する．重金属の慢性中毒では，毛髪，爪，骨などの硬組織が重要な試料となる．

3 試料の保存

試料保存用容器は，化学的に清潔で，破損しにくい，密栓可能な，外部から汚染を受けない，試料中の揮発性物質などが消失しないものが適する．通常ポリエチレン製かガラス製容器でシリコンないしテフロン栓のものを用いる．液体試料は凍結時の容器破損を避けるため容器の8～9分目ほど入れ，冷蔵庫または冷凍庫に保存する．臓器は塩化ビニリデン製袋などに入れ，ただちに－30℃以下の冷凍庫に保存する．分析上好ましくないが，防腐剤が必要であれば，血液や尿にはフッ化ナトリウム，胃内容物などには50％程度にエタノールを加える．ガス採取にはエアーウイック（産業用）が便利である．

長期保存が必要な場合は－80℃の超低温冷凍庫に保管する．ガス体中毒では，試料採取後ただちに検査を開始する．

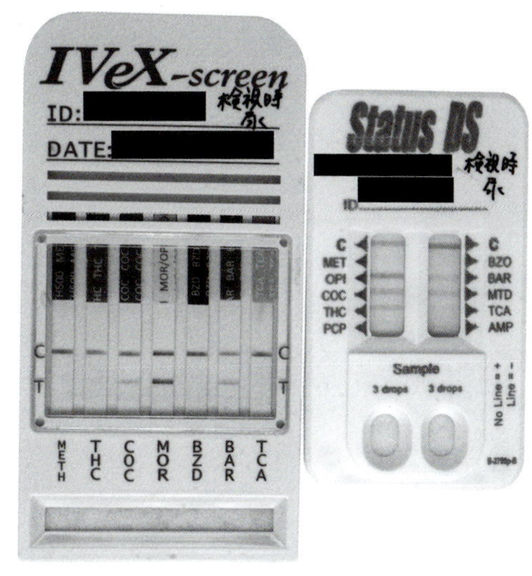

図 4-81　アイベックススクリーン（右）および STATUS DS（左）

42歳，女性．躁うつ病．居間のベッド上にうつ伏せで死亡．居間の床に精神安定薬や睡眠導入薬など計約500錠の空包が整然と並べられていた．アイベックススクリーンおよびStatus DSによる尿検査により，覚醒剤（METH, MET，AMP），ベンゾジアゼピン類（BZD，BZO），三環系抗うつ薬（TCA）が陽性であった．LC/MS/MSにより，大動脈血から7-アミノフルニトラゼパムとクエチアピン（中毒濃度）が検出された．

9．薬毒物分析

薬毒物分析の基本的順序は，一般的な前検査，予備試験，本試験である．

特定の目的物質を分析する場合はそれに応じた最適な分析法を用い，薬毒物の種類が不明，あるいは多種類のものが混在している場合などは，一般的な薬毒物の系統分析法に従って行う．

1 一般的前検査

試料の外観，重量，臭気，pH，色調などについて記録する．胃内容物では，食物残渣，錠剤などの破片の有無，中毒原因物質であることが疑われる動植物片についても詳細に記録する．

2 予備試験および簡易迅速試験

予備試験を行い，原因物質についてある程度の目安をつける．最近は，尿中乱用薬物スクリーニング検査キットが数種類市販されており，救急外来や法医解剖において頻用されている（図 4-81）．

複数検体用検査キットとしてトライエージDOA（2021年3月販売終了）の後継品SIGNIFY ERのほか，インスタントビューM-1やその改良品のアイベックススクリーンM-1，DRIVEN-FLOW M7-Ⅱ，DRIVEN-FLOW M8-Z，STATUS DSなどが市販されており，アンフェタミンや3,4-メチレンジオキシメタンフェタミン3,4-methylenedioxymethamphetamine（MDMA），ゾルピデムを検出できるキットもある．どの検査キットも測定原理は抗原抗体反応であり，検査対象の薬物毎に検出下限濃度（cutoff値）が異なるため，同一薬物群に属する薬物でも偽陰性を示すことがあること，腐敗産生物やエフェドリンによる覚醒剤陽性反応，感冒薬などに含まれるジヒドロコデインによるモルヒネ系麻薬陽性反応などの偽陽性反応が認められる場合があることを理解して使用することが必要である（表 4-11）．したがって，薬物摂取の確定には機器分析による確認検査が不可欠である．

3 本試験

本試験の基本的な手順は，抽出 → 分離・精製 → 定性分析 → 定量分析の順である．

1．抽出・分離・精製法

体液，組織などの検体から，薬毒物分類の項にあげた薬毒物群への大まかな分画を行う．検査対象の大部分を占めるものは難揮発性の有機薬毒物であり，酸性および塩基性薬毒物がほとんどで，多くはクロロホルム，酢酸エチルなどの有機溶媒に移行する．

揮発性薬毒物のなかで，低沸点化合物についてはガスクロマトグラフィー gas chromatography（GC）を用いた気化平衡法による分析が一般的である．

難揮発性有機薬毒物は 2 段階に分けて抽出・分離する．液性の差を利用して酸性，塩基性，中性物質に分画する Stas-Otto 法（図 4-82）を基本に各種の変法がある．

最近では操作の簡単なカラム抽出法として，エキストレルート（Extrelut®）カラム法の他，固相担体を充填したカラムに液性試料を通し，薬毒物と夾雑物とを分離・抽出する固相抽出法

表 4-11　乱用薬物スクリーニングキットに認められる偽陽性反応

偽陽性反応	偽陽性を示す例
AMP	麻黄を含む感冒薬服用後の尿 麻黄・麻黄代謝成分を含有する香草・自然食品摂取後の尿 腐敗産物フェネチルアミンを含む尿
OPI	ジヒドロコデイン・リン酸コデインを含む医薬品服用後の尿
TCA	腐敗尿（原因物質は不明）

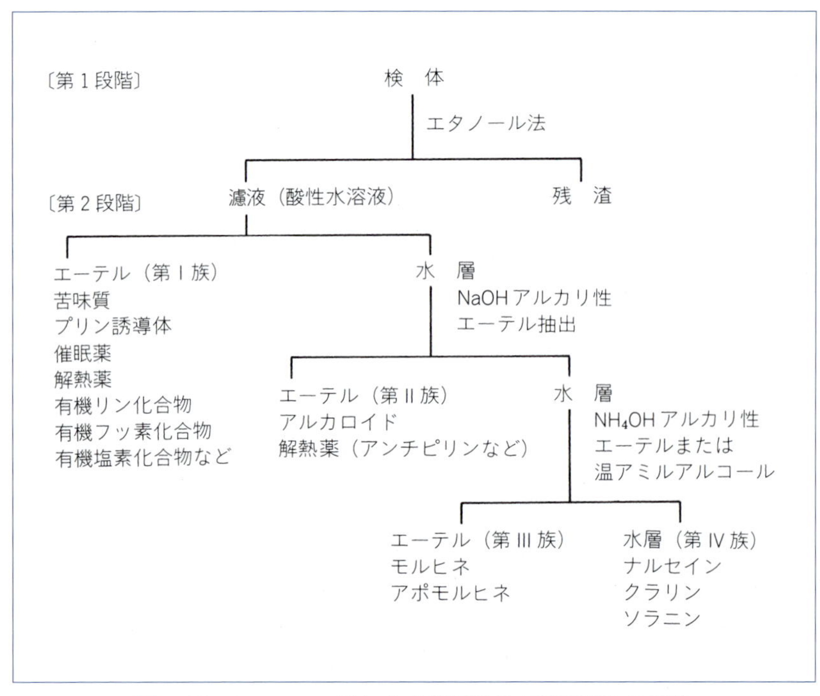

図 4-82　Stas-Otto 法による難揮発性有機薬毒物の分離

が広く利用され，逆相系カラムのセップパック（SepPack®）カラム法などが用いられている．さらに，固相マイクロ抽出法も実用化されている．

2. 定性および定量分析

機器分析法が主流となっている．主な分析法を示す．

▶薄層クロマトグラフィー thin-layer chromatography（TLC）

ガラス板やアルミシートのような平板に担体を附着させた薄層板を用いる．安価な装置で簡便に行え，短時間で多数の試料が分析可能であり，薬毒物スクリーニング法として優れている．

▶ガスクロマトグラフィー gas chromatography（GC）

本法の原理は，試料中の揮発性成分がカラム内をキャリアガス（ヘリウムまたは窒素）とともに流れる間に，カラムの液相（あるいは固相）との分配比（吸着比）の違いに基づいて分離されるもので，化合物の同定は試料注入後からピークの出現までの時間（保持時間）を指標とする．分離能・再現性に優れるが，難揮発性物質や熱分解する物質は分析できないので，誘導体化が必要である．

GC は気化平衡法と組み合わせて，アルコールなどの揮発性物質の分析に常用されるなど，薬毒物分析の基本的かつ不可欠な分析方法である．分析対象物質に応じて，水素炎イオン化検出器 flame ionization detector（FID）などの各種検出器と組み合わせて使用される．

▶高速液体クロマトグラフィー high performance liquid chromatography（HPLC）

液体クロマトグラフィー liquid chromatography（LC）の一種で，充填剤を詰めたカラム内に液体の移動相をポンプで流し，移動速度の差を利用して分離・同定する．分離能は GC に劣るが，GC 分析に適さない高極性，熱不安定性，あるいは難揮発性化合物の分析に適している．化合物の性質に応じて，順相クロマトグラフィー，逆相クロマトグラフィー，イオン交換クロマトグラフィーが選択される．検出器は紫外・可視吸光光度計，蛍光光度計などが用いられる．

▶質量分析法 mass spectrometry（MS）

最も標準化された正イオン電子衝撃イオン化 positive ion electron ionization（PIEI）法では，高真空下で加熱気化した分子に電子衝撃を加えて分子を開裂させ，生成した多数のフラグメントのうち正荷電したものを電場内で加速して磁場に導入する．フラグメントの質量数に応じて生成イオンが分離され，マススペクトルのパターンから分子量や化学構造が決定できる．薬毒物分析で最も信頼性の高い同定法である．これと分離手段としての GC を結合した GC/MS は，最も多くの分析情報を得ることができ，薬毒物データベースやライブラリも充実している，化合物同定に最適な分析法である．

HPLC に質量分析計を接続した LC/MS は，近年開発が進んで普及し，多くの薬毒物を誘導体化せずに MS によって検出同定できる方法である．

さらに，質量分析計を 2 台直列につなぎ，1 台目をプリカーサーイオン選択用，続く衝突室で不活性ガスと衝突させて断片化してプロダクトイオンを生成し，2 台目をプロダクトイオン検出用に用いる MS/MS（タンデム MS）法が近年広く利用され，GC/MS とともに LC/MS/MS による薬毒物スクリーニングが法医学領域の薬毒物分析の主要な方法となっている．最近は，精密質量測定が可能な飛行時間型質量分析計 time of flight mass spectrometer（TOF-MS）によって，新規合成化合物などの標準品がない薬物の分析も行われている．

▶原子吸光法 atomic absorption spectrometry（AAS）

金属元素は原子蒸気化することで特定波長の光を吸収し，濃度測定が可能となる．

これには，燃焼ガスのフレーム中に試料溶液を噴霧導入するフレーム法とフレームレス法がある．

▶吸光および蛍光光度法

吸光光度法は，波長の異なる光に対する物質の吸収を測定するもので，紫外，可視，赤外吸収スペクトル法がある．蛍光光度法は蛍光性物質の蛍光スペクトルを測定するもので，特異性があり，高感度分析に適している．

4 薬毒物分析結果の解釈における留意点

死体試料の薬毒物分析には死後変化の影響を考慮しなければならない．腐敗細菌によるアルコール類や腐敗アミン類，青酸の死後産生，血液中の酵素や細菌による薬物の死後分解（代謝），胃および膀胱内のアルコールや薬物の周囲組織への死後拡散，塩基性薬物の死後再分布（高濃度臓器から血液中への移動・拡散）などが起こり，血中濃度が変化する．したがって，このような死後変化の影響を考慮して，分析試料の採取ならびに分析結果の評価，他の剖検所見と総合した死因との関係の考察を行うことが重要である．

B 各　論

1．有毒ガス（表 4-12）

1 一酸化炭素 carbon monoxide（CO）

一酸化炭素は，無色，無臭の気体で，空気よりもわずかに軽く（空気に対する比重 0.967），可燃性で，空気中に 12～75％含まれると爆発の危険性がある．炭素または炭素化合物が不十分な酸素供給下で不完全燃焼すると発生する．CO 中毒は不完全燃焼や火災，自動車の排気ガスによるものがほとんどで，中毒死の第一位を占める（図 4-80）．

ディーゼルエンジン自動車の排気ガスは CO を含んでいないが，ガソリン自動車の排気ガスは 4～5％以下の CO を含み，その車内引き込み

表 4-12　主要な薬毒物の致死量・中毒量・血中致死濃度①

薬毒物	致死量	中毒量または血中中毒濃度	血中致死濃度
有毒ガスおよび揮発性物質			
一酸化炭素	0.1～1％	COHb 10～20％以上	COHb 60～70％以上
二酸化炭素	30％，9％・5 分，10％・1 分		
二酸化窒素	64 ppm		
硫化水素	1,000～2,000 ppm（数分）	50 ppm	1～4 μg/mL
塩素	430 ppm（30 分），1,000 ppm（即死）	15 ppm	
アンモニア	10,000 ppm（3 時間）		
リン化水素（ホスフィン）	400～600 ppm（30～60 分）	290～430 ppm	
ヒ化水素	250 ppm（30 分）	3～10 ppm	
亜硫酸ガス	400～500 ppm（数分）		
二硫化炭素	5,000 ppm（20～30 分），7 g（経口）	4,000 ppm（30 分）	
メタンガス	約 90％		
ホスゲン	25～90 ppm		
塩化ビニル		20 ppm	
シアン $(CN)_2$	180 ppm	16 ppm	
青酸（シアン化水素）	200～300 ppm（数分）	0.1～0.2 μg/mL	3～5 μg/mL
青酸カリウム	200～300 mg（成人）	1～2.3 μg/mL	3～5 μg/mL
ホルムアルデヒド	30～120 mL（37％ホルマリン），10～30 mL（原液）		
LP ガス	65％	6％	
プロパン	50,000 ppm		

薬毒物中毒死の判定においては，致死量は個人差が大きいことを考慮する必要がある．

（参考　Winek, C. L., et al.：Drugs and chemical blood-level data, 2001. Forensic Sci Int 122, 107-123, 2001）

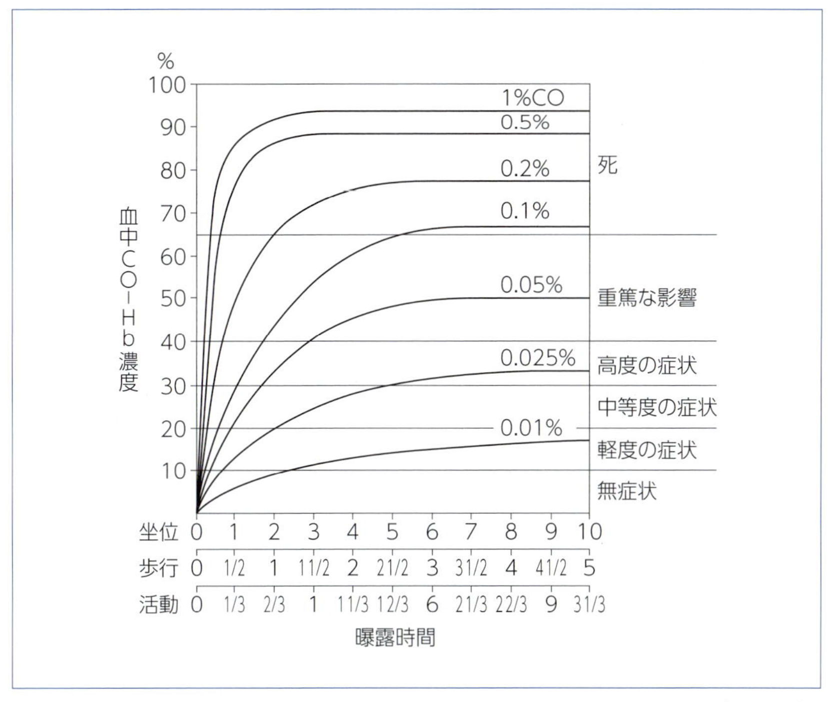

図 4-83　空気中の CO 濃度と血中 COHb 濃度ならびに症状との関係（J. May）

は CO 中毒自殺の代表的手段の一つであった．しかし最近は，ガソリン自動車でも排気ガスに CO をほとんど含有しないため，従来のような排気ガスによる CO 中毒死は少なくなった．したがって，自動車排気ガスによる死者の死斑が鮮紅色でない場合，死因には CO 中毒のほか，酸素欠乏の影響や，窒素酸化物・ベンゼン・トルエンなどの影響を考慮する必要がある．

一方，インターネットの自殺サイトを介して知り合った人たちが，閉めきった自動車内や室内で練炭や木炭を不完全燃焼させて集団自殺する事例が近年相次ぎ，社会問題となっている．

1．中毒機序

CO はヘモグロビン hemoglobin（Hb）に対して酸素の 200～300 倍の親和性を有し，強固に結合して一酸化炭素ヘモグロビン carboxy hemoglobin（COHb）を形成する．その結果，① Hb の酸素運搬能力を阻害し，② 酸素解離曲線を左方移動させて酸素化ヘモグロビン oxygenated hemoglobin（HbO_2）からの酸素解離を妨げ，Hb 量の減少以上に酸素運搬能力を低下させ，内窒息を引き起こす．

血中 COHb 濃度は，空気中の CO 濃度（分圧）と曝露時間，換気量などにより決まる（**図 4-83**）．さらに，酸素分圧が低いと，血中 COHb 濃度は高くなる．

小児は体格に比べて換気量が大きい（体重当たりの分時換気量が大きい）ので，血中 COHb 濃度が上昇しやすく，同じ CO 濃度の空気を呼吸していても，大人は死亡せずに，小児のみが CO 中毒死することが起こりうる．

なお，喫煙者の血中 COHb 濃度は 5～15％程度である．

2．中毒症状

急性 CO 中毒の症状は血中 COHb 濃度に依存する（**表 4-13**）．初期には額の圧迫感，頭痛，倦怠感があり，さらに重症となると，激しい頭痛，運動麻痺・悪心・嘔吐をきたし，昏睡の後，死亡する．致死濃度は 60～70％以上である．

3．死体所見

最も特徴的な所見は，COHb が鮮紅色であるため，死斑が鮮紅色を示し（**口絵写 61**），血液

表 4-13　血中 COHb 濃度と中毒症状

COHb（%）	中毒症状
0～9	なし（喫煙者の血液には 5～15% の COHb を含む）
10～19	軽い頭痛，額の圧迫感
20～29	頭痛，側頭部の拍動，めまい，判断力低下，倦怠感
30～39	激しい頭痛，視力低下，悪心，嘔吐
40～49	上記症状に加え，頻脈，呼吸数の増加，運動麻痺
50～59	意識消失，チェーンストークス呼吸，けいれん，昏睡，ときに死亡
60～69	心拍と呼吸の減弱，昏睡，失禁，発汗
70～	呼吸停止，死亡

や各臓器の色も鮮紅色を帯びることである．一酸化炭素ミオグロビンの形成により筋肉も鮮紅色を呈する．各臓器はうっ血し，多くの例で肺水腫を認める．中毒経過が数日以上に及ぶと，両側淡蒼球に対称性壊死を認めることがある．

4. 検出法

吸光度測定による血中 COHb 定量が最も簡便であり，種々の変法が報告されている．一例をあげると，検査血液を炭酸ナトリウム水溶液で希釈し，ハイドロサルファイトナトリウムを加えて溶解させ，吸光度を測定し，538 nm の吸光度と 555 nm の吸光度の比を求め，検量線から COHb 濃度を求める．

GC による定量は，血液にフェリシアン化カリウムを加え Hb から CO を解離させ，遊離した CO を熱伝導度検出器 thermal conductivity detector（TCD）で検出する．

2 二酸化炭素（炭酸ガス）

carbon dioxide（CO_2）

二酸化炭素は無色・無臭・水溶性の，空気よりもわずかに重い（空気に対する比重 1.53）気体で，大気中の濃度は現在約 0.03%（約 300 ppm）であるが，18 世紀半ばの産業革命以降の化石燃料の大量消費により大気中濃度は上昇し続け，近年は気候変動・地球温暖化の原因物質としてその削減は地球規模での喫緊の課題となっている．炭素または炭素化合物の燃焼により発生するほか，火山ガスに含まれ，動植物の代謝・呼吸，微生物による有機物分解によって産生されるありふれた気体である．工業用途では炭酸ガスレーザー，熔接，フロン代替用冷媒，農業では植物の促成栽培，殺虫用燻蒸剤，そのほか消火剤，冷却用ドライアイス，炭酸飲料などとして広く利用されている．

二酸化炭素中毒事故は，自動消火設備からの噴出，冷凍庫や自動車内などの閉鎖空間でのドライアイスの昇華，船倉やタンク・貯蔵庫などでの大豆や大麦，もろみ，球根などの呼吸・醗酵などにより二酸化炭素濃度が高まった閉鎖空間への立ち入り，火山ガスの噴出・滞留で起こることが多い．

1. 中毒機序

高濃度の二酸化炭素吸入により中枢神経が抑制されて急速な意識障害が起こり，呼吸停止に至る．赤血球内の炭酸脱水酵素による炭酸の生成・電離による血中水素イオン濃度の急上昇により細胞機能が傷害されて死亡する．

2. 中毒症状

空気中の二酸化炭素濃度が高くなると，酸素濃度が低下していなくても，二酸化炭素自体の毒性によって中毒に陥り，死亡する．

中毒症状は，空気中濃度 3～5% では頭痛，眩暈，呼吸困難，4% は脱出限界濃度，8～10% では激しい頭痛，発汗，5～10 分で意識消失，10% では視覚障害，耳鳴，1 分で意識消失，30% 以上ではほぼ即時に意識を消失して死亡する．最小致死濃度は 9%・5 分または 10%・1 分とされる．0.5% が許容濃度である．

直接死因はアシドーシスによる致死性不整脈，中枢神経抑制・副交感神経亢進による呼吸・循環抑制などが推測されている．

3. 死体所見

窒息死に見られる急死の共通所見の他，特異な所見はない．中毒時には呼吸生理上，動脈血炭酸ガス分圧 partial pressure of arterial carbon dioxide（$PaCO_2$）上昇，動脈血 pH 低下，呼吸性アシドーシスなどを呈するが，これらは救急処置により速やかに変化する．死体血の血液ガス分析結果は死因診断に利用できない．

4. 検出法

分析法は赤外分析計，GC などがある．

3 硫化水素 hydrogen sulfide（H_2S）

硫化水素は空気よりやや重い（空気に対する比重 1.19）無色透明の特有な腐卵臭を発する刺激性の気体で，その毒性は青酸に匹敵する．石油化学，皮革工業などの工程の副産物として，またタンパク質の嫌気的分解の最終産物として糞尿処理場，下水道などでも発生し，労働災害として中毒がしばしば発生する．自然界では火山ガスに含まれ，火山や温泉で中毒が発生することがあり，ときに一度に複数人が死亡する事故が起こる．2008～2010 年には，含硫黄入浴剤と酸性洗剤を混合して硫化水素を発生させ，自殺する事例が激増した．

1. 中毒機序

硫化水素は比較的低濃度で皮膚・粘膜に対する局所刺激作用を示す．全身作用をもたらす毒性として，青酸と同様に細胞内のミトコンドリアに存在するチトクローム酸化酵素の三価鉄と可逆的に結合し，組織呼吸を阻害する．

硫化水素は生体内で速やかにチオ硫酸塩や硫酸塩に酸化されて無毒化される．

2. 中毒症状

中毒症状は曝露時間よりも空気中の濃度と相関が高い．0.1 ppm で腐卵臭を感じ，5～10 ppm 以上になると頭痛，歩行障害，脱力感などの急性中毒を起こし，50～150 ppm で臭覚疲労，150～300 ppm で結膜炎，流涙，気管支炎，肺水腫などをきたす．500 ppm 程度で幻覚，意識混濁，呼吸困難などが起こり，30～60 分以内に死亡，700 ppm では数分で死亡，1,000 ppm 以上では速やかに意識消失，呼吸停止をきたし，死に至る．

3. 死体所見

急死した場合は特有な所見はなく，死斑が緑色を呈することもない．長時間高濃度に曝露されると皮膚や臓器に帯緑色の変色（**口絵写 60**）がみられる．

4. 検出法

予備試験は，試料を三角フラスコにとり，酢酸鉛溶液で湿した濾紙を懸垂すると，硫化鉛の生成によって同試験紙が黒変する．

定量は炎光光度検出器 flame photometric detector（FPD）付 GC，GC/MS で行う．

チオ硫酸塩はペンタフルオロベンジル pentafluorobenzyl（PFB）誘導体化して GC または GC/MS で定量する．

もちろん，腐敗により発生する硫化水素と区別できないので，死体についての硫化水素吸引の証明は腐敗のない試料に限られる．

4 液化石油ガス liquefied petroleum gas（LPG）

家庭用燃料に使用される LPG は，プロパン，プロピレンを主成分として，メタン，エタン，ブタン，ブチレンなどを含む混合ガスであり，その組成は製造会社，季節などにより異なる．

LPG の成分はいずれも無色，無臭の気体で，空気よりも重く室内の低部に滞留し，爆発下限が低いので，引火爆発を起こしやすい．漏れを感知できるように着臭剤により不快臭が付けられている．

1. 中毒機序および症状

主たる毒性は脂肪族炭化水素による中枢神経麻痺で，麻酔作用として意識障害，運動失調などを招き，最終的には呼吸麻痺をきたす．吸気中濃度 6％以上でめまい，嘔気などの中毒症状を発症し，40％以上で麻酔域，65％以上で致死域である．しかし，急激に放出されると，空気が LPG に置換されて酸素濃度が低下し，酸素欠乏状態に陥って窒息する．低濃度域では心室細動により死亡することがある．急性中毒では，新鮮な空気の所へ移すとほとんどは回復し，後遺症を残すことはない．

2. 死体所見

急死所見以外に，特異な所見はない．

3. 検出法

LPG成分はFID付GCにより，血液その他の組織から容易に検出できる．

5 亜硫酸ガス（二酸化硫黄）

sulfur dioxide（SO_2）

亜硫酸ガスは，硫黄を含む石炭，石油系燃料の燃焼により発生するほか，自然界では火山ガスに含まれる．このため，各種化学工業の工場や，火山，温泉で中毒を起こすことがある．また，銅精錬所，製紙工場などによる公害汚染問題でよく知られている．

性状は無色の気体で，強い刺激性の不快臭がある．毒性は主として呼吸器系の障害を起こし，20 ppmで流涙・咽喉頭痛，100 ppm以上で生命に危険域，高濃度（400～500 ppm）では声門浮腫や声門けいれんを起こし，窒息死を招く．

2．工業用化学物質

1 酸およびアルカリ

1. 無機酸

硫酸，塩酸，硝酸が代表的である．塩酸は住居用洗剤として使用され，手近にあるため，自殺に用いられることが多い．硫酸は自動車用蓄電池に用いられ，ときに自殺に用いられる．

これらの酸は強力な腐食作用があり，接触した組織に凝固壊死 coagulation necrosisを生じる．腐食作用は硫酸が最も強く，硝酸がこれに次ぎ，塩酸では比較的弱い．皮膚に接触すると接触部位の発赤・腫脹・疼痛などの化学熱傷，角膜では潰瘍を生じる．服用するとただちに口腔内に灼熱感，嚥下痛，前胸部痛，上腹部痛を訴え，悪心，嘔吐が発生する．喉頭に達すると喉頭浮腫による呼吸困難が生じる．しばしば嚥下不全を合併し，口腔内の分泌物や血液を気管内に誤嚥し，呼吸障害を生じることもある．回復期には消化管，特に幽門の瘢痕狭窄を形成する．

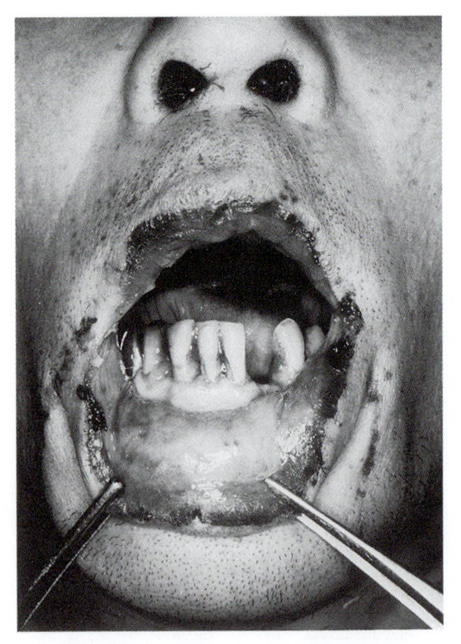
図 4-84　塩酸による口唇の腐食

主な死体所見は皮膚ならびに口腔から十二指腸の粘膜の腐食であり，浮腫，びらん，潰瘍，出血などが生じる（図 4-84）．通常，硫酸では強い脱水作用により組織は炭化されて黒色ないし黒褐色を呈し，硝酸ではキサントプロテイン反応により黄色を呈する．塩酸では暗褐色を呈し，高濃度で白色ないし灰白色の痂皮を形成する．ときに胃の穿孔を認めることがある．

急性中毒の死因は，ショック死や喉頭浮腫による窒息死，胃穿孔による腹膜炎などである．

2. 有機酸

フェノール，クレゾールはともに特有の臭気を有し，消毒剤，防腐剤，殺虫剤，せっけん液などとして使用されている．酸，アルカリを含め，腐食剤・消毒剤による急性中毒ではクレゾールが一番多い．

これらはタンパク凝固による腐食性はあるが，強酸，強アルカリよりは弱い．皮膚から容易に吸収される．消化管に入ると急速に吸収され，嘔吐・腹痛・下痢のほか，中枢神経系，心臓などに作用し，大量服用では昏睡，呼吸抑制，循環虚脱により死亡する．

致死量はフェノール 2〜10 g，クレゾールせっけん液 100〜150 mL である．

3. アルカリ類

水酸化ナトリウム sodium hydroxide（苛性ソーダ，NaOH）と水酸化カリウム potassium hydroxide（苛性カリ，KOH）が代表的な化合物である．

これら強アルカリはタンパク質を融解し，脂質を鹸化して組織を腐食する（融解壊死 liquefactive necrosis）．酸に比べてより深層まで組織を融解するため消化管穿孔を起こしやすい．胃酸で中和されるため，胃よりも食道の損傷が強く，腐食性食道炎・穿孔，縦隔炎をきたす．大量摂取では口腔内の灼熱感，嚥下痛，前胸部痛，腹痛を訴え，ショックを起こし，気道浮腫のため呼吸困難を訴え，死に至る．

主な剖検所見として，接触部位の粘膜が白色ないし褐色を呈し，軟らかいゲル状物質で覆われる．

4. 検出法

無機酸・アルカリはイオンクロマトグラフィー，有機酸は GC，GC/MS，HPLC による．

2 青酸および青酸塩

hydrogen cyanide（HCN），cyanides

青酸（シアン化水素）はアーモンド臭を有する沸点 25.7℃の弱酸の液体で，容易に気化し，青酸ガスになる．青酸は殺虫剤や殺鼠剤として使用される．また，家具や室内調度品に広く使用されているポリウレタン，ポリアクリロニトリルなどの燃焼によっても発生するため，火災死体には青酸中毒を考慮する必要がある．

青酸塩には青酸カリウム potassium cyanide（KCN）と青酸ナトリウム sodium cyanide（NaCN）があり，これらは電気メッキ・冶金など各種工業で使用されているために入手しやすく，殺人，自殺の目的にしばしば使用され，これまでに帝銀事件（1948 年），青酸コーラ事件（1977 年），グリコ・森永事件（1984 年）など，社会的関心を集めた事件が数多く発生した．

アオウメ，クヘントウ，アンズなどのバラ科植物の種子にはアミグダリンなどの青酸配糖体が含まれ，胃液で加水分解されて青酸を分離し，中毒を起こすことがある．

1. 中毒機序

青酸塩は胃内で胃酸によって青酸（シアン化水素）となり胃粘膜から，また青酸ガスは吸入により肺臓から吸収されて中毒作用を現す．吸収されたシアン化物 cyanide（CN）イオンはミトコンドリア内にあるチトクローム酸化酵素の三価の鉄イオンと結合し，その活性を阻害する．このため細胞の呼吸は障害され，細胞は低酸素状態（内窒息）となる．

吸収された青酸の約 80%はミトコンドリア内のロダネースによりチオ硫酸塩の硫黄と反応して弱毒性のチオシアン酸塩 thiocyanate（SCN）となり，尿中に排泄されるが，チオ硫酸塩は限られているため，多量摂取時には解毒機構は機能しない．

治療法は，亜硝酸塩を投与して三価鉄を持つメトヘモグロビンを生成し，CN イオンをこれと結合させることにより，チトクローム酸化酵素活性を回復させる．

2. 中毒症状

多量の青酸塩の経口摂取では数分以内に，青酸ガス吸入では数秒以内に症状が発現し，急激に意識消失，けいれん，呼吸停止などを生じて死亡する．比較的少量摂取時には頭痛，脱力，悪心，嘔吐，頻脈，めまい，呼吸促迫などの症状がみられ，1 時間生存していれば比較的予後はよいといわれている．

致死量は青酸 50〜60 mg，青酸ガス 200 ppm，青酸塩 200〜300 mg である．

3. 死体所見

死斑および各臓器は多少赤色を呈する．これは組織での酸素利用が低下し，静脈血に酸素化ヘモグロビンが増加することと，血中に存在するメトヘモグロビンとCNが結合し，シアンメトヘモグロビンを形成することによる．なお急死した場合にはこのような所見はみられないことが多い．青酸塩の経口摂取の場合，胃内容物は青酸特有の苦扁桃臭を発し，口唇，口腔，食道，胃粘膜には強アルカリ性による赤褐色の腐食が認められ，胃内容物はアルカリ性を呈する（**口絵写63**）．

4. 検出法

予備試験としてSchöbein-Pagenstecher法がある．

定量法はピリジン・ピラゾロン法やGCで行う．青酸塩は分解しやすく，次第に炭酸塩に変化するため，できるだけ速やかに測定する必要がある．また，青酸は生前・死後ともにさまざまな物質から産生されるため，検体から検出された場合はその意義の検討を要する．

3 ヒ素 arsenic（As）

ヒ素は半導体・硝子製品・防腐剤・シロアリ駆除剤などに使用されている．ヒ素化合物には三酸化二ヒ素 diarsenic trioxide（亜ヒ酸，As_2O_3），ヒ酸鉛，ヒ酸石灰などがある．亜ヒ酸は白色粉末で，強い毒性を有し，無味無臭のため，過去には自殺，他殺，集団食中毒による急性中毒が多数発生した．1955年のヒ素ミルク中毒事件，1998年には和歌山ヒ素カレー事件が発生し，死者4人，重軽症者63人を数えた．

1. 中毒作用

三価のヒ素と五価のヒ素があり，三価のヒ素のほうが毒性が強い．三価のヒ素はタンパク質のSH基と結合して，種々の酵素を不活性化し，細胞代謝を障害する．

2. 中毒症状

服用後30〜60分で嚥下困難を訴え，次いで激しい腹痛と持続的嘔吐，下痢が起こる．排泄物は米のとぎ汁様便で，最後には血便となる．呼気はニンニク臭を帯びる．脱水による電解質の喪失でショックに陥り死に至る．通常1〜3日以内に死亡する（胃腸型）．

大量摂取すると中枢神経麻痺により呼吸困難，昏睡，けいれんをきたし，心室細動などによる急性心不全やショックにより6時間以内に死亡することがある（麻痺型）．

慢性中毒では，悪心・嘔吐・下痢のほか，皮疹・ヒ素黒皮症・白斑・脱毛・手掌足底角化症，爪の横走白線（ミーズ線），肝・腎障害，多発性神経炎などが起こる．

3. 死体所見

胃腸粘膜はうっ血し，浮腫状で，びらん性出血を認めることもある．小腸は腫脹し，内部に米のとぎ汁状ないし血性液を認める（**口絵写65**）．経過が長引くと肝臓に脂肪変性がみられる．

4. 検出法

予備試験としてReinsch法，確認試験としてGutzeit法とMarsh法がある．定量は原子吸光光度法による．微量のヒ素分析は誘導結合プラズマ質量分析inductively coupled plasma mass spectrometry（ICP-MS）により行う．慢性中毒では毛髪，爪などを試料とする．

4 リン phosphorus（P）

リンには黄リンと赤リンがあり，赤リンはマッチや花火に使用され無毒である．急性中毒は，殺鼠剤（「猫いらず」，黄リン8%含有）の主成分である黄リンによるものが主であるが，製造が禁止されて以後はほとんど発生をみない．

1. 中毒作用

黄リンはニンニク臭を有する帯黄白色の蝋状物質で，脂溶性が高く，皮膚・消化管から容易に吸収される．毒性は，経口摂取では消化管粘膜の腐食作用を示し，生体内に吸収されるとその強い還元作用により酸化系酵素を障害する．特に脂肪は不完全燃焼のため肝臓，心臓，腎臓などに沈着し，これら臓器の脂肪変性を生じる．

2. 中毒症状

黄リンの大量摂取では，急性肝障害や心筋障害で12時間以内に死亡する．比較的少量の摂取では，口腔ないし胃の疼痛・灼熱感，悪心，嘔吐，腹痛，下痢などの消化管刺激症状をきたし，2〜数時間の無症状期を経過して，肝臓，腎臓，心臓などの多臓器不全を起こし死亡する．予後は一般に悪く，致死率は50%である．

3. 死体所見

消化管粘膜のびらん・出血，黄疸，肝臓・心臓，腎臓などに脂肪変性を認める．胃腸内容物はニンニク臭を発し，暗所でリン光を発する．

4. 検出法

予備試験はScherer法，確認試験はMitscherlich法で，胃腸内容物を暗所で水蒸気蒸留し，発生した黄リン蒸気が冷却管中の空気と接触してリン光を発するのを観察する．

5 鉛 lead（Pb）

無機鉛中毒は印刷，塗料，蓄電池，陶磁器などの製造者または取扱者にみられ，多くは職業性曝露による慢性中毒である．しかし，エンジンのアンチノック剤としてガソリンに混和されている四エチル鉛などの有機鉛は急性中毒を起こす．

1. 中毒作用

鉛はタンパク質のSH基と結合することで障害を現す．

2. 中毒症状

急性中毒は，鉛塵または鉛が熱で気化したヒュームを多量に吸引した場合や，酢酸鉛を大量服用した場合に起こり，顔面蒼白，冷汗，頻脈，腹痛（鉛仙痛），嘔吐，下痢，乏尿などを呈し，はなはだしいときには虚脱，昏睡の後死亡する．

慢性中毒では，赤血球寿命短縮・ヘモグロビン合成阻害作用による貧血，鉛仙痛，昏睡（鉛脳症）がみられる．

四エチル鉛は，吸入ないし経皮的に体内に吸収され，中枢神経系に作用し，幻覚，錯乱，昏睡，筋強直性けいれんなどを認め，多くの場合昏睡の後死亡する．

3. 死体所見

特徴的なものは少ないが，臓器のうっ血と消化管粘膜の出血，腎尿細管の変性や糸球体の炎症が認められる．

4. 検出法

湿式灰化を行った後，フレームレス原子吸光法で定量する．

6 水銀 mercury（Hg）

水銀には金属水銀，無機水銀（昇汞，甘汞など），有機水銀（塩化メチル水銀など）がある．

1. 中毒作用

金属水銀は水に不溶のため飲んでも吸収されずほぼ無害であるが，水銀蒸気は肺から吸収され，毒性を現す．

無機水銀のうち塩化第二水銀 mercury chloride（昇汞，$HgCl_2$）は水に可溶性で強い毒性を示し，自殺目的に服用して急性中毒を起こす．経口摂取や吸入によって体内に吸収されると二価の水銀イオンとなり，SH基系酵素の作用を阻害する．また，タンパク質と結合して粘膜の腐食を生じる．

2. 中毒症状

水銀蒸気の吸引は気管支刺激作用として咳，呼吸困難など，中枢神経症状として頭痛，四肢末端のしびれなどの症状を起こす．

無機水銀摂取後，口腔・咽頭の疼痛，激しい腹痛，悪心，嘔吐，血性下痢がみられ，脱水による循環不全，ショックをきたす．吸収された水銀が腎臓と肝臓に集積し，腎不全（無尿，尿毒症）や肝機能障害を起こす．吸入の場合は，激しい咳，腹痛，呼吸困難を呈し，重症では肺水腫を生じる．その後，悪心・嘔吐・下痢などの消化器症状と急性尿細管壊死による腎障害（昇汞腎），中枢神経障害をきたし，急性腎不全，腎性アシドーシスとなり死亡する．

塩化メチル水銀は体内に吸収されやすく，腎臓・肝臓・脳に蓄積され，運動失調・視野狭窄・言語障害などの中枢神経症状が現れる．水俣病の原因物質である．

3. 死体所見

昇汞を飲んだ場合，口腔から胃の粘膜に腐食性変化を認め，粘膜は灰白色を呈する．服用後2〜3日経過して死亡した場合には腎尿細管壊死，口内炎，大腸炎が認められる．

4. 検出法

湿式灰化を行った後，還元剤を添加し，フレームレス原子吸光法により分析する．

7 タリウム thallium

タリウムは高屈折光学ガラス，半導体などの製造に使用される金属元素である．毒性が強く，硫酸タリウムと硝酸タリウムは毒物及び劇物取締法により劇物に指定されている．硫酸タリウムは近年まで殺鼠剤として使用されていた．タリウム化合物は無味・無臭なため食品に容易に混入可能で，世界各国でタリウムを使用した殺人や誤飲・誤食事故が発生しており，国内でもタリウムが混入された砂糖や飲料を摂取させられた傷害・殺人事件や誤食事故が散発している．

1. 中毒機序

神経，心臓，肝臓の細胞膜やミトコンドリアのカリウムと競合し，毒性を発揮する．また，SH基と結合し，SH基系酵素の機能を阻害する．

2. 中毒症状

中毒症状は摂取の12〜24時間後から現れることが多く，消化器症状の嘔気・嘔吐，腹痛，下痢，消化管出血のほか，脱力，筋肉痛，感覚異常，視神経などの脳神経麻痺，頭痛，幻覚，副交感神経障害による便秘，高血圧，頻脈，心筋障害による期外収縮，徐脈などである．特徴的症状は摂取の2〜3週間後に起こる脱毛である．皮膚は乾燥し，爪にミーズ線が生じる．1〜数回の曝露でも数十日後の死亡や長期の経過で神経・筋に後遺症が残る．死因は呼吸筋麻痺や急性呼吸窮迫症候群，呼吸不全とされる．

ヒト経口推定致死量は約8〜12 mg/kg，血中致死濃度は約0.5〜11 μg/mLである．

3. 死体所見

心筋の脂肪変性，肝壊死などが見られるという．

4. 検出法

原子吸光分析法やICP-MSにより分析する．

8 クロム chromium（Cr）

クロム化合物は皮なめし，クロム合金製造，顔料など工業原料として広く用いられている．吸収ないし接触による急性・慢性中毒が職場で発生するが，六価クロム化合物である重クロム酸カリウム potassium dichromate（$K_2Cr_2O_7$）とクロム酸カリウム potassium chromate（K_2CrO_4）を自殺目的に多量服用する急性中毒例が最近でもときにみられる．

1. 中毒症状

経口摂取では悪心，嘔吐，腹痛，下痢をきたし，時間を経て腎臓や肝臓が障害され，多臓器不全で死亡することもある．クロム化合物のうち六価クロム化合物の毒性が高く，酸化力と腐食性が強く消化管に潰瘍を形成し，ときに穿孔を起こす．また，気化しやすく，経皮・経気道的に吸収される．慢性中毒では皮膚潰瘍，鼻中隔の潰瘍や穿孔がみられ，肺がんが高率に発生する．

2. 死体所見

消化管粘膜は腐食されて黄色の痂皮を形成し，ときに潰瘍を認める．時間が経過して死亡すると肝臓に脂肪変性をみる．

3. 検出法

湿式灰化を行った後，原子吸光法による．

9 有機溶剤 organic solvent

有機溶剤は，非水溶性の油脂，天然樹脂，合成樹脂，ゴムなどを溶かす常温常圧で液体，揮発性の有機化合物であり，化学製品の原料，塗料，接着剤などさまざまな用途に用いられている．代表的有機溶剤を表4-14に示す．

有機溶剤の製造とこれらを使用する職場において，揮発性の高いことが原因して急性ならび

表 4-14 化学構造による有機溶剤の分類

分 類	代表的有機溶剤
芳香族炭化水素	トルエン，キシレン，ベンゼン
脂肪族炭化水素	*n*-ヘキサン
塩化脂肪族炭化水素	トリクロロエタン，クロロホルム，四塩化炭素
アルコール	メタノール，ブタノール，エタノール
エステル	酢酸エチル，酢酸メチル
エーテル	エチルエーテル
ケトン	アセトン，メチルエチルケトン
グリコールエーテル	エチレングリコールモノメチルエーテル
石油系溶剤	ガソリン，石油ベンジン
その他	二硫化炭素

に慢性中毒を発生することがあり，まれには誤飲や自殺目的に使用される．また，青少年の間で流行している「シンナー遊び」では急性中毒により，ときに死亡したり，慢性中毒（薬物依存）に移行する危険性がある．

シンナーはトルエン・アセトン・メタノール・酢酸エチルなどの有機溶剤の混合液であり，トルエンを主成分とするものが多いが，トルエンを含まない製品もある．

1. 中毒機序

有機溶剤は一般に脂溶性が高いため，経皮吸収による中毒の危険度の高いものが多く，かつ揮発性のため気道からも容易に吸収される．皮膚・粘膜刺激作用を有するとともに，体内に吸収されると血液脳関門を容易に通過し，中枢神経系などの脂質に富んだ臓器に親和性を持つことにより，全身作用として麻酔作用を現す．慢性中毒の場合，有機溶剤の種類により，特定の臓器に対し特有な毒性を示す．

2. 中毒症状

高濃度吸収による急性中毒では，酩酊感，頭痛，眠気，脱力感を感じ，次第に不穏，興奮，運動失調を呈し，昏睡に至り，呼吸抑制により死亡することもある．循環器系症状としてショックや重篤な不整脈，ことに心室細動を起こしやすい．

低濃度慢性吸引では，頭痛，頭重，めまい，息切れ，焦燥感，不眠，幻覚，妄想，悪心，食欲不振などの中枢神経刺激，自律神経不安定などに基づく症状が現れる．

接触した皮膚・粘膜には発赤・びらん・水疱・潰瘍などがみられる．

3. 死体所見

急性中毒死では特有な所見は認められない．

4. 検出法

いずれも GC により定量できる．分析例を図 4-85 に示す．

5. 主な有機溶剤

▶トルエン toluene：トルエンは，ベンゼン様芳香臭のある無色透明の液体で，工業溶剤として広く用いられている．塗料を希釈してその粘度を下げる目的で使用されるシンナーの主成分である．青少年の間で流行し，大きな社会問題となっている「シンナー遊び」でみられるように，精神依存を起こしやすい．毒物および劇物取締法により劇物に指定され，使用が規制されている．ポリ袋にシンナーを入れて吸引したり，狭い場所で多人数が吸引すると麻酔作用だけではなく，場合により酸素不足による窒息に陥ることもある．

体内に吸入されたトルエンの 80％は代謝されて安息香酸となり，さらにグリシン抱合を受けて馬尿酸として尿中に排泄される．残り 20％は未変化体のまま呼気中に排泄される．

中毒作用は，中枢神経系抑制のほか，心血管系も抑制し，かつ内因性カテコラミンの催不整脈作用に対する心筋感受性を高めることにより，心室細動などの致死性不整脈をきたし，突

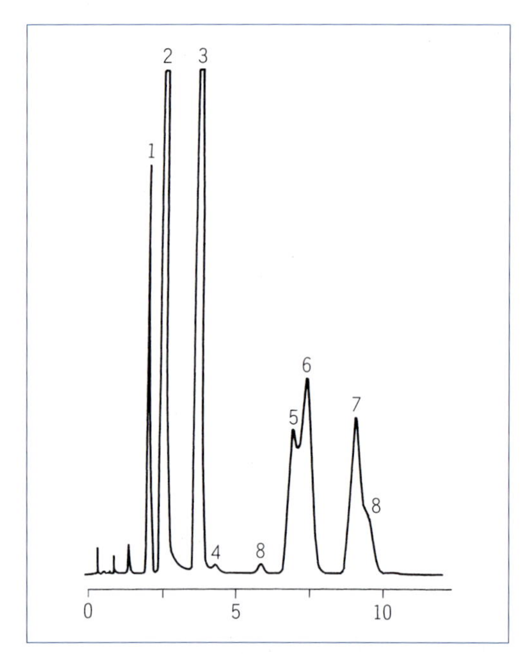

図 4-85　シンナー誤飲者の血清抽出物のガスクロマトグラム

シンナーを誤飲した後，多量飲酒して気分不良を訴え，緊急入院した患者の血液の分析結果．(1：t-ブタノール(内部標準)，2：エタノール，3：メチルイソブチルケトン，4：トルエン，5：p-キシレン，6：m-キシレン，7：o-キシレン，8：不明)

然死の原因になりうる．また，遠位尿細管障害と馬尿酸蓄積により尿細管性低カリウム性アシドーシスをきたす．

乱用者の診断には尿中馬尿酸の測定が有用である．

トルエンの血中致死濃度は 10 μg/mL，脳致死濃度は 750 μg/g，吸入致死濃度は 2,000 ppm と推定されている．

▶ベンゼン benzene：芳香のある無色の液体で，有機合成化学の原料，研究試薬として使用されており，有機溶剤中で最も毒性の強い部類に属する．

ベンゼン特有の毒性として，骨髄抑制による再生不良性貧血，白血病の発生がある．

体内に吸収されたベンゼンの 40%は酸化を受けてフェノールとなり，硫酸抱合されて尿中に排泄される．ベンゼン中毒死例の血中ベンゼン濃度は 0.94～38 μg/mL と報告されている．

▶四塩化炭素 carbontetrachloride（CCl_4）：無色透明な特異臭のある不燃性の液体で，有機合成化学の原料として使用されている．中毒作用としては中枢神経系抑制のほか，肝臓と腎臓を障害する．肝障害は非可逆性であり，肝細胞の壊死と脂肪沈着をきたし，特にアルコール飲用者でその障害が強い．CCl_4のヒト経口最小致死量は 3～10 mL，ヒト吸入最小致死量は 1,000 ppm とされる．

10 メタノール methanol（CH_3OH）

メタノールはエタノールに似た刺激臭のある無色透明の液体で溶剤，不凍液，携帯燃料，試薬など用途は広く，容易に入手できる．第二次世界大戦直後の酒類が不足していた時代には，アルコールの代用品として摂取されて CH_3OH による中毒が頻発し，終戦後 1 年間だけで死亡者は1,500 人以上に達した．現在，急性メタノール中毒は自殺あるいは誤飲事故としてまれに発生する．

1．中毒機序

体内に吸収された CH_3OH はアルコール脱水素酵素によりホルムアルデヒド，さらにアルデヒド脱水素酵素により蟻酸に酸化されるが，その代謝速度はエタノールの約 7 分の 1 と緩徐で，CH_3OH のまま体内に長くとどまる．麻酔作用を有する一方，中毒の主たる機序は，代謝物である蟻酸の蓄積による代謝性アシドーシスである．さらに，蟻酸によるチトクローム酸化酵素阻害および低酸素症により乳酸が蓄積し，代謝性アシドーシスが増強される．視神経のチトクローム酸化酵素阻害により視力障害が起こる．

2．中毒症状

CH_3OH を飲用すると酩酊症状を呈する．飲用の 12～24 時間後より頭痛・腹痛・嘔吐のほか，網膜・視神経を障害して眼のかすみから失明までの視力障害を起こし，代謝性アシドーシス・浅く速い呼吸・急性膵炎・呼吸困難，けいれん・昏睡をきたし，呼吸麻痺または循環不全で死亡する．血中濃度 0.5 mg/mL 以上で重症，

1 mg/mL 以上で致死的，4 mg/mL 以上では麻酔死するという．重症度の判定には蟻酸の測定が必須であり，血中濃度 0.2 mg/mL 以上で眼障害やアシドーシスの危険性，0.5 mg/mL 以上で致死的である．メタノール中毒の血中蟻酸濃度は 0.09～2.27 mg/mL であったという．

経口致死量は 30～100 mL である．

3. 死体所見

CH_3OH の芳香臭はエタノールよりも弱く，中毒死体のメタノール臭も明瞭でない．大脳基底核，特に被殻に出血や壊死を認めることがあるが，一般には急死の所見のみで，特異的所見はない．

4. 検出法

CH_3OH・蟻酸ともに気化平衡式ガスクロマトグラフィーによる．蟻酸はメチル化し，蟻酸メチルとして分析する．

11 アジ化ナトリウム sodium azide（NaN_3）

アジ化ナトリウムは無臭・水溶性の白色結晶で，生化学研究における防腐剤，エアバッグ起爆剤原料などに使用されている．1998 年に飲食品への混入事件が連鎖発生したため，1999 年に毒物及び劇物取締法により毒物に指定された．

1. 中毒機序

チトクローム酸化酵素の三価鉄と結合し，酵素活性を阻害し，細胞呼吸を阻害する．

2. 中毒症状

経口・経気道・経皮的に速やかに吸収され，悪心，嘔吐，頭痛，めまい，肺水腫，胸痛，血圧低下，不整脈，徐脈，けいれん，昏睡などが起こり，死亡することもある．

5～10 mg の経口摂取で頭痛，発汗，めまい，40 mg でめまい，動悸を感じる．致死量は約 1～2 g である．

3. 検出法

イオンクロマトグラフィーまたは誘導体化して GC/MS で分析する．

3．農薬および類似化合物（表 4-15）

農薬 pesticides は使用目的により殺虫剤，殺菌剤，殺鼠剤，除草剤，植物成長阻害剤などに，使用形態により粉剤，粒剤，乳剤，水和剤などに，化学構造により有機リン剤，カーバメイト剤，アミノ酸系剤，有機塩素剤，有機フッ素剤などに分類され，その種類は多い．農薬中毒は農薬の製造や散布などの職業性のみならず，家庭での害虫駆除や園芸用薬品でも発生する．急性中毒死はほとんどが自殺であり，その数は，2005 年までは医薬品中毒よりも多く一酸化炭素中毒に次いで多かったが，2006 年以降は医薬品中毒より少なくなっている．

1 有機リン剤，カーバメイト剤

有機リン剤のうち，殺虫力が強力で，人体への毒性も強く重症中毒が多発したパラチオン，TEPP などは使用禁止（1971 年）になり，現在ではマラチオンなどの低毒性の有機リン剤が主流となっている．

一方，カーバメイト剤は有機リン剤や有機塩素剤に代わる殺虫剤として，低毒性有機リン剤とともに汎用されている．

▶有機リン剤 organophosphorus：パラチオン（商品名「ホリドール」），TEPP，EPN，ダイアジノン，マラチオン（マラソン），MEP（フェニトロチオン，スミチオン），MBCB（ホスベル），DDVP（ホスビット，デス）など．

▶カーバメイト剤 carbamates：メソミル（ランネート），BPMC（バッサ），MIPC，MTMC（ツマサイド），NAC（カルバリル，デナポン）など．

経皮，経口，経気道のいずれでも吸収されるため，自殺だけでなく撒布時の事故死もまれにある．

1. 中毒機序

有機リン剤はそのリン酸基がコリンエステラーゼのエステル分解部位に結合することにより，カーバメイト剤はカルバミル基がコリンエステラーゼのエステル分解部位と陰イオン部位

表 4-15　主要な薬毒物の致死量・中毒量・血中致死濃度②

薬毒物	致死量	中毒量 または血中中毒濃度	血中致死濃度
防虫剤			
ナフタリン	5～15 g（成人），1～2 g（乳幼児）		
パラジクロロベンゼン	推定 0.5～5 g/kg		
樟脳	50～500 mg/kg，小児 0.5～1 g		
食塩	0.5～5 g/kg		
農薬			
有機リン系殺虫剤			
マラソン	60 g		0.1～2 mg/mL
MEP（スミチオン）	10～30 g		
トリクロルホン	25 g		
ダイアジノン	25 g		
パラチオン（ホリドール）	0.1～0.3 g		0.5～3.4 μg/mL
EPN	0.6～0.8 g		
カーバメイト系殺虫剤			
メソミル（ランネート）	15～25 g		1.0 μg/mL
有機塩素系殺虫剤			
DDT	30 g		
アルドリン	5 g		
エンドリン	2～5 g		
リンデン	15～30 g		
BHC	5 g		
ディルドリン	5 g		
天然ピレスロイド剤	50 g 以上		
くん蒸剤			
クロルピクリン	2 g/空気 1 L		
臭化メチル	10～20 mg/空気 1 L		
硫酸亜鉛	28 g		
除草剤			
パラコート	10～20 mL（20％製剤）		1.4～52 μg/mL
ジクワット	20～40 mL（30％製剤）		
パラコート・ジクワット混合剤	40 mL		
グリホサートイソプロピルアミン塩	200 mL（41％製剤，界面活性剤 15％）		
殺鼠剤			
ワルファリン	50 mg/kg	10 μg/mL	
リン化亜鉛	4～5 g，80 mg/kg		
モノフルオロ酢酸ナトリウム	5 mg/kg		
硫酸タリウム	8～12 mg/kg	尿 200 μg/L	
毒ガス			
サリン	100 mg・分/m³	1×10^{-4} mg/m³	
VX	0.1 mg・分/m³，2～10 mg（経皮）		

※薬毒物中毒死の判定においては，致死量は個人差が大きいことを考慮する必要がある．

（参考　Winek, C. L., et al.：Drugs and chemical blood-level data, 2001. Forensic Sci Int 122, 107-123, 2001）

の両方に結合することにより，酵素活性を阻害し，アセチルコリンの分解を阻害する．その結果，アセチルコリン蓄積（図 4-86）によるコリン作動性神経刺激症状が現れる．カーバメイト剤はコリンエステラーゼとの結合が有機リン剤よりも弱く，酵素活性の復活も速やかである．

2. 中毒症状

過剰なアセチルコリンによるムスカリン様作用による症状（縮瞳・流涙・流涎・気道分泌亢進・気管支収縮・排尿・腹痛・嘔吐・下痢・徐

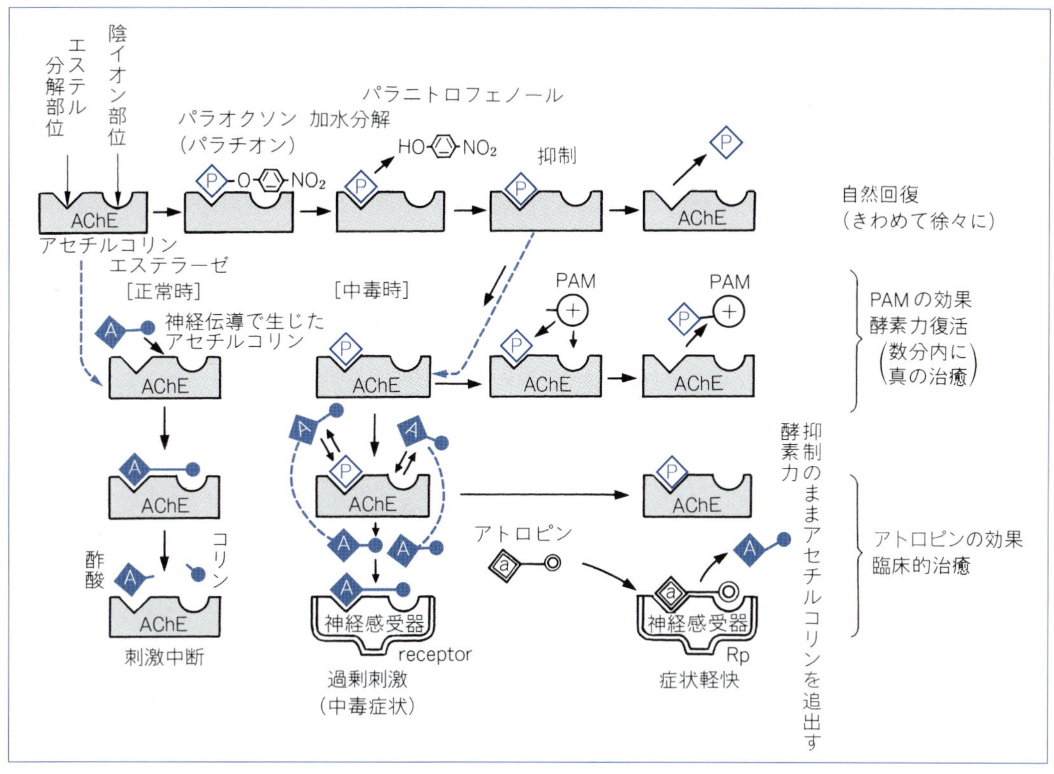

図 4-86 有機リン中毒の発生機序と治療模式図（パラチオンの場合）
（出典；上田喜一：日本公衆衛生雑誌 4，日本公衆衛生学会，1957）

脈・低血圧・発汗），ニコチン様作用による症状(交感神経節刺激による頻脈・高血圧・散瞳，運動神経刺激による筋線維束性れん縮・筋力低下)，中枢神経作用による症状（頭痛・興奮・不安・不眠・意識障害・呼吸抑制）などが起こる．死因は呼吸中枢麻痺・呼吸筋麻痺・気道分泌物増加・気管支けいれんなどの作用が複合した呼吸不全であることが多い．

3. 治療法

救急処置として，有機リン剤にはPAM（ヨウ化プラリドキシム）＋硫酸アトロピン療法がある．ただし，コリンエステラーゼと結合した有機リンのリン酸基は時間が経つとアルキル基を遊離してイオン化し，イオン化すると有機リンはPAMと結合しなくなる（老化，aging）．したがってPAMは有機リン剤が老化する前の早期に投与することが必要である．カーバメイト剤には拮抗薬として硫酸アトロピンを投与する．PAMはカーバメイト剤のカルバミル基を除去することができないため，カーバメイト剤には一般的に無効である．

4. 死体所見

急性中毒死体では，ムスカリン様作用に基づく著明な縮瞳（死後経過により消失する）を認める．乳剤を服用した場合には溶解剤の石油臭が口周辺や口腔内に残存する．血液は暗赤色流動性で，全体として窒息死の所見に類似する．肺水腫，うっ血などがみられ，消化管内容物は石油臭を発し，粘膜に腐食を認め(**口絵写 64**)，気道内に微細泡沫に富んだ分泌物が多量に認められる．

5. 検出法

急性中毒の診断には，血清（偽性）および血球（真性）コリンエステラーゼ活性の測定を行う．また，尿中代謝物や農薬の定性・定量は薄層クロマトグラフィーやGC，GC/MS，HPLC，

LC/MSで行う．

2 パラコート，ジクワット paraquat, diquat

ビピリジリウム系農薬で有効性の高い除草剤としてジクワット製剤（1963年）とパラコート製剤（1965年）が輸入されて以来，急速な普及とともにパラコート製剤による自殺が多発した．1986年以降はパラコート単独含有除草剤は製造中止となり，現在ではジクワットとの混合除草剤が販売されているが，依然として農薬中毒死のなかで有機リン剤に次いで多い．

- ▶パラコート製剤：商品名グラモキソン，パラゼット
- ▶ジクワット製剤：レグロックス
- ▶パラコート・ジクワット混合製剤（パラコート5%，ジクワット7%を含む水溶液）：プリグロックスL，マイゼット

中毒の原因は自殺がほとんどで，農薬による自殺の最大の割合を占めている．パラコート単剤の製造が中止されて以来，減少傾向が続いている．

1．中毒機序

経口・経気道・経皮的に吸収され，局所刺激作用とともに図4-87のごとくNADPHより電子を受け取ってパラコートフリーラジカルとなる．これは酸素分子を還元してスーパーオキサイド（O_2^-）を生成し，O_2^-は一重項酸素，水酸ラジカルなどのラジカル分子となり，細胞膜脂質を過酸化して組織障害を引き起こす．ジクワットも同じ機序で毒性を示す．

製剤に添加された催吐剤や界面活性剤の毒性による臓器障害も指摘されている．

2．中毒症状

パラコートの経口摂取直後に嚥下障害，嘔吐が起こり，腹痛，口腔内潰瘍，次いで2〜3日後に肝・腎機能障害による黄疸，無尿を生じ，さらに1〜2週間かけて間質性肺炎，肺線維症，進行性呼吸不全や多臓器不全に陥って死亡する．経過が長期にわたる例も多い．大量服用では多臓器不全となり，24時間以内に循環不全で死亡する．現在でも有効な治療法は確立されておらず，致命率は80%以上ときわめて高い．パラコート・ジクワット混合製剤でも致死率は65%である．初期の血清中濃度で予後が決定されるとされ，服用後24時間以内の血中パラコート濃度に基づく生命予後判別曲線が提唱されている（Proudfoot, 1979年）．

ジクワット単独製剤では，消化器症状や腎障害が起こるが，肺病変は起こりにくい．

3．死体所見

早期死亡では青緑色の着色剤の口腔内付着や青緑色の吐物および胃内容物が認められ，胃・

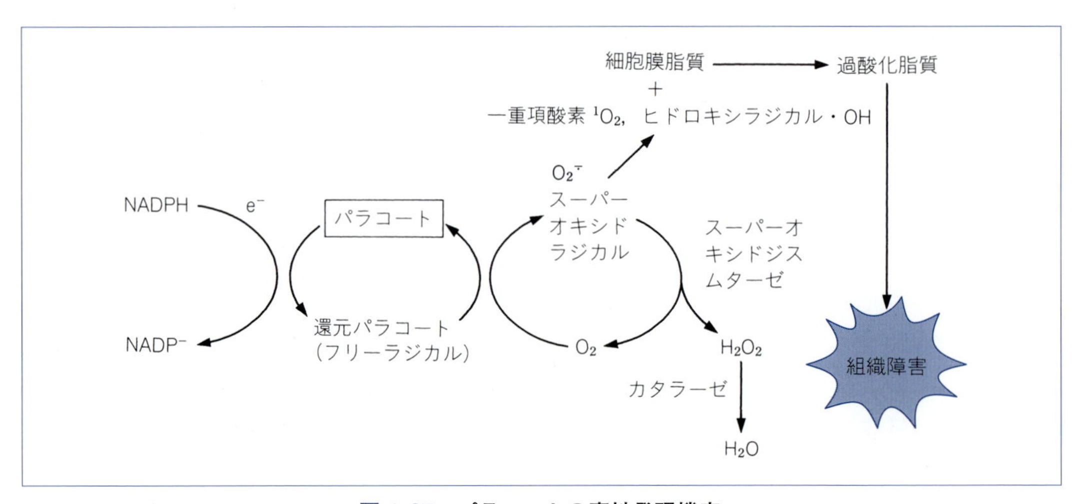

図4-87　パラコートの毒性発現機序

小腸粘膜の著明なびらん性出血や出血を伴う強い肺水腫が認められる．服毒後1～2週間で肺胞内線維化を伴う間質性肺炎像が，さらに経過すると進行性肺線維症が認められる．

4．検出法

定性反応として，尿に水酸化ナトリウム添加後，ハイドロサルファイトナトリウムを加える．陽性ならば緑色ないし青色に変色する．

定量は分光光度法か，HPLCで行う．

3 含リンアミノ酸系除草剤 phosphorus-containing amino acid type herbicides

1980年以降多用されるようになった除草剤で，パラコートに比べて毒性が低い．グリホサート（商品名「ラウンドアップ」など），グルホシネート（商品名「バスタ液剤」，「ハヤブサ」など），ビアラホス（商品名「ハービー」など）の各製剤があり，前二者による中毒死が多い．

グリホサートは植物のシキミ酸合成酵素を阻害して除草作用を示すため，ヒトに対する毒性はきわめて低い．このため，急性中毒症状は，主として製剤中に配合された界面活性剤によるものと考えられる．

グリホシネートの中毒機序は，グルホシネート自体の毒性と，製剤中の界面活性剤の毒性との複合による．グルホシネートはグルタミン酸合成酵素阻害作用，グルタミン酸受容体刺激作用などによる中枢神経系の毒性が考えられている．中毒症状は，服毒から5～6時間以上経過後，意識障害・呼吸抑制・けいれんなどが起こる．界面活性剤による消化管刺激により，嘔吐・下痢，ショックなどが引き起こされる．

ビアラホスは，体内で加水分解されてホスフィノスリシン（グルホシネートと同じ）となるため，服毒より約10時間経過後にグルホシネートと同様の中毒症状が出現する．

グリホサートならびにグルホシネートは，GC/MSや蛍光誘導体化HPLCで分析可能である．誘導体化しない含リンアミノ酸類の，陰イオン交換カラムを用いたLC/MS/MSによる直接・一斉分析法も報告されている．

4 有機塩素剤 organochlorines

強力な殺虫剤で，毒性は強くないが，脂溶性で体内の脂肪組織に蓄積される．環境中あるいは生体内において分解され難く，慢性毒性が問題となり，ごく一部を除いて全面的に使用禁止となっている．

種類としてDDT，BHC，ドリン剤，PCPなどがある．

中毒作用機序は，神経線維のNaイオンやKイオンの膜透過性を変化させ，神経伝導を阻害することといわれている．

摂取後，全身倦怠感，頭痛，めまい，嘔吐，舌・口唇・顔の知覚異常，次いで震えが始まり，脳内濃度の上昇とともに症状は徐々に確実に進行し，運動失調，間代性あるいは強直性の激しいけいれんが起こり，昏睡，呼吸困難に陥って死亡する．

5 有機フッ素剤 organofluorides

殺鼠剤としてモノフルオロ酢酸ナトリウム（商品名「フラトール」）と，果樹などの害虫駆除剤としてモノフルオロ酢酸アミドがあり，毒性はきわめて強く，いずれも「毒物および劇物取締法」により特定毒物に指定されている．

体内で代謝を受け生成されたモノフルオロクエン酸が，TCA回路におけるクエン酸代謝を阻害することにより毒性を示す酵素毒である．

モノフルオロクエン酸に代謝された後に中毒症状が発現するため，30分～数時間の潜伏期がある．中毒時に最も障害される部位は中枢神経系と循環器系であり，初期症状として悪心・嘔吐のあと，血圧低下，心室性不整脈，けいれん，昏睡，低血糖が起こる．

モノフルオロ酢酸ナトリウムのヒト推定致死量は5 mg/kgである．

4．神経剤

神経剤 nerve agents は，ナチスドイツが最初に開発した有機リン系の化学兵器で，神経末端のシナプスに存在するコリンエステラーゼの作用を不可逆的に阻害する有機リン化合物である．極度に致死性が高く，かつ毒性の発現も早い．現在世界各国の化学兵器の主力となっており，サリンおよびタブン，VX，ソマンなどがある．

1 サリン sarin

化学名をメチルホスホノフルオリド酸イソプロピルといい，化学兵器として使用されたことがある．宗教団体オウム真理教による1994年6月「松本サリン事件」では死者8人，重軽症者660人，1995年3月「東京地下鉄サリン事件」では死者12人，重軽症者5,500人以上の大惨事を引き起こし，世界の犯罪史上まれにみる化学兵器による凶悪犯罪として知られるようになった．これ以後，「サリン等による人身被害の防止に関する法律」が制定され，製造・所持などが禁止されている．

サリンは液体および気体ともに無色，無臭で比較的短時間で揮発して気体状になり，容易に呼吸器や皮膚から吸収される．吸入すると中毒症状は10分以内に出現し，急激に進行する．初期症状として頭痛，眼痛，胸部の締めつけ感，鼻水などの分泌物の増加，縮瞳がみられる．重症では呼吸困難，意識障害，けいれんが起こり，中枢性・末梢性の呼吸麻痺と気管支収縮・気道分泌物による気道閉塞で死に至る．合併症として，興奮，記憶障害，判断力・思考力低下などの精神症状が生じる．血漿コリンエステラーゼ活性の低下が特徴的である．アトロピンとPAMが解毒剤として用いられる．サリンの老化半減期である約5時間以内にPAMを投与することが必要である．

サリンは容易に分解され，無毒のイソプロピルメチルホスホン酸になり，さらにメチルホスホン酸に分解される．これら分解産物は土壌や水中で比較的長期間安定に存在するため，検出されればサリンの使用を証明できる．サリンはGC/MS，分解産物はLC/MS/MSで分析する．

2 タブン tabun

ドイツで開発され，イラン・イラク戦争で初めて使用された．わずかに果実臭を発する無色の蒸発しにくい液体であり，強酸またはアルカリと速やかに反応して加水分解する．

3 VX

無色，無臭の液体で，揮発性が低く，長時間にわたり毒性を保持する．皮膚からの浸透性は高い．毒ガスのなかで最も強い毒性がある．英国で発見され，米国で開発されたが，戦争ではこれまで使用されたことがない．1994年に世界で初めてオウム真理教信者による大阪での殺人事件で使用された．2017年にはマレーシア・クアラルンプール国際空港において北朝鮮要人暗殺事件で使用された．

4 ソマン soman

ドイツで作られた化学兵器で，わずかな果実臭を発する無色の液体である．アセチルコリンエステラーゼに結合して，不可逆的な変化を起こし離れなくなるまでの時間が非常に短く（完全老化まで約10分），コリンエステラーゼ活性の自然回復も起こらないため，曝露を知った時点では，PAMを打っても無効である恐ろしい物質であり，VXに次いで毒性が強い．

5．自然毒（表4-16）

―動物毒―

1 フグ毒 globefish poison

1960年代後半までは毎年150人以上のフグ中毒者が発生した．フグ中毒の発生はほとんどが調理師免許を持たない素人料理によるもので，50％前後の死亡者がみられた．各都道府県でフグ料理について種々の条例が制定され，人工呼

表 4-16 主要な薬毒物の致死量・中毒量・血中致死濃度③

薬毒物	致死量	中毒量または血中中毒濃度	血中致死濃度
動物毒			
フグ	2 g（卵巣または肝臓）		
テトロドトキシン	2.0 mg		100 ng/mL
植物毒			
トリカブト	葉 1 g		
アコニチン	3～4 mg		
ギンナン（銀杏）		小児 7～150 粒，成人 40～300 粒	
イヌサフラン（ユリ科）	コルヒチン 65 mg		
ドクゼリ（セリ科）	シクトキシン 50 mg/kg，地下茎 5 g		
バイケイソウ（ユリ科）	乾燥根 1～2 g，ベラトルムアルカロイド約 20 mg		
ニコチン	30～60 mg（成人），10～20 mg（幼児）		5 μg/mL
キノコ類			
シロタマゴテングダケ	アマニチン 0.1 mg/kg		
細菌毒（参考）			
ボツリヌス（偏性嫌気性桿菌）	0.5～5.0 μg		

薬毒物中毒死の判定においては，致死量は個人差が大きいことを考慮する必要がある．
（参考 Winek, C. L., et al.：Drugs and chemical blood-level data, 2001. Forensic Sci Int 122, 107-123, 2001）

吸による早期治療が確立された結果，最近では発生件数ならびに死亡者とも著明に減少している．それでも年間約 15～40 件，患者数約 20～60 人のフグ中毒が発生し，2008 年までは年平均 3 人が死亡していたが，2009 年以降の死者は 2，3 年に 1 人である．死亡率は高い（最近 10 年間では約 1.5%）が，全食中毒死に占める割合は少なくなっている．

フグ毒は卵巣や肝臓に多く含まれ，皮膚や腸にも含まれている．フグ毒の毒力はフグの種類や臓器，個体により異なり，季節によっても異なる．

フグ毒の毒性物質はテトロドトキシン tetrodotoxin（TTX）で，海洋性細菌により産生され，食物連鎖によってフグの体内に蓄積されると考えられている．TTX は熱および中性あるいは有機酸酸性に対して安定で，煮沸しても，乾燥しても毒力は減じない．アルカリ性には不安定で毒性を消失する．

1. 中毒機序

TTX は末梢神経軸索突起で Na チャンネルに結合して Na イオン透過性を阻害し，神経興奮伝達を遮断する神経毒である．このため骨格筋が麻痺して四肢の運動障害や構音障害が起こり，重症では呼吸筋麻痺により窒息に陥る．同様の機序で自律神経系，循環系も障害される．

TTX の致死量は約 2 mg で，これはクサフグの肝臓約 2 g，マフグの肝臓約 20 g に相当する．

2. 中毒症状

症状発現は食後 30～40 分（遅くとも 2～3 時間）で，口唇・舌・指先などのしびれ・知覚鈍麻で始まり，ときに嘔吐，時間の経過に伴い上下肢の知覚麻痺・運動障害，全身の運動障害，反射消失，著明な構音障害をきたす．さらに進むと呼吸困難，血圧低下がみられ，重症例では外的刺激に反応できないことによる他覚的意識障害を呈して自発呼吸が停止し，呼吸麻痺で死亡する．死亡直前まで意識は保たれる．けいれんは起こらない．TTX の解毒排泄は 9 時間前後で，食後 10 時間経過すると中毒死の危険性はないといわれている．

TTX は経皮吸収される可能性があり，素手でのフグ取り扱いは避けるべきである．

3. 死体所見

窒息死にみられる急死の共通所見のほか，特異な所見はないが，胃に未消化のフグ肉片をみることがある．

4. 検出法

TTX の定量法は，TTX のアルカリ分解産物である C9 塩基（2-amino-6-hydroxymethyl-8-hydroxyquinazoline）をトリメチルシリル誘導体化し，GC や GC/MS，HPLC で検出する．

2 ヘビ毒 snake venom

わが国に生息する毒ヘビは，北海道から九州にまで広く分布しているマムシとヤマカガシ，奄美群島以南に分布するハブが主である．

1. 種　類

マムシやハブの毒は多種のタンパク分解酵素，ブラジキニン遊離酵素，出血因子などの複合体からなる出血毒であり，出血・壊死・腫脹作用を示し，ハブ毒のほうが毒性は強い．

ヤマカガシは上顎奥歯に毒牙を持ち，奥歯で咬まれた場合にそこに分泌する有毒の唾液が注入され，中毒症状を起こす．ヤマカガシ毒は凝血毒で，プロトロンビン活性化による強力な血管内凝固促進作用を持ち，フィブリノーゲンをフィブリンに変えて低フィブリノーゲン血症から出血傾向をもたらす．

2. 中毒症状

マムシ咬傷は，並列する 2 個の牙痕を認めることが多く，受傷直後に咬傷部の灼熱痛を生じ，それが増強するとともに腫脹が出現し，次第に中枢部へ進展する．全身症状として，発熱・悪寒・嘔気などのほか，神経毒による眼筋麻痺による複視・霧視，重症例では嘔吐，溶血ないし横紋筋融解・壊死によるミオグロビン尿やタンパク尿，無尿，急性腎不全，全身性皮下出血，血圧低下，意識障害が出現する．死因として急性腎不全や心筋抑制によるショックがあげられ，受傷後 3 日目以降の死亡が多い．マムシ咬傷の致命率は0.1～0.8%と報告されている．

ハブ咬傷はマムシ咬傷よりも激しい受傷局所の疼痛・腫脹・出血・融解壊死・水疱形成のほか，腹痛・下痢・嘔吐・血圧低下・意識障害などのショック症状を呈する．急性腎不全を起こすことは少ない．死亡例は24時間以内のショックによるものが多い．ハブ咬傷の致命率は約0.9%である．

ヤマカガシ咬傷では毒による局所の疼痛・腫脹は軽微で，受傷後約 10 分頃より頭痛，数時間後より出血傾向が現れ，口腔粘膜・鼻粘膜・牙痕などからの持続性出血，全身性皮下出血，消化管出血のほか，脳内出血も起こりうる．重症例では一過性の激しい頭痛，DIC，ヘモグロビン尿，血尿，乏尿，急性腎不全へと進行する．ヤマカガシ咬傷の死亡率は約 10%とされる．

蛇咬傷による死亡者は血清療法などの進歩により著減し，マムシで年 10 人前後，ハブではほとんどみられなくなった．なお，過去に咬傷を受けた人がヘビ毒により感作され，再度の咬傷でアナフィラキシーショックで死亡することもある．

3 ハチ毒 bee venom

蜂刺傷の多くは軽症であるが，アナフィラキシーショックにより国内で年間 30～40 人の死亡者が発生しており，ヘビなどほかの動物による咬傷死亡に比較して圧倒的に多い．蜂刺傷を起こす主なハチはスズメバチ，アシナガバチ，ミツバチ，キバチである．ハチ毒の成分はハチの種類により若干異なるが，その毒作用はほとんど同じであり，含まれている生体アミン（ヒスタミン，セロトニンなど），低分子ペプチド（ハチ毒キニン，マストパラン，メチリンなど），酵素（ホスホリパーゼ A_2，ヒアルロニダーゼなど）の直接的作用と過敏反応による．毒性はスズメバチ，アシナガバチが強く，死亡者のほとんどはこれらによるものと推測されている．

蜂刺傷による症状は，局所症状として刺傷部の疼痛・発赤・腫脹が認められる．全身症状はアナフィラキシー反応によるものであり，刺傷後多くは数分以内に全身にじん麻疹，紅斑，腹痛・嘔吐，血管性浮腫が出現し，呼吸困難，胸内苦悶などをきたし，重症では意識混濁，声門・喉頭浮腫による呼吸障害やショックに陥り死亡する．死亡者の多くは全身を多数刺された例(約500か所の刺傷で普通の人の致死量)や，過去に刺傷歴を有する例（アナフィラキシーショック）がほとんどである．

―植物毒―

4 キノコ毒 mushroom poison

わが国でみられるキノコは約1,500種であり，そのうち食用になるものは約300種，毒キノコは30〜50種類といわれている．

キノコ中毒は植物毒中毒の大半を占め，毎年50件，200人程度のキノコ中毒が発生しているが，死亡者は年1人程度である．消化管刺激物質イルジンSを含むツキヨタケ・イッポンシメジ・カキシメジやムスカリンなどを含むクサウラベニタケによる中毒が最も多い．発生件数は少ないが，猛毒のアマニタトキシン群のキノコ中毒で死亡率が高い．

2004年秋，新潟県，秋田県，山形県などの日本海側地方を中心に，それまでは無毒で食用とされてきたスギヒラタケを食べた後，急性脳症を発症し，19人の死者が出る事件が発生した．患者の多くが中・高年齢者で腎機能障害を有していたため，発症に腎機能障害が関連すると考えられた．スギヒラタケに含まれる青酸が人体内で変化したシアネート（神経毒）が原因物質として疑われている．

キノコはその種類により種々の毒性分を含んでいる．ムスカリンを含むキノコでは発汗・流涎・縮瞳などの副交感神経刺激症状，イボテン酸（テングタケなど），シロシビンなどを含むキノコでは中枢神経系症状が出現し，イルジンSなどの消化管刺激物質を含むキノコ（ツキヨタケなど）では腹痛，嘔吐，下痢などの消化器症状が現れ，ときにはコレラ様水様性下痢をきたす重症型もみられる．

1．シロタマゴテングタケ，ドクツルタケ

シロタマゴテングタケ，ドクツルタケなどは猛毒のアマニタトキシン（主毒性成分はアマニチン）を含む．食後8〜15時間頃より悪心・嘔吐・腹痛・水様性下痢などの消化器症状を示し，これらは12〜24時間続き，脱水に陥る．2〜4日目より肝・腎障害が進行し，腎不全，肝不全，肝性脳症，心機能低下，昏睡などを起こし，摂取後3〜7日で死亡する．死亡率は50〜90％で，全キノコ中毒死のほとんどを占める．

2．シャグマアミガサタケ

シャグマアミガサタケはジロミトリンを含み，その加水分解産物である水溶性で揮発性のモノメチルヒドラジンがGABAの生成を阻害し，けいれんなどの中枢神経症状およびその他の毒性を示す．食後6〜8時間で嘔吐・下痢・腹痛・けいれん，溶血，メトヘモグロビン血症，肝障害などの中毒症状が出現する．死亡率は14.5〜34.5％である．

3．ドクササコ

日本特産のドクササコはクリチジンを含み，摂食の2〜4日後に四肢末端の疼痛・発赤・腫脹・しびれ感（肢端紅痛症）が発症し，2〜3週間程度続く．

4．幻覚キノコ

ワライタケ，シビレタケなどはシロシビンおよびその加水分解産物シロシンを含み，「マジックマッシュルーム（幻覚キノコ）」と呼ばれ，「合法ドラッグ」と称してインターネットなどを介して入手が容易となり，事故も増えたため，2002年より「麻薬及び向精神薬取締法」の「麻薬原料植物」として指定され，所持・販売・栽培などが規制された．食後約30分で，LSDに似た色彩幻覚，運動失調，知覚麻痺などの中毒症状が発現し，1〜2時間続く．

5．ヒトヨタケ，ホテイシメジ

ヒトヨタケ，ホテイシメジはコプリンを含有し，コプリンの加水分解産物1-アミノシクロプロパノールがアルデヒド脱水素酵素を阻害するため，摂食前後3日以内にアルコール飲料を飲

むと，飲酒の30分後以降に顔面紅潮・嘔吐・頻脈・低血圧などの，嫌酒薬服用時の症状を呈する．

アマニチンはHPLC，シロシビンはGC，GC/MS，HPLC，LC/MSにより分析する．

5 トリカブト毒 aconite poison

トリカブトはキンポウゲ科の植物で，古くから漢方薬（附子，トリカブトの塊根を干したもの）として使用されているが，強力な毒物としても知られている．毒性の強さは根>花>葉>茎の順で，毒は花粉にも含まれている．トリカブト毒を含む葉を形態が似ている山菜のモミジガサと誤って食べて中毒を起こすことも少なくない．1986年に発生した女性急死事件が1990年代になって，トリカブトの成分を精製して毒殺手段として使用した保険金殺人事件であることが明らかになった．

1．中毒機序

トリカブトの毒性は，アコニチン，メサコニチン，ヒパコニチン，ジェサコニチンなどのアコニチン系アルカロイドである．アコニチンは細胞膜のNaチャンネルを開放し，Na透過性を高めて，心筋，平滑筋，骨格筋，中枢神経，末梢神経を刺激し，さらには異常興奮により麻痺させる神経毒である．心筋に対しては，心拍動亢進ならびに刺激伝導系を障害して多彩な不整脈を生じ，呼吸器系には，交感神経高位中枢の興奮により肺浮腫をきたす．

2．中毒症状

服毒後15～30分以内に口腔・咽頭の灼熱感やしびれ感，四肢末端のしびれ感などで始まり，悪心，嘔吐，流涎，脱力感，起立不能状態に陥り，意識消失，呼吸麻痺，血圧低下などが起こり，心室細動などの致死的不整脈や心静止により死亡する．多種多様な不整脈の出現がトリカブト中毒の特徴的症状である．

急死の所見のみで，特異的死体所見はない．

トリカブトの葉の致死量は約1 g，アコニチンの致死量は3～4 mgである．

3．検出法

アコニチン類は誘導体化し，GC/MSで分析する．またはLC/MS/MSによる．

6 ニコチン nicotine

ニコチンはタバコに含まれる植物アルカロイドで，タバコ1本当たり7～24 mg含まれる．水に易溶性であるが，タバコを食べても酸性の胃液中ではタバコからのニコチン溶出が遅いため，吸収され難い．しかし，タバコが水に浸っているとニコチンが溶出し，胃からの吸収が早くなるため，吸殻が浸された水を飲むことは危険である．ニコチン自体は急速かつ容易に消化管・肺臓・皮膚から吸収される．症状の発現は早く，摂取後15～30分で発現するので，摂取後2時間観察して症状が出なければ心配無用であるという．半減期も約1時間と短く，吸収されたニコチンの90%は肝臓で代謝され，24時間以内にすべて体外へ排出される．

1．中毒機序

自律神経節・神経筋接合部・中枢神経系のニコチン性アセチルコリン受容体に作用し，少量で刺激・興奮作用，大量では抑制作用を示す．

2．中毒症状

軽症例でも摂取後30分前後で嘔吐・腹痛・下痢・流涎などの消化器症状，顔面蒼白，血圧上昇，頻脈，頭痛，めまい，興奮，振戦，呼吸興奮などの中枢神経・循環器興奮症状が発現する．重症例では摂取直後より症状が発現し，縮瞳・意識障害・けいれん・徐脈・不整脈をきたし，呼吸筋麻痺で死亡する．大量摂取では刺激・興奮のみられないまま短時間のうちに呼吸麻痺で死亡する．

致死量は成人で30～60 mg，タバコ約2本．幼児で10～20 mg，タバコ約1本である．ただし，小児が紙巻きタバコを誤食しても，実際の摂取量は嘔吐により少なくなるので，紙巻きタバコ誤食による小児の死亡例はないという．

3．検出法

GC，GC/MS，HPLCにより分析可能である．

7 その他の植物毒

キョウチクトウはオレアンドリン，フクジュソウはアセボトキシン，スズランはコンバラトキシンという強心配糖体を含む．チョウセンアサガオはアトロピン・スコポラミンなどのトロパンアルカロイド，アオウメやアンズは青酸配糖体，マオウはエフェドリン，ヒガンバナ，スイセンはリコリンを含む．シキミの実はアニサチンを含み，植物で唯一，毒物及び劇物取締法で「劇物」に指定されている．

バイケイソウ（ユリ科）はベラトルムアルカロイドを含み，経口摂取により消化管から容易に吸収される．ユリ科の食用山菜オオバギボウシと誤食した中毒例が多数ある．ベラトルムアルカロイドは迷走神経・中枢神経・心臓などを刺激し，嘔吐・下痢・徐脈・血圧低下，重症ではけいれん・意識障害・呼吸抑制などをきたして死亡する．

ギンナンは種子可食部に MPN（4-O-methylpyridoxine）を含む．MPN はビタミン B_6誘導体であり，ビタミン B_6と競合して抑制性神経伝達物質である GABA の生合成酵素［グルタミン酸脱炭酸酵素 glutamic acid decarboxylase（GAD）］を阻害して GABA 生成を阻害する．その結果，興奮性神経伝達物質のグルタミン酸との均衡が崩れて中枢神経系の異常興奮が起こり，けいれん（強直性・間代性）を起こす．摂取後 1～12 時間で嘔吐・けいれんが出現し，MPN の腸肝循環により，3～4 時間置きにけいれん発作が繰り返される．小児が 1 人当たり 10～30 個のギンナンを炒って食べた数時間後にけいれんを発症することが多い．

6．アルコールの法医学

アルコール（エチルアルコール ethyl alcohol またはエタノール ethanol をいう）は日常生活の中にあって，嗜好品として多くの人に飲用され，それによる効用も少なくない．その反面，飲酒のうえでの傷害や殺人，強姦（強制性交），飲酒運転による交通事故などの反社会的な問題や，酩酊による墜転落・溺死・凍死事故，一気飲みによる急性アルコール中毒，あるいはアルコール依存症，アルコール性臓器障害などの疾病を引き起こすなどの弊害もある．近年は飲酒運転による交通死傷事故への批判が高まり，刑法に危険運転致死傷罪ならびに自動車運転過失致死傷罪の新設や，道路交通法では飲酒運転・轢き逃げに対する罰則強化が行われた．2013 年 11 月には，刑法から上記二罪を分離・改正するとともに，飲酒運転などによる事故後に飲酒などの発覚を免れる行為に対する罪（過失運転致死傷アルコール等影響発覚免脱）を新設した．「自動車の運転により人を死傷させる行為等の処罰に関する法律」が成立し，2014 年 5 月 20 日に施行された．また，飲酒運転常習者の中にアルコール依存症の存在が指摘され，ようやくそれに対する対策が取られ始めた．

このようなさまざまな問題があるため，死体検案や剖検に際し，アルコール摂取の有無，酩酊の程度などの判断を求められる事例は多い．

1 アルコールの吸収，代謝，排泄

1．アルコールの吸収

アルコールは胃（20％以下）や小腸から吸収される．胃腸からの吸収速度は，胃内容物の有無，胃内腔に存在する食物の種類，摂取されたアルコール濃度，胃腸粘膜の透過性などにより異なる．胃が空虚であると吸収は早い．脂肪性食品や糖質摂取は吸収を遅らせる．

2．飲酒後の体液中のアルコール濃度

アルコールは血液中に入るとただちに各組織に拡散され，含水量に従って分布する．Widmark は各組織に分布されたアルコール量の量的表現として分布係数（γ 値）という概念を提案し，$\gamma = A/Co \cdot P$ と表現した．A はアルコールの摂取量（g），P は体重（kg），Co は摂取したアルコールの全量が，飲酒と同時に体組織内に吸収されたと仮定した場合の血中アルコール濃度をそれぞれ示す．日本人の γ 値の平均は

0.71といわれている．

血中アルコール濃度は，飲酒後急激に上昇したあとピークとなり，その後はほぼ直線状に下降する．最高血中アルコール濃度は飲酒量にほぼ比例する（図4-88）．血中アルコール濃度の下降期は飲酒量に関係なくほぼ直線状に下降するが，血中濃度が約0.1 mg/mL以下では曲線状となる．単位時間当たりのアルコール消失速度は酸化係数β値（mg/mL/時）で表され，適正飲酒では0.16 mg/mL/時であるが，多量に飲酒すると0.20 mg/mL/時以上となり，飲酒量が多くなればβ値は高くなる．また，アルコール依存症患者などの大酒家は健常者よりもβ値は高い．ALDH2不活性型（後述）の人のβ値は正常型ALDH2保有者よりも低く，0.14〜0.09 mg/mL/時である．

尿中アルコール濃度は，吸収期では血中アルコール濃度より低く，下降期には逆に高くなり，血液と尿中濃度を測定することにより，いずれの時期にあるかを知ることができる．なお下降期における尿中アルコール濃度は血液の1.13倍に相当する．

脳脊髄液ならびに唾液中のアルコール濃度は，前者は血中濃度の約1.35倍，後者は血中濃度の1.3〜1.5倍程度であるといわれている．

3. 排　泄

吸収されたアルコールは大部分肝臓で代謝され，約5%は未変化体で呼気，汗，尿などから排泄される．

4. 代　謝

アルコールはその大部分（90%以上）が肝臓で段階的に酸化され，アセトアルデヒド，次いで酢酸となり，最終的には水と二酸化炭素になる．

〈第1段階：アルコール→アセトアルデヒド〉（図4-89）

▶アルコール脱水素酵素 alcohol dehydrogenase（ADH）：ADHは肝細胞の細胞質に存在し，アルコール代謝の主要経路であり，NADを補酵素としてNADHを産生する．NADH/NAD比が増加することによりNAD依存性の酸化還元反応が影響を受け，脂質，糖，タンパクなどの代謝異常を生じる．この結果として肝臓内の脂肪蓄積の可能性が考えられている．アルコールの繰り返し摂取によってもADHの活性は不変である．

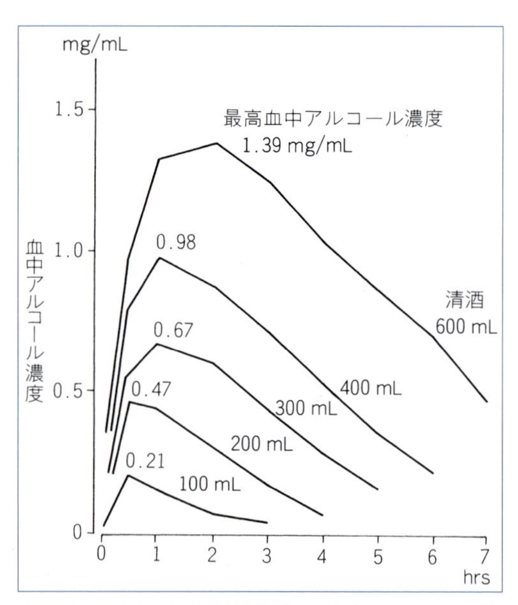

図4-88　各量の清酒飲酒後の血中アルコール濃度の平均曲線
空腹時に清酒100 mLを10分の割合で飲酒.

ADHは多数のアイソザイムが存在し，クラスⅠ（ADH1A，ADH1B，ADH1C遺伝子），クラスⅡ（ADH2遺伝子），クラスⅢ（ADH3遺伝子），クラスⅣ（ADH4遺伝子），クラスⅤ（ADH5遺伝子）に分類される．さらにADH1BとADH1Cには遺伝子多型が存在し，日本人に多い（対立遺伝子頻度85%）ADH1B*2遺伝子は高活性型β2サブユニット，ADH1B*1遺伝子は低活性型β1サブユニットを規定している．

▶ミクロソームエタノール酸化系 microsomal ethanol oxidizing system（MEOS）：シトクロームP-450依存性モノオキシゲナーゼをMEOSと称し，アイソザイムの一つであるP-450ⅡEⅠは酸化活性が最も強い．MEOSは繰り返し飲酒によりその活性が高まり，また摂取量が多くなるとその関与率が高まる．これらのことは大酒

第 1 段階

1. アルコール脱水素酵素（ADH）

$$CH_3CH_2OH + NAD^+ \xrightarrow[ADH]{} CH_3CHO + NADH + H^+$$

2. ミクロソームエタノール酸化系（MEOS）

$$CH_3CH_2OH + NADPH + H^+ + O_2 \xrightarrow[MEOS]{} CH_3CHO + NADP^+ + 2H_2O$$

3. カタラーゼ

1）$NADPH + H^+ + O_2 \xrightarrow[\text{NADPH オキシダーゼ}]{} NADP^+ + H_2O_2$

2）$CH_3CH_2OH + H_2O_2 \xrightarrow[\text{カタラーゼ}]{} CH_3CHO + 2H_2O$

第 2 段階

$$CH_3CHO + NAD^+ + H_2O \longrightarrow CH_3COOH + NADH + H^+$$

図 4-89 肝臓におけるアルコールの代謝

家や多量飲酒時にβ値が高くなることをよく証明している．

一方，MEOSはミクロソームに存在する薬物代謝系との相互作用があるものと考えられている．このためアルコールと薬物を併用すると代謝が遅延して薬物作用の増強や延長が起こり，また，アルコールを繰り返し摂取することにより酵素誘導などが起こり，薬物代謝が促進し，薬物の効果が減弱する．

▶**カタラーゼcatalase**：ペルオキシソームにおいて過酸化水素存在下でアルコールを酸化することが知られているが，肝臓での活性は低い．脳においてアルコールを酸化するとの報告がある．

〈第 2 段階：アセトアルデヒド→酢酸〉

アセトアルデヒドacetaldehydeは肝細胞内の主にミトコンドリアで，NADを補酵素としてアルデヒド脱水素酵素aldehyde dehydrogenase（ALDH）により酢酸に酸化される．

産生されたアセトアルデヒドはただちに肝臓内で酢酸に酸化され，血中にはほとんど出現しない．ところが，日本人の約45％は飲酒後，顔面紅潮・心悸亢進などの循環器系症状が発現するとともに，血中から高濃度のアセトアルデヒドが検出される．これらの人ではALDHのアイソザイムのうちALDH2がほとんど活性をもたないことが原田らにより報告された．

ALDH2は活性型と不活性型があり，遺伝子型により決定される．ALDH2遺伝子には正常型のALDH2*1と変異型のALDH2*2があり，遺伝子型のALDH2*1/*1はALDH2活性型，ALDH2*1/*2とALDH2*2/*2はALDH2不活性型となり，特にALDH2*2のホモ接合型は飲酒時の血中アセトアルデヒド濃度がきわめて高くなる，アルコールに非常に弱い体質となる．日本人におけるALDH2遺伝子型の頻度はそれぞれALDH2*1/*1で55％，ALDH2*1/*2で35％，ALDH2*2/*2で10％である．

アルコール代謝の最後の段階は，酢酸がTCA回路を経て二酸化炭素と水にまで分解される過程である．

▶**嫌酒薬**：嫌酒薬として使用されるジスルフィラムdisulfiramは肝ALDH活性を阻害して血中アセトアルデヒド濃度を上昇させ，不快症状を生じる．またシアナマイドcyanamideも同様の作用を有する．

2 アルコール酩酊 drunkenness

アルコールは中枢神経系に対して抑制的に作用する．抑制性神経を抑制するため，見かけ上興奮，活発となる．大脳皮質特に前頭葉を抑制し，血中アルコール濃度の上昇とともに大脳辺縁系，小脳，脳幹部へと抑制が進み，呼吸中枢麻痺により死亡する．

催眠・鎮静薬，抗不安薬，抗ヒスタミン薬，抗精神病薬，抗うつ薬などの中枢抑制薬は，エタノールの併用により作用が増強される．

酩酊はアルコールによる精神，知覚，運動機能の障害として現される．酩酊の程度は飲酒量，すなわち血中アルコール濃度と並行関係を有する．しかし，多量の飲酒にもかかわらず泰然自若としている人もいれば，一方でわずかな飲酒により著明な顔面紅潮を呈し，立位不能に陥る人もいるなど，ALDH2 遺伝子型の違いならびに常習飲酒による耐性形成のため，酩酊の程度，行為能力には大きな個人差がみられ，血中アルコール濃度と必ずしも並行しない場合もある．

1．酩酊度と血中アルコール濃度

酩酊度と血中アルコール濃度との関係を表 4-17 に示す．一般に 4.5 mg/mL 以上が致死濃度とされるが，3.0 mg/mL 程度から死亡例が見られる．その一方，6.0 mg/mL を超えた生存例も報告されており，個人差が大きい．しかし，常習飲酒者が一般人よりも高濃度の血中エタノールに耐えうる(致死的血中濃度が高くなる)ことは証明されていない．

2．酩酊度の判定

精神身体上に現れるアルコールの影響を客観的に評価することは，血中アルコール濃度が高いときには容易であるが，外見上アルコールの影響が明らかではない低い血中濃度の場合には困難である．これまで報告されている検査法の中で，視運動検査（溝井）や重心動揺計による揺れの検査は，比較的低濃度における酩酊度の判定が簡単に行える信頼性の高い方法である．

3 アルコールと交通事故

1．飲酒と道路交通法

道路交通法第65条により，酒気を帯びて車輛などを運転してはならず，かつ，運転する人に酒類を提供し，または飲酒を勧めることも禁じられている．

飲酒運転には「酒酔い運転」と「酒気帯び運転」があり，わが国の道路交通法で「酒気帯び」と判定される基準は，同法施行令第 44 条の 3 により血中アルコール濃度が 0.3 mg/mL，呼気中アルコール濃度が 0.15 mg/L とされている．わが国では血液を採取することは裁判所の許可が必要など困難であるため，もっぱら呼気中のアルコール濃度により判定される．なお，血中濃度は呼気中濃度の約 2,000 倍である．一方，「酒酔い運転」は，アルコール濃度に関係なく，アルコールの影響により正常な運転ができない状態をいう．

表 4-17　血中アルコール濃度と酩酊度

血中アルコール濃度（mg/mL）	酩酊度	
0.5 以下		ALDH2 不活性型では著明な顔面紅潮 通常は無症状ないしほろ酔い
0.5〜0.9	弱度酩酊	やや快活となるが，人によっては無症状
1.0〜1.4	軽度酩酊	精神抑制が取れ，多幸感，陽気，多弁， 判断力鈍化
1.5〜2.4	中等度酩酊	麻痺症状が加わる．運動失調による千鳥足， 言語不明瞭，知覚鈍麻，複視，嘔吐
2.5〜3.4	強度酩酊	歩行不能，意識混濁，傾眠
3.5〜4.4	泥酔	諸反射は消失，昏睡状態
4.5〜	致死域	心機能不全，呼吸麻痺により死亡

2. 飲酒と交通事故

血中アルコール濃度と自動車運転能力の関係については，血中アルコール濃度が0.5 mg/mLですでに能力の低下がみられ，1.5 mg/mLでは著しい影響をきたすことが知られている．Weyrichは，最も危険な運転手の血中アルコール濃度は1.5～2 mg/mLであると報告し，著者の剖検例でも自損事故死者の血中アルコール濃度は1～2 mg/mLの範囲がほとんどである．この濃度で事故の発生が多いのは，アルコールにより判断力が鈍り，動作が緩慢となることが大きな原因である．

3. 呼気中アルコール検査

飲酒運転の取締りには検知管法が用いられる．三酸化クロムと硫酸の混液を吸着させたシリカゲルを充填した検知管に呼気を注入し，アルコールによる変色（桃色→青色）の長さを測定して呼気中アルコール濃度を判定する．

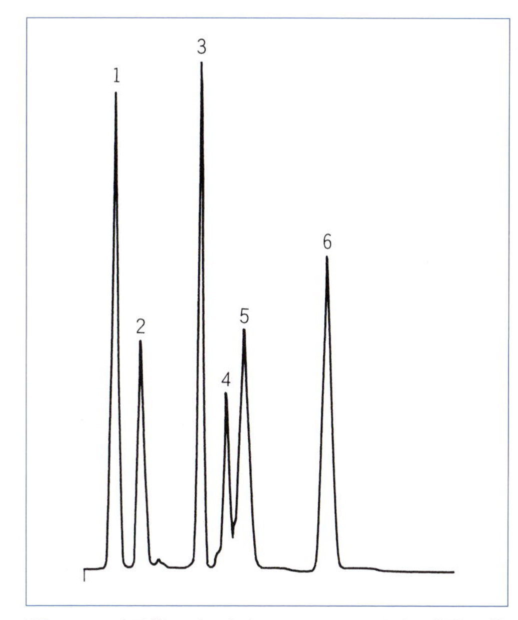

図 4-90　死後におけるアルコールおよび還元物質の産生

殺害された後，水深40 mのダムに1か月間沈められていた例の心臓血を測定［1：アセトアルデヒド，2：アセトン，3：t-ブタノール（内部標準），4：エタノール，5：不明，6：n-プロパノール］．

4 剖検死体におけるアルコール検査

1. アルコール濃度測定

以前用いられた血中あるいは尿中アルコール濃度の測定法には，Widmark法，酵素法（ADH法）などがあるが，種々の問題点があり，今日では使用されていない．

GCを用いた気化平衡法はアルコールの特異的な検出法で，正確性および再現性に優れ，現在広く慣用されているアルコール定量法である．生体試料では過塩素酸で除タンパク処理を行うことにより，アセトアルデヒドも同時に測定できる．

内部標準としてn-プロパノールまたはtert-ブタノールを加え，検体をバイアル瓶に密封し加温した後，空気層をGC分析し，アルコールと内部標準のピークの高さあるいは面積の比を求め，検量線からアルコール濃度を計算する．死体血では，腐敗に伴いエタノールやn-プロパノールが産生される（後述）ため，内部標準としてn-プロパノールは適切でなく，tert-ブタノールを使用する．

2. アルコールの死後産生

死後経過時間が長い場合（特に腐敗死体），飲酒していない人の死体血にも種々の濃度のエタノールが検出されることがある．これを死後産生といい，死体内に繁殖する細菌（カンジダ・大腸菌・クレブシエラ菌など）により産生される．エタノール以外にもアセトアルデヒド，アセトン，n-プロパノール，n-ブタノールなどの還元性物質も同時に産生される（図4-90）．死後産生アルコール量は，血液では同時に産生されるn-プロパノールの20～25倍まで，筋肉では同じく約10倍までとされている．なお，酵母による醗酵ではn-プロパノールが検出されないことがある．飲酒状態が不明でアルコールの死後産生を認める事例では，生前の飲酒の有無についての判断は慎重を要する．

3. 死後のアルコールの体内拡散

胃内に高濃度のアルコールが存在すると，死後胃壁を浸透して周囲組織に拡散する．特に胃に近接する心臓内の血液へ容易に拡散する．このため剖検時には心臓血を試料とせず，大腿静脈血を分析試料とすることが望ましい．

4．分析代替試料

大量失血死や死後変化によりアルコール分析用血液が採取できない場合の代替試料として，脳脊髄液，眼球硝子体液，骨格筋などが使用される．血液に対する濃度比は，脳脊髄液で1.35，硝子体液で1.15～1.20，骨格筋で0.9～1.0と報告され，骨格筋が最もよい代替試料である[7]．

7．医薬品（表4-18，19）

1 催眠薬 hypnotics

1950年代後半には催眠薬による自殺が中毒死の大部分を占め，また乱用もみられたが，厳しい規制により催眠薬自殺は減少した．しかし，病院で処方された催眠薬をほかの向精神薬とともに大量に服用して自殺する例は現在も少なくない．また，誤って多量に服用して死亡した不慮の中毒死か自殺なのか判断できない事例も少なくない．

催眠薬の一部は習慣性を有し，薬物依存をきたす．このため精神安定薬，鎮痛薬，抗てんかん薬，中枢興奮薬などとともに「麻薬及び向精神薬取締法」により「向精神薬」として指定され，乱用および不正取引防止のために使用，譲渡などが規制されている．しかし，近年不正に入手されたトリアゾラム(商品名「ハルシオン」)の乱用や犯罪への使用が大きな問題となっている．

フルニトラゼパムはアルコール飲料に混ぜて女性に飲ませて性犯罪に悪用されたため「date-rape drug」と呼ばれた．犯罪行為目的での飲食物への混入防止対策として，2015年より製剤に青色色素が混和された．

1．種　類

催眠薬はバルビツール酸系・ベンゾジアゼピン系（ベンゾジアゼピン受容体作動薬を含む)・ブロム尿素剤などに分類される．

バルビツール酸系薬剤は，古くから催眠・鎮静薬として使用されているが，安全投与域が狭く，多量服用すると呼吸抑制により死亡する危険性がある．現在では睡眠薬として使用されることは少なく，超短時間作用型（チオペンタール，チアミラール）が静脈麻酔薬として使用されるほか，抗けいれん薬として処方される．

ベンゾジアゼピン誘導体は，催眠・鎮静・抗不安・抗けいれん・骨格筋弛緩作用を有し，常用量と致死量との間隔が広く，比較的安全性が高いことより，多種類が開発され，催眠薬および抗不安薬の第一選択薬として広く使用されている．

ブロム尿素剤は，医療用医薬品のほか，一般用医薬品［処方箋不要薬，over-the-counter（OTC）薬］として市販され，中毒例は多い．また，解熱・鎮痛薬にも含まれている．

2．中毒・薬理作用

バルビツール酸はγ-アミノ酪酸 gamma-aminobutyric acid (GABA)$_A$受容体のピクロトキシン結合部位に結合してClチャンネルの開口時間を延長することで，抑制性神経伝達物質であるGABAの作用を増強して大脳灰白質と脳幹網様体を中心に広範囲に抑制する．

ベンゾジアゼピン系催眠薬は$GABA_A$受容体のα-サブユニットで構成されるベンゾジアゼピン受容体に結合してGABAの作用を増強し，特に神経細胞のClチャンネル開口頻度を増加させることでClイオン透過性が亢進して神経伝達が抑制される．その結果，大脳辺縁系や視床下部に抑制的に作用して不安，緊張などを取り除き，鎮静催眠効果を発現する．

ブロム尿素剤は，脳や脳脊髄液に蓄積した臭素Brイオンが大脳の興奮性を減退させ，鎮静催眠作用を発揮する．

3．中毒症状

催眠薬の多量服用は中枢神経機能を強く抑制し，二次的または直接的に呼吸麻痺や循環障害をきたす．昏睡，血圧低下，呼吸抑制，体温低下のほか，バルビツール酸は血管運動神経障害により紅斑，発疹，水疱を生じ（図4-91），腺

表 4-18　主要な薬毒物の致死量・中毒量・血中致死濃度④

薬毒物	致死量	中毒量 または血中中毒濃度	血中致死濃度
催眠薬			
ブロムワレリル尿素	15～20 g	6 g	44 μg/mL
ブロムジエチルアセチル尿素	15～20 g		
バルビツール酸塩			
バルビタール	5～20 g		50～200 μg/mL
フェノバルビタール	1.5～10 g	40～60 μg/mL	80 μg/mL 以上
ペントバルビタール	1 g	5 μg/mL	10～169 μg/mL
セコバルビタール	2 g		4～132 μg/mL
アモバルビタール	1.5 g	10～30 μg/mL	13～96 μg/mL
チオペンタール	1 g	7 μg/mL	10～400 μg/mL
ニトラゼパム	0.25 g	0.2 μg/mL	5.2～9 μg/mL
フルニトラゼパム		0.05 μg/mL	0.084 μg/mL
トリアゾラム		0.04 μg/mL	6.7～220 μg/mL
ミダゾラム		1～1.5 μg/mL	0.05～2.4 μg/mL
エチゾラム		0.03 μg/mL	0.264 μg/mL
抱水クロラール	4～10 g		250 μg/mL
エスクロルビノール	25 g		20 μg/mL
エチナメート	8～10 g		
メチプリロン	6 g		90 μg/mL
塩酸ヒドロキシジン	25～250 mg/kg		
プロメタジン	200 mg/kg		
メタカロン	5～8 g		5 μg/mL
グルテチミド	10～20 g		25 μg/mL
トリクロホス	6～15 g		
定型抗精神病薬			
クロルプロマジン	15～150 mg/kg	0.5～2 μg/mL	2 μg/mL
レボメプロマジン			8 μg/mL
ハロペリドール	3 g	50～100 ng/mL	0.18～0.5 μg/mL
非定型抗精神病薬			
リスペリドン		0.12 μg/mL	1.8 μg/mL
オランザピン		0.15～0.2 μg/mL	0.25～4.9 μg/mL
クエチアピン		1～1.8 μg/mL	1.9～12.7 μg/mL
アリピプラゾール		1 μg/mL	
抗不安薬			
ジアゼパム	500 mg 以上	2.5 μg/mL	20 μg/mL 以上
フルラゼパム			0.5～17 μg/mL
クロルジアゼポキシド			20 μg/mL 以上
抗うつ薬			
イミプラミン	10～210 mg/kg	0.3～30 μg/mL	
炭酸リチウム	200 mg（約 200 錠）	2.0 mEq/L	4.0 mEq/L
抗てんかん薬			
フェニトイン	2.0～5.0 g	20 μg/mL	70 μg/mL
カルバマゼピン	6～60 g	10 μg/mL	19.6 μg/mL
エトスクシミド		100～200 μg/mL	250 μg/mL
プリミドン		20～50 μg/mL	65 μg/mL
バルプロ酸			180 μg/mL
解熱鎮痛薬			
アセトアミノフェン	13～25 g	150 mg/kg	160 μg/mL 以上
フェナセチン	5～20 g		
アスピリン	480 mg/kg 以上．成人 20 g，小児 1.5 g	120 mg/kg，150～300 μg/mL	500～800 μg/mL
フェニルブタゾン		4～40 g	
スルピリン	10～30 g		

（つづく）

アンチピリン	5〜30 g		100〜150 μg/mL
アミノピリン	9 g		
フェニルプロパノールアミン	400〜450 mg	100 mg	
局所麻酔薬			
リドカイン		6 μg/mL	14 μg/mL 以上
医薬品			
硫酸アトロピン	100 mg 以上（成人）		0.2 μg/mL
臭化水素酸スコポラミン	50 mg		
ネオスチグミン	60 mg（経口），10 mg（注射）		
カフェイン	10 g	20 μg/mL	80〜180 μg/mL
ストリキニーネ	50〜100 mg		10〜90 μg/mL
キニーネ	2〜8 g		
ジギタリス	2 g		
ジゴキシン	10〜20 mg	2 ng/mL	
ジギトキシン		40 ng/mL	
ジソピラミド	3 g		
ニトログリセリン		5 mg	
ジフェンヒドラミン	25 mg/kg	1〜4 μg/mL	5〜10 μg/mL
ヨウ素	2〜4 g，ヨードチンキ 30〜50 mL		
塩化ベンザルコニウム	1〜3 g，5〜15 mg/kg（注射）		

※薬毒物中毒死の判定においては，致死量は個人差が大きいことを考慮する必要がある．

（参考　Winek, C. L., et al.：Drugs and chemical blood-level data, 2001. Forensic Sci Int 122, 107-123, 2001）

表 4-19　主要な薬毒物の致死量・中毒量・血中致死濃度⑤

薬毒物	致死量	中毒量 または血中中毒濃度	血中致死濃度
酸・アルカリ			
硫酸	5〜10 mL（濃硫酸）		
塩酸	10〜15 mL		
硝酸	3〜8 mL		
酢酸	20〜50 g		
シュウ酸	5〜10 g		
ギ酸	30 g		
リン酸	8 g		
石炭酸（フェノール）	2〜10 g		
水酸化ナトリウム	5 g		
水酸化カリウム	5 g		
アンモニア水	30 mL（25%アンモニア水）		
金属・無機化合物			
青酸カリ	0.2〜0.3 g		2.5 μg/mL 以上
塩化第二水銀（昇汞）	1〜2 g	0.1 g	0.4〜22 μg/mL
水銀蒸気		1.2〜8.5 mg/m^3（吸入）	
有機水銀	0.1 g		0.6〜6 μg/mL
ヒ素	70〜180 mg（三価），5〜50 mg/kg（五価）		
ヒ化水素	250 ppm（30 分）		
ヒ酸石灰	0.2〜0.3 g		
亜ヒ酸	0.1〜0.2 g		3 μg/mL（ヒ素）
黄リン	0.1〜0.2 g		
亜硝酸ナトリウム	3 mg/kg		
四エチル鉛	0.1〜0.2 g		1〜4 μg/mL（鉛）
硝酸銀	2.0〜3.0 g		
タリウム	8〜12 mg/	0.1〜0.5 μg/mL	0.5〜11 μg/mL
重クロム酸カリウム	6〜8 g		

（つづく）

酸化クロム		110 μg/m^3（吸入）	
過マンガン酸カリウム	5～7 g		
チオ硫酸ナトリウム	0.5～50 g/kg		
硫酸銅	10～20 g		
塩化バリウム	2～4 g		
塩化カドミウム	30～40 g		
酸化カドミウム	2500 ppm		
塩化カルシウム	30 g		
酸化カルシウム（生石灰）	10 g		
硫酸第一鉄	5～10 g，乳幼児 1～2 g		
フッ化ナトリウム	最小 1 g，75 mg/kg	4 mg/kg	
酢酸鉛	20 g		
アジ化ナトリウム	1～2 g	5～10 mg	
ホウ酸	15～20 g（成人），5～6 g（幼児），2～3 g（乳児）		
ホルムアルデヒド	30～120 mL（37%ホルマリン），10～30 mL（ホルマリン原液）		
クレゾール	2～10 g		クレゾール非抱合体 71～190 μg/mL
クレゾール石鹸液	100～150 mL		
有機溶剤・ガソリン類			
ガソリン	20～30 mL（経口）		
灯油	90～120 g		
エーテル	30 mL（経口）		
クロロホルム	10～15 mL（経口）		10～48 μg/mL
ベンゼン	2%（5～10 分），10～30 mL（経口）	300 ppm（1 時間）	0.94～38 μg/mL
ニトロベンゼン	2 mL	200 mg/kg	
トルエン	2%（5～10 分），15～30 mL（経口）	100～200 ppm	10～110 μg/mL，脳濃度 750 μg/g
キシレン	1%		
ベンジン	10～100 mL	2,000 ppm（5 分）	
アセトン	50～70 mL		
酢酸アミル	50 g		
ブチセロ		195 ppm（8 時間）	
メタノール	30～100 mL（100%メタノール）	10 mL（失明）	0.2～6.4 mg/mL
エタノール	200～300 mL（100%エタノール）		3.5～4.5 mg/mL
イソプロピルアルコール	120～240 mL		
エチレングリコール	100 mL	500 μg/mL	
四塩化炭素	3～10 mL（経口），1,000 ppm（吸入）		
アニリン	1～20 g	MetHb 20～30%	MetHb 70～80%
塩化メチレン		500 ppm（8 時間）	
ハロゲン			
フッ化水素酸	1.5 g，2 mg/kg	32 ppm	
臭化水素酸		5 ppm	
臭素酸	1 g		
臭素酸カリウム	200～500 mg/kg		
塩素酸カリウム	20～30 g		
フッ素	2 g		
フッ化ソーダ	1～4 g	4 mg/kg	
次亜塩素酸ナトリウム	1 g/kg		

薬毒物中毒死の判定においては，致死量は個人差が大きいことを考慮する必要がある．

（参考　Winek, C. L., et al.：Drugs and chemical blood-level data, 2001. Forensic Sci Int 122, 107-123, 2001）

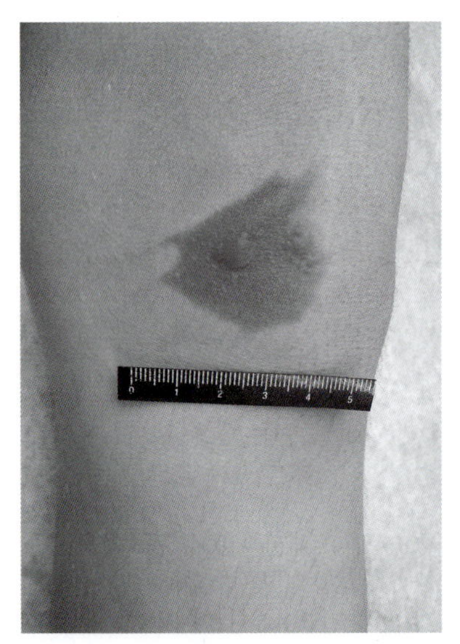

図 4-91　バルビツール疹（バルビツール酸による皮膚の水疱）

分泌亢進により気道内分泌の増加がみられる．

ベンゾジアゼピン系催眠剤の中毒症状は，傾眠から昏睡までの種々の程度の意識障害，運動失調，低血圧，徐脈，呼吸抑制などである．大量服用でも比較的安全性が高いとされ，単独服用による中毒死例はきわめてまれであるが，超短時間作用型のトリアゾラム，ミダゾラムでは死亡例の報告がある．また，飲酒状態での服用は作用の増強により少量でも死亡することがある．

ベンゾジアゼピン系薬剤は長期連用により耐性や精神・身体依存が生じること，一般に胎盤通過性があり，母乳中にも分泌されることに注意すべきである．

ベンゾジアゼピン系薬剤の過量服用による過度の鎮静・呼吸抑制の解除には同受容体拮抗薬のフルマゼニルを使用する．

4. 死体所見

特有な死体所見はないが，死斑は著明で，高度のチアノーゼを認め，内臓のうっ血と脳や肺臓の浮腫がみられ，胃腸内に錠剤や粉末が存在することも多い．フルニトラゼパム錠の服用では，胃や小腸の内容物が青色に着色されて見られる（口絵写 66）．ブロム尿素剤は X 線不透過であるため，多量服用例では単純 X 線写真や死後 CT 画像に胃の薬剤塊が写し出されることがある．

5. 検出法

予備試験としてブロム尿素系催眠薬にはバイルスタイン反応，バルビツール酸には硝酸コバルト反応がある．救急患者や検案の場では，尿を使用した簡便で迅速なスクリーニング法として市販キット「アイベックススクリーン」などがバルビツール酸類とベンゾジアゼピン類には利用できるが，服用後の経過時間によっては，尿中濃度が検出限界以下で陰性を示すことがある．

分子構造にニトロ基を有するフルニトラゼパムやニトラゼパムなどは，体内に摂取された後，ニトロ基が速やかにアミノ基に還元代謝されて 7-アミノ体になる．さらに，死後にも細菌に分解されて 7-アミノ体に変化する．このため，急性フルニトラゼパム中毒死と考えられる事例でも，血液中からフルニトラゼパムが検出されず，7-アミノフルニトラゼパムのみが検出されることがまれではない．このような薬剤はできるだけ早い分析と血中代謝物の測定が必要である．

定量は GC または GC/MS，あるいは HPLC，LC/MS/MS などが用いられる．

2 精神安定薬 tranquilizers

精神安定薬は鎮静および静穏作用を持つ薬で，精神運動興奮や幻覚妄想を抑制する強力精神安定薬 major tranquilizers と，不安，緊張を除く緩和精神安定薬 minor tranquilizers とに分けられていたが，現在では前者を抗精神病薬 antipsychotic drugs，後者を抗不安薬 antianxiety drugs という．

1. 分　類

使用目的に沿って多種類の精神安定薬が現在治療に使用されている．

抗精神病薬は定型抗精神病薬［フェノチアジ

ン系薬剤（クロルプロマジン・レボメプロマジンなど）およびブチロフェノン系薬剤（ハロペリドールなど）］と，非定型抗精神病薬（リスペリドン・クエチアピン・アリピプラゾールなど）に分類される．

抗不安薬はベンゾジアゼピン誘導体が広く使用されている．

2. 中毒・薬理作用および症状

定型抗精神病薬はドパミン D_2 受容体遮断作用が強く，陽性症状に効果を示すが，錐体外路症状，高プロラクチン血症などの副作用が出現する．

非定型抗精神病薬はドパミン D_2 受容体遮断作用に加えてセロトニン・ヒスタミンなどの受容体にも作用し，陰性症状にも効果を示し，錐体外路症状が少ないという特性をもつ．

一般に精神安定薬は安全な薬物であり，大量使用でも死亡することは少ないが，アルコールやほかの中枢神経薬との併用により死亡する場合もある．2016 年 12 月，過量服薬による致死性が高いクロルプロマジン・フェノバルビタール・プロメタジン合剤のベゲタミンの販売が中止された．

一方，定型・非定型ともに抗精神病薬は薬剤性 QTc（補正 QT 間隔）延長を惹起して torsades de pointes などの心室頻拍，心室細動などの心室性不整脈発症の危険性を高め，その結果，統合失調症患者の心臓性突然死の危険性を高めると言われている．

▶フェノチアジン系薬剤，ブチロフェノン系薬剤：ドパミン D_2 受容体の拮抗薬として中枢抑制作用，抗精神病効果を発揮する．中毒症状は，中枢神経症状として意識障害，錐体外路症状（パーキンソン様症状，着座不能，筋緊張異常），その他にけいれん，血圧低下，イレウス様症状，肝障害，皮膚症状，体温低下，不整脈，呼吸抑制などがみられる．投薬中の患者に心室性不整脈によると考えられる突然死や，悪性症候群（高体温，筋硬直，無動，発汗，頻脈，けいれん，意識障害など）を発生する場合があり，高熱により脳・肝・腎障害，横紋筋融解などを合併し，呼吸・循環不全で死亡することもある．血清クレアチンキナーゼ creatine kinase（CK）値の著しい上昇，白血球増多が認められる．発生率は約 1%，死亡率は 10% 以下とされる．

▶非定型抗精神病薬：① セロトニン $5\text{-}HT_2$ 受容体拮抗作用とドパミン D_2 受容体拮抗作用を併せ持つリスペリドン・パリペリドン，② ドパミン D_2 受容体以外のドパミン受容体やセロトニン $5\text{-}HT_2$ 受容体，アドレナリン α_1 受容体，ヒスタミン H_1 受容体などの多様な受容体に同程度の拮抗作用を示す多元受容体標的化抗精神病薬 Multi-Acting Receptor Targeted Antipsychotics（MARTA）のオランザピン・クエチアピン・クロザピンなど，③ ドパミン作動性神経伝達の状態によってドパミン D_2 受容体の拮抗薬または刺激薬として作用するドパミンシステムスタビライザー dopamine system stabilizer（DSS）作用をもつアリピプラゾールなどがある．近年，定型抗精神病薬に代わって統合失調症の第一選択薬剤となっている．定型抗精神病薬に比べて錐体外路系・自律神経系副作用症状は少ないが，同様の中毒症状のほか，心室性不整脈によるとされる突然死や悪性症候群も起こりうる．オランザピン・クエチアピンでは糖尿病の誘発・悪化による高血糖が起こり，糖尿病性昏睡・糖尿病性ケトアシドーシスなどによる死亡が報告されている．

3 抗うつ薬 antidepressants

1. 分　類

抗うつ薬は環系抗うつ薬（三環系，四環系，複素環系），非環系抗うつ薬［選択的セロトニン再取込み阻害薬 selective serotonin reuptake inhibitor（SSRI），セロトニン・ノルアドレナリン再取込み阻害薬 serotonin noradrenaline reuptake（SNRI），ノルアドレナリン作動性・特異的セロトニン作動性抗うつ薬 noradrenergic and specific serotonergic antidepressant（NaSSA）］，モノアミン酸化酵素 monoamine oxidase（MAO）阻害薬に大別される．三環系抗うつ薬は大量服用による致死的中毒が問題となる，危険性の高い薬剤である．近年は抗コリン性副作用が少なく，大量服用でも致死的になりにくいこともあり，SSRI，SNRIが第一選択薬になることが多い．

2. 中毒・薬理作用および症状

▶三環系・四環系抗うつ薬：シナプス前ニューロンへのモノアミン再取り込み阻害によりシナプス間隙のモノアミンを増量して抗うつ効果を示す．中毒症状は，中枢神経症状として昏睡・けいれんを，循環器症状として洞性頻脈，伝導障害，不整脈，低血圧を，抗コリン作用として口渇，便秘，排尿困難などをきたす．また，悪性症候群やセロトニン症候群が発生することもある．大量に服用すると，ベンゾジアゼピン誘導体に比べて致死率が高い．心筋ナトリウムチャンネル阻害作用の強いイミプラミンやアミトリプチリンは中毒死の危険性が高い．

▶SSRI，SNRI：SSRIはセロトニン神経終末へのセロトニン再取込み阻害によりシナプス間隙のセロトニン濃度を高めて抗うつ作用を示す．アドレナリン受容体・ムスカリン受容体などとの親和性は低く，三環系抗うつ薬に見られる副作用は少ない．中毒症状は5-HT受容体刺激による悪心・嘔吐・下痢，傾眠・眩暈・不安，運動失調などである．セロトニン症候群は中枢神経でのセロトニン過剰により発症し，精神症状として興奮・錯乱・昏睡，神経・筋症状としてミオクローヌス，振戦，反射亢進，自律神経症状として高熱，発汗，下痢，頻脈などを呈し，横紋筋融解・腎不全により死亡することがある．症状では悪性症候群と区別できない．

SNRIは神経終末へのセロトニンとノルアドレナリンの再取込み阻害によりシナプス間隙のセロトニン・ノルアドレナリン濃度を高めて抗うつ作用を示す．中毒症状はSSRIと同様の消化器症状，頭痛，交感神経刺激症状の頻脈，排尿障害などであり，セロトニン症候群も起こりうる．

3. 死体所見

精神安定薬・抗うつ薬ともに催眠鎮静薬の死体所見と同様であり，特異所見は認められない．死亡例では大量服用するため，胃腸内に錠剤や粉末が残存することも多い．

4. 検出法

特別な予備試験はない．アイベックススクリーンなどの検査キットでは三環系抗うつ薬は検査できるが，定型・非定型抗精神病，SSRI，SNRI薬は検出できない．

定量法はGC，GC/MS，LC/MS/MSによる多数の方法が報告されている．

4 解熱・鎮痛薬 antipyretic analgesics

解熱・鎮痛薬は，日常生活に深く浸透しているきわめて一般的な医薬品である．普通の使用量では中毒を起こすことはほとんどないが，薬物アレルギーや異常体質ではショック死を起こす薬物の一種であり，ときに医事紛争に発展することもある．また，大量服用による自殺や中毒事故が散見される．

1. 種　類

フェニルピラゾロン系：スルピリン，アンチピリン，アミノピリン．

アニリン系：アセトアミノフェン，フェナセチン．

サリチル酸系：アセチルサリチル酸（アスピリン）など．

ベンズアゾシン系：ペンタゾシン．強力な鎮痛作用があり，依存性に陥るため，「麻薬及び向精神薬取締法」で使用が規制されている．

2. 中毒機序および症状

▶フェニルピラゾロン系薬物：中枢神経機能を抑制し，傾眠から昏睡に至る意識障害，呼吸麻痺，循環障害を生じ，しばしば紅斑，水疱，発疹などのアレルギー症状を誘発し，ショック死を起こす場合もある．ときに顆粒球減少をきたし，致命的になることも知られている．大量使用時は昏睡状態となり，呼吸や循環障害により死亡する．

▶**アニリン系薬物**：経口摂取されたアセトアミノフェンのうち，5～10％がチトクロームP-450酸化酵素により酸化されて生じるN-acetyl-p-benzoquinonimine（NAPQI）は，細胞タンパクの高分子物質と共有結合し，肝毒性を示す．通常NAPQIはグルタチオン抱合を受けて無毒化されるが，アセトアミノフェンの大量摂取により肝細胞壊死を生じ，重篤な肝障害や腎障害，播種性血管内凝固症候群 disseminated intravascular coagulation（DIC）を引き起こし，死亡することもある．成人では1回摂取量150～250 mg/kgが重篤な肝障害発生の閾値であるとされる．

フェナセチンの大量摂取では中枢機能が抑制され，錯乱状態を経て昏睡に陥る．また，大量摂取によりメトヘモグロビンを形成し，著明なチアノーゼをきたす．

▶**サリチル酸系薬物**：アセチルサリチル酸（アスピリン）は，プロスタグランジン生合成阻害のほか，細胞内での高エネルギーリン酸結合阻害によるブドウ糖・脂肪酸代謝阻害，呼吸中枢の直接刺激などの作用がある．

服用量，血中濃度により中毒症状は多彩である．一般に，悪心・嘔吐，過呼吸，過換気が出現し，数時間の無症状の後，口渇，下痢，頭痛，めまい，耳鳴，けいれん，脱水などが生じる．過呼吸による呼吸性アルカローシスと，代償性の代謝性アシドーシスの混合がアスピリン中毒の特徴である．大量摂取では中枢神経系に抑制的に作用し，昏睡から虚脱状態に陥る．非心原性肺水腫，呼吸障害，循環障害も生じる．血管運動神経障害に基づく紅斑，発疹，水疱と，腺分泌亢進により気道内分泌が促進される．

3. 死体所見

剖検上，特異的な所見は認められない．ピラゾロン系中毒では，その代謝産物ルバゾン酸により尿が赤色を呈する場合がある．

4. 検出法

予備試験として，フェニルピラゾロン系鎮痛薬については塩化第二鉄反応が，定量法としてHPLCのほか，GC，LC/MS/MSがある．

5 局所麻酔薬 local anaesthetics

コカインを原型とする薬物で，コカインに類似した構造のプロカインやリドカインなどが合成されている．化学構造上，芳香環と三級アミンがエステル結合またはアミド結合した安息香酸エステル型と酸アミド型に分類される．エステル型は血清偽性コリンエステラーゼで急速に分解される．アレルギー反応はアミド型よりも起こりやすいとされ，例えば，エステル型のプロカインは全身性副作用は少ないが，加水分解産物のパラアミノ安息香酸がアレルギー反応を起こしやすい．

1. 種　類

▶**安息香酸エステル型**：コカイン，プロカイン，テトラカイン

▶**酸アミド型**：リドカイン，メピバカイン，ブピバカイン，ジブカイン

2. 作用機序

膜電位依存性ナトリウムチャンネルに結合してNa^+電流を抑制して神経線維の活動電位の伝導を抑制し，局所の疼痛を除去する．また，心筋の同チャンネルにも作用して心筋細胞の興奮抑制効果を発揮するため，抗不整脈薬としても用いられる．

3. 中毒症状

局所麻酔中の急死が医療事故死として法医解剖の対象になることが多い．急速な静注や過量投与によるけいれん，呼吸麻痺，心停止などの中毒症状の発生や，アナフィラキシーショックによる急死のほか，脊髄クモ膜下麻酔（脊椎麻酔）でクモ膜下腔に注入された局所麻酔薬が脊髄クモ膜下腔を上昇し，循環虚脱・呼吸筋麻痺による死亡（脊麻ショック）などが問題となる．

4. 死体所見

急死の所見のみで，特異的所見はない．

5. 検出法

GCまたはGC/MS，HPLC，LC/MS/MSにより分析可能である．エステル型局所麻酔薬は

偽性コリンエステラーゼで急速に分解されるため，未変化体とともに代謝物の分析が必要である．

6 一般的医薬品

カフェイン　Caffeine

コーヒーや茶・ココアなど種種の嗜好品に含まれる弱塩基性天然アルカロイドであり，眠気・疲労感軽減薬などとして使用されるキサンチンのメチル誘導体である．近年，コーヒーや茶に含まれるカフェイン（100 mL 当たり約 20〜60 mg）の 2〜3 倍量（1 本または 1 錠当たり）のカフェインを含む清涼飲料水（エナジードリンクや眠気覚まし飲料）や眠気覚まし薬を大量に服用して死亡する事例が散見される．

1. 中毒機序・薬理作用

非選択的ホスホジエステラーゼ阻害作用ならびにアデノシン A_1・$A2_A$ 受容体拮抗作用をもつ．

中枢神経系では大脳皮質や脳幹網様体賦活系を興奮させて知覚・精神・運動機能を亢進し，眠気や疲労感を除去する．循環器系では心筋収縮力増強，末梢血管拡張，脳細動脈収縮，呼吸器系では気管支拡張，呼吸促進，腎臓では腎血流量増加およびナトリウムと塩素の再吸収抑制により利尿作用を示す．

2. 中毒症状

中毒症状は，中枢神経症状として頭痛，不穏，不眠，けいれん，昏睡など，循環器症状として不整脈・血圧上昇など，呼吸器症状として呼吸促進，呼吸麻痺など，消化器症状として悪心・嘔吐・腹痛などである．軽度の習慣性がある．

ヒト経口推定致死量は約 10 g，血中致死濃度は約 80 μg/mL である．

3. 死体所見

急死の共通所見のほか，特異な所見はない．

4. 検出法

GC や LC，GC/MS，LC/MS/MS により分析可能である．

ジフェンヒドラミン　diphenhydramine

エタノールアミン系の抗ヒスタミン薬であり，古典的 H_1 受容体拮抗薬に分類される．効果の発現は早く，即時型アレルギー治療薬として蕁麻疹・鼻炎・浮腫などの治療に使用される．脂溶性が高く血液脳関門を容易に通過するため，中枢神経抑制作用と自律神経受容体遮断作用があり，中毒症状となる．

1. 中毒機序・薬理作用

H_1 受容体を遮断する．

2. 中毒症状

中毒症状は抗コリン作用により，顔面紅潮，口渇，尿閉，高血圧，頻脈，心室性不整脈，心室細動，中枢抑制症状は傾眠，注意力低下，昏迷，昏睡などである．小児では興奮，けいれんなどの中枢神経刺激症状が起こることが多い．

ヒト経口推定致死量は約 25 mg/kg，血中致死濃度は約 5〜10 μg/mL である．

3. 死体所見

急死の共通所見のほか，特異な所見はない．

4. 検出法

GC，GC/MS，LC/MS/MS により分析できる．

8. 乱用薬物

薬物の乱用とは，医薬品を医療目的以外に用いることや，医療目的のない薬物を不正に使用することであり，たとえ 1 度使用しただけでも乱用に当たる．わが国では覚醒剤の乱用が最も多いが，近年，危険ドラッグ*（いわゆる「脱法ドラッグ」）あるいは合法（脱法）ハーブなどと総称される新たな薬物群が登場して，中毒事例なども多数報告されており，乱用薬物の多様

*危険ドラッグ：従来，「脱法ドラッグ」あるいは「違法ドラッグ」などと称されていたが，乱用に起因する犯罪や交通事故などが深刻な社会問題となってきたことを受け，2014 年 7 月以降，「危険ドラッグ」と呼称することとなった．

化が大きな社会問題となっている．主要な乱用薬物の血液（血漿）中濃度と症状の関係を**表 4-20** に示す．

1 覚醒剤 stimulants（**表 4-20**）

覚醒剤および覚醒剤原料は，「覚醒剤取締法」で輸出入や所持，製造，譲渡，譲受，使用などが規制されている．覚醒剤事犯者数は，戦後三度のピーク（第 1～3 次覚醒剤乱用期）以降，減少傾向にあるが，現在でも全薬物事犯者数の 6 割以上を占めている．また，覚醒剤事犯の再犯者率は他の薬物と比べて著しく高く（2019 年，64%），覚醒剤がきわめて強い依存性を有していることを示している．

1．種類および用法

メタンフェタミン（法律名：フェニルメチルアミノプロパン）とアンフェタミン（法律名：フェニルアミノプロパン）がある．メタンフェタミンは医薬品（商品名「ヒロポン」）として販売され，ナルコレプシーや各種の昏睡症状の改善，麻酔からの覚醒促進薬などとして使用される．メタンフェタミンおよびアンフェタミンはともに分子内に不斉炭素原子を持ち，2 種類の光学異性体（*d*-および *l*-体）が存在する．わが国での乱用は，ほとんどが *d*-メタンフェタミンである．

従来から静脈内注射による方法が多用されているが，最近では内服したり，鼻からの吸引あるいはタバコに含ませて喫煙により摂取したり，アルミ箔の上に載せ，ライターであぶり出して吸煙するという方法もみられる．

2．代謝および排泄

メタンフェタミンの代謝を**図 4-92** に示す．メタンフェタミンの代謝は種差間で著しい違いがある．ヒトがメタンフェタミンを摂取したときに尿中に見出されるのは主に未変化体とアンフェタミンである．*p*-ヒドロキシメタンフェタミン，*p*-ヒドロキシアンフェタミンなどの水酸化体は，ほとんどがグルクロン酸抱合体もしくは硫酸抱合体として尿中に排泄される．メタン

表 4-20　主要な乱用薬物の血液（血漿）中濃度と症状

薬物	血液（血漿）中濃度（μg/mL）		
	治療（正常）域	中毒域	昏睡-致死域
覚醒剤			
メタンフェタミン	−0.1	0.2～1	1～18；40
アンフェタミン	0.02～0.1	0.2	0.5～1
麻薬類			
モルヒネ	0.01～0.1	0.1	0.1
コカイン	0.05～0.3	(0.25-) 0.5～1 (-5.2)	0.9～21
リゼルギン酸ジエチルアミド（LSD）	0.0005～0.005	0.001	0.002～0.005
MDMA	0.1～0.35	0.35～0.5	0.4～0.8；2.9
MDA	−0.4	1.5	1.6～26
MDEA	−0.2		1～4.2；12
サイロシン	約 0.008	0.018	
GHB（γ-ヒドロキシ酪酸）	約 50～120	80；200	30～9200（平均 640）
Δ^9-テトラヒドロカンナビノール（THC）	0.005～0.01（-0.05）		
フェンタニル	0.0003～0.3		0.003～0.02
カルフェンタニル			0.12；0.145；0.221；1.3 ng/mL
アセチルフェンタニル			0.23～0.27

薬毒物中毒死の判定においては，致死量は個人差が大きいことを考慮する必要がある．
（出典：Schulz, M., Schmoldt, A., Andresen-Streichert, H. et al.：Revisited：Therapeutic and toxic blood concentrations of more than 1100 drugs and other xenobiotics. Critical Care　24, 195, 2020. https://doi.org/10.1186/s13054-020-02915-5）

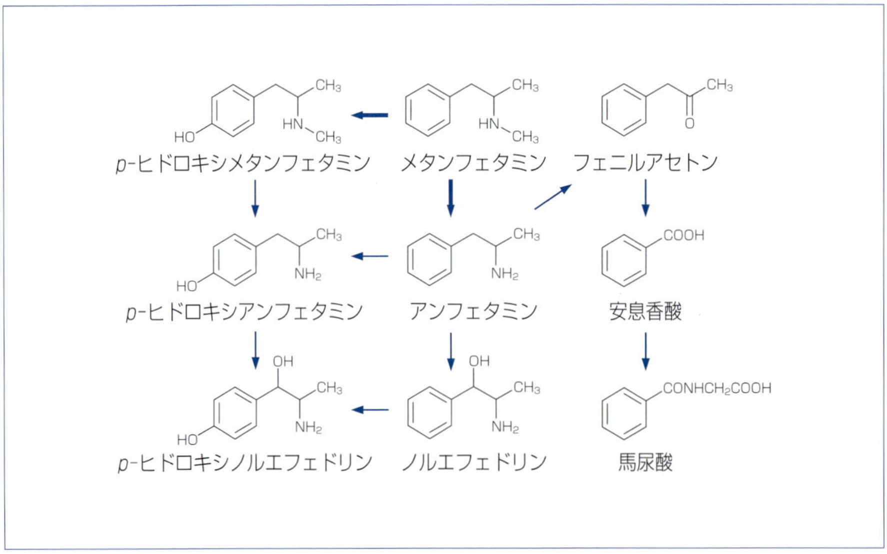

図4-92　メタンフェタミンの主な代謝経路

フェタミンやアンフェタミンなどの塩基性薬物は酸性化によってイオン化率が上がり，尿中への排泄が増す．逆にアルカリ性の尿では腎臓で再吸収され，排泄が遅延する．酸性下におけるメタンフェタミン投与後16時間の尿中排泄量はアルカリ尿の場合の40倍にも増加するといわれている．

3. 中毒機序および症状

メタンフェタミンおよびアンフェタミンはともに中枢神経興奮作用と交感神経興奮作用を有する．中枢神経興奮作用はメタンフェタミンがより強く，交感神経興奮作用はアンフェタミンがより強い．これらの作用は神経伝達物質であるカテコールアミン，特にドパミンのシナプスからの放出を促進し，その再取り込みを阻害し，モノアミンオキシダーゼの活性を抑制すると考えられている．その結果，シナプス間隙には高濃度の神経伝達物質が存在することとなり，過剰な伝達が起こり精神運動性の興奮を生じる．

少量の摂取によって気分高揚，多幸感，食欲抑制作用などを発現するとともに不眠，頻脈あるいは血圧上昇なども起こる．身体依存はないが，服用後に得られる多幸感への渇望から，薬物に対する欲求が高まり，連用することになる．大量摂取や連用により不安，過敏，焦燥となり，攻撃性を帯びてくる．さらに進行すると，錯乱状態に陥り，幻覚，被害妄想，幻聴状態が現れる．また，慢性中毒者では，薬物の使用中止後においても飲酒や精神的ストレスなどによって，フラッシュバックと呼ばれる精神作用の再燃を起こすことがある．

4. 死体所見

直腸温の著明な上昇（40℃前後）や肘窩などの表在静脈に新旧注射痕が認められることが多い．その他，臓器うっ血などの急死の共通所見が認められる．

5. 検出法[9]

生体からの覚醒剤の分析には，高濃度に存在していることから尿を試料として用いることが多い．血液試料は，薬物が身体に与えた影響の程度を知るのに有効である．血中覚醒剤濃度と中毒程度との関係は，メタンフェタミンとその代謝物を合わせた血中濃度をμmol/100 mLで表すと，3（4.47 μg/mL）以上が致死域，2～3が重症域，0.2～2が中等症域，0.2以下が軽症域とされる（永田，1983年）が，1 μg/mL以下での死亡例も報告されている[10]．長期の使用歴を

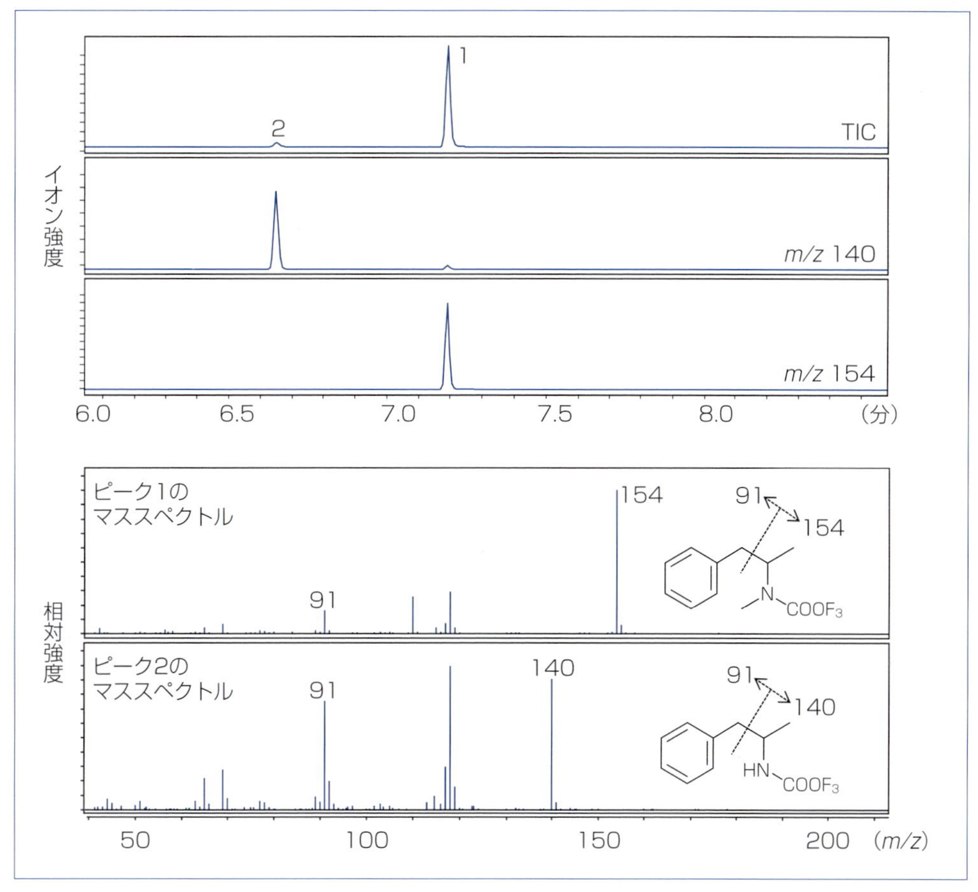

図 4-93　尿試料抽出物の GC/MS による検査結果

ピーク 1 および 2 の保持時間はそれぞれメタンフェタミンおよびアンフェタミンの TFA 誘導体化物のそれらと一致するとともに，両物質の構造に基づく特徴的なスペクトルが得られた．

知るために毛髪を検査試料とすることがある[11)]．スクリーニングには尿試料を用いるイムノアッセイ（DRIVEN-FLOW，Status DS など）が利用されている．

確認試験としての定性・定量分析には，ガスクロマトグラフィ/質量分析（GC/MS）が用いられる（図 4-93）．

2 麻薬 narcotics（表 4-20）

わが国で麻薬とは，「麻薬及び向精神薬取締法」によって指定された薬物をいい，学術的用語として明確に定義することはできないが，広い意味では，連用によって薬物渇望感を形成する薬物といえる．現在，同法および政令によって 216 種類の薬物が麻薬に指定されている（2020 年 8 月）．そのなかには，あへんアルカロイド系麻薬，コカアルカロイド系麻薬，幻覚薬に加え，新たに出現した危険ドラッグの一部などが含まれる．なお，1%以下のコデイン，ジヒドロコデインは鎮咳薬として使用され，「麻薬及び向精神薬取締法」から除外されている．

1．あへんアルカロイド系麻薬

けしの未熟果から得られる乳汁を集めて乾燥したものが“あへん”である．あへんに含まれるアルカロイドは 20 種類を超え，植物中に硫酸，乳酸あるいはメコン酸の塩として存在する．主なものにモルヒネ，コデイン，テバイン，パパベリン，ノスカピンなどがあり，含有量はあへんの産地や製品によって変動する（図 4-94）．モルヒネ，コデイン，テバインおよびオ

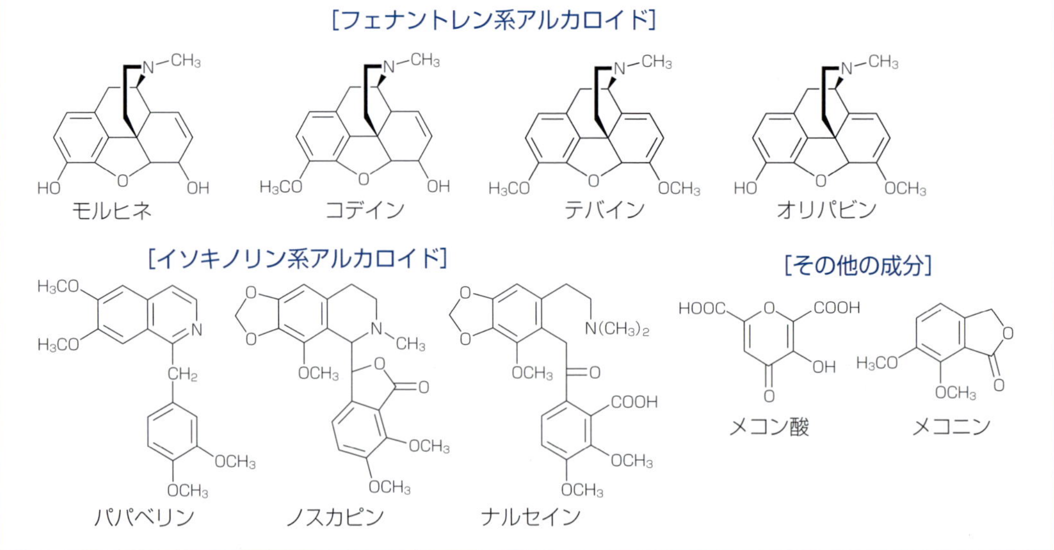

[フェナントレン系アルカロイド]

モルヒネ　コデイン　テバイン　オリパビン

[イソキノリン系アルカロイド]

パパベリン　ノスカピン　ナルセイン

[その他の成分]

メコン酸　メコニン

図 4-94　あへんに含有される主な成分

リパビンは麻薬に指定されている．ノスカピンは鎮咳作用を有するが，それ自身は耐性も依存性もないので麻薬からは除外されている．

(1)　モルヒネ

▶**作用**：モルヒネおよび関連薬物は，オピオイドレセプターに結合して作用を発現する．モルヒネは特にμレセプターの代表的アゴニストであり，鎮痛作用をはじめ，呼吸，脈拍，消化管運動および免疫などに対する効果を発現する．

▶**毒性**：急性毒性として，最初興奮期があり，めまいや心悸亢進などが現れ，次いで麻酔作用が発現し，熟眠や呼吸の不整，血圧降下，体温降下，瞳孔収縮などがみられ，ついには呼吸停止する．連用によって耐性を生じるとともに，精神的依存や身体的依存を形成する．

(2)　ジアセチルモルヒネ（ヘロイン）

ジアセチルモルヒネは19世紀後半にモルヒネから合成され，著しい鎮痛効果のあることが認められたが，モルヒネよりもさらに強い依存性を有することが明らかとなり，各国で厳しく規制されている．

▶**作用**：鎮痛作用，麻酔作用，鎮咳作用などはモルヒネよりも強く，1～3 mgの服用で効果を発現する．催眠作用はモルヒネよりも弱い．

▶**毒性**：ジアセチルモルヒネはモルヒネに比べて，服用の初期により強い陶酔感をもたらすため，一層依存性を起こしやすい．したがって，中毒に陥るのも早く，医療用としてはまったく利用されていない．

2.　コカアルカロイド系麻薬

(1)　コカ葉

コカ葉の原植物は南米原産のエリスロキシロン・コカ・ラムおよびエリスロキシロン・ノヴォグラナテンセ・ヒエロンであり，現在でもコカの栽培は南米で行われている．コカ葉にはコカインのほか，シンナモイルコカイン，トルキシリンなどのアルカロイドを含有している．コカ葉，コカイン，エクゴニンおよびエクゴニンのエステルとその塩類はいずれも麻薬に指定されている．

(2)　コカイン

▶**作用**：局所麻酔作用があり，粘膜に塗布すると，末梢知覚神経を麻痺させる．また，血管収縮，血圧上昇，疲労感消失，散瞳などの作用がある．アドレナリン作動性神経終末におけるカテコールアミン（ドパミン，ノルアドレナリン，セロトニン）の再取り込みを阻害し，覚醒剤に似た中枢興奮作用を発現する．

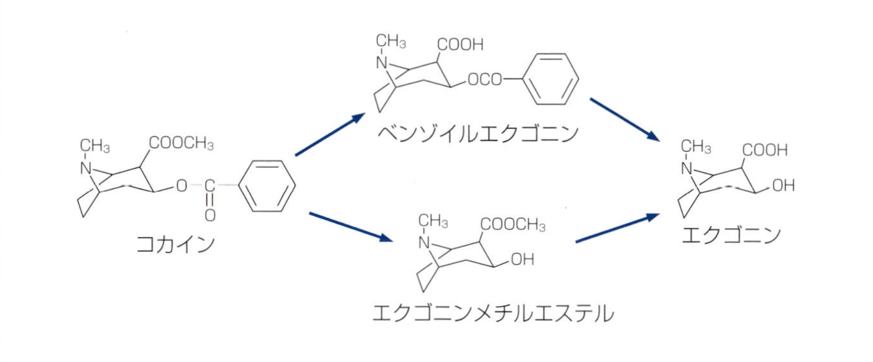

図 4-95　コカインの主な代謝経路

▶毒性：多量摂取では，呼吸，血管運動中枢は最初興奮後，抑制を示し，呼吸麻痺で死亡することがある．連用によって依存性を生じる．身体的依存は強くないが，精神的依存はかなり強く，陶酔感を求めて手段を選ばず薬を入手しようとする．

▶代謝：コカインは体内で速やかに加水分解を受け，エクゴニンメチルエステルおよびベンゾイルエクゴニンに代謝され（半減期30～90分），尿中に排泄される未変化体は数％程度である（図 4-95）．

3. 幻覚薬

幻覚薬とは，中枢神経系に作用し，思考，気分，知覚に変化を起こさせる精神異常発現薬の一種で，その特徴として幻覚を発現させる作用を持つ薬物の総称である．

(1) リゼルギン酸ジエチルアミド lysergic acid diethylamide（LSD）

LSDは麦角アルカロイドより得られるリゼルギン酸から合成される部分合成化合物である．

▶作用：1回20～75 μg程度の微量を経口的に摂取することにより，30～60分後に幻覚作用を発現し，8～12時間持続する．現在，最も強力な作用を持つ幻覚薬である．

▶毒性：比較的耐性を生じやすいが，依存性は弱く，身体的依存性はないか，あっても弱い．瞳孔の散大・左右不同，幻聴，幻覚が症状の特徴で，特に極彩色の幻視が起こる．連用によって精神分裂様症状など精神異常をきたすことがある．

(2) MDMA

MDMA（3,4-methylenedioxymethamphetamine）は，覚醒剤メタンフェタミンにメチレンジオキシ環が導入された構造を持つ合成麻薬である．類似物質としてMDA（3,4-methylenedioxyamphetamine），MDEA（3,4-methylenedioxyethylamphetamine）があり，いずれも「麻薬及び向精神薬取締法」により麻薬に指定されている．諸外国では覚醒剤を含めてアンフェタミン型興奮剤 amphetamine type stimulants（ATS）と総称される．また，これらの成分を含有する錠剤やカプセルが“エクスタシー”，“XTC”などと呼ばれて流通し，乱用されている．

▶作用：覚醒剤に類似した中枢興奮作用があり，脳内のカテコールアミンの放出を増加させて興奮・幻覚をもたらす．

▶毒性：経口摂取後15分以内に効果を発現し，精神高揚感，多幸感，不安消失，視覚・聴覚の鋭敏化などの症状のほか，悪寒・発汗・失神などの副作用がある．過量摂取すると覚醒剤と同様に頻脈・不整脈・高血圧・けいれん・昏睡・高熱・筋硬直などをきたす．横紋筋融解・脱水・心不全，肝・腎機能障害などを起こし，死亡する場合もある．

(3) サイロシビン，サイロシン

サイロシビンおよびサイロシンは，いわゆるマジックマッシュルームに含有される幻覚成分である．これらを含有するキノコ類は“麻薬原料植物”に指定され，麻薬として取り扱われる．

(4) GHB（γ-ヒドロキシ酪酸 gamma-hydroxybutyrate）

GHBは，中枢神経抑制作用，タンパク同化作用などを有する低分子化合物である．麻酔作用があり，わが国では2001年に麻薬指定された．GHBは生体内に微量存在する内因性物質でもあり，また肉類，魚類など多くの食品中にも存在する．

GHBは水溶液中ではγ-ブチロラクトン（GBL）と平衡状態にあり，酸性条件下ではGBL側に，アルカリ性条件下ではGHB側にその平衡が移動する．また，生体内においてもGBLは酵素的に速やかにGHBに変換され，GHBと同等の薬理作用を示し，尿中には主にGHBとして排泄される（図4-96）．

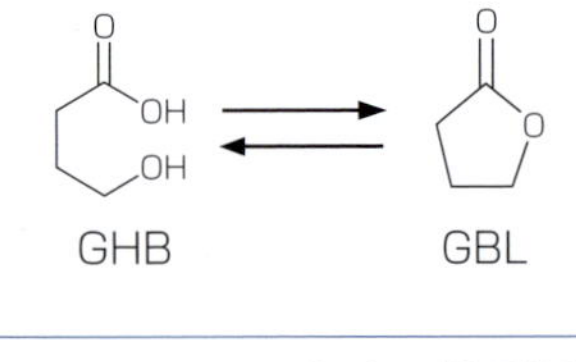

3 大麻 cannabis

大麻草（カンナビス・サティバ・エル）はアサ科の植物で雌雄異株の一年生草本である．

GHB　GBL

図4-96　GHBとその前駆物質

「大麻取締法」での大麻とは，植物としての大麻草およびその製品を意味し，布，網，ロープなどに広く利用される茎皮の繊維（麻糸）ならびに七味唐辛子や鳥の飼料として利用される種子は規制の対象外である．大麻に含有される成分として代表的なものに，Δ^9-テトラヒドロカンナビノール tetrahydrocannabinol（Δ^9-THC），カンナビジオール cannabidiol（CBD），カンナビノール cannabinol（CBN）がある（図4-97）．大麻の作用本体の大部分はTHCによるものである．

▶**作用**：吸煙または経口的摂取により陶酔感を覚え，知覚，感覚に変化を生じ，幻視，幻聴が現れる．饒舌となり，思考の分裂，感情不安定などをきたし，衝動的行為に走るようになる．嘔吐感，口渇があり，触覚，味覚などに変化が感じられ，頻尿になる．

▶**毒性**：中毒症状は陶酔感，幻視，幻聴などの精神異常状態のほか，無気力，無感動，記憶力や集中力の欠如，不安，不眠，狂乱状態などがみられる．また，めまい，頭痛，嘔吐感，血圧上昇，心悸亢進，慢性胃炎，慢性気管支炎などの身体的症状をきたす．

大麻は，覚醒剤やLSDと同様にフラッシュバックと呼ばれる精神障害を起こす．

▶**検出法**：大麻の使用を証明するためには，THCの尿中主要代謝物であるTHC-11-カルボン酸を検出する．その多くはグルクロン酸抱合されているため，まず尿試料を加水分解処理し，固相抽出などにより目的成分を抽出後，高速液体クロマトグラフィ high performance liq-

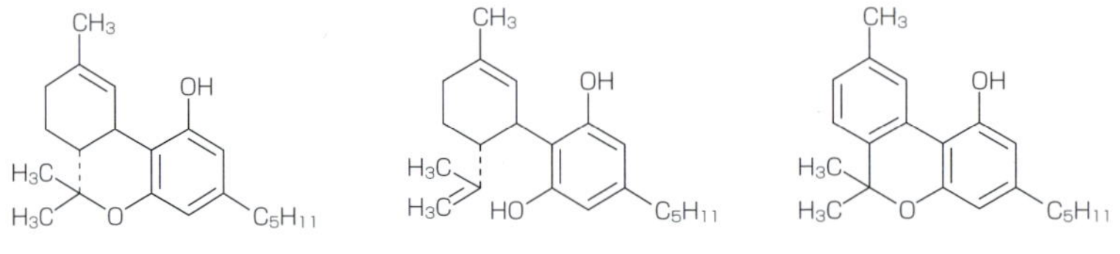

Δ^9-テトラヒドロカンナビノール（Δ^9-THC）　カンナビジオール（CBD）　カンナビノール（CBN）

図4-97　大麻に含有される主なカンナビノイド

uid chromatography（HPLC），GC/MS などを用いて，定性・定量分析する．

4 最近の乱用薬物 latest drugs of abuse

近年，インターネットなどを通じて流通している危険ドラッグ（図 4-98）による健康被害が頻発していることから，2007 年，薬事法（現医薬品医療機器等法）が改正され，これらの薬物を“指定薬物”として規制することとなった．当初，亜硝酸塩（亜硝酸イソブチルなど），トリプタミン類（*N*,*N*-ジイソプロピルトリプタミンなど），フェネチルアミン類（4-フルオロアンフェタミンなど）を含む 31 物質，1 植物（salvinorin A を含有するサルビア）を規制対象としていたが，後述する合成カンナビノイドの出現以降，規制薬物の化学構造を改変した類似物質が激増したため，指定薬物を包括指定して取り締まりが強化された．指定薬物の総数は，2,384 物質，2 植物（2020 年 11 月）である．植物片などの試料については，少量をメタノールなどで抽出し，GC/MS にて分析する[12]．血液や尿試料などの場合，溶媒抽出などで前処理後，GC/MS や LC/MS を用いて分析する．尿中には未変化体はほとんど検出されず，代謝物のみが確認されることが多い．

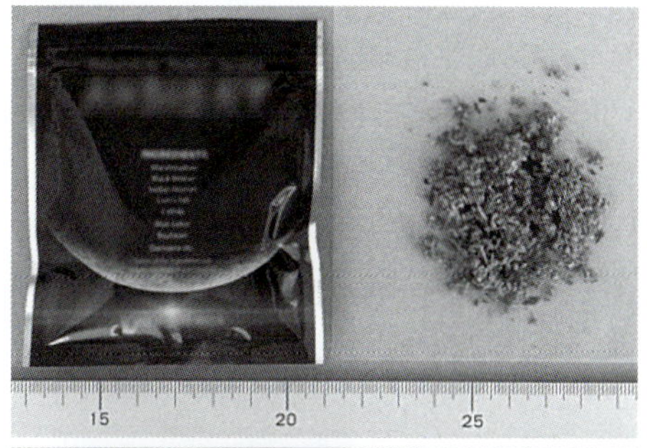

図 4-98　危険ドラッグ

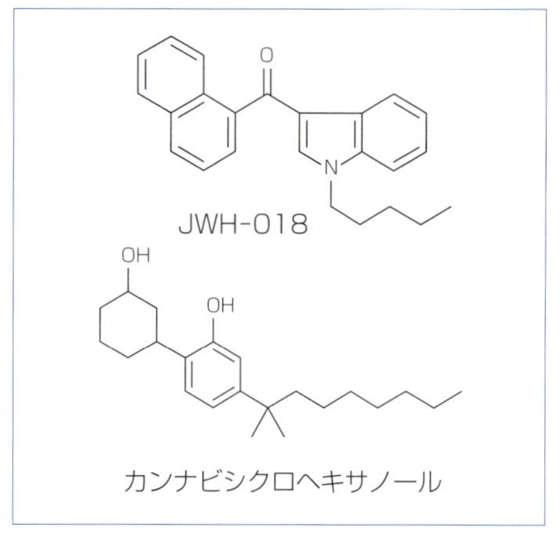

図 4-99　合成カンナビノイド

1. 合成カンナビノイド

JWH-018 は，お香あるいはスパイスや脱法ハーブなどと称して販売されている乾燥植物片に含有される合成カンナビノイドである（図 4-99）．幻覚作用に寄与するとされるカンナビノイド受容体（CB_1受容体）に対する親和性は THC の 4 倍とされており，1 mg 程度を摂取すれば大麻様効果を発現すると考えられている[10]．カンナビシクロヘキサノールは THC の 6.5 倍の作用を有する．

2. カチノン誘導体

カチノン（βケトアンフェタミン）誘導体は覚醒剤アンフェタミンと類似の化学構造を有し，精神高揚などの中枢神経興奮作用を有する化合物である．2007 年，インターネットを介して欧州での乱用が広がり，その種類は急速に増えている．わが国においても，危険ドラッグからカチノン誘導体（図 4-100）が検出されており，一部は麻薬もしくは指定薬物として規制されている．

3. フェンタニル誘導体

フェンタニルは，1960 年代に開発されたピペリジン系鎮痛薬であり，あへんアルカロイド系麻薬であるモルヒネに類似した薬理作用を有す

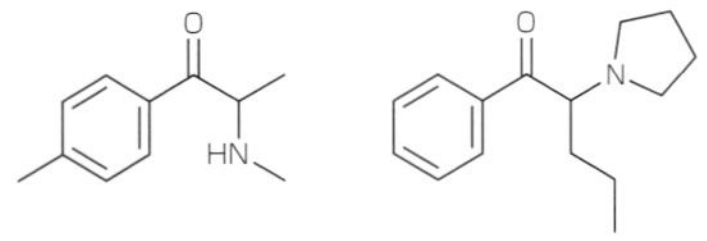

4-メチルメトカチノン
（メフェドロン）

α-PVP

図 4-100　カチノン誘導体

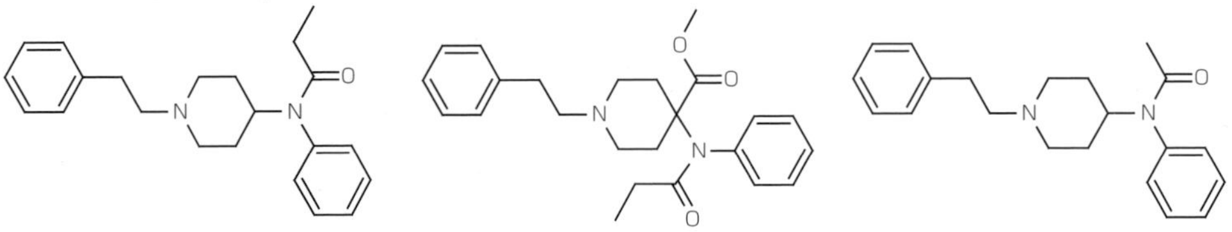

フェンタニル

カルフェンタニル

アセチルフェンタニル

図 4-101　フェンタニル類

る（図 4-101）．その鎮痛作用の強さは，モルヒネの50～100倍といわれており，主として麻酔，鎮痛，疼痛緩和を目的として医療用に使用されている．一方，欧米ではヘロインの代替品としての乱用が深刻な問題となっている．フェンタニルのカルボメトキシ体であるカルフェンタニルはきわめて強いオピオイド受容体親和性を有し，その鎮痛効果はモルヒネの約 10,000 倍とされている．2013 年頃から欧米において乱用目的で流通しており，健康被害や死亡例も多数報告されている．わが国ではアセチルフェンタニルによる中毒事例が報告されている[13),14)]．

[参考文献]

1）日本法医学会教育研究委員会法医中毒学ワーキンググループ編：薬毒物検査マニュアル，日本法医学会，1999.
2）広島大学医学部法医学講座編：薬毒物の簡易検査法　呈色反応を中心として，じほう，2001.
3）鈴木　修，屋敷幹雄編：薬毒物分析実践ハンドブック―クロマトグラフィーを中心として―，じほう，2002.
4）西勝英監修：薬・毒物中毒救急マニュアル　改訂 7 版，医薬ジャーナル社，2007.
5）黒川　顕編：中毒症のすべて―いざという時に役立つ，的確な治療のために―，永井書店，2006.
6）内藤裕史：中毒百科―事例・病態・治療―改訂第 2 版，南江堂，2001.
7）Kugelberg, F.C., Jones, A.W.：Interpreting results of ethanol analysis in postmortem specimens：a review of the literature. Forensic Sci Int 165, 10-29, 2007.
8）高取健彦編：捜査のための法科学　第二部（法工学，法化学），令文社，2005.
9）日本薬学会編：薬毒物試験法と注解 2017，東京化学同人，2017.
10）内藤裕史：薬物乱用・中毒百科―覚醒剤から咳止めまで，丸善，2011.
11）Miyaguchi, H., Inoue H.：Determination of amphetamine-type stimulants, cocaine and ketamine in human hair by liquid chromatography/linear ion trap-Orbitrap hybrid mass spectrometry. Analyst　136, 3503-3511, 2011.
12）井上博之，辻川健治，岩田祐子：科学捜査における脱法・違法薬物の分析．メディカル・テクノロジー　41，1166-1172，2013.
13）Takase I., Koizumi, T., Fujimoto, I., et al.：An autopsy case of acetyl fentanyl intoxication caused by insufflation of 'designer drugs'. Legal Medicine 21, 38-44, 2016.

14) Yonemitsu, K., Sasao, A., Mishima, S., et al.：A fatal poisoning case by intravenous injection of "bath salts" containing acetyl fentanyl and 4-methoxy PV8. Forensic Sci Int 267, e6-e9, 2016.
15) 鈴木　修，大野曜吉，須崎紳一郎，他監修：薬毒物情報インデックス，日本医事新報社，2014.
16) Schulz, M., Iwersen-Bergmann, S., Andresen, H., et al.：Therapeutic and toxic blood concentrations of nearly 1,000 drugs and other xenobiotics. Critical Care 16, R136, 2012.
17) 田中千賀子，加藤隆一，成宮　周編：NEW 薬理学　改訂第 7 版，南江堂，2017.

5 小児の法医学

●重要事項●

1）嬰児死，胎児死の死体検案に際して注意しなければならないことは，① 発育程度（成熟児，未熟児の別）と生活能力の有無，② 生死産の別，③ 死因，④ 生産であれば出産後の生存期間である．
2）解剖所見上，生死産の判別には既呼吸児か未呼吸児かが重要な参考になる．
3）墜落産の場合，臍帯断裂の部位，断端の性状に注意する．
4）児童虐待は身体的虐待，性的虐待，ネグレクト，心理的虐待に分類されるが，実際には重複することが多い．
5）医療関係者は虐待を発見しやすい立場にあることから，児童虐待の早期発見に努める義務がある．
6）虐待か否かの判断には，損傷鑑定や関係者からの聴き取り，状況調査などに基づく総合的な判断が不可欠である．

I 嬰児殺

1．嬰児殺とは infanticide

嬰児殺とは，故意に新産児を殺害することと定義される．日本では，特に嬰児のみの殺害に関する法律はないので，通常の殺人罪（刑法第199条）が適用される．

加害者は通常母親（産母）であることが多い．新産児を分娩直後に殺すときには何らかの事情があり，妊娠分娩の経過を通じ妊産婦は身体的かつ精神的に不安定な状態にあるので，刑としては場合に応じて斟酌されることが多い．医学的な立場からは，死に至る経過を明確にし，故意か，過失か，その特徴づけられる所見を読み取ることが大切である．

殺害の時期が妊娠中，分娩中あるいは生後であるかによって，刑法上の取り扱いが大きく異なる．妊娠中に妊婦自身が薬物の使用またはその他の方法で胎児を殺害した場合には，刑法第212条の堕胎罪が適用される．殺人との境界には，次の ①～④ の4説がある．

① **陣痛説**：陣痛が始まった後，
② **一部露出説**：産門から一部でも出た後，
③ **全部露出説**：全身が産門から出た後，
④ **独立呼吸説**：産児が独立呼吸をした後，

しかし，刑法上は ② の一部露出をもって「人」とし，民法上は ③ の全部露出説を採用している．

心拍動はあるが無呼吸で，しかし全身は露出しているような仮死産児の場合，人格を認めるか否かの判定は難しい．仮に妊婦に堕胎行為をして，仮死産児が生まれたときには，堕胎罪と殺人罪の両方が適用される．自然流産の場合，胎児が死亡していれば流産，生存していた後の死亡であれば殺人罪が適用される．しかし，その死亡が扶養義務の怠慢による死亡であれば，保護者遺棄致死（刑法219条），あるいは過失致死罪の適用となる．死産児や殺害した子を放置すれば死体遺棄罪（刑法190条）が適用される．このように児の死に様により種々の罪名がある．

2．胎児の発育程度と生活能力

胎児の発育程度がどのくらいの妊娠期間に相当するか，生活能力の有無，成熟児か未熟児か，すなわち特別な処置を加えなくても母体外で生活できるか否かについて検査を行う．

身長および体重については，それぞれHaaseと榊の式が簡易で最も使いやすい．

▶Haaseの式：

［身長］妊娠1～5か月：(妊娠月数)^2 cm
　　　　妊娠6～10か月：(妊娠月数)×5 cm

▶榊の式：

［体重］妊娠1～5か月：(妊娠月数)^3×2 g
　　　　妊娠6～10か月：(妊娠月数)^3×3 g

あるいは胎盤の重量，大きさで調べる．

▶松倉の式：

［胎盤の重量］妊娠1～7か月：
　　(妊娠月数)^3＋(妊娠月数)×5 g
　妊娠8～10か月：(妊娠月数)×50 g

1 成熟児判定基準

一般的な成熟児，妊娠満40週（10か月）の基準をあげると，次のようになる．

［身長］50 cm
［体重］2,800～3,000 g
［頭の大きさ］前後径11.0 cm，左右径8.5 cm，斜径13.0 cm，頭囲33.0 cm，大泉門の大きさ2.0 cm
［頭毛の長さ］2.2 cm
［臍帯の長さ］50 cm
［胎盤の重量］500 g
［指爪］指端を越える
［趾爪］趾端に達する
［毳毛］肩甲部，鼠径部などに残存
［男児睾丸］陰嚢内にある
［女児外陰］大陰唇が小陰唇を覆う
［化骨核の測定］大腿骨下端化骨核，径0.3～0.5 cm（図5-1）
　踵骨化骨核，径0.85 cm（図5-2）
［瞳孔膜］完全に消失

また，妊娠満24～35週（7～9か月）の胎児の発育程度を表5-1に示す．

2 未熟児の判定

未熟児immature babyと成熟児の違いを明確に定義することは難しいが，世界保健機関（WHO）では出生時の体重が2,500 g未満を低出産体重と定義している．特に妊娠週数とは関係がない．原因には，早期産，多胎，胎盤機能不全，その他，先天的，遺伝的素因があげられる．

3．生死産の別

生産児live-born infantが殺害されたと判断された場合，殺人罪の適用となる．それを検案・解剖した医師は出生証明書を発行し，さらに死体検案書を発行する．死産児still-born infantであれば，殺人罪は適用されず，医師は死胎検案書を発行する．生死産の別は，刑事上重要であるだけでなく，母子保健の対策上，また，行政上重要な意味を持つので，嬰児殺の疑われる法医解剖に際し，生死産の判別はきわめて重要な事項である．

通常，人の死には心拍動が主たる基準になるが，すでに死亡している胎児を検案するときには呼吸をしたか否かが問題となる．一般に解剖では，生死産の別を既呼吸児であったか，未呼吸児であったかを基準に生産児の徴候として判

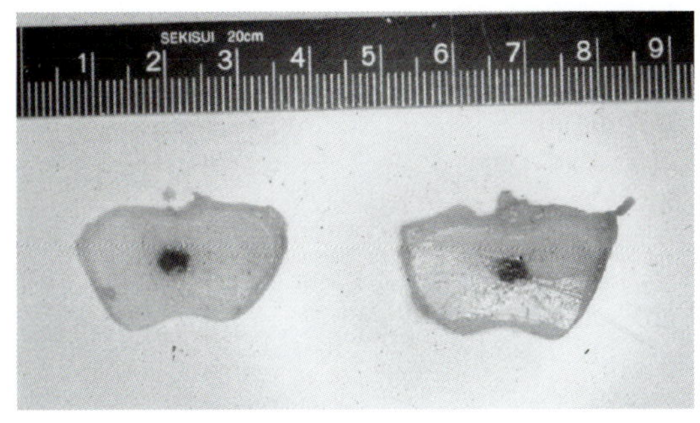

図 5-1　大腿骨下端化骨核

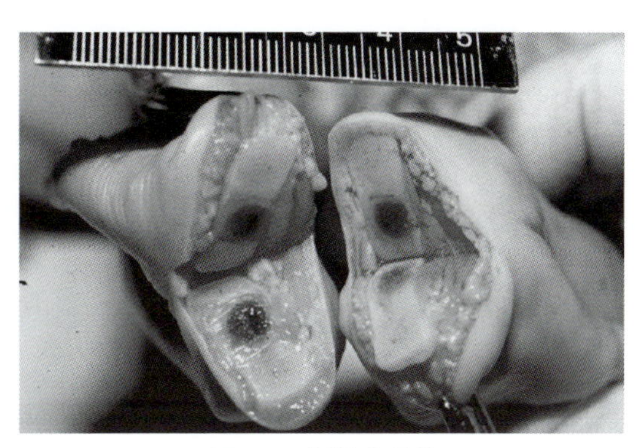
図 5-2　踵骨化骨核

表 5-1　妊娠満 24〜35 週における胎児の発育程度

妊娠満数週 月数	24〜27 (7 か月)	28〜31 (8 か月)	32〜35 (9 か月)
身長 (cm)	35〜38	38〜43	46〜48
体重 (g)	1,000〜1,300	1,500〜2,000	2,000〜2,500
頭囲 (cm)	23〜24	24〜26	26〜32
頭毛の長さ (cm)	0.6	0.7	1.0〜1.5
臍帯の長さ (cm)	40.0	45.0	47.0
胎盤の重量 (g)	380〜400	450	450〜500
指爪	まだ指端に達しない	ほとんど指端に達する	指端に達する
毳毛	芝生する	大部分に残存	相当脱落
男児睾丸	腹輪中	陰嚢内に下降中	陰嚢内にある
女児外陰	小陰唇および陰核が突出	大陰唇が少し膨隆するが，まだ接着していない	大陰唇がかなり膨隆し，ほぼ接着する
踵骨化骨核径 (cm)	0.5	0.5〜0.6	0.8
臍帯付着点	胸骨剣状突起と恥骨の中央のはるか下方	胸骨剣状突起と恥骨の中央のやや下方	胸骨剣状突起と恥骨のほぼ中央
瞳孔膜	中央部のみ消失	辺縁部にわずかに残る	完全に消失

定している．しかし，実際には未呼吸児であっても，心拍動など生活徴候を示すことがあることを念頭に置かねばならない．

1 生産児の徴候（表 5-2）

1. 肉眼的所見

① 胸郭が樽状に膨隆して胸囲が腹囲より 1〜2 cm 大きくなる．

② 横隔膜の高さを，前胸部のほぼ鎖骨中線上の肋骨・肋間隙の高さをもって表すが，既呼吸児では肺の膨隆のため，未呼吸児より下がっている．

③ 肺が膨隆し，辺縁が鈍になる．空気を入れるため，色調が白色を帯びた淡紅色になり，捻髪音を触れ，割面では含気泡沫を圧出する．

2. 肺の組織学的検査

肺胞が開いているか否かを調べる．第一呼吸ですべての肺胞が開くわけではない．肺の 1 か所だけでなく数か所以上について，一般染色のほかに弾力線維染色を施して，肺胞の開大の有無を調べる．まれに，羊水の吸引によって肺胞の開大がみられることもあるので，呼吸細気管支および肺胞管の限局性開大像や肺硝子膜の出現を確認することが重要な所見となる．気道の内容物も考慮に入れて検鏡しなければならない（口絵写 67，68）．

3. 肺浮揚試験（Rager, 1970）

肺を水に漬け，浮けば陽性，沈めば陰性と判

表 5-2　既呼吸児と未呼吸児の鑑別

	既呼吸児	未呼吸児
胸郭の形	樽状に膨隆 胸囲＞腹囲	扁平 胸囲＜腹囲
横隔膜の高さ	第 5～6 肋骨の高さ	第 4～5 肋骨の高さ
肺の形状	膨隆，膨満	退縮，小
表面	淡紅色 空気のため，白色調	肉様，肝臓様 濃赤色
辺縁	鈍	鋭，薄い
硬度	海綿様，柔軟	肉様，硬
比重	＜1.0	1.045～1.056
肺浮揚試験	陽性	陰性
胃腸浮揚試験	陽性	陰性
鼓室検査	空気を入れる	粘液を入れる

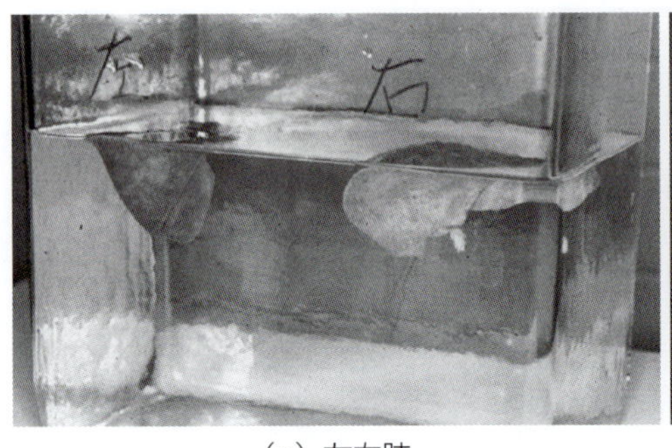

(a) 左右肺

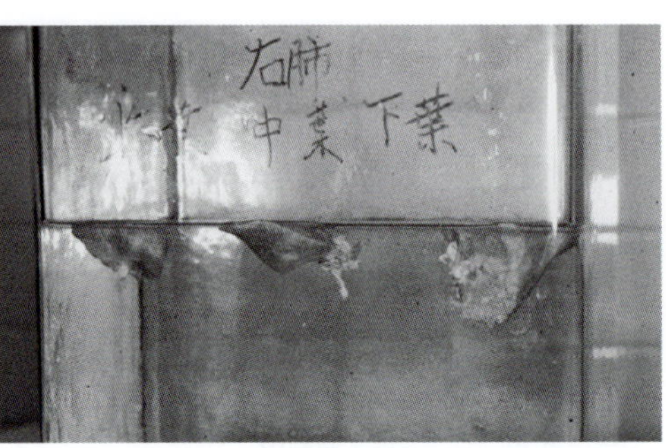

(b) 各　葉

図 5-3　肺浮揚試験

断する．まず気管を付けて左右の肺を水に漬ける．つぎに各葉，小片について調べる（図 5-3）．全体で沈んでも浮く場所があることがある．

未呼吸であっても開いている場所もあり，生後すぐにすべてが開くわけではない．また，腐敗が進行している場合，浮かないときがある．逆に腐敗ガスで浮くこともある．ほかの臓器の腐敗状況も考慮に入れ判断する必要がある．人工呼吸を施した肺の場合，浮くことがあるが，肺胞の開き方が一様でない．腐敗を防止するために検案の前に誤って施されたドライアイスのために，肺が凍結し，浮く場合がある．

一方，生産児であっても，仮死状態で呼吸活動が十分に行われていない場合，あるいは墜落産（墜落分娩）で第一呼吸で糞便を吸入した場合などは，肺胞内に空気が入らず，水に沈む．

4. 胃腸浮揚試験（Breslau, 1966）

生後すぐに嚥下運動が始まり，空気が胃腸に入る．胃，腸のどのあたりまで空気が入っているか調べる（図 5-4）．噴門，幽門，空腸起始部，回盲部，S 字結腸および直腸で結紮し，水に浮遊させる．空気が入っていればその部位が水に浮くことを利用する．

1 時間生存していると十二指腸まで，6 時間で回盲部まで，12 時間生存していると直腸まで達している．しかし，腐敗が進行している場合には，肺浮揚試験と同様に注意を要する．

5. 鼓室検査

未呼吸児では鼓室内に粘液があるが，既呼吸児では空気が入っていることを調べる．

6. その他

嬰児の剖検には死後変化の進んだ例も多く，胃腸浮揚試験や肺浮揚試験が困難な例に遭遇す

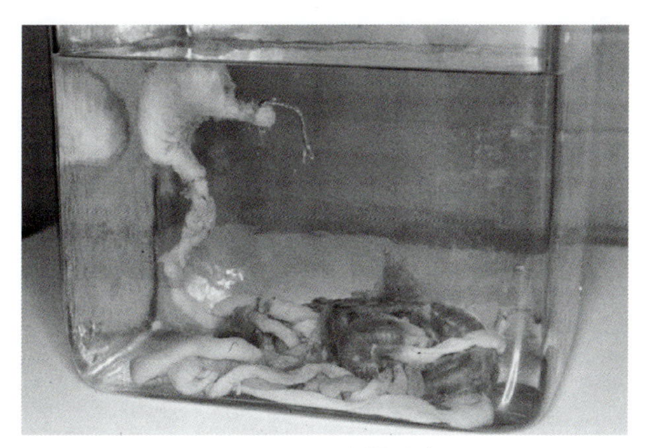

図 5-4 胃腸浮揚試験

る．剖検によって組織学的検査を行うことが必須であるが，解剖前に死後画像診断により体内の空気や液体の分布を観察することが参考となる．

4．出生後の生存期間

出生後，新生児がどのくらい生存していたかを，新生児特有の徴候の有無によって推測する．

1 皮 膚

① 肛門周囲，大腿に胎便（meconium，緑褐色，通称蟹ババ）が付着している．

② 胎脂（胎垢）vernix caseosa*が腋窩や鼠径部に付着している．

③ 新生児（生理的）黄疸 icterus neonatum：生後 2，3 日で出現し，10 日以内に消失する．

2 臍 帯

出生直後は真珠色で湿潤，2 日以降変色，乾燥し，出産後 5, 6 日で脱落する．約 2 週間後には瘢痕化して，臍窩を形成する．

3 胎便 meconium

分娩後 24～36 時間で排泄される．

4 胃腸内容

新産児の場合は灰白色の粘稠液が少量入っている．

5 産瘤 caput succedaneum

産道の圧迫によって先進部の頭皮下に生じた腫瘤は，生後 1，2 日で小さくなる．

6 動・静脈管 ボタロー管，アランチウス管 ductus arteriosus Botalli，ductus venosus Arantii

数日から数週間で閉鎖する．卵円孔 foramen ovale もほぼ同時期に閉鎖するが，少し遅れることがある．

5．死 因

胎児または新生児の死因は，① 分娩前の死亡，② 分娩中の死亡，③ 産後の死亡の 3 つに分けられる．

1 分娩前の死亡

妊娠中に胎児が死亡するには，母体に疾患がある場合，あるいは母体に外力が加わった場合，胎盤・胎児に異常がある場合がある．

疾患としては，母体に梅毒や急性伝染性疾

*胎脂（胎垢）vernix caseosa：新生児の体表についている皮脂，脂肪酸，コレステリン結晶，上皮細胞などの結晶．

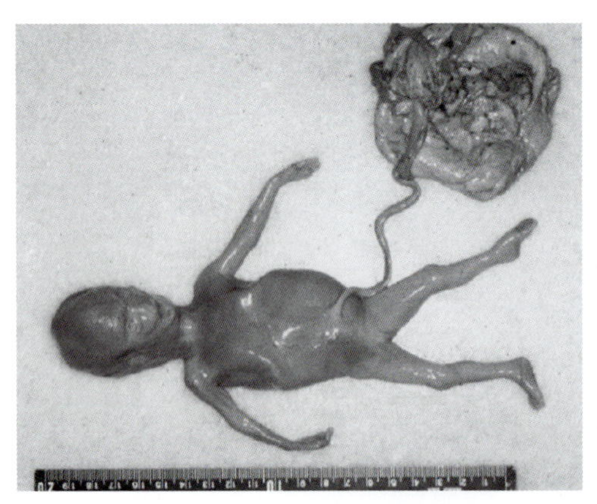

図 5-5　妊娠約 4 か月の浸軟児

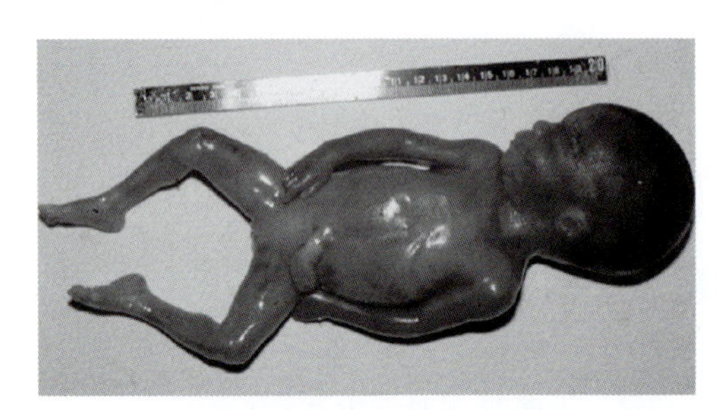

図 5-6　妊娠約 5 か月の浸軟児

患，糖尿病や腎臓病があり，胎盤の機能障害をきたしている場合がある．母体内で死亡後も娩出されず長期にわたり滞留すると，自家融解 autolysis による軟化によって浸軟児 maceration となる（図 5-5，6）．浸軟児の約 8 割は母体の梅毒感染によるといわれる．このとき，ヘモグロビンは変性しメトヘモグロビンとなっている．一方，水分の蒸発が先に進行すると，ミイラ化し石胎児 osteopedion となることがある．

胎盤・胎児に異常のある場合には，前置胎盤，子宮外妊娠，奇胎妊娠や胎児に奇形のあるとき，臍帯の頚部纏絡などがある．

2 分娩中の死亡

分娩経過中の死亡には，臍帯が圧迫を受けたり，新産児の頚部に纏絡していたり，あるいは臍帯付着部の異常などにより胎盤の早期剝離が起こり胎児の胎盤呼吸が障害されたり，または，けいれん性陣痛によって胎児の頭部が強く圧迫され，頭蓋内出血により死亡する場合，産道内で窒息する場合などがある．著しい産瘤が生じていたり，頭蓋に骨折がある場合がある．しかし，産後の外力によるものか，産中に生じたものかの鑑別が重要である．産道内での窒息の場合，血液中の炭酸ガス濃度が急激に上昇し，呼吸によって羊水を吸引していることがある．

3 産後の死亡

以上の産前，産中の死亡に比べ多いのが産後の死亡である．未熟児で出生したための生活力不全，先天性疾患や奇形，墜落産，故意に殺害されたものなどがある．殺害の場合には，絞頚，扼頚や鼻口閉塞による窒息が最も多い．加害者の多くは産母である．

1. 墜落産（墜落分娩）precipitate labor（口絵写 69）

陣痛発作から出産までの経過が急激で，予期せざるときに，予期せざる場所で，分娩が起こることをいう．道路歩行中，運動中，労働中，排便中などに起こる．分娩の開始に伴う胎児の下降により妊婦が便意を催しトイレで起こることが多く，死因としては便水吸引による窒息が最も多い．

一般に墜落産は経産婦に起こりやすい．まれに初産婦にも起こる．陣痛の経験がない，骨盤が大きいなどの理由によることが多い．まれに妊娠に気づかなかったと供述する母親もいる．しかし，結果を予測して故意にトイレで分娩したり，他所で分娩した後に便槽内に遺棄する例もあり，故意によるものか，不可抗力によるものかの鑑別に注意しなければならない．また，胎児だけでなく，胎盤や母体の検査も必要である．

▶**墜落産の死体所見**：分娩が急激に起こっているため，通常，産瘤は軽度である．落ちたことによる骨折，外傷があることがある．胸郭は既呼吸であるが，あまり膨隆はしていない．気道や肺の所見では，第一呼吸で吸い込むときに空

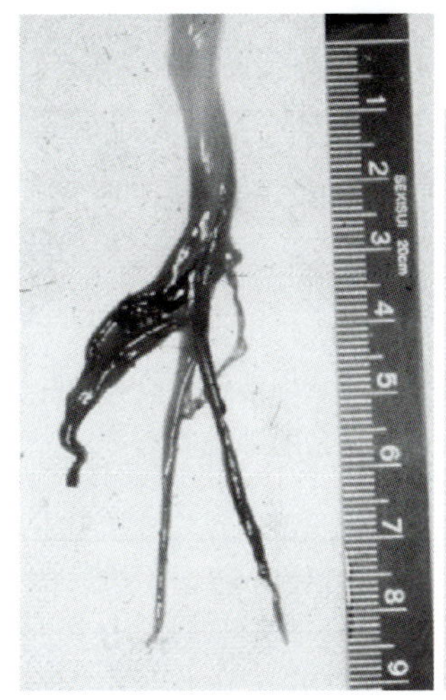

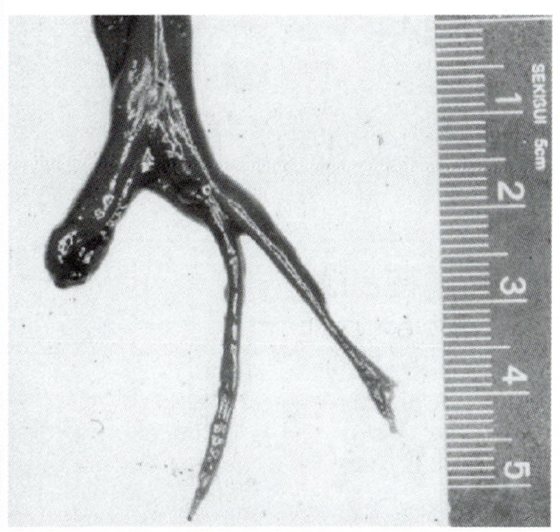

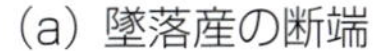

(a) 墜落産の断端　(b) 手によって引きちぎられた断端

図 5-7　臍帯の断端

気も入っているので，肺の拡張はある．ほかの方法で殺害して便水中に入れたなら，便水の吸引はない．

▶臍帯の検査：臍帯断裂の所見が重要である．断裂の場所および断端の性状について詳しく観察する（**図 5-7**）．

通常，臍帯は静止状態でぶら下げると相当な張力に耐えうる．ある実験では4.3～12.5 kg，平均 9.7 kg の張力に耐えうるという結果が出た．したがって体重 3 kg の胎児なら耐えうるように思えるが，これに加速度が加わると 0.4～1.5 kg，平均 0.7 kg の力で切れたという．よって，分娩の様相によっては切れることもありうる．

切れる場所は墜落産の場合，胎児側 1/3 の場所で切れることが最も多く，70%以上は胎児側で切れている．

ちぎれた臍帯の断端は，不整で，鋸歯状になっている．はさみや剃刀などの鋭器で切っている場合は，断端が整であり，鑑別が容易であるが，爪で引きちぎったものと，重力による断裂との鑑別は断端周囲の所見をも合わせて観察する．胎児側の臍帯だけでなく，可能ならば胎盤側の断端とも合わせ検査を行う．

▶胎盤の検査：母体側（子宮側）の血液から，産婦の血液型を知ることができる．また，妊娠中の胎盤の機能状態を知る手掛かりとなる．

▶母体の検査：褥婦としての所見を有するか，胎盤の一部が子宮内に残存すれば大きな手掛かりになる．急激な分娩による会陰裂創の有無などについて検査をする．経産婦で，骨盤の大きい女性に起こりやすいことも参考になる．

▶嬰児殺との鑑別：表皮剝脱など外傷の有無に注意する．特に表皮剝脱の場合，胎児は水分が多く，口唇などが乾燥によって褐色に変色しやすいので，圧迫か，乾燥による変色かの鑑別が大切である．また，無抵抗で容易に鼻口が閉塞されるので積極的殺児によるものか否かの鑑別が重要である．

最近は，汲み取り式便所が少なくなり，便槽から嬰児死体が発見されることは少なくなったが，河川，湖沼や海，山中，ゴミ箱，コインロッカーなどへの遺棄が多くみられるようになった．また，次項とも関連するが，児の養育を怠り死に至らしめる例，頚部圧迫や鼻口閉塞による窒息，暴力行為による頭部外傷，鋭器による殺害もある（**口絵写 70，71**）．

Ⅱ　児童虐待

A　総　論

1．児童（小児）虐待とは

児童（小児）虐待の定義は目的や立場によって多少の相違があるが，親や養育者らによって子どもの健全な成長や発達が妨げられ，子どもの権利が侵害されることである．WHO は「児童虐待とは 18 歳以下の子どもに対して行われる虐待（不適切な扱い）やネグレクトのこと」と定義し，アメリカ疾病予防管理センター Centers for Disease Control and Prevention（CDC）は「作為あるいは不作為にかかわらず，親や養育者らによって子供が危害を加えられたり，その危険や脅威にさらされること」と定義している．わが国の「児童虐待の防止等に関する法律」では，児童虐待とは保護者がその監護する児童について，暴行を加える（身体的虐待），わいせつな行為をする・させる（性的虐待），著しい減食や長時間放置をする（ネグレクト），著しい心理的外傷を与える言動を行う（心理的虐待）の 4 つの行為類型が該当すると規定している．

また，虐待とは優位者が弱者の権利を侵害，妨害することであり，不均衡な力関係が存在する状況では常に生じる可能性がある．社会的弱者である高齢者や障害者などは被害者になりやすく，ドメスティック・バイオレンス domestic violence（DV）は家庭内における力関係の優劣によって生じる．わが国では「高齢者虐待の防止，高齢者の擁護者に対する支援等に関する法律（高齢者虐待防止法）」や「障害者虐待の防止，障害者の養護者に対する支援等に関する法律（障害者虐待防止法）」，「配偶者からの暴力の防止及び被害者の保護等に関する法律（DV 防止法）」などが制定されているが，すべての人々が健やかに幸福に生きるための権利を守ることは大きな社会的課題である．

2．歴史的背景

古来から，子どもに対する虐待は存在し，継子いじめや子殺しに関する物語は数多くあるが，児童虐待が医学的見地から議論されるようになったのは比較的最近の話である．児童虐待に関する最初の医学論文は，1946 年に発表された米国の放射線科医 Caffey によるもので，慢性硬膜下血腫に多発性の長管骨骨折を合併した児童（小児／子ども）6 症例に関する報告である．当時，このような損傷が虐待によるという認識はなかったが，1953 年に Silverman が類似の症例を報告し，1955 年に Wooley と Evans が虐待による損傷であることを示したことで，児童の身体的虐待の存在が認識された．その後，米国小児学会の大規模調査の結果を 1962 年に Kempe らが報告して児童虐待に関する社会的な関心が高まった．Kempe らは保護者らから日常的にさまざまな身体的虐待を繰り返し受けた子どもについて Battered child syndrome（被虐待児症候群）という医学的診断名を付けた．さらに 1971 年に英国の Guthkelch が，暴力的な揺さぶりによって乳児に急性硬膜下血腫が生じる可能性を報告し，1974 年に Caffey が Shaken baby syndrome（SBS，揺さぶられっ子症候群）を提唱した．その後コンピュータ断層撮影 computed tomography（CT）の普及によって，同様の症例が多く報告されたことで SBS という診断名が定着した．近年，SBS に関してはさまざまな議論があるが，詳細については頭部外傷の項目で言及する．

当初，児童虐待は身体的虐待のみを指す用語として用いられていたが，次第に広義の child abuse という用語が一般的になり，最近では多様化した虐待を表す用語として child maltreatment が使われている．

3．わが国の社会的背景

現在でも子どもの人身売買は世界的な問題であるが，わが国でも強制労働や性的搾取の対象として売買されていた時代はさほど昔の話ではない．わが国では子どもに対する強制労働を禁止するために 1933 年に「児童虐待防止法」が制定され，1947 年に「児童福祉法」になり，2000 年には「児童虐待の防止などに関する法律（児童虐待防止法）」が施行された．児童虐待の早期発見や関係機関の連携強化を盛り込んだ改正が行われており，特に 2014 年の改正では，虐待の早期発見を目的として通告の対象が「児童虐待を受けた児童」から「児童虐待を受けたと思われる児童」に拡大されたことで，虐待の事実が必ずしも明らかでなくても通告が可能となった．通告が結果的に虐待ではなかった場合でも，児童虐待防止法の趣旨に基づく通告であれば，基本的には責任を問われることはないと解釈されている．児童虐待防止法（第 5 条）では，医師や保健師などを含めた「児童の福祉に職務上関係のある者は，児童虐待を発見しやすい立場にあることを自覚し，児童虐待の早期発見に努めなければならない」と明記されている．医療関係者が虐待の可能性を考えることでその子の命が救える症例があることを認識し，虐待の早期発見に尽力してほしい．

4．虐待の分類

児童虐待については，次の 4 つの行為類型に分類される．

1 身体的虐待

児童の身体に外傷が生じる，または生じるおそれのある暴行を加えることと定義される．身体的虐待は子どもの心身に重篤な後遺障害を生じたり，最悪の場合には死亡することもある．また，2019 年の改正では「児童のしつけに際して体罰を加えてはならないこととする」と明文化されたことで，いかなる理由にあっても子どもに暴力を振るうことは虐待と判断されることになった．具体的な損傷については後述する．

2 性的虐待

児童にわいせつな行為をしたり，させたりすることと定義される．加害者は実父，養父など男性が女児に対して虐待行為をすることが多いが，男児が被害に遭うケースもある．未熟な子どもに対して性的な行為をすることによって妊娠や性行為感染症などの身体的リスクが生じるだけでなく，性的虐待を受けた子どもは成人以降に情緒および行動障害を高率に生じるとする報告もあり，長期間にわたって影響を及ぼす虐待である．

3 ネグレクト

育児放棄や育児怠慢と言われる虐待であり，子どもの正常な発育や発達のために必要な栄養や適切な環境を与えられない状況を指す．自ら生き延びるために行動できない乳児にとっては致命的となる（図 5-9）．食事を与えないだけでなく，入浴や歯磨き，着替えや教育などの日常生活に必要な養育を怠ることもネグレクトに該当する．育児に対する無関心や怠慢が原因となるが，保護者の経済状態や精神疾患，アルコール・薬物中毒，知的障害などが原因になっている場合もあり，他機関が連携した包括的な支援が必要となることが多い．

その他に，子どもを無視する，必要な愛情を注がないなどの情緒的な支援を怠る「情緒的ネグレクト」や，学校に入学させない，出席させないなどの「教育的ネグレクト」などもネグレ

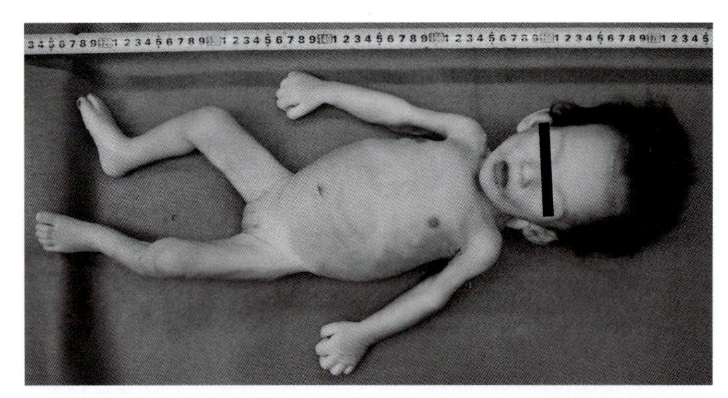

図 5-9　ネグレクトによって死亡した 3 か月女児

表 5-3　児童虐待の定義

身体的虐待	殴る，蹴る，叩く，投げ落とす，激しく揺さぶる，やけどを負わせる，溺れさせる，首を絞める，縄などにより一室に拘束する　など
性的虐待	子どもへの性的行為，性的行為を見せる，性器を触る又は触らせる，ポルノグラフィの被写体にする　など
ネグレクト	家に閉じ込める，食事を与えない，ひどく不潔にする，自動車の中に放置する，重い病気になっても病院に連れて行かない　など
心理的虐待	言葉による脅し，無視，きょうだい間での差別的扱い，子どもの目の前で家族に対して暴力をふるう（ドメスティック・バイオレンス：DV），きょうだいに虐待行為を行う　など

（出典：厚生労働省ホームページ https://www.mhlw.go.jp/stf/seisakunitsuite/bunya/kodomo/kodomo_kosodate/dv/about.html）

クトに該当する．幼少期にネグレクトにさらされた子どもは，適切な対人関係が構築できないなど，将来の人格形成に重大な影響を及ぼす可能性があると言われている．

また，保護者の意思あるいは怠慢によって子どもが必要な医療を受けられない状況にあることを医療ネグレクトといい，乳幼児健診や予防接種を受けさせない状況も含まれる．法律上，子どもの治療には保護者の同意が必要となるが，子どもの生命に重大な被害が生じる可能性がある場合には法的対応を含めた介入が必要になる．一方，医療ネグレクトの考え方や範疇は多様であり，例えば，完治の見込みがない疾患に対する治療の拒否がどこまでネグレクトの範疇に入るのかは難しい問題であり，親権者あるいは本人に宗教的・思想的な背景がある場合にも対応が複雑になる．

4 心理的虐待

児童に著しい心理的外傷を与える言動を行うことと定義される．ネグレクトと重複する部分もあるが，子どもに対して暴言を吐く，拒絶的な対応をするなど，子どもの自尊心を傷つける行為が虐待とされる．家庭での配偶者に対する暴力を目撃させること（面前 DV）も，子どもに恐怖を感じさせる行為として心理的虐待にあたる．児童虐待の相談対応では，その半数以上が心理的虐待となっている．

5 その他

代理人によるミュンヒハウゼン症候群

周囲の関心や同情を引くために病気を装ったり，自傷したりする精神疾患をミュンヒハウゼン症候群というが，代理人によるミュンヒハウゼン症候群［Münchausen syndrome by proxy

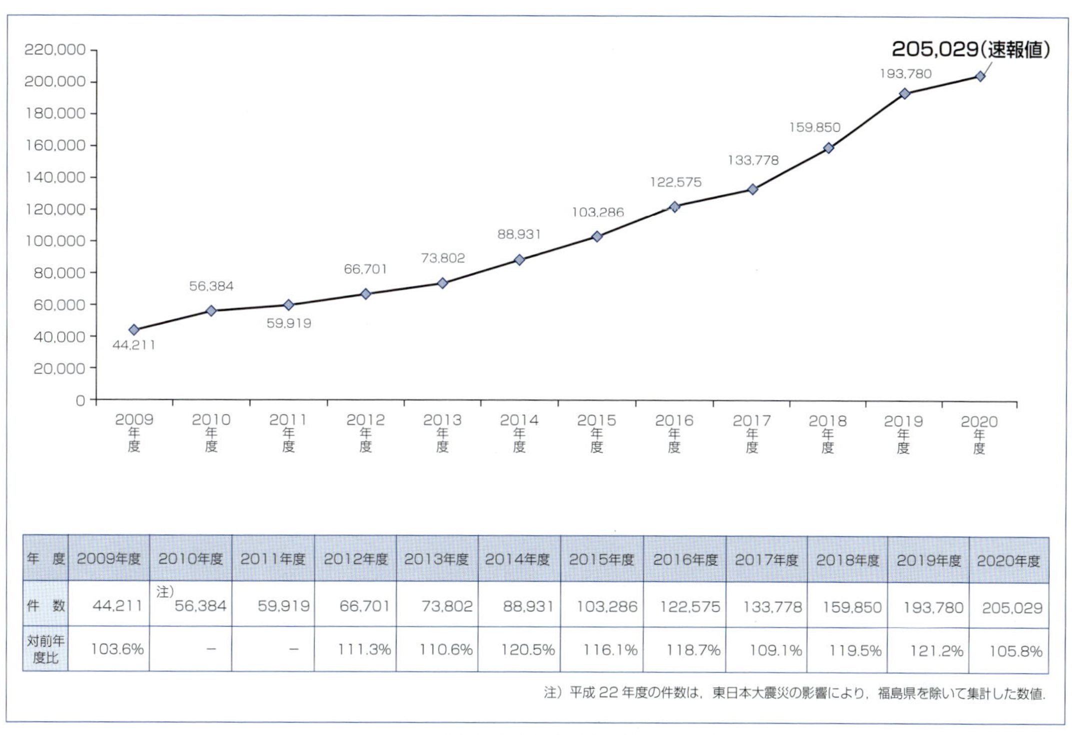

年 度	2009年度	2010年度	2011年度	2012年度	2013年度	2014年度	2015年度	2016年度	2017年度	2018年度	2019年度	2020年度
件 数	44,211	注) 56,384	59,919	66,701	73,802	88,931	103,286	122,575	133,778	159,850	193,780	205,029
対前年度比	103.6%	−	−	111.3%	110.6%	120.5%	116.1%	118.7%	109.1%	119.5%	121.2%	105.8%

注）平成 22 年度の件数は，東日本大震災の影響により，福島県を除いて集計した数値．

図 5-10　児童虐待相談対応件数の推移

（出典：厚生労働省ホームページ一部抜粋 https://www.mhlw.go.jp/stf/houdou/0000190801_00001.html）

(MSBP)〕では，子どもを病人にして献身的に子どもを看病する親を演じることで自らの心の安定を図るものを指す．子どもにとっては，保護者の虚偽の訴えによって不必要な医療行為を受けることになることから虐待になる．診断は難しいが，過去に複数の医療機関への受診歴があることや，保護者と分離をすると子どもの症状が落ち着くなどの特徴があり，可能性を疑うことが診断の第一歩となる．

5．統　計

児童相談所に対する児童虐待の相談対応件数は，2020 年度に過去最多の 20 万 5,029 件となり，増加の一途を辿っている（図 5-10，11）．虐待の分類を見ると心理的虐待の割合が最も多く（59.2%），次いで身体的虐待（24.4%），ネグレクト（17.2%）となっている．心理的虐待の割合が増えた理由として，児童虐待防止法の改正によって通告対象が「児童虐待を受けたと思われる児童」に拡大されたことによって通告へのハードルが下がったことや，面前 DV が心理的虐待に含まれるようになったことなどがあげられる．

日本法医学会の虐待死の剖検例に関する調査によれば，虐待による死亡数は 1968～1977 年は 185 例（18.5 例/年）であったものが，1992～1999 年では 360 例（45 例/年），2000～2006 年は 387 例（55 件/年），2007～2014 年は 395 例（49 例/年）となっている．最近の報告（2007～2014 年）では虐待死の原因として身体的虐待によるものが 133 件（33.7%），ネグレクト 55 件（13.9%）であった．身体的虐待の死因は頭部外傷が 64 件（48.1%）と圧倒的に多く，次いで窒息（18.0%），鋭器損傷（9.0%）となる．身体的虐待以外の虐待死には嬰児殺や無理心中などが含まれ，広義の児童虐待の症例が法医解剖の対象となっている．

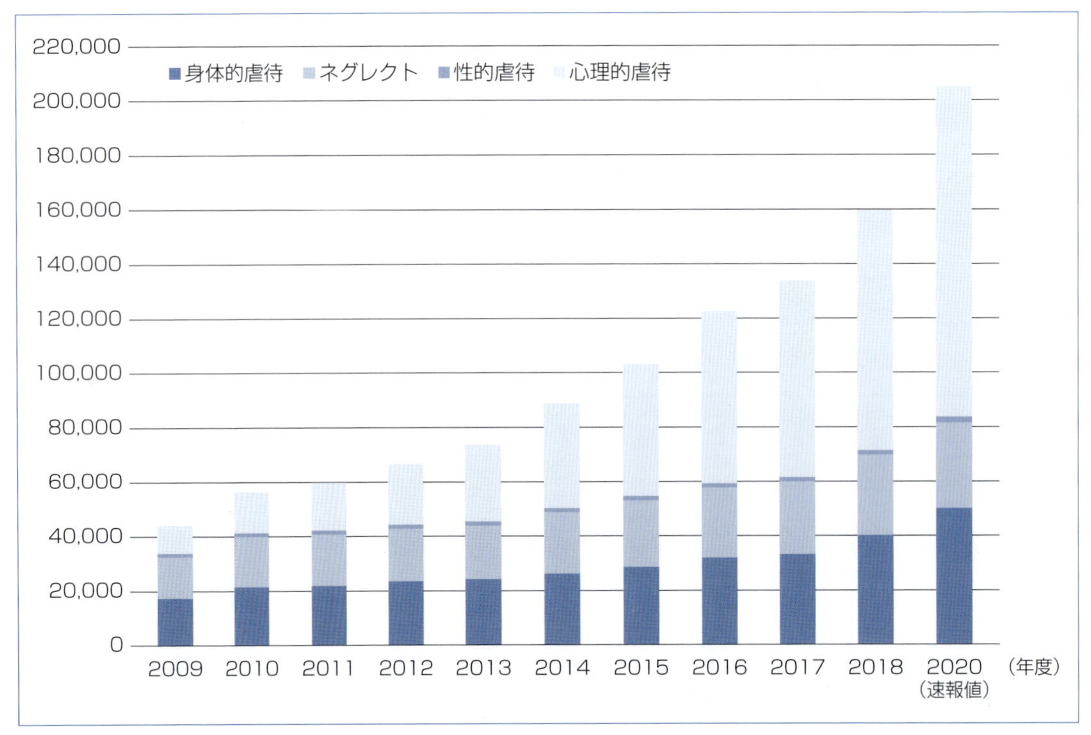

図 5-11　児童虐待相談対応件数の推移

（厚生労働省ホームページのデータより作図 https://www.mhlw.go.jp/stf/houdou/0000190801_00001.html）

6．虐待の影響

虐待は子どもの心身に深い傷を与え，その後の人生に大きな影響を及ぼす．幼少期の虐待は，子どもの正常な発育や発達に影響を与えるだけでなく，成人以後にも長期的な心的トラウマを抱える場合がある．

1 身体的影響

外傷による瘢痕や後遺症を残すだけでなく，成長ホルモン不足による成長不全を呈することもある．

2 知的発達面の影響

不安定な環境やネグレクトにより，もともとの能力に比較しても十分な知的発達が得られないことがある．

3 心理的影響

▶**対人関係の障害**：幼少期に保護者との基本的な信頼関係を構築することができなかったために，適切な対人関係を構築できないなど，将来の人格形成に重大な影響を及ぼす可能性がある．他人との愛着関係を形成することが困難で，虐待的な人間関係を反復する傾向を示す場合も少なくないとされている．

▶**低い自己評価**：自己に対する評価が低く，自己肯定感を持てない状態となる．特に幼少期に性的虐待を受けたサバイバーには高率に情緒および行動障害がみられ，成人以後もうつ病や神経障害，人格障害や薬物依存などに苦しむことが報告されている．

▶**行動コントロールの問題**：暴力を受けて育った子どもは問題を暴力によって解決しようとする傾向があり，攻撃的・衝動的な行動がトラブルを起こす．

▶**多動**：虐待的な環境に長期間置かれること

よって，外部からの刺激に対して過敏に反応する状態となり，落ち着きのない注意欠如・多動性障害 attention deficit hyperactivity disorder（ADHD）に似た行動をとることがある．

▶**心的外傷後ストレス障害 post traumatic stress disorder（PTSD）**：虐待による心理的なダメージが放置されることによってPTSDとなり，思春期に至って問題行動を生じることがある．

▶**偽成熟性**：虐待を避けるために大人の顔色を見ながら生活することによって，大人の要求や意向に沿った行動をとる．一見よくできた子どもに見える一方で，思春期などに問題が表出することがある．

▶**精神的症状**：虐待による辛い記憶を避けるために，記憶障害や意識朦朧，離人感などが出現する．さらに強い防衛機序が出現すると解離が発現し，まれには解離性同一性障害に発展することもある．

B 各論

1．生体鑑定

1 児童虐待における損傷鑑定

子どもの安全な未来を約束することは社会の義務であり，児童虐待を早期発見することで迅速な対応が求められる．児童虐待の早期発見のために，児童福祉法ではすべての国民に対して児童虐待が疑われた場合の通告の義務（第25条）を定めている．また，医師や保健師などの児童虐待を発見しやすい立場にある者は「児童虐待の早期発見に努めなければならない」(児童虐待防止法第5条）と明記されている．医療機関は虐待を早期に発見のためのスクリーニングとして重要であり，関係者には虐待を疑うための知識や意識をもつことが期待される．一方，主治医が「これは虐待である」と言うことによって，保護者との信頼関係や治療の継続性が損なわれる恐れがある場合には，法医学者などの第三者へのセカンドオピニオン依頼も有効な対応策のひとつである．

児童虐待の1/4〜1/3は身体的虐待であり，子どもの損傷がいつ，どのように形成されたものかの判断は，虐待の有無を判断するための客観的な証拠になる．法医学者は日常的に解剖において損傷を見慣れており，法医学者の知識や経験が虐待の判断に役立つ可能性があれば，生体鑑定への協力は法医学者の使命であると考える．

一方，虐待の判断の難しさは，損傷を生じた受傷機転にかかる恣意性が問題となる点である．例えば，同じ頭部外傷であっても，誤って落とせば事故であり，わざと落とせば虐待であるが，損傷から恣意性を証明することは不可能である．虐待であるかどうかの判断は，損傷だけでなく環境調査や保護者からの聴き取りなどの包括的な情報を基にした総合的な判断が不可欠である．

また，虐待の事実を明らかにすることの最大の目的は，子どもを守ることである．必ずしも犯人を探し出して断罪することが優先される訳ではなく，また，不注意による事故であっても再発予防策が講じられない環境が継続するのであれば，最適な環境を整えるための介入が必要となる．

2 児童の身体的特徴

子どもの受傷機序を考える上で，児童の身体的特徴を考慮することは重要である．成人に比べて子どもの頭部は相対的に大きく，重心が高いため転倒や転落によって頭部を受傷しやすい．相対的に重い頭部を支える支持組織が脆弱であり，さらに乳児では頭蓋骨と脳の発育速度の差によってクモ膜下腔が開大しており頭蓋内

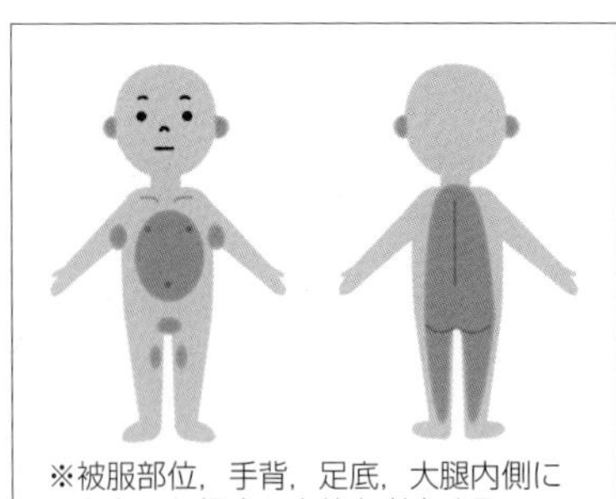

a．虐待の可能性が高い外傷部位　b．事故で受傷しやすい外傷部位

図 5-12　損傷の部位からの虐待判断

（出典：横浜市子ども虐待防止ハンドブック https://www.city.yokohama.lg.jp/kurashi/kosodate-kyoiku/oyakokenko/DV/gyakutaibousihb.html）

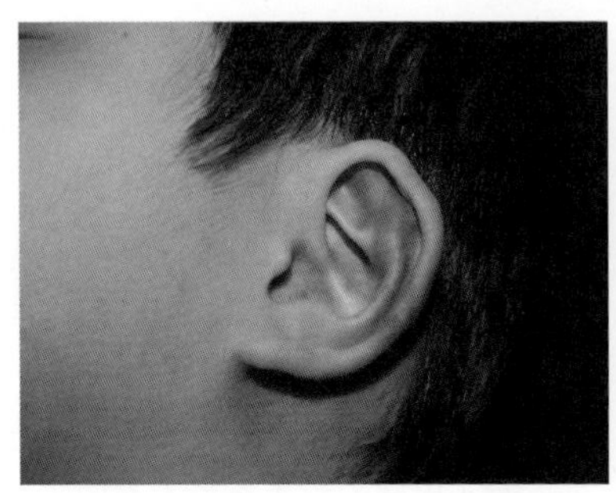

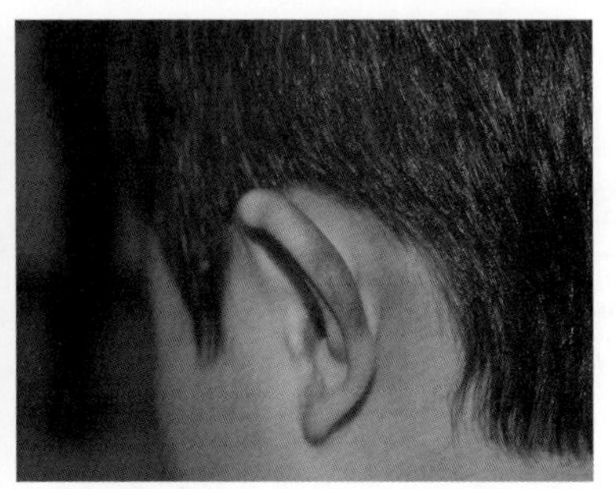

図 5-13　4 歳，男児

耳介の出血

損傷が生じやすい．また，胸郭は柔軟で，筋肉も貧弱であることから外力によって内臓器損傷が生じやすい．一方，児童の放射線感受性は高いことが知られているが，頭部外傷が疑われる場合には頭部 CT が不可欠であり，虐待が疑われる乳幼児に対しては全身骨スクリーニング検査が求められる．

乳幼児の生体鑑定では，診察にあたり本人の協力が得られない場合があるが，児童相談所の職員や医療スタッフの協力を得て，短時間に検査を行うことが必要である．また，ある程度理解できる学童期以上の場合には，検査の内容や写真撮影について説明して本人の同意を得た上で診察するよう心掛けたい．脱衣が必要な場合には，同性の医師や職員の立ち合いのもとで，羞恥心を低減させる環境での検査が求められる．

3 外表所見

まず全身的に観察して発育や発達，栄養状態や衛生状態，着衣や体表の汚れなどにも注意する．会話ができる年齢であれば，知的能力や理解度を量り，視線を合わせられるか，通常のコミュニケーションができるかなどについても留意する．身体検査で脱衣が必要な場合には，手足の動きや運動能力，身体能力や転びやすさなどを評価することも参考になる．

損傷鑑定では，損傷の部位と種類，数やそれぞれの大きさ，形状，色，腫脹や疼痛の有無などを記録し，それらの損傷が偶発的にできる損傷か否かを判断する．例えば，前額部や肘，膝などの損傷は日常生活でも生じやすいのに対し，耳介や側胸腹部，腋窩，四肢内側，会陰部，背中などの損傷は，日常生活では損傷しにくく虐待の可能性を考慮する必要がある（**図 5-12, 13**）．虐待では受傷時期の異なる新旧の損傷が

(a)
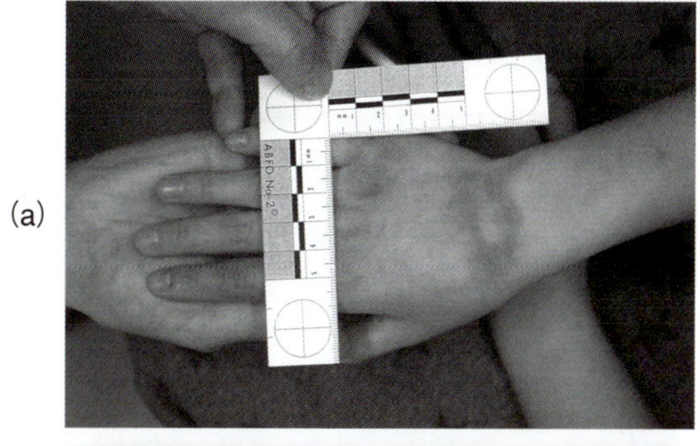
(b)
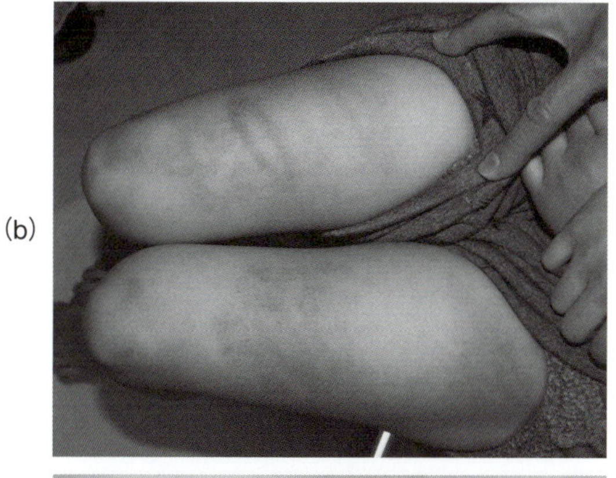
(c)
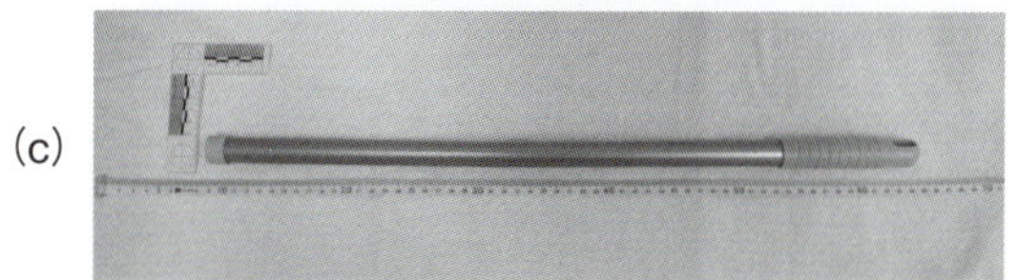

図 5-14 二重条痕
(a)，(b) 手や足に多数の二重条痕がある.
(c) モップの柄で叩いたとして矛盾しない.

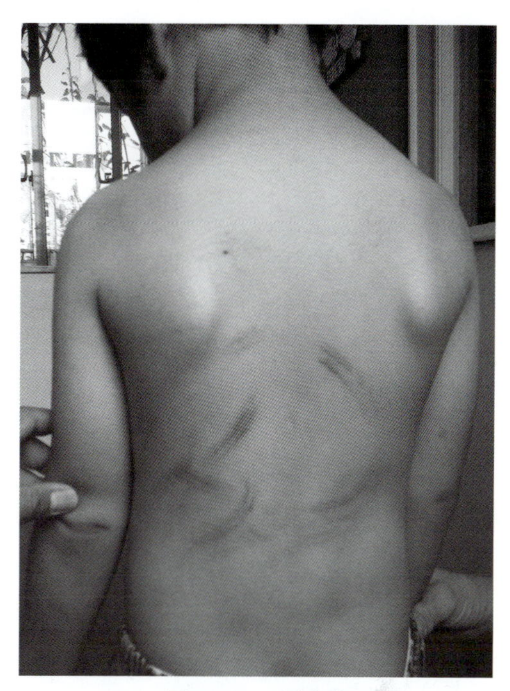

図 5-15 二重条痕
4 歳，男児．母親に布団たたきで叩かれた.

混在することが特徴とされ，色調や腫脹の有無などが参考になる．二重条痕など，強く虐待を示唆するとされる損傷もある（図 5-14，15）．また，子どもの年齢に応じた身体能力や活動範囲を考慮することも必要であり，自立歩行ができない乳児に骨折や頭蓋内損傷が生じている状況は不自然であり，受傷状況と損傷に矛盾がないかを慎重に検討する必要がある．一方，ADHD など多動傾向にある子どもでは，大人が想像しない行動を取ることもあり，ケースバイケースでの対応が求められる.

損傷鑑定は客観証拠のひとつであるが，前述のとおり，損傷のみから虐待か偶発的な事故かを判断することは困難である．損傷鑑定では，子どもに見られる損傷が保護者の説明する受傷機序によって生じるものであるか，受傷時期に矛盾がないかなどについての客観的な助言が求められる.

また，学童期では，本人の説明が必ずしも真実ではないこともある．加害者である親を庇ったり（図 5-16），逆に虐待であるとの虚偽の申告をすることもあるので注意が必要となる．一方，基礎疾患の除外も必要である（図 5-17）．出血傾向を呈する疾患（白血病，血友病，ビタミン K 欠乏症など）や易骨折性を呈する疾患（骨形成不全症，くる病，壊血病，先天性脛骨偽関節症など），先天性代謝異常症など，総合的な医学的検索も必要である.

4 頭部外傷

子どもは相対的に頭部が大きく，重心が高いことから頭部外傷の頻度が高い．一方で，日常的に生じる単純な転倒や墜落では重篤な頭部外傷を生じることは少ないともされている．受傷機転が明確に説明されていない児童の骨折や頭蓋内損傷には，虐待によるものが含まれている

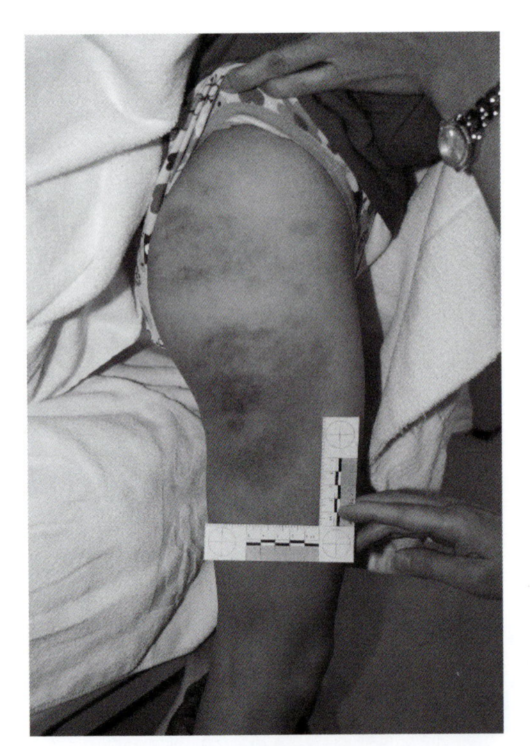

図 5-16　8歳，女児

女児本人は階段で転んだと訴えるが，母親はカッとして棒で叩いたと説明．新旧が混在し，数や形状からも児の説明よりも母親の説明のほうが受傷機序としては妥当と判断される．

と考えるべきである．虐待による死亡の約半数が頭部外傷によるものであることを考えると，脳組織が未熟である乳幼児の頭部外傷では，虐待を見逃した場合に生じる生命のリスクを検討した上で慎重な対応が求められる．

▶Shaken baby syndrome（SBS）について

SBSは定頚前の乳児を暴力的に揺さぶることによって，頭部が大きく振盪されて頭蓋内に急性硬膜下血腫を生じるものとされている．1971年にGuthkelchが暴力的な揺さぶりが乳児に急性硬膜下血腫を生じると報告し，1974年にCaffeyがSBSと名付け，CTの普及によって同様の症例が多く報告されてSBSという診断名が定着した．一方，1980年代から急性硬膜下血腫，脳底動脈，脳浮腫が「SBSの三徴候」とされ，司法の場において「三徴候が揃えばSBSである」と安易な判断が続いたことによって，明らかな冤罪が発生したことが社会的に問題となった．単純転倒などの軽微な頭部外傷でも頭蓋内損傷を生じる「中村のI型」も知られており，乳児に生じた頭蓋内損傷が，虐待によるものか，偶発事故によるものかについての判断については未だ絶対的な判断基準はない．とはいえ，乳児の頭部外傷は致命的となる可能性があり，見逃しによって子どもを死亡させることは許されない．虐待の判断の目的は子どもを守ることであり，冤罪も，見逃しもあってはならないことは論を待たない．そのためには徹底的な環境調査と聴取などによる総合的な判断が必要である．

近年では，揺さぶりだけでなく虐待によって生じるさまざまな頭部外傷とその後遺症までを包括する用語として虐待による頭部外傷［abusive head trauma（AHT）］が用いられるようになった．

5 胸腹部外傷

児童の損傷としては頭部外傷に次いで多いのが胸部外傷である．小児の胸部外傷では，胸郭が柔軟なため外力が深部に作用しやすく，骨折がなくても胸腔臓器に損傷が生じることがある．腹部外傷では，損傷臓器としては肝臓が最も多く，脾臓，腎臓と続く．胸腹部損傷の原因の半分以上は交通事故によるもので，次いで墜落であるが，虐待によるものも含まれている．説明される受傷機序が損傷の部位や程度と矛盾しないかを判断する必要がある．

6 骨　折

骨折そのものが子どもの生命に及ぼす影響は限定的であるが，皮下出血などに比較して所見が長期にわたって確認でき，治癒の進行程度によって受傷時期を判断することで，複数回の受傷であるか否かなどについて客観的な判断が可能となる．単純X線写真から偶然発見された骨折によって予期せぬ虐待事例が明らかになることはしばしば経験される．特に，自立歩行ができない乳児に骨折を生じるような偶発的な外傷

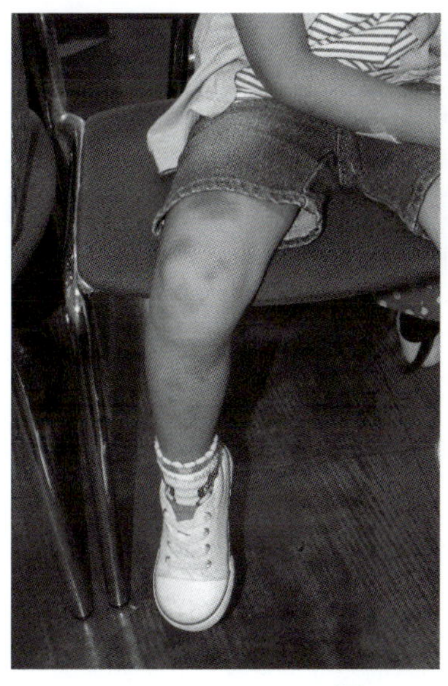
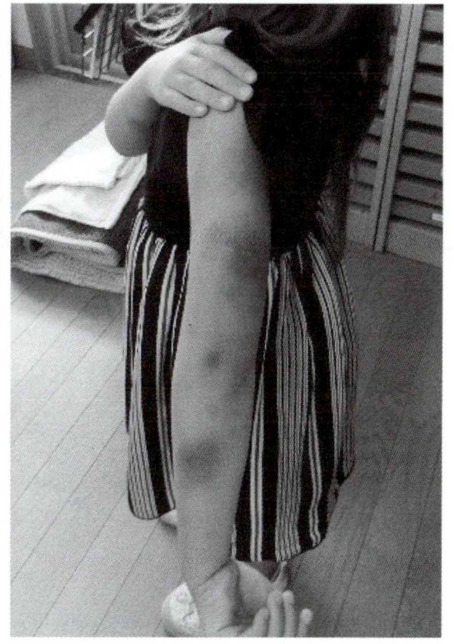

図 5-17 4 歳，女児
全身の多数の皮下出血のため身体的虐待を疑われたが，血液検査で特発性血小板減少性紫斑病 idiopathic thrombocytopenic purpura（ITP）と診断された．

表 5-4 虐待との関連性が高い骨折

特異性が高い	骨幹端骨折 肋骨後部の骨折 肩甲骨骨折 脊椎棘突起骨折 胸骨骨折
中等度の特性がある	多発性骨折（両側性） 受傷時期の異なる骨折 骨端離開 椎体骨折 手指の骨折 頭蓋骨骨折（複雑）
頻度は高いが特異性は低い	骨膜下骨新生 鎖骨骨折 長管骨骨幹部骨折 頭蓋骨線状骨折

（小熊栄二：虐待による骨折．すぐわかる小児の画像診断 改訂第 2 版，学研メディカル秀潤社，p.584，2017．の表を改変）

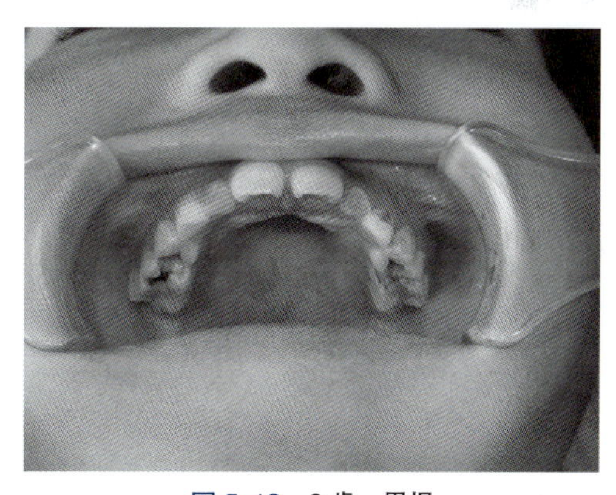

図 5-18 9 歳，男児
乳歯 12 本中 9 本が齲歯となる．
（長崎大学 法医学教室 山下裕美先生ご提供）

が生じる可能性は低く，乳児の骨折が見られた場合には虐待か易骨折性をきたす疾患を疑う必要がある．なお，虐待が疑われる 2 歳未満の乳幼児に対しては，全例に頭部 CT・MRI（magnetic resonance imaging）と全身骨撮影を実施することが推奨されている．

骨折の部位や性状から虐待との関連性が高いとされるものが知られており，虐待かどうかを判断する際には参考にすべきである（表 5-4）．

7 ネグレクト

ネグレクトを疑う身体所見としては，発育や発達の程度が年齢相応であるか，栄養状態や脱水，身体の汚れや頭髪や爪の状態についても記録する必要がある．育児放棄のある子どもでは，食生活が偏り，歯磨き指導が十分にされていないことなどから口腔衛生の状態が悪いことが多い（図 5-18）．多数の齲蝕が未治療で放置

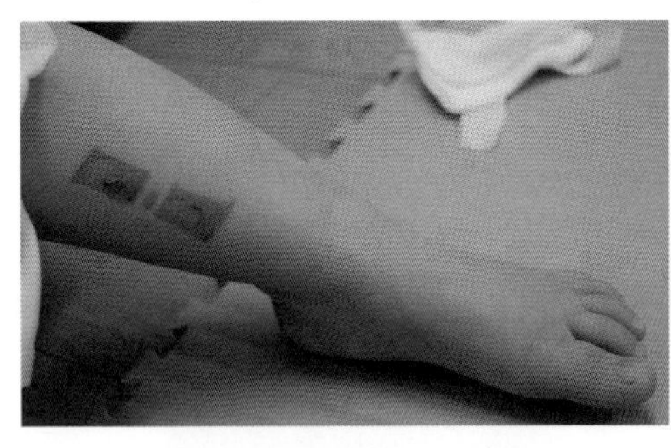
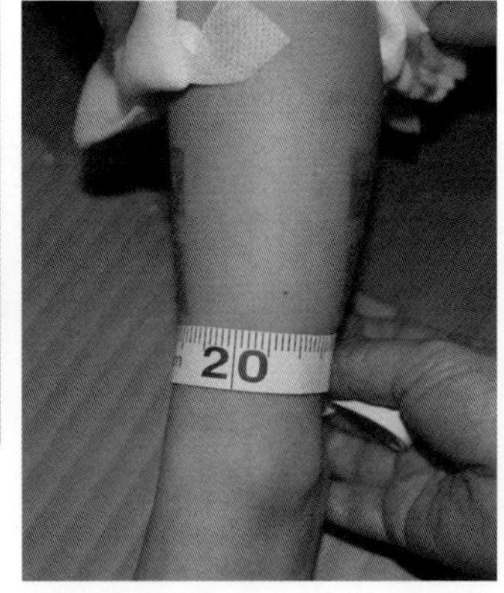

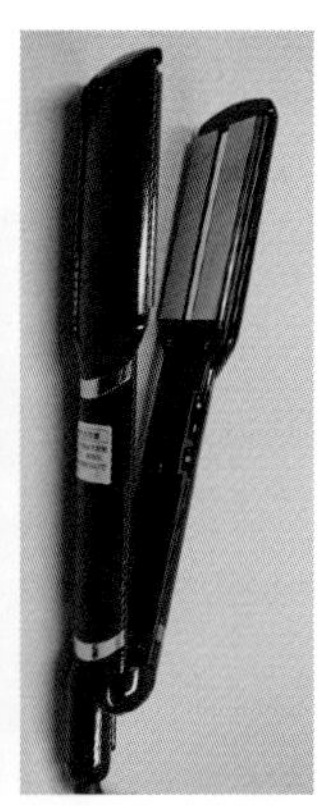

図 5-19　3 歳，女児

母親は「熱くなったヘアアイロンにつまずいた」というが恣意性が強く疑われる．

されている場合には，高頻度でネグレクトがある可能性がある．

8 その他

子どもの熱傷は日常生活でも高頻度に生じるが，新旧の熱傷が混在する場合，タバコなどの特殊な形状を印象している場合（**図 5-19**），健常部の境界が極端に明瞭である場合などは，他為的な受傷を疑う必要がある．

また，まれではあるが毛髪が子どもの指や生殖器に巻き付くことによって循環不全をきたすヘアーターニケット hair tourniquet と呼ばれる損傷がある．ヘアーターニケットは偶発的に生じるものもあるとされているが，損傷所見のみからなぜ発生したのかを判断することは困難である．

[参考文献]

1) 坂井聖二，奥山眞紀子，井上登生編著：子ども虐待の臨床—医学的診断と対応—，南山堂，2005.

2) キャロル・ジェニー：子どもの虐待とネグレクト—診断・治療とそのエビデンス—，日本子ども虐待医学会，溝口史剛，白石裕子，小穴慎二監訳，金剛出版，2018.

3) ロバート・M・リース，シンディー・W・クリスチャン編著：子ども虐待医学—診断と連携対応のために—，日本子ども虐待医学研究会監訳，明石書店，2013.

4) 荒木力，原裕子，野坂俊介：すぐわかる小児の画像診断 改訂第 2 版，学研メディカル秀潤社，2017.

5) ポール・K・クラインマン編：子ども虐待の画像診断—エビデンスに基づく医学診断と調査・捜査のために—，小熊栄二監修，溝口史剛監訳，明石書店，2016.

6) マーティン・A・フィンケル，アンジェロ・P・ジャルディーノ編：子どもの性虐待に関する医学的評価，柳川敏彦，溝口史剛，山田不二子，他監訳，診断と治療社，2013.

6 性に関する法医学

重要事項

1) 妊娠4か月以上の胎児の死亡に遭遇した医師は，異状死体としての届出義務がある．
2) 人工妊娠中絶には，母体保護法によるもの，同法に基づかないが緊急避難的なものおよび犯罪的堕胎がある．
3) 強姦罪は，改正刑法の施行により，強制性交等罪とされ，厳罰化が図られた．
4) 性犯罪の被害者には，十分な説明を行い，損傷，姦淫の有無などについて検査をする．
5) 腟液の採取は，精液・精子および性病感染の検査，被疑者の個人識別に重要である．
6) 性は，性染色体によってXXとXYに分類されるが，性染色体異常（XXYやXYY）がある場合や，性の分化異常のため外性器から明確な性別の判断が難しい場合がある．
7) 生物学的性に違和感を持つ者が外性器の外科手術を受けることがあり，その者が法律で定められた基準を満たす場合には戸籍上の性について変更を申請できる．
8) 性嗜好障害の一般的な障害として，窃視障害，露出障害，窃触障害，性的マゾヒズム障害，性的サディズム障害，小児性愛障害，フェティシズム障害，服装倒錯，特定不能の性嗜好障害がある．

I 妊娠，分娩，中絶

1．妊娠，分娩 pregnancy，labor

妊娠にかかわる諸現象が，刑事上，民事上の問題となり，法医学的判断を必要とすることが少なくない．前章に述べた嬰児殺の際の児の発育程度や生死産の鑑別，堕胎の問題，強姦事件における諸検査，父子鑑定・個人識別のほか，妊婦の死亡や産婦人科領域の医療事故に至るまで法医学の関与する問題は多い．また，人工授精や移植医療にかかわる胎児臓器の使用など倫理上の問題も社会医学として重要となっている．

妊娠は受精に始まり，分娩または中絶など胎児およびその付属器の排出をもって終了する．妊娠期間は，最終月経の第1日目から起算し，満日数または満週数で表現する．すなわち，最終月経の開始後280～286日に発生した事象は，妊娠第40週に発生したものとする．慣例として280日を10等分し月数による表現が用いられていたが，WHOでは日数，週数による表現を勧告している．

分娩は，その時期により次の3期に分けられる（WHOの定義）．

(1) 早期産：妊娠満37週未満（259日未満）
(2) 正期産（満期産）：妊娠満37～満42週未満

(259～293日)

(3) 過期産：妊娠満42週以上（294日以上）

胎児の計測値は，連続変数であるので，特定の妊娠週数と関連づけて表現する．

分娩が完了し，母体の性器および全身の状態が妊娠前と同程度に回復するまでの期間（通常6～8週間）を産褥という．産褥期には，外・内性器に特徴的な変化があり，堕胎や嬰児殺に関する妊娠・分娩の有無を証明するうえで重要である．腹壁や乳房，外陰部，子宮の変化，悪露の所見がいつ分娩があったかの根拠となる．

妊産婦死亡とは，妊娠の期間および部位に関係なく，妊娠またはその管理に関連した，あるいはそれらによって悪化したすべての原因による妊娠中または分娩後42日以内における死亡をいう．ただし，不慮のまたは予期せぬ偶然の原因による死亡は除外する．妊産婦死亡は次の2つに分けられる．

1. 直接産科学的死亡

妊娠時（妊娠分娩産褥）における産科的合併症，介入 intervention，義務の懈怠 omission，不適切な処置 incorrect treatment，または上記のいずれかの結果から発生した一連の事象の結果として生じた死亡をいう．

2. 間接産科学的死亡

妊娠前から存在した疾患または妊娠中に発展した疾患による死亡をいう．これらの疾患は直接産科学的原因によらないが，妊娠の生理的作用によって悪化したと考えられるものを指す．

これによって，妊産婦死亡統計（妊産婦死亡率，直接産科学的死亡率，間接産科学的死亡率）の資料とされる．

出生とは，妊娠期間にかかわりなく，母体から受胎による生成物が完全に排出または娩出された場合で，母体からの分離後，臍帯の切断，胎盤の付着いかんにかかわらず，呼吸し，またはその他の生命の証左，例えば心臓拍動，臍帯拍動または随意筋の明白な運動などのいずれかを示す場合をいう．このような出産の各個の生成物を出生子と考える．

出生体重は，娩出後において最初に測定された胎児または新生児の体重である．この体重は，体重減少が起こる以前，すなわち，出生後1時間以内に測定することが望ましい．

出産に立ち会った者は，医師，助産師，その他の者の順序にしたがって，そのうちの一人が出生証明書を作成する．医師に対しては医師法第19条第2項および第20条，助産師に対しては保健師助産師看護師法第39条第2項および第40条に出生証明書を作成する義務と責任が定められている．出生証明書は，社会的，法律的関係としての主体の発生を証明するとともに，国民の出生に関する統計作成，社会・経済・教育・保健計画の重要な基礎資料となるものである．

2．流産，早産

abortion, premature labor

流産とは，妊卵が妊娠第22週未満に子宮外に排出されることをいう．これを早期流産（12週未満）と後期流産（12週以降22週未満）に分ける．早産とは，妊娠第22週以降37週未満に胎児が子宮外に排出されることをいう（1992年9月改訂）．これらは妊娠の中絶 interruption of gestation を意味するが，一般に胎児・胎芽の異常または母体側の疾患によって流・早産の経過をとるものを自然流産・自然早産 spontaneous abortion and premature labor（妊娠中絶），人為的な処置を加えたものを人工流産・人工早産 induced abortion and premature labor（人工妊娠中絶 induced interruption of gestation）として区別する．

人工妊娠中絶には，母体保護法に基づくもの（後述）と同法に基づかないもの，さらにそれ以外の犯罪的なものがあるが，犯罪的なものを堕胎 criminal abortion（後述）と呼ぶのが一般的である．

▶**母体保護法によらない人工妊娠中絶**：母体保護法第14条第1項に定める指定医師によらない

人工妊娠中絶および胎児が母体外において，生命を保続することのできる時期における人工妊娠中絶がこれに該当する．例えば，母体の生命を救うための緊急避難の場合などである．

3．堕胎 criminal abortion, illegal abortion

堕胎とは，自然の分娩に先だって人為的に胎児を母体外に分離させることである．結果として胎児が死亡するか否かは，堕胎罪の成立には影響を及ぼさない．たとえ，妊娠1か月の胎芽でも堕胎罪は成立する．

刑法では堕胎罪について次のように規定している．

① 妊娠中の女子が薬物を用い，又はその他の方法により，堕胎したときは，1年以下の懲役に処する［第212条（堕胎）］．

② 女子の嘱託を受け，又はその承諾を得て堕胎させた者は，2年以下の懲役に処する．よって女子を死傷させた者は，3月以上5年以下の懲役に処する［第213条（同意堕胎及び同致死傷），ただし医師，助産師，薬剤師など以外の者］．

③ 医師，助産師，薬剤師又は医薬品販売業者が女子の嘱託を受け，又はその承諾を得て堕胎させたときは，3月以上5年以下の懲役に処する．よって女子を死傷させたときは，6月以上7年以下の懲役に処する［第214条（業務上堕胎及び同致死傷）］．

④ 女子の嘱託を受けないで，又はその承諾を得ないで堕胎させた者は，6月以上7年以下の懲役に処する［第215条（不同意堕胎）］．前項の罪の未遂は，罰する．

⑤ 前条の罪を犯し，よって女子を死傷させた者は，傷害の罪と比較して，重い刑により処断する［第216条（不同意堕胎致死傷）］．

したがって，母体保護法に基づく中絶のみが認められている．妊娠4か月（満第12週）までの胎児には，堕胎罪は成立しないと誤解している医師が多いが，これは誤りである．異状死体として届け出る義務が生じるのが4か月以上の胎児である．

▶堕胎の手段・方法：医療として行われる人工妊娠中絶の方法は，妊娠の時期によりそれぞれ適切な方法が選ばれる．しかし，犯罪的堕胎には，高所からの飛び降り，下腹部への外力，冷水浴，異物の子宮内への注入挿入，薬毒物の服用などの種々の方法が用いられ，通常母体に何らかの障害を残し，致死例もある．解剖に際しては，死因と堕胎手段の検索，自然流産との鑑別が重要となる．

4．死産 stillbirth

わが国における1946（昭和21）年厚生省令第42号（死産の届出に関する規程）第2条によれば，「死産とは妊娠4月以後における死児の出産をいう」とし，死児とは，「出産後，心拍，随意筋の運動，呼吸のいずれも認めないもの」と限定している．これはWHOの胎児死亡の定義，「胎児死亡とは，妊娠期間にかかわりなく，妊娠母体から娩出される前に死亡した場合をいう．死亡とは，母体からの分離後，胎児が呼吸せず，心臓拍動，臍帯拍動もしくは随意筋の明白な運動のごとき生命の証左のいずれをも認めない事実をいう」とほぼ同じ主旨のものである．

日本では妊娠4か月以後の死産児が届出の対象となる．すなわち，前述の母体保護法に基づく人工妊娠中絶の際には，妊娠満12週（第4月）以後の場合には，人工妊娠中絶の届出のほかに，死産の届出が必要である．当然，この人工妊娠中絶も死産のなかに含まれる．

死産に際し，医師および助産師には死産証書または死胎検案書の作成義務が生じる．医師に対しては，出生証明書や死亡診断書（死体検案書）と同様に，医師法第19条第2項および第20条，助産師に対しては出生証明書と同様に，保健師助産師看護師法第39条第2項および第40条に交付義務が規定されている．

死産証書（死胎検案書）は，胎児の死亡事実を医学的に証明する書類である．死亡診断書（死体検案書）と同様に，公衆衛生，特に母子保健対策の重要な資料である．この趣旨に基づいてわが国では妊娠第4月（妊娠満12週）以後の死児の出産は，死産証書または死胎検案書を添付して，死産後7日以内に届出人の所在地または死産があった場所の市町村長に届け出なければならない．

死産には人工死産と自然死産がある．人工死産とは，胎児の母体内生存が確実であるとき，人工的処置を加えたことにより死産に至ったものをいう．人工的処置とは，胎児または付属物（病的付属物を含む）に加えられた措置および陣痛促進剤の使用をいう．したがって，虫垂切除術，下剤の服用などによって死産した場合には自然死産に入る．ただし，人工的処置を加えた場合でも，次のものは自然死産とする．

① 胎児を出生させることを目的として，人工的処置を加えたにもかかわらず死産した場合，

② 母体内の胎児の生死が不明であるとき，または死亡しているときに人工的処置を加えて死産した場合．

5．母体保護法

1 沿革と目的

1940年公布された国民優生法は，優生上の見地から不良な子孫の出生を防止するための断種に関する法律であったが戦後廃止され，これに代わって1948年優生保護法が公布された．この法律が制定された頃の日本は，敗戦直後で経済・食糧事情が極度に悪化し，しかも人口急増の傾向があったため，母性保護の立場からだけでなく，経済的理由をも加えた人工妊娠中絶を認めるというものだった．さらに1996年，優生保護法は「母体保護法」に名前を変えた．優生保護法下で存在した「不良な子孫の出生を防ぎ，もって文化国家の建設に寄与すること」という文言は本改正により姿を消した．

2 人工妊娠中絶

この法律によれば，「人工妊娠中絶とは，胎児が母体外において生命を保持することができない時期に，人工的に胎児および付属物を母体外に排出すること」をいう．胎児が母体外で生命を保持することができない時期というのは妊娠第22週未満の場合であり，つまり人工流産（広義）だけに限定され，妊娠第22週以後はこの法律の規定による人工妊娠中絶を行うことはできない．

人工妊娠中絶が許される要件として，① 妊娠の継続・分娩が身体的または経済的な理由により母体の健康を害する恐れがあるとき，② 暴行また強迫により抵抗または拒絶できない状態下で姦淫されて妊娠した場合があげられる．

不妊手術についても施行規則第1条に定められている．

Ⅱ　性の決定とセクシュアリティ

人間の性的な事柄を包括的に示す概念はセクシュアリティ sexuality（性的特質，性別）である．その主な構成要素に① 生物学的性，② ジェンダー・アイデンティティ：男性あるいは女性であるという認識，③ 性指向：性欲の対象が男性・女性・両性のいずれであるか，④ 性嗜好：性的行動の対象や目的などについて個人が持つ方向性や様式，⑤ 性役割：社会により男性らしい，あるいは女性らしいと定義される態度，行動様式，人格特徴，が含まれる．性の決定については，生物学的性と2011年度に改正された法律とかかわる「性同一性障害 gender identity disorder（GIO）（性別違和，性別不合）」について説明する．

1．生物学的性

出生時に医師などにより決定される性は生物学的性である．妊娠4か月の胎児から外性器の形態的特徴によって性別の判断が明瞭となる．性は，性染色体によって分類され，男性の細胞はX染色体とY染色体を1つずつ有し，女性の細胞はX染色体を2つ有する．

1 性染色体の異常

1．ターナー症候群 Turner's syndrome

X染色体の2番目の欠損が原因で生じる（45, XO）．女性の生殖器を持つため女性に分類されるが，大動脈狭窄，翼状頸，小人症，外反肘を呈し，性ホルモンが作られないことから不妊や第二次性徴の欠如を伴う．

2．クラインフェルター症候群 Klinefelter's syndrome

通常XXYの遺伝子型を持つ．Y染色体を持つため生殖器は男性で，男性に分類される．アンドロゲンの生成が少ないために，小さな陰茎と未発達な精巣を伴い，性欲は弱い．無精子症となることも多い．一部の者は，青年期初期に女性化乳房を示すことがある．

3．XYY症候群 XXY syndrome

X染色体に加えY染色体を2つ持つことで生じる．男性の生殖器を持ち，男性に分類される．身長が高い傾向があることが指摘されている．

2 外性器形態の不一致

性の分化異常のため，外性器から明確な性別の判断が難しい状態を総称して半陰陽 hermaphroditism という．男性の生殖腺（精巣）と女性の生殖腺（卵巣）を有する場合は真性半陰陽 hermaphroditism verus という．どちらかの生殖腺を持つが，外性器が異性に類似していると男性（女性）仮性半陰陽 pseudohermaphroditism に区別され，半陰陽のほとんどはこれに該当する．

発生初期のヒトの胚子は男性生殖器と女性生殖器の原基をどちらも備えており，胚子がY染色体を持つ場合にはアンドロゲンが導入され，男性生殖器への分化が起こり，Y染色体を持たない場合には女性生殖器への分化が起こる．この分化は第6週頃の胎児で始まる．このようにアンドロゲンは生殖器の形成に大きな影響力を持つ．そのため，性染色体に異常がなくとも，不明瞭な外性器を持った乳児が出生することもある．

1．先天性副腎皮質過形成症 congenital adrenal hyperplasia

XXの遺伝子型の胎児に過剰なアンドロゲンの活動が起こるために生じる．外性器の男性化が生じ，大陰唇癒合，陰核肥大，陰唇の陰囊化などを呈し，成人期の多毛症を示す[2),4)]．遺伝子がXX型でも出生時の外性器が男性様であれば，男性とみなされ養育されることが多い．

2．アンドロゲン不感性症候群 androgen insensitivity syndrome

XYの遺伝子型を持つが，標的臓器のアンドロゲンレセプターの異常により，男性への性分化が阻害される．潜在睾丸で女性様の外性器を持つため，女性として養育されることが多い[5)]．

3．リポイド過形成症 congenital lipoid adrenal hyperplasia

副腎および性腺におけるほとんどすべてのステロイドホルモンが合成できないため，46, XY遺伝子型では，精巣での男性ホルモン産生障害のため，外性器の女性化が生じる[2)]．女性に分類され，養育されることが多い．

2．性同一性障害（性別違和，性別不合）の性別

発達の思春期においては，女子に男性の，または男子に女性の二次性徴が現れることがある．これを異性化現象と呼ぶ．また，視床下部–

下垂体–性腺系のいずれかに異常があると，思春期年齢を超えても二次性徴が現れない性腺機能不全を示すことがある．

生物学的性とジェンダー・アイデンティティとに違和を感じる性同一性障害（2013年に改訂されたDSM-5[1]からは，「性別違和 gender dysphoria」と呼び，2017年に改訂された国際疾病分類 International statistical classification of diseases related health problems（ICD-11）からは「性別不合 gender incongruence」と呼ぶ）の場合には，その身体違和をホルモン療法や乳房切除術，性別適合手術や精神的サポートなどによって，ある程度解消することができることが指摘されている[3]．そのため外科的手術によって外性器が遺伝子型と異なる場合がある．

一般に，生物学的性では男性の者が自身の身体や社会的性を女性に適合させた場合にMTF（male to female）と呼び，逆に生物学的性では女性の者が自身の身体や社会的な性を男性に適合させた場合をFTM（female to male）と呼ぶ．

2003年に「性同一性障害の性別の取扱いの特例に関する法律」（GID特例法とも呼ばれる）が制定された．

「この法律において『性同一性障害者』とは，生物学的には性別が明らかであるにもかかわらず，心理的にはそれとは別の性別であるとの持続的な確信を持ち，かつ，自己を身体的及び社会的に他の性別に適合させようとする意思を有する者であって，そのことについてその診断を的確に行うために必要な知識及び経験を有する2人以上の医師の一般に認められている医学的知見に基づき行う診断が一致しているものをいう」（同，第二条）．また，該当する条件として，① 20歳以上であること，② 現に婚姻をしていないこと，③ 現に未成年の子がいないこと，④ 生殖腺がないこと又は生殖腺の機能を永続的に欠く状態にあること，⑤ その身体について他の性別に係る身体の性器に係る部分に近似する外観を備えていること（同，第三条），があげられている．このGID特例法により，性同一性障害の者は，一定の基準を満たせば，戸籍上の性別表記の訂正申立てが認められるようになった．これにより，性別変更を認められると新たな性別に基づく新戸籍が編成される．また，「民法その他の法令の規定の適用については，法律に別段の定めのある場合を除き，その性別につき他の性別に変わったものとみなす」（同，第四条），とされる．その結果，生物学的性と社会的性が異なる場合がある．

なお，2013年の最高裁決定により，性同一性障害で女性から性別を変更した男性の妻が第三者の精子提供で産んだ子について，従来は空欄だった戸籍の父の欄に夫の氏名を記載するよう法務省通達（2014年）が出されている．性同一性障害（性別違和，性別不合）をめぐる法や社会制度は時代により変化している．現在，DSM-5，ICD-11ともに，性同一性障害を精神疾患の章から除外している．

3．性嗜好異常

異常性欲は，性欲に関する質的・量的な逸脱を指す．アメリカ精神医学会による「精神障害/疾患の診断・統計マニュアル Diagnostic and statistical manual of mental disorders（DSM-5）」（2013年）[1]では，性嗜好障害群 paraphilic disorders として示されている．性嗜好障害群は，普通でない対象，行動，対象物の使用とかかわる反復性の強い性的衝動や性的空想，性的行動を示すもので，それらによって臨床的に著しい苦痛または障害が生じているものが該当し，他者に害を及ぼす恐れのあるものである．多様な性嗜好障害のなかでもより一般的な障害として，

① 窃視障害 voyeuristic disorder：警戒していない人の裸体や衣服を脱ぐ行為，性行為をのぞき見することで性的に興奮する．

② 露出障害 exhibitionistic disorder：警戒していない見知らぬ人に対する性器の曝露で性的に興奮する．

③ 窃触障害 frotteuristic disorder：同意のない相手に触ったり身体をこすりつけたりすることで性的に興奮する．

④ 性的マゾヒズム障害 sexual masochism disorder：辱めまたは苦痛を受けることで性的に興奮する．

⑤ 性的サディズム障害 sexual sadism disorder：辱めや苦痛を与えることで性的に興奮する，究極のものとして快楽殺人が含まれる．

⑥ 小児性愛障害 pedophilic disorder：思春期前の小児に対する性愛．

⑦ フェティシズム障害 fetishistic disorder：生命のない対象物への性愛．

⑧ 服装倒錯（異性装）障害 transvestic disorder：異性の服装を着用することで性的に興奮する．

⑨ 特定不能の性嗜好障害 unspecified paraphilic disorder（具体的には，電話わいせつ telephone scatologia，死体性愛 necrophilia，動物性愛もしくは獣姦 zoophilia，糞便愛 coprophilia，浣腸愛 klismaphilia，嗜尿症 urophilia など）があげられる．いずれも，強烈な性的興奮を伴う空想や性的衝動，行動などが反復する．

性嗜好障害を有する人は，単一ではなく，複数のものを示す場合が多い．性嗜好障害は主に男性にみられ，半数以上の者が18歳以前に発症し，高齢になると，性嗜好障害の行動化は減少する．単に同意のない相手に対する性犯罪を行ったり，子どもに対する性犯罪を行ったからといって，必ずしも性嗜好障害に該当するわけではないが，性嗜好障害の行動化は，他害に結びつきやすい．司法や一般の臨床施設では性嗜好障害があると特定された人は少ない[4]が，性嗜好障害群の性的空想を支えるポルノグラフィーや性具などの市場を考慮すれば，実際の有病率はかなり多いと推定することができる．なお，これら異常性欲に該当する障害群は，WHO による ICD-11 では，「第 6 章　精神・行動・神経発達の疾患」に分類されている．

Ⅲ 性 犯 罪

1．犯法的性行為

1 種　類

性欲を満足させる行為がつぎにあげる要件に該当する場合は，法的処罰の対象となりうる．

① 性秩序もしくは健全な性的風俗を害する場合．

② 他人の性的自由もしくは貞操を侵害する場合．

③ ② の結果，他人の健康・生命に危害を及ぼした場合は，傷害罪，過失傷害罪で罰せられる．18 歳未満の児童を買春，ポルノの対象とすることは違法であり（児童買春，児童ポルノ禁止法，1999 年施行），また人の住居や浴場をのぞき見することは軽犯罪法違反である．さらに，私事性的画像記録（性交や性交類似行為の画像や性的部位が露出されたり強調されたりしており，性欲を刺激するような画像などの電子データ）を公開することは違法である（いわゆる「リベンジポルノ規制法」，2014 年）．その他に犯法的性行為の原因・動機には，前項で述べたような性欲異常による行為そのものがすでに犯法的である場合（淫楽殺人），あるいはその行為の結果が重大であって犯法的になる場合（サディズム），性欲は一応正常であるが，それを満足させる行為が犯法的である場合（強制性交等，強制わいせつ）などがある．

2 わいせつ行為 indecency

強制性交等以外の犯法的性行為をすべてわい

せつ行為という．わいせつ行為は，刑法上，公然わいせつ（第174条），わいせつ物頒布等（第175条）および強制わいせつ（第176条）罪として規定されている．このほか，2017年に改正刑法の施行により，18歳未満の子どもを監護すべき立場にある者が，その立場を利用してわいせつ行為を行うものを監護者強制わいせつ罪（第179条），監護者わいせつ致死傷罪（第181条）が新設された．

3 強制性交等 rape

刑法においては，かつて13歳以上の女子に対して同意なしに暴行・脅迫をもって姦淫（腟への陰茎の挿入）を行うものを強姦罪としており，被害者からの告訴を必要とする親告罪とされていた．しかし，2017年に改正刑法の施行により，強姦罪は強制性交等罪（第177条）とされ，13歳以上の者に対して，暴行・脅迫をもって性器性交（腟への陰茎の挿入），肛門性交，口腔性交（以上を合わせて「性交等」とされる）をしたものとされ，被害対象に男性・女性の両性が含まれることとなった．また，13歳未満の者に対する強制性交等の行為が行われた場合には，暴行・脅迫の有無を問わず，強制性交等罪に該当するものとなった．そして，親告罪から非親告罪とされた．厳罰化が図られ，強制性交等罪を行った者は5年以上の有期懲役となったほか，18歳未満の子どもを監護する立場にある者がその立場を利用して強制性交等を行うものを処罰する監護者強制性交等罪（第179条，5年以上の有期懲役）が新設された．心神喪失もしくは抗拒不能な状態に乗じて，またはそのような状態に陥らせた後にわいせつ行為をしたり姦淫した者は有期懲役に処す（第178条）と規定されている．強制性交等や強制わいせつ行為により被害者を死傷させた者は強制性交等致死傷罪，強制わいせつ致死傷罪として，それぞれ無期または6年以上の懲役，無期または3年以上の懲役に処す（第181条）と規定されている．

知的障害者 intellectual disabilities に対する性的行為もこれらの法律によって罰せられる．

性交は，医学的には陰茎の挿入とそれに続く射精をもって完遂するが，法律上は体腔内での射精は必要ではなく，陰茎の挿入のみ，ときには腟口部への接触のみで十分である．

2．法医学的検査

これらは法医解剖のうえで，性交の有無を検査することが多いが，被害者の訴えによって被害者自身や被告人の生体検査を行うこともある．

1 被害者の生体検査上の注意事項

1. 説　明

性的犯罪の検査や鑑定を行う場合には，通常裁判所などの鑑定処分許可状に基づいて行うことがほとんどである．検査に先立ち，検査対象者や子どもの場合には，その両親，保護者に十分な説明（インフォームド・コンセント）を行う．

2. 検査場所

医療施設の診察室など診察に適した場所を選び，私邸などは避ける．婦女子の診察に際しては，ほかの医師または女性の立会者をつけることも大切である．

3. 問　診

性的犯罪の行われた場所や経過に関する状況を聴取する．はい・いいえ質問を多用することで検査対象者を誘導することのないように配慮しながら，相手との位置関係や抵抗の状態，意識の有無，被害前のアルコール・薬物の摂取状況，（女性の場合には）月経周期などを詳細に聞くこと．また，問診をしながら全体の表情行動や，見かけ上の年齢，体格についても観察する．

4. 着衣の検査

犯行当時の着衣の損傷，体液の付着の有無について検査する．検査方法については後述．ただし，科学捜査研究所など警察の機関で鑑定されることが多い．

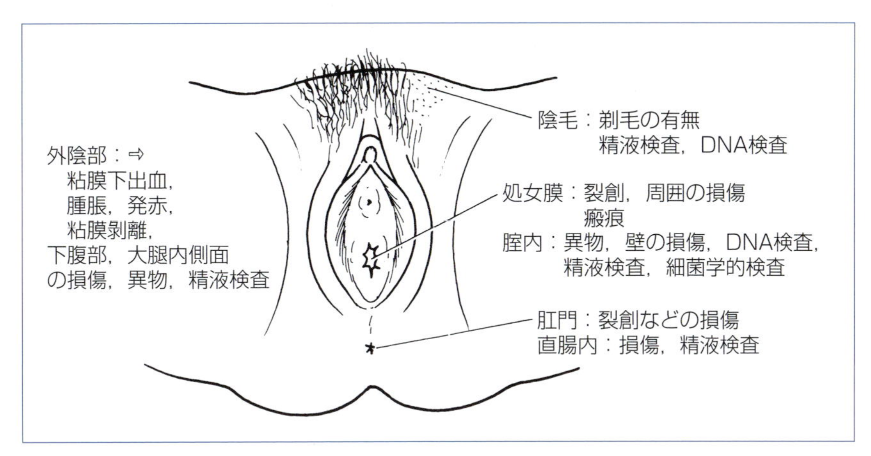

図 6-1 外陰部の検査

5. 身体損傷の検査

① 皮下出血や表皮剝脱が，股間から大腿部にかけて，上腕および前腕，肩背面，顔面頚部などに特に注意して観察し，証拠となる写真撮影を行う．

② 咬傷 bite mark や吸引による皮下出血 suction mark が頚部や乳房にみられることが多い．

6. 外陰部の検査（図 6-1）

通常の外陰部の検査と同様であるが，特に注意すべき点をあげる．

① 剃毛の有無，精液の付着の有無について陰毛 pubic hair を検査する．また，DNA 検査の資料とする．資料の採取に際しては，切るのではなく抜くこと．

② 外陰部の発赤，腫脹，粘膜下出血，粘膜剝離，裂創など損傷の有無．

③ 処女膜 hymen は新鮮な裂創の有無，処女膜辺縁に発赤腫脹があるか否かに注意する．時計表示のように，「何時の部位に何 cm の損傷（裂創，粘膜剝離）がある」と記載する．既婚女性で処女膜がすでに消失している場合，処女であっても処女膜の柔軟性や通常のタンポン使用のために，性交による損傷が処女膜にはみられないこともある．

④ 腟は粘膜下出血，粘膜の剝離や腟壁の裂創の有無を検査する．

腟液は必ず採取するように心掛け，精液検査・DNA 検査（p.267 参照），細菌学的検査（性病罹患の有無）を行う．また，線維や毛などの異物の混入についても注意を払い，もしあれば採取し検査に供する．被害者の陰毛も対照として採取する．

⑤ その他に血液型検査・DNA 検査のため被害者の血液を採取する．肛門に損傷がみられたり，外陰部以外の場所から精液が検出されることがある．例えば乳房部からの体液（唾液，精液）の証明で被疑者の特定（DNA 検査から）に有効である．

主として以上の事柄について検査を行うが，精虫の存在は性交が行われたことを意味し，また，外陰部や身体各所に損傷がみられることはその部に外力が加わったことを意味するものであるが，必ずしも強制性交等を意味するものではないことを考慮しなければいけない．強制性交等の被害者は，ときには虚為の訴えをしていることがあることも，念頭に置かねばならない．

7. 陰茎，肛門部の検査

裂傷などの損傷の有無，唾液，腟液など体液の付着を確認する．

8. 尿の検査

記憶に健忘がある場合など，薬物の摂取が疑われる場合には，検査に耐えられる量の尿を採取する．

9. その他

本人の申告の有無にかかわらず，薬物の摂取が疑われる場合には，検査に耐えられる量の毛髪を採取する．

2 死体検査上の注意事項

法医解剖の際には，生体検査の際に必要なことに加えて，性交の有無と性交があった場合のその時期（生前の性交か，死後の性交か？）が問題になる．組織学的検査を含めて，損傷の生活反応に注意しなければならない．

3 被疑者または被告人の検査上の注意事項

被疑者，被告人を検査することはきわめてまれであるが，刑務所などに拘留中に精神鑑定などを含めて検査が行われる場合がある．その際の注意事項を以下に示す．

① 検査の目的，内容に関する十分な説明（インフォームド・コンセント）を行うが，刑事訴訟上行われる場合は，身体検査令状を被検査者に提示する．
② 問診：性交時の状況などを聴取し，被害者の供述や検査と比較する．
③ 年齢，体格
④ 着衣の損傷や付着体液の検査
⑤ 身体損傷の検査：被害者の抵抗の痕跡として擦過傷，咬傷，皮下出血などの有無を調べる．

[参考文献]

1）American psychiatric association：Diagnostic statistical manual of mental disorders 5th edition, 2013.
2）藤枝憲二，柳瀬敏彦：厚生労働省科学研究費補助金難治性疾患克服に関する調査研究「副腎ホルモン産生異常に関する調査研究」，2008. <http://www.pediatric-world.com/fukujin/>(2013年12月5日).
3）川嵜政司，針間克己編著：性同一性障害の医療と法―医療・看護・法律・教育・行政関係者が知っておきたい課題と対応，南野知惠子（代表編者），メディカ出版，2013.
4）Sadock, B. J., Sadock, V. A.：Kaplan & Sadock's Synoposis of Psychiatry：Behavioral Sciences/Clinical Psychia-try, 9th edition, Lippincott Williams & Wilkins.（井上令一，四宮滋子訳：カプラン臨床精神医学テキスト第2版―DSM-Ⅳ-TR診断基準の臨床への展開，メディカル・サイエンス・インターナショナル，2004.）

7 犯罪と心理

重要事項

1）なぜ人が犯罪者になるかについては，素因と環境との相互作用から説明される．
2）一般緊張理論では，心理的なストレスの過程に注目し，他者とのネガティブな関係性を緊張と定義し，そこに生まれるネガティブな感情体験への対処行動として犯罪が行われると説明する．
3）分化的接触理論は学習理論に基づく理論であり，人は親密な相互作用の中で犯罪の動機や手段，行動を学習した結果，犯罪を行うと考える．
4）統制理論では，人はなぜ犯罪を行わないのかを説明する要因が弱まっているために犯罪を行うと考える．Hirschi の社会的絆理論では，愛着，投資，巻き込み，規範観念の 4 つの社会的な絆を強くすることが，犯罪を抑止すると説明する．
5）殺人の約 9 割は，加害者と被害者との間に事前面識があり，親族が 4～5 割，知人が 3～4 割，面識なしが 1 割程度である．
6）殺人は，被害者の人数，犯行場所，犯行時間により，単数殺人，大量殺人，連続殺人，スプリー殺人に分類される．
7）性的殺人は，快楽殺人とその他（証拠隠滅のため殺害する強姦殺人などを含む）に分類されるが，殺害や損壊，虐待の行為に快楽を伴う快楽殺人はまれである．
8）欧米の連続殺人には性目的のものが多いのに対し，日本では金目的で行われるものが多い．
9）連続殺人犯を説明するモデルには，いずれもトラウマティックな体験を乗り越えるための暴力的ファンタジーが行動化する過程が含まれている．
10）大量殺人には，拡大自殺を目的としたものも多く，加害者に犯行後の自殺企図があることも少なくない．
11）性犯罪の動機は性欲のみならず，パワー，怒り，サディズムなどの心理的・社会的な要因も重要であり，それが加害や虐待の行為に現れる．
12）犯罪者プロファイリングとは，犯行現場の状況，犯行の手段，被害者などに関する情報や資料を，統計データや心理学的手法などを用いて分析・評価し，犯行の連続性の推定や次回の犯行の予測，犯人の年齢層，生活様式，職業，前歴，居住地などの推定を行うものである．
13）犯罪者プロファイリングには，FBI 方式とリヴァプール方式の 2 つの分析アプローチがある．それぞれに長所と短所があり，再現性が保障される点でリヴァプール方式がより科学的である．
14）犯罪者プロファイリングには，事件リンク分析，犯人像推定，地理的プロファイリングの 3 つの分析があり，それぞれに統計分析と事例分析を行い，結果を総合的に判断する．

I　犯罪原因論

なぜ人が犯罪者になるかは，素因と環境との相互作用から説明される．素因のマイナス要素が多ければ，環境のマイナス要因が若干増えただけで犯罪を行う傾向が高まるが，素因のマイナス要因が少なければ，環境のマイナス要因が若干増えただけでは犯罪を行う傾向は高まらない．

刑法犯は年間に約80万～240万件が認知されている．図7-1には，犯罪統計[12),13)]によって示される重要犯罪の認知状況の推移を示した．最近の傾向として，殺人や強盗は減少しているが，強姦やわいせつなどの性犯罪事案は減少していない．人がなぜ犯罪者になるのか，人がなぜ犯罪を行うのかについては，生物学的，心理学的，社会学的な要因が検討されているが，1つの理論で犯罪のすべてを説明できる理論はない．ここでは主要な理論の概要を説明する．

1．緊張理論 strain theory

犯罪に駆り立てる圧力は社会的に生じている（文化の中にある）とする考え方であり，性善説に立つ理論である[26)]．

Merton[15)]の緊張理論では，文化的目標はすべての人に当てはまるが，社会構造上，制度化された手段で目標を達成する可能性が制限される人たちがいるという矛盾（アノミー）に起因する緊張が犯罪に駆り立てる圧力となると説明する．緊張理論を発展させたAgnew[1),2)]の一般緊張理論では，心理的なストレスの過程に注目し，他者とのネガティブな関係性を緊張と定義する．緊張は，ポジティブな価値のある目標の達成を妨げられる，ポジティブな刺激を奪われる（脅威の状況を含む），ネガティブな刺激にさらされる（脅威の状況を含む）場合に生じるが，これらストレスにより生じたネガティブな感情に対する対処行動の一つが犯罪行動であり，対処行動のスキルや資源が乏しい場合には対処行動に犯罪が選ばれやすくなると説明する．

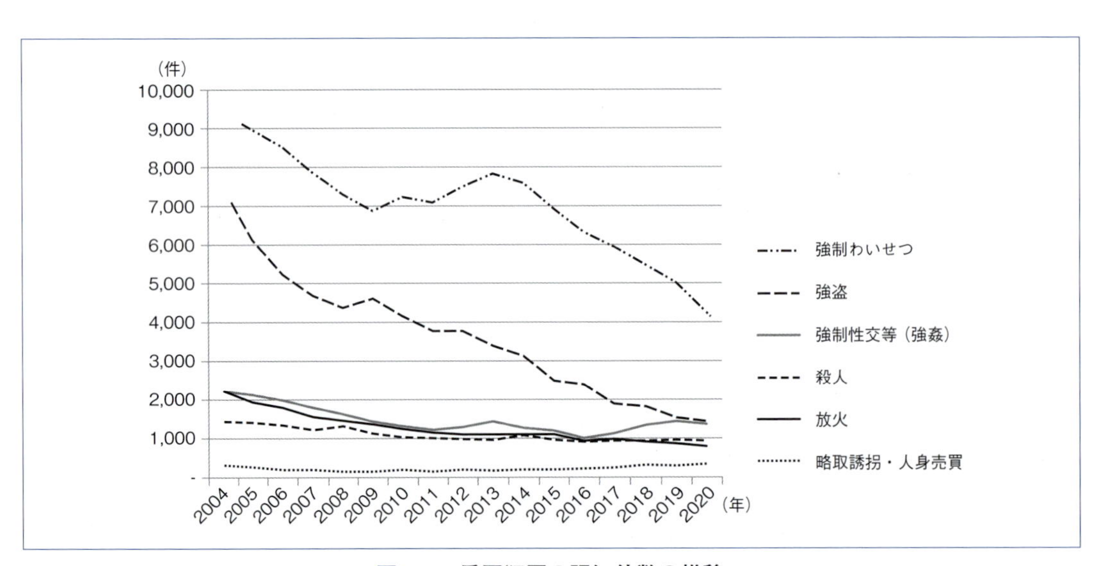

図7-1　重要犯罪の認知件数の推移

2．分化的接触理論
differential association theory

学習理論に基づくもので，Sutherland and Cressey[24]が提唱した分化的接触理論では，人は親密な私的集団との相互作用のなかで学習した結果として犯罪を行うと説明する．白紙説に基づく理論であり，犯罪行動は，つぎの原理によって説明される．

① 犯罪行動は学習される．
② 犯罪行動は，ほかの人々とのコミュニケーションにおける相互作用の中で学習される．
③ 犯罪行動の学習の主要な部分は，親密な私的集団のなかで行われる．
④ 犯罪行動の技術と動機や衝動，合理化，態度などの特定の方向づけが学習される．
⑤ 法律を好ましいとみるか否かの態度により動機や衝動の方向づけの学習は異なる．
⑥ 法律違反を好ましいとする定義が，好ましくないという定義を上回ったときに犯罪をする．
⑦ 分化的接触は，頻度，期間，優先性，強度で変化する．
⑧ 犯罪行動の学習の過程は，ほかのあらゆる学習において含まれるすべての過程を含む．
⑨ 犯罪行動の実際の原因は法律違反を好ましいとする観念である．

3．社会コントロール理論
social control theory

人は統制がなければ犯罪を行うものであるため，いかなる条件が統制となるかを検討する必要があると考える．性悪説に基づく理論である[26]．

Hirschi[9]の統制理論では，人は属する社会との絆が弱まったときに犯罪を行うと説明する．属する社会との絆を社会的絆と呼ぶことから，社会的絆理論とも呼ばれる．社会的な絆には，愛着 attachment，投資 commitment，巻き込み involvement，規範観念 belief の 4 つがある．愛着が最も基本的な社会的な絆であるが，これら 4 つの社会的絆の強化が犯罪の抑止に重要となる．この理論は，軽微な少年非行をよく説明できるが，より重大な非行や成人の場合にも適用可能かどうかについては検証が必要とされている．

4．ライフコース理論
life-course theory

犯罪経歴研究では，いつ・どうして犯罪を開始するのか，どのくらい犯罪が続くのか，どのくらいの頻度で犯罪を行うのか，いつ・どうして犯罪をしなくなるのかという点に関心が向けられた[21]．非行年齢曲線を描くと，17 歳がピークとなる単峰型の分布を示す．これは，多くの者が思春期の一時期にのみ犯罪を行うが，一部に年少の頃から犯罪を行いその後成人に至るまで犯罪を続ける者がいることを示唆している．

Moffitt ら[5),16]の発達類型論 developmental taxonomy では，幼年期から問題行動を示し，青年期以降も問題行動が継続する生涯持続型犯罪者 life-course persistent offenders と，青少年の時期に初めて問題行動を示し，成人期になると問題行動を示さなくなる青年期限定型犯罪者 adolescence limited offenders の 2 つの分類が示されている．

1 生涯持続型犯罪者

出生前後に微細な神経の障害が生じており，このために乳幼児期から統制困難な問題傾向を示す．親がこれにうまく対応できずに高圧的に対応することで，攻撃性や人の言動に悪意があると妄想的に解釈する認知傾向を高めた結果，反社会性が形成される．対人関係が苦手で社会適応が悪く，遵法的な集団から阻害され，仲間と非行集団を形成して犯罪性をさらに深めていく．

生涯にわたって，比較的高頻度に反社会的な行動を繰り返す．多くは男性であり，あらゆる形態の逸脱行動を行うが，特に暴力的な犯罪が多いのが特徴である．生涯持続型犯罪者は青年期に非行を行う者のごく一部である．

2 青年期限定型犯罪者

それまで特に問題行動を示さなかった者が，青年期において一時的に逸脱行動を示すが，成人になると逸脱行動をやめて，遵法的なライフスタイルに従うようになる．犯罪は，生物学的な成熟と社会的な成熟のギャップ maturation gap から生ずる緊張やストレスを解放するために行われる．そこで行われる犯罪は，生涯持続型の人たちが行っている行為を観察学習によって模倣したものである．青年期を終えて成熟すれば，この緊張やストレスからは解放されるため，いずれ犯罪をする必要がなくなる．

青年期に非行を示す者のほとんどがこの青年期限定型に属する．男女差は少ない．

Ⅱ　犯罪被害者の心理

犯罪統計[13]によれば，刑法犯の人口1,000人あたりの被害率は4.9人（2020年）である．これは，100人の人がいればその中に過去1年間に何らかの犯罪の被害に遭った者が1人いるかもしれないという割合であり，犯罪の被害に遭うという経験は比較的身近に存在している．同年の刑法犯による死傷者数は2万2,000人を超えているが，人口10万人当たりでみれば，死者は0.5人，負傷者は17.3人程度となっている．しかし，これらの被害率は警察に認知されて統計に計上された事件を基に算出されており，実際に発生した被害のすべてを警察が認知できるわけではない．犯罪統計には必ず暗数 dark figure が存在する．法務総合研究所による2019年の犯罪被害者実態調査（暗数調査）[11]によれば，性的事件の通報率は14.3％であり，統計に現れる数字よりはかなり多くの性犯罪の被害が発生していることが示唆される．

日本では，長らく犯罪被害者の心理面に対する社会の関心はそれほど高くはなく，犯罪被害者の心理に社会の関心が高まったのは松本サリン事件（1994年）や地下鉄サリン事件（1995年）以降のことである．

1．被害者の心理

犯罪の被害者は，犯罪の被害により，身体的，経済的，精神的なダメージを受ける．これを一次被害 primary victimization という．犯罪被害者はこの一次被害にとどまらず，直接的に受けた犯罪被害から付随して生じる被害をも受ける．これを二次被害 secondary victimization という．

1 一次被害

一次被害として被害者が受ける身体的，経済的，精神的なダメージの質と量は，犯罪被害者の置かれている状況や被害の内容，加害者との関係，加害者からの謝罪・賠償などの影響を受けるため，同じ罪種の犯罪被害者であってもさまざまである．

犯罪被害の体験が，被害者の心が対処できる範囲を超える場合があり，その場合には犯罪被害がトラウマティックな体験となり，その後に心的外傷後ストレス障害 posttraumatic stress disorder（PTSD）を発症するリスクが生じる．犯罪被害のなかでも強姦の被害については，PTSDの発症リスクが高く，Kessler報告[14]では，強姦被害に遭った人の約半数がPTSDを発症することが示されている．

▶PTSD

PTSDの診断の際には，生命を脅かされるような経験のほか，主要な精神症状として，再体験（侵入的想起），回避・麻痺，過覚醒のそれぞれが基準に該当し，症状が1か月以上継続することが基準となっている．米国精神医学会精神障害/疾患の診断・統計マニュアル（DSM-5）[3]では，PTSDはトラウマとストレス関連障害のなかに位置づけられ，7歳以上の診断基準と6歳以下の診断基準がそれぞれ提示されている．

PTSDの発症には，さまざまな要因が関与している．メタアナリシスの結果示される発症の予測因子として，過去のトラウマ体験，過去の不良な心理的適応，家族の精神疾患の負因，トラウマ体験中に生命の脅威を感じたこと，トラウマ後のソーシャルサポート受容感の乏しさ，トラウマ周辺期の否定的な感情反応（恐怖，無力感，罪悪感など），トラウマ周辺期の解離が指摘されている[20]．

2 二次被害

二次被害は，犯罪被害者の家族や親戚，近隣，学校・職場など被害者の日常生活でかかわる人々だけでなく，警察や検察，裁判所などの司法関係者やマスコミのほか医療関係者や支援担当者によるものもある．2009年に行われた内閣府による犯罪被害者調査[18]の結果によれば，捜査や裁判などを担当する機関の職員からの二次被害を「なかった」とする者は22％であり，「多かった」もしくは「少しあった」とするものは47％であった．また，病院など医療関係機関の職員からの二次被害を「なかった」とする者は37％であり，「多かった」もしくは「少しあった」とするものは31％であった．

医師は，例えば，死亡の告知時や解剖後の遺体の引き取り時に遺族とのやりとりをする機会があるが，そのやりとりのなかで与える二次被害を最小限にするよう配慮する必要がある．同様に，性犯罪や暴力の被害者に対して医療行為を行う際や証拠採取を行う際に，二次被害をできるだけ最小限にするよう努力する必要がある．「事務的に扱われた」，「命だけでも助かってよかったといわれた」，「大した傷にならなくてよかったといわれた」などは，二次被害の例としてよくあげられるものである．

2．遺族の心理

犯罪被害者の遺族の場合，家族との死別bereavementにより，悲嘆griefを経験する．

死別とは，遺された人が適応を余儀なくされる喪失の事実そのものであり，悲嘆とは愛する人と死に別れた人の経験そのものである．悲嘆においては，遺族が愛する人の死に適応していく過程を喪mourningと呼ぶ．喪の過程は死別を経験したすべての人に必要な過程であるが，これにかかる期間は個人差が大きい．遺族は喪の過程において，喪失の現実を受け入れ，悲嘆の痛みを消化し，故人のいない世界に適応し，新たな人生を歩み始めるうえで，心の中に故人との永続的なつながりを見出す，といった課題に取り組む[32]．こうした喪の課題説は，「直面化」と「再構成」といった認知的な過程を含むものであり，遺された人は何かしらの行動を起こす必要があり，またそれを実行する力もあるという能動的な考え方に基づくものである．

行方不明などで生死がわからない場合や多数の人が亡くなる事件・事故や災害の場合のほか，対象者にうつの既往がある場合，不安定な愛着を形成していた場合，情動的な苦痛に対処する能力が低い場合などの要因がある場合には，複雑性の悲嘆を示す場合があり，その場合には専門的な治療が必要となる．

3．医療関係者が受ける二次的なトラウマ

医療関係者は，遺族もしくは被害者から激しい感情をぶつけられることもあるだろう．被害

者が受けた暴力の結果としての身体的・精神的な傷をみること自体から，自身が心理的なダメージを受けることもある．医療関係者は，遺族や被害者とのかかわりのなかで，彼らが受けた犯罪被害の影響を受けることから免れることはできない．犯罪の被害は，犯罪被害者やその遺族を取り巻く人々にまで伝播する．そのため，医療関係者自身も，犯罪被害者の遺族や犯罪被害者とのかかわりのなかで，自身の精神保健に対する配慮をする必要がある．

III 殺人の心理

殺人事件は，年間に約900～1,400件程度発生している（図7-1）．報道に触れることで形成される印象とは異なり，面識のない者によって殺害される事件は1割程度である．親族による事件が5～6割，知人による事件が3～4割であり，9割の事件は加害者と被害者との間に事前面識がある．被害者が自宅で被害に遭うのは6割を占める．衝動的に行われる事件が多く，動機では憤怒（4割）が最も多い．ほとんどが単独犯（95％程度）で，刃物類が使用されるケースが多く6割弱を占めるが，未遂（6割）の割合も高い．軽微な犯罪からエスカレートして殺人に至るのではなく，殺人が初めての犯罪であったものが半数を超える．

アメリカ連邦捜査局 Federal Bureau of Investigation（FBI）による殺人の定義[22]によれば，殺人は被害者の人数，犯行時間，犯行場所によって，単発殺人，複数殺人，大量殺人，スプリー殺人，連続殺人に分類できる．スプリー殺人と連続殺人の違いは，犯行と犯行の間に感情の冷却期間が存在するかどうかである．これを日本の現状に合わせて修正した分類を表7-1に示す．

1．バラバラ殺人 mutilation murder

バラバラ殺人は，「他殺体の発見時に，遺体の体幹または体節部分に切断行為を試みた形跡のあるもの（殺害行為としての頚部切断を含む，完全に離断していない場合を含む，性器のみ切除は除く）」として定義される[28]．

バラバラ殺人に対しては猟奇的な印象を持ちがちであるが，ほとんどの場合，加害者は証拠隠滅のためや運搬を容易にすることを目的としている．切断行為は，死体を遺棄して証拠を隠滅するために合理的に選択された行動である．リスクを負って時間や体力を浪費する作業をすることは，被害者の死体発見直後に捜査の手が加害者に及ぶ可能性が高いことが想定される．しかし，渡邉，田村[29]によれば，被害者要因・

表7-1 FBIの殺人類型を基に作成した日本版の殺人類型

	被害者人数	殺害場所	殺害時間
1人殺人 single murder	1人	1つの場所	1つの時間
大量殺人 multiple murder	2人以上	1つの場所	一連の時間帯
スプリー殺人 spree murder	2人以上	異なる場所	異なる時間帯 （感情の冷却期間なし）
連続殺人 serial murder	2人以上	異なる場所	異なる時間 （感情の冷却期間あり）

犯行状況要因・加害者要因を考慮した，被害者の性別年齢組み合わせによる3分類でその傾向は異なることが示されている．

① 被害者が10歳代以下の場合

加害者と被害者との間に面識関係のない場合が多く，性目的の事件が多くを占める．

② 被害者が20歳代以上の女性の場合

親族・愛人の加害者が多くを占め，男女トラブルに起因する事件が多くを占める．

③ 被害者が20歳代以上の男性の場合

知人や一時的会合者による犯行が大半を占め，親族の場合には被害者に重篤な疾病が認められた．知人の加害者には愛人は少なく，職場関連が多い．金目的もしくは金銭トラブルに起因する事件が大半を占める．

2．性的殺人 sexual murder/sexual homicide

性的殺人は，殺害に至る一連の出来事に性的な要素が認められるものと定義される[8]．性的殺人の犯行中に示される性的な意味や要素は，加害者が持つ性的ファンタジーを現実世界で実行した痕跡であり，個々の加害者にとって独自のものである．また，それは殺害行為の前，最中，後のいずれでも生じうる．加害者は，日常生活で頻繁に性的ファンタジーによるマスターベーションを繰り返していることから，犯行は計画的，連続的になりやすいといわれている．

性的な要素が認められる事件の多くで，殺人自体が性的な動機ではなく，被害者の抵抗抑圧や，被害者を殺害することによる証拠隠滅を動機として行われている．これら，その他に分類される事件を性的殺人の定義に含まないとする研究者もいる．

犯罪統計では性的動機は1割にも満たないが，犯人の性的空想が了解しがたく動機不明に分類されることも多いことが指摘されており，犯罪統計からは性的殺人の件数を把握することは困難である．性的殺人の典型例は快楽殺人（lust murder または erotophonophilia）であるが，快楽殺人の発生はまれである．性的殺人は快楽殺人とその他の2つに分類される．

1 快楽殺人 lust murder

快楽殺人では，加害者が究極の性的満足に達するために，サディスティックに，残虐に被害者を殺害する．殺害前に，被害者に屈辱的な姿勢や行為をさせる，身体の拘束，首輪，目隠し，鞭で打つ，火傷を負わせる，電気ショックを与える，切る，刺す，拷問を与えるなどの行為が行われることがある．恐怖に怯える被害者を完全に支配することが，性的空想の中心テーマである．死体には，生前の拘束や拷問の形跡が示される．

2 その他強姦殺人

強姦の証拠隠滅のために被害者を殺害する強姦殺人や，置き換えられた怒り displaced anger により行われた殺人がその他に該当する．性的な要素が認められる殺人事件の多くが，このタイプに該当する．このタイプの場合，多くは，被害者との接触時には姦淫やわいせつ行為を動機としているが，「大声をあげられたから」，「顔を見られたから」といった理由で衝動的に殺害を決意する．

3 FBIによる性的殺人の類型

FBIの行動科学課は，36人の性的殺人犯に対する面接調査と彼らに関する各種の記録調査から，性的殺人犯の分類や動機づけモデルを検討した[22]．FBIが定義した性的殺人は，「証拠あるいは観察によって性的な要素を本質的に含むことが明らかな殺人」であり，具体的には，被害者が特別な服装をさせられている，着衣がない，性器部分が露出している，性的なポーズをとらされている，性交渉(口腔性交，肛門性交，性器性交）の形跡がある，性的代償行為，性的関心やサディスティックな空想の痕跡が認められるもの，である．この研究では，犯行特徴と犯人特徴とが関連した形で見出された「秩序型」,「無秩序型」の2類型が提唱されている.

1. 秩序型の性的殺人犯

秩序型の犯人は平均以上の知能を持ち，行動範囲が広く，社会性のある一見社会適応がよいタイプの犯人で，その犯行は計画的で，意図的に選択した被害者を巧みに支配して殺害し，凶器や証拠を現場に残さず，死体を移動させたり遺棄したりする．身体拘束や拷問が行われる．

2. 無秩序型の性的殺人犯

無秩序型の犯人は，平均以下の知能を有し，社会性は未熟で，熟練を要しない仕事に就いており，状況的なストレスの影響で犯行に及ぶタイプの犯人で，その犯行は拠点に近い範囲で既知の人間を対象に衝動的に行われ，犯行現場は乱雑で，死体や凶器をそのまま残していく．死後の損壊行為が行われる．

3. 連続殺人

連続殺人事件の発生数，被害者数を推定することは困難であり，米国では35〜350人の犯人が活動中であると推定されている．この推定の難しさは，同一の連続殺人犯による事件を特定することは難しい場合があること，被害者が未発見であれば殺人事件として把握できないかもしれないことなどが影響している．

欧米では，連続殺人犯の典型例は性的殺人であるが，日本ではそれに該当する例は多くはない．Salfati and Bateman[23]が示したシアトルの連続殺人事件の特徴との比較[31]によれば，シアトルでは若い年齢層の女性を対象とした性目的の犯行が多数を占めるが，日本では中高年の年齢層を対象とした金目的の犯行が多数を占めていた．日本の連続殺人の多くは金品を得ることを目的とした，手段としての殺人を繰り返す者が多くを占めている．

連続殺人犯になる過程を説明するモデル

連続殺人犯になる過程を説明するモデルには，Ressler ら[22]による連続殺人犯の動機形成モデルと Hickey[7]による連続殺人犯のトラウマ統制モデルがあるが，いずれも幼年期や青年期におけるトラウマティックな体験を乗り越えるための暴力的ファンタジーとその行動化を説明するモデルとなっている．

1. Ressler らによる連続殺人犯の動機形成モデル

FBI による性的殺人犯の調査・分析から導き出されたもの．社会環境，幼年期や青年期の形成的な出来事，その後のパタン化された反応，他者に向かった結果的な行動，心的なフィードバック・フィルタを通して暴力行為に至る過程を統合したモデルである（1988）．

2. Hickey による連続殺人犯のトラウマ統制モデル

発達の初期段階の過程と要因を重視するモデルである（2002）．虐待などトラウマを受けるような出来事があり，その心理的な防衛の意味での解離があること，トラウマを受けるような出来事は無力で卑小な自分という感情や低い自尊心の原因となりうることから，そこで暴力的なファンタジーが発展すると考える．発展した暴力的なファンタジーを経験する人たちにとっては，連続殺人犯が持つ背景要因（生物学的なものや，心理学的または社会学的なもの）と促進要因（アルコールや薬物，ポルノなど）が，現実世界での攻撃行動の触媒として機能しうる．また，トラウマと暴力的ファンタジーのサイクルに一度殺人が組み込まれると，逮捕されるまで殺人が繰り返し行われると説明される．

4. 大量殺人

欧米では概ね3人以上の者が殺害された場合に大量殺人に分類されるが，日本では3人以上の者が殺害されるケースはまれであるため，2人以上が殺害されたケースが大量殺人として検討されている．

渡邉ら[30]によれば，殺人・致死事件（1991〜2005）に占める大量殺人の割合は2.6％であり，死亡事件に占める大量殺人の割合は4.5％である．また，同様に，3人以上が殺害された大量殺人の割合は，それぞれ0.6％，1.0％で，発生はごくまれである．

大量殺人の場合，加害者の死亡率が約4割と高いのが特徴であり，自殺企図のある加害者による犯行が多くを占めている．加害者被害者関係により親族，知人，面識なしの3つに分類すると，親族は6割を占め，知人は3割，面識なしは1割である．親族の場合には，中年の年齢層にある自殺企図を持つ男性もしくは女性の単独犯による子どもなどを対象とした拡大自殺extended suicideが行われるケースが多い．これに対し，知人や面識なしの場合には，男性の加害者による金品目的の犯行が多くを占めている．

Ⅳ　性犯罪の心理

性犯罪は性欲のみで行われているわけではない．動機は単一ではなく，複数の動機が存在しており，心理・社会的な要因も重要であることが指摘されている．Groth[6]は，心理・社会的な要因として，パワー，怒り，サディズムなどの要因を指摘している．

▶パワー：自己の力を確認し，被害者を支配しようとする．性交は，アイデンティティ，権威，性的能力，支配を主張する手段となっている．「男性は強くあるべきだ」という社会の圧力を感じており，被害者をコントロールすることで得られる興奮や暴力の行使による優越感を求めて犯行を行う．

▶怒　り：女性に対する意識的な怒りの行為として性犯罪を行う．相手をコントロールに必要だと考えられる合理的な範囲を超えた暴力を加える．女性の自尊心を傷つけ，屈辱を与えたり，口汚く冒涜的な言葉により被害者を侮辱したりする．基本的には「女嫌い」である．被害者は憎しみの対象である「女性」を具現するものであるが，その憎しみの対象は必ずしも実在しない．

▶サディズム：犯行中の行動に，性的な要素と攻撃的な要素が含まれる．被害者に対して虐待行為を行い，被害者が示す苦痛，苦悩，無力，苦しみの様子のなかに，性的な覚醒と興奮を経験する．売春婦やふしだらに見える女性，犯人が懲らしめ，あるいは破壊したい何かを象徴する女性が被害者となる．

性犯罪者は，逸脱した性嗜好を有しており，性的なファンタジーによるマスターベーションを繰り返すことにより，その性的な内容を個別に精緻化しているが，その内容を共有することはまれであり，制裁を目的としたリンチなどで暴力手段の一つとして行われる性暴力を除き，性犯罪の多くは単独で行われる．

性犯罪者には，一見社会に適応しているように見える者も多く，連続犯でその傾向が強い．

1．性犯罪者の心理メカニズム

性犯罪者の心理メカニズムについては，多くの研究があるが，これまでに提案されてきた数々の理論を比較検討により，異性関係のスキルの欠如，歪んだ性的嗜好と性的空想，性的強制を正当化する認知的歪み（強姦神話など），情動統制の不良の4つの共通特徴が見出されている[4]．これらの4つの特徴については，刑事施設の中で行われている性犯罪者に対する認知行動療法のなかでも対象となっている．法務省（2006）[10]によれば，法務省の刑事施設における性犯罪処遇プログラムの科目は，第1科「自己統制」，第2科「認知の歪みと改善方法」，第3科「対人関係と社会的機能」，第4科「感情統制」，第５科「共感と被害者理解」となっている．低密度のプログラムでは第１科「自己統制」のみを扱い，中密度のプログラムではそれに第2〜5科のなかで必要な科目が選択科目として加わる．高密度はすべての科目が実施される．

2．認知の歪み

性犯罪の加害者は，性犯罪の責任を被害者に転嫁したり，被害を否認したり，被害を最小化したり，行為の正当性を主張することにより，自己の行った性犯罪の責任を否定し，合理化しようとする誤った信念や態度を示す．これらは性犯罪者によくみられる認知の歪み cognitive distortion である[17]．認知の歪みは性犯罪の原因のみならず，自分は性犯罪をいつでもやめられるというコントロールに関する過信や，これくらいなら通報されることはないだろうといった状況に対する甘い見積もりなども含まれる．

性犯罪に関する認知の歪みには，一般に広く信じられているものもあり，それを強姦神話 rape myth と呼ぶ．神話という言葉が使用されるのは，広く一般に信じられているが，実際や事実とは異なる考えや信念であるためである．

大渕ら[19]は，強姦神話の内容を次の７つに分類している．

①性的欲求不満：女性に比較して，男性は強い性的欲求を持っており，それは抑えがたいため，強姦はやむを得ないこともある．
②衝動行為：強姦は一時の激情によるものであり，厳しくとがめるべきではない．
③女性の性的挑発：女性の性的な挑発も強姦の原因の一つである．
④暴力的性の容認：女性は男性から暴力的に扱われることを好む．
⑤女性の被強姦願望：女性は無意識のうちに強姦されることを望んでいる．
⑥女性の隙：行動や服装の乱れた女性は，強姦の被害に遭っても仕方がない．
⑦ねつ造：女性が都合の悪いことを隠したり，男性に恨みを晴らすためにねつ造した強姦事件も多い．

これら強姦神話のうち，暴力的性の容認と被強姦願望については，一般の人と比較して性犯罪者で多く支持されていた．加害者の認知行動療法では，こうした認知の歪みを取り上げ，それを適応的な認知に置き換える再体制化をすることによって，行動の改善が図られている．

V　犯罪者プロファイリング

犯罪者プロファイリングとは，行動科学による捜査支援の一つの手法である．行動科学で蓄積された知識に基づいて，犯罪行動の説明や犯罪情報の分析を行うことによって，犯人に関する情報との関連性を見出し，犯罪捜査に活用可能な形で情報を提供しようとするのが犯罪者プロファイリングである[27]．捜査の現場で扱う犯罪情報を基盤にして，捜査にとって意味のある情報を導き出すという点で，犯罪者プロファイリングは「犯罪情報分析」の一手法としても位置づけられる．

日本において，初めて法廷で「プロファイリング」の言葉が登場したのは，被害者の司法解剖を担当した法医学者が弁護側の証人として出廷した際に，司法解剖による鑑定書以外の考えとして提示したもので，1997年の東京地裁八王子支部での出来事である．その後，日本においては，犯罪者プロファイリングは鑑定手法ではなく，捜査支援手法として発展している．

犯罪者プロファイリングのアプローチには，1）FBI 行動科学課によって確立された FBI 方式と，2）英国の David Canter 教授によって確立されたリヴァプール方式の２つがある[25]．

1．FBI 方式

初めて組織的な犯罪者プロファイリング研究に取り組んだのは米国 FBI の行動科学課である．ここでは，主に精神医学や臨床心理学の知見を応用し，動機に基づく犯罪の類型化とその類型別特徴に関する知見をベースにして，事件の犯人像を作成する．FBI 方式の犯罪者プロファイリングの手続きでは，まず事件やそれに関連する情報を取集し，類型の検討を行い，それらに基づいて犯行の再構成を行ったのち，犯人像を提示するという流れをたどる．犯行中の行動に犯人の持つ性的ファンタジーが反映されるような事件が対象となる．例えば，サディスティックな拷問を伴う性的暴行や，内臓摘出や死体への損傷行為のあるもの，動機なき放火などがあげられる．事例性を重視した分析手続きであり，具体的な手続きを明文化できない部分もあることから，その技術は職人芸的である．行動科学を学んだ経験豊富な捜査員が分析をするのが特徴である．ただし，彼らが作成した動機に基づく類型はサンプル数の少なさなど実証性に欠けており，それに基づく犯人像推定は再現性に欠けるとする批判もある．

2．リヴァプール方式

犯罪者プロファイリングのより科学的な手続きを確立しようと，英国の David Canter 教授が，社会心理学を応用し，多変量解析を軸に置いた再現性の高い手続きを確立した．リヴァプール方式の犯罪者プロファイリングの手続きでは，複数の行動を同時に考慮し，統計手法により分類された犯行スタイルを用いて，その犯行スタイル別の犯人特徴を提示する．本件事件の情報だけではなく，過去の類似事件情報を利用することが特徴である．また，犯人像推定に合わせて，犯行地選択モデルに基づき，犯行地点の地理的な分布から，犯人の拠点（居住地や職場などよく活動する場所）がある可能性が高い地域を推定する．ただし，これらの手続きに基づいて作成された犯人像は，類似した事件を行う犯人のステレオタイプにすぎないとする批判もある．

3．日本の分析方式

犯罪者プロファイリングの２つのアプローチは，それぞれ長所と短所があるため，日本においては，リヴァプール方式を基盤に置きながら，事例性を重視する FBI 方式を組み合わせた手法が確立されている[27]．また，リヴァプール方式の流れをくむ手続きを統計分析と呼び，FBI 方式の流れをくむ手続きを事例分析と呼んでいる．

統計分析では，過去の類似事件の情報を統計的に分析して，犯人の特徴（性別，年齢，犯罪経歴，面識関係など）や，分析時に明らかになっていない犯人の動機や行動（物色行動，移動手段など），犯行地居住地間距離の確率を提示する．これは，次に行う事例分析で，推定時のアンカーとなる．

事例分析では，犯行中に示された犯人の行動および被害者の行動を検討し，統計分析の結果を踏まえて，犯人の特徴（性別，年齢，犯罪経歴，面識関係など）や，分析時に明らかになっていない犯人の動機や行動（物色行動，移動手段など），拠点のある可能性の高い地域などを推定する．

4．事件リンク，犯人像推定，地理的分析目的

犯罪者プロファイリングは１つの分析だけでなく，目的によって異なる複数の分析がある．犯罪者プロファイリングの分析目的には，事件リンク分析，犯人像推定，地理的プロファイリングの３つがあり，これら３つの分析ごとに統

計分析と事例分析が行われる．

▶**事件リンク分析**：事件リンク分析とは，一連の事件が同一犯人による事件か否かについて判定を行う．DNA 型や指紋，足跡などの法科学的資料がない場合に，犯人の行動特徴および目撃情報を評価して分析を行う．

▶**犯人像推定**：犯人像推定とは，犯人の行動特徴から，犯人の年齢層，生活様式，職業，前歴の有無，動機の推定などを行う．

▶**地理的プロファイリング**：地理的プロファイリングとは，過去の類似事件における犯行行程距離や，同一犯によると推定された事件の発生地点の分布の特徴および推定された犯人像から，事件を行った犯人の拠点を推定し，次回以降の犯行場所を推定する．通常，分析には 5 地点以上の場所が必要とされる．

科学警察研究所では，主に連続事件に対する犯罪者プロファイリングの分析について標準的な方法を作成し，それを教養している．科学警察研究所での分析によれば，全国で行われている犯罪者プロファイリングの分析は，概ね妥当であることが示されており，捜査支援の一つの有用な手法として活用されている．

[参考文献]

1） Agnew, R.：Foundation for a General Strain Theory of Crime and Delinquency. Criminology 30（1）, 47-88, 1992.
2） Agnew, R.：Building on the Foundation of General Strain Theory：Specifying the Types of Strain Most Likely to Lead to Crime and Delinquency. Journal of Research in Crime and Delinquency 38（4）, 319-361, 2001.
3） American psychiatric association：Diagnostic statistical manual of mental disorders 5th edition, American psychiatric association, 2013.
4） Beech, A. R., Ward, T.：The integration of etiology and risk in sexual offenders：A theoretical framework. Aggression and Violent Behavior 10（1）, 31-63, 2004.
5） Caspi, A., Moffitt, T. E.：The continuity of maladaptive behavior：From description to understanding in the study of antisocial behavior. Cicchetti, D. and Cohen, D. J. Eds.：Developmental psychopathology, Vol. 2：Risk, disorder, and adaptation. Wiley series on personality processes pp. 472-511, Oxford：John Wiley & Sons, 1995.
6） Groth, A. N.：Men who rape：The psychology of the offender. NY：Plenum Press, 1979.
7） Hickey, E. W.：Serial murderers and their victims. Belmont, CA：Wadsworth. 2002.
8） Hickey, E.：Encyclopedia of murder and violent crime. Thousand Oaks, CA：Sage, 2003.
9） Hirschi, T.：Causes of Delinquency. California：California University Press, 1969.（森田洋司，清水新二監訳：非行の原因—家庭・学校・社会へのつながりを求めて—，文化書房博文社，1995.）
10） 法務省：性犯罪者処遇プログラム研究会報告書，2006.
http://www.moj.go.jp/content/000002036.pdf（downloaded on 2014/8/1）.
11） 法務総合研究所：第 5 回犯罪被害実態（暗数）調査－安全・安心な社会づくりのための基礎調査－，研究部報告 61，2020.
http://hakusyo1.moj.go.jp/jp/59/nfm/n_59_2_5_3_2_2.html
12） 警察庁：平成 17～令和元年の犯罪，2005～2020.
13） 警察庁：令和 2 年の刑法犯に関する統計資料，2021.
http://www.npa.go.jp/toukei/seianki/R01/r01keihouhantoukeisiryou.pdf（downloaded on 2021/1/26）.
14） Kessler, R. C., Sonnega, A., Bromet, E., et al.：Posttraumatic stress disorder in the National Comorbidity Survey. Arch Gen Psychiatry 52（12）, 1048-1060, 1995.
15） Merton, R.：Social Theory and Social Structure. NY：Simon and Shuster, 1968.
16） Moffitt, T. E.：Adolescence-limited and life-course-persistent antisocial behavior：A developmental taxonomy. Psychological Review 100（4）, 674-701, 1993.
17） Murphy, W. D.：Assessment and Modification of Cognitive Distortions in Sex Offenders, In Marshall, W. L. ed, Handbook of Sexual Assault：Issues, Theories, and Treatment of the Offender, NY：Plenum Press, pp.331-342, 1990.

18) 内閣府：平成 21 年度犯罪被害類型別継続調査 調査結果報告書（平成 22 年 3 月），2010. http://www8.cao.go.jp/hanzai/report/h21-2/index.html
19) 大渕憲一，石毛博，山入端津由，他：レイプ神話と性犯罪．犯罪心理学研究 23（2），1-12，1985.
20) Ozer, E. J., Best, S. R., Lipsey, T. L., Weiss, D. S.：Predictors of posttraumatic stress disorder and symptoms in adults：a meta-analysis. Psychol Bull 129（1），52-73, 2003.
21) J・ロバート・リリー，フランシス・T・カレン，リチャード・A・ボール著：犯罪学 理論的背景と帰結 第 5 版，影山任佐監訳，金剛出版，2013.
22) Ressler, R. K., Burgess, A. W., Douglas, J. E.：Sexual homicide：patterns and motives, NY：Lexington Books, 1988.（狩野秀之訳：快楽殺人の心理：FBI 心理分析官のノートより，講談社，1995.）
23) Salfati, C. G., Bateman, A L.：Serial homicide：an investigation of behavioural consistency. Journal of Investigative Psychology and Offender Profiling 2（2），121-144, 2005.
24) Sutherland, E. H., Cressey, D. R.：Criminology. 10th ed. Philadelphia：Lippincott, 1978.
25) 田村雅幸：犯人像推定研究の 2 つのアプローチ．科警研報告 防犯少年編 37（2），114-122，1996.
26) Vold, G. B., Bernard, T. J.：Theoretical Criminology, 3rd ed., NY：Oxford University Press, 1986.（平野龍一，岩井弘融監訳：犯罪学 理論的考察［原書第三版］，東京大学出版会，1990.）
27) 渡邉和美：犯罪者プロファイリング．朝倉心理学講座 18 犯罪心理学，越智啓太編，朝倉書店，pp.73-98，2005.
28) 渡邉和美，田村雅幸：戦後 50 年間におけるバラバラ殺人事件の形態分析．科警研報告 防犯少年編 39（1），52-65，1998.
29) 渡邉和美，田村雅幸：バラバラ殺人事件の犯人像分析．科警研報告 防犯少年編 39（2），1-17，1999.
30) 渡邉和美，佐藤敦司，吉本かおり，他：日本における大量殺人事件の発生状況と類型について．犯罪学雑誌 74，190-204，2008.
31) 渡邉和美，横田賀英子，和智妙子，他：連続殺人犯の行動の一貫性に関する分析．犯罪心理学研究 46（特別号），44-45，2008.
32) Worden, J. W.：Grief Counseling and Grief Therapy-A Handbook for the Mental Health Practitioner 4th Edition, New York：Springer, 2009.（山本力監訳：悲嘆カウンセリング：臨床実践ハンドブック，誠信書房，2011.）

8 遺伝形質と親子鑑定

● 重要事項 ●

1）血液型は赤血球膜に存在する同種抗原である.
2）抗原性は赤血球膜表面の糖鎖構造やタンパク質のアミノ酸配列の遺伝的な違いによって生じる.
3）国際輸血学会は 2021 年 2 月，43 種類を血液型として認定している.
4）血液型の検査は赤血球と個々の血液型抗原に対応する抗体との抗原抗体反応（凝集）の有無で行う.
5）抗原数の少ない赤血球抗原の検査には抗グロブリン試験が利用される.
6）主要な血液型として，ABO・MNS・P1PK・Rh・Lutheran・Kell・Lewis・Duffy・Kidd・I が挙げられる.
7）白血球にも同種抗原として非常に多様な HLA 抗原があり，ヒトの主要組織適合抗原として，クラス I 分子はほとんどの有核細胞に，クラス II 分子は B 細胞・樹状細胞・マクロファージに発現し免疫応答に深く関わっている.
8）DNA の塩基配列上の多型には，反復配列の多型や塩基の置換，欠失，挿入などによる塩基配列多型がある.
9）反復単位の塩基数によりミニサテライト，variable number of tandem repeat（VNTR）とマイクロサテライト，縦列型反復配列 short tandem repeat（STR）に分けられるが，現在の個人識別を目的とする法医学的実務（DNA 型鑑定）には，常染色体および性染色体にある STR 型を検査するシステムが主流である.
10）多数の STR 型を同時に検査するキットにより，容易に高い個人識別を行うことが可能となっている.
11）臨床診断にも用いられている一塩基多型 single nucleotide polymorphisms（SNPs）やコピー数多型 copy number variation（CNV），ミトコンドリア DNA 解析なども異同識別や母子鑑定に重要である.
12）科学的，生物学的手法によってのみ血縁関係のある親子の鑑別が可能である．特に DNA 型検査法は最も信頼できる鑑定法である.
13）婚姻解消もしくは取消しの日から 300 日以内に生まれた子は婚姻中の夫の子と推定されるため，前夫が否定する訴えが急増している.
14）最高裁は「DNA 鑑定で父子関係が否定されても，民法の趣旨を踏まえ嫡出推定（民法 772 条）を覆せない」との判断を示した.
15）両親の死亡，同胞・半同胞のケースではDNA型検査法によって血縁の有無が確認できる.
16）STR が DNA 型検査法の主流であるが，ミトコンドリア DNA は母系遺伝・同胞鑑定に，Y-STR は父系遺伝・兄弟鑑定に有効である.

I　血液型

1. はじめに

血液型 blood groups の発見と研究は偶然にも遺伝学の誕生と軌を一にし，集団遺伝学と免疫学とも深く関わりながら続けられてきた．血液型の物質面での研究には生化学と分子生物学的手法が駆使され，構造的にはほとんどが明らかにされている[1]．

遺伝子は遺伝形質 hereditary traits に主たる影響を与える単位であり，生殖過程で親から子に染色体セット（ゲノム genome）として伝達される．両親から受け継いだ遺伝子の組み合わせ（遺伝子型 genotype）に他の遺伝子の効果や環境の作用も加わって現れた状態が表現型 phenotype である．ほとんどの遺伝子はポリペプチド鎖のアミノ酸配列を規定しており，1セットのゲノム（常染色体 22 本と性染色体 1 本）におよそ 2 万個余りが散在している．染色体上の遺伝子のありかを遺伝子座 locus という．減数分裂 meiosis の際，両親から受け継いでいる相同染色体 homologous chromosomes の間で部分を交換して配偶子 gamete を形成する．こういった交換は光学顕微鏡レベルではキアズマ chiasma として観察され，分子レベルでは遺伝的組換え genetic recombination である．

血液型は抗原抗体反応によって検出され，ヒトという同種の個体間で遺伝的に異なる構造となるので同種抗原 allo-antigen である．ヒトに由来する抗体は同種抗体 allo-antibody，自己免疫疾患などで自身が有する抗原に反応する抗体を自己抗体 auto-antibody，動物を免役して得られた抗体を異種抗体 xeno-antibody という．

赤血球膜には多種多様なタンパクが存在し，それぞれがさまざまな機能を発揮している．これらの多くは 1 回または複数回，膜を貫通している．また膜の脂質二重層外層には glycosyl-phospatidylinositol（GPI）anchor を介して膜に係留されるように結合しているタンパクもある．こういったタンパクの細胞外部分のアミノ酸変異が同種抗原性を発揮する．一方，膜タンパクの多くは糖鎖を結合（糖タンパク）しており，これらの糖鎖末端部の糖残基の違いも同種抗原として作用し，脂質二重層の外層のセラミドに結合する糖鎖（糖脂質）にも血液型抗原が存在する（**図 8-1**）．

各血液型は単一の遺伝子座か，密に連鎖した遺伝子座の対立遺伝子（アリール allele）による．遺伝子座とそのアリールは *ABO*A01.01* のように両者の間に「*」を挟んでイタリック体で表記する．国際輸血学会 International Society of Blood Transfusion（ISBT）は 2021 年 2 月時点で 43 種類を血液型とし（**表 8-1**），これらの合成に関わる責任遺伝子に 46 種類が同定されている．大抵の血液型は塩基変異によるアミノ酸置換に起因し，その結果，赤血球膜タンパクの細胞外部分のアミノ配列が変わったり，糖鎖抗原では糖転移酵素の基質特異性の変化や活性低下・消失で糖鎖構造の末端が異なったりする．また，密に連鎖した 2 つの遺伝子座が関わる場合は，各遺伝子や周辺の塩基配列の相同性が高いことから不等交叉 unequal crossing-over や遺伝子変換 gene conversion などの機序による多型生成が豊富にみられる．単一遺伝子座における遺伝的組換えによるアリールも同定されており，ABO 血液型がその代表である．

赤血球抗原は ISBT によって 4 種類に分類されている．① systems；② collections（200 series）；③ 700 series（出現頻度 1% 未満の低頻度抗原で ① にも ② にも含まれないもの）；④ 900 series（出現頻度 >90% の高頻度抗原で ① にも ② にも含まれないもの）である．これらの

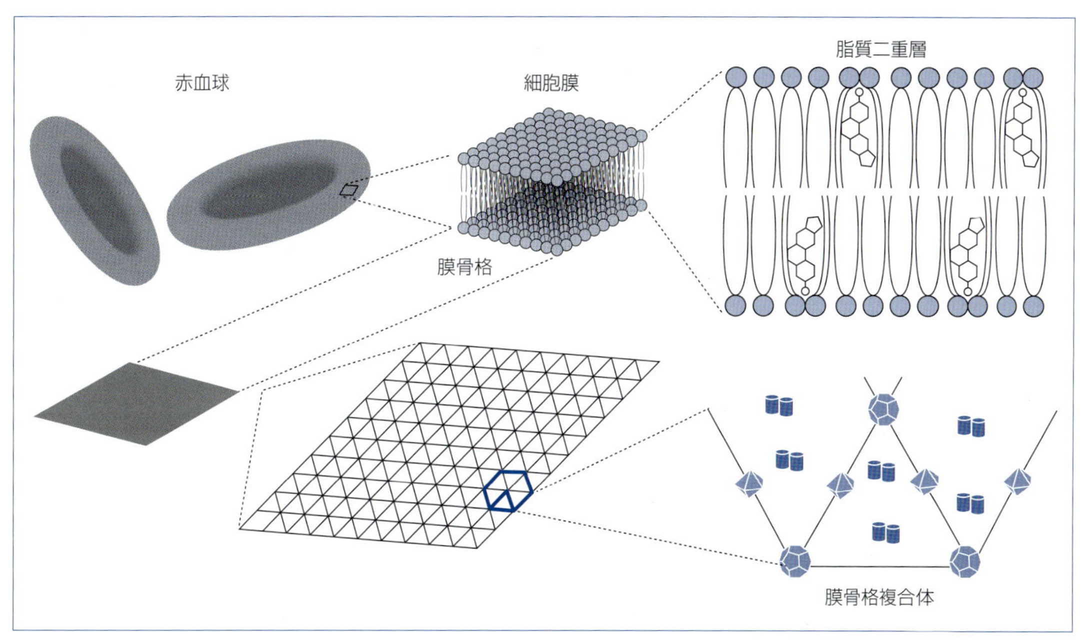

図 8-1 赤血球膜の構造

脂質二重層[4]とそれを裏打ちする網状構造と骨格タンパク複合体[5]．網状構造に与らない複合体構成タンパクもある．

表 8-1 血液型一覧

No.	名称	シンボル	遺伝子名	遺伝子産物（機能）	抗原数	染色体局在	CD 番号	発見の端緒
001	ABO	ABO	*ABO*	糖転移酵素	4	9q34.2	—	ヒト血球/血清混合実験
002	MNS	MNS	*GYPA*, *GYPB*, (*GYPE*)	グリコフォリン A/B	49	4q31.21	CD235a CD235b	ヒト血球による動物免疫/妊娠
003	P1PK	P1PK	*A4GALT*	糖転移酵素	3	22q13.2	CD77	ヒト血球による動物免疫
004	Rh	RH	*RHD*, *RHCE*	アンモニアまたは CO_2 輸送体	55	1p36.11	CD240	妊娠
005	Lutheran	LU	*BCAM*	細胞接着？	25	19q13.2	CD239	輸血/妊娠
006	Kell	KEL	*KEL*	エンドペプチダーゼ？	36	7q33	CD238	妊娠
007	Lewis	LE	*FUT3*	糖転移酵素	6	19p13.3	—	輸血/？
008	Duffy	FY	*ACKR1*	ケモカインリザーバー	5	1q21-q22	CD234	輸血/妊娠
009	Kidd	JK	*SLC14A1*	尿素輸送体	3	18q11-q12	—	妊娠
010	Diego	DI	*SLC4A1*	陰イオン交換体（形態維持）	22	17q21.31	CD233	妊娠/輸血
011	Yt	YT	*ACHE*	アセチルコリンエステラーゼ	5	7q22	—	輸血
012	Xg	XG	*XG*, *MIC2*	不詳	2	Xp22.32	CD99	輸血
013	Scianna	SC	*ERMAP*	不詳	7	1p34.2	—	妊娠
014	Dombrook	DO	*ART4*	モノ ADP リボース転移酵素	10	12p13-p12	CD297	輸血検査
015	Colton	CO	*AQP1*	アクアポリン 1	4	7p14	—	交差適合試験

No.	名称	シンボル	遺伝子名	遺伝子産物・機能	抗原数	染色体局在	CD 番号	発見の端緒
016	Landsten-er-Wiener	LW	*ICAM4*	ICAM-4	3	19p13.2	CD242	異種間動物免疫実験
017	Chido/Rodgers	CH/RG	*C4A*, *C4B*	補体第 4 因子 B/A	9	6p21.3	—	交差適合試験
018	H	H	*FUT1*	糖転移酵素	1	19q13.33	CD173	
019	Kx	XK	*XK*	グルタミン酸輸送体？	1	Xp21.1	—	溶血性輸血副反応
020	Gerbich	GE	*GYPC*	グリコフォリン C/D	11	2q14-q21	CD236	妊娠
021	Cromer	CROM	*CD55*	GPI アンカー型糖タンパク	20	1q32	CD55	輸血検査
022	Knops	KN	*CR1*	補体レセプター 1	9	1q32.2	CD35	輸血検査？
023	Indian	IN	*CD44*	赤血球の分化増殖？	6	11p13	CD44	妊娠？
024	Ok	OK	*BSG*	輸送体，炎症関連	3	19p13.3	CD147	輸血
025	Raph	RAPH	*CD151*	テトラスパンニン	1	11p15.5	CD151	実験
026	John Milton Hagen	JMH	*SEMA7A*	GPI アンカー型糖タンパク	6	15q22.3-q23	CD108	交差適合試験
027	I	I	*GCNT2*	糖転移酵素	1	6p24.2	—	寒冷凝集素との凝集程度
028	Globoside	GLOB	*B3GAL-NT1*	糖転移酵素	2	3q25	—	
029	Gill	GIL	*AQP3*	アクアポリン 3	1	9p13	—	妊娠
030	Rh-associ-ated glycopro-tein	RHAG	*RHAG*	NH_3^+輸送体/ガスチャネル？	3	6p12.3	CD241	交差適合試験/献血検体スクリーニング
031	Fors	FORS	*GBGT1*	糖転移酵素	1	9q34.13-q34.3	—	
032	JR	JR	*ABCG2*	ABC 輸送体（ABCG2）	1	4q22.1	CD338	交差適合試験
033	LAN	LAN	*ABCB6*	ABC 輸送体（ABCB6）	1	2q36	—	溶血性輸血副反応
034	Vel	VEL	*SMIM1*	赤血球生成制御？	1	1p36.32	—	
035	CD59	CD59	*CD59*	GPI アンカー型糖タンパク	1	11p13	CD59	CD59 欠損症例
036	Augustine	AUG	*SLC29A1*	拡散型ヌクレオシドトランスポーター	4	6p21.1	—	
037	KANNO	KAN-NO	*PRNP*	プリオンタンパク	1	20p13	CD230	交差適合試験
038	Sid	SID	*B4GAL-NT2*	糖転移酵素	1	17q21.32	—	輸血（自然抗体）
039	CTL2	CTL2	*SLC44A2*	コリン様輸送体 2		19p13.2	—	妊娠
040	PEL	PEL	*ABCC4*	ATP 結合カセットサブファミリー C4		13q32.1	—	妊娠
041	MAM	MAM	*EMP3*	赤血球造血の調節・制御		19q13.33	—	妊娠
042	EMM	EMM	*PIGG*	エタノールアミンリン酸転移酵素		4p16.3	—	輸血（自然抗体）
043	ABCC1	ABCC1	*ABCC1*	ATP 結合カセットサブファミリー C1	1	16p13.11	—	null phenotype

（出典；国際輸血学会ホームページ．version 9.0　03-FEB-2021[2]．

CD 番号の付番は当初，白血球とその前駆細胞の細胞表面抗原に限定されていたが，現在では血小板，赤血球，血管内皮細胞などの分化抗原にも拡張され，細胞内の抗原にも適用されはじめている[3]．その結果，ヒト白血球分化抗原という名称から human cell differentiation molecules（HCDM）と改称された．

赤血球抗原の担体と抗原構造，赤血球膜上での存在状態，責任遺伝子とその変異など詳細が解明されているが，今日，教育・研究対象とするのは別として，血液型検査の法医学実務における意義は事実上，なくなったのではないだろうか．したがって，この章では主に①に分類されている血液型の概要を紹介するにとどめる．

1 赤血球膜の構造

赤血球膜には何よりも微小血管内を変形・高速移動するための強度が必要である．強度は脂質二重層を裏打ちしている膜骨格複合体 membrane skeleton complex（MSC）で維持される（図 8-1）．すなわち，α-およびβ-スペクトリン，アクチン，4.1 タンパクなどで構成された“ワイヤー”が作る三角形 6 個からなる六角形が単位となった網状構造を，その各結節部分とスペクトリンワイヤー中間部で 3 種類のタンパク質機能複合体が二重層とワイヤー構造をホックのように細胞膜に留めていることによる（vertical linkage）．

2 血液型抗原 blood group antigens

血液型は赤血球表面の同種抗原を指す．抗原は糖鎖かアミノ酸鎖に担われている（図 8-2）．糖鎖抗原の遺伝子は糖転移酵素を，アミノ酸鎖抗原の遺伝子は赤血球膜にあるタンパク質をそれぞれコードしている．ほとんどの血液型は造血組織において赤血球の前駆細胞で合成されているが，血漿中の物質を赤血球表面に吸着した血液型として Lewis 血液型と Chido/Rodgers 型がある．

赤血球 1 個に存在する個々の血液型抗原数は数百個から，1 つの担体分子に複数の糖鎖が結合することで 200 万個程度まで，血液型によってさまざまであるが，一般に抗原分子が 200 以上あれば，抗グロブリン試験で凝集反応が観察できるが，それ以下では凝集が弱く，100 以下では凝集自体が起こらないとされている[6]．

3 血液型検査 blood group typing

血液型は個々の抗原に対応する特異抗体との血球凝集反応の有無で抗原の存在を検査する．主要な血液型の検査には今日，モノクローナル

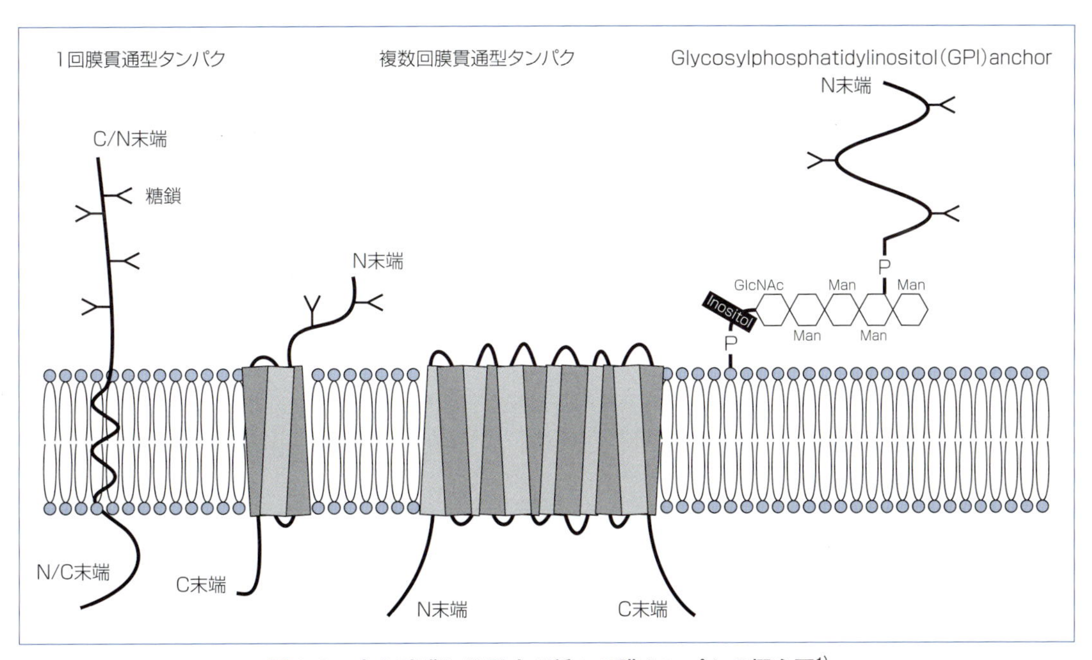

図 8-2　赤血球膜に発現する種々の膜タンパクの概念図[1)]

抗体が用いられている．凝集反応には抗体などによる血球間の架橋が必要である．IgG クラスの血液型抗体では通常，架橋できないので，工夫が凝らされた．Coombs 法である．この方法自体を織り込んだ別名は抗グロブリン試験 antiglobulin test（AT）であり，ある抗原をもつ赤血球に対応する IgG が結合していることを「凝集」として可視化できるように，抗ヒト IgG 抗体（抗グロブリン抗体）を用いる方法である．また，血清中における血液型抗体の存在は対応抗原をもつ血球とあらかじめ反応させ，抗グロブリン抗体を加え凝集の有無で判断する．前者を直接 direct AT（DAT），後者を間接 indirect AT（IAT）といい，前世紀後半の新しい血液型の発見を導き研究の華を開かせただけでなく，今日のルーティン検査でもある．

2．糖鎖による血液型（ISBT 番号）

1 ABO 血液型（001）

1．発見から遺伝子まで

ABO 血液型は，1900 年に Karl Landsteiner らによって発見された．当時は細菌学と免疫学の勃興期で，抗血清などによる微生物の凝集反応が広く研究される潮流のなかで，同じ研究室内の研究者同士でそれぞれの血清と赤血球を総当たりで混合すると凝集する組み合わせと凝集しない組み合わせがある（図 8-3）ことがわかった．後にこの血液型はメンデルの法則に従って遺伝することも確定された（1924 年，Bernstein）．

ABO 血液型（以下，個々の血液型を ABO 血液型なら ABO とも記述する）をはじめとする糖鎖抗原は糖転移酵素 glycosyltransferases（GTs）の多型が抗原構造の相違に関わっている．この酵素群は主にゴルジ体膜に発現しており，小胞体や滑面小胞体から輸送されてきた脂質やペプチドに結合した糖受容体に高エネルギー糖供与体（糖ヌクレオチド）の単糖（図 8-4）を 1 つずつ連続的に付加する（グリコシド結合）．ABO では最後に付加される単糖に関する転移酵素の基質特異性が対立遺伝子（*A*, *B* アリール）産物（A 酵素，B 酵素）によって異なる．A 酵素は *N*-acetylgalactosamine（GalNAc）を，B 酵素は galactose（Gal）を糖受容体に付加する（図 8-5，6）．一方，O 酵素は不活性である．不活性のひとつの原因は *O* アリールのコード領域に 1 塩基（G）の欠失（G261Δ）があり，以降の読み枠がずれてストップコドンが通常より手前に生じるためである．*O* ア

血清＼赤血球	*Dr. Störk*	*Dr. Pletschnig*	*Dr. Sturli*	*Dr. Ercheim*	*Dr. Zantsch*	*Dr. Landsteiner*
Dr. Störk	凝集（−）	凝集				凝集（−）
Dr. Pletschnig	凝集（−）	凝集（−）			凝集（−）	凝集（−）
Dr. Sturli	凝集（−）		凝集（−）	凝集（−）		凝集（−）
Dr. Ercheim	凝集（−）		凝集（−）	凝集（−）		凝集（−）
Dr. Zantsch	凝集（−）	凝集（−）			凝集（−）	凝集（−）
Dr. Landsteiner	凝集（−）					凝集（−）

図 8-3　Karl Landsteiner らが行った赤血球凝集実験

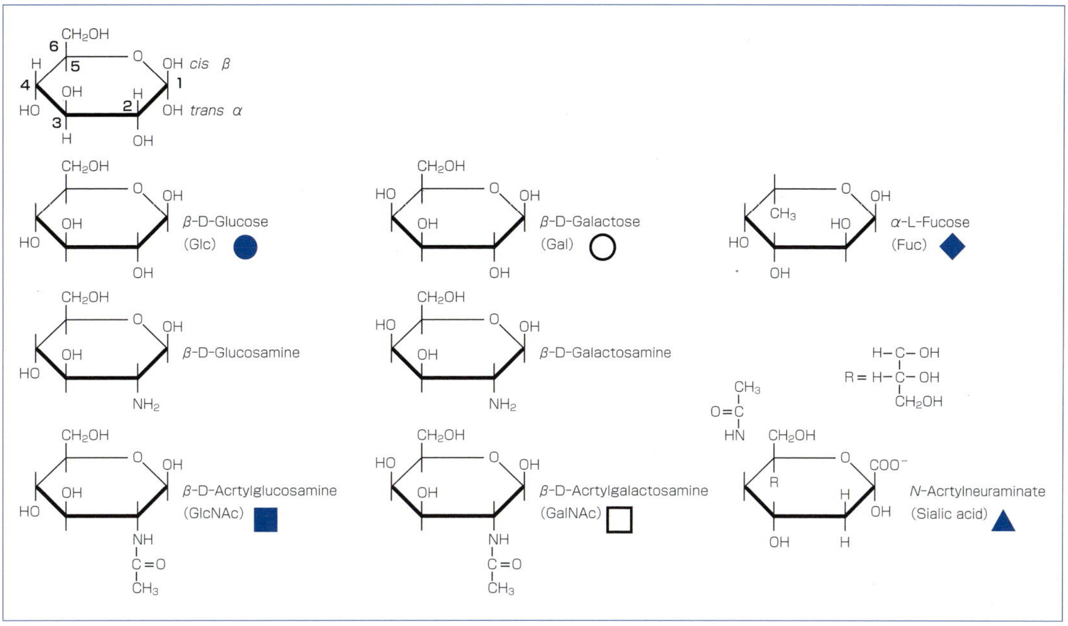

図 8-4 糖鎖抗原に関わる主要な単糖類一覧

単糖を構成する炭素骨格のナンバリングとグリコシド結合の cis（β）型と trans（α）型.

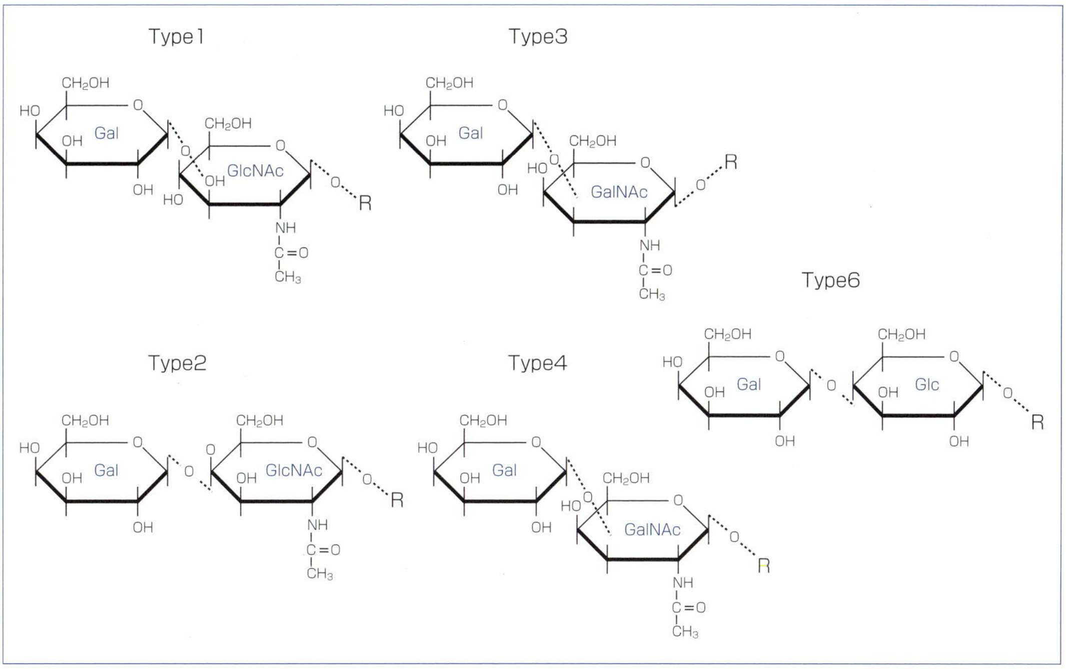

図 8-5 5 種類のコア糖鎖構造

リールはもともとドイツ語の ohne A（B）の o に由来する．1948 年，ABO の表現型にかかわらず O 型物質が基本構造であり，かつ存在組織によって O 型構造に異質性 heterogeneity がある（コア糖鎖の単糖間グリコシド結合の相違）ので，その頭文字 H（H 抗原）が提案され（1948

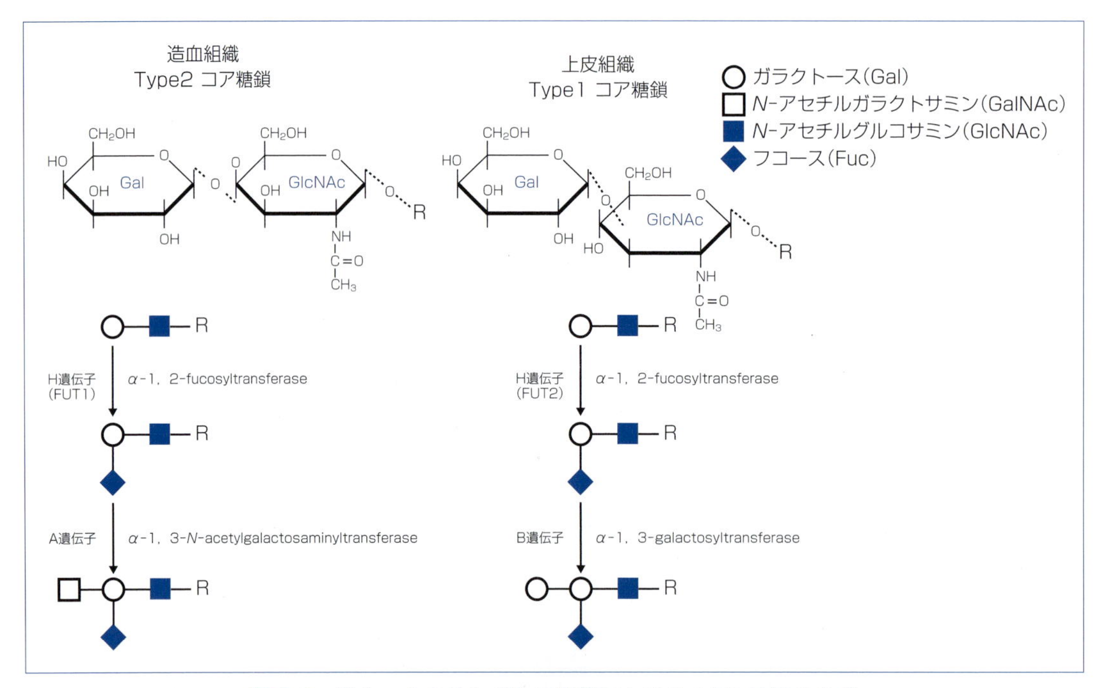

図 8-6　造血，上皮それぞれの組織における ABO 抗原の合成
造血組織では type 2 コア糖鎖を，上皮組織では type 1 コア糖鎖を元に合成される．

表 8-2　ABO 血液型：オモテ検査（検体血球）ならびにウラ検査（被検血清）および型判定（＋：凝集，－：非凝集）

オモテ検査		ウラ検査		判定	遺伝子型	出現頻度（%）*		
抗 A	抗 B	A 血球	B 血球			日本人	白人	黒人
＋	－	－	＋	A	*AA*，*AO*	39.1	40	27
－	＋	＋	－	B	*BB*，*BO*	21.5	11	20
＋	＋	－	－	AB	*AB*	10.0	4	4
－	－	＋	＋	O	*OO*	29.4	45	49

（＊出典；前田平生，大戸斉，岡崎仁編著：輸血学　改訂第 4 版，p.143，中外医学社，2018）

年，Morgan and Watkins)，1990 年に ABO から独立したsystem－血液型，H 血液型となった．

ABO には個人の抗原型に対応しない自然抗体が血液中に生得的に存在する．A 型個体の血清には抗 A，B 型には抗 B，O 型には抗 A 抗 B 抗体である．O 型個体の血清には抗 A 抗体，抗 B 抗体が別々に存在するのではない．A 型血球に O 型血清を反応させた後の解離液は A 血球も B 血球も凝集し，B 型血球に O 型血清を反応させた後の解離液も同様であることから，O 型血清中の凝集素は A 抗原と B 抗原に共通の抗原構造を認識していて，抗 A,B 抗体と記述される．

2. 検査

被検赤血球の表面抗原の種類は市販の IgM 型モノクロナール抗 A と抗 B による凝集の有無で，また自然抗体の種類も検体血清について，A 型と B 型の各標準赤血球を用いた凝集の有無で検査し，それぞれをオモテ検査，ウラ検査という（**表 8-2**）．O 型であることは直接的には通常検査しないが，H 抗原を特異的に凝集するレクチン（抗 H レクチン）があり，ハリエニシダ（*Ulex europaeus*）の種子抽出物（凝集検査用の市販品は O 型赤血球の凝集能だけを検定しただけの粗精製品で，抗 H レクチン以外に核酸分解酵素など多様な夾雑物を含んでいる)である.糖鎖を認識する糖タンパク質をレクチンと総称する.

3. 遺伝子構造

ABO遺伝子は9番染色体長腕の端にある(表8-1).7個のエクソンexon(ex)で構成され,ex7が最長でこの部にA,B遺伝子の塩基配列の相違が複数あり,その結果4か所のアミノ酸配列が異なる.これがA,B転移酵素の基質特異性の相違となる.一方,O遺伝子はA遺伝子のex 6に1塩基の欠失(G261Δ:Δは欠失の意)があることで,フレームシフトで終止コドンが生じ,翻訳産物は酵素機能を失っているが,欠失によらないO遺伝子もある.遺伝子配列からみた主要なO遺伝子には先述の①A遺伝子配列にG261Δがあるもの,②この欠失に加えてexに9か所の塩基置換(うち5か所にミスセンス変異)があるもの,および③G261Δがなくて,exに5か所の塩基置換(うち4か所でアミノ酸置換)があるものの3種類である.③ではGly268Arg(G802A置換による)が糖供与体の結合部位にあり,酵素機能が失われているとされる.

ABO遺伝子構造は表現型と関連づけて詳細に解析されており,多様な配列が報告されている.多様性の遺伝子構造上の背景は塩基置換のほかに遺伝的組換えもある.筆者は母親の配偶子形成時に新規に生じたABO遺伝子内の遺伝的組換え例を経験した[7].B型の母とO型の父からA型の児が生まれたことで裁判所から血縁鑑定を嘱託された事例である.他の血液型検査,酵素型・血清型検査に加えて,当時唯一のDNA型検査であったDNAフィンガープリンティングを実施し,ABO以外に父子関係にまったく矛盾する結果は得られなかった.そこで3人のDNAからABO遺伝子をクローニングして,塩基配列を解析した結果,遺伝子型は母が*BO*,父が*OO'*(*O*と*O'*はイントロンの配列が異なる)で,児が*B−O/O'*という配列であった.すなわち,卵子形成の第1減数分裂パキテン期(母が胎児の時期)にB遺伝子とO遺伝子との間で遺伝子内組換えが生じ,A酵素の活性が児で復活したと考えられる.この結果を受けて,集団調査を実施したところ,今日の豊富なデータでも明らかにされているように,ABO遺伝子にはこの家系例のような融合遺伝子が約1%の頻度で存在していることが他の研究グループによる報告とともに明らかになった.

4. まれな表現型

ABO血液型には型抗原の弱い型(亜型)が多種類報告されている.亜型の血球は抗H凝集素には通常のO型と同様の反応を示し,H抗原の合成に異常はない.献血者100万例前後を対象とした複数の報告では,ABO亜型全体の約50%がB型亜型のひとつ,B_m型である.ごく一部を紹介する.

▶**A2型**:ヒトの抗A血清との反応が弱いA型として発見された.通常のA型(強いA型)はA_1,弱いA型はA_2と命名された.A_2型の頻度は日本人ではA型の約0.2%,AB型の約1.5%とされる.A^2遺伝子はA^1遺伝子同様にO遺伝子に対して優性であるが,A^1遺伝子に対しては劣性である.A_1型の遺伝子型にはA^1A^1,A^1A^2,およびA^1Oが,A_2型にはA^2A^2とA^2Oがあり,AB型にはA^1BとA^2Bがある.A_2型,A_2B型には抗A1自然抗体をもつ場合があるが,A_1型血液の輸血による有害反応はほとんどないとされる.

A_1型とA_2型はヒマラヤフジマメ(*Dolichos biflorus*)種子抽出液のレクチンをA1血球に対する凝集素価を32〜64倍に調整して検査をすると,A2型血球は凝集しなくなることで識別される.

▶**cisAB型**:O型の父とA2B型の母からA2B型の子が生まれたポーランド人の家系が発見の端緒となった.日本人献血者のAB型11万2,710人の中にも同様の型が検出され,頻度的には日本人に多い(AB型の0.012%).cisAB型では血清に自己血球と反応しない抗B抗体があり,唾液中にAおよびH型物質が分泌されるが，B型物質はほとんど分泌されないのが特徴である．

cisAB型の遺伝子背景は一様ではなく，主にAあるいはB転移酵素の基質特異性を決定する部分にアミノ酸置換を伴う変異があり，その結果，基質特異性に緩みが生じ，B抗原構造のガラクトースもA抗原構造の*N*アセチルガラクトサミンも酵素の活性中心に合致すると考えられている．

5. ABO抗原の分泌・非分泌

唾液中に赤血球のABO血液型と一致する抗原構造をもつ物質（型物質）が多い個体と少ない個体の存在について報告された（1932年）．この形質（分泌/非分泌）にはアリール記号として*Se*，*se*が当てられる．分泌型は*SeSe*または*Sese*，非分泌型は*sese*である．日本人の集団では分泌型が81.5%，非分泌型が18.5%である．*Se*遺伝子産物は後述のフコース転移酵素であり，日本人の*se*遺伝子の多くはミスセンス変異のアリールで若干の酵素活性を残している（Se^{w}という）．一方，白人では酵素活性がない．その他の体液にも型物質が存在し，消化管分泌物や精液には多く，涙・汗・尿には少ない．ABO不適合輸血の際，分泌型の場合は唾液で本人のABO型を確認できる．

2 H血液型（018）とLewis血液型（007）

1. Bombay型，Para-Bombay型

通常のO型の抗原構造であるH抗原の構造は造血組織でType 2コア糖鎖に，唾液腺などの分泌組織でType 1コア糖鎖にそれぞれ異なるα1,2－fucosyltransferase（α1,2FT）が作用して完成される．この酵素は造血組織では*H*遺伝子（*FUT1*：アリール*H*と*h*），分泌組織では*Se*（Secretor）遺伝子（*FUT2*：アリール*Se*と*se*）でコードされている．両遺伝子座は第19染色体長腕（19q13.3）にあり密に連鎖している．

*FUT1*および*FUT2*遺伝子座には，きわめてまれに両酵素の欠失により，赤血球の通常検査でみかけ上，O型で唾液も非分泌型の個体がインドのBombay（現在のMumbai）で1952年に初めて報告された．これらの個体では血中に抗A，抗Bのほかに抗Hを有していた．赤血球および唾液でH構造の合成が抑制されH構造が欠如していることからOhと記す．通常の検査ではO型で非分泌型にみえるが，血清中に抗H凝集素をもち，通常のO型血球を凝集する．

Levineらは1961年，Bombay（Oh）型と似ているが，血球が抗Aだけに弱く凝集し，血清中に抗A，抗B，抗Hを有し，非分泌型（*sese*）の個体を見つけ，A_h型と命名した．さらにB_h型も見つかった．これらの個体では赤血球H抗原の合成量がきわめて少ない結果，AまたはB型構造の合成が不十分である．Oh型との違いは赤血球が弱いながらも抗Aまたは抗Bと凝集する点と非分泌型で血清中に抗H凝集素を有することが特徴である．一方，分泌型の個体もみつかり，あわせてPara-Bombay型という．すなわち，Para-Bombay型は，互いに隣接する*FUT1*，*FUT2*遺伝子座それぞれで，*FUT1*遺伝子座のアリール*h*の産物であるフコース転移酵素の失活の度合いが変異の種類によって異なっている（不活性の*h*アリールか活性低下のH^{W}アリール）ことと，*FUT2*遺伝子座のアリール（*Se*か*se*）との組み合わせで表現型が異なる．

2. Lewis（LE）血液型（007）

Lewis抗原は輸血を受けた患者血清中に，1946年にMourantが抗Le^{a}抗体を，1948年にAndersenが抗Le^{b}抗体を発見し，さらにGrubbがLe（a＋）型と非分泌型が一致することが明らかにされた．両抗体との凝集の有無で当初，Le（a＋b－），Le（a－b＋），Le（a－b－）の3型に分類された（*LE*遺伝子座）が，表現型には*LE*遺伝子座（現在は*FUT3*）に加えて*FUT2*遺伝子座も関与しているので，**表8-3**のように分類される．

Grubbが明らかにしたようにLe（a＋b－）型ではABH抗原は非分泌であるが，唾液中にはLe^{a}型物質を分泌している．Lewis表現型の抗

表 8-3 Lewis 血液型（表現型と遺伝子型）

表現型	遺伝子型		唾液中の型物質		出現頻度（%）		
	Le	*Se*	ABH	Lewis	日本人	白人	黒人
Le（a+b−）	*LeLe*	*sese*	なし	Le^a	0.2	22	23
	Lele						
Le（a+b+^{w}）※	*LeLe*	Se^wse	微量	Le^a	16.8	0	0
	Lele	Se^wSe^w		Le^b（微量）			
Le（a−b+）	*LeLe*	*SeSe*	A, B, H	Le^a（少量）	73.0	72	55
	Lele	$SeSe^w$		Le^a			
		Sese					
Le（a−b−）	*lele*	*SeSe*	A, B, H	無	8.5	6	22
		$SeSe^w$					
		Sese					
Le（a−b−）	*lele*	*sese*	無～微量	無	1.5		
		Se^wse					
		Se^wSe^w					

※ Se^w 遺伝子を持つ個体について高抗体価の抗 Le^b で検査すると，Le（a＋b＋）の判定となることがある．

（出典：前田平生，大戸斉，岡崎仁編著：輸血学　改訂第 4 版，p.164，中外医学社，2018）

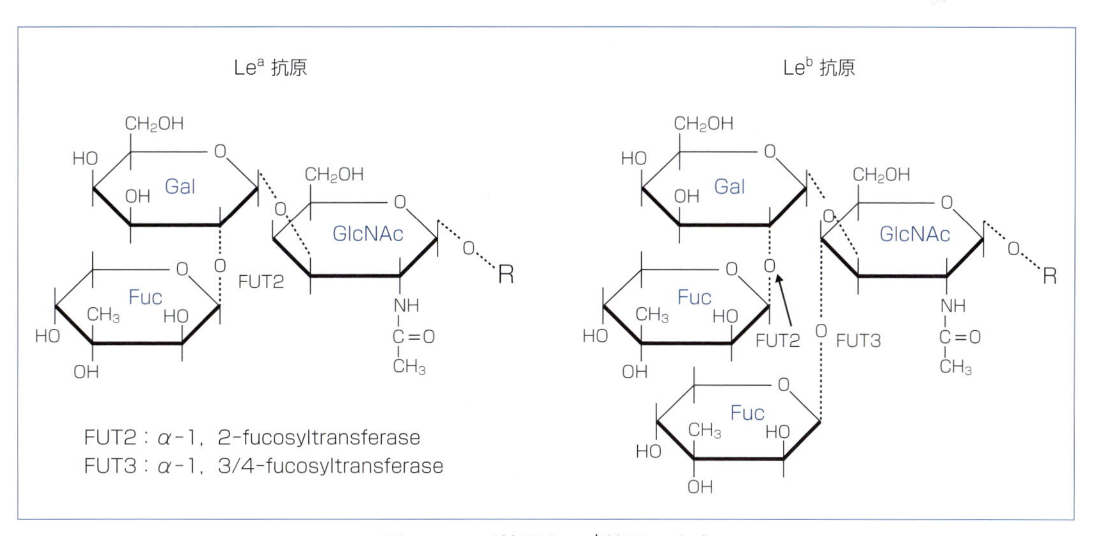

図 8-7 Le^a抗原と Le^b抗原の合成

原構造の合成には 2 つの異なるフコース転移酵素遺伝子座が関与している．Le^a 抗原と Le^b 抗原の構造（**図 8-7**）からわかるように，Le^a 抗原合成には *FUT2* 遺伝子座，Le^b 抗原合成には *FUT2* 遺伝子座に加えて，この遺伝子座とは動原体を挟んで短腕に存在する *FUT3* 遺伝子座の遺伝子産物 α1,3/4−fucosyltransferase（α1,3/4FT）が必要である．

3. P 血液型（003，028）

P 血液型には現在，複数の血液型が内包されていること（P 関連抗原群）が明らかにされている[8]．抗原群は赤血球やその他一部の上皮細胞の膜脂質二重層外層に存在するスフィンゴ糖脂質のセラミドに結合する糖鎖で構成され，2 種類の糖鎖コア構造（パラグロボシド系列とグロボシド系列）の末端の糖鎖の種類が異なる．

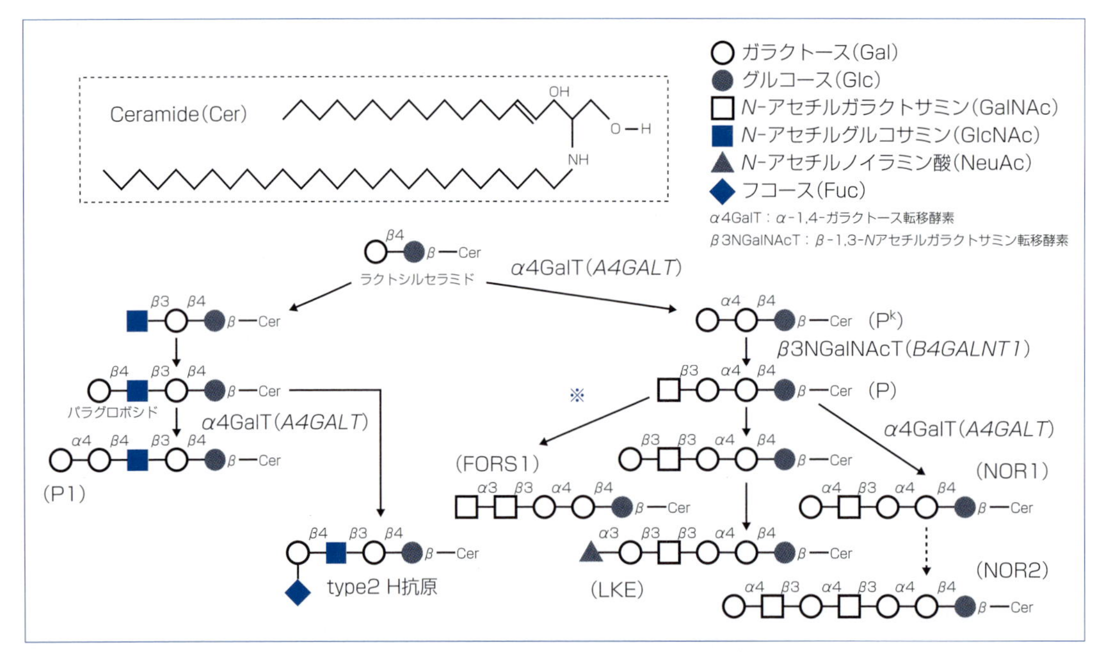

図 8-8　P 関連血液型抗原の合成経路[8]

FORS1 型抗原はほとんどのヒトで合成されていない．それは※の経路を触媒する酵素が 1 塩基置換で失活し偽遺伝子化しているためである．同置換がない個体がごくまれにいる．

血液型（シンボル名）として P1PK（P1PK），Cloboside（GLOB），Fors（FORS）の 3 つがある．P1PK 血液型抗原ではパラグロボシド系列で P1 抗原，グロボシド系列で P^k 抗原が合成される．責任糖転移酵素（遺伝子略称）は α1,4-galactosyltransferase＝α4GalT 酵素（P1PK ＜A4GALT＞）である．Cloboside 血液型抗原ではパラグロボシド系列で PX2 抗原，グロボシド系列で P 抗原が β1,3-N-acetylgalactosaminyl-transferase（P＜B3GALNT1＞）の作用によって合成される（図 8-8）．

主な表現型は P_1 型（P1+P+）と P_2 型（P1−P+）で，P_2 型には抗 P1 が自然抗体として存在することがある．日本人の集団でのそれぞれの頻度は 31%，69% である．非常にまれな型として p 型，P_1^k 型，P_2^k 型が家族例として少数報告されている．

抗 P 抗体は不適合輸血の溶血性輸血副反応 hemolytic transfusion reaction（HTR）の原因になるので注意が必要である．

P 関連抗原群は大腸菌やパルボウイルス B19 の受容体として知られており，前者は Galα1→4Gal 構造に接着し，後者は P 抗原がレセプターとなる．また発作性寒冷血色素尿症患者の Donath-Landsteiner 抗体は P 抗原に対応する．

4. Fors（FORS）血液型（031）

1911 年，J. F. Forssman はモルモット腎組織で免役したウサギの抗体が補体とともにヒツジ赤血球を溶血させる現象を発見し，Forssman 抗原と名付けた．後にこの抗原は糖脂質に存在することが判明し，P 抗原の構造に GalNAc を転移する酵素である α1,3-N-acetylgalactosamine transferase（*GBGT1*）の作用で抗原陽性となる（図 8-8）．ヒトではほとんどがこの遺伝子の 1 塩基置換で転移酵素機能失活（偽遺伝子化）のため，抗原陰性であり，血清中に IgM クラスの抗 Forssman 抗体を自然抗体として保有している．

5. I（I）血液型（027）

ヒトの血清中にはヒトおよび動物の赤血球を 4℃の低温で凝集する寒冷凝集素が存在し，マイコプラズマ肺炎，ウイルス疾患，溶血性貧血の患者で抗体価が上昇すること（血清の倍数希釈で128倍＝2^7以上）が知られている．Wienerらは1956年，抗体価の高い寒冷凝集素との反応が弱い個体がいることを発見し，i型と命名し，普通に反応する型をI型とした．1961年にMarshはi型と強く反応する抗iを貧血患者中に検出した．ただI型，i型血球はそれぞれ抗i，抗Iにそれぞれ弱く反応し，またI型であっても通常，胎児から新生児期は抗Iとの反応は弱く，I抗原が完成する2歳頃までに抗Iと普通に反応するようになる．

I抗原はi抗原から合成される．この合成は糖鎖の分枝に関わる糖転移酵素β-1,6-*N*-acetyl-glucosaminyltransferaseの作用による（I転移酵素）．酵素は*I*遺伝子（*GCNT2*）でコードされている．*GCNT2*遺伝子は5つのエクソン（1A-1B-1C-2-3）をもち，選択的スプライシングによって，1A，1B，1Cが組織特異的に使い分けられている．前立腺などでは1A-2-3が，水晶体・乳腺・唾液腺・胎児脳では1B-2-3が，赤血球では1C-2-3が酵素に翻訳される．

I糖鎖は水晶体の透明性に関係しているとされ，エクソン1C内の変異はI転移酵素の機能が低下し，赤血球I抗原の合成が減少する．一方，各組織で共通のエクソン2あるいは3での変異で酵素の不活性化が生じると，*GCNT2*遺伝子産物のすべての活性が低下し，先天性白内障を伴うことがある．日本人の成人i型31家系41人の調査によると39人が先天性白内障であった．

6. Sid（SID）血液型（038）

1967年，交差適合試験不適合の症例に発見された抗体が認識する抗原（Sd^a抗原）である．Sd（a+）型という．赤血球のみならず唾液，血清，乳汁にも存在し，胎便と尿には豊富にある．この抗原は同一個体内では血球間で発現が相当異なり，また個体間でも相当な量差がある．日本人の集団では調査されていないが，白人では凝集の程度が強陽性，中程度，弱陽性がそれぞれ1%，80%，10%で，5%が血球で陰性，尿中で陽性，残る4%は血球も尿中も陰性である．抗Sd^a抗体は健常者の約1%にほとんどがIgMとして検出されるが，冷式抗体である．なお，発見に先立つ1964年に，動物免疫実験（カメ血球でニワトリを免疫）で得られた血清と反応するヒトA型血球が日本で報告されており，Wk+型と命名された．これは抗Sd^a抗体と反応し，一方，Sd（a+）血球は抗Wk抗体と反応することが後に判明した．担体分子は尿中のUromodulinという糖タンパクで，抗原活性は糖鎖にある．

3．アミノ酸配列による血液型（ISBT番号）

1. Rh（RH）血液型（004）

Rhの名称は，ABOの発見者であるLandsteinerが1940年，Wienerとともにアカゲザルrhesus monkey赤血球でウサギとモルモットを免疫して得た抗血清中に85%の白人の赤血球を凝集させる抗体を見つけたことに因むが，後にこの抗体で認識された抗原は今日のRh抗原（D抗原）ではないことが判明し，Landsteiner-Wiener（LW）抗原と呼ばれる．本来のD抗原は1939年に今日でいう血液型不適合妊娠による新生児溶血性疾患hemolytic disease of the fetus and newborn（HDFN）の女性についてLevineとStetsonが報告した抗体に対応するものである．

D抗原の存在（D陽性＜D+＞）がすなわち，Rh陽性（Rh+）型で，（D陰性＜D−＞）がRh陰性（Rh−）型である．“d”はDに対立する概念上の記号であり，「d抗原」自体は存在しない．日本人ではRh陰性（Rh−）型（遺伝子型は*dd*）の出現頻度は0.5%である．

遺伝子解析からRH遺伝子は密に連鎖した*RHD*と*RHCE*の2つの遺伝子座で構成され，前者でD抗原の有無が，後者でCe，cE，ce，CE抗原のいずれかが決まる．5つの抗原の免疫原性はD，E，c，C，e抗原の順で，D抗原が

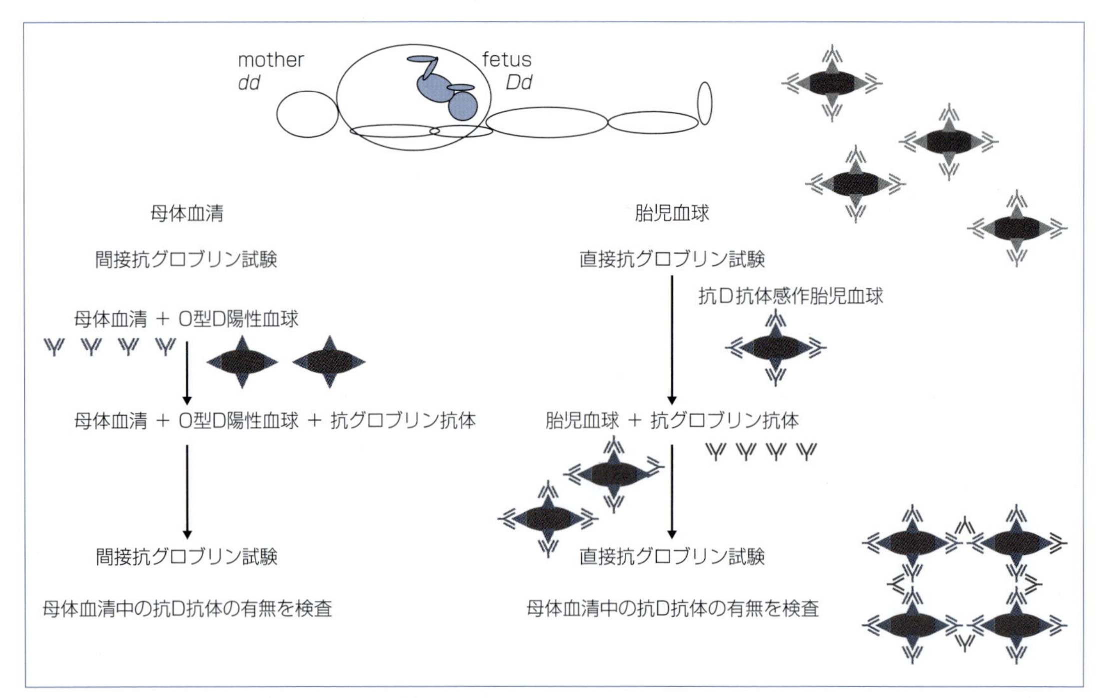

図 8-9　Rh 血液型不適合妊娠と直接，間接抗グロブリン試験

胎児付属物である臍帯の血液中には Rh 陰性の母体内で産生された抗 D 抗体（IgG クラス）が胎盤を通過して循環し，児の D 抗原と結合しているので，生理的食塩水で適正に調整した児の赤血球については抗ヒトグロブリン試薬を加えて凝集の有無をみる（DAT）．一方，母体血における抗 D 抗体の存在の有無は O 型で D 抗原陽性の血球と母血清と反応させた後，抗ヒトグロブリン試薬を加えて凝集の有無をみる（IAT）．

他の 4 抗原より圧倒的に強い．

Rh 血液型検査は通常，D 抗原の検査だけであるが，抗 C，抗 c，抗 E，抗 e を用いて全表現型を明らかにすることができる．

D－型（遺伝子型は *dd*）の母親が D＋型の胎児（遺伝子型は *Dd*）を妊娠した場合（**図 8-9**），HDFN を発症するのは約 4%である．また D－型の患者が D＋型赤血球を輸血された場合，20〜30%が抗 D を産生するとされる．日本人では E 抗原の有無が頻度上拮抗していることで，型不適合輸血の機会が高く，抗 E が比較的多くみられる．

2 つの *RH* 遺伝子座は第 1 染色体長腕（1p36.11）に局在し，テロメア側からセントロメア側に向かって *RHCE* と *RHD* 遺伝子座が *TMEM50A* 遺伝子座を挟んで 5'*RHCE*3'－*TMEM50A*－3'*RHD*5' と互いに向きあっている（対向配置）．*RHCE* と *RHD* 遺伝子座は塩基配列の高い相同性（10 エクソンと 9 イントロンで 93.8%）と対向配置から減数分裂の際，不等交叉や遺伝子変換が起こりやすく，遺伝子座の欠失や両遺伝子座の部分を併せ持つハイブリッド遺伝子が存在している（**図 8-10**）．

いわゆる Rh 陰性（D 陰性）型の遺伝子背景は多様であるが，大きく分けると，*RHD* 遺伝子欠失型とそうでない型がある．白人の集団では欠失型がほとんどである．一方，日本人の集団では Ogasawara らによる 3,526 名の D 陰性献血者についての検査結果では，欠失のホモ接合型が 87.7%，*RHD* 遺伝子存在で D_{el} 型が 9%，ハイブリッド遺伝子 *RHD*D-CE*（*3-9*）*-D* 型が 2.9%で，この 3 種類が D 陰性の 99%を占めていた．D_{el} 型とは通常の検査法で D 陰性であるが，抗 D 抗体と反応させたあとの解離液中に抗 D 抗体が認められる D 陰性血球の型をいう．D_{el} 型のほとんどが C 抗原陽性で，*RHCE*Ce*

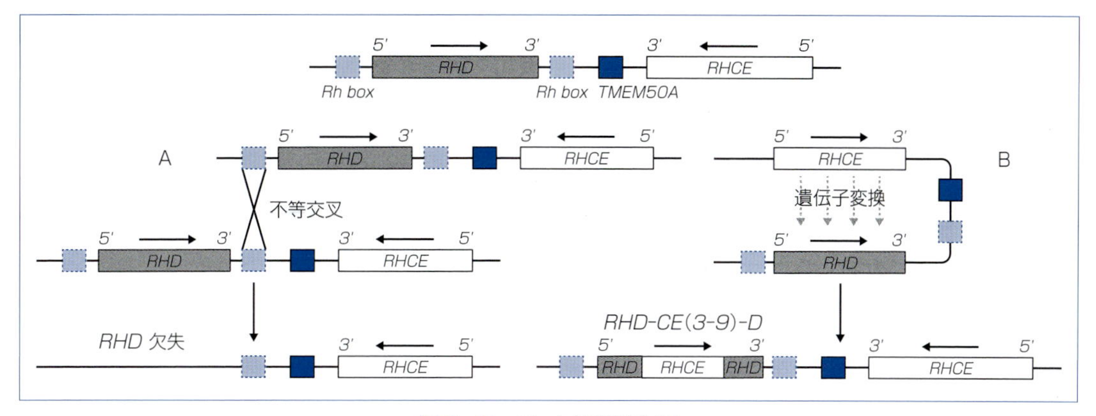

図 8-10 Rh 血液型遺伝子

RhD 遺伝子座の上下流には *Rh box* という相同配列があり，減数分裂の際，5' 側と 3' 側の box が対合して不等交叉が起き，*RhD* 遺伝子座が欠失した染色体が生じたことが D 陰性の最多要因である（A）．また配列に高い相同性がある *RHD* 遺伝子と *RHCE* 遺伝子が互いに逆向きに配列していることから前者の配列の一部が後者の配列に変換されることがある（B）．

遺伝子とハプロタイプを構成している．

2. MNS（MNS）血液型（002）

Landsteiner と Levine は 1927 年，ヒト血球で免役したウサギ血清を用いて，ヒト血球を M＋N－，M＋N＋，および M－N＋の 3 型に分類できることを見いだした．さらに Walsh と Montgomery は HDFN 児の母親血清中に新しい抗体を発見し，抗 S と命名した（発見地 Sydney の S）．後に MN と S は遺伝子座が連鎖していることが示唆された．Levine らは 1951 年に S 抗原に対立する抗原 s を検出する抗 s が発見された．その後 MN，Ss 抗原の遺伝子座は密に連鎖していることが家系調査によって明らかにされ，MNS 血液型となった．

MN，Ss 抗原はそれぞれ赤血球膜の主要な糖タンパクである glycophorin A（GPA），glycophorin B（GPB）に存在する．両タンパクともに C 末端を細胞内に，N 末端を細胞外にもつ 1 回膜貫通型タンパクであり，細胞外の部分に多数の糖鎖をもち，糖鎖末端には *N*-acetylneuraminic acid（シアル酸 sialic acid）が結合しており，赤血球表面の負電荷形成の一翼を担っている．赤血球表面の過半のシアル酸は GPA に結合しており，この陰性荷電による反発力で赤血球同士の間隔を保ち，さらに糖衣 glycocalyx として機械的障害に対する緩衝あるいは感染防御の機能を担っている．

ヒトに感染するマラリア原虫のうち最も致死性の高い熱帯熱マラリア原虫 *Plasmodium falciparum*（*PF*）は人体に侵入後，肝臓で無性生殖により増殖しメロゾイト（**図 8-11A**，**口絵写 72a**）となって再び血流に出て，赤血球に複数の経路を使い侵入する．経路には赤血球表面のシアル酸に依存する経路として GPA，GPB，GPC/D，シアル酸非依存経路としてバンド 3（Diego 糖タンパク），CR1（Knops 血液型糖タンパク），basigan［Ok 血液型糖タンパク（CD147）］，CD55（Cromer 血液型糖タンパク）が報告されている．一方，PF 側のリガンド候補として PfRh5（Plasmodium falciparum reticulocyte-binding protein homologue 5）が報告されている．*PF* 感染赤血球は血管内皮に結合し，血流で運ばれ脾臓など細網内皮系にトラップされないように進化している．Sequestration（**図 8-11B**，**口絵写 72b**）と呼ばれる現象である．

3. Lutheran（LU）血液型（005）

Calender と Race が 1946 年，SLE 罹患患者の血清中から低頻度の抗原に対する抗体として発見され，反応した血球が「Lutheran」氏由来であることで Lu^a 抗原と命名された．対立抗原として，Cutbush らが 1956 年，妊婦血清に抗

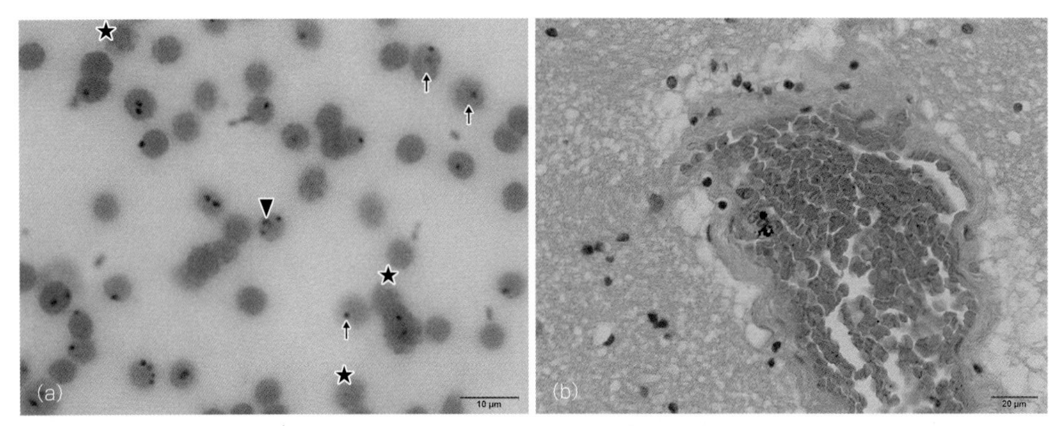

図 8-11　熱帯熱マラリア感染自験例

心臓血スメアのギムザ染色（a：1000 倍油浸観察）では，ほとんどの赤血球に濃～淡紫色の輪状体（▼），栄養体（↑），分裂体（★）がみられる．赤血球外の染色物は死体血ゆえの雑菌汚染による．大脳切片の HE 染色（b：400 倍）では感染赤血球（栄養体/分裂体が存在）の血管内皮への接着 sequestration が観察される．

Lu^b を発見した．それぞれの抗原は優劣のない *LU*A* と *LU*B* 遺伝子の産物で，日本人ではほとんどが Lu（a－b＋）である．Lutheran 糖タンパクは細胞外マトリックスを構成する多重接着タンパクのラミニンと結合する．

4. Kell（KEL）血液型（006）

英国で 1946 年，Kelleher 夫人が分娩した HDFN 児の赤血球についての DAT で陽性結果が得られた．また夫人血清には夫の血球と反応する抗体の存在が IAT で示され，対応抗原は K と命名された．1949 年には対立する抗原 k が見いだされた．多くの集団で *K* 遺伝子がきわめてまれで多型頻度にはない．この血液型抗原を担う Kell タンパクの機能はまだ解明されていない．また，後述の Kx 血液型と関係する．

5. Duffy（FY）血液型（008）

血友病であった R. Duffy 氏（後に Rh－型と判明）が 1944 年，出血のため何度か輸血を受け，Rh 適合血を輸血中に悪寒，さらに黄疸を発症したことから，IAT で血清中に当時は未知の血液型抗体の存在が判明し，英国人ドナーの約 2/3 と反応したことから，Fy^a 抗原と命名された．また 1951 年ドイツで 3 人目の女児を分娩した母親の血清中に，37℃で約 80％のドナー赤血球と反応する抗体の調査から，Fy^a 抗原に対立する Fy^b 抗原と反応する抗体と判明した．2 種類の抗体，抗 Fy^a と抗 Fy^b との反応から 3 種類の表現型＜日本人頻度％＞－Fy(a＋b－)＜80＞，Fy（a＋b＋）＜19＞，Fy（a－b＋）＜1＞－が分類される．

いずれの抗体とも反応しない Fy (a－b－) 型は Duffy 糖タンパクが赤血球には認められないが，肝臓以外の全身の後毛細管小静脈内皮細胞に発現している．この型は黒人の集団に高頻度でみられ，三日熱マラリア *Plasmodium vivax*（*PV*）に感染しないことから Duffy 糖タンパクが *PV* メロゾイトの受容体と考えられているが，近年，Fy（a－b－）型でも感染が報告されるようになり，新たな侵入経路があるという．Duffy 糖タンパクは炎症性ケモカインと結合し，炎症反応を調整していると考えられている．

日本人は Fy^a 抗原をもたない個体が 1％と少ない上に，Rh 抗原に比して抗原性が低く，抗 Fy^a が臨床で問題になることは少ない一方，抗 Fy^b は HTR の原因となり，不規則抗体保有者の 4％が抗 Fy^b である．

6. Kidd（JK）血液型（009）

HDFN を発症した児 John Kidd の母親血清により識別される抗原系として 1951 年に発見された．さらに 1953 年には対立する抗原を認識する抗 Jk^b 抗体が発見された．日本人では Jk^a, Jk^b 抗原に対応するアリール *JK*A*, *JK*B* はほ

表 8-4 Xg 血液型

表現型	性別	遺伝子型	頻度（%）	
			日本人*	白人
Xg（a+）	男性	*XG*A*	69.4	65.6
	女性	*XG*A/XG*A*, *XG*A/XG*0*	88.8	88.7
Xg（a−）	男性	*XG*0*	30.6	34.4
	女性	*XG*0/XG*0*	11.2	11.3

（＊出典；Nakajima, H., et al.：Three additional examples of anti-Xga and Xg blood groups among the Japanese. Transfusion 19, 480-481, 1979）

ぼ等頻度で存在する．抗Kidd抗体はHTRの原因として重要で，抗Rhとともに報告例が多い．

7. Diego（DI）血液型（010）

Diegoという名の男児が生後半日ほどで黄疸を発症し，死亡した．母の血清は児と父親の赤血球に反応し，Layrisseらによってこの抗体が反応する抗原がDi^a抗原と命名された．この抗原は南米先住民に加えて北米の先住民にも普通にみられ，さらにモンゴロイド固有の抗原であることがわかった．日本人ではDi（a+）頻度は9.2%である．1967年にはThompsonらがHTRを発症した患者血清からDiego関連の抗体を同定し，Di^a抗原に対立するDi^b抗原を認識する抗体とわかった．

抗原は赤血球膜タンパクの電気泳動の位置から命名されたバンド3タンパクの細胞外部分に存在する．バンド3はその後，陰イオン交換体（重炭酸イオンと塩素イオンの交換）の機能と細胞質側にあるN末端側部分で細胞骨格タンパクと相互作用し，赤血球の形態維持の機能がある．バンド3遺伝子変異による後者の機能変化が遺伝性球状赤血球症に関わっているとされる．

8. Yt（YT）血液型（011）

1956年，交差適合試験の患者血清に検出された抗体が高頻度抗原に対するものとわかり，Yt^a抗原とされ，1964年に対立抗原Yt^b抗原と反応する抗体が見つかった．表現型はYt（a+b−），Yt（a+b+），Yt（a−b+）の3型に分類される．抗原担体は赤血球アセチルコリンエステラーゼ（AChE）である．日本人はYt（a−）は5,000例の調査ではなく，Yt（b+）は70例の調査で検出されていないことから，多くがYt（a+b−）と考えられる．なお，名称に“Y”が使用されているがY染色体とは関係はなく，*AChE*遺伝子は第7染色体長腕（7q22.1）にある．

9. Xg（XG）血液型（012）

輸血を頻回受けた患者血清中に1962年，抗Xg^a抗体が検出された．表現型Xg（a+）とXg（a−）の頻度が男女間で異なることから家系調査でX染色体上に遺伝子座があると判明した．アリールのISBT表記では*XG*A*と*XG*0*である．2つの表現型に関する遺伝子型と出現頻度を男女別に表8-4に示す．抗原性が低いことから，HDFNの報告はなく，HTRの原因にならないとされる．

10. Scianna（SC）血液型（013）

複数回の妊娠歴のある白人女性に検出された抗体によってSc1抗原が高頻度抗原として発見され，対立抗原としてSc2抗原が妊娠に関連して発見された．SC1−（Sc1陰性）はいずれの人種でもまれである．Sc2抗原の頻度は白人で0.7～1.7%，日本人で0.1%とされる．両抗原に対する抗体には臨床的意義はないとされる．

11. Dombrook（DO）血液型（014）

白人の67%と反応する抗体が1965年，女性に発見され，さらに1973年，対立する抗原を認識する抗体が発見され，抗原はそれぞれDo^a，Do^b抗原と命名された．表現型はDo（a+b−），Do（a+b+），およびDo（a−b+）で，日本人ではそれぞれ，1.5，22，76.5%の出現頻度である．それぞれに対する抗体はHTRを惹起するとされるが，HDFNでは重大な反応は起こさない．

Dombrook抗原はGPIアンカー型タンパク（遺伝子）であるmono－ADP－ribosyltransferase 4（*ART4*）にある．

12. Colton（CO）血液型（015）

米国で1964年，交差適合試験の際に抗Co^a抗体として発見され，抗原はCo^aと命名された．さらに1970年には対立する抗原Co^bを認識する抗体がみつかり，両抗体と反応しない型も女性に発見され，4つの表現型，Co（a＋b－），Co（a＋b＋），Co（a－b＋），Co（a－b－）の存在が確定した．日本人ではそれぞれ，99.4%，0.6%，<0.1%，<0.1%である．抗Co^a抗体には少数ながらHDFN，HTRの報告がある．

抗原担体は6回膜貫通型膜タンパク（遺伝子）のアクアポリン1（AQP1）である．

13. Landsteiner-Wiener（LW）血液型（016）

Rh血液型の発見の過程で，LandsteinerとWienerがアカゲザル血球でモルモットおよびウサギを免疫して得られた抗血清（抗Rhesus血清，今日の抗LW）が認識する抗原として発見された．抗LWはD陰性血球（D－）よりもD陽性血球（D＋）に強く反応し，D＋LW＋血球をLW1，D－LW＋血球をLW2と命名された．抗LWと反応しないLW－型があり，この型がややこしいことにLW_3とLW_4に細分されることがわかった．すなわち，LW_3血球はLW_3個体にある抗LWと反応しないが，LW_4個体にある抗LWと反応するのである．LW_4個体の血球はいずれの抗LWとも反応しない．後にLW_3個体の産生する抗LWと反応する抗原をLW^a，これの対立抗原をLW^bとすることになり，LW1/LW2はLW（a＋b－）またはLW（a＋b＋），LW_3型はLW（a－b＋），LW_4型はLW（a－b－）と表記し，LW_4型個体にある抗LWを抗LW^{ab}と表記することになったが，ISBTでは抗原名LW1～4の代わりに，LW^aをLW5，LW^bをLW6，LW^{ab}をLW7としている．一般にLW^a抗原が高頻度でLW^bは低頻度である．日本ではまれに自己抗体として抗LWが検出されるが，HTRやHDFNの原因となることはほとんどない．とはいえ，海外では抗LW自己抗体による重症の自己免疫性溶血性貧血例が報告されてはいる．

LW抗原はバンド3タンパクおよびRhタンパクと複合体を形成しているLW糖タンパクにある．これはICAM-4（CD242）ともよばれ，免疫グロブリンimmunoglobulin（Ig）様ドメインを細胞外にもつ1回膜貫通型タンパクである．

14. Chido/Rodgers（CH/RG）血液型（017）

交差適合試験の結果，反応性の弱い不規則抗体，抗Ch，抗Rgとして報告されたのが始まりである．後にそれぞれが対応する抗原（Ch抗原，Rg抗原）は血漿から赤血球への吸着抗原で，補体第4因子のC4A（Rodgers），C4B（Chido）に由来するのがわかった．両タンパクともα，β，γ鎖がジスルフィド結合で架橋されており，α鎖の一部であるC4d領域が赤血球上に吸着され血液型として認識されたものである．C4AとC4Bにはそれぞれ欠失型があり，この欠失がRg抗原，Ch抗原の陰性（Rg－，Ch－）と関連している．日本人のRg－は0.3%，Ch－は2.6%と報告されている．吸着抗原であることから，血球上の抗原量は個体間のみならず，同一個体の血球間でも異なっている．

*C4A*と*C4B*遺伝子は主要組織適合抗原複合遺伝子群の中にあり，塩基配列，アミノ酸配列ともに99%が同一である．C4AとC4Bは補体機能の役割分担を担い，C4Aは免疫複合体と結合し，C4Bは溶血活性を担う．いずれもアガロースゲル電気泳動と免疫固定法で泳動パターンの違いによる高度な多型を示すことが知られているが，この多型と血液型抗原の有無とは関係はない．

15. Kx（XK）血液型（019）

X染色体上のXK遺伝子産物上の抗原（Kx抗原<XK1>）である．XKタンパクはN，C両末端を細胞質内にもち10回膜を貫通している．細胞外でKell糖タンパクと1か所でジスルフィド結合している．Kx抗原に対する同種抗体は入手困難で，Western blot法か遺伝子解析を行う必要がある．

発見は1961年，Kell抗原の発現が減少している男性で，その姓からMcLead型と命名された．さらに1968年，HTRを起こした慢性肉芽腫症の5歳男児の血清に高頻度抗原に対する抗体が検出された．この抗体は当人とMcLead型血球に反応せず，Kell関連抗原のないK_0型とは陽性反応を示し，この解離液には抗Kxと抗Km（McLeadのm）が含まれていた．抗KxはK_0血球と他の血球とも反応したが，McLead型血球とは反応しなかった．

Kx－型（McLead型）は男性にだけみられる．女性ではX染色体不活化機構の結果，女性のMcLead型遺伝子の保因者は，Kell抗原を正常に発現する血球と減少している血球が混在する．Kx－型はどの人種でもまれである．

16. Gerbich（GE）血液型（020）

妊娠に関連するDAT陽性を示す抗体の存在をきっかけにして発見された．抗体保有者の1人の姓からGerbich血液型抗原と命名された．この血液型に関連する抗原はglycophorin C（GPC），glycophorin D（GPD）に存在する．両タンパクはGYPC遺伝子のエクソン1とエクソン2にある開始コドン配列のいずれを使うかで，前者ではGPC糖タンパクに，後者ではGPCよりも21アミノ酸分短いGPDタンパクになる．いずれもN末端を細胞外に長く有する1回膜貫通型タンパクである．同種抗原性は単一アミノ酸置換や*GYPC*遺伝子間の不等交叉により生じる．複数の抗原が報告されているが，日本人ではいずれもきわめてまれである．

GPCとGPDを欠損した型（Leach型）では遺伝性楕円赤血球症が認められる．また熱帯熱マラリア感染個体の肝臓から放出されるメロゾイトがもつ赤血球結合抗原erythrocyte binding antigen-140（EBA140）の受容体のひとつは赤血球のGPC糖タンパクである．このことは，マラリア流行地のひとつパプアニューギニア沿岸地方ではGYPC遺伝子のエクソン3を欠失した抗原型が人口の半数を占めていることにつながっている．

17. Cromer（CROM）血液型（021）

Cromer夫人の血清中に高頻度抗原に対する抗体が検出されたことが発見の端緒である．この抗原は補体制御因子のひとつである崩壊促進因子decay-accelerating factor（DAF：CD55）である糖タンパクに存在する．19種類の抗原が報告されており，多くが高頻度抗原で残りは低頻度抗原である．DAFはglycosylphosphatidylinositol（GPI）によって細胞膜外層の膜脂質に係留された形の糖タンパクである．ほかにYt血液型，Dombrook血液型，John Milton Hagen血液型，CD59血液型が同様の構造である．

18. Knops（KN）血液型（022）

特異性不明な不規則抗体が検出された患者の姓Knopsに由来する．担体分子は補体レセプター1complement receptor 1（CR1）である．CR1はN末端を細胞外に長くもつ1回膜貫通型糖タンパクで，アミノ酸2,039個からなる．細胞外領域の6か所にあるアミノ酸置換に基づいて3種類の対立抗原系Kn^a/Kn^b抗原系，McC^a/McC^b抗原系，ならびにSl1/Sl2抗原系，およびSl3抗原，Yk^a抗原，ならびにKCAM抗原の9種類がある．日本人はKn^a抗原，McC^a抗原，Sl3抗原それぞれの頻度が100%，Sl1抗原が99.9%以上とされる．一方，Yk^a抗原は88%，KCAM抗原は95%である．また，Sl1抗原欠損型（Sl：－1）は西アフリカ黒人では出現頻度が70%あり，実験的に感染赤血球と非感染赤血球とロゼット形成能が低下していることが高頻度につながっていると考えられている．

出現頻度を反映して抗Yk^a抗体の検出例があるが，この血液型関連の抗体には臨床的意議はなく，輸血への影響はないとされる．

19. Indian（IN）血液型（023）

インドおよびパキスタンで発見された抗体によってそれぞれ，In^a抗原，In^b抗原が発見された．血球の表現型はIn(a－b＋)，In(a＋b＋)，

In（a+b−）に分類される．日本人のデータはない．In（a−）型個体にIn（a+）赤血球が輸血された事例では高率に抗In^a抗体が検出されており，同種抗原性が強いとされる．このことを反映して，初回妊娠で抗In^b抗体を産生した輸血歴のない例や，HTRの即時型例も報告されている．

20. Ok（OK）血液型（024）

輸血歴のある日本人女性について1979年に初めて報告され，さらに妊娠歴のある日本人女性から第2例目が報告された．これらはOk^a抗原と命名された．抗原担体はN末端を細胞外にもつ1回膜貫通型糖タンパクである．CD147と付番されている．栄養素輸送，炎症制御，視覚や生殖などの多彩な生理機能に関わっている．また，熱帯熱マラリアplasmodium falciparum（PF）のメロゾイトが赤血球に侵入する際のリガンドであるPF reticulocyte-binding protein homologue 5の赤血球側の受容体として機能すると考えられている．

21. Raph（RAPH）血液型（025）

1987年，小細胞癌細胞株でマウスを免役して作製された抗体（MER2抗体）と抗マウスIgG抗体を用いた抗グロブリン試験で反応する抗原（MER2）として発見された．英国人の集団の調査で92%がMER2陽性であり，家系調査から優性遺伝が明らかにされた．翌年，同種抗体として抗MER2を有する3人（うち2人は同胞）が報告され，3人とも頻回の輸血歴がある腎透析患者であった．このうちの2人にはMER2抗原不適合の輸血が繰り返されていたが，HTRは生じていない．Raphは抗MER2抗体を最初に発見された少年Raphaelに因む．

担体分子はN，C両末端が細胞質内にある4回膜貫通型のtetraspaninファミリーに属するCD151である．先の抗MER2保有の3人では，エクソン5の1塩基挿入によるフレームシフトで終止コドンが出現し，短いCDC151が合成され細胞膜に発現しない（Raph欠損型）．いずれも幼児期に腎不全を発症していた．他にアミノ酸置換によるMER2陰性型が報告されている．

22. John Milton Hagen（JMH）血液型（026）

高齢者に検出される不規則抗体に対応する抗原で，後天的な表現型とされる．名称は抗体保有者の姓名である．赤血球上の抗原量が少ないためか，抗体価が高い個体でもDATの凝集が弱いとされる．

担体分子はGPIアンカー型構造を有するセマフォリンファミリーに属するCD108分子で，遺伝子名は*SEMA7A*である．赤血球での機能は不明だが，熱帯熱マラリアメロゾイトのthrombospondin-related anonymous protein（TRAP）の受容体と推定されている．

23. Gill（GIL）血液型（029）

妊婦あるいは妊娠歴のある血中から検出された抗体により認識される抗原として発見された．母児不適合妊娠で児血球のDAT陽性を示したが，溶血性疾患は発症しなかった．HTRを示した1例がある．抗原担体はアクアポリン3（AQP3）で，膜を6回貫通し，AQP1と類似の構造をもつ．ほとんどの個体は抗原陽性（GIL1）であり，陰性個体（GIL−）は遺伝子解析からイントロン5の5’スプライス部位の1塩基置換によりエクソン5がスキップされ，細胞膜に発現しない．

24. Rh-associated glycoprotein（RHAG）血液型（030）

1978年，フランス人女性に高頻度抗原に対する抗体と，1986年，複数の低頻度抗原に対する抗体を有する血清によって発見された血液型である．担体分子はRHタンパクの発現に必要であることからRh関連糖タンパクと命名された．N，C両末端を細胞内にもつ12回膜貫通型糖タンパクである．

25. JR（JR）血液型（032）

1970年，未知の高頻度抗原に対する同種抗体と抗体保有者の赤血球が適合することから発見された．1974年までに18例の抗Jr^a抗体が同定され，7例は日本人であった．抗原名Jr^aは発端者JuniorあるいはRose Jacobsのいずれかに因むとされる．抗体例が日本人に多いのは，Jr^a抗原陰性者であるJr（a−）が約1,500人に1人と，他民族に比べて高い頻度に起因する．抗Jr^a抗体は輸血または妊娠に関連して産生されるが，妊娠によることのほうが多く，日本人152例の分析から143例が女性で108例が妊娠歴だけで，13例が初妊娠であった．抗Jr^a抗体保有者への不適合輸血で重篤なHTRは報告されていない．

担体分子は生物種に広く存在し，結合したATPをエネルギー源として膜輸送を行うABCGサブファミリーのひとつ，ABCG2で，ナンセンス変異がJr（a−）型に関係する．

26. LAN（LAN）血液型（033）

1961年，即時型HTRを起こした患者血清から高頻度抗原に対する抗体として発見された．患者の姓からLan抗原と命名された．欧米白人で2万人に1人，南アフリカ黒人で1,500人に1人の頻度である．日本人献血者の大規模調査では5万人に1人である．抗Lan抗体は輸血，妊娠による免疫抗体として出現し，抗グロブリン試験で陽性となる．この抗体によるHDFNの報告はない．HTRは1例が報告されている．

担体分子はABCBサブファミリーのひとつ，ABCB6で，日本人例では1塩基欠失の*ABCB6* nullアリールが最も多い．

27. Vel（VEL）血液型（034）

結腸癌の治療で輸血を受けた女性に1952年，再度の輸血の際にHTRが生じたことから発見された．Velと名付けられた高頻度抗原に対する抗体が原因であった．Vel抗原陰性（Vel−）は，欧米白人で約2,600人に1人であるが，日本人では報告例はない．上記のように，抗Velは重篤な即時型HTRを惹起することがある．HDFNの報告は少ない．自己免疫性溶血性貧血の自己抗体例が報告されている．

担体分子はsmall-membrane protein 1（SMIM1）である．これはN末端を細胞質にもつ1回膜貫通型タンパクである．Vel−では*SMIM1*遺伝子のエクソンに17塩基の欠失があり，フレームシフト変異のためSMIM1タンパクは発現していない．

28. CD59（CD59）血液型（035）

2014年にトルコ人の5歳の女児に発見された抗CD59同種抗体で認識された血液型である．抗体産生の機序は不明である．この女児はCD59糖タンパクを完全欠損している．この分子はGPIアンカー型構造を有している．欠損例は世界でもきわめてまれで発端例と含めて日本人に1例，ユダヤ人に5例の計7例である．日本人健常者38万200例の大規模調査で陰性血球はなかった．

29. Augustine（AUG）血液型（036）

1967年，6,600例の血球すべてと反応する抗体が黒人女性のMrs. Augustineに発見され，他の同胞は1人が抗原陽性，1人が陰性であった．それぞれAt（a+），At（a−）とされた．At（a−）はアフリカ系米国人1万6,450人に1人だけ検出され，抗At^a抗体の検出例はほとんどが黒人である．

担体分子はequilibrative nucleoside transporter 1（ENT1）で，ヌクレオシドの輸送体（solute carrier 29ファミリーのひとつ*SLC29A1*遺伝子産物）である．これはN末端を細胞内にもつ11回膜貫通型糖タンパクで，特に赤血球膜での発現量が多い．また*SLC29A1*遺伝子のイントロンの5'スプライス部位の塩基置換によるENT1糖タンパク全欠損型もフランス人に妊娠を契機にして発見されている．この女性の抗体はAt（a+）だけでなく，At（a−）とも反応した．

30. KANNO（KANNO）血液型（037）

日本で1991年，手術のため入院中の女性に高頻度抗原に対する抗体として発見され，KANNO抗原と命名された．抗KANNO抗体保有者のKANNO（−）型のほとんどが女性で，妊娠歴が確認された．しかしHDFNの報告はない．

近年，KANNO抗原は，プリオンタンパク質の219番目のアミノ酸が，グルタミン酸（E）からリシン（K）に変化する遺伝子変異（E219K）

のホモ接合型であると判明した．さらに培養細胞にそれぞれの変異遺伝子を発現させると，KANNO（＋）型プリオンに対してのみ抗 KANNO 血清（抗体）が結合した．

4．その他

1．CTL2（CTL2）血液型（039）

VER と RIF の 2 つの高頻度抗原（アリール名は順に *CTL2*01* と *CTL2*01.02*）がある．抗原担体は solute carrier family 44 member 2（SLC44A2）としても知られている．まれな VER-null 表現型は高音域の聴覚障害と関連する．まれな RIF 抗原陰性は Pro398Thr 変異による．

2．PEL（PEL）血液型（040）

1980 年にカナダのフランス系家族（Pel）の女性について 2 回目の妊娠で検出された不規則抗体の新規特異性から発見された．さらに複数家系でも認められた．いずれの家系でも HDFN は報告されていない．PEL-null 表現型は軽度の血小板凝集能の障害と関連する．

3．MAM（MAM）血液型（041）

ある妊婦（Mrs. M. A. M）の検査で 1993 年，不詳の高頻度抗原に対する抗体の存在から発見された．別の家族ではこの不規則抗体によって重症あるいは致死的な HDFN が惹起されている．本体は赤血球でも発現している epithelial membrane protein 3（EMP3）遺伝子産物とされ，細胞膜の CD44 を安定化させ，また赤血球造血にも関わっている．

4．EMM（EMM）血液型（042）

1973 年に新規抗体に対応する抗原として発見された．抗原欠損者には自然抗体が存在し，臨床的に重要な急性溶血性輸血副反応を惹起する．欠損は GPI アンカーの糖鎖を構成する 2 番目のマンノースにエタノールアミンリン酸（EtNP）を転移する酵素（GPI-EtNP 転移酵素 II）遺伝子の変異に基づく．

5．ABCC1（ABCC1）血液型（043）

2020 年，multidrug resistance protein 1 遺伝子（ATP binding cassette subfamily C member 1 gene, *ABCC1*）のまれな欠損型の表現型として報告された．

5．HLA

1 HLA の発見

フランスの Dausset が 1952 年，輸血を頻回受けた患者の血清中に白血球と反応する抗体をみつけ，対応する抗原を Mac 抗原と名付けた．一方，マウスで皮膚移植の研究をしていた英国の Gorner と米国の Snell が 1936 年，マウスの血液型に関連する抗原が移植片に対する拒絶反応（同種間で組織が適合するかどうか）に強く影響していることを突き止めており，組織の適合性に関係するという点から組織適合抗原－2 histocompatibility-2 antigen（H-2 抗原）と命名していた．その後，マウスの H-2 抗原をコードしている遺伝子領域は，第 17 染色体上の複数領域にある遺伝子複合体とわかった．

Dausset 以後の研究から白血球の同種抗原 human leucocyte antigen（HLA）とマウスにおける皮膚移植片の拒絶反応などの免疫応答関連遺伝子群 histocompatibility complex が関連づけられるようになり，1964 年にそれまでに行われたヒトと実験動物での研究が整理されて，HLA こそがヒトにおける主要な組織適合抗原で，複数の遺伝子座からなる主要組織適合遺伝子複合体 major histocompatibility complex（MHC）としてまとめられた．

2 HLA の分子構造と機能，組織分布[9)]

HLA に関連する遺伝子群は第 6 番染色体の短腕上にテロメア側からセントロメア側に向かって A，C，および B（クラス I 分子），補体 C4A，C4B，factor B（クラス III 分子），DR，DQ，DP（クラス II 分子）の複数の遺伝子座として密に接して存在している．これらの遺伝子

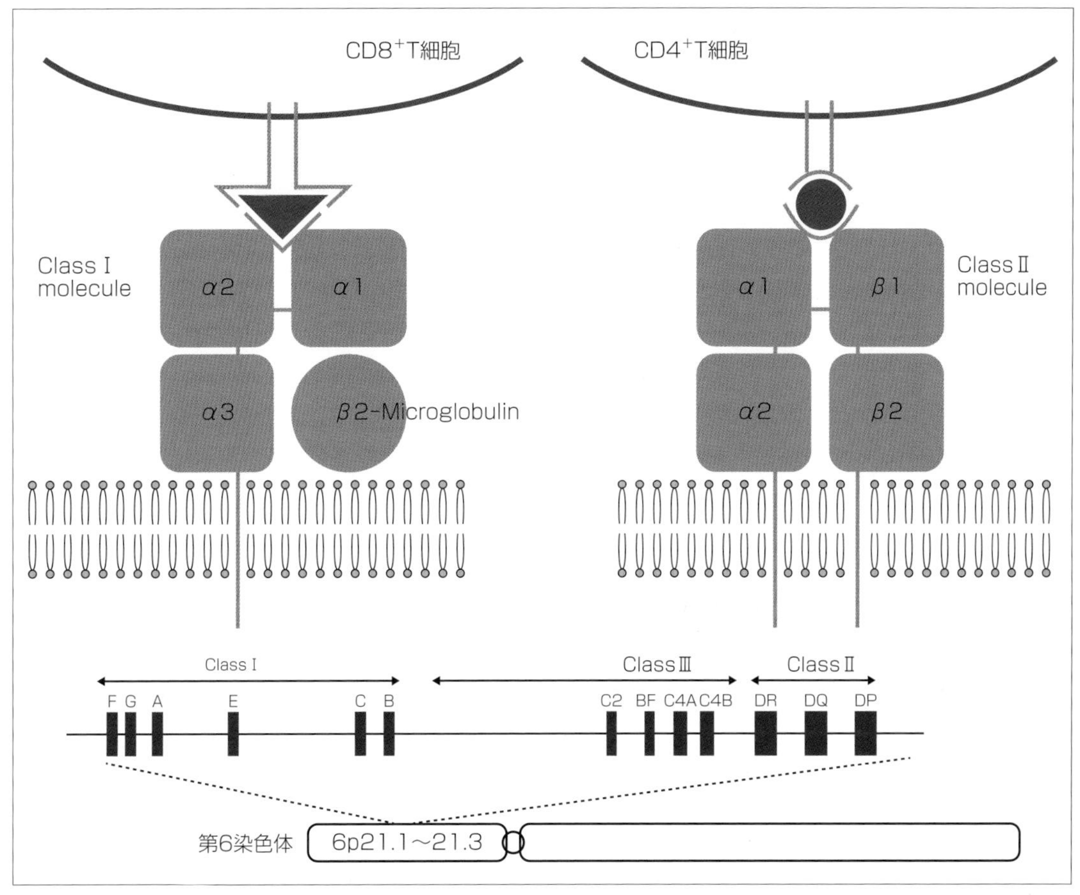

図 8-12 *HLA* 遺伝子の染色体局在とクラス I 分子，クラス II 分子による T 細胞への抗原提示

クラス II の DR，DQ，DP 各領域には細かくみると DRA，DRB3，DRB2，DRB1，DQA1，DQB1，DQA2，DQB2，DPA1，DPB1，DPA2，DPB2 の各遺伝子が順に並んでいる．提示する抗原ペプチドの大きさは報告により多少の差があるが，クラス I 分子はアミノ酸残基数 8〜10（▼），クラス II 分子は 13〜25（●）とされる[9]．

座は近接しているが故に組換えが起こりにくく，連鎖不平衡状態にあり，複数ローカスの多型性アリールが組み合わさった非常に多様性のあるハプロタイプを構成している．

クラス I 分子は β2 ミクログロブリンと細胞膜を貫通する重鎖とのヘテロダイマー，クラス II 分子は α 鎖と β 鎖のヘテロダイマーとして，いずれも細胞膜を貫通している（**図 8-12**）．クラス I，II 両ダイマーの最外層には β シートを底にして α ヘリックスで挟まれたポケット状構造があり，そこに適合するペプチド抗原を入れて免疫細胞に提示する．クラス I 分子は細胞内のウイルス抗原などに由来するペプチドをキラー T 細胞に，クラス II 分子は細胞外から取り込んだ抗原由来ペプチドをヘルパー T 細胞に提示する．

クラス I 分子はほとんどの有核細胞すべてに，クラス II 分子は B 細胞・樹状細胞・マクロファージに発現している．CD8 陽性 T 細胞（キラー T 細胞）は，細胞膜上に発現した MHC クラス I 分子と抗原を認識し，活性化する．そしてその抗原を発現している細胞，例えばウイルス感染細胞やがん細胞を傷害するようになる．

MHC クラス II 分子は，マクロファージや樹状細胞，活性化 T 細胞，B 細胞などの抗原提示細胞を含め，限られた細胞にだけ発現している．クラス II 分子は α 鎖と β 鎖の 2 つの重合体であり，それぞれ 2 つの細胞外領域および膜貫通領域，細胞内領域からなる．MHC クラスⅡ分子はヒトでは HLA-DR，HLA-DQ，HLA-DP の 3 種類があるが，DR の β 鎖は 2 種類あることが多く，これが DRα 鎖と結合するため DR 分子は 2 種類あることになる．つまり，ヒトでは 4 種類の MHC クラスⅡ分子をもつことが多い．マウス MHC クラスⅡ分子には H-2A，H-2E の 2 種類がある．エンドサイトーシスによって抗原提示細胞に取り込まれた外来抗原は，提示細胞内のエンドソームでタンパク分解酵素により消化され，ペプチド断片に分解される．MHC クラスⅡ分子に結合するペプチドはクラスⅠ分子に結合するペプチドよりも長い．ペプチド断片はその後 compartment for peptide loading（CPL）と呼ばれる小胞に移動する．小胞体で合成された MHC クラスⅡα 鎖と β 鎖はゴルジ体を通って CPL 内に移動し，この中でペプチドと MHC クラスⅡ複合体が生成され細胞表面に発現し，CD4 陽性 T 細胞（ヘルパー T 細胞）に抗原を提示して活性化させる．活性化した CD4 陽性細胞は細胞傷害性 T 細胞や B 細胞，その他の免疫細胞を活性化して異物を排除する．

3 HLA の分子構造と多型

多種多様なペプチド抗原を免疫細胞に提示するからには，ポケット状構造には豊富な多様性があるのは必然であり，血清学的な方法で識別されたクラスⅠ，Ⅱ抗原は 2016 年時点でアリールとして 1 万 5,000 以上が登録されている．

今日では次世代シークエンサーを用いて HLA 遺伝子領域のエクソンだけでなく，イントロンも含めた配列も解析できるようになり，同じ抗原型（抗原型：第 1 区域：アリールグループ）でもエクソンの塩基配列相違（第 2 区域：アリール型），コード領域内の同義置換（第 3 区域），イントロンなどの非コード領域の配列相違（第 4 区域）まで詳細に分類される．詳細分類を用いた命名は例えばクラスⅡの DRB1 遺伝子座なら，ローカス名－*アリールグループ番号：アリール型：コード領域同義置換型：非コード領域の配列相違の順に，*HLA－DRB1*15：01：01：02* というふうに記載される．

HLA は個体の免疫応答の多様性に深く関わっており，非常に多型性が高いが，法医学領域での個人識別や血縁の検査手段としては今日，後述の STR 型が用いられている．

6．血液型と臨床

血液型が臨床の場で問題となるのは，病態発生では自己免疫疾患，血液型不適合妊娠があり，治療に際しては血液製剤の使用時の人為的過誤がある．自己免疫疾患における血液型抗原に対する自己抗体は各血液型の項で適宜触れた．詳細は血液学の専門書を参照されたい．また，治療における血液製剤の重要性は論を俟たないが，日本輸血・細胞治療学会では「安全にして効果的な輸血の発展と普及を目指し，輸血医学の基礎および臨床に関する知識と実践力を備えた医師を育成すること」を目的に認定医制度を発足させ，2021 年 10 月時点で 548 人の医師が認定されている．加えて輸血関係医師と臨床検査技師が関わる 4 学会が合同で「輸血に関する正しい知識と的確な輸血検査により，輸血の安全性の向上に寄与することのできる技師の育成」を目指して認定輸血検査技師制度を 1995 年に設置し，上記時点で 1,495 人の技師が認定されている．こういった制度設置の背景には，公益財団法人「日本医療機能評価機構」（評価機構）が実施する医療事故情報収集等事業に参加している医療機関 1,573 施設（2021 年 9 月 30 日時点）からの医療事故事例の収集と分析の一環として輸血関連事故の緻密な分析がある．現場の日々の努力とこの事業により，輸血関連事故は減少しているが，残念ながら人的側面が原因となった事故例が数件散発しているのが現状である．輸血機能評価認定は評価機構が各施設において適切な輸血管理が行われているか否かを点検して認証することによって施設の輸血機能の安全姓を保証している．

輸血医療は改正薬事法，血液法により大きく変化し，輸血の際の安全の保証と製剤の適正使用が求められており，厚生労働省は「輸血療法の実施に関する指針」，「血液製剤の使用指針」，「血液製剤保管管理マニュアル」，「自己血輸血：採血および保管管理マニュアル」などを策定している．これらのマニュアルに従って，各施設で安全で有効な輸血療法が実施されることが期待されているが，指針やマニュアルには強制力がないことから，各医療機関の自主性に任されているのが現状である．さらに，これらはすべての輸血業務に言及しているのではなく，特に検査方法に関しては，詳しい規定はない．日常行われるすべての輸血の安全を保証するためにも，適切な管理が行われているか否かの評価が必要である．

施設の点検と認証の目的は，輸血用血液や分画製剤の適正使用を徹底することと輸血の安全を保証することで，より安全な輸血管理が行われることにある．

Ⅱ　DNAの多型

1985年に英国のJeffreysらが発表したDNAフィンガープリント法[10]は，DNAを用いて個人を識別できることを示したものであり，ここからいわゆる「DNA鑑定」が始まった．同時期に発表されたDNAの特定部位を増幅するポリメラーゼ連鎖反応polymerase chain reaction（PCR）法[11]を用いることにより，微量な資料からの検査が可能となったことから，現在では臨床検査や犯罪捜査などにも活用される画期的な技術となっている．特に，多数の座位を同時に検出することが可能なSTR型を用いた個人識別については，世界各国でSTR型のデータベースの構築が行われ，犯罪捜査に活用されている．STR以外のDNAの多型については，ミトコンドリアDNA多型やSNPsなどの研究があり，その検査法の特性を生かした利用も進められている．

1．DNAを個人識別に用いる意義

ヒトの体を構成する37兆個ともいわれる細胞は，父親の精子と母親の卵子が受精した1つの受精卵から細胞分裂したものである．このためDNAには，「体のどの組織（細胞）のDNAも同じ」，「生涯変わらない」といった特徴がある．また，1つの受精卵から生まれる一卵性双生児のような例外を除けば，兄弟姉妹であってもそのDNAは異なっており，「全く同じDNAを持つ人間はいない」ともいえる．このような特徴は，犯罪現場に残された資料と同じ種類の資料を検査しなくても，また，検査時期が異なっても，同じヒトに由来する資料を調べれば同じDNA型が検出されることになる（例えば，現場に残された血痕のDNAと唾液のDNAの比較や数十年たった資料から得られたDNAとの比較が可能である）．また，DNAが異なっていれば別人に由来する資料ということも明らかにできる．これらのことから，犯罪捜査だけでなくても，個人識別にヒトのDNAを利用するのは非常に有効となっている．

しかしながら，ヒトのDNAの全塩基配列は約30億塩基対存在しており，このすべての塩基配列を迅速かつ低コストで調べるのは，現在の分析技術を用いても事実上不可能である．ヒトのDNAを個人間で比較すると，「多型polymorphism」と呼ばれるDNAが個人間で異なった領域が多数存在しており，ヒトゲノムプロジェクトなどを通じて，多数の多型マーカーが特定され，これらを分析することにより精度の高い個人識別が可能となってきた．多型マーカーを用いた個人差には，DNAの長さ（塩基長多型）による違いと塩基配列の並び方の違い（塩基配列多型）の2種類がある．また，病気や身体的特徴などの遺伝情報をもつ部分は，個人間での差異が小さいため，ヒトの個人識別に利用する多型領域は，病気や身体的特徴などの遺伝情報を持たない部分に存在しているものを用いている．

2．DNAの長さの違いによる多型

ヒトのDNAには，同じ塩基配列が繰り返している部分（反復配列）が多数存在し，イントロンの半数以上は反復配列から構成されているといわれている．ゲノムDNA中に類似配列が散在している散在型やある特定の部位にある配列が連続して繰り返している縦列型がある．法医学領域における個人識別のためのDNA多型としては，縦列型の反復配列が用いられている．反復配列は，1繰り返し単位が2塩基から数十塩基とさまざまであるが，数十塩基単位の単純配列の繰り返し単位はミニサテライトあるいはVNTRと呼ばれ，反復単位が2塩基から5塩基程度を基本単位とした反復配列はマイクロサテライトあるいはSTRと呼ばれている．

1. DNAフィンガープリントDNA fingerprint

1985年，英国のJeffreysらは，ミオグロビン遺伝子にある反復配列を分析していくなかで，グロビンやインスリン遺伝子などの反復配列中にも相互に類似している反復配列を見出した．ヒトDNAを特定の制限酵素で切断したあと，アガロースゲル電気泳動を行い，この反復配列をプローブとしたサザンハイブリダイゼーションsouthern hybridizationを行ったところ，ヒトの間で共通するバンドとともに二十数個の異なったバンドが検出された［図8-13（a)］．これらのプローブは，複数の遺伝子座を検出することからマルチローカス・プローブmulti locus probe法と呼ばれた．それぞれのバンドは親子で遺伝するものであるが，血縁関係のないものの間ではそのパターンが異なり，高い識別力を示すことになる．ただし，検出されたバンドの染色体上の位置（座位）が不明であるため，それぞれのバンド間に連鎖がないという保証はない．この高い個人識別力を指紋になぞらえて，DNAフィンガープリントと呼ばれた．この方法は，検出された多数のバンドの資料間での比較する際の精度に課題があったことや，検査には比較的高分子のDNAを多量に必要としたことから，法医資料のようなDNAが微量・分解しているような検査には向かないため，現在では刑事鑑定に用いられていない．

2. ミニサテライト，VNTR

1987年，Nakamuraらは，1つの座位に特異的な反復配列をプローブとすることにより，特定の座位の反復配列の繰り返し数を検出するシングルローカス・プローブsingle-locus probe法を開発[12]した．この方法は，ヒトの染色体DNAの1か所にしか反応しないプローブを用いるため，サザンハイブリダイゼーションの結果，得られるバンドは2本（heterozygote）あるいは1本（homozygote）となり，資料間のバンドの比較は容易となり，個人識別や親子鑑定への利用が行われた［図8-13（b)］．しかし，この方法も，サザンハイブリダイゼーション法を用いているため，多量の高分子DNAが必要なことや標識したプローブによる検出のために検出に時間がかかるものであった．

特定のDNA配列を増幅する技術として，1985年に開発されたPCR法は，微量資料を取り扱う法医資料において期待される方法であったが，当時のPCR技術では，1 kb以上の大きさのDNA増幅は困難であった．Kasaiらは，DNA増幅可能な短い反復配列を含む第一番染色体の短腕部末端付近に存在するD1S80（MCT118）座位を用いた検査法[13]を開発した．この座位は，16塩基を反復配列の基本単位とし

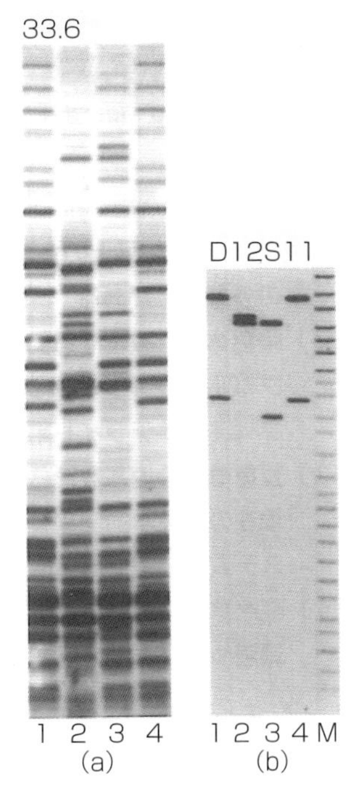

図 8-13 マルチローカス・プローブ (a) とシングルローカス・プローブ (b) による検出

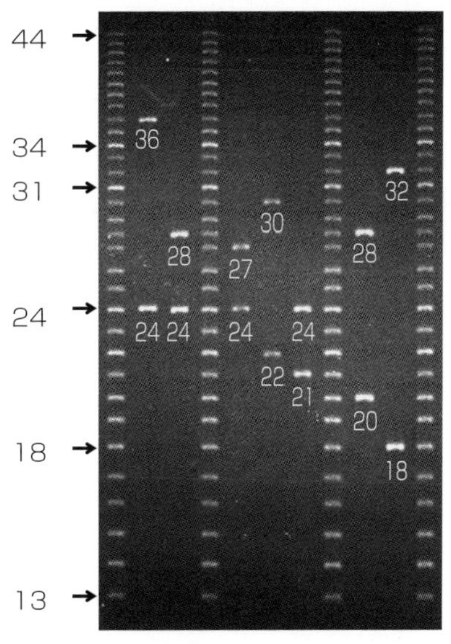

図 8-14 D1S80 (MCT118) 座位のバンドパターン

て，13～44 回の 30 種類以上の反復回数の違いを示すアレルを持つ座位である（**図 8-14**）．特に，アジア系集団では広範囲のアレル数と多型性を示すマーカーである．また，検出されるアレルを多数混合したアレリックラダーマーカーも作成できるようになったことから，再現性の高い，正確な型判定ができるようになり，1990 年代には，この座位を用いた検査キットも市販されるようになり，日本だけでなく欧州や米国でも検査が行われていた．

しかし，PCR を用いることによって微量資料からの検出が可能となったものの，D1S80（MCT118）座位は，16 塩基の反復配列であったため，PCR 増幅する DNA 全体の長さが 300～800 塩基必要となるものであった．このため，D1S80（MCT118）は，1 回の検査で高い識別力が得られる有効な検査法であったものの，法医資料のもう一つの特徴である分解した DNA からの検出には困難な場合も多く，現在では，検査キットの市販はされていない．

3. 縦列型反復配列（STR）

1990 年代半ばから，STR と呼ばれる 2～5 塩基を反復配列の単位として，数回から数十回の反復回数の違いを持つ座位の利用が始まった．反復配列の単位が短く，PCR 増幅する DNA 全体の長さが100～400塩基と小さいため，分解した DNA からの型検出の可能性が VNTR に比べて飛躍的に向上している．さらに，PCR についても，1 回の PCR 反応で 1 座位だけを増幅するシングルプレックス PCR 法から，PCR プライマーを複数の蛍光色素でラベルし，PCR 増幅する DNA の長さを調節することにより，同時に複数の STR 座位を増幅し，検出可能としたマルチプレックス（multiplex）PCR 法が開発され，限られた量の DNA から多数の STR 座位の検査が可能となった．

STR 座位の各アレルは，反復配列の繰り返しの数で表される．STR 座位も VNTR と同様に染色体に 1 か所ずつ存在する座位を調べるため，1 人のヒトが 8 回繰り返しと 10 回繰り返しを持っている場合，「8，10 型」のように表記されることとなる．

今日では，検査の信頼性の担保や国際比較の必要性から，個人識別のためのSTR型検査は市販の検査キットを用いて行うことが多い．日本では主として15座位のSTR型検査座位とアメロゲニン座位を同時に検査するキットを利用したDNA型検査が行われていた．その後，欧米においてDNAデータベースに登録される座位の追加[14),15)]に対応した検査キットが市販されるようになったことから，2019年からは21座位の常染色体STR型，2座位のY染色体STR型およびアメロゲニン座位の合計24座位を同時検査する検査キットの利用が始まった（図8-15，16）．

また，1990年代後半からは，自動分析装置のジェネティックアナライザー（シーケンサー）を用いたキャピラリー電気泳動がPCR増幅産物の塩基長を測定するのに導入され，STR座位のDNAの長さを迅速かつ正確に行えるようになった．ジェネティックアナライザーは，異なった波長の蛍光色素で標識したPCR増幅産物を検出することが可能な装置で，マルチプレックスPCR法と組み合わせることにより，同一塩基長のPCR産物でも蛍光色素の違いにより識別が可能な装置である．20世紀末から始まったゲノムプロジェクトによりシーケンサーが急速に進歩したことから，当初，1資料ずつしか電気泳動できない装置であったが，2000年代はじめには，16資料同時に電気泳動が可能な装置が開発され，現在では，24資料を同時に電気泳動可能なジェネティックアナライザーが利用されている（なお，最大96資料同時に電気泳動が可能な機器もあるが，蛍光の干渉があるため，法科学資料の鑑定には用いられていない）．

4．性染色体STR

Y染色体やX染色体といった性染色体にもSTRは存在しており，区別のため，常染色体に存在するSTRを常染色体STR，性染色体上のSTRは性染色体STRと呼ぶこともある．性染色体STRの検査方法も常染色体STRと同様にマルチプレックスPCR法とジェネティックアナライザーを用いて行われている．常染色体STRは，各染色体上の1か所，あるいは，同一染色体上でも遺伝的距離の離れた数か所検査するのに対して，性染色体STRは，YあるいはX染色体上の多数のSTRを調べている．

Y染色体上のSTR（Y-STR）は，同一性染色体上に多数存在し，各座位に検出されたY-STR型を組み合わせたハプロタイプ（各座位のアレルの組み合わせ）として父から息子に遺伝される．したがって，男性資料からは，通常，各座位に1つのアレルのみが検出され，女性資料からはアレルが検出されない．このような特徴は，父子鑑定や男性の個人識別，あるいは男系親族関係を利用した身元確認に有効である．例えば，強姦事件の精液腟液混合斑痕などの性犯罪資料においては，常染色体STR型検査では，男性と女性の混合したSTR型が検出され，男女の由来となるSTR型の判断は困難となるが，Y染色体STR型検査では，男性のみのY-STR型を検出することが可能である（図8-17，18）．また，Y-STR型は男系親族間で同一なため男系親族間の識別はできなかったが，近年市販されるようになったY染色体上の27か所を同時検査する検査キットにおいては，男系親族間でも突然変異が多く観察される座位（rapidly mutating Y-STR）[16)]が含まれており，男系親族間の識別の可能性が加わり，活用の幅が広がっている．

X染色体上のSTR（X-STR）は，父から娘には父親のX-STRがそのまま遺伝される．しかし，母から子（息子，娘）の場合には，母親のX染色体は，減数分裂の際に組み換えが起きていることから，母親のX-STR型のハプロタイプがそのまま遺伝しない場合もあることを考慮して利用する必要がある．

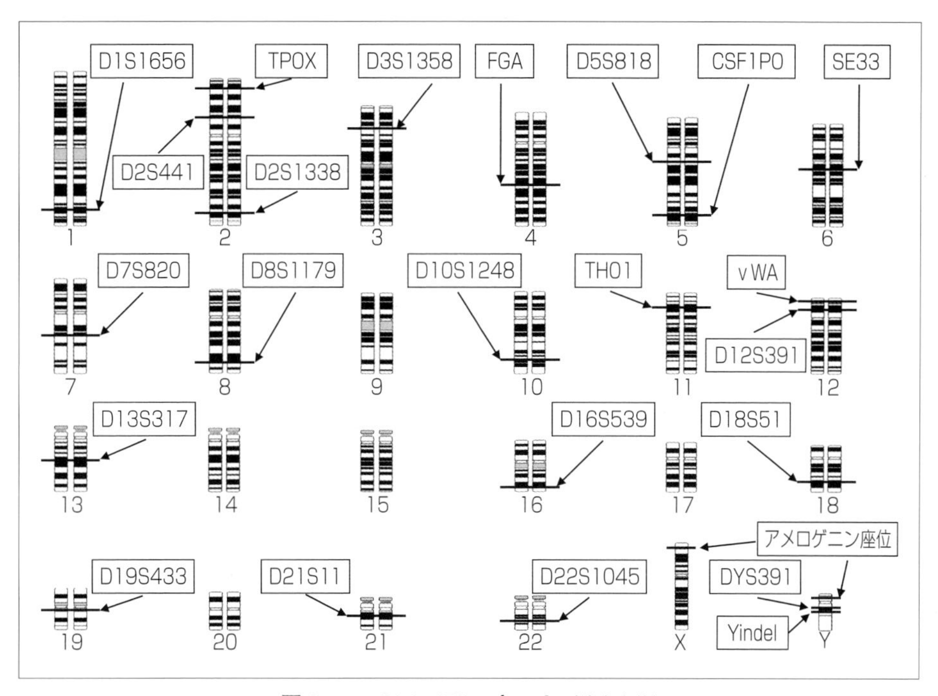

図 8-15 GlobalFiler キット（検査座位）

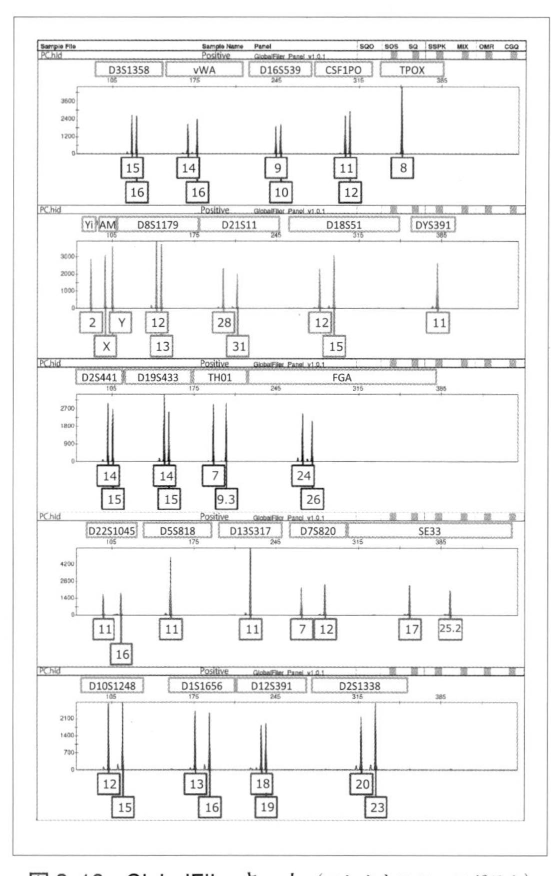

図 8-16 GlobalFiler キット（エレクトロフェログラム）

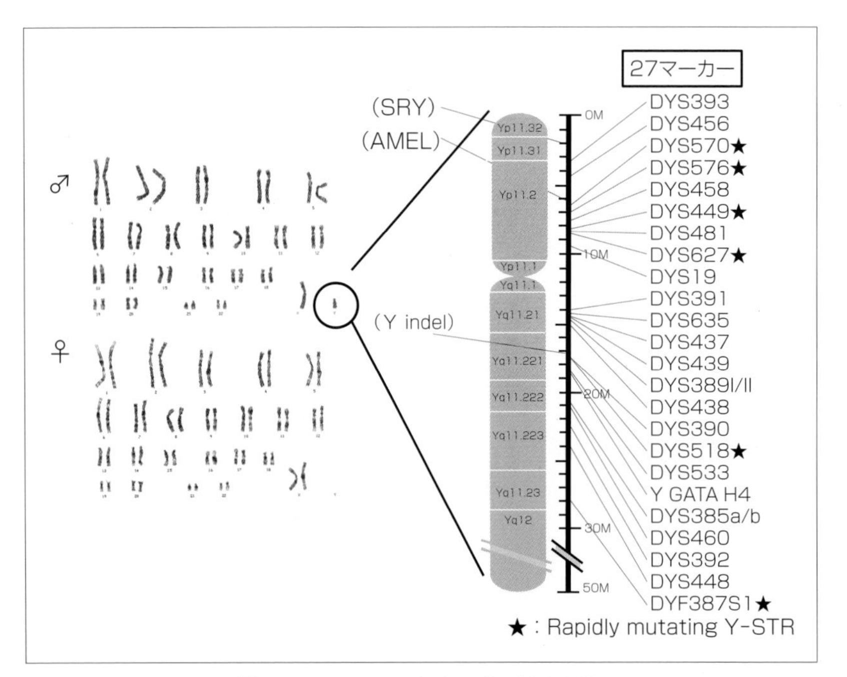

図 8-17　YfilerPlus キット（検査座位）

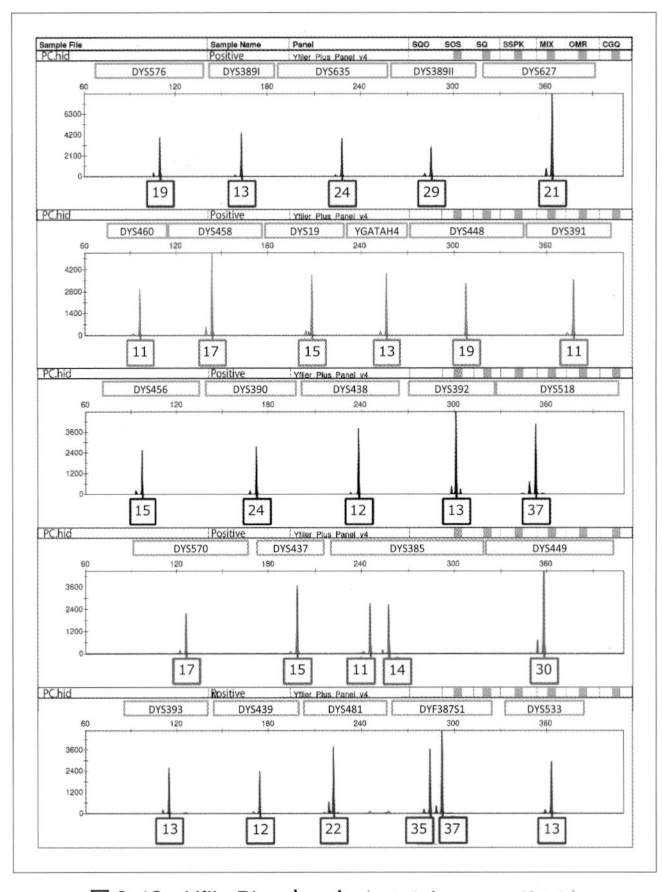

図 8-18　YfilerPlus キット（エレクトロフェログラム）

3．DNAの塩基配列の違いによる多型

DNAの塩基配列の違いには，DNA配列の欠失や挿入による多型や塩基置換による多型がある．現在は用いられていないが，ハイブリダイゼーションを用いて検査を行う，白血球のHLAのDNA型を検査するHLA-DQα型検査キットや血清型のGc型や血液型のMN型に関連するDNA型など5つのDNA型を同時に調べるPM検査キットが1990年代には利用されていた．

1．アメロゲニン

歯のエナメル質のタンパク質をコードしているアメロゲニン遺伝子はXとYの性染色体上に存在している．X染色体とY染色体に存在するアメロゲニン遺伝子には，若干の違いがある．市販のキットの多くは，アメロゲニン遺伝子のX染色体上の第1イントロンに，Y染色体に比べて6 bpの欠失が生じていることを利用している[17]．アメロゲニン座位を利用して，資料の男女の由来を調べることが可能であるが，この座位が性別を決定しているわけではないため，ごくまれに，アメロゲニンの性別判定結果と実際の性別が異なる場合もあることを認識しておく必要がある．

2．一塩基多型（SNPs）

ヒトゲノム塩基配列上の文字通り1塩基の置換や挿入/欠失による違いをSNPsと呼んでいる．ヒトゲノムには，数百万のSNPsが存在しているといわれており，多型マーカーとしてだけではなく，臨床分野での研究や利用も行われている．ABO式血液型をはじめとする血液型の多型やミトコンドリアDNAの多型もSNPsである．

DNAの長さの違いを検査するSTR型検査が100～400塩基の検査領域を必要とするのに比べて，SNPs検査は，塩基置換部位周辺の100塩基以下の領域で検査可能であるため，骨や腐敗した組織といったDNAの断片化が進んだ資料の検査においても有効である（図8-19）．しかし，SNPsは，1つの座位に2種類のアレルしか存在しないことが多いため，STR型検査と同等の識別力を得るためには数十から数百の座位の分析が必要であり，また，混合の有無の判断も容易ではない．このような課題が存在するため，現状では，個人識別での活用より，むしろ髪の毛の色や虹彩の色といった表現型を示すSNPsの研究[18]や次世代シーケンサーを用いて多数のSNPsを検出することにより復顔を試み

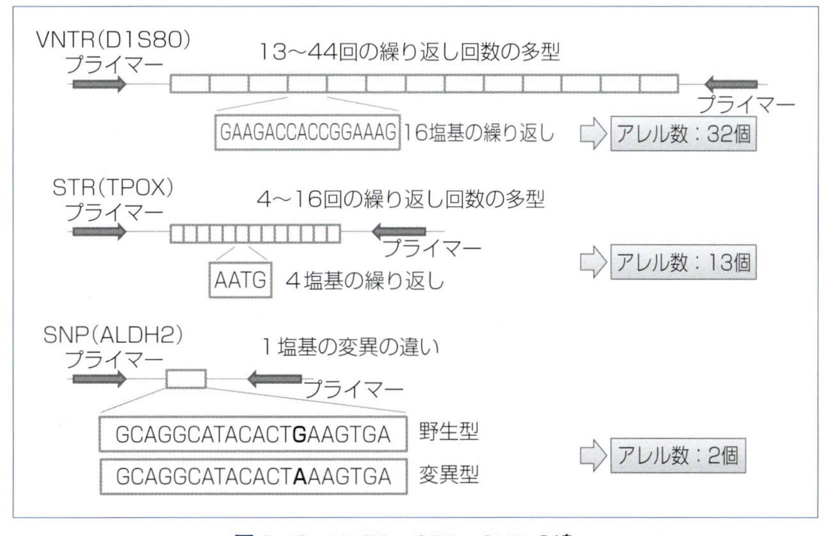

図8-19 VNTR，STR，SNPの違い

る研究[19]などが進められている.

3. コピー数多型（CNV）

ヒトゲノムDNAの中には，染色体の欠失や，重複，転座などのゲノム再構成により，通常2コピー存在する領域が，ヒトにより1コピー以下（欠失）しか存在しなかったり，3コピー以上（重複）存在している領域がある．このようなコピー数の違いによる多型をCNVと呼んでいる．CNVは，SNPに比べて発生する可能性が高く，遺伝疾患にかかわる場合も多いが，一卵性双生児でもCNVが異なるといった報告[20]もある.

4．DNA多型の有用性の評価

DNA多型を用いた個人識別においては，資料の間で検出されたDNAプロファイルがすべて同じか否かが重要である．しかし，DNAプロファイルが同じであったとしても，それが集団のなかで出現頻度が高いDNAプロファイルであれば偶然に一致した可能性もゼロではない．そのため，偶然に一致する確率を示すDNAプロファイルを構成する各アレルの出現頻度は，DNA多型の識別力を示す有用な指標といえる．こういったアレルの出現頻度は，居住地域や人種ごとの非血縁者集団を単位として資料が採取され，アレルの出現頻度が報告されている.

DNA多型性は，含まれるアレルの数が多く，それらの出現頻度が均等であるほど，集団のなかで偶然に同じDNAプロファイルをみつける可能性が低くなるためその有用性が高くなる．現在の個人識別の主流であるSTR型検査は，一つひとつのSTR型の識別力はそれほど大きくないもののそれらを複数組み合わせ，同時に検出することにより識別力を向上させている．複数の検査部位を組み合わせて評価する際には，各検査部位が連鎖していないことが重要である．各検査部位が異なった染色体上に存在していたり，同一染色体上であっても十分離れた部位にあれば，それぞれの有用性を表す指標を掛けあわせることによって，総合識別力を求めることが可能である．しかし，Y染色体やX染色体上のSTRのように，複数の検査部位が連鎖している場合は，複数の検査部位を1つのハプロタイプとして計算する必要があるので注意が必要である.

また，実際の資料から検出されるDNAプロファイルは複数人に由来することも多い．そのようなDNAプロファイルから，それぞれのアレルの由来を推定することは非常に困難であるが，最近では数学・統計学に基づいて開発されたソフトウエアを用いて，その由来の推定が可能となってきている[21].

1. 偶然一致率 random match probability（RMP）と出現頻度 allele frequency

DNAプロファイルが集団から選んだ任意の人物のDNAプロファイルと合致する確率を偶然一致率といい，単独資料のDNAプロファイルの場合は，DNAプロファイルの出現頻度と一致する．DNAプロファイルが同一のアレル（出現頻度：p）であるホモ接合体の場合，DNAプロファイルの出現頻度は，$p \times p$と計算できる．また，DNAプロファイルが異なったアレル（それぞれの出現頻度：p，q）であるヘテロ接合体の場合，DNAプロファイルの出現頻度は，$2 \times p \times q$と計算できる.

例えば，21のSTR座位を調べるGlobalFilerキットに含まれるTPOX座位では，日本人において，最も頻度の高いDNAプロファイル（8, 11型）の出現頻度は，3.1人に1人（0.3228）であり，ほかの座位のDNAプロファイルも，SE33座位を除けば，約4人から15人に1人という出現頻度である（SE33座位はアレルの数が多く，日本人で最も頻度の高い型は64.4人に1人となっている）[22]．しかし，このキットで得られる常染色体STR型21座位は連鎖していないため，掛け合わせると，約565京人に1人という高い出現頻度として計算できる.

日本で行われてきたDNA型鑑定検査におい

表 8-5 DNA 型による個人識別精度

導入時期	検査法	日本人で最も出現頻度の高い DNA 型を組み合わせた場合の総合出現頻度
1992 年	MCT118 型検査 HLADQα 型検査	93 人に 1 人
1996 年	MCT118 型検査 HLADQα 型検査 TH01 型 PM 検査（5 種類）	2.3 万人に 1 人
2003 年	MCT118 型検査 STR 型検査（9 座位）	1 億 8,000 万人に 1 人 （STR 型のみでは，1,100 万人に 1 人）
2006 年	STR 型検査（15 座位）	4.7 兆人に 1 人
2019 年	STR 型検査（21 座位）	565 京人に 1 人

て，最も頻度の高い DNA プロファイルを組み合わせた場合の総合出現頻度を表 8-5 に示す．

2. ヘテロ接合度 heterozygosity（H）

集団のなかにおけるヘテロ接合体の割合である．アレルの数が多く，その頻度が均等であるほどヘテロ接合度は 1 に近づき，多様性が高くなる．各アレルの頻度を Pi，アレルの数を n とすると以下の式で計算できる．

$$H = 1 - \sum_{i=1}^{n} Pi^2$$

3. 識別率 power of discrimination（PD）

集団のなかの任意の 2 人の DNA プロファイルが異なる確率である．任意の 2 人の DNA プロファイルが同じ確率を 1 から引いたものである．したがって，この値が 1 に近づくほど識別力が高くなる．各アレルの頻度を Pi，Pj，アレルの数を n とすると以下の式で計算できる．

$$PD = 1 - \left(\sum_{i=1}^{n} Pi^2 \times Pi^2 + \sum_{i<j}^{n} (2PiPj) \times (2PiPj) \right)$$

N 種類の座位の識別率 PDN は，各座位の DNA プロファイルがすべて同じ確率を 1 から引いたものになるので，以下の式で計算できる．

$$PD_N = 1 - \prod_{l=1}^{N} (1 - PD_l)$$

4. 多型情報含有値 polymorphic information content（PIC）

子の持つアレルについて両親のどちらから受け継いだものかを判定できる確率であり，血縁鑑定をする際の有用性の指標である．両親がホモ接合体の場合やヘテロ接合体の場合，子のアレルの由来がわからないため，各アレルの頻度を Pi，Pj，アレルの数を n とすると以下の式で計算できる．

$$PIC = 1 - \sum_{i=1}^{n} Pi^2 - 2\sum_{i=1}^{n-1} \sum_{j=i+1}^{n} Pi^2Pj^2$$
$$= 1 - \sum_{i=1}^{n} Pi^2 - \left(\sum_{i=1}^{n} Pi^2 \right)^2 + \sum_{i=1}^{n} Pi^4$$

5．ミトコンドリア DNA 多型

1 概　要

ミトコンドリアは，その内膜に存在する電子伝達系により，酸素呼吸によるエネルギー産生の最終段階を担当する細胞内小器官である．ヒトを含む真核生物の細胞には，核に存在する核 DNA のほかに，ミトコンドリアにも DNA が存在している．ヒトミトコンドリア DNA は約 16,569 塩基対からなる環状の DNA であり，遺伝情報として読み取られる部分（コーディング領域）がその大半を占める無駄のない構造を持つ（図 8-20）．法医学的視点からみて，ミトコンドリア DNA は核 DNA と比べ，以下のような 3 つの特徴がある．① 1 個の細胞に 2 コピーしか存在しない核 DNA と比べ，ミトコンドリア DNA は 1,000 コピー以上も存在することがある．法医実務における DNA 鑑定では，試料

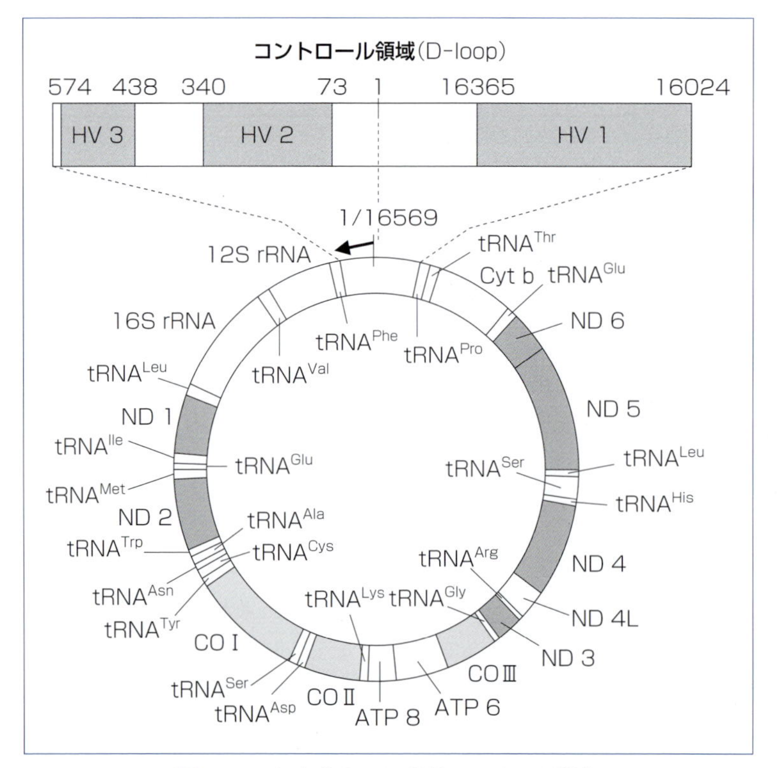

図 8-20　ヒトミトコンドリア DNA の構造

環状構造を取り，2 種類のリボソーム RNA（12S および 16S rRNA），13 種類のタンパク質（NADH デヒドロゲナーゼ（ND）1〜6，チトクローム C 酸化酵素（CO）Ⅰ〜Ⅲ，ATP 合成酵素（ATP）6 および 8，チトクローム b（Cyt b）），22 種類のトランスファー RNA（tRNA）がコードされている．最大のノンコード領域であるコントロール領域（D-loop）には，特に多型性の高い領域が 3 か所ある（HV1〜3）．

が経年変化や腐敗により変性していたり，あるいは非常に微量であったりする場合が少なくない．上記の特徴から，こうした試料中に解析可能なミトコンドリア DNA が残存している確率は核 DNA の場合に比べて高くなる．② ミトコンドリア DNA は父親から子に受け継がれることは原則的になく，母親からのみ子へ伝わっていく(母系遺伝)．したがって世代ごとに組み換えが起こらず，母系の親族は原則的に同一のミトコンドリア DNA の塩基配列を持つことになる．③ 父系の血縁解析ができないので核 DNA 解析と比べて個人識別能力は劣るが，突然変異が核 DNA の5〜10倍の頻度で蓄積されるため，法医実務に適用しうる個人識別能力を有している．

2 検出方法

1981 年にはすでに Anderson ら[23]によってヒトミトコンドリア DNA のすべての塩基配列が決定された．その後，1999 年に Andrews ら[24]によってこの塩基配列の見直しが行われ，いくつかの訂正報告がなされている．現在では見直された塩基配列を revised Cambridge Reference Sequence（rCRS）と呼び，人類の標準塩基配列として広く用いられている．

Anderson ら[23]の報告によって DNA を切断する制限酵素の認識部位が明らかになり，1980 年代〜1990 年代前半には制限酵素による切断パターンの違いによる塩基置換の有無を検出する方法 restriction fragment length polymorphism（RFLP）を用いたコーディング領域の解析を中心とする研究が進められた．同じ頃，チトクロームオキシダーゼⅡ遺伝子とリジントランスファーRNA遺伝子に挟まれた領域の9塩基繰り返し配列多型などの特定の塩基配列の欠損あるいは挿入する変異が見出された．現在では，RFLP法では制限酵素で認識できない塩基置換部位を検出できず，塩基配列の欠損・挿入についてもその多型性が高いとはいえないことから，法医DNA鑑定に用いられることはほとんどなくなった．

1990年代に入ると，関連試薬および器具の整備・普及によりポリメラーゼ連鎖反応 polymerase chain reaction（PCR）法を用いた目的遺伝子の増幅，およびその塩基配列決定が飛躍的に容易になり，ミトコンドリアDNA解析の中心はコーディング領域からコントロール領域［displacement loop（D-loop）とも呼ばれる］の塩基配列多型の検出へと移っていった．コントロール領域は約1122塩基対の長さを持ち，ミトコンドリアDNAのなかでは例外的に遺伝情報をコードしていないが，突然変異の蓄積率が特に高いことも特徴的であり，そのため同一種内においても多型性が高く，個体識別に適している．

現在の法医学領域のミトコンドリアDNA解析では，このコントロール領域のなかで特に多型性の高いHV1（hypervariable region 1：塩基番号16024-16365）およびHV2（塩基番号73-340），場合によってはHV3（塩基番号438-574）の塩基配列を決定し，前述の人類標準塩基配列と比較して塩基置換の有無を検出する方法が主流となっている（図8-20）．

3 ヒトミトコンドリアDNA多型解析の今後

今世紀に入り，Ingmanら[25]により，世界の人類集団から選ばれた53人のミトコンドリアDNAの全塩基配列が決定され，それに基づいた系統樹が作製された．その後，世界のさまざまな人類集団について同様の解析が行われ，ミトコンドリアDNAの遺伝子型の系統樹上の位置づけ（ハプログループ）が明確になり，各人類集団の系統関係が急速に整備されつつある（例えばTanakaら[26]など）．観察されるハプログループの種類，およびその頻度は人類集団ごとに異なっており，ある人類集団に特異的にみられるハプログループも存在することが明らかになってきた．犯罪の国際化が急速に進んでいる昨今，このハプログループ分類を用いた出自集団の推定が，わが国の法医学領域で実用化されつつある．

さらに，ここ10年ほどで急速に普及してきているのが，次世代シークエンサー（next generation sequencer：NGS．解析対象中に含まれるすべてのDNAを並列で解析できることから，近年海外ではmassive parallel sequencerという呼び名が一般的）と呼ばれる機器を用いた，ミトコンドリアDNAの全塩基配列解析である．この次世代シークエンサーはこれまでのサンガー法による解析と異なり，試料中に含まれるDNAの断片化が進んでいたとしても，短いDNA断片の塩基配列をつなぎ合わせることで長鎖のDNAの配列を復元することが可能である．この機器を用いることで，数千年以上経過した人骨についても，ミトコンドリアDNAのみならず核ゲノムの全塩基配列解析にも高精度で成功した事例も報告されている[27]．わが国においても，近い将来，この機器を用いた法医DNA鑑定が実用されてくるものと思われる．

4 DNA配列に基づいた動物種識別

法医学領域におけるミトコンドリアDNA解析の対象はヒトのみにとどまらない．例えば，微小な骨片・肉片など，その形態からは情報を得ることが困難な法医学的試料がいかなる動物のものであるかを同定することは重要な鑑定事項である．

近年，さまざまな動物種において，そのミトコンドリアDNAの全配列，あるいは配列の一部が決定されている．未知の動物種にも適応できるプライマーを対象領域（動物種識別には12Sあるいは16SリボソームRNA領域が用いられることが多い．例えばKitanoら[28]など）に設定して目的断片を増幅し，その塩基配列を決定して既報の動物種のそれと比較することにより動物種の同定が可能となる場合があり，すでに実際の鑑定に用いられている．

Ⅲ　親子鑑定

1．親子鑑定の意味

2014年7月17日最高裁第一小法廷は「DNA鑑定で父子関係が否定されても，法的な父子関係を取り消すことはできない」との初めての判断[29]を示した．民法772条は「妻が婚姻中に妊娠した子は夫の子と推定する（嫡出推定）」と規定し，今回の判決はこの民法の趣旨を踏まえ，DNA鑑定では嫡出推定を覆せないと判断した．1，2審は父子関係の取り消しを認めたが，最高裁では5人の裁判官のうち，3人が1，2審を否定する判決であった（図8-21）．しかしながら，嫡出推定と現実とのずれが広がりつつあり，裁判官の個別意見でも法整備の必要性を指摘している．

近年の注目される最高裁判断に次のような例がある．

① 死亡した夫の凍結精子で妊娠・出産した子について，夫との父子関係を認めない（2006年）[30]．

② 代理出産を依頼した夫婦と，代理母から生まれた子との親子関係を認めない（2007年）[31]．

③「性同一性障害」で性別を女性から変更した男性とその妻が，第三者から提供の精子で妊娠し，その子を男性の子の父親と認める（2013年）[32]．

わが子が自分に似ていないために妻の不貞を疑って責めたり，また実際父子関係に問題がなくても実子として法的に取り扱われなかったりする場合がある．古い話として，子に対する愛情の深さから親子の判断が行われたこともある．現在では科学的，生物学的な方法によって親子の鑑別が行われているが，前述したように最近の判決では，民法の枠組みを重視した司法判断もなされている．必要となる親子鑑定の例を表8-6にまとめた．

母子関係が成立していることを前提として，父子関係が問題となる場合，特に婚姻関係のない男女の間に生まれた子（非嫡出子）を実の子として認めさせたい例が最も多い（認知請求）．親が子を認知しない場合は法的な親子関係がないため，嫡出でない子は法律上の父を持てないことになる．したがって，子やその法定代理人は認知の訴えを提起することができるが，父と疑われている男が死亡した日から3年を経過したときはこの訴えは提起できなくなる．

民法772条（嫡出の推定）には①妻が婚姻中に懐胎した子は夫の子，②婚姻成立の日から200日後に生まれた子は婚姻中の夫の子，③婚姻の解消もしくは取消しの日から300日以内に生まれた子は婚姻中の夫の子と推定する規定がある．しかし妻が夫以外の男性と性的関係を結

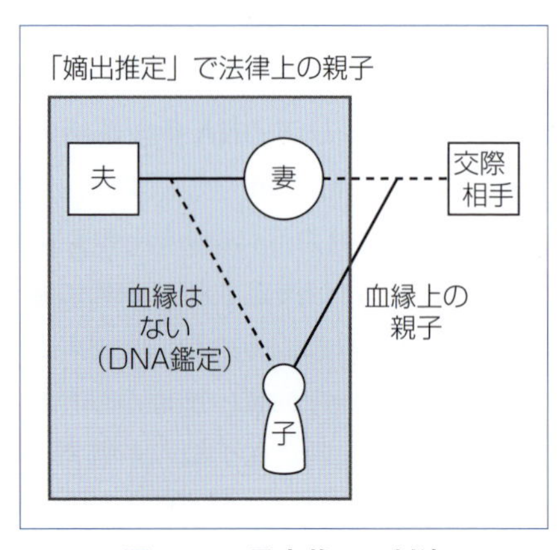

図8-21　最高裁での判決

表 8-6 必要とする親子鑑別

母子関係成立				父母関係成立		親の死亡	
認知請求	嫡出否認	父子関係の決定	親子関係の存在，不存在	子の取り違え	中国残留孤児	子の血縁関係（同胞関係）	中国残留孤児
婚姻関係のない男女間の子 男性に子の認知を認めさせる 最も多いケース （民 779 条）	妻との間の子を否認して夫が訴える （民 722 条） （民 774 条）	離婚後 100 日以内に再婚して生まれた子の父を定められない場合 （民 733 条） （民 772 条） （民 773 条）	生後 1 年以上の場合の父子関係の存否の確認 養子縁組の解消 違法な出生届の解消	産院での取り違え	中国残留孤児の実子としての確認	片親または両親死亡の場合の血縁関係の確認 兄弟関係の確認	中国残留孤児の血縁関係の確認

び生まれた子であっても，法的には夫がその子の父となる．このような場合，民法774条では，夫が嫡出の否認の訴えを生後 1 年以内に起こすことを可能にしている（嫡出の否認）．1 年以後は親子関係不存在の確認として夫以外の親族でも訴えることができる．また養子縁組や違法な出生届によって実子でない子を入籍し，後に親子関係を解消したい場合も同様である．最近では，夫が妻に対して「嫡出否認」や「親子関係不存在」に基づいて実子であることを否定する訴えが多くなっている．

嫡出子否認のケースではないが，女性の再婚禁止期間以内（100 日）に再婚して懐胎した場合，前夫の子か再婚の夫の子かが決定できなくなる．このような例では裁判所が親子鑑定の結果に基づいて父子関係の決定を行う．一方，母子に対する父の問題でなく，父母に対して実子かどうかの疑いがある場合として，産院での子の取り違えケースや，中国残留孤児の親子関係存在確認などがある．

その他に，① 片親が死亡した場合の当事者間の血縁関係の存否，② 同胞（兄弟姉妹），半同胞（異母・父 兄弟姉妹）関係の存否，③ 中国残留孤児の血縁関係の存否などがあげられる．

2．検査方法

初歩的な検討事項として産科的な情報を得る必要がある．つまり，生年月日が明らかな場合は，妊娠した日を推定し，当事者間に性的関係が存在したかどうかを確認しなければならない．客観的に否定可能であれば，生物学的検査による決定は必要としない．また男性の生殖能力の有無が問題とされることもあり，場合によっては臨床的な検査結果が求められることもある．

単純な遺伝形質は，環境因子に影響を受けず，遺伝子のみによって決定され，メンデルの法則にしたがっている．従来は，血液型形質（赤血球型，血清タンパク型，血球酵素型，白血球 HLA 型）を主体に，その他に形態学的特徴や皮膚紋理，耳垢型なども参考にされたが，現在では ABO 式血液型検査は実施される場合もあるが，識別力としては DNA 型検査のみで，きわめて精度の高い結果が得られる．

1 血液型・血清型・酵素型検査

赤血球型の代表として ABO，Rh，MNSs，P，などがある．ABO 式血液型の表現型から遺伝子型が判定できるのは O 型と AB 型のみで，A 型と B 型の遺伝子型は家系調査によらなければならない．型活性が弱い A 型や B 型の変異型では抗 H 凝集素に対して O 型に近い強い反応を示す．例えば O 型と AB 型の両親から，AB 型や O 型の子が生まれることがある．これは *cis*AB 遺伝子型によると考えられ，日本に多い例として血縁関係の矛盾に注意しなければならない．

血液型以外に血清型（Gm など），赤血球酵素型（PGM 1 型，GPT 型，ESD 型など）も重要な検査であり，DNA 型検査の導入以前には合計20〜30項目が実施されていた．ときには沈黙遺伝子や不活性遺伝子の存在によって遺伝法則に矛盾する結果も得られ，一つの遺伝形質の否定（孤立否定）に基づく親子関係の判断に危険性も認められた．各検査単独での排除率が低いため多くの検査項目を必要とし，また検査時間も長くなるため，現在の親子鑑定にはほとんど利用されていない．

2 DNA 型検査

1．鑑定資料

血液型検査には採血を必要としたが，現在ではDNA 検査のみが実施されているため，綿棒あるいは専用の採取器具で頬の内側の粘膜を擦って口腔内細胞からDNA を抽出する方法が一般的である．関係者が死亡しているときはへその緒，毛髪，爪，病院保存の組織，カルテの血液型判定用の血痕，歯ブラシ，電気ひげそり内の髭なども有効であるが，特に在宅の資料については，関係者本人に由来する資料であることの確認は重要である．またこれらの資料は，保存状態によっては十分なDNA が残存していなかったり，DNA の断片化が起きている可能性があるため，DNA 検査の種類や方法の選択やその結果の解釈を慎重に行う必要がある．関係者に由来する資料が存在しない場合は，生存する複数の血縁関係者を検査して判定を行う．

2．主な検査法

現在の親子鑑定のためのDNA 検査では，常染色体のマルチプレックスSTR 法（p.247 参照）を用いて多数のSTR 型を一度に判定する方法がとられている．同時に多数の座位のSTR 型を検出し，それぞれの座位について親子関係の有無（図 8-22，GlobalFiler キットによる親子鑑定）を検討する．子供のSTR 型の各アレルがメンデルの法則に従い，父や母の持つアレルを1つずつ受け継いでいるかをすべての検査座位で確認し，後述する確率計算を行う方法が一般的である．

ただし，STR 型を用いた親子鑑定を行う際にはいくつか注意点があり，それらを考慮して最終的な判断を行う必要がある．STR 型は1回の減数分裂において 10^{-4}から 10^{-3}程度の突然変異[33]があるため，親子でも1座位程度の矛盾（孤立否定）が検出されることがある．また，STR 型検査に用いられるPCR プライマーの結合部位の変異により，アレルが検出されないか，検出されても僅かにしかアレルが検出されない場合（サイレントアレル）があり，見かけ上，親子関係に矛盾が観察される場合もある（図 8-23 左）．このような場合には，プライマー結合部位の異なる別の検査キットを用いることでアレルが検出される[34]ようになる（図 8-23 右）ため，複数の検査キットで親子関係の確認を行い，真に矛盾があるかを判断する必要がある．特に日本人においては，D19S433 座位においてサイレントアレルが存在することが多い[34]ため注意が必要であり，近年，その簡便な判定方法の検討も行われている[35]．また，いくつかの検査座位については，50 Mb より近接した同一染色体上に存在しているものもあり，連鎖を考慮する必要性があるものもある．例えば，第12番染色体上にあるD12S391 座位とvWA 座位との間は約6.3 Mb であるため，連鎖の影響について検討されている．その結果，通常の個人識別においては連鎖がないものとして計算して問題はないが，親子鑑定などの親族の間での異同識別を行う際には考慮が必要であり，確率計算の際には，連鎖を考慮した計算が必要となっている[36]．

さらに近年では，次世代シーケンサーを用いて多数のSNPs の同時検出が可能となってきているため，多数のSNPs から親族間での染色体の共有状態を検出することによって離れた親族関係においても高い確率で正確な親族関係を把握できる方法なども開発されている[37]．

その他に，男性の血縁関係の証明にY-マルチプレックスSTR 法，X 染色体上のSTR 分析

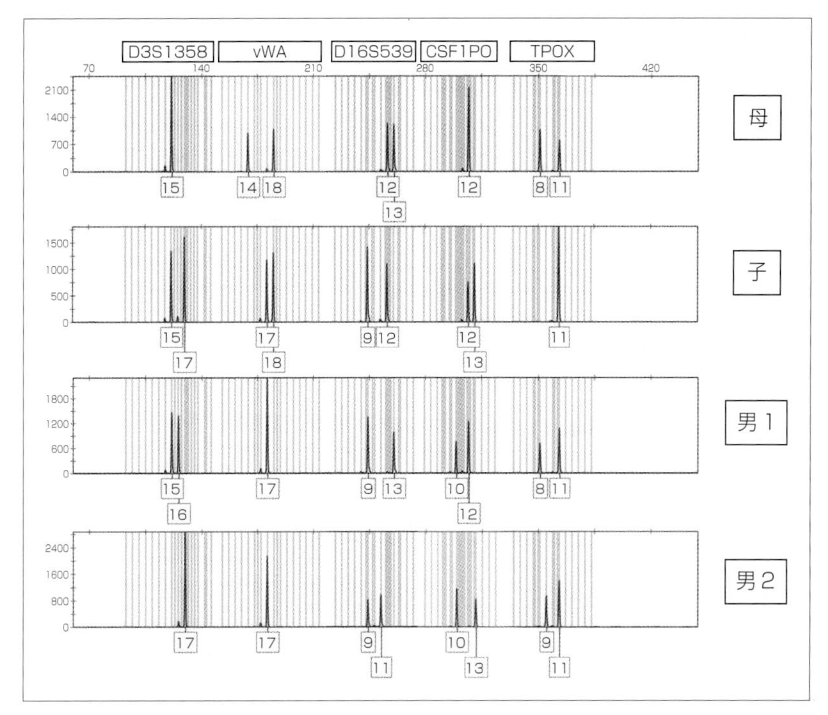

図 8-22 GlobalFiler キットによる親子鑑定（D3S1358, vWA, D16S539, CSF-1PO, TPOX のみ抜粋）

母：D3S1358（15,15）；vWA（14,18）；D16S539（12,13）；CSF1PO（12,12）；TPOX（8,11）
子：D3S1358（15,17）；vWA（17,18）；D16S539（9,12）；CSF1PO（12,13）；TPOX（11,11）
男 1（否定）：D3S1358（15,16）；vWA（17,17）；D16S539（9,13）；CSF1PO（10,12）；TPOX（8,11）
男 2（肯定）：D3S1358（17,17）；vWA（17,17）；D16S539（9,11）；CSF1PO（10,13）；TPOX（9,11）

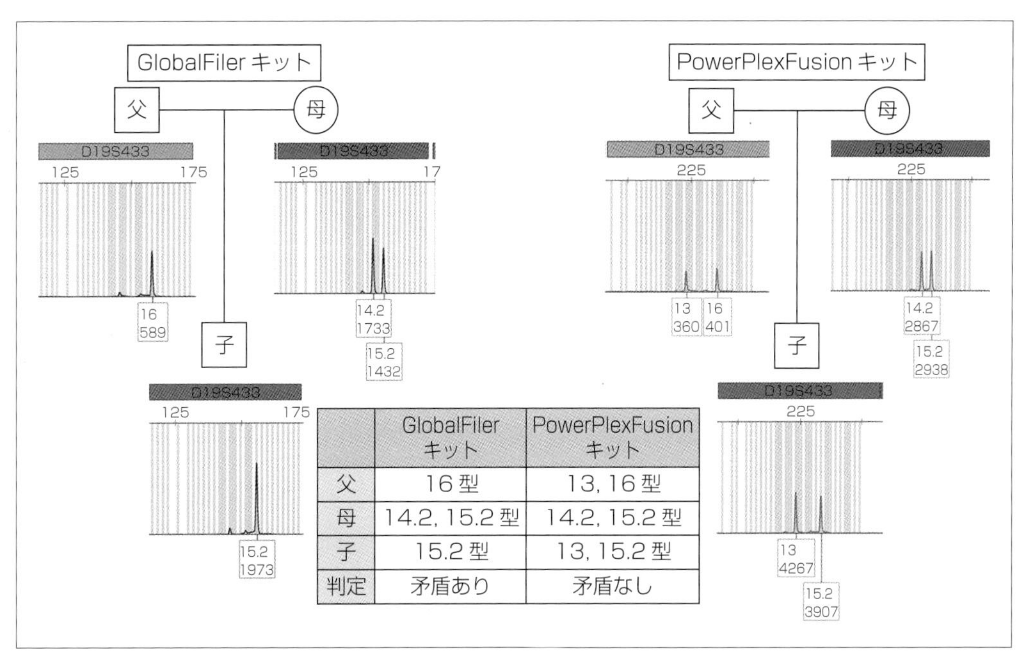

	GlobalFiler キット	PowerPlexFusion キット
父	16 型	13, 16 型
母	14.2, 15.2 型	14.2, 15.2 型
子	15.2 型	13, 15.2 型
判定	矛盾あり	矛盾なし

図 8-23 サイレントアレルがある場合の D19S433 座位の GlobalFiler キットと PowerPlexFusion キットの間での検査結果の違い

にX-マルチプレックスSTR法も補助的に利用されている．母子鑑定や同胞鑑定の証明にはミトコンドリアDNAの塩基配列分析（HV1, HV2, HV3領域，p.251参照）がある．後述する身元不明者の血縁の証明で，高い数値の確率が得られない場合，ミトコンドリア塩基配列の情報はきわめて重要となる．図8-24には血縁者間で同一の型が検出されるミトコンドリアとY-STRを示した．

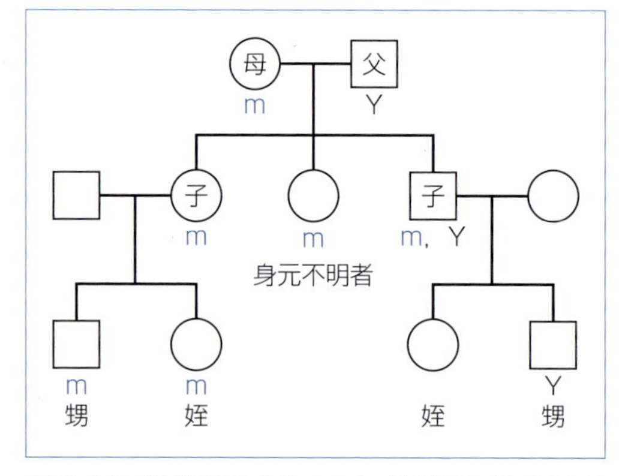

図8-24　世代間でのミトコンドリアとY-STRの一致
m：ミトコンドリア
Y：Y-STR
□：男，○：女

3．確率計算

1 Hardy-Weinbergの法則と遺伝子頻度

「突然変異率が一定で，特定の遺伝子型に対する淘汰もなく，移住がない大きな任意婚集団において，各遺伝子型の割合は毎世代不変である」．これは英国の数学者G. H. Hardyとドイツの医師W. Weinbergが1908年に発表した原理である．

日本人全体を検査することは不可能であるから，適当な集団を抽出して型判定を行い，その頻度を日本人集団のデータとして用いている．しかしその集団が偏った頻度を示す場合は信頼できる値とはならないが，Hardy-Weinberg平衡にあれば確率計算に用いることが可能である．

A, aを2つの対立遺伝子とし，それぞれの頻度をp, qとし，$p+q=1$である場合，男女の任意婚なら，子の遺伝子型はA/A：A/a：a/a$=p^2:2\,pq:q^2$の割合となる．この子同士が互いに結婚すると次のような孫の頻度となる．

孫の遺伝子型A/Aは$p^4+2\,p^3q+p^2q^2=p^2(p+q)^2=p^2$，A/aは$2\,p^3q+4\,p^2q^2+2\,pq^3=2\,pq(p+q)^2=2\,pq$，a/aは$p^2q^2+2\,pq^3+q^4=q^2(p+q)^2=q^2$となり子の世代と同様で孫の世代でも変わらない．この法則から遺伝子頻度を世代を通して不変のものとして血縁鑑別に使うことが保証される．

2 父権排除率

probability of paternity exclusion

無血縁である男が，父であると訴えられたときに，遺伝標識系（システム）の検査によって真の父でないと否定しうる確率のことであり，否定確率ともいう．母子の型の組み合わせから，父親として否定される型の出現確率を総和して求める．型システムは遺伝・発現様式・算出手法から3つに大別され，①優劣のない遺伝子系（MN式，Kidd式，Hp式），②優劣のある遺伝子系（ABO式，P式，Se式，耳垢型など），③ハプロタイプを形成して複雑な様式を呈するもの（Rh-Hr式，MNSs式，Gm式）となる．ABO式血液型についてはそのための特別な算出法が用意されている．DNA検査の場合は，DNA型の出現確率から①に準じて計算が可能であるが，性染色体上のDNA型はハプロタイプとして扱う必要があるため，注意が必要である．

父権の総合排除率cumulative probability of paternity exclusion（P）は，互いに連鎖していない各システムの排除率をP_iとすると次式で算出できる．

$$P=1-\prod_{i=1}^{n}(1-P_i)$$

表 8-7 擬父と母子関係の PI 計算表

母	AA	AB	BB	BC	AB	AB	AB	AA	AB	AB	BB	BB	BC	BC	BD
子	AA	AA	AB	AB	AB	AB	AB	AA	AA	AA	AB	AB	AB	AB	AB
擬父	AA	AA	AA	AA	AA	AB	AC	AB	AB	AC	AB	AC	AB	AC	AC
PI	1/a				1/a＋b		1/2（a＋b）	1/2a							

表 8-8 父権肯定の確率と評価

父権肯定の確率	評　価
～0.998	父と判定してよい
～0.990	きわめて父らしい
～0.950	非常に父らしい
～0.900	父らしい
0.900 未満	父かどうかわからない
0.100 以下	父らしくない
0.050 以下	非常に父らしくない
0.010 以下	きわめて父らしくない
0.002 以下	父でないと判定してよい

3 父権肯定確率 probability of fatherhood

ある母子がある男性を父であると訴えた場合，血液型からは父であることが否定できないとき，どの程度の確率で「父である」といえるのかを事後確率に関する Bayes の定理を用いた Essen-Möller の式で算出する．P は問題の男がどれくらい母子の父らしいかを数値（父権肯定確率）で表している．

1 つのローカスの場合次のように算出する．

父権肯定確率（P）　$$P = \frac{X}{X + Y}$$

X：母子の父でありうる型のうちその擬父の型の出現確率

Y：擬父が子の父ではないときの擬父の型の一般集団における出現確率

n 種類のローカスの結果を総合した総合父権肯定確率（W）は次の式で求める．

$$W = \frac{1}{1 + \prod_{i=1}^{n} \frac{Y_i}{X_i}}$$

一方，父性指数 paternity index（PI）は父権肯定確率（P）と同様に父子関係が否定されなかったときに父子関係の存在の肯定と否定の確率の比，PI＝X/Y となる．

n 種類のローカスの総合では次式となる．

$$総合\ PI = \prod_{i=1}^{n} \frac{X_i}{Y_i}$$

PI は統計学での尤度比（ゆうどひ） likelihood ratio（LR）に相当し，LR は 2 つの事象の起こりやすさの比を意味する．したがって父性指数，母性指数 maternity index（MI），同胞指数 sibship index（SI）は LR にあたり，より複雑な血縁関係の肯定を示す場合は肯定確率（%）か LR での説明が一般的に理解しやすい．表 8-7 には擬父と母子の場合（トリオ）の算出法を示した．

4 父権肯定，否定の評価

父権肯定確率は 0～1 までの値をとり，評価は Hummel に従って表 8-8 のように解釈する．一方，LR に換算すると 99.8% は 500，99.0% は 100，95% は 20，90% は 10 に相当する．父子関係の否定は 3 種類以上のローカスの否定で判断し，1～2 ローカスの場合は突然変異の有無を確認し，追加の検査項目が必要である．親子以外の血縁関係の場合，肯定確率が 99%（LR100）以下ではミトコンドリア DNA 型，Y-STR，X-STR などのハプロタイプの一致も考慮すべきである．

4．大規模災害での DNA 検査[38]

1985 年，群馬県御巣鷹山の尾根に日航ジャンボ機が墜落し，520 名の犠牲者を出した．当時は DNA 検査が導入される前であり，従来の血液型検査が血縁関係や身元確認に利用されていた．1992 年のフランスのエアバス機事故では MCT118，HLADQα などが DNA 検査に用いら

表 8-9　大量身元不明者発生事例での DNA 検査数

事　例	分類	時期	国・場所	概　略
シベリア戦没者 日本人遺骨	戦没者	1945	シベリア モンゴル	第二次世界大戦後旧ソビエト領・モンゴル領域で抑留中に死亡して埋葬された遺骨（約 8,000 体）の DNA 検査
フランスのエアバス機墜落	事故	1992	フランス	犠牲者 87 名．17 名の検体の DNA 検査
スイス航空機 墜落事故	事故	1998	カナダ	スイス航空機が火災でカナダ沖に墜落．229 名死亡．1,277 検体の遺骨の DNA 検査
9/11 世界貿易センターへの飛行機の激突	テロ攻撃	2001	ニューヨーク 米国	犠牲者 2,973 名のうち約 2,700 名の遺骨約 2 万検体の DNA 検査
ボスニア・ヘルツェゴビナ紛争	戦没者	2001	旧ユーゴ スラビア	内戦の犠牲者を発掘．約 1 万体以上の DNA 検査終了
スマトラ沖津波	災害	2005	タイ	外国人犠牲者を中心に 5,000 体以上の遺骨を DNA 検査
ハリケーン「カタリナ」の犠牲者	災害	2005	ニューオリンズ・米国	1,096 名の遺体を回収．約 300 検体の DNA 検査
東日本大震災	災害	2011	日本	大震災により 1 万 5,899 名が死亡．行方不明 2,526 名 2021 年 3 月 10 日現在）．約 3,000 検体の DNA 検査

れた．**表 8-9** には第二次世界大戦後のシベリア，モンゴル抑留者の DNA 鑑定例を含む世界の事例をまとめた．特に，血縁関係の証明には生存している家族の口腔内細胞から得られた DNA と埋葬されていた歯や骨の DNA を分析し，2012 年までに約 8,000 体の鑑定が実施された．そのうち，約 1 割の身元が判明している．2001 年の世界貿易センターへの飛行機の激突では，約 2,700 名の犠牲者の身元が DNA 検査によって確認されているが，約 1,000 名は依然として行方不明である．2011 年の東日本大震災では 1 万 5,899 名が犠牲となり，行方不明者は依然として 2,526 名に上る[39]．2014 年 12 月のデータ[40]では，これまでに収容された約 1 万 5,000 名強のうち，99.5％の身元が確認され，いまだ判明していないのは 86 名となっている．個人の資料から DNA 検査で直接判明したのは 171 名，歯型，身体特徴，所持品などを基に DNA 検査によって血縁関係の証明が得られたのは 2,793 名である．

[参考文献]

1) Daniels, G.：Human Blood Groups. 3rd Revised, Wiley-Blackwell, 2013.
2) International Society of Blood Transfusion：http://www.isbtweb.org；Table of blood group systems v. 9.0 03-FEB-2021. PDF accessed on 8th October, 2021.
3) Zola, H., et al.：CD molecules 2005：human cell differentiation molecules. Blood 106, 3123-3126, 2005.
4) Berg, J. M., John, L., Tymoczko, et al.：Biochemstry. 9th ed., macmillan international Higher Education, 2019.
5) Risinger, M., Theodosia, A.K.：Red cell membrane disorders：structure meets function. Blood 136, 1250-1261, 2020.
6) Moulds, J. M., Moulds, J. J., Brown, M., et al.：Antiglobulin testing for CR1-related (Knops/McCoy/Swain-Langley/York) blood group antigens：negative and weak reactions are caused by variable expression of CR1. Vox Sang 62, 230-235, 1992.
7) Suzuki, K., Iwata, M., Tsuji, T., et al.：A de novo recombination in the ABO blood group gene and evidence for the occurrence of recombination products. Hum Genet 99, 454-461, 1997.
8) Kaczmarek, R., Szymczak-Kulus, K., Bereźnicka, A., et al.：Single nucleotide polymorphisms in *A4GALT* spur extra products of the human Gb3/

CD77 synthase and underlie the P1PK blood group system. PLoS One 13, e0196627, 2018. https://doi.org/10.1371/journal.pone.0196627 April 30, 2018.

9) 黒木喜美子，喜多俊介，前仲勝実：HLA の立体構造と免疫制御受容体の分子認識機構．日本組織適合性学会誌 23, 80-95, 2016.

10) Jeffreys, A. J., Wilson, V., Thein, S. L.：Hypervariable 'minisatellite' regions in human DNA. Nature 314, 67-73, 1985.

11) Saiki, R. K., Gelfand, D. H., Stoffel,S., et al.：Primer-directed enzymatic amplification of DNA with a thermostable DNA polymerase. Science 239, 487-491, 1988.

12) Nakamura, Y., Nakamura, Y., White, R.：Variable number of tandem repeat（VNTR）markers for human gene mapping. Science 235, 1616-1622, 1987.

13) Kasai, K., Nakamura, Y., White, R.：Amplification of a variable number of tandem repeats（VNTR）locus（pMCT118）by the polymerase chain reaction（PCR）and its application to forensic science. J Forensic Sci 35, 1196-1200, 1990.

14) Gill, P., Fereday, L., Morling, N., et al.：The evolution of DNA databases--recommendations for new European STR loci. Forensic Sci Int 156, 242-244, 2006.

15) Hares, D. R.：Expanding the CODIS core loci in the United States. Forensic Sci Int Genet 6, e52-e54, 2012.

16) Ballantyne, K. N., Ralf, A., Aboukhalid, R., et al.：Toward male individualization with rapidly mutating y-chromosomal short tandem repeats. Hum Mutat 35, 1021-1032, 2014.

17) Sullivan, K. M., Mannucci, A., Kimpton, C. P., et al.：A rapid and quantitative DNA sex test：fluorescence-based PCR analysis of X-Y homologous gene amelogenin. Biotechniques 15, 636-638, 640-641, 1993.

18) Walsh, S., Liu, F., Wollstein, A., et al.：The HIrisPlex system for simultaneous prediction of hair and eye colour from DNA. Forensic Sci Int Genet 7, 98-115, 2013.

19) Richmond, S., Howe, L. J., Lewis, S., et al.：Facial Genetics：A Brief Overview. Front Genet 9, 462, 2018.

20) Bruder, C. E., Piotrowski, A., Gijsbers, A. A. C. J., et al.：Phenotypically concordant and discordant monozygotic twins display different DNA copy-number-variation profiles. Am J Hum Genet 82, 763-771, 2008.

21) Coble, M. D., Bright, J. A.：Probabilistic genotyping software：An overview. Forensic Sci Int Genet 38, 219-224, 2019.

22) Fujii, K., Watahiki, H., Mita, Y., et al.：Allele frequencies for 21 autosomal short tandem repeat loci obtained using GlobalFiler in a sample of 1501 individuals from the Japanese population. Leg Med（Tokyo）17, 306-308, 2015.

23) Anderson, S., Bankier, A. T., Barrell, B. G., et al.：Sequence and organization of the human mitochondrial genome. Nature 290, 457-465, 1981.

24) Andrews, R. M., Kubacka, I., Chinnery, P. F., et al.：Reanalysis and revision of the Cambridge reference sequence for human mitochondrial DNA. Nature Genetics 23, 147, 1999.

25) Ingman, M., Kaessmann, H., Pääbo, S., et al.：Mitochondrial genome variation and the origin of modern humans. Nature 408, 708-713, 2000.

26) Tanaka, M., Cabrera, V. M., González, A. M., et al.：Mitochondrial genome variation in Eastern Asia and the peopling of Japan. Genome Research 14, 1832-1850, 2004.

27) Kanzawa-Kiriyama, H., Jinam, T. A., Kawai, Y., et al.：Late Jomon male and female genome sequences from the Funadomari site in Hokkaido, Japan. Anthropological Science 127, 83-108, 2019.

28) Kitano, T., Umetsu, K., Tian, W., et al.：Two universal primer sets for species identification among vertebrates. International Journal of Legal Medicine 121, 423-427, 2007.

29) 最高裁第一小法廷判決，平成 26 年 7 月 17 日，裁判所 HP 参照［平成 25（受）233］

30) 最高裁第二小法廷判決，平成 18 年 9 月 4 日，裁判所 HP 参照［平成 16（受）1748］

31) 最高裁第二小法廷決定，平成 19 年 3 月 23 日，裁判所 HP 参照［平成 18（許）47］

32) 最高裁第三小法廷決定，平成 25 年 12 月 10 日，裁判所 HP 参照［平成 25（許）5］

33) Ge, J., Eisenberg, A., Budowle, B.：Developing criteria and data to determine best options for expanding the core CODIS loci. Investig Genet 3, 1, 2012.

34) Fujii, K., Watahiki, H., Mita, Y., et al.：Typing concordance between PowerPlex® Fusion and GlobalFiler® based on 1501 Japanese individuals and the causes of typing discrepancies. Forensic Sci Int Genet 25, e12-e13, 2016.

35）轡田行信：D19S433 型におけるサイレントアレル判定法の検討．日本法科学技術学会誌 25，91-104，2020.
36）O'Connor, K. L., Hill, C. R., Vallone, P. M., et al.：Linkage disequilibrium analysis of D12S391 and vWA in U.S. population and paternity samples. Forensic Sci Int Genet 5, 538-540, 2011.
37）Morimoto, C., Manabe, S., Kawaguchi, T., et al.：Pairwise Kinship Analysis by the Index of Chromosome Sharing Using High-Density Single Nucleotide Polymorphisms. PLoS One 11, e0160287, 2016.
38）福島弘文：大規模災害・身元不明者の DNA プロファイリング．法医学の実際と研究 52，1-10，2009.
39）警察庁．（2020）．"東日本大震災について：警察活動と被害状況（2020 年 12 月 10 日）．" Retrieved 2021.9.30, from https://www.npa.go.jp/news/other/earthquake2011/index.html
40）国家公案委員会・警察庁．（2014）．"災害に係る危機管理体制の再構築（平成 27 年 3 月）．" Retrieved 2021.9.30, from https://www.npa.go.jp/policies/evaluation/04jigo-hyouka/sougou_hyouka/sougou.html

9 物体検査と個人識別

● 重要事項 ●

1）鑑定資料の取り扱いは，コンタミネーションや取り違えに注意する．
2）鑑定を行う際は必ず記録を残し，再鑑定のために鑑定資料の全量消費を極力避ける．
3）ABO式血液型検査やDNA型検査をする前には，由来を明確にするために体液種の識別検査を行う必要がある．
4）指掌紋は「万人不同」，「終生不変」であり，絶対的な確実性を有する個人識別法である．
5）白骨死体からは，性別，年齢，身長などが推定できる．
6）歯の治療痕は，死体の身元確認のための有力な情報となる．
7）人体資料からは，個人識別のための「DNA型検査」ができる．

I 物体検査

1．鑑定資料の取り扱いと鑑定の注意事項

犯罪や災害などに関連した証拠物体の検査は，きわめて重要な法医鑑定業務である．そのため，鑑定資料*の取り扱いには十分注意が必要で，① 手袋・マスクの着用，② 器具・試薬などのコンタミネーション防止，③ 鑑定資料の適切条件での保管，④ 鑑定資料同士の混同防止に留意しなければならない．

鑑定人は十分な専門知識・技術を持っている必要があり，各検査は整備された施設で，学術的に認められ，かつ，誰でも追試できるような方法で実施しなければならない．また，鑑定の経過が誰にでもわかるように，鑑定ノートやエレクトロフェログラムなどの鑑定記録を残す必要がある．鑑定資料は，できる限り再鑑定のためにその一部を残すようにする．

2．鑑定の流れ

基本的な斑痕資料の鑑定の流れは，まずその外観を把握し，その斑痕は何か（体液種の識別）→ヒト由来か（人獣鑑別）→ABO式血液型検査・DNA型検査（個人識別）の順に行うが，鑑定事項や資料の量・状態によって検査項目・手法を決定する．毛髪や微物の鑑定は，顕微鏡などで鑑定資料の形態を確認し，人獣鑑別，個人識別の順で行う．血痕の場合，必要に応じて血痕の種類を特定する検査を行う．ヒト由来検

*鑑定の対象となる材料を，本書では「（鑑定）資料」と記載した．

表 9-1　ヒト由来検体における諸検査

	予備検査	（ヒト）体液識別検査	ABO 式血液型検査	DNA 型検査（ヒト DNA 抽出）
血液	ロイコマラカイトグリーン法 ルミノール試験	高山法 イムノクロマト法（抗ヒトヘモグロビン抗体） mRNA 検査（HBB）	解離試験法，混合凝集反応法，ELISA 法，遺伝子検査	市販のキットにより可能
唾液	紫外線検査 アミラーゼ検査	イムノクロマト法（抗ヒト α-amylase 抗体） ELISA 法（抗 STATH，抗 HTN3，抗 PRH 抗体） mRNA 検査（STATH，HTN3）	凝集阻止試験法，解離試験法，混合凝集反応法，ELISA 法，遺伝子検査	市販のキットにより可能
精液	紫外線検査 SM 試薬	精子の観察 イムノクロマト法（抗ヒト semenogelin 抗体） mRNA 検査（SEMG1，PRM2）	凝集阻止試験法，解離試験法，混合凝集反応法，ELISA 法，遺伝子検査	Protease K 処理時に DTT を加えることで市販のキットにより可能 二段階細胞融解法（混合斑痕の場合）
腟液	—	mRNA 検査（MCU4，CYP2B7P1，ESR1，SER-PINB13，KLK13） *Lactobacillus* 属遺伝子の検出	凝集阻止試験法，解離試験法，混合凝集反応法，ELISA 法，遺伝子検査	市販のキットにより可能
尿	ウレアーゼ・BTB 法 DAC 法	ウリカーゼ試験 イムノクロマト法（抗ヒト THP 抗体） ELISA 法（抗 THP 抗体） 17-ケトステロイド検査	ELISA 法，遺伝子検査	市販のキットにより可能（遠心沈渣を用いる）
汗	L-乳酸検査	ELISA 法（抗 DCD 抗体） mRNA 検査（DCD）	—	—
糞便	—	胆汁色素・インドールの検出 *Bacteroides* 属遺伝子の検出	—	—

体の諸検査法を，表 9-1 にまとめた．

3．血痕

1 外観検査

色調，血餅形成の有無，輪郭の形状，大きさなどを観察する．輪郭の形状から，滴下したのか飛沫したのか，飛沫したのであればその方向が推定できる（図 9-1）．しかし，血痕が付着する物体が，例えば布地のような吸収しやすいものでは，図 9-1 のような形状を示さないことが多い．

2 血痕予備検査

血痕であるかの判別は，血痕予備検査と呼ばれるロイコマラカイトグリーン法やルミノール試験によって行われる．

1．ロイコマラカイトグリーン法

無色のロイコマラカイトグリーンが，血液中のヘモグロビンの触媒作用により過酸化水素で酸化され，青緑色のマラカイトグリーンに変換される．特異性が高く，血痕以外にはほとんど反応しない．感度は，数千倍希釈の血痕まで検出可能である．

試薬 A：無色ロイコマラカイトグリーン 0.1 g に氷酢酸 10 mL および蒸留水 15 mL を加えて溶解させる．

試薬 B：3％過酸化水素水

方法：試薬 A と試薬 B の 4：1 混合液を滴下して，ただちに青緑色を呈した場合を陽性と判断する．

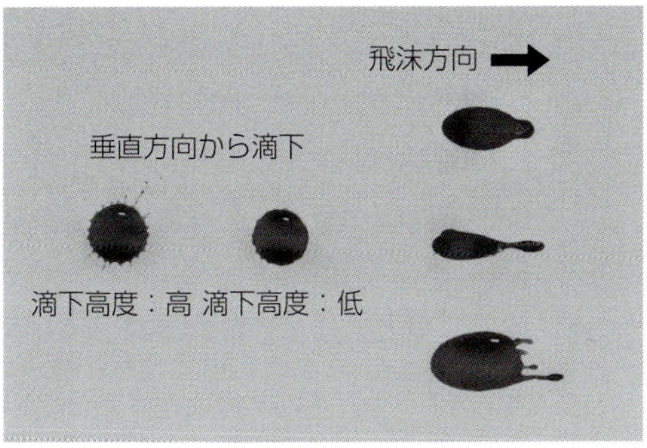

図 9-1　血痕の滴下・飛沫方向と形状

2. ルミノール試験

ルミノールが，アルカリ性の水溶液中で血液中のヘモグロビンの触媒作用により過酸化水素と反応し，青白色の発光を示す．化学薬品や野菜，果汁，金属，樹皮などにも蛍光し，特異性は低い．硫酸コバルト，塩化第一鉄などでは発光を抑制する．感度は，1万～2万倍希釈の血痕まで検出できる．

試薬 A：ルミノール 0.1 g を 0.5% 水酸化ナトリウム液 100 mL に溶解させる．

試薬 B：30% 過酸化水素水

方法：検査直前に試薬 A に試薬 B を 15% の割合で混合し，暗所にて検体に噴霧する．青白色蛍光を発した場合，陽性と判断する．

3 血痕証明検査，人血証明検査

血痕予備検査で陽性であれば，人血検査を行う．ヘモグロビンの証明にヘモグロビン誘導体の結晶形成(高山法)の観察が知られているが，よく利用されているのは，抗ヒトヘモグロビン抗体を用いたイムノクロマト法で，市販の便潜血検査キットを適用する．感度は非常に高く，50万～100万倍希釈血痕でも検出できる．

また，遺伝子を用いた検査法として，hemoglobin subunit beta（HBB）等の血液特異的なタンパク質の mRNA 発現の有無を検査する方法がある．この方法は血痕特異性が高く，プライマーをヒト特異的配列にすることで人血証明検査となりうる．

4 ABO 式血液型検査

血清学的検査法，免疫学的検査法 enzyme-linked immunosorbent assay（ELISA 法）および遺伝子検査法の 3 種類の方法が用いられているが，現在は ABO 式血液型検査を省略し，人血証明検査後は DNA 型検査を行うことが多い．

血清学的検査法は，解離試験法および混合凝集反応法が用いられている．解離試験法は，血痕に抗体を結合させ，余剰の抗体を洗浄したのち，生理食塩水中で 56℃ に加熱することにより抗体を解離させ，解離した抗体を指示血球との凝集反応により検出する方法である．混合凝集反応法は，血痕に抗体を結合させ，余剰の抗体を洗浄したのち，指示血球を反応させ，顕微鏡下で抗体との凝集の有無を観察する方法である．

ELISA 法は，イムノプレートに検体（抽出液）を固定し，ブロッキングの後，一次抗体として血液型抗体を感作させ，さらに二次抗体として酵素標識抗体を加える．最後に発色基質を加えて発色後，イムノリーダーで吸光度を測定する．

遺伝子検査法は，第 9 染色体長腕にある ABO 式血液型抗原を決定する糖転移酵素（A 型転移酵素，B 型転移酵素）の遺伝子を，一塩基多型 single nucleotide polymorphism（SNP）で判定する（表 9-2）．O 型は，261 番の塩基が欠損しているためフレームシフトを起こし，糖転移酵素を合成できないために O 型となる．

5 DNA 型検査

DNA 抽出には，マグネットビーズ法やシリカメンブレン法などを利用した市販のキットを用いる．抽出した DNA を定量し，PCR キットによる short tandem repeat（STR）型検査を行う．また，ミトコンドリア DNA の超可変領域をシークエンスし，ハプロタイプを決定するミトコンドリア DNA 型検査も行われる．

6 血痕の種類の特定

口から吐き出した血液（吐血）は，酸性であ

表 9-2　ABO 式血液型と糖転移酵素遺伝子の SNP との関係[1)]

	261	297	467	526	646	657	681	703	771	796	803	829	930	1060
A 型（A101）	G	A	C	C	T	C	G	G	C	C	G	G	G	C
A 型（A201）	G	A	T	C	T	C	G	G	C	C	G	G	G	del
B 型（B101）	G	G	C	G	T	T	G	A	C	A	C	G	A	C
O 型（O01）	del	A	C	C	T	C	G	G	C	C	G	G	G	C
O 型（O02）	del	G	C	C	A	C	A	G	T	C	G	A	G	C

del：Deletion

るためコーヒー残渣様の性状を示し，pH やペプシン活性の測定，消化残渣の証明を行う．肛門から排出される血液（下血）は，タール便から鮮血便までさまざまであり，便の証明を行う．胎児血は，抗ヒト α-fetoprotein 血清や抗ヒトヘモグロビン F 血清を用いて判定する．妊娠血は，妊娠 4 週で尿や血液中に絨毛性性腺刺激ホルモン human chorionic gonadotropin（HCG）が出現し始めるので，市販のキットを用いて検出する．月経血は，長時間放置しても流動性の非凝固性血液であり，抗 fibrinogen 抗体を用いる方法や，フィブリン分解物である fibrin degradation product（FDP）を市販のキットで検出する方法がある．死体血の判別には，フィブリン分解の二次線溶に特異的に出現する FDP-D-dimer を検出する方法がある．

4．唾液

1 唾液付着検査

1．紫外線検査

唾液の付着部位に紫外線を照射すると蛍光を発する．しかし，精液や腟液でも蛍光を発するほか，蛍光染料を使用して洗濯された資料には不適である．

2．アミラーゼ検査

唾液は耳下腺，顎下腺，舌下腺由来の分泌液からなり，10 種類以上の酵素の存在が知られており，なかでも耳下腺から分泌される α-amylase は唾液指標としてよく用いられる．しかし，α-amylase は精液や腟液からもわずかに検出されることから，判定には注意を要する．アミラーゼ検査には，色素結合デンプンを基質としたファデバス社の Amylase Test や，発色試薬である 2-Chloro-4-nitrophenyl-4-*o*-β-D-galactopyranosylmaltoside（Gal-G2-CNP）を用いる．

アミラーゼ検査は，添付文書どおりに吸光度を測定する方法のほか，錠剤を粉砕したものをアガロースゲルと混合してゲル板を作製し，ゲル板上で反応を観察する方法がある．また，色素結合デンプンを紙に塗布した製品も販売されており，広範囲の検査の場合にはそちらを用いる．

Gal-G2-CNP は，α-amylase により Nitrophenol を遊離し黄色を呈する．反応時間が短いのが利点で，緩衝液に溶解させて使用するため噴霧可能なことから広範囲の検査にも適する．

2 唾液証明検査

唾液特異的に分泌されるタンパク質である statherin（STATH）や histatin 3（HTN3），proline-rich protein HaeIII subfamily（PRH）を指標とした方法がある．ELISA 法では抗 STATH 抗体や抗 PRH 抗体が用いられるが，抗 STATH 抗体は鼻汁との交差反応を考慮する必要があるものの，概して特異性は高い．mRNA の検出には，STATH や HTN3 が指標とされる．また，ヒト唾液証明検査として抗ヒト唾液 α-amylase 抗体を用いたイムノクロマト法のキットが市販されており，迅速かつ容易に検査できる．

3 ABO式血液型検査およびDNA型検査

血清学的検査では，凝集阻止試験法，解離試験法，混合凝集反応法，ELISA法が用いられるが，凝集阻止試験法では非分泌型の場合，判定が困難になることがある．また，ELISA法ではルイス式血液型の判定も可能であるため，ABO式血液型と同時に分泌型・非分泌型の判定も可能である．また，血痕と同様に，DNA抽出後，遺伝子型を検出できる．

DNA型検査は，唾液に含まれる口腔内粘膜細胞からDNAが抽出でき，血痕と同様に市販の抽出キットを適用できる．

5．精液，腟液

精液は，射精によって射精管から尿道を経て放出され，精子と各腺から分泌された混合液（精漿）である．精液は，90％の精漿（前立腺，尿道腺，精管膨大部，精巣上体からの分泌液）と10％の精子から構成されている．精液特有のクリの花のような臭気は，スペルミンというタンパク質に由来する．1回の射精量は成人で約2～6 mLで，粘稠・乳白色であり，一度ゲル状になった後は液状となる．成分として，果糖，クエン酸，亜鉛などが含まれる．

腟液は，腟壁から分泌される無色透明で粘性のある液体で，グリコーゲンを多く含む．pHは通常3.8～4.5の弱酸性である．

1 精液検査

1．精液付着検査

精液の付着は，精漿に含まれる成分を指標にしており，さまざまな方法がある．また，精子の存在を確認することで，精液付着の証明とするのが一般的である．

精液斑は，紫外線を照射すると精漿成分が青白色や黄緑色の蛍光を発する．しかし，他の体液でも蛍光を発するほか，蛍光染料を使用して洗濯された資料には不適である．

前立腺液には，酸性ホスファターゼを多く含み，この検出は最も一般的な検査法である．検出試薬はSM試薬（α-Naphthylphosphoric acidとDiazonium o-dianisidine）として市販されており，0.2 Mクエン酸緩衝液に溶解して使用する．噴霧すると陽性では赤紫色を呈する．噴霧できるため，広範囲の検査にも適している．生体腟内資料の反応限界は1～2日ほどであるが，死体では2週間程度でも検出されることがある．乾燥斑痕では数年単位で検出可能である．ただ，腟液でも淡い赤紫色を呈することから注意が必要である．また，前立腺特異抗原prostate specific antigen（PSA）を用いたイムノクロマト法もあり，市販のキットを用いて検査を行う．PSAは女性の尿道周囲腺からも検出されることがあるので注意が必要である．

精嚢腺液の検出は，精嚢特異的に分泌されるタンパク質のsemenogelinを指標とする．抗ヒトsemenogelin抗体を用いた市販のキットによるイムノクロマト法で検査を行い，感度・特異性ともに高い．

mRNAの検出には，精液特異的に含まれるタンパク質のsemenogelin 1（SEMG1）あるいはprotamine 2（PRM2）が用いられている．SEMG1は前記のとおり精嚢特異的タンパク質であり，PRM2は精子特異的タンパク質である．

2．精子の証明

顕微鏡によって精子を確認すれば精液（斑）が証明されたことになる．精子の大きさは50～60 μmで，数は1 mL中に4,000万以上含まれる．精子の染色法として，Baecchi法やCorin-Stockis法などがある．

Baecchi法は，1％酸性フクシン液と1％メチレンブルー液と1％塩酸をそれぞれ1：1：40の割合で混和し，染色液とする．染色液をスライドガラスに滴下し，カバーグラスをかけて検鏡する．精子の頭部は紅色に，尾部は青色に染色される．Corin-Stockis法は，エリスロジン0.5 gを25％アンモニア水100 mLに溶かして染色液とする．染色液をスライドガラスに滴下し，しばらく静置後，カバーグラスをかけて検鏡す

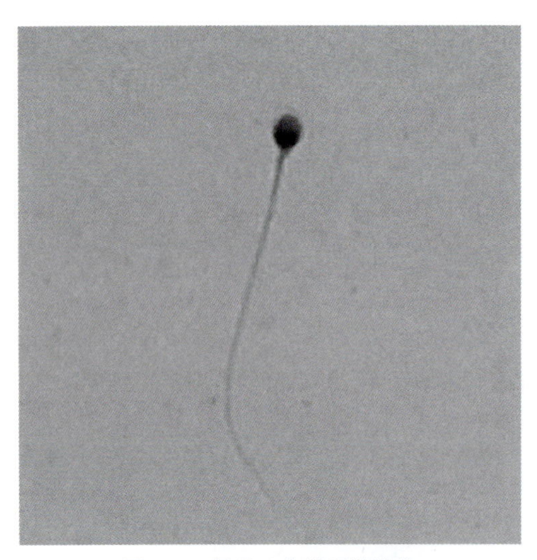

図 9-2　精子の生物顕微鏡像

る．精子の頭部は淡紅色に染色される．いずれの染色でも，精子頭部の先端の染まり方は薄く，末端にかけて濃く染まる（図 9-2）．

2 膣液付着検査

資料の浸出液から沈渣の塗抹標本を作製し，ルゴール染色によって膣扁平上皮細胞を観察する．ルゴール溶液は，ヨウ化カリウム 2 g とヨウ素 1 g を蒸留水で 300 mL に溶かして作製する．ルゴール溶液をスライドガラスに滴下し，カバーグラスをかけて検鏡すると，グリコーゲン含有により褐色に染まった膣扁平上皮細胞が観察できる．しかし，唾液中の細胞と類似性があり，鑑別診断は困難である．

遺伝子を用いた検査法として，mucin 4（MUC4），cytochrome P450 family 2 subfamily B member 7, pseudogene 1（CYP2B7P1），estrogen receptor 1（ESR1），serpin family B member 13（SERPINB13），kallikrein related peptidase 13（KLK13）などの複数の mRNA の発現を見て識別する方法がある．また，膣内の優勢細菌である *Lactobacillus* 属の遺伝子を検出することによる証明法が報告されている[2)]．

3 ABO 式血液型検査，DNA 型検査

精液・膣液ともに，血清学的検査では，唾液と同様に凝集阻止試験法，解離試験法，混合凝集反応法，ELISA 法が用いられる．凝集阻止試験法では非分泌型の場合，判定が困難になることがある．また，血痕と同様に，DNA 抽出後，遺伝子型を検出することでも検査できる．

DNA 型検査では，精液から DNA を抽出する場合，精子頭部は高度にジスルフィド架橋されたタンパク質に覆われており，通常の Protease K 処理では DNA は抽出されないため，Protease K 処理時に DTT を加える必要がある．精液・膣液混合斑の場合は，この精子頭部の特徴を利用した二段階細胞融解法を用いることで精子由来の DNA を抽出することができる．まず，通常の Protease K 処理にて膣由来細胞を融解し，膣由来 DNA を遠心分離・洗浄により除去する．遠心沈渣は精子頭部のみであるため，今度は Protease K 処理時に DTT を加えると精子のみの DNA が抽出できる．ただ，完全に分離できるものではなく，特に精子量が少ない場合は分離しきれないことがある．

6．尿

1 尿付着検査

1．ウレアーゼ，BTB 法

尿に含まれる尿素をウレアーゼにて二酸化炭素とアンモニアに分解し，発生したアンモニアを BTB で検出する方法である．

ウレアーゼ溶液：ウレアーゼ 2 g を蒸留水とともに乳鉢ですりつぶし，蒸留水で全量 100 mL にし，遠心分離した上清を用いる．

BTB 溶液：ブロムチモールブルー 0.15 g を 0.1 N 水酸化ナトリウム水溶液 2.4 mL に溶かし，蒸留水で全量 50 mL としたのち，希塩酸で pH7（緑色）に調製する．

方法：ウレアーゼ溶液を検体に噴霧し，しばらく静置後，BTB 溶液を噴霧する．陽性の場合は青色に呈色するが，時間の経過とともに退色する．また，尿が付着する担体がもともとアルカリ性であると検査できない．

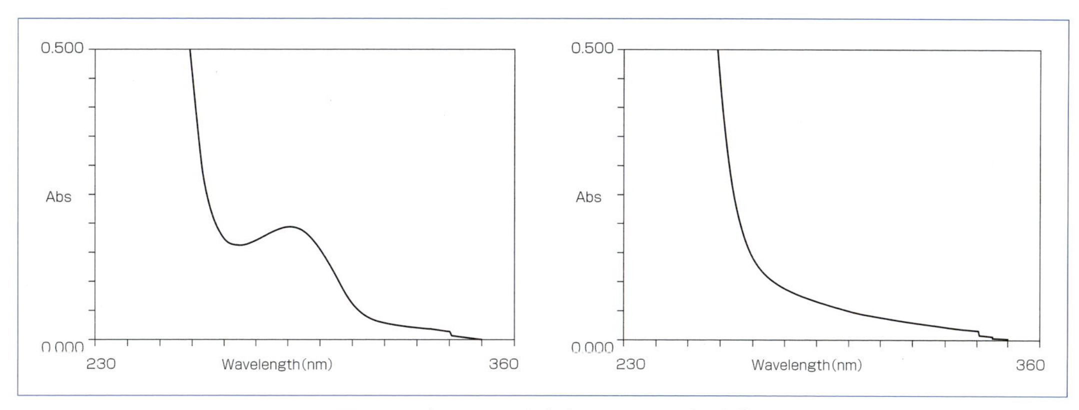

図 9-3 ウリカーゼ試験における吸収曲線
左：ウリカーゼ未添加，右：ウリカーゼ添加

2. DAC 法

尿に含まれる尿素を酸性下で *p*-Dimethylaminocinnamaldehyde（DAC）と反応させると桃色に呈色する．時間が経っても退色しないが，試薬が強酸であるため，噴霧する際は注意が必要である．

DAC 試薬：2 g の DAC を 6 N 塩酸 100 mL に溶解したのち，メタノール 200 mL を加える．

2 尿証明検査，人尿検査

1. ウリカーゼ試験（尿酸検査）

尿酸やクレアチニンが紫外部に特異的吸収（ヒト尿の吸収極大は 293 nm）があることを利用した検査法である．しかし，尿酸は鳥類の糞便中に存在するほか，イヌでもダルメシアン類は尿中に尿酸を排出するため，ヒト証明に利用する場合は注意が必要である．

ウリカーゼ溶液：ウリカーゼ 5 単位をホウ酸緩衝液（pH9.2～9.4）25 mL に溶かす．

方法：まず，斑痕の一部を切り取りホウ酸緩衝液で浸出後，0.2 mL×2 本に分注する．次に，片方にホウ酸緩衝液 0.4 mL，もう片方にホウ酸緩衝液 0.35 mL とウリカーゼ溶液 0.05 mL を加えて 37℃で 30 分間静置する．最後に，それぞれの溶液の 230～360 nm の吸光度を測定する．人尿であれば，293 nm の吸収極大がウリカーゼ処理により消失する（**図 9-3**）．

2. 免疫学的検査

尿のタンパク質の主要成分の一つである tamm-horsfall protein（THP）を指標とした市販のイムノクロマトキットにより検出できる．また，抗 THP 抗体を用いた ELISA 法でも検出でき，イムノクロマト法よりも高感度であるという．他の体液とも交差反応を示さず，特異性は高い．

3. 17-ケトステロイド検査

尿中の 17-ケトステロイドである androsterone，etiocholanolone，dehydroepi androsterone の 3 種類を高速液体クロマトグラフィー質量分析計で分析する．あるいは，これら 3 種を加水分解と誘導体化したのち，ガスクロマトグラフィー質量分析計で分析する．これらが検出されれば人尿が証明される．

3 ABO 式血液型検査，DNA 型検査

尿からも ABO 式血液型検査は可能であるが，血液型物質の分泌量が少ないため，ELISA 法での検査が有効である．また，DNA が抽出できれば ABO 式血液型の遺伝子型検査や DNA 型検査も実施できる．DNA の抽出には，尿中に含まれる細胞が少ないことから，遠心沈渣を用いるとよい．

7. 汗・糞便

1 汗付着検査

予備検査的な方法として，汗中に多く含まれる尿素を前述のウレアーゼ・BTB法やDAC法により検出する．また，汗に含まれるL-乳酸を市販のキットにより検出する方法が用いられている．このキットの試薬類は液体であることから，噴霧可能であり，広範囲の検査にも適用できる．陽性の場合は赤紫色を呈するが，精液とも反応するほか，唾液ともわずかに反応する．

免疫学的検査法として，汗中に分泌されるdermcidin（DCD）を指標として，抗DCD抗体を用いたELISA法により検査可能である．DCDは汗特異的に検出され，他の体液との交差反応は示さない．また，mRNAの検出にもこのDCDを指標とする．

2 糞便検査

臭気や消化残渣などから判断するが，外観的に識別できなければ，化学的に胆汁色素やインドールなどを検出することで識別する．グメリン試験は胆汁色素の証明法であり，亜硝酸を含有する硝酸を試験管に入れ，検体の浸出液を上に重ねると境界面が着色する方法である．

近年では，糞便中で最優勢の細菌である*Bacteroides*属の遺伝子を検出することで識別する方法が報告されており[3]，特異性は高いとされている．

8. 毛　髪

1 構造と形状

毛髪は，全体の構造から毛根部，毛幹部，毛先部に分けられ，断面部では外側から毛小皮，毛皮質，毛髄質を構成している．毛小皮は，角化した扁平無核細胞からなり，表面の形態は屋根瓦状を示す．毛皮質は，メラニン色素を多く含んだ部分であり，線維状の角化細胞が長軸方向に沿って並んでいる．毛髄質は，中心部に相当し，メラニンや髄質細胞からなる．頭毛数は約8万〜10万本，成長速度は1日に約0.3〜0.4 mmで，1か月に約1 cm以上伸びる．1日に抜け落ちる本数は平均80本ほどで，寿命は男性で3〜5年，女性で4〜6年である．

2 人獣鑑別

ヒト毛髪と，動物毛，植物繊維，合成繊維などとの鑑別は，主に検鏡による毛小皮と毛髄質の形態観察で明瞭に行うことができる．

毛小皮の形態（小皮紋理）は，動物毛は形が大きく，重なりが小さいのに対し，ヒト毛髪では薄い鱗片状で4/5が重なっている．植物繊維や合成繊維から毛小皮は観察されない．小皮紋理は，顕微鏡でも直接観察できるが，スンプB板を用いると観察しやすい．

毛髄質の形態は，動物毛ではその太さが毛幹の太さの約半分以上を占めるのに対し，ヒト毛髪では約1/3以下である（図9-4）．また，動物毛では動物種特有の規則的な網状構造を示すのに対し，ヒト毛髪では不規則な網状構造を呈している．植物繊維や合成繊維から毛髄質は観察されないが，ヒト毛髪でも毛髄質がないものもある．

外観の形状でもある程度識別ができる．動物毛では毛幹の近位1/3に最大幅部位があり，毛先端は細く尖鋭であるのに対し，ヒト毛髪では毛幹全体で太さの変化は少なく，毛先端は細いが尖鋭であることは少ない．

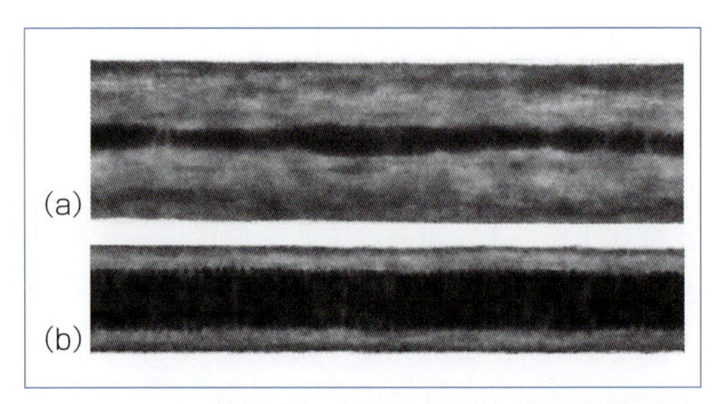

図9-4　ヒト毛髪（a）と動物毛（イヌ：b）の生物顕微鏡像

3 形態学的検査による異同識別

毛髪は，同一人物由来の頭髪でも部位によって長さや色調，太さなどが微妙に異なっているため，形態学的検査では1本対1本の異同識別はできない．そのため，現場遺留毛髪と数十本の対照毛髪との異同識別となる．対照毛髪は，頭部のいろいろな部位から数本ずつ採取することが望ましい．肉眼や顕微鏡で，長さ，太さ，色調，毛髄質の出現形態，毛先端の形状，美容処理の有無などを検査し，総合的に判断する．太さ，色調，毛髄質の出現形態については，少なくとも毛根直上部，毛幹部，毛先部の3か所を検査する．現場遺留毛髪と対照毛髪の採取日に大きなタイムラグがあると，長さや毛先端の形状，美容処理の有無などの複数の項目が指標にできなくなるため，異同識別が困難になる．

4 ABO式血液型検査

解離試験法または免疫組織化学染色 Labeled Streptavidin Biotin（LSAB）法によって検査可能である．解離試験法では，血痕や唾液斑の時と異なり，毛髪の圧挫や解離液へのゼラチン添加，血球のパパイン処理など，いくつかの追加処理が必要となるため，煩雑で手技も熟練を要することから，免疫組織化学染色法による検査が一般的である．

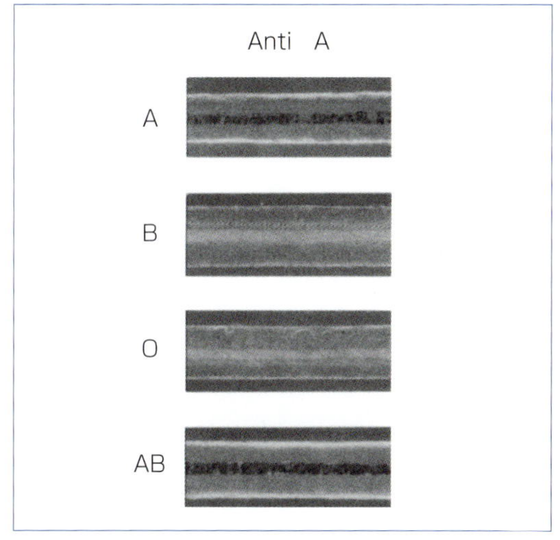

図 9-5　縦断切片毛髪を用いたLSAB法によるABO式血液型判定[4)]

LSAB法は，市販のキット（ブロッキング液，ビオチン化二次抗体，酵素標識ストレプトアビジン）を用いる．まず，毛髪を過酸化水素・メタノール溶液で脱色後，適当な長さに切断し，両面テープを貼ったスライドガラスに貼り付ける．次に，メスで毛髄質を露出させ，ブロッキング液，一次抗体（血液型抗体），二次抗体，ストレプトアビジンを順次感作させたのち，3-Amino-9-ethylcarbazoleで発色させて，実体顕微鏡下で観察する（図 9-5）．

5 DNA型検査

STR型検査などの核DNAの検査を行う場合，毛根鞘が付着した毛根部からのみ検査可能である．したがって，検査可能かの判断は検鏡によって判断する．一方，ミトコンドリアDNA型検査の場合，毛根鞘が付着しない毛根部だけでなく，毛幹部からも検査可能である．

9．組織片

組織標本からは，免疫組織化学染色法によってABO式血液型検査が可能である．例えば，粘液腺，胃・十二指腸，気管支粘膜，全身の血管内皮，赤血球などはよく染色されるが，結合組織，骨，軟骨，横紋筋，中枢神経系，リンパ組織などでは血液型物質は検出されない．また，DNA型検査は体液類と同様に実施できる．

DNA型検査の高度化に伴い，微物資料（タッチサンプル）と呼ばれる微細皮膚変片の検査が一般的になってきた．粘着シートや滅菌ガーゼ片，滅菌スワブなどで接触（痕）部位を採取したものが鑑定資料になる．これらの予備検査は汗の検査法を適用できる．または浸出液を作製したのち，染色・検鏡して角化細胞の有無を観察する．DNA型検査は体液類と同様に実施できるが，微量であったり複数人由来のDNAが混合していたりすることが多く，結果の解釈が難しくなる場合がある．

II 個人識別

1．個人識別の意義

生体および死体またはその一部から個人を特定することである．生体では，自己を認識できない人（記憶喪失者や精神障害者の一部），幼児，捨て子，産院での取り違えの新生児などが対象となる．生体以外では，死体（白骨死体，焼死体，溺死体），死体の一部（バラバラ死体）がある．身体的特徴には，① 身長，体重，顔貌，② 手術痕，刺青，③ 歯牙の治療痕，④ 皮膚紋理がある．検査対象として，体液（血液，唾液，精液），人体の組織，毛髪のほかに声紋，筆跡も含まれる．

指掌紋が採取できれば確実な個人識別が可能であるが，白骨死体や焼死体などで指掌紋が得られない場合は，歯の治療痕と歯科カルテから判断する．さらに歯の治療痕もない死体では，DNA 型検査によって判断する．

2．皮膚紋理

皮膚紋理とは，表皮の隆起により形づくられる線（隆線）によって形成される紋様のことをいい，指紋，掌紋，基節紋，中節紋，足紋の総称である．これらは，無毛皮の表面に存在し，表皮の下にある真皮の上層には，乳頭と呼ばれる突起が並んでいる．隆線には汗線口があり，分泌した汗や有毛皮の皮脂腺から分泌された脂肪などにより，指掌紋が印象される．

皮膚紋理のうち，個人識別に用いられる代表的なものは指掌紋であるが，識別上の定義としては，「隆線により形成される紋様」と「紋様が物体に印象されたもの」を指掌紋と呼んでいる．

1 指紋の歴史

指紋が科学的に意味ある紋様として認識されたのは 17 世紀のことであり，19 世紀前半には指紋の形状が 9 つに分類され，現在の研究の基礎となった．

指紋を個人識別として利用したのは 19 世紀後半に東京の病院に勤務していた英国人のヘンリー・フォールズ医師である．彼は「皮膚の皺の研究」から，1880 年に科学雑誌「Nature」に現在の指紋法の基礎内容を発表している．

日本で指紋の研究が行われたのは明治 40 年代からであり，1934 年には「警察指紋採取規定」が制定され，全国統一した指紋制度が誕生した．その後，何度かの改正を経て，1969 年に「指紋等取扱規則」が制定された．なお，現在の「指掌紋取扱規則」は 2007 年から施行されている．

2 皮膚紋理鑑定基準

指掌紋は「万人不同」，「終生不変」であるため，きわめて確実な個人識別法であり，指掌紋の一致から本人を断定することができる．2 つの皮膚紋理（指紋・掌紋・中節紋・基節紋・足紋）を同一と鑑定するには，「12 個の一致する特徴点を指摘する」のが皮膚紋理鑑定基準である．「特徴点」とは，隆線が左から右へ流れると仮定して「端点（開始点・終止点）」および「分岐点（接合点・分岐点）」を指す．「特徴点」を 12 個と定めた根拠は，過去の経験則と，警察庁が文部省の協力を得て行った統計的分析により，鑑定対象が 1,000 億人（一兆指）いても特徴点が 12 個一致する指紋を持つ人はいないという理論的裏付けによるものである．

3 指紋の種類

指紋は照合のための分類上，弓状紋，蹄状紋，渦状紋，変体紋，損傷紋，不完全紋，欠如紋の 7 種類に分けられる．紋様の種類としては以下の4種類がある（図9-6）．

①弓状紋：弓状，波状，突起状をなす隆線により形成された指紋．

②蹄状紋：蹄形の線（蹄状線）を含み，その流れの反対側に三角州がある指紋（蹄状線が母指側あるいは小指側に流れるものを区別し，前者を甲種蹄状紋，後者を乙種蹄状紋と呼ぶ）．

③渦状紋：環状，渦巻き状などの隆線の左右に三角州がある指紋．

④変体紋：紋様に規則性がなく，上記いずれの種類にも属さない指紋．

4 現場指掌紋の採取法

犯罪捜査としての現場指掌紋は，ほこりや油脂，血液などにより印象された，肉眼で見ることのできる顕在指掌紋と，汗や分泌された油脂などが指に付着して印象された，肉眼では見ることのできない潜在指掌紋の2つに分けられる．現場指掌紋は，日数の経過や直射日光が当たるなどの外的要因によって変質したり消滅したりする．

現場指掌紋の検出と採取方法は7つに大別され，粉末法，液体法，気体法，転写法，火炎法，採型法，写真撮影法があり，この中から2つ以上の方法を組み合わせて用いることもある．

1．粉末法

アルミニウム粉末やSPブラック粉末，磁性粉末などを刷毛で付着させ，余分な粉末を除去後，粘着紙などの転写材に転写するか，写真撮影して採取する方法である．物体の種類や状況に応じて最も適した粉末を選択することが必要である．

2．液体法

物体に試薬を塗布などして指掌紋を検出後，写真撮影をする方法である．主なものは，分泌物中のアミノ酸とニンヒドリンとを反応させて青紫色に呈色させるニンヒドリン・アセトン溶液法，非イオン系界面活性剤の水溶液に四三酸化鉄の粉末を分散させ，物体に噴霧，浸漬，塗布などの方法で指掌紋を黒色に検出するエマルゲン・ブラック法がある．

3．気体法

物体に試薬をガス化して反応させた後，写真撮影により採取する方法である．試薬にシアノアクリレート系瞬間接着剤を用いたシアノアクリレートガス法がよく用いられる．物体に付着

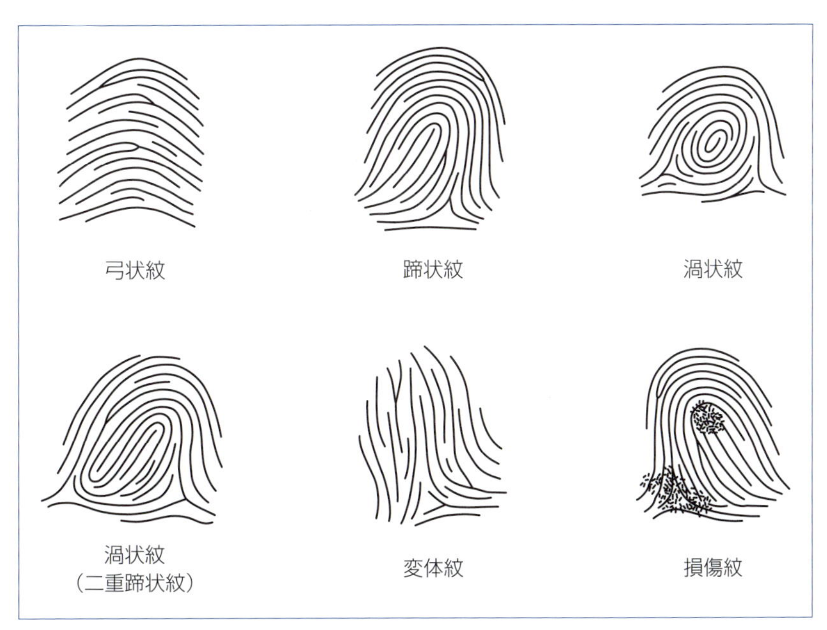

図9-6 指紋の種類

する分泌物に含まれる塩基性成分に，ガス化したシアノアクリレートモノマーを反応させ，白色を呈した指掌紋を写真撮影する．

4. その他

近年は，クライムスコープやポリライトなどの特殊光源を利用して，青緑色の光線を照射し指掌紋を蛍光発色させる方法が導入されており，ニンヒドリン指掌紋の鮮明化や，特殊な試薬を使った紙類からの指掌紋検出などに用いられる．また，科学捜査用グリーンレーザ（指掌紋検出用レーザ照射装置）を用いて物体に532 nmの光を当て，オレンジフィルタを通して蛍光を確認することにより，広範囲に指掌紋を検索することができるようになった．

5 死体指紋の採取法

死体指紋の採取方法には，指に直接インクあるいは黒粉を付着させて押なつする直接押なつ法，シリコンラバーなどで採型したものにアクリル溶剤などを塗布して皮膜を作製し，指紋用インクを付着させて押なつする間接押なつ法がある．指の状態によってはそのまま，あるいは墨などで着色し，写真撮影をする場合もある．死体は，置かれていた環境や死因などによって変化するため，死体の指の状態をよく観察し，適した方法を選択して採取することが必要である．

水死などで指紋が漂母皮化しているものは，まず汚れを除去し，しわを伸ばしながらインクなどを付着させ押なつする．腐敗が進んでいる場合は，ホルマリンに浸して硬化した後，乾燥させ間接押なつ法で採取する．表皮が離脱し，真皮が露出している場合は，ガーゼで乳頭を立たせながらインクなどを付着させると鮮明に押なつできる．指の水分が抜け，革皮様化している場合には，そのまま間接押なつ法を用いるか，水酸化ナトリウムで軟化させる．

死体指紋が採取できない場合は，掌紋を採取し，身元確認に利用する．

3．白骨検査

性別，年齢，身長，死後経過年数，DNA型などが検査事項としてあげられるが，検査対象が骨片などの場合には，人獣鑑別も重要な検査項目となる[5]．

1 性別推定

成人骨の男女差は，骨格の形態学的特徴および人類学的計測値に基づいて推定される．主要な検査部位は頭蓋と骨盤であり，両者は男女間で明瞭な形態学的差異を示す（表9-3）．最も強い性差は骨盤に現れ，恥骨下角などの形状を指標に，95％以上の確からしさで判定が可能である．一方，人類学的計測値に基づいた推定法は，上腕骨や大腿骨などの四肢骨からの判定に用いられ，各種計測量の大小の比較および複数の計測値を利用した判別関数法により性別を客観的に推定することができる．ただし，骨の計測値はその人物の体格（身体の大きさ）に依存するため，推定結果の優位性は，「計測所見」よりも「形態所見」のほうが高いことから，形態学的特徴所見を重視した総合的判断が望ましい．また，子どもの白骨死体における性別推定の信頼性はきわめて低いとされている．骨の形態に性差が現れる時期は，一般に第二次性徴が出現した以降であり，幼児や小学生の骨格形態は，本来の性別に関係なく，概ね女性型の特徴を示す．

2 年齢推定

年齢の推定は，白骨死体が属する年齢域によって，推定方法やその推定幅が異なってくる．ヒトの骨格の成長が止まる時期は，20歳代前半とされ，胎生期から20歳くらいまでの成長期の骨格については，「骨の進行性変化」に基づいた年齢情報，すなわち，骨化中心（化骨核）の出現と癒合の時期，歯の石灰化と萌出時期，長骨の骨幹と骨端の癒合時期などを指標にして検査を行う．一般に四肢における長骨の骨端は，10歳代後半に癒合が進行し，青年期の白骨の年齢推定に有効な判断指標になる．骨の進行性変化は，加齢とともに規則正しく進行するため，年齢推定幅を狭く設定することができ，通常，「資料骨の年齢は，何歳前後と考えられる」などの表現が可能である．

一方，成長を完了した成人骨については，頭蓋縫合の閉塞の程度，恥骨結合面の形態変化，長骨の骨端部における骨梁構築の粗糙化，歯の咬耗や歯髄腔の退縮程度ならびに椎骨や寛骨などの骨縁に出現する骨棘の形成 lipping などの「骨の退行性変化」の諸相を指標に年齢を推定する．頭蓋の縫合のうち，年齢推定に有用な部位は，矢状縫合の孔間部と後部，冠状縫合の側頭部，蝶前頭縫合の眼窩部ならびに口蓋部における各縫合などである．各縫合の閉塞状態と年齢の関係を，表 9-4 に示した．口蓋部における縫合の閉塞状態を指標にした年齢推定法は，比較的信頼性が高く，かつ，20～50 歳代の幅広い年齢域について，概略的な推定が可能であることから，第一義的な検査部位といえよう（図 9-7）．

恥骨結合面の形態は，20 歳前後～30 歳代半ばくらいの年齢推定に適している（表 9-5）．結合面の諸相のうち，最も特徴的な形態は平行隆線と上結節の出現である．平行隆線は，結合面上を腹背方向に走る縞状の骨隆起線で，20 歳前後では認められるものの 20 歳代半ばには消失し，

表 9-3 骨形態における主要な性差

検査部位	男 性	女 性
[頭 蓋]		
前頭結節	発達が悪い	著明ないし中等度に発達
眉間・眉弓の隆起	著明に発達	ほとんど発達しない
オルトメトピカ	−（斜めに傾斜）	＋（鉛直型，おでこ状）
外後頭隆起	強く突隆する	弱く突隆するか突隆なし
項平面	ゴツゴツ，項線の識別可能	平坦，項線は不明瞭
乳様突起	大きく，ゴツゴツ	小さく，繊細な感じ
下顎体の角度	鈍角（角型）	鋭角（U 字型）
下顎角部	発達よく，外側に突隆	発達が悪く，平坦
[骨 盤]		
全体の感じ	幅が狭く，丈が高い	幅が広く，丈が低い
恥骨下角	鋭角（60°）で逆 V 字型	鈍角（80° 以上）で逆 U 字型
骨盤腔	漏斗状	円柱状
仙骨の前凹彎	強い	弱い
大坐骨切痕	鋭角的で深く，楕円形	鈍角的で浅く，円形

表 9-4 頭蓋の縫合の閉塞状態と年齢の関係

	20 歳代	30 歳代	40 歳代	50 歳代
矢状縫合 孔間部・後部	閉塞なし	30 歳代半ば以降 一部閉塞	強度の閉塞	強度～ ほぼ完全に閉塞
冠状縫合 側頭部	閉塞なし	閉塞なしか 一部閉塞	中等度～ 強度の閉塞	強度～ ほぼ完全に閉塞
切歯縫合	外側から 閉塞開始	ほぼ完全に閉塞	完全に閉塞	完全に閉塞
正中口蓋縫合 口蓋骨部	閉塞なし	30 歳代半ば以降 後部 1/3 部閉塞	後部 1/2 部～ ほぼ完全に閉塞	ほぼ完全に閉塞
横口蓋縫合	閉塞なし	閉塞なし	ほぼ閉塞なし	外側から 閉塞開始
蝶前頭縫合 眼窩部	閉塞なし	ほぼ閉塞なし	一部閉塞～ 強度の閉塞	ほぼ完全に閉塞

その後はこれに代わって，結合面の上部にいぼ状に骨が隆起した上結節が出現する（30 歳前後で消失）．また，20 歳代後半からは，結合面の下部の境界縁が鮮鋭，顕在化し（腹側縁，背側縁の形成），以降，その形態を保ち続ける（図 9-8）．

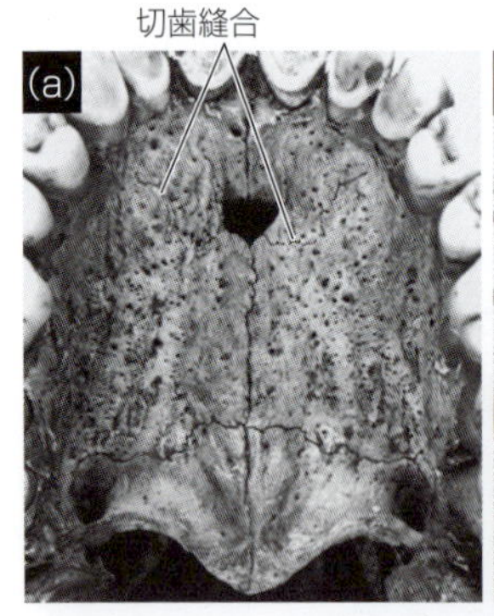

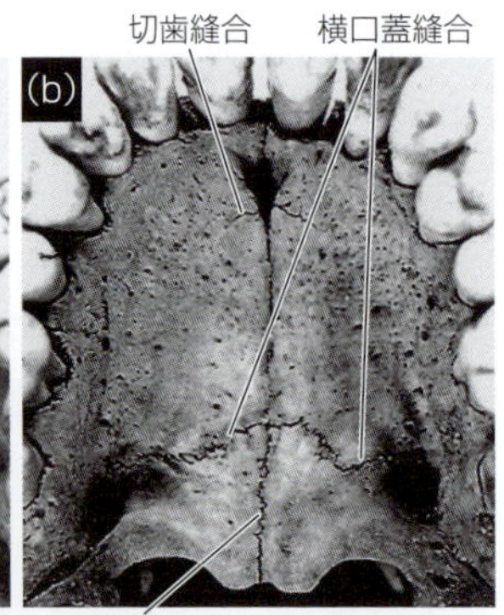

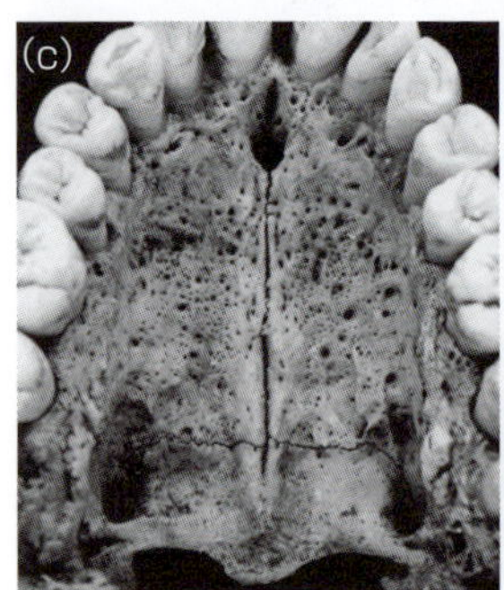

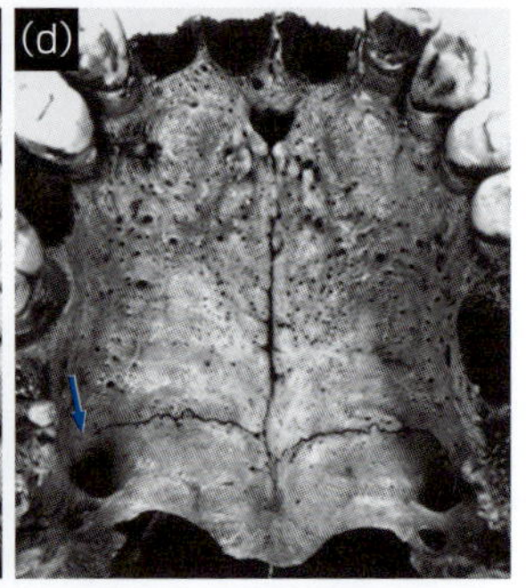

図 9-7　加齢に伴う口蓋部の縫合の閉塞状態

切歯縫合は，20 歳代で外側から内側方向へと閉塞が急速に進む．30 歳代以降では正中口蓋縫合（口蓋骨部）の閉塞が前方に向かい進行し，50 歳代では横口蓋縫合の外側部で閉塞（矢印）が始まる．［(a)：22 歳，(b)：26 歳，(c)：41 歳，(d)：53 歳］

長骨の骨端部における骨梁構築の検査では，上腕骨の近位端部を長軸方向に鋸断し，その断面の観察を行う（図 9-9）．骨端部の骨梁は，20 歳代では密な網目放射状を呈するが，30 歳代になると長軸方向に走る骨梁が目立つようになり（柱状構造），以後，加齢とともに粗糙化が進行する．また，骨梁構築の変化に伴い，骨髄腔の空洞も上方に向かって広くなる．男性では，骨髄腔の上端縁は，35～50 歳で外科頚の位置に至り，60 歳前後には骨端線にまで達する．女性では，男性よりも 5 歳くらい早く，この現象が現れる．

以上の骨の退行性変化の様相は，上述の骨の進行性変化に比べて個体差が大きく，栄養状態や疾患などの影響もあり，年齢の推定に当たっては，推定幅を広く設定（概ね 15 歳幅程度）する必要がある．

3 身長推定

身長推定は，四肢の長骨の人類学的計測を行い，得られた計測値を所定の身長推定式（一次回帰直線式）に代入して算出する．今日までに数多くの推定式が案出されてきたが，このうち，現代日本人に適した方法として広く活用されている，藤井氏と吉野氏らによる身長推定式を，表 9-6 に示した．複数の長骨が存在する場合には，上肢骨の計測値を用いるよりも，身長の構成に直接にかかわる下肢骨の計測値を用いて算出した推定値のほうがより精度が高いとさ

表 9-5　恥骨結合面の加齢的形態変化

年齢＼部位	平行隆線	腹側縁	背側縁	上結節	下端部	傾斜面	縁隆起（棘形成）
17～19 歳	明　瞭	な　し	な　し	な　し	な　し	な　し	な　し
20～22 歳	〃	〃	極　弱	〃	〃	〃	〃
23～24 歳	弱	弱	弱	存　在	やや明瞭	弱	〃
25～27 歳	ほとんど消失	明　瞭	明　瞭	弱	明　瞭	明　瞭	〃
28～29 歳	消　失	〃	〃（増　幅）	〃	〃	〃	〃
30～40 歳	〃	〃	〃（増　幅）	消　失	〃	上半部消失	〃
40 歳以上	〃	上半部不明瞭	〃（減　幅）	〃	〃	〃	徐々に増強

（埴原より，一部改変）

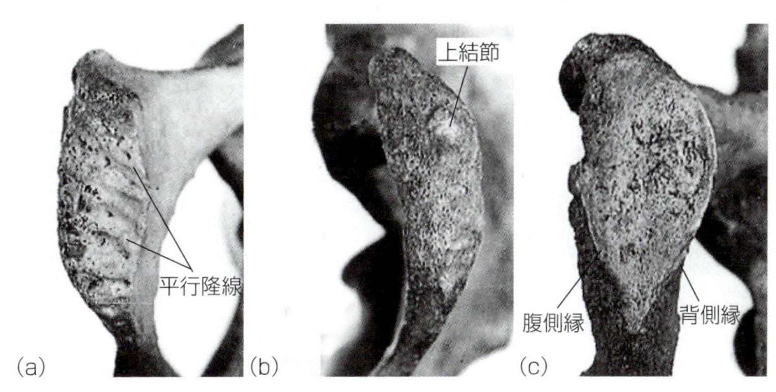

図 9-8 恥骨結合面（右側）の形態と年齢
(a)：20 歳，(b)：24 歳，(c)：48 歳

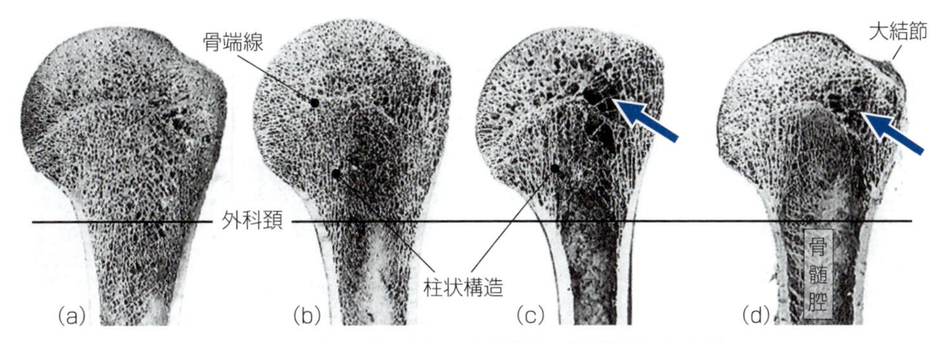

図 9-9 上腕骨近位端部の骨梁構築（鋸断面）と年齢
骨梁は，加齢とともに，網目放射状→柱状構造→骨梁崩壊へと変化する．骨髄腔も徐々に広がり，60 歳前後には，その上端は骨端線にまで達する．大結節の直下の海綿質に空洞化（矢印）を認めた場合には，40 歳代以上と考えてよい．［(a)：22 歳，(b)：32 歳，(c)：43 歳，(d)：58 歳］

れている．一方，脊柱長から身長を推定する方法があり（表 9-7），四肢骨が存在しない高度焼損死体などに有効である．この場合の脊柱長とは，咽頭円蓋から脊柱前面に沿って岬角に至るやや弯曲した長さを意味する．

4 死後経過年数の推定

骨の表面性状などの外観所見に加え，顕微 X 線検査による骨緻密質横断面の組織崩壊像，紫外線照射による蛍光の発生強度などの検査結果を基に評価がなされる．白骨の死後変化は，死体の放置場所（地上，地中，水中），気象条件，土壌の性状，放置状態（着衣の有無，梱包死体）などの状況に強く影響され，これらの要因を死後経過年数と関連づけて評価することは，きわめて重要である．地上死体であれば，通常，完全白骨化までに1～2年を要するが，腱や靱帯が残存する状況であれば，死後数か月～1 年前後以内と推察できる．死後3～5年で骨表面の光沢は消失（脂肪分の消失）し，死後 10 年以上を経過する場合には，海綿質が露出するなど，骨質の崩壊，風化が始まる．なお，白骨化する以前の死体では，死後経過の判断基準として，Casper の法則（p.25 参照）を活用できるが，白骨化した以降の死後経過については，この法則は当てはまらない．特に，湿潤土壌中に埋没した死体は，白骨化に 3～5 年を費やすものの，その前後から土壌中の細菌などによる侵食が急激に進み，骨質の脆弱化，崩壊の程度は，地上放置の白骨死体のそれよりも顕著に進行する場合が多い．

表 9-6　日本人四肢長骨からの身長推定

計測項目		男　性	女　性
上腕骨最大長	左	Y＝2.83 X＋729.08	Y＝2.49 X＋787.42
	右	Y＝2.79 X＋732.42	Y＝2.38 X＋813.02
橈骨最大長	左	Y＝3.30 X＋834.01	Y＝3.21 X＋819.31
	右	Y＝3.23 X＋842.96	Y＝3.13 X＋829.34
尺骨最大長	左	Y＝3.25 X＋792.01	Y＝2.75 X＋864.70
	右	Y＝3.09 X＋825.87	Y＝2.91 X＋826.57
大腿骨最大長	左	Y＝2.50 X＋535.60	Y＝2.33 X＋578.41
	右	Y＝2.47 X＋549.01	Y＝2.24 X＋610.43
脛骨最大長	左	Y＝2.36 X＋775.42	Y＝2.34 X＋737.54
	右	Y＝2.47 X＋739.99	Y＝2.20 X＋778.71
腓骨最大長	左	Y＝2.55 X＋729.70	Y＝2.24 X＋779.49
	右	Y＝2.60 X＋709.25	Y＝2.63 X＋660.59

X：計測値（mm），Y：身長（mm）　（藤井，1960）

計測項目		男　性	女　性
橈骨最大長	左	Y＝3.57 X＋81.38	Y＝3.71 X＋74.07
	右	Y＝3.92 X＋72.79	Y＝3.47 X＋79.30
尺骨最大長	左	Y＝3.57 X＋76.07	Y＝3.49 X＋74.69
	右	Y＝3.55 X＋76.17	Y＝3.55 X＋72.67
脛骨長	左	Y＝2.41 X＋82.11	Y＝3.10 X＋54.45
	右	Y＝2.38 X＋83.06	Y＝2.96 X＋58.54
腓骨最大長	左	Y＝2.38 X＋80.95	Y＝2.97 X＋56.98
	右	Y＝2.29 X＋83.96	Y＝3.00 X＋56.16

X：計測値（cm），Y：身長（cm）　（吉野ら[6]，1986）

表 9-7　日本人脊柱長からの身長推定[7]

性　別	身長推定式
男　性	Y＝1.67 X＋58.87±4.28
女　性	Y＝1.67 X＋55.84±4.79

X：計測値（cm），Y：身長（cm）

5 DNA 型検査

該当者本人ないしはその親族に由来するDNAが入手できる場合には，白骨死体の身元を特定するうえで有用な評価指標となる．保存状況が良好な骨であれば，核DNAを対象としたSTRやminiSTR解析によるDNA型検査が可能であるが，死体の白骨化に伴う核DNAの分解や断片化によって検査が困難な場合も少なくない．このような場合は，通常のDNA型検査に加え，細胞中に大量に含まれるミトコンドリアDNAを対象としたミトコンドリアDNA検査を実施する．ミトコンドリアDNAは母系遺伝することから，本検査を行うに当たっては，対照資料として，推定される母親もしくは兄弟・姉妹からDNAを入手する必要がある．父子関係や兄弟間では，Y-STR型検査が有効である（p.258参照）．

6 人獣鑑別

本来の形態を保持した骨からの人獣鑑別は，その外観所見のみにより容易に判定が可能であるが，バラバラ殺人事件などで小さな骨片として発見された場合には，骨組織の構築像を指標にした顕微鏡的検査が必要となる．骨組織は，動物種ごとに特異な層板構造を有しており，特に骨単位中に認められるHavers管の管径は，通常，ヒトで50 μm以上を示し，ほかの動物のそれに比較して著しく大きいことから，鑑別の指標となる．また，近年は，ミトコンドリアDNAの16SリボゾームRNA遺伝子領域の塩基配列などを指標にした動物種鑑別法が確立されつつあり，鑑定検査に応用されている．

4．歯　牙

歯はさまざまな環境の中で長い間安定して保存されやすく（安定性），歯科治療痕を含めた口腔内の状態は各個人で異なり（固有性），歯科カルテなどに歯科治療の記録が保存されている（記録性）ところから，個人識別情報としてはきわめて有用なものである．また，年齢推定，性別判定，いわゆる人種の推定，遺伝標識の検査資料としても物体検査の対象となる．

1 歯および歯牙支持組織の構造

歯および歯牙支持組織の構造を図 9-10 に示した．エナメル質は97%がハイドロキシアパタイトからなり，細胞成分はない．象牙質は 70%がハイドロキシアパタイトで，20%はコラーゲンを主成分とした有機質，残り 10%は水分である．歯髄最外層の象牙質との境界面に象牙芽細胞が存在し，物体検査における DNA の供給源となる．

2 歯の名称と標示法（歯式）

ヒトの永久歯は上下顎左右側にそれぞれ 7～8 本ずつ，乳歯は上下顎左右側にそれぞれ 5 本ずつ存在する．乳歯と永久歯は色，大きさ，咬合面形態の違いで，識別は容易である．日本で汎用されている歯の表示法は，表 9-8 のように各歯種を数字で表し，上下左右側の別を表すときは，それぞれの方向に向けたカギ括弧で表す．

例：上顎右側であれば，永久歯は 1┘, 2┘, ---,
乳歯は A┘, B┘, ---のように示す．

これに対し，Two-digit system（FDI 方式）と呼ばれる 2 つの数字で表す方法が国際的に広く用いられる．表示法は表 9-8 に示したように，1 つ目の数字で右上，左上，左下，右下の順に 1，2，3，4 で表し，2 つ目は歯種の番号を付ける．また乳歯は上下左右の区別を 5, 6, 7, 8 で示し，2 つ目の歯種は A，B，C，D，E の代わりに 1，2，3，4，5 で表す．

例：上顎右側であれば，永久歯は 11, 12, ---,
乳歯は 51，52，---のように示す．

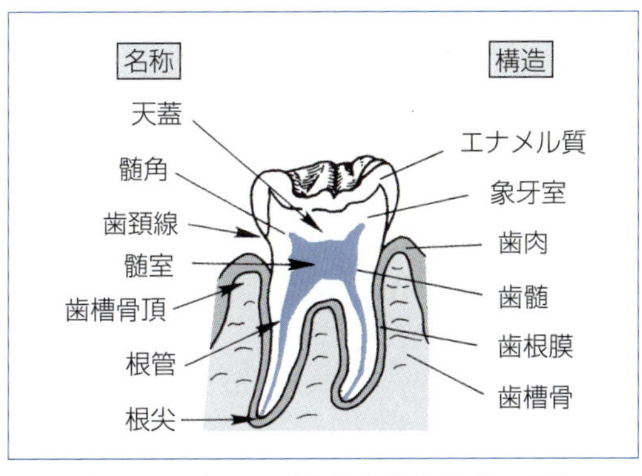

図 9-10　歯および歯周組織と各部の名称

3 歯科記録による個人識別

口腔内所見から身元不明死体の個人識別を行うためには，遺体口腔内の歯科治療痕記録（死後記録）を，該当者と思われる人物の生前の情報（生前記録）と比較し同一性を検討する．

1．死後記録の作成

通常，各歯牙の所見の記録，写真撮影，X 線

表 9-8　歯の名称

永久歯

上顎右側（1）								上顎左側（2）							
								中切歯	側切歯	犬歯	第一小臼歯	第二小臼歯	第一大臼歯	第二大臼歯	第三大臼歯
18	17	16	15	14	13	12	11	21	22	23	24	25	26	27	28
8	7	6	5	4	3	2	1	1	2	3	4	5	6	7	8
8	7	6	5	4	3	2	1	1	2	3	4	5	6	7	8
48	47	46	45	44	43	42	41	31	32	33	34	35	36	37	38
下顎右側（4）								下顎左側（3）							

乳歯

上顎右側（5）					上顎左側（6）				
					乳側切歯	乳中切歯	乳犬歯	第一乳臼歯	第二乳臼歯
55	54	53	52	51	61	62	63	64	65
E	D	C	B	A	A	B	C	D	E
E	D	C	B	A	A	B	C	D	E
85	84	83	82	81	71	72	73	74	75
下顎右側（8）					下顎左側（7）				

写真撮影を行う．歯に施された治療痕などの記録を残す場合，デンタルチャート（歯型図）を用いる．記入すべき内容は，① 生前死後の脱落を考慮したうえで，各歯があるか否かの確認，② 充填（インレー充填，コンポジットレジン充填，アマルガム充填），歯冠補綴（鋳造冠，ジャケット冠，前装冠など），欠損補綴（ポンティック，義歯，デンタルインプラントなど）の修復方法，形態（歯の修復面），材料の記載，③ X 線写真による根管処置の有無，などである．X 線写真は歯髄腔形態による年齢推定の資料にもなる．

治療内容を簡単に説明すると次のようになる（**口絵写 73**）．

① C_1～C_4：齲蝕の進行による分類法で，C_1 はエナメル質に限局したもの，C_2 は象牙質に達したもの，C_3 は歯髄にまで達しているもの，C_4 は歯冠が崩壊し歯根のみになったものを表す．

② インレー inlay（In）修復：歯冠の一部を修復する際に，歯に窩洞を形成し，窩洞に適合するような固形の修復物を作製して入れ込む方法．修復物は銀色や金色の金属で作製することが多いが，近年，セラミックスによる歯冠色のインレーも使われ始めている．

③ クラウン crown（Cr）：歯冠部を修復する場合，歯の一部または全部を被覆する方法．金属のみで作製する方法（鋳造冠など），審美性を主体に外側を歯冠色にする方法（前装冠），全体を歯冠色にする方法（ジャケット冠，臼歯部のセラミック冠など）がある．

④ レジン resin（Re）：合成高分子化合物で，歯科では歯冠色のものと，歯肉粘膜色のものがある．歯冠色のものは，歯の窩洞に詰めるコンポジットレジン充填，ジャケット冠や前装冠などに用いる硬質レジンなどがあり，歯肉粘膜色のものは義歯床に使われる．近年，コンポジットレジン修復材料が改良され，充填物が識別しにくくなってきているが，時間が経つと変色している場合も多い．

⑤ アマルガム amalgam（Am）修復：水銀を含む合金の総称であるが，歯科では銀を主成分とした歯冠の一部を修復する材料の 1 種．歯に窩洞を形成し，窩洞に詰め込み，後に表面を研磨する．近年，齲蝕治療処置として施される頻度はきわめて低いが，処置を受けたものは高年代の人の口腔内に未だ多く残る．

⑥ ブリッジ：歯の欠損を修復する際に，欠損部分の前後の歯にクラウンを被せ，欠損部分に人工歯冠を作り連結する方法．主に少数歯の欠損に用いられるが，支台歯のクラウンが隣在歯と連結され，多数歯に及ぶものもある．

⑦ クラスプ：局部床義歯を安定させるために，義歯と連結し，残存している歯の周りを把持する装置．金属線を曲げたもの，または鋳造して作るものがある．

⑧ インプラント修復：歯の欠損部分の骨にチタン製の人工歯根を埋め込み，その上に金属製の支台と，セラミックスや金属製の歯冠部を装着したもの．歯の喪失が起こる年代の人に認められることを考慮に入れ，上下顎骨を含む X 線検査結果を観察すればわかりやすい．

2. 生前記録の種類

生前資料には，歯科カルテ，X 線写真（デンタルフィルム，パノラマフィルム），歯型模型，技工指示書，学校や会社の歯科検診表，歯の見える写真，歯科医や家族などからの口元の特徴の聞きとり，頭部 X 線 CT やコーンビーム CT 画像などが利用できる．

歯科記録の比較識別：生前記録の記録最終年月日と死亡推定時との間に時期的な差があれば，同一人物でもすべての処置が一致するわけではない．歯の崩壊は不可逆的な変遷過程をとるため，同一人として矛盾しない違いと，矛盾する違いがある．また，生前のデンタル X 線写真は撮影された方向を考慮しながら観察することが重要で，対象歯が存在する場合，近似した方向から遺体の歯を再撮影すれば，外表からは見えない歯や歯槽骨の別の特徴を比較可能で，きわめて精度の高い結果を得ることができる．

表 9-9 天野の咬耗度の分類（下顎切歯）

標示度	咬耗度分類程度	推定年齢
0	エナメル質に咬耗がみられないもの	15〜20 歳
1	エナメル質に平坦な咬耗箇所があるもの	21〜30 歳
2	点状または線状に象牙質がみえるもの	31〜40 歳
3	象牙質が幅，面積を有するもの	41〜50 歳
4	咬頭，切端が極度に消滅したもの	51 歳以上

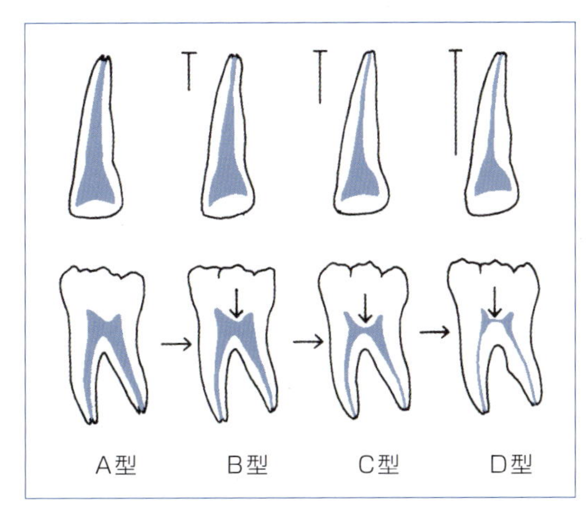

図 9-11 歯髄腔の加齢変化（藤本）**デンタル X 線写真の所見**

┬：根尖の棒状狭窄
↓：天蓋の退縮
→：根管・髄室移行部の狭窄化
10 歳代：A 型
20 歳代：B 型（犬歯 A 型）
30 歳代：B 型と C 型（上顎小臼歯，下顎第 1 大臼歯）
40 歳代：C または D 型
50 歳代：D 型

4 年齢推定

1. 歯牙の萌出・石灰化

歯牙の萌出は，乳歯が生後 8 か月頃から始まり，2 年半ほどでほぼすべての乳歯が萌出を完了する．永久歯は 6 歳頃に萌出を開始し，14 歳頃までには第 2 大臼歯までの萌出が完了する．第 3 大臼歯は個人差が大きいが 18 歳頃に萌出する．歯根の完成・石灰化は 9〜16 歳頃に第 2 大臼歯まで完了し，第 3 大臼歯は 18〜25 歳頃に石灰化が完了する．第 2 大臼歯の石灰化完了以前における年齢推定の精度は高い．また，25 歳を過ぎて X 線所見で第 3 大臼歯の歯根先端の外形が完成していない場合はほぼない．

2. 咬　耗

咬耗による年齢推定は，上下顎が咬合している部分を対象に検査する必要がある（表 9-9）．一般的には前歯部を観察したほうがよい．

3. 歯髄腔の形態

永久歯歯髄腔の髄室と根管の狭窄度合いは年齢と相関する（図 9-11）．

4. 歯槽骨の退縮程度

加齢とともに歯周病が進行すると歯槽骨が退縮する．歯槽骨頂から歯頚線までの距離は，平均して 20 歳代は 1〜2 mm，30 歳代は 2〜3 mm，60 歳代は 3〜5 mm とされる．臼歯部より前歯・小臼歯部のほうが判断しやすい．

5. ラセミ化による年齢推定

象牙質中に含まれるコラーゲンのアスパラギン酸は L 型から D 型に変化する，いわゆるラセミ化速度が速く，D/L 比は年齢とよく相関することが知られている．歯が抜去されたり，死亡した段階でラセミ化の速度が鈍化するため，その後の特別な環境の影響がなければ，抜去や死亡時点の年齢が推定される．

5 歯からの性別判定

歯髄や歯から DNA を抽出し，X および Y 染色体上の amelogenin 遺伝子をポリメラーゼ連鎖反応 polymerase chain reaction（PCR）増幅することにより判定するのが一般的である．

6 歯からの人種推定

歯列形態は，白人では V 字型，黒人ではコの字型，黄色人種では放物線型で，上下顎の咬合関係は，白人では切端咬合，黒人では上下顎骨の前突，黄色人種ではその中間を示す．上顎中・側切歯の舌側の辺縁隆線が発達してシャベルのように見えるシャベル状切歯は，黄色人種にきわめて頻度が高く，白人，黒人ではきわめて低い．近年は抽出DNAを用いて，ミトコンドリアDNAやY染色体多型の系統を検査することにより，1人の対象者の母系および父系の地理的な由来を推測することが可能になってきている．

7 遺伝標識の検査

歯髄，象牙質から解離試験によりABO式血液型が判定可能である．また，歯髄組織が硬組織に覆われているため，コンタミの少ないDNAの抽出が可能で，変性試料からのDNA型検査の対象としても適している．

5．顎顔面形態からの個人識別

顔は一般的に，目でみて個人を認識できる重要な生体の一部分であり，犯罪捜査では，死体や生体の個人の同定の対象となる場合が多い．また，顎顔面部のX線撮像所見は，白骨死体の個人識別に，最も有用な評価指標とされている．

1 スーパーインポーズ法

白骨死体の頭蓋と該当者と思われる人物の生前の顔写真を重ね合わせて，両者の輪郭や軟部組織の厚さ，眉，眼，外鼻，口唇，耳介などの顔面各部の解剖学的位置関係を比較，評価し，その合致度から個人を同定する方法である[9]．1935年，英国で発生したRuxton事件において，被害者の身元の特定に本法が用いられて以来，各国で広く活用されている．検査手法も，当初のフィルム同士による単純重合法から，現在では，本検査に特化した専用機器のコンピュータ支援型スーパーインポーズ装置（図9-12）を用いた検査法へと進化し，さらに，近年は，死後CT画像からの頭蓋三次元画像を用いた検査法も導入されつつある．

▶**検査結果の評価**：両者の位置関係について，解剖学的許容範囲を逸脱した重大な矛盾点を一つでも指摘できる場合には，両者を別人と判断する．一方，同一人と判定する場合には，結果

(a)

(b)
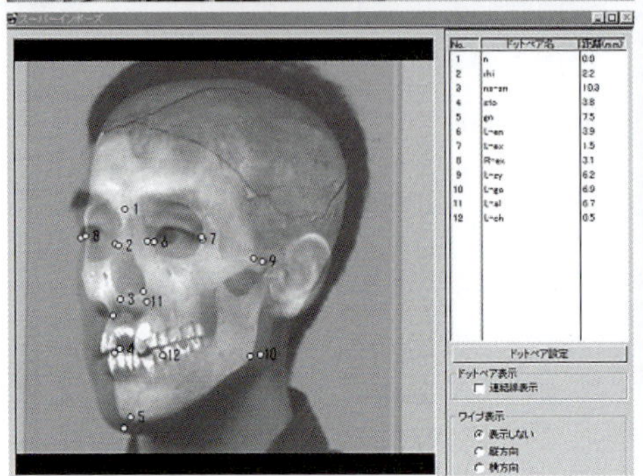

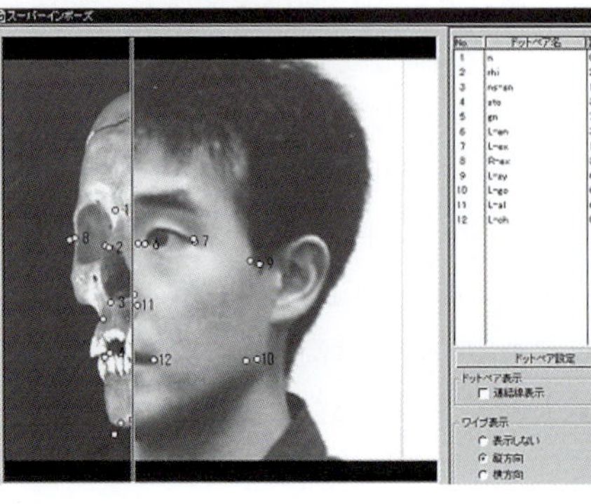
(c)

図9-12　頭蓋・顔スーパーインポーズ法による個人識別

(a)：コンピュータ支援型スーパーインポーズ装置（科学警察研究所）
(b)：重ね合わせモード
(c)：垂直分割モード
モニター上で，頭蓋や顔画像に計測点を標記し，軟部組織の厚み，骨と顔面各部の位置関係などを，重ね合わせ画像や分割画像を用いて，同一人性を評価する．

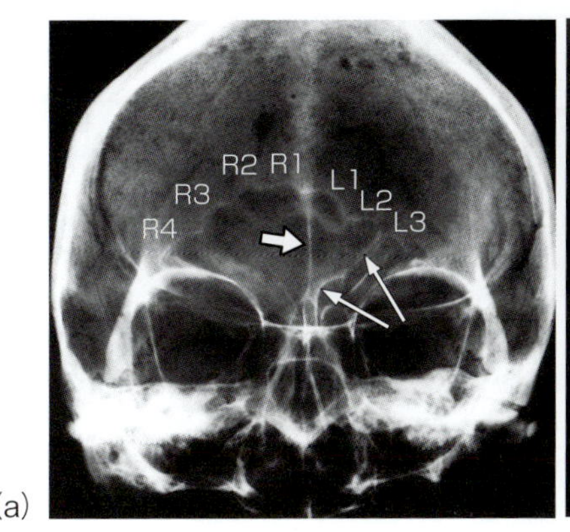

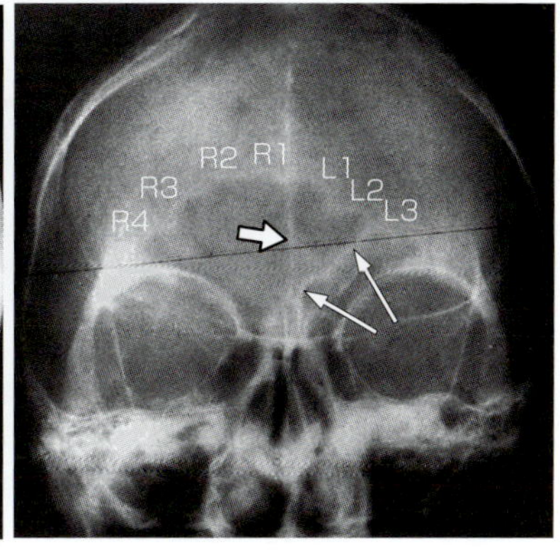

図 9-13 前頭洞のX線像の比較

(a)：白骨死体の頭蓋，(b)：該当者の生前の頭顔部X線フィルム
前頭洞の輪郭線におけるアーチの数とその形状は，左洞（L1〜L3）と右洞（R1〜R4）で酷似している．また，前頭洞中隔（太い矢印）や洞内の隔壁（細い矢印）の位置や走向状態にも高い類似性が認められ，両者の同一人性が強く示唆できる．

の評価に慎重を期する必要がある．ある研究によれば，検査の誤判定率は，正貌写真1枚のみを用いた検査では，9%程度とやや高い状況であるが，正貌と側貌の2枚の写真を用いた場合の誤判定率は，0.6%にまで減少するという．スーパーインポーズ法を用いた鑑定を行うに当たっては，原則，撮影角度の異なる複数枚の顔写真を用いることが強く推奨される．さらに，検査に供する対照の顔写真としては，① 画質：できる限り鮮明で，影が少ないもの，② 撮影時期：できる限り最近に撮影されたもの，③ 撮影状況：表情が安静状態のもの（微笑む程度の開口により，歯列がみえるものも含む）などの条件を満たす資料を最優先に選別し，精緻な鑑定を実施することが重要である．

2 X線像の異同比較

この検査では，該当者が生前に，病院や歯科医院で撮影された顎顔面部のX線フィルムが対照資料として用いられる．白骨死体の頭蓋を生前のX線フィルムと同方向から撮影し，両者のX線像に示された形態学的特徴所見を指標にして個人を同定するものである[9]．個人識別に有効な検査部位は，頭蓋の前後方向撮影像における，① 前頭洞の形態，② 前頭蓋窩底部の起伏形状，③ 側頭骨の錐体稜上縁の起伏形状，④ 鼻中隔骨部（篩骨垂直板と鋤骨）の弯曲状態，⑤ ラムダ縫合の走向形態などがある．また，左右側方向撮影像においては，① 蝶形骨のトルコ鞍の形態，② 側頭骨岩様部の乳突蜂巣の構築形態，③ 内後頭隆起の起伏形状などがあげられる．

▶検査結果の評価：上述のスーパーインポーズ法とは異なり，骨対骨同士の直接照合ができるため，身元を特定するうえできわめて信頼性の高い個人識別鑑定法とされている．特に，前頭骨の内部に形成された前頭洞は，個人ごとに固有の洞形態を示し，かつ，その形態所見は，一度形成されれば，終生不変とされることから，前頭洞指紋（frontal sinus fingerprint）と称され，きわめて識別精度の高い検査指標とされている（図 9-13）．

3 復顔法

白骨死体の該当者が浮上しない場合に，その頭蓋から生前の顔貌を推定，復元する技法のことである．現物の頭蓋の上に粘土などの素材を用いて肉付けを行い，顔貌を三次元的に復元する粘土法と，頭蓋の写真を用いて，似顔絵のように二次元的に復元する描画法とがある（図 9-14）．いずれの方法も，頭蓋と顔貌の解剖学的関連性や軟部組織の厚みに関する人類学的計測データなどに基づき復元されるが，骨の形態か

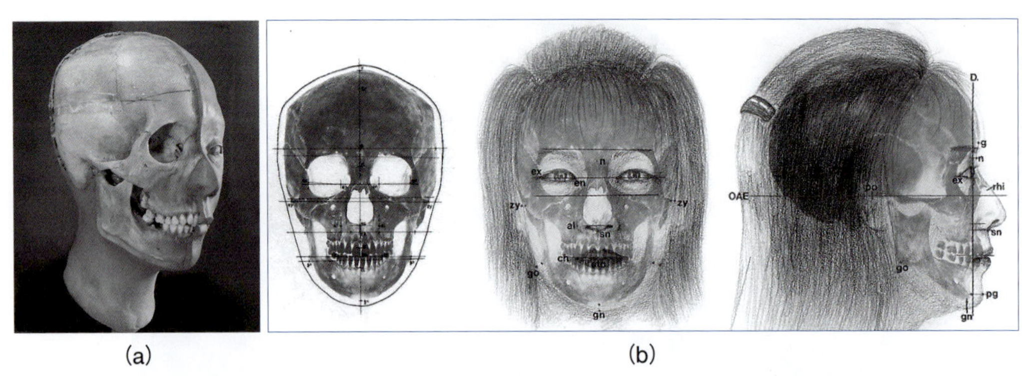

(a)　(b)

図 9-14　三次元復顔法（粘土法）(a) と二次元復顔法（描画法）(b)

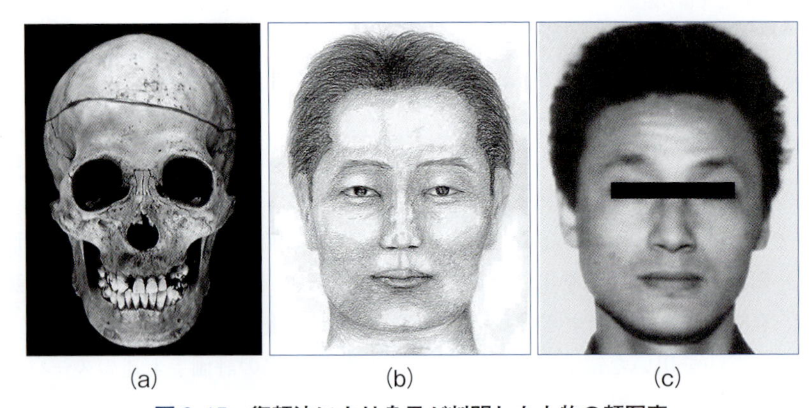

(a)　(b)　(c)

図 9-15　復顔法により身元が判明した人物の顔写真

(a) 身元不明の頭蓋，(b) 復元された顔貌，(c) 該当者

ら眉や眼瞼裂の形状，口唇の厚さなどを正確に推定することは難しく，この検査法の限界がある[10]．近年，より客観的な復元法を目指し，頭蓋-顔モデルを用いたコンピュータ制御型復顔法の研究開発が進められている．

▶**検査結果の評価**：実際の復顔鑑定における身元判明率は，5%以下とみなされ，犯罪鑑識の分野では，身元確認のためのあらゆる科学的方策が尽きた場合に限り，唯一残された鑑定法として実施すべきとされている（図 9-15）．復顔法は，現状，個人識別法の範疇には属さない検査法として位置づけられており，復顔法により，たとえ該当者が浮上したとしても，後日，スーパーインポーズ法などの正規の個人識別鑑定を行い，その信憑性を科学的に裏づける必要がある．一方，腐乱死体のように，顔の様相が生時と著しく異なる状況であっても，頭顔部の軟部組織が崩壊せず，残存している場合には，死体顔貌の形態特徴を抽出し，似顔絵のように生前の顔貌を復元することが可能である．2011 年に発生した東日本大震災では，被害者の身元確認に，歯型の照合に加えてこの似顔絵法が活用され，その有用性が示された．

4 顔の異同比較

防犯カメラなどで撮影された人物の顔画像は，犯人の特定に役立つ重要な証拠資料である．犯人と該当者の顔の異同識別を目的とする顔画像鑑定は，法顔貌学（forensic physiognomy）的手法に基づいて実施される．鑑定結果の評価基準には人種間で差異があるものの，基本的には以下の 3 手法が国際的に容認されている検査アプローチである[11]．

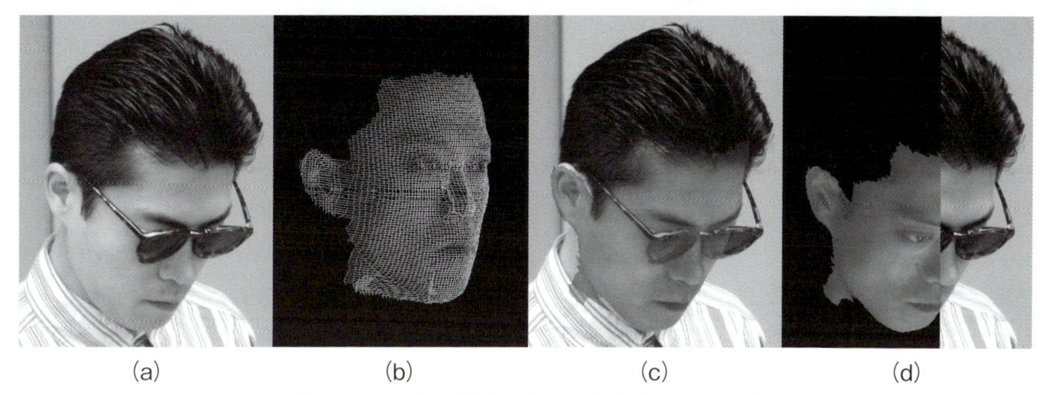

(a) (b) (c) (d)

図 9-16 三次元顔画像を用いた顔貌の異同比較

模擬犯人の二次元顔写真（a）と該当者の三次元顔画像（b）とを，2D/3D 顔画像識別システムを用いて，顔の合致性を評価したもの.
(c)：二次元/三次元顔画像の重ね合わせ像，(d)：二次元/三次元顔画像の垂直分割像

1. 形態学的検査

顔型および顔の構成要素（眉・眼・外鼻・口唇・耳介など）について，形態を所定の規準に従い分類し，その形態の出現頻度を考慮したうえで，顔画像相互の異同比較を行うものである．また，顔の左右非対称性の所見，正中線の弯曲，皮膚上の皺溝，ホクロなどの所見も有効な評価指標となる．

2. 人類学的計測検査

各種の人類学的計測検査を行い，得られた2つ以上の計測値から算出した種々の指数(比率)を比較し，顔画像相互の異同比較を行うものである．また，顔全体に対する各構成要素の相対的な位置関係を比較する「顔の configuration」の所見も，顔画像鑑定の重要な評価指標である．

3. 三次元顔画像

比較する双方の顔写真の撮影角度が同等とみなせる場合には，両者の顔画像を重ね合わせ，顔の輪郭や顔面各部の形態および位置関係の合致度を指標に，詳細な異同比較が可能である．特にわが国の犯罪鑑識においては，2000 年から，世界に先駆けて 2D/3D 顔画像識別システムを法科学鑑定に導入している．このシステムでは，三次元レンジファインダにより取得した被疑者の三次元顔画像データを，犯人の顔写真と同じ撮影角度に調整したうえで，スーパーインポーズ検査が実施でき，きわめて精度の高い異同識別法である．図 9-16 では，実験協力者の顔画像の異同比較例を示した．ビデオ撮影された二次元の人物画像に，大きさと顔向きを調整した三次元顔画像を重ね合わせたもので，両者の顔貌形態が完全に合致している様子が容易に理解できる．

[参考文献]

1) Lee, H. Y., Park, M. J., Kim, N. Y., et al.：Rapid direct PCR for ABO blood typing. J Forensic Sci 56, S179-S182, 2011.
2) Doi, M., Gamo, S., Okiura, T., et al.：A simple identification method for vaginal secretions using relative quantification of Lactobacillus DNA. Forensic Sci Int Genet 12, 93-99, 2014.
3) Nakanishi, H., Shojo, H., Ohmori, T., et al.：Identification of feces by detection of Bacteroides genes. Forensic Sci Int Genet 7, 176-179, 2013.
4) 内村裕光，宮北省二，浜田希世，他：Labelled Streptavidin Biotin 法による毛髪の ABO 式血液型判定．科警研報告 49，9-15，1996.
5) 瀬田季茂，吉野峰生：白骨死体の鑑定，令文社，1990.
6) 吉野峰生，宮坂祥夫，佐藤元，他：生体計測法による四肢骨からの身長の推定．科警研報告 39，201-207，1986.

7) 寺沢浩一，高取健彦，水上京子，他：脊柱長による身長の推定．日法医誌　39，35-40，1985.
8) 高取健彦：捜査のための法科学，第一部，第二部，令文社，2004（第一部），2005（第二部）.
9) Yoshino, M., Seta, S.：Personal identification of the human skull：Superimposition and radiographic techniques. Forensic Sci Rev 1, 23-42, 1989.
10) 宮坂祥夫：犯罪捜査における復顔鑑定の役割(2)復顔法の手技と信頼性ならびにその将来展望．科警研報告　69, 1-13，2020.
11) 吉野峰生，宮坂祥夫：―捜査のための―顔の法科学的識別，令文社，2000.

10 死亡時画像診断

重要事項

1) 法医学における放射線の利用は古くから単純 X 線撮影像に基づいたものである.
2) 2008 年度以降, 法医学診断に単純コンピュータ断層撮影 computed tomography (CT) 撮影が導入されるようになった.
3) ヘリカル CT 画像を用いれば, 三次元画像の再構築が可能である.
4) 死後 CT 画像を用いることによって, 溺水や低体温症の診断補助ができることがある.
5) 頚椎損傷や臓器損傷, 強力な蘇生術を受けた事例では, 死後 CT 画像での診断には限界がある.
6) 放射線機器の設定ならびに読影の際は, 法医事例に経験豊富な放射線スタッフと, 法医医師とが情報を共有したなかで行うのが望ましい.

いまでこそ法医解剖への放射線技術の導入といえば, CT を思い浮かべる人も多いだろう. しかし, 欧米を含め 5, 6 年前までは法放射線診断といえば, 単純 X 線撮影像を意味していたし, 現在もそのような国も多いであろう. 診療放射線画像診断には, その他にもポジトロン断層法 positron emission CT (PET) に代表されるような放射性同位元素を使用した核医学, 超音波, 断層撮影, 磁気共鳴画像 magnetic resonance imaging (MRI) なども含められるが, ほとんどの剖検レポートは単純 X 線撮影像と単純 CT 撮影像に基づいたものといってもよいだろう.

なお, 遺体に対して上記のような画像技術を駆使し, さまざまな情報の中から読影することで, 死因や病理学的異常・法医学的異状について診断することを死後画像診断という. これには元画像を再構成し, 目的に合わせた画像を新たに作成することも含まれる. ちなみにわが国では医師で作家の海堂尊氏が, 自らの小説の中で用いた Ai (オートプシー・イメージング) という用語が広まった. 一方, この分野で世界的に有名なスイス, ベルン大学の Thali 氏は virtual + autopsy を掛け合わせた virtopsy という用語を提唱している.

1. 単純 X 線撮影

周知のごとく, ドイツ人である Wilhelm C Röntgen が 1890 年代半ばにクルックス管(真空放電管) を用いて X 線を発見した. その約 10 年後, エール大学のライト教授が市場で購入したウサギの死体を撮影し, 体内に銃弾が残存しているのを報告し, その死因を証明したのが最初の法医学への応用といわれている[1]. さらにその翌年, カナダのモントリオールで, 拳銃で撃たれた男性の下肢に銃弾が証明され, 治療に使われるとともに, この X 線撮影像を法廷に提出することで容疑者に殺人未遂の判決が下されたという報告がある. その後, X 線像を用いた銃による事例を含め，法医学視点からの報告が多数みられることになる．

死体に限らずX線診断が有効であるのは，X線を吸収する異物の証明と，硬組織である骨の新旧の損傷が第一にあげられる．これらは最低でも死体の前後方向から撮影のみでその存在が証明できる．より正確な位置を決めるには，左右方向からなど多方向の撮影を追加すればよい．

個人識別においてもX線の有用性が唱えられてきた．特に歯科関連では診療録に書かれた歯式との比較とともに，ポータブルのデンタルX線撮影装置による1本の歯の画像からも，特徴的な歯根形態であれば身元の確認が可能である．また生前の骨折などであらかじめ，X線写真が入手できた場合，死後撮影画像との比較から身元の特定に用いられることがある．仮に生前の画像情報が得られなくとも，生前の骨折治療に関連した診療情報だけでも入手できれば，死後画像との照合で，そこの住居者であると判断することに問題はないであろう（図10-1）．

もっとも，わが国では銃創創傷が少ないこと，ならびに医療施設ではない解剖室への撮影装置の設置の制約*，さらに装置自体高額ということもあり，解剖室に固定式あるいは移動用X線装置を有している大学はほとんどなかった．仮に所持していたとしても，単純X線での画像生成には，X線曝射後，カセッテに入っている露光フィルムを暗室の中で取り出し，現像液と定着液に浸し，水洗ののち乾燥させ観察するという手間暇のかかるものであった．やがて自動現像装置に置き換わったものの，剖検中に読影することは時間的に難しいものであった．しかし，今ではデジタルX線画像処理装置が導入され，剖検前にX線画像を入手することが可能となった．

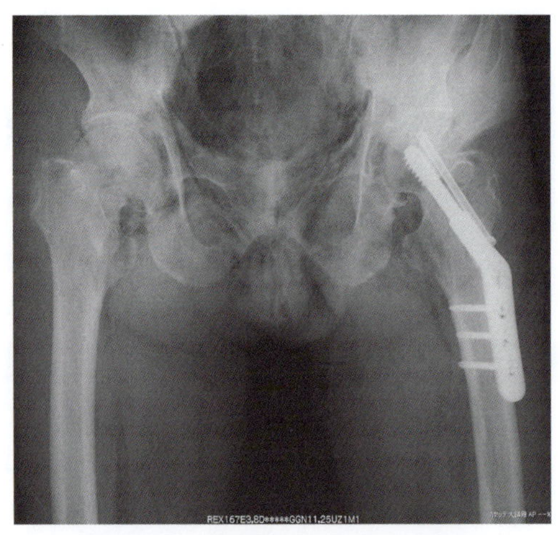

図10-1　股関節部の単純X線画像
自室内で腐乱状態で発見された．左大腿部に金属が挿入されているという情報を基に剖検前に撮影されたもの．これだけでも身元の絞り込みができ，もし医療機関に受診時のカルテやX線画像が保存されていれば，それを照合することで身元の特定が可能となる．

2．単純CT撮影

2008年度頃から，全国の法医学講座あるいは医学部の中にCT装置を有する独立したセンターを設置する大学が増加している．2012年度5月の文部科学省調べでは，法医学講座として専用のCT装置がある施設が15機関，センターとして導入している大学が7機関であった．2016年3月に実施されたNPO法人日本法医学会課題調査では，監察医機関2，歯学系機関5を含めた65法医系機関の調査回答結果によると，CT装置の設置は27機関となっている．これだけの短期間の間にCT装置の設置が行われるとは驚きであるが，法医解剖では生前の情報入手が比較的難しいことから，死後の死体情報は多いほどよく，法医診断の向上につながるものと期待される．一方で，CT画像の限界もあり，これら利点と限界とを十分理解すること

＊管理区域の問題：病院における放射線管理区域は医療法の対象となる．放射線治療室など使用室の画壁は，その外側が所定の線量以下になるよう区画が必要とされているが，移動困難な患者の場合，管理区域以外でも移動用X線装置を使用する場合は除外するという例外規定があり，ゆえに一般病棟でもX線撮影が可能である．しかし法医解剖室は労働安全衛生法の縛りとなること，撮影対象が患者ではないことから，移動用X線装置であっても通常の放射線装置室の規定によるため，外側が線量限界を超える場合は天井を含め，遮蔽物を設ける必要がある．

が，正しい診断への近道となる．

1 CTの原理

X線が物質に衝突すれば必ず減弱する．その減弱率は衝突物質の性状（原子番号）次第であり，X線の吸収されやすさがX線吸収係数，またはX線減弱係数と呼ばれる．そして，CT値とは水を0，空気を－1000とした相対的なX線吸収係数である．CT値の単位はHU (Hounsfield unit) と呼ばれ，最初のHはCT制作者であるHounsfield氏の頭文字から採られている．各臓器のCT値は図10-2に示したとおりである．読影のために描出したい臓器のCT値を決め，つぎに周辺組織の最大のCT値から最小のCT値までの幅での画像を作る．前者をウインドウレベル（WL），後者をウインドウ幅（WW）と呼ぶが，これは撮影後に画面上でみたいものを中心に調整するもので，－1024～1024のCT値範囲内で自由に調整できる（例えば胸部の読影において，肺野条件ではWL/WW＝－650/1500，縦隔条件ではWL/WW＝40/320というように）．ただ，臓器のCT値であるが脳は25～35，一方，体幹部では血液を含め，肺と脂肪，骨以外は40～65の狭い範囲に集中している．このことは単純CT画像では体幹部の損傷の評価は難しいことを示唆している．

CTスキャンの原則は，被写体の周りを管球が1回転して撮影を行う点にある．かつてはシングルスライスCT装置で，検出器が円形に1列並んでいた．現在はマルチスライスCT装置が広まり，4列・8列・16列と並ぶ検出器の列数を増やし，320列という最新の機種もある．列数が増えればより短時間での広範囲の撮影が可能となり，ここまでくれば動きのある心臓でも正確な画像を得ることができる．ただ死体であれば8～16列でも十分である．さて，撮影のポイントの一つはスライス厚の設定である．CT撮影は厚みを持つが，CT画像は平面像である．いわばある厚さを持つ組織をプレスで押し潰したようなものである．したがって，スライス厚が薄ければそれだけ細かな診断が可能ともいえる．しかしX線が薄く絞られるため，検出されるX線数，つまりは信号源が少ないことになり，線量を多くしない限り信号雑音比が少ない，ややノイズのある画像となる．同時にデータ量が増えることから，ハードディスクなど電子媒体上，限りのある保存容量との兼合いになる．特に全身をただスキャンするためだけに，細かいスライス厚を選択することは現実的ではない．また読影者にとって，細かいスライスほど立体構造の奥行きがつかみづらくなるという欠点もある．一つの参考に東北大学Aiセンターで行われている撮影条件を例示する（表10-1）．なお，Z軸方向の撮影関心領域（どこからどこまでを撮影するか）に関し，同センタープロトコールでは，① 頭部：頭頂部から胸鎖関節部まで，② 頚胸部：外耳孔から第12肋骨下端まで，③ 全身：頭頂部から骨盤を含め下端は撮影可能なところまで，としている．

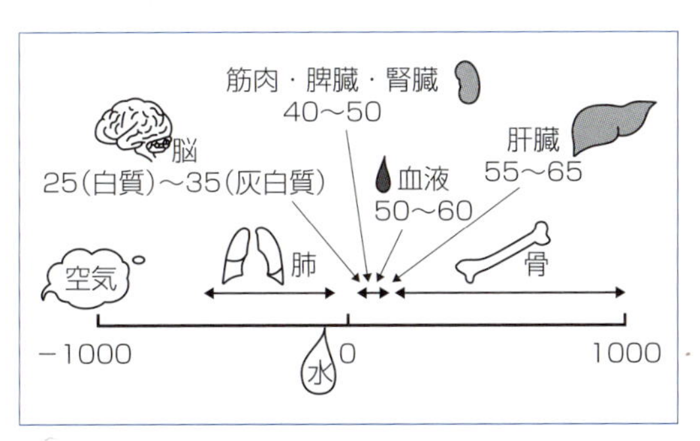

図10-2　各臓器のCT値
脂肪を除けば，体幹では肺と骨以外は40～65の狭い範囲

2 CT画像の診断上の利点

骨折など硬組織の異変，異物の迷入の有無の検索といった利点は，空間分解能は劣るものの単純X線画像と同様である．ただし，ヘリカルCTでは三次元画像の再構築が可能であり，執刀者だけではなく，司法関係者にとっても異変がイメージしやすい．例えば転落や交通事故による頭部外傷で頭蓋冠に多数の骨折線がみられることがある（図10-3）．しかし頭皮に切開を

表 10-1 東北大学 Ai センターにおける成人死体の撮影手法・撮影条件

	Head	Lung (High resolution)	Body
Tube voltage (kVp)	120	135	120
Tube current (mA)	200	250	arbitrarily
Rotation time (sec)	1.5	0.75	0.75
Field of view	S-size	M-size	LL-size
Collimation (mm)	4.0, 8.0 (4-stacks)	1.0	2.0
Beam pitch	Non-helical	Non-helical	0.875
Helical pitch	Non-helical	Non-helical	7.0
Table speed (mm/rot)	Non-helical	Non-helical	14

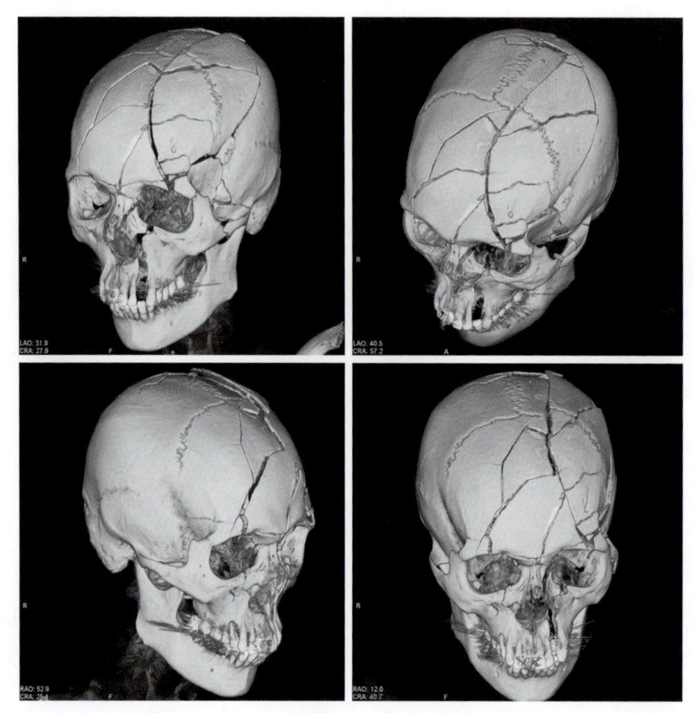

図 10-3 交通事例において頭蓋冠にみられた粉砕骨折
骨折線の走りが縫合との関係を含め，把握可能である．しかし開頭すれば，骨片がばらばらとなってしまう．

加え，頭蓋冠を露出させた時点で，骨片が離ればなれになり，元の骨折線の再現は難しくなる．それでも多くのケースでは「粉砕状」という表現で問題はないのであるが，CT 画像により当初の骨折状態を示すことで，外力の大きさ，加えられた場所などのイメージがつかみやすくなる．

単純 CT 画像で判断できるのは多量の出血を伴うものであり，頭蓋内の血腫，心嚢血腫，胸腹腔内出血などがある．これも三次元画像を用いれば，大凡の血腫量の推算も可能となる．さらに CT 値の違いを応用すれば，血液における流動性成分と凝血塊とを判別予測することも可能である（図 10-4）．ちなみに死後若干経過した溺死体にみられる胸水は，血胸と比べ HU 値は低く，むしろ病的胸水との区別は難しい．

また，臓器に対して CT 値の高い病理学的異常として，血管や膵臓の石灰化，胆石や腎結石，CT 値の低いものとして，時間の経た脳の虚血性病変，腎盂や膀胱内での腐敗現象とは異なる

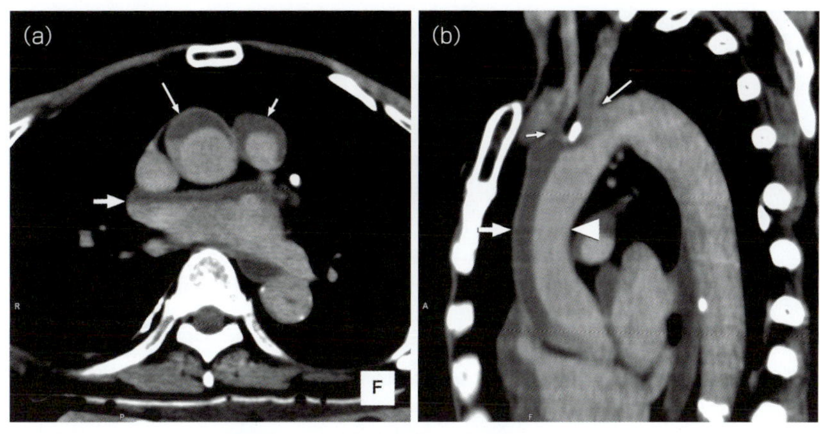

図 10-4　流動性成分と凝血塊との識別

心臓水平断面像と大動脈弓部の矢状断面像である.

(a) 上行大動脈（長矢印）, 肺動脈（短矢印）および左心房（太矢印）のそれぞれの内腔に, CT 値が低い（40 HU, やや黒い）流動血と CT 値の高い（80 HU, 白い）凝血塊の境界面が明確に確認できる.

(b) 上行大動脈には（a）と同様に 2 層に別れた流動血（太矢印）と凝血塊（矢頭）がみられる. この流動血は左総頚動脈分岐部（短矢印）を越えた位置まで確認できるが, 左鎖骨下動脈分岐部（長矢印）以降の大動脈内には凝血塊でほぼ充満していることが確認できる.

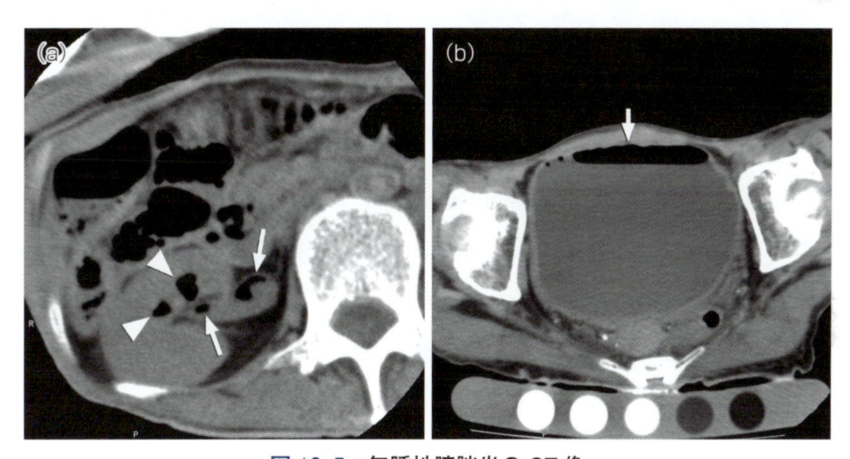

図 10-5　気腫性膀胱炎の CT 像

(a) 右腎臓腎門部の水平断面像. 尿管（矢印）と腎盂（矢頭）にガスがみられる.

(b) 膀胱内ガス（矢印）が確認できる.

ガスの存在（図 10-5）などがある. これらは密度分解能の高い CT の利点であり, 単純 X 線撮影のみでは描出されにくいことがある.

まれな例ではあるが, 外傷性緊張性気胸も単純 CT 画像から貴重な情報が得られる. CT 画像では明らかに外傷性緊張性気胸を示していても, 開胸した時点で, 縦隔の対側偏位がはっきりしないことがある. このような場合, CT 画像を基に直接死因を判断することができる（図 10-6）.

3 新たな利点への期待

多数の死後 CT 画像の検討を経験すると, これまで漠然とはいわれていた死因診断の補助として新たな利用がわかってきた. 一つは新鮮死体における溺水診断であり, 副鼻腔内への液体貯留が溺水事例に多いという点である. 通常の剖検手技で副鼻腔内の液体貯留を観察すること

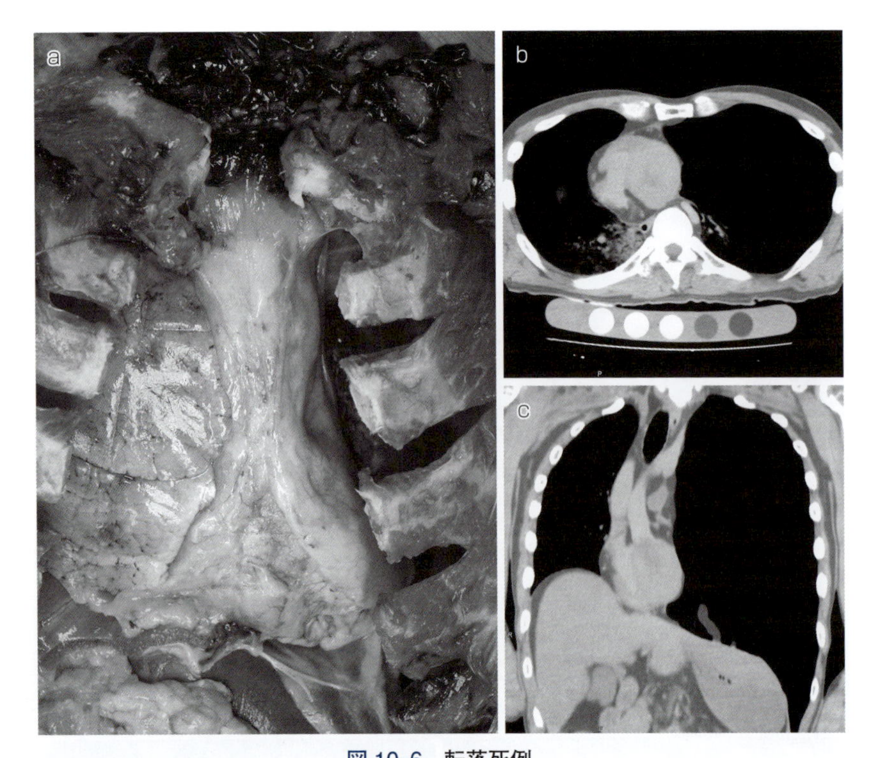

図 10-6　転落死例

開胸時，縦隔はほぼ正中線上に位置している（a）．しかしCT画像では明らかに高度な縦隔偏位がみられ（b），（c），致死的緊張性気胸であったことがわかる．

は難しく，事前情報の入手は溺水診断に有用と思われる．なお，Usuiらにより肺CT画像自体の溺水散布像についても，剖検所見との対比において一定のパターン化がみられるという報告がある[2)]．また低体温症による死亡事例でCT上，有意な所見がみられることが最近報告された．すなわちKawasumiらによれば，肺の低いCT値，心・大血管内の凝血の存在，67 mL以上の蓄尿の三徴候がみられれば低体温症としての診断がCT画像のみで可能であるという[3)]．このように多数の解剖事例に基づいたCT画像読影の積み重ねが，Aiを用いた，ある特定の死因診断基準を作る可能性を秘めている．

4 CT画像の限界と法医診断の留意点

当然のことながら単純CT画像のみの限界もある．死因診断に絡むものとして，最も難しい読影は頚椎損傷であろう．もちろん頚髄損傷自体の診断は，MRIでなければほぼ不可能である．しかし頚椎離開が診断できれば，画像情報のみで死因の絞り込みは可能となる．実際にこれまで複数の頚椎離開事例を経験したが，画像からは予測が困難であったものも少なくはない．一方で，頚椎間の配列の乱れや椎体間のエアの存在など頚椎離開の可能性を指摘したものの，剖検で確認できなかった事例も複数ある．いずれにしても，その正確な診断を単純CT画像のみで判断することは難しいといわざるを得ない．少なくとも，状況的に頚椎損傷が疑われる事例においては，死因診断はCT画像のみに頼らず，剖検によって確認すべきと考える．

臓器損傷もまた，単純CTでは限界がある．肉眼的には高度な肺挫滅や肝臓挫滅が，CT画像上はほとんど正常に映っていることは珍しくはない．もっとも，生体でもこのような臓器損傷自体の異常の読影は難しく，周囲の出血や造影CTで診断することが多いというから，これは死体に限ったことではないといえる．さらに死体の場合も臓器損傷自体が死因になるというよりは，血気胸や腹腔内・後腹膜出血が死因になることが多いので，死因診断上は大きな問題にはならないであろう．

腐敗進行した死体では，そもそも腐敗ガスの影響と体液の喪失などから，正確な診断が困難なことは肉眼所見もCT所見も同じである．ただ頭蓋内血腫については，血腫塊が残っていればCTでも診断可能と思われるが，開頭時脳がただちに崩壊するような事例でははたして診断可能かどうか，今後の症例報告を待ちたい．なお，死体の安置体位によって肺の就下性うっ血がCT値の上昇として観察されることがある．通常は仰向け安置が多いことから背側に現れる．一方，うつ伏せで死亡し，半日〜1日程度経過，その後発見され，仰向けに半日〜1日安置された場合，腹側と背側にCT値の上昇がみられることもある（図10-7）．肺の濃度上昇部位の観察で，死後の体位変換が予測できることはCT画像の利点であるが，血液就下が強いと背側の病的所見が隠されてしまうことがあり，これは逆に欠点にもなりうる．

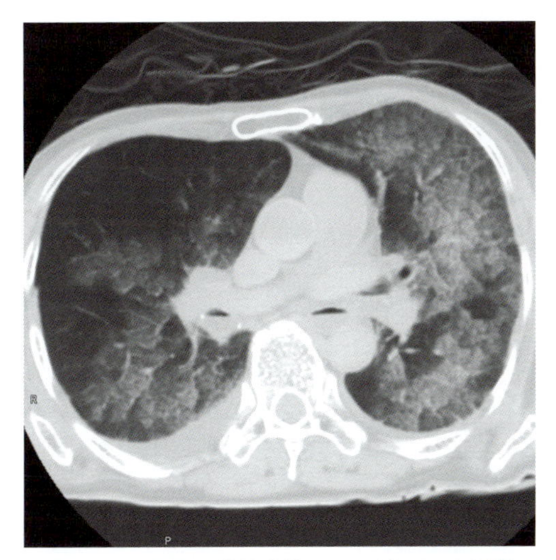

図10-7　死後の体位変換による肺のCT画像
発見時左下優位のうつぶせであった．その後仰向けに体位変換され安置された事例（左肺野および右肺縦隔側に水腫が強く現れている）．

剖検事例によっては，ある一定時間，救急蘇生術を受けていることが少なくない．心拍再開ができなかった事例でも，ある程度の輸液を受けると肺が水腫様となり，本来の所見が消えてしまうことが少なくない．そこにさらに剖検までに血液就下が加わり，ほとんど質的診断が困難となる（図10-8）．

5 結核と死後CT

結核蔓延期に幼少期を過ごした人々が，加齢に伴う免疫力の低下で結核が再燃し，結果，高齢化層がわが国の患者の過半数を占めるという

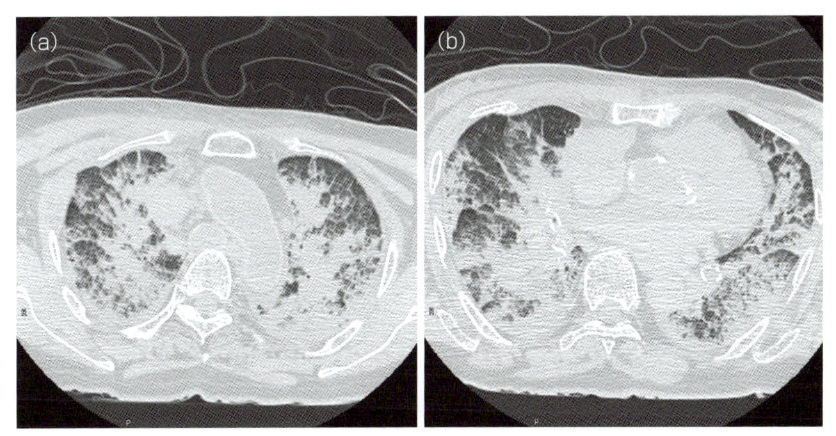

図10-8　水中から発見された後，救急病院で輸液を含めた蘇生術を受けた事例の死後CT画像（スライス厚：1.0 mm，再構成関数：FC51）
(a) 気管支分岐部レベルの肺CT画像，(b) 肺下葉気管支分岐レベルの肺CT画像．
中枢側を中心としたconsolidationが広がっており，この部分の血管・気管支の走行や構造は確認できない．

問題を引き起こしている．特に比較的新鮮な死体内病巣の結核菌はいまだ感染能力を有している危険性があり，解剖術者・補助者の結核予防は重要である．最近の施設の多くは空調も完備されているかと思われるが，結核が疑われるような場合，必ずN95マスクを装備するとともに，臓器をむやみに放置せずただちにホルマリン固定する．癒着が強い肺を無理に剝離せずに，そのまま死体に残すといった配慮も必要である．したがって，剖検前にあらかじめ肺CTで空洞形成や粟粒結核の存在（図10-9）が疑われていれば，余裕を持った防御手段で剖検を行うことが可能であろう．

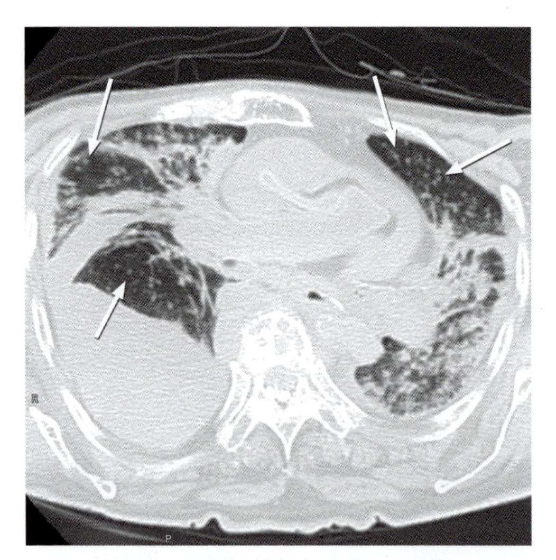

図10-9　粟粒結核の死後CT画像
矢印で示すように1〜2 mmの粒状影が両肺野内にランダムに散布している．

6 放射線機器は誰が撮影し，誰が読影すべきか

ここ数年，法医解剖にCTが導入されはじめたことは先に述べたが，ここに大きな問題が生じている．一体，誰が撮影し，誰が読影すべきかという点である．結論からいえば，放射線技師が撮影し，放射線診断医が読影，その結果を法医医師とともに，関係スタッフがカンファレンスを通じて，お互いの技量と知識を高め続ける必要がある．実際にこのような体制をとっている大学施設も複数存在している．体格や部位に応じた撮影条件は放射線技師の専門であり，肺をはじめとする臓器の細かい差異の診断は放射線診断医の専門であり，別な職種の医師が付け焼き刃でできるものではない．特に図10-9で示した粟粒結核の画像は，ほとんどの法医では正しい診断はできないと思われる．しかし，単に放射線診断医であれば大丈夫かというとそうではなく，大切なのは生体と死体とは「違う」という基本的な認識であり，単に放射線技師と放射線診断医に依頼すれば適切な撮影と読影をしてくれるわけではない．そこには放射線スタッフ自身も「死体」の事例を多数経験する必要があるが，放射線診断学の世界もマンパワーが不足していることは，法医と同じである．ここにわが国の法放射線学が持つ，致命的ともいえる欠点が潜んでいる．

[参考文献]
1）Reynolds, A.：Forensic radiography：an overview. Radiol Technol 81, 361-379, 2010.
2）Usui, A., Kawasumi, Y., Funayama, M., et al.：Postmortem lung features in drowning cases on computed tomography. Jpn J Radiol 32, 414-420, 2014.
3）Kawasumi, Y., Onozuka, N., Funayama, M., et al.：Hypothermic death：possibility of diagnosis by postmortem computed tomography. Eur J Radiol 82, 361-365, 2013.

【写真提供および一部写真解説】
東北大学オートプシー・イメージング（Ai）センター　臼井章仁助手のご協力による．

11 死体の検査と事務的処理

重要事項

1）ヒトの死にかかわる異状（異常）には法医学的異状と病理学的異常とがあり，法医学的異状を有する死体は異状死体とみなされる．

2）法医学的異状を具体的に示す法律上の規定はない．そこで日本法医学会は 1994 年に異状死ガイドラインを発表した．ここではすべての外因死，あるいは内因死であっても異常環境・異常状況下での死亡を異状死体とみなして細分化し，あげている．

3）異状死体と判断した場合，死亡場所を所轄する警察署に届け出る．

4）警察に届け出た後は警察官による検視が行われる．また医師は死体に対し医学的判断を行う（検案）．

5）検案作業において，医師はその死を確認した後，1）死因，2）死亡時刻，3）損傷をはじめとする異状所見の有無，について判断しなければいけない．また，検案時に身元不明であれば，個人識別に役に立つ所見も調べる必要がある．

6）検案が終了したら死体検案書の発行を行う．

7）正当な根拠がない死亡診断書（死体検案書）の書き換えは絶対にいけないが，名前・生年月日の書き間違いなどの単純なミスは訂正してもよい．なお，市町村役場に届け出た後に，新たな所見や状況から死因や死亡時刻の訂正が必要な場合が生じたら，しかるべき理由の記載された上申書を添付し，訂正した死亡診断書（死体検案書）を届け出たところの市町村役場に届け出ればよい．

8）その規模に限らず災害による死亡はすべて異状死体であり，すべての死体に対して警察が検視を行い，医師が検案して死因を判断し，また多くの場合，歯科医師が身元確認の担い手になる．

9）災害現場では指紋採取と在宅指紋などの照合は警察官が行い，歯科所見の採取とカルテとの照合は歯科医師が行う．現場では可能な限り，同一の警察官・医師・歯科医師がチームを作り身元確認作業に当たることが望ましい．このとき，医師は単に死因判断だけではなく，手術痕や瘢痕といった特徴的な身体所見も見落としてはならない．

I　異状死の判断と死体検案

1．異状死体とは

1 法律上の異状死体

ヒトは何かの原因があって死に至ったのであり，その原因はすべて異状（異常）ともいえる．ヒトの死にかかわる異状（異常）には法医学的異状と病理学的異常とがあり，法医学的異状を有する死体はすべて異状死体ということになる．では法医学的異状とは具体的に何を示すのであろうか？　実は法律のどこを読んでも，死体のどのような所見・状況をもって異状とみなすかという規定はない．例えば医師法第21条には「医師は，死体又は妊娠4月以上の死産児を検案して異状があると認めたときは，24時間以内に所轄警察署に届け出なければならない」と規定されているが，異状とはどういうものかという記載はない．死体解剖保存法第11条には異状所見が見出された際の届出義務が記載されているが，これは解剖死体でしかも犯罪に関係した場合に限られている．

法律に記載がない以上，異状所見の拡大解釈もできれば除外もでき，ここに混乱の元があった．ただ，参考になるものが五十数年前の東京都監察医務院設立時の資料[1)]の中にある．もともとわが国の監察医制度は，終戦後の混乱のなかで死亡していく多くの人々の死因を究明する目的で，米国で行われていたMedical Examiner制度をGHQの指令で導入されたのが発端である．1946年12月11日に出された連合軍最高司令部指令第3項に「犯罪的暴力又は怠慢で死亡し又は偶発的傷害のため又は自殺のため又は一見健康佳良にして突然死亡し又は医師にかからず又は刑務所内にて又は疑わしき又は異常の状態にて死亡したる時」所轄の警察は監察医に通報する，とある．すなわち，① 犯罪に起因する死亡，② 災害に起因する死亡，③ 自殺，④ 原因不明の急死，⑤ 医療を受けていない者の死亡，⑥ 刑務所内での死亡，⑦ 疑義の残るあるいは異常状態下での死亡，以上はすべて監察医の検案を経るべきと述べている．最後の「疑わしき又は異常の状態」というのがやや漠然としているが，要は外因死か内因死か不明であったり，状況に幾ばくかでも不自然さが残るような死はすべて異状死体にみなすという趣旨と思われる．この計7項目に該当する死亡は，当時の米国における異状死体の概念といってもよいかもしれない．

2 異状死ガイドライン

その後，わが国での異状死体についての細かな議論は1990年代初めまで待たなければならない．すなわち臓器移植に絡み，厚生省（当時）の一事業「臓器技術臨床研究開発事業」のなかで，法医学関係者が中心となった一研究班によりわが国の検案体制が報告されたが，ここで初めて異状死体の定義が示された[2)]のである．この報告では，異状死体は死体解剖保存法第11条に規定している犯罪に関係したものだけに限定せず，先に述べた監察医による検案の対象となっている7項目すべてが含まれるとしている．そして異状死体とは「確実に診断された内因性疾患で死亡したことが明らかである死体以外の全ての死体」とみなしている．これは非常に簡明な定義で，要はあらゆる外因，またはその疑いによる死亡はすべて異状死体であり，またほぼ病死であろうと考えられていても死因が判断できない限りはすべて異状死体である，ということになる．そうすると自殺や自過失による死亡も異状死体である．確実な臨床診断が下せない多くの救急症例も異状死体に含まれることになる．しかし従来から臨床現場では，異状死体とはこういうものだ，というようにもっと具体性を持たせた表現が要求されていた．

そこで1994年に日本法医学会から異状死ガイドラインが発表された（表11-1）．ここではすべての外因死，あるいは内因死であっても異状環境・状況下での死亡を異状死体として細分化し，あげている．つまり先に述べた旧厚生省研究班の示す「確実に診断された内因性疾患で死亡したことが明らかである死体以外の全ての死体」が，具体的にどのような状況下での死亡が考えうるかを示したものである．そして異状死体と判断した場合，その死体について所轄の警察署，つまり死亡場所を所轄する警察署に届け出ることになる．

3 診療関連死と異状死

異状死ガイドラインのなかで，「診療行為に関連した予期しない死亡，及びその疑いがあるもの」の扱いについては，某公的病院の医師が医師法第21条違反で起訴されて以来，複数の臨床系学会から「基準が厳格すぎる」といったものから「医療過誤自体司法扱いとするにはなじまない」といったものまで，さまざまな反論・異論が出されてきた．もともと医療関連死を画一的に扱うことは困難であり，ケースバイケースで対応していかざるを得ないのが現状であろう．そのうえで，届出に伴う医師の負担・不安，医師自身が届出を負うという法的根拠の是非など，さまざまな意見が医療側から出されている．しかしいったん，診療関連死が生じた場合，患者・家族が危険に対する十分な説明を受けていたのか，今後も遺族に対し納得のいく説明を受けられるのか，医師と遺族との信頼関係が失われた場合に誰が修復するのか，医療の正当性を誰がどうやって証明するのかなどを考えると，どのような場合に診療関連死とみなすかという点で，法医学会のガイドラインは概ね妥当と考えられる．ただ，問題は届け出先であり，わが国には警察・検察への届出以外に，中立・厳正な審査機関が設置されていない．警察・検察がすべての診療関連死において最良の審査機関であるとはたしかに言い難い．

ところで2005年9月，日本内科学会を中心に関連学会の協力の下，厚生労働省の補助事業として「診療行為に関連した死亡の調査分析モデル事業（以下モデル事業）」が開始された．これは診療行為に関連した死亡について，法医・病理医・臨床医が共同して死因究明とともに，そこに問題があればその再発防止策を検討していくための活動であった．

このモデル事業は特定の都市・地域に限られたものであったが，この時の経験を元に，わが国で新たに始められたものが医療事故調査制度である．同制度は2014年6月の医療法改正（施行は2015年10月1日）に盛り込まれたもので，医療機関内で発生した死亡事例が医療事故によるものであると医療機関が判断した場合（その判断は当該医師ではなく，その医療機関の管理者が行う），その旨を遺族と第三者機関（医療事故調査・支援センター）に報告する．その後，当該医療機関において院内調査を行い，その結果を遺族に説明するとともに上述の第三者機関に報告，そこで内容を分析・発表し，社会に啓発することで再発防止につなげるためのものである．この制度の問題は生じた死亡事例を医療事故であると認識するかどうかは当該医療機関側に委ねられている点であり，報告数は実体よりも少ないのではないか，といったマスコミ報道がしばしば聞かれる（執筆時点で最新の報道は読売新聞2020年11月26日付）．なお，モデル事業開始当初から議論にあった医師法第21条の異状死体届出義務に関しては同条文に変更はなく，表向きは現状のままとなっている．

2．死体検案

1 検案，検視

異状死ガイドラインに基づき所轄の警察署に届け出た後は，警察官による検視が行われる．一方，医師は死体に対して医学的判断を行うが，その行為を検案という．なお，その他に検

表 11-1　日本法医学会が提唱する異状死ガイドライン

【1】外因による死亡（診療の有無，診療の期間を問わない）

(1) 不慮の事故

A．交通事故

運転者，同乗者，歩行者を問わず，交通機関（自動車のみならず自転車，鉄道，船舶などあらゆる種類のものを含む）による事故に起因した死亡.

自過失，単独事故など，事故の態様を問わない.

B．転倒，転落

同一平面上での転倒，階段・ステップ・建物からの転落などに起因した死亡.

C．溺水

海洋，河川，湖沼，池，プール，浴槽，水たまりなど，溺水の場所は問わない.

D．火災・火焔などによる障害

火災による死亡（火傷・一酸化炭素中毒・気道熱傷あるいはこれらの競合など，死亡が火災に起因したものすべて），火焔・高熱物質との接触による火傷・熱傷などによる死亡.

E．窒息

頸部や胸部の圧迫，気道閉塞，気道内異物，酸素の欠乏などによる窒息死.

F．中毒

毒物，薬物などの服用，注射，接触などに起因した死亡.

G．異常環境

異常な温度環境への曝露（熱射病，凍死）．日射病，潜函病など.

H．感電・落雷

作業中の感電死，漏電による感電死，落雷による死亡など.

I．その他の災害

上記に分類されない不慮の事故によるすべての外因死.

(2) 自殺

死亡者自身の意志と行為にもとづく死亡.

縊頸，高所からの飛降，電車への飛込，刃器・鈍器による自傷，入水，服毒など.

自殺の手段方法を問わない.

(3) 他殺

加害者に殺意があったか否かにかかわらず，他人によって加えられた傷害に起因する死亡すべてを含む．絞・扼頸，鼻口部の閉塞，刃器・鈍器による傷害，放火による焼死，毒殺など.

加害の手段方法を問わない.

(4) 不慮の事故，自殺，他殺のいずれであるか死亡に至った原因が不詳の外因死．手段方法を問わない.

【2】外因による傷害の続発症，あるいは後遺障害による死亡

例）頭部外傷や眠剤中毒などに続発した気管支肺炎

パラコート中毒に続発した間質性肺炎・肺線維症

外傷，中毒，熱傷に続発した敗血症・急性腎不全・多臓器不全

破傷風

骨折に伴う脂肪塞栓症　など

【3】上記【1】または【2】の疑いがあるもの

外因と死亡との間に少しでも因果関係の疑いのあるもの.

外因と死亡との因果関係が明らかでないもの.

【4】診療行為に関連した予期しない死亡，およびその疑いがあるもの

注射・麻酔・手術・検査・分娩などあらゆる診療行為中，または診療行為の比較的直後における予期しない死亡.

診療行為自体が関与している可能性のある死亡.

診療行為中または比較的直後の急死で，死因が不明の場合.

診療行為の過誤や過失の有無を問わない.

【5】死因が明らかでない死亡

(1) 死体として発見された場合.

(2) 一見健康に生活していたひとの予期しない急死.

(3) 初診患者が，受診後ごく短時間で死因となる傷病が診断できないまま死亡した場合.

(4) 医療機関への受診歴があっても，その疾病により死亡したとは診断できない場合（最終診療後 24 時間以内の死亡であっても，診断されている疾病により死亡したとは診断できない場合）.

(5) その他，死因が不明な場合.

病死か外因死か不明の場合.

（出典：日本法医学会：異状死ガイドライン，日法医誌　48，357-358，1994）

死（屍）という用語がある．これを検案とほぼ同義に用いたり，あるいは検案行為の中の外表検査を意味するものと解釈している法医学者も少なくはないが，一方で検死（屍）は検視業務の一つであり，警察官が死体に対して，その責任で行うものという考えもある．現在，法医学者間で意見の完全な統一はみておらず，現場での無用な混乱を避けるためにも，検死（屍）は用いないほうがよいだろう（p.9 参照）．

2 死の確認

検案では死因診断や法医学的異状の有無などの検査が行われるが，その前にまず確実にその人が死亡していることを確認しなければならない．検案事例の多くは死亡から検案開始まである程度の時間経過を経ており，死体現象の発現によって比較的容易にその死を確認することができる．しかし救急の現場では後述するように死亡診断書・死体検案書のどちらを発行するのかという問題も絡み，その判断に相違が生じることがある．救急医は運ばれた患者が心肺停止状態であっても，生存の可能性があるものとして治療行為を行う．もし救急蘇生にまったく反応せぬまま最終的に死の三徴候を確認した場合，搬送時すでに死亡していたものと解釈可能であることから，医療行為も死の確認という意味では一種の検案に当たるといえるかもしれない．しかし実際には救急蘇生中は患者すべてを生者として治療をし，最終的な死の三徴候確認時を死亡時刻として死亡診断書を発行している施設が大半であり，実務上からも現状の対応でよいものと思われる．

3 検案の実際

検案作業において，医師はその死を確認した後，a. 死因，b. 死亡時刻，c. 損傷をはじめとする異状所見の有無，について判断しなければいけない．また，検案時に身元不明であれば，個人識別に役に立つ所見も調べる必要がある．

1. 死　因

目撃者がいるような状況下での列車による轢過といったような明らかな損傷死などは外表からでも死因判断は可能である．しかし多くの検案死体では外表のみから体の内部の状態を知ることは難しい．結論からいえば大部分の検案死体は解剖しなければ正確な死因判断を下せない．しかしわが国では，監察医制度の敷かれている地区を除き，犯罪性の低い検案死体の多くは解剖せずに死因を判断せざるを得ない現状にある．確かに死後CT画像診断の普及によって，骨損傷や脳の出血性傷病変，体腔内出血の有無といった死因に関連する異変の確認は容易となった．しかし第10章4項で述べたとおり，CT画像には診断上の限界があることを十分に理解しつつ，用いなければならない．

死因判断の手順としては，まずその死体に外因の関与の証拠，あるいはその可能性の有無，から始まる．そしてもし外因の関与があるとすれば，それが死因にどの程度関係するのかがつぎのポイントとなる．外因子を大きく分けると，損傷・窒息・異常温度・電気・薬毒物などがあり，2次的なものとしてショックや塞栓・感染などがある．実際の検案では表 11-2 に示した死因に関連するような異状所見の有無を確認する．もちろん多くの検案死体は捜査機関による検視が行われるため，ここからの情報も合わせて考慮する必要がある．死体所見ばかりでなく捜査上からも外因の関与がないと判断されると内因性疾患による死亡が考えられる．しかし死後の頭部CTでくも膜下出血が確認された，など特殊な場合を除き，解剖せずして死因の明確な特定は不可能であるといってよい．したがって，主に病歴や最終生存確認時・発見時の状況などからある程度死因を絞り込めれば，「推定」や「疑い」と明記したうえで死因診断し，もしまったく不明であれば「不明」「不詳」とせざるを得ない．

2. 死亡時刻

死後経過時間については，経験を積んだ医師

表 11-2 外因死の関与に関する主な検査項目

損　　傷
- 体表上の鈍器損傷・鋭器損傷・銃器損傷の有無
- 触知可能な範囲で骨折の有無
- 内部諸臓器損傷の可能性
  頭蓋内損傷：ブラックアイ，耳出血，バトルサイン，頭蓋骨骨折の触知
  胸腹腔臓器損傷：胸腹部・背部・殿部の広範囲な変色，胸郭・骨盤骨折の触知，血胸，皮下気腫，推定死亡時刻に比して死斑の発現が弱い場合，胸腹腔内出血や後腹膜下出血（前者では胸腹腔内穿刺で診断可能なことも）

窒　　息
- 窒息を疑わせる発見状況（特に空気中の酸素欠乏について）
- 顔面の異状所見：うっ血，鼻口部周囲の変色・表皮剝脱，口腔粘膜の損傷，皮膚点状出血，結膜の多数の溢血点・溢血斑，口腔粘膜の多数の溢血点など
- 頚部の異状所見：索痕・扼痕あるいはそれを疑わせる蒼白帯・陥凹・表皮剝脱・紅斑を含めた変色，水疱形成など
- 口腔内の異物
- 鼻腔・口腔内の（細小）泡沫

異常温度
- 火傷，凍傷
- 異常な高体温（直腸温）・低体温（直腸温）

電　　気
- 電流斑，電紋，火傷
- 低電圧の場合は感電を疑わせる発見状況：通電された状態，皮膚の湿潤

薬 毒 物
- 薬毒物中毒を疑わせる状況：毒物の容器，精神神経用剤の処方と散乱する空包，有機溶媒臭・農薬臭，口腔内のびらん
- 多くの場合，外表所見上からの確認は困難であり，いつでもその疑いを持つこと

そのほか全般的に
- 会陰外傷の有無
- 左右手関節などに逡巡創あるいはその瘢痕を疑わせる所見
- 注射痕（新しいもの，陳旧なもの）

が推定しても，実際の死亡時刻とにかなり隔たりがあることがある．死体現象の発現は単に死体自体の条件だけではなく，環境因子にも大きく左右されやすいからである．実際の現場では成書の記載をそのまま鵜呑みにせず，ある程度の幅を持った推定が望ましい．もちろん発見が遅れれば，その幅も大きくなる．犯罪性がないと判断された死体では，警察が捜査した発見状況も死亡時刻の絞り込みに必要である．新聞受けにたまっている新聞や部屋に置かれていたレシートの日付，第三者による最終生存確認なども参考になるだろう．もちろん死体現象に大きな矛盾がないことを，あればその理由を考慮する必要がある．要は死亡時刻にある程度の幅を持たせ，かつそれが推定であることをはっきりと示すことが必要である．

3. 死体からの身元確認

死体からの身元確認といえば，現在ではすぐにDNA検査を思い浮かべる人が多いが，実際の作業はまず大まかな絞り込みから始める．すなわち，性別・身長・推定年齢から，ある一定の集団に絞り込み，そこから指紋や歯科所見，DNA多型といった個人的特徴で最終的な身元を確認するのである．指紋・歯科所見・DNA多型の各検査はいずれも一般の検案医師の仕事ではない．ただ，特徴的な手術痕に関しては有力な個人情報になりうるため，手術名の推定を含めた所見の採取が必要とされる．なお推定年齢に関しては，大人であれば青年・中年・高齢者といったおおまかな区分でよい．どうしても具体的な数値で示す場合には，その幅は大きくとりたい．例えば60歳代と発表した結果，実際は該当者が59歳や70歳とすれば，法医学的な

判断に特に大きな誤りはないにせよ，遺族が厳密に60～69歳と考えて，身元確認作業が遅れてしまう場合があるためである．

4．検案資料（鑑定資料）の採取

死亡前の行動能力を知るうえで，血中エタノール濃度が重要な因子になることが多い．当初は病死と判断された死体が，後日薬毒物を服用したうえでの自殺，あるいは服用させたうえでの他殺であったということもある．しかし，死体からの薬毒物の証明は検案時点では困難なことが多い．したがって，検案時に血液と尿を採取し，診断やその後の捜査の参考にすることがある．薬物検査が死因判断や犯罪捜査のために必要であれば，その資料採取も検案の一環であることから鑑定処分許可状までは必要ないであろうが，遺族がいる場合には一言「アルコールなどの影響をみるため血液・尿を採取します」と了解を取っておいたほうがよいだろう．なお髄液検査の場合も，採取部位に大きな血腫とやや多量の血液漏出をもたらすことがあり，「頭蓋内血腫の有無の判断のため髄液を調べます．針を刺したところから若干血液が漏れ出ることがあります」などと了解を取っておいたほうがよい．大抵は了解してもらえるが，仮に拒絶されたら無理に採取行為は行わず，またその旨を記録に残しておく．ただ薬毒物服用による死が強く疑われる場合に，遺族が生命保険などの問題でその事実を隠すために採取を拒否することもある．死因究明のため血液などの検査が必要であることを遺族に説明すべきであり，どうしても承諾が得られないなら死因不詳として，あとは司法解剖の可能性を含め警察官に任せるべきであろう．

Ⅱ　大規模災害時の法医学的対応

1．法医学的に何を求められるのか

大災害発生時にはまずできるだけ早期に負傷者を発見し，治療しなければいけない．したがって，警察・消防・自衛隊・海上保安庁といった機関が自治体の要請で出動し，相応の救出作業を行うことになる．そして医師に求められることはまず負傷者の治療であるが，不幸にして多数の死者が出てしまった場合，その死者に対してもまた医学的な対応が必要となる．災害による死亡はすべて異状死体であり，すべての死体に対して警察が検視を行い，医師が検案して死因を判断する．また多くの場合，歯科医師が身元確認の担い手になる．

2．死　因

大災害時の死因判断は時に困難なことがある．航空機墜落事故では死体損壊が著しく，頭部や四肢あるいは内臓の一部や大部分が欠落していることが少なくない．それでも乗客の場合は墜落衝撃による全身挫滅，全身の高度損傷，といったような死因が考えられる．離着陸時の事故では損傷自体は高々度からの墜落ほど強くはなく，むしろ火災の影響を受けることもある．ただ航空機事故の場合，身体に加わるエネルギーはきわめて大きく，外表所見上損傷がさほど著明でなくとも，内部臓器損傷は重篤であることが少なくない．

直下型地震では崩壊建造物の下敷き，電車事故では座席など周囲構造物による圧迫・衝突が多いと思われるが，これも厳密には重量物の打撲による頭部・胸腹部損傷と，胸腹部圧迫による窒息とに分けられる．上半身のうっ血や皮膚溢血点あるいは結膜溢血点などの所見が強くみられる場合には後者の原因を考慮すべきであろ

う．ただこれに火災が加わると，火災時に生存していたか否かの判断は難しい．もし心臓血が採取可能であれば，一酸化炭素ヘモグロビン濃度がその参考になるかもしれない．しかし1995年に起こった阪神・淡路大震災では，焼損死体の多くが骨片となった高度焼損状態であり[3]，こうなると血液資料の採取も不可能であり，死因判断は困難になる．

津波による被害での死因は溺水であろうと予想がつくが，同時に一緒に流される建造物などへの衝突・圧迫による損傷も影響していることが少なくない．しかし発見された死体の頭部や胸部・骨盤部に高度の損傷がみられても死後損壊の可能性もあり，外表所見のみでは溺水か損傷死かの明確な区別は難しいであろう．もちろん解剖によって診断は可能であろうが，操縦士や運転士といった特殊な立場の人以外で，死因が特定できないという理由から災害死体が解剖に付されることは少ない．ただいずれの場合でも死因の絞り込みは可能であり，死体の発見状況，損傷程度などを併せ考えながら，一番可能性の高いものを死因として診断してよいだろう．この場合，「疑い」「推定」が必要かはケースバイケースと考える．

3．死亡時刻

大災害で多量の死者が生じた場合，個々の正確な死亡時刻の把握は，生存者の証言が得られるか医療機関での死亡以外は不可能なことが多い．この場合，災害発生時刻，場合によっては発生時刻の5〜10分後を死亡時刻に振り替えることがある．航空機墜落事故などはほぼ同時死亡と予想されるが，例えば津波による死亡を考えたときに，死者の中には海に流されたあと，幾ばくかの時間浮遊していたものの力つきて溺れた人もいるかもしれない．しかしその確認は死体からでは不可能である．仮に押し寄せた津波が巨大なもので，多くの人は最初の一波で死亡した可能性が高いと判断できれば，死者全員を津波到達時刻の死亡とみなすことは仕方がないであろう．もちろん，この場合も死亡時刻はあくまでも推定であることを示しておいたほうがよいだろう．

4．身元確認

大災害時の身元確認作業の最終責任は警察にあるが，検案医師も当然その作業を担うことになる．法医学的活動のなかでは，死因判断とともに身元確認もまた最も重要な作業の一つである．まず警察官は，着衣や所持品から身元の手がかりとなるものを探し出す．その間に医師は性別・おおよその年齢・体格などをわかる範囲で判断する．地震で民家から発見された死体であれば，そこの居住者がまず疑われよう．顔面の損壊が軽度であれば，遺族や知人による顔貌の確認も大いに参考になる（ただ近親者でも精神的動揺のため，まったく違う人でも親や子・兄弟であると信じてしまう場合があり，最終確認を顔貌だけで行うのは危険である）．そして最終確認は個人的特徴で行う．当初からDNA検査による確認が行われることもあるが，従来からの指紋と歯科所見による照合が現在でも有力な手法である．DNA検査は対象となる資料が多いと人的労力だけではなく時間やコストもかかる．それに対して指紋や歯科所見による照合は，資料が入手できればきわめて短時間で行うことができる．したがって，まず指紋と歯科所見による確認作業を行い，それが困難な場合にDNA検査も試みるのが現実的な対応であろう．一見，万能そうなDNA検査も対照資料がなければ無力に等しい．歯ブラシは在宅DNA資料として比較的有力である．しかし津波や火災などで自宅が倒壊すれば，指紋と同様，特殊な場合を除いて資料の採取は不可能となる．その他に推定される血縁関係者からの血液も重要な資料である．なお，津波による検案において，早期に発見され，顔貌や所持品などによって容易に身元が確認できた死者からも血液試料の採取・保存は必須である．これは後日，その者の親族の可能性がある骨組織が発見された場合，対照となるDNA試料として，保存されていた血液以外に適切なものがないことが起こりうるためである．

災害現場では指紋採取と在宅指紋などの照合は警察官が行い，歯科所見の採取とカルテとの照合は普通は歯科医師が行う．特に航空機事故では搭乗者名簿により該当者がわかるため，早い時点で歯科診療録の入手が可能であり，迅速な身元確認のためには検視・検案当初から歯科医師の協力が不可欠である．現場では可能な限り，同一の警察官・医師・歯科医師がチームを作り身元確認作業に当たることが望ましい．このとき，医師は単に死因判断だけではなく，手術痕や瘢痕などの特徴的な身体所見も見落としてはならない．町や村といった地域のコミュニティが緊密な社会では，身体にあるほくろや瘢痕も近隣の人がよく覚えており，身元確認の貴重な手がかりとなることがある．

Ⅲ　死亡診断書（死体検案書）の作成

医師が作成すべき諸証明書は多数あるが，この中で死亡診断書（死体検案書）は，人の死亡に関する医学的な証明書として重要であり，厳格に作成すべきである．

このためには，死亡診断（死体検案）により，死因の究明や身元の確認を適切に実施するとともに，死亡診断書（死体検案書）に関連した法令，同書類の作成および交付の事務手続きについて留意しておく必要がある．

1．死亡診断書（死体検案書）の役割

死亡診断書（死体検案書）の役割としては，①人の死亡を法律的，医学的に証明すること，②日本の死因統計作成の基礎資料となること，が挙げられている．

人の死亡により，法的には戸籍抹消の手続きがなされるが，その届け出の書類が「死亡届」である．人は権利義務の主体であるが，死亡によりその権利能力の消滅，相続の開始，婚姻の解消など，法的に重大な影響を及ぼすことになる[5]．死亡届自体は遺族などの関係者が作成することになっているため，人の死亡を厳格に証明した書類である死亡診断書（死体検案書）は，この死亡届に添付する書類（公文書）として用いられる役割がある．これにより死者の戸籍は抹消されるとともに，火埋葬の許可がおりることになる．

また刑事裁判では，司法解剖の鑑定書その他関係書類とともに，死亡診断書（死体検案書）が証拠として活用される．あるいは，生命保険などの給付・査定や損害賠償の請求に係る添付資料とされるなど，民事上の重要書類にもなり得る．

さらに，死亡診断書（死体検案書）の記載内容は，人口動態統計[6]の基礎資料として集計され，わが国の公衆衛生上の現況の把握，厚生行政への応用に資することにもなる．

そして何より，死亡診断書（死体検案書）は，遺族が死因や死亡状況が記載されたものとして必ず確認・通覧する書類，言い換えると死亡診断や死体検案についての説明書類という側面も有していることを決して忘れてはならない．

すなわち，死亡診断書（死体検案書）の役割は多岐にわたり，いずれもおろそかにはできないところではある．入院患者の死亡診断では，そうした多面的な役割を意識することは少ないかもしれないが，法的・社会的に紛議を伴うことの多い異状死の死亡診断書（死体検案書）では，個々の事例の特徴を見極めて，適切かつ妥

当な作成を心掛ける．

事例1

腹部刺創で搬送された患者が治療の甲斐なく「出血性ショック」によって死亡した．司法解剖実施後，担当の解剖医が死体検案書を作成した．病院の主治医は遺族に対して，「出血性ショックで亡くなった」と説明したという情報をもとに，遺族に混乱がないように，死体検案書の死因名として「出血性ショック」を記載した．しかし後日提出した解剖鑑定書では，剖検所見に準拠した死因名として「失血」と記載した．その後の刑事裁判で，死体検案書と鑑定書での死因名の違いについて尋問があった．上記の経緯をそのまま説明し，特に問題にはならなかったが，刑事裁判における死体検案書の証拠化について意識は必要であったかもしれない．

事例2

列車への飛び込み自殺などでは，全身に重大な損傷を呈することが多い．損傷の範囲・程度を正確に記入することは医学的・公衆衛生的に適切ではあるが，例えば「右下腿轢断を合併する胸腹部挫滅」という死因名を「胸腹部を中心とした多発外傷」（あるいはもっと単純に，「多発外傷」）と言い換えても間違いにはならないだろうし，遺族にとっても受け入れやすいと推察する*．

2．死亡診断書（死体検案書）発行の義務

死亡診断書は医師と歯科医師で作成可能だが，死体検案書の作成は医師のみに限定されている．このため，死体検案書も作成できる医師にはいくつかの義務が課されている．

一般的な診断書と同様に，死亡診断書（死体検案書）についても，死亡診断もしくは死体検案した医師が交付請求を受けた場合，正当な理由がない限り，これを拒否することはできない（医師法第19条第2項）．その正当な理由とは，恐喝などの不正な目的に利用されるおそれがある場合など，社会通念上妥当と認められる場合に限られる．

死亡届は，遺族などがその死亡を知った日から7日以内に届け出することが定められている（戸籍法第86条）．したがって，通院先の医療機関が休診日であるとか主治医が出張中であっても，その7日以内に死亡診断書を交付できるならば，あえてこれを拒否する必要はない．

また公務所に提出する死亡診断書（死体検案書）に客観的事実と反すると認識しながら，医師**が虚偽の事項を記載・交付すると，刑法第160条の虚偽診断書等作成罪に問われることになる．

ところで医師法第19条第1項では，「診療に従事する医師は，診察治療の求があつた場合には，正当な事由がなければ，これを拒んではならない．」と規定されている．自ら診ていた患者の家族から死亡診断の求めがあった場合では，これを断ることはできないだろう．一方，診療に従事する医師が死体検案を求められても，これに応じなければならないという法的義務はないと解されている．しかし，死体検案書はそもそも医師にしか作成できないこと，法医学を専攻する医師でないとしても，医師であれば死亡診断書または死体検案書を作成できる能力が求められることから，正当な理由がない限り，これには努めて応需することが求められている．その正当な理由としては，例えば，検索後法医

*日本救急学会では多発外傷を「頭部・頚部・胸部・腹部・骨盤・四肢などと区分した場合に，複数の身体区分に重度の損傷が及んだ状態」と定義している[7]．転落や交通事故などの高エネルギー外傷での損傷名として「多発外傷」の使い勝手はよい．なお列車への飛び込みなどで，頚部轢断のみしか損傷がないならば，素直に死因は「頚部離断」とするしかない．

**国立病院などの公務員である医師の場合は，刑法第156条の虚偽公文書作成罪にも当たることになる．

解剖が予定されており，担当剖検医のほうがより適正な内容で作成することが期待できる場合などがある．

なお，死亡診断書と死体検案書の交付にあたっては自ら死亡診断や死体検案をすることが必要である（医師法第20条）．すなわち死亡診断書と死体検案書の作成前に医師は，実際に死体を診ている（死亡診断または死体検案のいずれも）ことを要請している．当然の規定かもしれないが，この条文には大変有名なただし書きが続いている．

それは「診療中の患者が受診後24時間以内に死亡した場合に交付する死亡診断書は，死体を診ずに死亡診断書を交付できる」というものである．つまり，最終受診から24時間以内に，その患者が死亡し，別の医師などから死亡の状況を伝え聞けば，わざわざ当該患者の死体を死後診断せずして（亡くなった患者を確認することなく），死亡診断書を交付できるとしたものである．このただし書きがなぜ有名かというと，「最終受診から24時間以内に死亡した場合は死亡診断書は作成できず，異状死としての届け出が必要である」と誤解されることが多いためである．医師法第20条ただし書きの正しい解釈については厚生労働省からも通達[8]が発出されている．そもそも，このただし書きは，医師法が制定された戦後間もなくの時代，医師の往診にも支障をきたすことを想定した規定と推察されるが，現代では明らかにそぐわない内容である．したがって，医師法第20条ただし書きの趣意について正確に理解するとともに，死亡診断では全例で死体を確認すべきである．

後日，生命保険給付などに係わる請求において，死亡診断書（死体検案書）が必要となった遺族から再発行の依頼を受けることがある．死亡診断書（死体検案書）を作成・交付した医師は，正当な理由がない限り*，再交付の求めに応ずる義務も有する．しかし，病院または診療所などで書類を作成した医師がすでに退職・異動した場合は，死亡診断書（死体検案書）の記載事項と相違ない旨の院長などの証明書で代用することになる．法令上，死亡診断（死体検案）した医師とは別の医師が代筆し再発行することはできないからである．これは，臨時の当直医が入院患者を死亡確認した場合も，主治医の氏名ではなく，当該の当直医の氏名で死亡診断書を作成する必要があることと同じ理屈である．

実務上の話として，生命保険などの給付や各種契約の解約では，死亡診断書（死体検案書）のコピーで足りる場合もある．遺族へは同書のコピーもあわせて交付し，保管しておくように伝えるなども有益である．

3．死亡診断書と死体検案書の区別

死亡診断書と死体検案書の法定書式（医師法施行規則第20条）は同じであり，記載項目にも相違はない．

前述のとおり，医師であれば死亡診断書と死体検案書の両方を作成できるので，どのような場面で，死亡診断書と死体検案書を作成すべきか判断し，正確に理解することが必要である．死亡診断書は，「診療管理下にある患者が，診療の対象となっていた傷病変により死亡した場合」に作成することになる．ここでいう診療管理下には，入院中の患者はこれに該当しよう．また定期的な外来通院や在宅療養での患者を診ていた場合も該当するが，あまり頻繁に通院・往診していなかった場合でも該当するのか？という懸念も挙げられるだろう．これは，診ていた疾患や傷害の種類や程度により，適切な診療間隔の程度はあると思われるので，一概に論ずることは難しい．しかし，「持病で死亡したと診断するが，1か月に1回の頻度でしか往診していないので，診療管理下にはなく，死亡診断書は作成できない」と死因を判断しているなら

*その正当な理由とは，医師法第19条第2項にいう「正当の事由」と同じである．

ば，この主張は不適切と言える．

また生前に診療していた傷病変とは，その疾患や傷害のみならず，その後遺症・続発症により死亡した場合を指す．慢性呼吸不全の患者を在宅酸素療法にて診療管理していれば，慢性呼吸不全の進行に伴い呼吸不全の急性増悪，肺性心などの併発も予想される．診療経過の中で，これらの病態による死亡が確定もしくは推定できれば，往診医は死亡診断書を発行できる．

その他，心肺停止患者が搬送され救命処置の対応をした救命医については，心拍・呼吸が再開し，死刑前に実施した各種検査にて，死因が判明できたならば，死亡診断書を発行することは可能である．

一方，「診療管理下になかった患者」や，「診療対象の傷病変以外で死亡した場合」については，死体検案書を作成することになる．

診療管理下になかった患者とは，生前に診たことのない人や生前に診療したことがある患者が完治し，受診を止めてしまった場合などが含まれる．

診療対象の傷病変以外で死亡した場合での教科書的な例としては，脳梗塞で入院中の患者が，院内の階段で転落した状態で死亡発見された場合が挙げられる．その主治医（脳神経内科医）が診療対象としていたのは脳梗塞であり，頭部外傷により死亡したことが判明したとしても，主治医は死亡診断書を発行することはできない．一方転落し意識不明の状態で発見され，頭部外傷の治療中に死亡したのであれば，死亡診断書の発行は可能である（異状死として所轄警察署への届け出は必要である）．

死因または死因の種類が不明な場合も「診療対象の傷病変」で死亡したと断定できないので，死亡診断書を交付することはできない．この場合，異状死としての届け出も必要となろう．

事例３

敗血症性ショックにより死亡した入院患者の死亡診断書は作成できるのかという照会があった．話を聞いてみると，その医師は「起因菌が不明ということで死因不明」という認識であった．敗血症性ショックという臨床診断が確定していれば，「(起因菌不明の) 敗血症性ショック」を死因として死亡診断書の作成は可能と回答した．同じようなことは，原発不明巣が不明な転移性癌による死亡の場合でも同じである．

誤解されがちだが，死亡診断書と死体検案書の区別に，異状死の届け出要件とは直接的な関係はない．「(1)異状死として届け出しないならば死亡診断書を，(2) 異状死であるならば死体検案書を作成する」というのは間違いである．ただし，監察医制度施行地域では，異状死の死体検案は監察医が実施することになっている．異状死には外因死（損傷，窒息，中毒など）が含まれるため，同地域内で死亡した外因死の患者は，たとえ主治医が当該患者を看取ったとしても，その患者の死亡診断書を作成できないことに注意すべきである．

4．死亡診断書（死体検案書）の作成方法

死亡診断書(死体検案書)の作成については，厚生労働省のホームページから「死亡診断書(死体検案書)記入マニュアル」(以下，「記入マニュアル」) がダウンロード[9]できる．この「記入マニュアル」は毎年改訂されており，実務上参考になる．ここでは，本書が「法医学」の教科書であることを考慮して，異状死すなわち外因死，突然死，死後変化の著しい死体などの死亡診断または死体検案の事例に即した作成方法について，主に死亡診断書（死体検案書）の形式面や論理性を重点的に解説していく．記載内容の法医学的診断上の妥当性については，本書の各章を参照してほしい．

1 基本的な注意事項

1．時刻の表記

時刻は，午前と午後の12時間制に基づき記入

する．正子の時刻は「午前0時」，正午の時刻は「午後0時」と必ず記入する．これは，「8月1日午後12時00分」という表記にしてしまうと，「8月1日午後0時00分」なのか「8月2日午前0時00分」かが判然としないためである．このように死亡日時を記入すると，命日が1日ずれてしまう．

2. 選択肢

選択肢がある場合は，該当する数字のみに○をする．

3. 筆記具

誤字脱字には十分注意するとともに，時間経過とともに褪色する筆記具または鉛筆を使用しない．可読性のある字での記入が推奨されるので，プリンターでの印刷や専用ソフト［例；公益社団法人日本医師会：DiedAi死亡診断書（検案書）作成ソフト］での作成も検討してみるのもよい．

2 タイトル

死亡診断書と死体検案書の両方が印字されているので，不要なほうを二重線のみで削除する（訂正の署名は不要）．

3 氏名

死者の氏名は，戸籍の記載どおりに記入し，死亡届と齟齬がないようにする．異状死の死体検案においては，氏名などの死者の個人情報は，警察から提供される情報が根拠となるが，その根拠となった情報源は具体的に確認したほうがよい．戸籍での氏名が異体字などで，家族でも曖昧に記憶している場合があるため，戸籍・住民票などの公文書を根拠していることが望まれる．

身元不明の場合は「不詳」とする．身元の候補者は判明しているものの，検案の時点で，警察が身元を特定していない場合は，候補者の氏名を記入すべきではない．なお戸籍上の氏名が不明な場合で，通称名は判明している場合であれば，生前に自称していた氏名（通称名，あだ名）を記入する．

外国人の場合は，パスポート（旅券）などの記載のとおり記入する．日本語での読み方にあえて直す必要はない．

命名前に死亡した出生子の場合は，「未命名」，「○○○○（母の氏名）の子」のように記入する．

4 性別

生物学的性である性染色体の状況[10]で記入する．検案では外性器で，解剖では外性器とともに内性器で判断することになる．

性別が不明な場合は，「不詳」とする．白骨死体で，一方の性別の可能性を人類学的に判断できる場合は，（推定）を付記したほうがよいだろう．

従来，性別適合術を受けた人は，術前の性別を選択するとされている．一方，法的な性別の取扱いの変更の審判を受けた者に係る死亡届書では，術後の性別を選択するとされており[7]，齟齬が生ずる可能性がある．この場合，下欄の付言すべき事項に仔細を記入して補足しておく．

5 生年月日

戸籍のとおり記載する．身元不明の場合は，推定年齢を括弧に付して記入する．身元不明扱いで候補者がいる場合は，その候補者の年齢層を記入すればよく（例えば，75歳であれば70歳代），その具体的な年齢を書く必要はない．

外国人の場合で，和暦での記載がそぐわない場合は，西暦あるいは西暦・和暦の併記で記入してもよい．

生後30日以内に死亡した場合はその出生時刻も記入する．

6 死亡したとき

死亡した日時，すなわち死の徴候を確認した日時を記入する．入院中の患者を死亡診断した場合であれば，分単位まで特定した記入が可能となろう．

しかし，多くの異状死例における「目撃のない死亡」状況の場合は，死体現象あるいは警察の捜査情報に基づいて推定される死亡日時を記入する．

推定される時間の幅により，下記のように記入することができる．また（推定）を付記することもできる．

死亡したとき	令和29年 頃 月　日 平成 午前・午後　時　分

死亡したとき	令和2年12月23日 頃 午前・午後　時　分

死亡したとき	令和2年12月23日（推定） 午前・午後　時　分

＊頃（推定）と付記してもよい．

死亡したとき	令和2年12月23日 (午前)・午後10時 頃 分（推定）

推定する時間幅の単位の箇所に，「頃」を付記する．令和2年12月23日午前頃に死亡したと推定した場合で，

死亡したとき	令和2年12月23日 (午前)・午後　時　分 頃

のように記入すると，死亡した「時」と「分」の箇所を書き忘れていると誤解される．

死亡したとき	令和2年12月23日 (午前)・午後9〜11時 頃 分

上図のように時間の幅を持たせて記入することも可能である．

死亡したとき	令和2年12月23日 未明頃 午前・午後　時　分

その他，朝，昼，夕，夜，上旬，中旬，下旬，未明などの時季に関する用語を加えることも可能である．ただし，戸籍事務上の取り扱いの関係のため，「春，夏，秋，冬」という用語は避ける．

なお病院へ搬送され，救命処置を受けたが，心拍再開せず，死亡確認となった場合に限り，死亡日時として，「死亡確認した日時」を記入することができる（この場合，死亡場所は搬送先の病院になる）．

死亡したとき	令和2年12月23日 (午前)・午後10時10分（死亡確認）

死亡確認した日時ではなく，推定される死亡日時を記入し，最下欄の「付言すべき事柄」に「死亡確認した日時」を記入してもよい．もっとも病院へ搬送され死亡確認を受けたものの，高所転落・全身挫滅・定型的縊死のように，即死ないし短時間で死亡にいたったことが明白な場合は，実際に死亡した日時とするのが望ましいと考える．

脳死判定が行われた場合の脳死した者の死亡時刻は，第2回目の脳死判定時刻と定められている［「臓器の移植に関する法律」の運用に関する指針（ガイドライン）］．

外国での死亡の場合，死亡地の標準時を記入するが，日本標準時での死亡日時を最下欄の「付言すべき事柄」に併記して差し支えないだろう．

7 死亡したところおよびその種別

死亡した場所に関する情報として，死亡場所の種別，死亡したところ，病院などで死亡した場合ではその施設名を記入する．

「死亡したところ」は死亡場所の住所を記入するのだが，思いのほか記入スペースが小さい．長い住所表記のところでは書ききれないことが少なくない．この場合，下の「施設の名称」欄も用いて記入しても差し支えないだろう（本来の記入欄ではないので，やむを得ず記入した，ことがわかるように配慮はしておく）．

死亡したところ	東京都○○区■■8丁目1-11
施設の名称	東京都住宅機構団地■■8丁目団地 1号棟307号室

「死亡したところの種別」の「1 病院」から「5 老人ホーム」は特に選択肢として難しいことはないだろう．

「6 自宅」は意外と迷う場合が少なくない．ここでいう「自宅」は明確に定められているわけではないが，生活の本拠としていた場所（あるいは引き続き本拠とする予定であった場所）とされている．そのため，住民登録していた場所とは別であり，生活実態に即して判断すべきで

ある．なお老人ホームを住民登録した上で，ここを生活の本拠としていた場合では，「自宅」ではなく「老人ホーム」を選択するとされている．

「6 自宅」には，私有地たる中庭や車庫も含まれる．しかし，集合住宅の敷地内や共用廊下については，一般的には，「7 その他」とするのが妥当である．

「7 その他」は，道路，屋外，ビル，他人の家，別荘などを含む．ホームレスが屋外の一定場所で生活し，同所で死亡した場合，そこは「7 その他」に該当する．また，身元不明扱いの者が住宅内で死亡していた場合，身元が特定されるまで，その死亡したところは「7 その他」として取り扱う．

鉄道，飛行機，船舶などで移動中に死亡した場合は，下図のように記入する．

死亡したところの種別	1病院　2診療所　3介護医療院・介護老人保健施設　4助産所　5老人ホーム　6自宅　⑦その他
死亡したところ	横浜港から神戸港間の船舶南山丸内

海や河川などの水中環境で発見された場合や，発見されたところとは別の場所で死亡したことが明白な場合で，死亡場所が不明であれば，死亡したところには，発見場所を記入して，その旨を付記すればよい．

死亡したところの種別	1病院　2診療所　3介護医療院・介護老人保健施設　4助産所　5老人ホーム　6自宅　⑦その他
死亡したところ	東京都●●区△△3丁目4番先□□□河川敷（発見）

8 死亡の原因

当該死者の死亡の原因に関する情報として，(1) 死因（Ⅰ欄），(2) 死亡経過に影響した疾患や損傷（Ⅱ欄），(3) 手術の有無とその所見，(4)解剖の有無とその所見を記入する．手術は，死因に関連があるものに限り記入すればよい．

1．死因欄の留意事項

死因ⅠならびにⅡ欄の全般的な留意事項は，次のとおりである．

① 傷病名に略語（AMIなど）を原則として用いない．B型肝炎やS状結腸がんなどの例を除き，傷病名は日本語で記入する（Alzheimer病 → アルツハイマー病）．

② 死亡経過における終末期の状態としての「心不全」，「呼吸不全」は記入しない．これは疾患の終末期では必ず心停止あるいは呼吸停止が見られるが，これをもって心不全，呼吸不全が生じていると考え，これらが直接死因と判断すべきでないという趣旨である．したがって合併症などの病態としての呼吸不全を記入することは可能である．例えば，肺気腫を長く患っていた人が，最終的に，慢性呼吸不全の急性増悪により死亡した場合では，

死因Ⅰ	（ア）直接死因	呼吸不全	約10年
	（イ）（ア）の原因	肺気腫	同上

と記入することはできる．

③ 産褥婦の突然死の場合，異状死として届け出されて，死体検案となることもある．この場合，その死亡が産科的原因によるか否かによらず，妊娠または分娩の事実として，妊娠満週数または産後満日数を記入する．産科的原因による死亡の場合は死因Ⅰ欄に，産科的原因でない場合は死因Ⅱ欄に記入すればよい．なお「記入マニュアル（令和3年版）」では，産褥婦の自殺例での，妊娠出産に関連した精神疾患などによる自殺か否かについて例示が掲載されている．法医学者の観点から，幾分問題点の多い例示であると考えられ，日本法医学会からも同様の見解[11)]が提示されている．この記載の趣旨としては，産褥婦自殺の統計調査を目的としているだろうが，筆者の見解としては，産褥婦自殺が産科的原因か，非産科的原因であるか区別して，死体検案書にこれを詳細に銘記することには十分慎重であるべきである．

2．死因欄の留意事項発病（発症）または受傷から死亡までの期間

死因Ⅰ欄の（ア）～（エ）ならびに死因Ⅱ欄に記載した傷病変について，その期間を記入する．具体的な期間が判明している場合は，約10

時間，数日*，約2週間，45日，約2年などと記入する．具体的な期間に（推定）を付記してもよい．異状死では，死亡経過が急激な事例が多いが，この場合は，短時間，即死，急死などと記入すればよい．

死亡までの期間が具体的にわからない場合は，不詳と記入する．異状死の死体検案では，死亡直前の通院・投薬状況が判明しても，初診が明確でないことが多い．死因Ⅱ欄では，外来通院中の基礎疾患名が記載されることが多いだろうが，この場合無理をせず「不詳」とすればよい．

3. 死因Ⅰ欄

死因については，（ア）欄に直接死因を記入し，その原因（原死因）を（イ）欄に記入する．

死因Ⅰ	（ア）直接死因	心嚢血腫	短時間
	（イ）（ア）の原因	上行大動脈瘤破裂	短時間
	（ウ）（イ）の原因		
	（エ）（ウ）の原因		

死亡の因果関係を，原死因名だけで表記可能な場合は，（ア）欄に原死因名を記入する．

死因Ⅰ	（ア）直接死因	縊　死	短時間
	（イ）（ア）の原因		
	（ウ）（イ）の原因		
	（エ）（ウ）の原因		

なお，死因名として「〜〜死」と表記するのは，「馬から落馬する」のような重複表現であるとして問題視する意見もある．この場合は（ア）欄に「窒息」，（イ）欄に「縊頚」とすればよい**．しかし，本書各論の当該箇所に記載のとおり，頚部圧迫の死亡機序は複合的であり，それらを含意した意味であれば「縊死」のほうが合理的ではないかと筆者は考える．これは「焼死」の場合でも，同様である．

原死因と直接死因との間に，中間死因とも言える傷病変がある場合は，その原因の順番に応じて，順次，記入追記するのがルールとなっている．

死因Ⅰ	（ア）直接死因	腹膜炎	数日（推定）
	（イ）（ア）の原因	S状結腸穿孔	同　上
	（ウ）（イ）の原因	宿便性イレウス	同　上
	（エ）（ウ）の原因		

死亡の因果関係を記述する上で，5つ以上の傷病変が関与することはまれではない．「記入マニュアル」では下図のような記載方法（例；肝硬変，B型慢性肝炎）を指示している．

死因Ⅰ	（ア）直接死因	出血性ショック	3日
	（イ）（ア）の原因	食道静脈瘤破裂	同上
	（ウ）（イ）の原因	門脈圧亢進症	不詳
	（エ）（ウ）の原因	B型慢性肝炎，肝硬変	同上

しかし，これは遺族には少々理解しにくい記述なので，文章形式（B型慢性肝炎による肝硬変）あるいは，B型肝炎関連肝硬変のような病名表記にしたほうが適切かと思われる．

事例4

近年のわが国の異状死で最も多い死因名である急性虚血性心不全であるが，死体検案の場合，厳密にこの死因を特定することは困難であろうから，（推定）を付記してもよいだろう．

死因Ⅰ	（ア）直接死因	急性虚血性心不全（推定）	短時間（推定）

一方，解剖を実施した場合は，冠状動脈硬化症を確認している場合は，次の図のように記入するのがよいだろう．

---

* 数字の幅を示す「数（すう）」という語句の概念・定義には幅があり，2〜3，3〜4あるいは5〜6とすることが多い．曖昧な分，10未満のはっきりしない数を指し示すのには便利な言葉ではある．

** 死因Ⅰ欄には1つの傷病名を記入するのが原則となっているので，（ア）欄に窒息，（イ）欄に縊頚とかき分けたほうが望ましいとはされているが，実務上，「縊頚による窒息」のような文章での記入も一般的と思われる．

死因Ⅰ	（ア）直接死因	急性虚血性心不全	短時間
	（イ）（ア）の原因	冠状動脈硬化症	不詳

事例５

既往歴が判然としない初老男性が，死亡数日前から体調不良となり，死亡した事例で，解剖検査により，Hb-A1cと血中3-ヒドロキシ酪酸の高値が確認された．

死因Ⅰ	（ア）直接死因	ケトアシドーシス	数日（推定）
	（イ）（ア）の原因	糖尿病	不詳

未治療の糖尿病（おそらくは２型）と，その合併症としてのケシアシドーシスにより死亡したと判断したことから，上図のように記入している．

事例６

生来健康な青年男性が突然に卒倒し，死亡した．剖検が実施され，諸臓器の高度なうっ血などの急死の所見のほか，特記すべき肉眼・組織所見，検査所見は確認されなかった．

死因Ⅰ	（ア）直接死因	急性心機能不全	急死

解剖により「急死の所見」以外に特記すべき剖検所見がなく，明確な死因名としての傷病変を指摘できないことは時折経験する．死因としては致死性の不整脈などの機能的な病態・疾患によるものと推定されることが多いだろう．死亡経過としては急死と考えられるので，「急性心機能不全」，「急性循環不全」，「詳細不明の急死」などの病名とすることも可能である．

事例７

喧嘩により，加害者から左胸を鋭器で刺され，その後，間もなく死亡した．

死因Ⅰ	（ア）直接死因	左血胸	短時間
	（イ）（ア）の原因	左肺門部血管の損傷	同上
	（ウ）（イ）の原因	前胸部の鋭器損傷	同上

直接死因を「左血胸」としたが，「出血性ショック」や「失血」などを直接死因としてもよい．左肺門部血管の損傷以外に，心臓や肺実質の損傷などがあっても，死因への寄与度に優劣がつけられるならば，一方の傷害名のみを記入してもよいだろう．もし，心，大動脈，肺，肺門部血管などに同程度の損傷があって，死亡経過にそれぞれ競合的に作用していると考えられるならば「胸腔内臓器損傷」という包括的な傷害名にすればよい．

「前胸部の鋭器損傷」を原死因名として記入しない場合，「外因死の追加事項・手段及び状況」に，成傷器の情報などを記入する．

事例８

自宅火災現場から発見された焼損死体．気道内に黒色煤片が付着しているのを確認している．一酸化炭素ヘモグロビン飽和度の定量検査を実施したところ，35％であった．

死因Ⅰ	（ア）直接死因	焼死	短時間

一酸化炭素ヘモグロビン飽和度が70％以上の高値の場合であれば，死因名としては，「焼死」ではなく「急性一酸化炭素中毒」としたほうが適切とする考え方もある．

事例９

自宅の浴槽内で溺没にて発見された．居間には多数の催眠薬の空の包装シートが多量にあり，テーブルには厭世的な内容のメモ書きがあった．

死因Ⅰ	(ア) 直接死因	溺水吸引	短時間
	(イ) (ア)の原因	急性薬物中毒	数時間
	(ウ) (イ)の原因		
解剖	1 無 ②有 {いわゆる溺死肺の所見あり，気道内に泡沫あり，アモバルビタール血中濃度 30 μg/mL}		

死亡の経緯としては，アモバルビタールの過量服用 → 意識障害 → 溺水吸引，ということになる．アモバルビタールの血中濃度は中毒量としてはかなり高度であることから，浴槽に入る前にすでに服用していたものと推定し，上記のような記載にしている．

事例 10

単身者が自宅で死亡し，発見に長期間要した場合は，死後変化の進行のため，死因は判然としないということで，下記のように記載する．なお，警察の捜査により，第三者の関与や自殺の可能性などが否定的であり，疾患による死亡が強く疑われる場合であっても，不詳にとどめるほうが適切だろう．

死因Ⅰ	(ア) 直接死因	死後変化高度のため死因不詳	不詳
死因の種類	1 病死及び自然死 不慮の外因死　2 交通事故　3 転倒・転落　4 溺水　5 煙，火災及び火焔による傷害 外因死　6 窒息　7 中毒　8 その他 その他及び不詳の外因死　9 自殺　10 他殺　11 その他及び不詳の外因 ⑫ 不詳の死		

事例 11

複数人からリンチを受け，外傷性ショックにて入院中であったが，入院から 1 週間後に死亡した．3 日後に司法解剖の予定であるが，死亡届に添付する書類として死亡診断書を主治医が作成することになった．

死因Ⅰ	(ア) 直接死因	検査中	検査中

臨床診断名である「外傷性ショック」「一週間」を死因として記入してもよいが，解剖を予定しているのであれば，このようにしてもよい．この事例で，解剖医が死体検案書を作成することになっても，解剖直後でまだ死因が特定できない場合も，「検査中」あるいは「不詳（検査中)」と記入すればよい．すべての検査が完了し，死因が確定した以降に再交付する死体検案書には，司法解剖による判明した死因名を付記すればよい．「不詳」も間違いではないが，混乱している遺族から，不詳の部分に着目されて「死因がわからないのか？」と要らぬ誤解を受ける可能性もあり得るので注意が必要である．

4. 死因Ⅱ欄

死因には直接関係していないが，死因Ⅰ欄の傷病経過に影響を及ぼした傷病名などを記入する．「記入マニュアル」では，死因Ⅰ欄は「傷病名」を記入するのに対して，死因Ⅱ欄は「傷病名等」として若干広範な記載内容が許容されているものと解される．

事例 12

高血圧により降圧薬を服用しているが，コントロールが良好でない人が，自宅にて意識を失い死亡した．死後 CT にて被殻出血が確認された．

死因Ⅰ	(ア) 直接死因	脳出血	数時間（推定）
死因Ⅱ欄		高血圧症	不詳

傷病発生のリスク増大に寄与する疾患として，高血圧，糖尿病，高脂血症などの基礎疾患が記入されることが多い．この欄は医師による診断を受けた疾病を記入すべきで，安易に記入すると，生命保険加入時の病名告知の問題に抵触する恐れがあるので注意を要する．

事例 13

大酒家で，アルコール性肝障害を指摘されていた人が，外で飲酒して自宅へ帰る途中，転倒して，硬膜外血腫により死亡した．

死因Ⅰ	（ア）直接死因	硬膜外血腫	半日（推定）
	（イ）（ア）の原因	左側頭骨骨折	同上
	（ウ）（イ）の原因	頭部打撲	同上
死因Ⅱ欄		アルコール性肝硬変	不詳

出血性の傷病変では，血液凝固能に影響を与える疾患として肝疾患や血友病のほか，抗凝固剤服用中などが記入できる．

事例 14

薬物の過量服用により自殺が疑われた事例で，薬毒物検査を実施したところ，血中から向精神薬が致死域下限を少し下回る濃度で検出されるとともに，血中からアルコールも検出された．

死因Ⅰ	（ア）直接死因	急性薬物中毒	半日
死因Ⅱ欄		酩酊（血中アルコール濃度 1.5 mg/mL）	不詳

薬物代謝に関連のある病態があれば，死因Ⅱ欄に記入する．法医実務では，アルコールを併用していることがしばしばみられる．

以上のほか，① 易感染性を増大させる基礎疾患として，糖尿病，肝・腎不全，低栄養，悪性腫瘍などや，ステロイド・免疫抑制剤の投与，② 低体温を誘発しやすい病態として，低栄養症，酩酊や薬物服用または脳出血や頭部外傷など意識障害をきたす病態などを，死因Ⅱ欄に記入することが多い．

なお身元不明扱いの死体検案では候補者がいて，その既往歴も判明していることも少なくない．外表所見や死後 CT で死因が推定できており，それに影響を与えた傷病として高血圧や糖尿病の既往歴があっても，身元不明扱いの場合，死因Ⅱ欄を安易に記入すると，身元不詳扱いとの整合性はとれない．

5. 手術の有無と手術年月日

生前に受けた手術のうち，死因Ⅰ・Ⅱ欄に関係のあるものについてのみ記入する．手術年月日が複数日となる場合は，開始した手術年月日を記入する．正確な手術年月日が不明な場合は，特定できる箇所まで記入し，（頃）や（推定）を付記する．手術が複数行われた場合は，それぞれ記入する．

例　急性虚血性心不全による死亡
　　→　冠動脈バイパス術
　　慢性腎不全による死亡
　　→　シャント血管形成術
　　硬膜下血腫による死亡
　　→　血腫開頭除去術

6. 解剖の有無とその主要所見

解剖（法医解剖または病理解剖）を実施した場合，死因Ⅰ・Ⅱ欄の傷病名などに関連のある解剖の主要所見（傷病変の部位，性状，程度など）や検査成績を記入する．法医診断では陰性所見も重要なので，必要に応じて記入しておく．

解剖	1 無 ②有 {脳底部にくも膜下出血あり，椎骨動脈瘤破裂あり，頭皮下に出血なし，頭蓋骨・頸椎に損傷なし}

解剖所見ならびに結果の記入を控えたい場合，死因を「検査中」とするとともに，下図のように記入する．

解剖	1 無 ②有 {司法解剖検査中 }

司法解剖の鑑定書は遺族などの関係者に容易に開示されないものの，死亡診断書（死体検案書）は遺族の請求により交付することが義務づけられているので，殺人事件や傷害致死事件の解剖例で死体検案書を作成する場合は，特に注意すべきである．

9 死因の種類

原死因名，すなわち「死亡の原因（Ⅰ）」の一番下の欄に記載した傷病名に基づき，選択肢 1 から 12 の中から該当するものを 1 つ選択する．

したがって，死因Ⅰ欄の最下欄が疾患名は，外因死を選択することはできない．

死因の種類を選択する上での原則としては，警察からの捜査情報に基づいて，捜査上の判断と矛盾がないかを確認する．例えば，警察が自殺であると断定していない段階で，自絞死を自殺と判断することはしない．これは，損傷や中毒などでの入院患者が死亡した場合の死亡診断書でも同様で，生前，患者が「誰々に加害された」と証言していたからといって，そのまま鵜呑みにすべきではない．ただし，① 内因と外因の要因が競合しており，死因の種類を選択する上で，医学的な判断が必要な場合，② 警察が死因の種類を絞り込んでいるものの，死体所見からもう少し漠然とした結論(例；「自殺の可能性も否定できない」との結論に対して，「不詳の外因死」を選択する）が望まれるような場合は，検案医の責任において死因の種類を選択することもあり得るだろう．ただし，このような場合でも，警察などの捜査機関と十分確認・協議して，検案医としてなぜそのような判断したかを伝えるべきである．

1. 病死および自然死

疾病による死亡および自然死（老齢・老化による死亡）が該当する．老衰は死因名とすべきでないと主張する人も少なくない．既往歴がなく，死亡の数日前まで日常生活を何とか送ってきた高齢者が亡くなった場合での剖検例では，全身さまざまな疾患が発見される場合もあれば，低栄養と諸臓器萎縮しか見られない事例もみられる．後者の場合，実際上「老衰」による死亡とせざるを得ない．死因を「低栄養 兼 諸臓器萎縮」とすると，特に同居人がいる場合，無用な誤解を生みかねない．「老衰」という言葉に抵抗があるならば，「加齢による多臓器不全」という名称にしてもよいだろう．

2. 交通事故

運転者，同乗者，歩行者のいずれかを問わず，自動車，鉄道，船，航空機など交通機関の関与による不慮の死亡が該当する．自転車事故もこれに該当するので注意が必要である（例；酩酊状態で自転車走行中，転倒し，頭部打撲で死亡）．河川などに車ごと転落した事故で，溺水吸引で死亡した場合でも「交通事故」に該当する．

一方，剖検では自動車運転者が軽微な交通事故を起こしたが，死因になり得る重大損傷がなく，損傷の関与が考えられない事例というのも時折経験する．剖検により，運転中に，心・大血管疾患や脳血管障害を発症し，急な経過で死亡したと考えられる場合，これは当然「病死」に該当する．

3. 転倒・転落

同一平面上での転倒または階段・ステップ・建物などからの転落による不慮の死亡が該当する．高所から水中へ転落し，頚椎損傷で死亡した場合は，「転倒・転落」に，溺水吸引での死亡した場合は「溺水」に該当する．疾病を突然発症・卒倒の結果，転倒・転落する場合も少なくないが，死因や死因の種類の選択については，前述の交通事故の場合と同様である．

4. 溺水

溺水（泥，屎尿が混じる水を含む）を吸引したことによる不慮の死亡（直接死因の病態として，窒息や誤嚥性肺炎も含まれる）をいい，海洋，河川，池，プール，浴槽などの場所は問わない．ただし，水上交通機関の事故によるものは「交通事故」に分類する．内因あるいは外因によらず，血液の気道内吸引による窒息は，「溺水」には該当しない．

5. 煙，火災および火焔による傷害

住宅・工場などの火災による不慮の死亡が該当する．その他，不慮の事故により，衣服に着火して火焔に包まれた（いわゆる火だるま）場合や，火災時に発生した有毒ガスを吸引し死亡した場合も，これに該当する．熱湯が原因の熱傷は「8 その他」，交通事故による車両火災の場合は「2 交通事故」に該当する．

6. 窒息

不慮の事故としての頚部圧迫・気道閉塞・低(無)酸素性窒息その他に分類される窒息が該当

し，自殺や他殺の場合は選択しない．前述のとおり，不慮の事故としての「溺水吸引による窒息」は，ここには該当しない．

7. 中毒

医薬品，毒劇物，重金属その他の化学物質を服用・吸入・服用・注射などにより摂取した不慮の死亡で選択する．原則として急性中毒が該当し，慢性アルコール性肝硬変などの慢性中毒による臓器障害は，「病死」に選択するのが通例*である．食中毒の場合，細菌性・ウイルス性は「1 病死及び自然死」，自然毒（フグ毒，キノコ毒など）は「7 中毒」に該当する．

8. その他

上記2から7に該当しない不慮の外因死のすべてが分類される．具体的には，熱中症，低体温症，感電・落雷，銃砲の誤射，爆発，機械・落下物による物理的損傷（胸腹部圧迫による窒息は，「6 窒息」），医療過誤，地震・津波などの自然災害である．

ところで，アナフィラキシーショック，薬剤性ショック，悪性症候群は外的要因（食事，薬剤など）により誘発・惹起されたという点で，不慮の外因死と判断することに問題はない．ただし，アナフィラキシーショックや悪性症候群は，① 外的要因を受けて誰もが発症するわけではなく，個人の体質的な問題があること，② こうした合併症の発生が十分想定されつつも治療のため投与される場合もあり，当該疾患の診療経過で発生した合併症の一つというとらえ方もあるかもしれない．したがって外因死ではなく，病死を選択することも合理的な面も否定はできない（ただし，病死と判断するにしても，薬剤の投与という外的要因に起因していることから，法医学的な異状性があるとして，所轄警察署への届け出は必要となるだろう）．なお，アナフィラキシーショックなどを外因死と判断した場合，「8 その他」に該当する．

9. 自殺

死者自らの行為に基づく死亡で，手段や方法を問わない．捜査結果に基づき，状況上自殺と断定できると警察が判断し，死体所見からも自為として矛盾しないことをもって，死亡診断書（死体検案書）で「自殺」を選択する．しかし，捜査判断で「自殺の可能性は高いものの断定までには至らない」というような場合，「自殺（推定）」と記入することも可能である．このように，選択した「死因の種類」の確証度が高くない場合，（推定）や（疑い）を付記することは，いずれの項目でも可能ではある**．

10. 他殺

他人の故意の加害による死亡事例が該当する．加害の手段や方法は問わないし，殺人のほか，傷害致死などの場合もこれに該当する．ひき逃げによる死亡は「交通事故」に該当するが，殺意をもった運転者によって轢過され死亡した歩行者などは「他殺」に該当することになる．警察の捜査上，他殺と断定されているのであれば，これを追認し「他殺」を選択すればよく，裁判前だからといって，安易に「不詳の外因」を選択する必要はないものと考える．

11. その他および不詳の外因

外因死であることは明確であるものの，不慮の外因か否かの区別ができない場合，「不詳の外因」に該当する．ここの「その他（の外因）」とは，死刑や戦死の場合が該当する．

12. 不詳の死

死後変化が高度に進行した死体で死因が特定できない場合，剖検による死因の特定が完了していない場合，病死または外因死を特定できない，もしくは病死と外因の両方の関与が考えられる場合などが該当する．

＊環境曝露もしくは職業曝露としての慢性中毒による臓器障害の場合も，同様に「病死」となろうが，これらについては，死因Ⅱ欄に「慢性重金属中毒」などと追記するのがよいだろう．

＊＊実務上は，あらゆる死因の種類に（推定）を付記できるわけではない．例えば，「他殺（推定）」は明らかにトラブルの元となる．

事例 15

2年半前の交通事故で脳挫傷を受傷して，それ以後，合併症としての外傷性てんかんを発症するようになった．抗てんかん薬を服用していたが，十分にコントロールはできていなかったという．浴槽内にて溺没状態で発見され，解剖により溺水吸引の所見と以前の脳挫傷があるほか，死因になり得る傷病変は認められなかった．

死因Ⅰ	（ア）直接死因	溺水吸引	短時間
	（イ）（ア）の原因	外傷性てんかん（推定）	約2年半
	（ウ）（イ）の原因	脳挫傷	約2年半
	（エ）（ウ）の原因		
死因Ⅱ欄			
死因の種類	1 病死及び自然死 不慮の外因死 ②交通事故 3 転倒・転落 4 溺水 5 煙，火災及び火焔による傷害 外因死 6 窒息 7 中毒 8 その他 その他及び不詳の外因死 9 自殺 10 他殺 11 その他及び不詳の外因 12 不詳の死		

何年，何十年も前の外因を受傷したとしても，その外因の続発・後遺症により死亡した場合は，外因死として判断する．よく経験するのは，頭部外傷などで意識障害の患者が就下性肺炎などの直接死因で死亡した場合である．

脊髄損傷による障害で自宅療養を受けていた患者が，相当期間経過してから死亡した場合で，原死因を「脊髄損傷の後遺症」であると診断すると，死因の種類は外因死に該当するし，医師法上，異状死の届け出も必要となる．

10 外因死の追加事項

「記入マニュアル」では「『1 病死及び自然死』の場合でも「死亡の原因」欄に損傷名などを記入した場合は，「外因死の追加事項」欄も外因の状況などを可能な限り具体的に記入します．」と記載がある．

異状死では，「病死」とも「外因死」とも判断し難い例（病死と外因の関与が50対50とも言えるような場合）も少なからずあり，そのような事例では，死因の種類を「不詳」として，外因死の追加事項に追記することもあり得るだろう．一方，純然たる病死であるのに，死亡前に外因エピソードがあっただけの場合は，特に記載しないほうがよい．

病死の関与の程度が大きいと判断するならば，「外因死の追加事項」欄への記載は誤解を生じさせる可能性があることに注意すべきで，どうしても外因エピソードを記入したい場合は，「特記事項」への記載でもよいかもしれない．

1. 傷害が発生したとき

警察などからの伝聞情報に基づき記載する．多数の目撃下で傷害が発生した場合や，防犯カメラなどで傷害の経過が記録され，分単位で特定することが可能であっても，伝聞情報であることを考慮して，“頃”を併記するのが適切である（防犯カメラの時刻が秒単位で正確である訳ではない）．この場合では，死亡日時でも，“頃”を併記する．

傷害日時が推定にとどまる場合では，特定できる時間幅まで推定する．

2. 傷害が発生したところの種別，傷害が発生したとき

傷害発生の場所が明白であれば，特に問題ないだろう．しかし，漂着死体もしくは遺棄死体で，傷害発生場所が明らかでない場合は，不詳とすればよい．死亡したところと同じように，あえて発見場所で代用することはしない．

なお傷害が発生したところが，工場敷地内の私道である場合，「2 工場及び建築現場」にも「3 道路」にも該当し得るが，「記入マニュアル」では選択ルールが明確ではない．このように選択または記入で迷いがある場合，

傷害が発生したところの種別	1 住居 ②工場及び建築現場 3 道路 4 その他（　　　　　） （工場敷地内の私道）

のように，その旨の説明を付記すればよい．

3. 手段および状況

傷害の発生状況などを詳しく記載するのが原則であるが，死亡診断書（死体検案書）は遺族

や関係者が目を通す書面であることを心に留めておく必要はある．

「記入マニュアル」において詳しい記載を推奨しているが，死因統計で必要な情報を抽出できるようにするためと思われ，この死因統計に関連のない情報を詳しく書いても，公衆衛生上の意義は乏しい．詳しくは「記入マニュアル」を参照にしてほしいが，網羅すべきポイントとしては，次のとおりである．

【交通事故*】

①事故発生場所：路上か路上外かなどの別

②死者の立場：歩行者，運転者，同乗者などの別

③死者が乗り物に乗っていれば，その車両の種類：オートバイ，自転車，普通乗用車，大型貨物車など

④相手方の車両の種類：普通乗用車，バス，電車など

⑤事故の概要：普通乗用車に同乗中，交差点でバスと正面衝突

【交通事故以外の不慮の外因死】

①傷害発生場所として，自宅・工場・川・海・山林などの別

②事故の状況として，

転倒・転落：どこから転倒・転落したかを銘記する．着地点だけでは情報として不足する

溺水：入浴中や遊泳中の別など

煙・火災及び火焔による傷害：自宅や工場の火災かの別

窒息：窒息の原因

中毒：薬毒物の名称，摂取の方法

その他：具体的な成傷器具とその方法

【不慮の外因死全般】（表 11-3）

その不慮の原因と断定または推定される事実があったとてしも，あえて銘記する必要はない．

【自殺】（表 11-3）

「不慮の外因死」の場合に準拠して記入する．

自殺の動機や遺書の内容は，死者または遺族その他の関係者にとって機微な情報であり，これらが自殺と判断する上で重要な根拠であったとしても，死亡診断書（死体検案書）に詳記する必要は一切ない．

また遺族の心情を鑑みて，自殺の状況を必要以上に詳細に記載しない．

【他殺】（表 11-3）

今後の刑事裁判などを考慮して，あえて詳細に記載する必要はない**．

事例 16

近隣とのつきあいがない単身者の自宅死亡例で，解剖により，上肢・肩関節の骨折と肺脂肪塞栓症が明らかになった．もともと転倒癖がある人のようであり，成傷機序としても自己転倒でも説明はつくが，警察からは「事件性はないようだが，どこでどのように転倒したかは判然とはしない」とのことであった．

＜手段及び状況＞
自宅玄関土間でうつ伏せ状態にて死亡発見されたという．

事例によっては，警察の捜査でも受傷状況が明確にならない場合がある．損傷から成傷機序を推定してこれを記入はできるが，実務上，推奨しない．このような場合は，上述のように発見状況を記入する．

11 生後 1 年未満で病死した場合の追加事項

新生児ならびに1歳未満の乳児で，死因の種類として「1 病死」を選択した場合に記載する．「乳幼児突然死症候群 sudden infant death syndrome（SIDS）」を死因名とした場合は，この欄は記載するが，「原因不明の乳児急死」などのような死因名として，死因の種類を「12 不詳」とした場合では，記載は不要である．「記入マニュアル」にあるとおり，母子健康手帳などの

*交通事故での記載すべき項目は，それ以外の外因死と比べてとても多い．

**ICD-10 の観点からいうと，他殺での傷害コードは X85～Y09 の高々 27 個であり，厚生統計上，そこまで詳細な情報は求められていない．

表 11-3　傷害の手段および状況

	要検討	推奨
不慮の外因死	自動車を運転中によそ見運転をしたため，トラックと交差点で出会い頭に衝突したという	自動車を運転中に，トラックと交差点で出会い頭に衝突したという
	外で飲酒して自宅が帰る途中で，階段から転落した	階段から転落した*
	就寝前の寝たばこによる自宅火災に巻き込まれた	自宅火災に巻き込まれた
自殺	前日に購入したトラロープを，居間の梁に結びつけ，足底が少し床につく姿勢で首を吊ったという	索条にて縊首したという**
	高さ 18.5 m のビル屋上から，アスファルトの道路に向かって飛び降りたという	ビル屋上から道路上へ飛び降り
	バルビタールを100錠服用***（使用済み包装シートから推定）	バルビタールの過量服用
他殺	自宅にて就寝中，死者の弟から，頭部をハンマーで数回殴打されたとのこと	自宅にて，鈍器で殴打されたとのこと

要検討と推奨の違いは，あくまでも筆者の見解ではある．しかし，「要検討」に該当するような記載をする場合は，そのように記入できる十分な証拠・根拠と必要性があることは確認しておきたい．
*この場合，死因Ⅱ欄に「酩酊」，「血中アルコール濃度○ mg/mL」などを追記することは差し支えないと考える．
**「索条」も「縊首」は医学用語であり，一般には馴染みがない用語ではある．しかし，筆者はあえてこの用語を用いて，遺族が自殺の状況・経緯についての記憶が喚起されないようにしている．
***薬剤の過量服用による自殺の場合，空の包装シートなどから服用量を推定するが，実際に何錠服用したかを特定することは困難なはずである．

記録を参考にして，出生児体重，単胎・多胎の別，妊娠週数などの必要事項をできるだけ正確に記入することが推奨されている．

12 その他特に付言すべき事項

死亡診断書（死体検案書）の記入欄に対する付言事項，または記入欄にはないが追加しておきたい事項があれば記入する．

事例 17　死因が不明・不詳の場合

<その他特に付言すべきことがら>
死後変化の進行が高度のため，解剖を実施したが，死因を特定することができなかった．

腐敗死体や白骨死体など死後変化が進行した死体で，死因を「不詳」とした場合，その理由を明記しておく．

<その他特に付言すべきことがら>
解剖を実施し，死因特定のため今後，薬毒物検査を実施予定のため，現時点では死因は不詳とせざるを得ない．

解剖により病死である可能性が高いものの，念のため，アルコールや薬毒物の定量分析結果を確認してから，死因を最終判断したいという意向があれば，死因名を「薬毒物検査中」などとすると，遺族へ説明しやすいかもしれない．

事例 18　脳死判定が実施された場合

＜その他特に付言すべきことがら＞
脳死判定が実施され，1 回目の判定時刻は 6 月 7 日午前 0 時 15 分，2 回目は 6 月 7 日午前 6 時 45 分である．

脳死判定が実施された場合では，2 回目の判定時刻を死亡時刻していることを明らかにするためにも，1 回目の判定時刻も銘記しておくとよい．

事例 19　死体検案の主要所見

＜その他特に付言すべきことがら＞
死後 CT 検査にて左視床出血あり，頭蓋骨骨折なし．血中アルコール検出なし．

解剖が実施された場合，その所見を記入する欄があるが，死体検案だけの場合，検案所見（外表所見，死後髄液所見，死後画像所見，薬物検査所見など）を記入する欄がない．特に記入することは求められていないが，遺族への説明または遺族が保険会社へ提出する場合での便宜のため，記入しても差し支えないだろう．

事例 20　情報不足のため，詳細な記入ができない場合

＜その他特に付言すべきことがら＞
遺棄された新生児であるため，出産の状況などが一切不明である．

生産児遺棄事例では，生後30日以内での出生時刻や，生後1歳未満の病死での追加事項を記入することができない．この場合，付言事項として，上記のように記入する．なお，「生後1歳未満での病死追加事項」は空欄にするのではなく，不詳を選択または記入する．これにより，記入を失念したわけではないことが明確となる．

13 診断（検案）年月日，医師署名欄

死亡診断書であれば（検案）の文字を，死体検案書であれば診断の文字を，二重線で削除する．ここは文字が小さく見逃しがちなので注意を要する．

病院・診療所などの名称と所在地（または医師の住所）を記入もしくは記名（ゴム印もしくは事前に印字）する．従来，医師の氏名は，署名もしくは記名押印であったが，2020 年度の押印の見直しに関する法令改正の一環として，医師氏名の署名のみとすることと改められた．当面は，改正前の様式で，署名ではなく記名押印がなされた死亡診断書（死体検案書）でも，死亡届書に添付することができる旨の事務連絡が周知されているが，原則としては，署名とすべきである．

14 死亡診断書（死体検案書）の実例

食物誤嚥による窒息の死亡診断書の例を図 11-1 に，マンションからの飛び降り自殺の死体検案書の例を図 11-2 に掲載する．

5．死亡診断書ならびに死体検案書の訂正

死亡診断書（死体検案書）に誤字脱字などがある場合，これを訂正することは可能である．その方法は，誤字脱字の箇所に加除修正の上，署名する．改正前様式にて訂正印を押印する場合，欄外に加除修正した文字数を追記して，ここにも訂正印を押印するのが一般的である．

（ア）直接死因	急性心筋梗硬塞（山田） 梗	この行訂正１字 （山田）

手元に死亡診断書（死体検案書）の用紙が1枚しかなかったなどの理由がない限り，誤字脱字した書面のほうは廃棄して，書き直したものを遺族へ交付することが推奨される*.

死亡診断書（死体検案書）が死亡届とともに届け出された後に訂正する必要がある場合は，

*誤字脱字がなく訂正しなかった場合は「署名のみ」，訂正する必要がある場合は訂正印を捺印し「署名押印」というケースバイケースの対応はせず，訂正の個々人で統一しておくことを勧める．

死亡診断書（~~死体検案書~~）

この死亡診断書（死体検案書）は，我が国の死因統計作成の資料としても用いられます．楷書で，できるだけ詳しく書いてください．

氏名	南山　堂雄	①男 2女	生年月日	明治 (昭和) 大正 平成 令和 27年 10月 6日（生まれてから30日以内に死亡したときは生まれた時刻も書いてください） 午前・午後 時 分
死亡したとき	令和 3年 4月 12日 (午前)・午後 9時 00分			
死亡したところ及びその種別	死亡したところの種別	①病院 2診療所 3介護医療院・介護老人保健施設 4助産所 5老人ホーム 6自宅 7その他		
	死亡したところ	埼玉県さいたま市武蔵区中央町一丁目1番1号 番地 番 号		
	（死亡したところの種別1～5）施設の名称	南山堂さいたま病院（　）		

死亡の原因				発病（発症）又は受傷から死亡までの期間
◆Ⅰ欄，Ⅱ欄ともに疾患の終末期の状態としての心不全，呼吸不全等は書かないでください ◆Ⅰ欄では，最も死亡に影響を与えた傷病名を医学的因果関係の順番で書いてください ◆Ⅰ欄の傷病名の記載は各欄一つにしてください ただし，欄が不足する場合は（エ）欄に残りを医学的因果関係の順番で書いてください	Ⅰ	（ア）直接死因	低酸素性脳症	2日
		（イ）（ア）の原因	心停止後の心拍再開	同上
		（ウ）（イ）の原因	食物誤嚥による窒息	同上
		（エ）（ウ）の原因		
	Ⅱ	直接には死因に関係しないがⅠ欄の傷病経過に影響を及ぼした傷病名等	①脳梗塞後遺症 ②心房細動	①約5年 ②不詳
	手術	①無 2有	部位及び主要所見	手術年月日 令和 平成 昭和 年 月 日
	解剖	①無 2有	主要所見	

◆年，月，日等の単位で書いてください　ただし，1日未満の場合は，時，分等の単位で書いてください（例：1年3ヵ月，5時間20分）

死因の種類	1 病死及び自然死 外因死 不慮の外因死 ｛2 交通事故 3 転倒・転落 4 溺水 5 煙，火災及び火焔による傷害 ⑥窒息 7 中毒 8 その他｝ その他及び不詳の外因死 ｛9 自殺 10 他殺 11 その他及び不詳の外因｝ 12 不詳の死

外因死の追加事項 ◆伝聞又は推定情報の場合でも書いてください	傷害が発生したとき	(令和)・平成・昭和 3年 4月 10日 午前・(午後) 6時 10分頃	傷害が発生したところ	埼玉 都道府(県) さいたま(市) 区 郡 町村
	傷害が発生したところの種別	①住居 2工場及び建築現場 3道路 4その他（　）		
	手段及び状況	食物の気管内への誤嚥		

生後1年未満で病死した場合の追加事項	出生時体重 グラム	単胎・多胎の別 1単胎 2多胎（ 子中第 子）	妊娠週数 満 週
	妊娠・分娩時における母体の病態又は異状 1無 2有 3不詳	母の生年月日 昭和 平成 令和 年 月 日	前回までの妊娠の結果 出生児 人 死産児 胎（妊娠満22週以後に限る）

その他特に付言すべきことがら

上記のとおり診断（~~検案~~）する　　診断（~~検案~~）年月日　令和 3年 4月 12日

本診断書（~~検案書~~）発行年月日　令和 3年 4月 12日

（病院，診療所，介護医療院若しくは介護老人保健施設等の名称及び所在地又は医師の住所）　埼玉県さいたま市武蔵区中央町一丁目1番1号　南山堂さいたま病院　番地 番 号

（氏名）　医師　甲野　乙子

図 11-1　死亡診断書記入例

脳梗塞後遺症により，嚥下障害も認められていた高齢男性が，自宅で食事中に誤嚥した事例．病院へ搬送され，2日後に死亡となった．搬送先病院の主治医が死亡診断書を発行している．

誤嚥による窒息が，心停止に陥ったが，蘇生術により心拍再開したので，死因Ⅰ欄の（イ）に，「心停止後の心拍再開」（ICD-10コードでは，蘇生に成功した心停止（I46.0）がこれに該当する）を記入しているが，省略しても全く問題はないだろう．

この事例では，食物誤嚥の誘発因子として，脳梗塞後遺症として嚥下障害と認められたため，死因Ⅱ欄に「脳梗塞後遺症」を記載している．脳梗塞発症の要因としての心房細動も，低酸素性脳症での死亡経過に多少なりとも影響はあったと判断して，これも死因Ⅱ欄に記入している．死因欄で，それぞれ期間が異なる複数の傷病名を記入する場合は，このように記入すればよい．

記入せず空白にする欄があれば，斜線を付記してもよい（押印は不要）．

本文で説明のとおり，もしこの事例が東京都23区内にある病院の主治医であれば，死亡診断書を発行することはできないことは改めて理解しておきたい．

~~死亡診断書~~（死体検案書）

この死亡診断書（死体検案書）は、我が国の死因統計作成の資料としても用いられます。楷書で、できるだけ詳しく書いてください。

氏　名	南山　堂美	1男 ②女	生年月日：明治　昭和　大正　(平成)　令和　元年　7月　22日　（生まれてから30日以内に死亡したときは生まれた時刻も書いてください）　午前・午後　時　分
死亡したとき	令和　3年　4月　25日　(午前)・午後　0時　10分頃		
死亡したところ及びその種別	死亡したところの種別	1病院　2診療所　3介護医療院・介護老人保健施設　4助産所　5老人ホーム　6自宅　⑦その他	
	死亡したところ	埼玉県さいたま市武蔵区南町五丁目13番6号　番地　番　号	
	（死亡したところの種別1～5）施設の名称	さいたま武蔵五丁目団地敷地内　（　　）	

死亡の原因				発病（発症）又は受傷から死亡までの期間
◆Ⅰ欄、Ⅱ欄ともに疾患の終末期の状態としての心不全、呼吸不全等は書かないでください ◆Ⅰ欄では、最も死亡に影響を与えた傷病名を医学的因果関係の順番で書いてください ◆Ⅰ欄の傷病名の記載は各欄一つにしてください ただし、欄が不足する場合は（エ）欄に残りを医学的因果関係の順番で書いてください	Ⅰ	（ア）直接死因	大動脈破裂	即死
		（イ）（ア）の原因	腰背部打撲傷	即死
		（ウ）（イ）の原因		
		（エ）（ウ）の原因		
	Ⅱ	直接には死因に関係しないがⅠ欄の傷病経過に影響を及ぼした傷病名等		◆年、月、日等の単位で書いてください　ただし、1日未満の場合は、時、分等の単位で書いてください（例：1年3ヵ月、5時間20分）
	手術	①無　2有	部位及び主要所見	手術年月日　令和　平成　昭和　年　月　日
	解剖	①無　2有	主要所見	

死因の種類	1 病死及び自然死 外因死　不慮の外因死 ｛2 交通事故　3 転倒・転落　4 溺水　5 煙、火災及び火焔による傷害　6 窒息　7 中毒　8 その他｝ その他及び不詳の外因死 ｛⑨自殺　10 他殺　11 その他及び不詳の外因｝ 12 不詳の死

外因死の追加事項 ◆伝聞又は推定情報の場合でも書いてください	傷害が発生したとき	(令和)・平成・昭和　3年　4月25日　(午前)・午後　0時10分頃	傷害が発生したところ	埼玉　都道府(県)　さいたま(市)　区　郡　町村
	傷害が発生したところの種別	①住居　2工場及び建築現場　3道路　4その他（　　）		
	手段及び状況	マンション高所からの飛び降り		

生後1年未満で病死した場合の追加事項	出生時体重　グラム	単胎・多胎の別　1単胎　2多胎（　子中第　子）	妊娠週数　満　週
	妊娠・分娩時における母体の病態又は異状　1無　2有（　）　3不詳	母の生年月日　昭和　平成　令和　年　月　日	前回までの妊娠の結果　出生児　人　死産児　胎（妊娠満22週以後に限る）

その他特に付言すべきことがら　心肺停止患者として南山堂さいたま病院へ搬送されたが、心拍再開せず、4月25日午前1時30分に死亡確認された。死後CT検査により、上記死因が判明した。

上記のとおり~~診断~~（検案）する　　~~診断~~（検案）年月日　令和　3年　4月　25日
本~~診断書~~（検案書）発行年月日　令和　3年　4月　25日

（病院、診療所、介護医療院若しくは介護老人保健施設等の名称及び所在地又は医師の住所）　埼玉県さいたま市武蔵区中央町一丁目1番1号　南山堂さいたま病院　番地　番　号

（氏名）　医師　甲　野　丙　男

図 11-2　死体検案書記入例

自分の住むマンションとは別の無関係のマンションの10階から飛び降りて死亡した事例．自分の住んでいるマンションではないので，死亡したところの種別では「7 その他」を選択するが，傷害が発生したところの種別では「1 住居」を選択している．うつ病を罹患していたが，今まで自殺未遂歴はなかった．遺書も発見されていないので，その動機は判然としない．
この事例では，10階もの高所から転落し即死と判断できることから，病院へ搬送され死亡確認を受けたものの，自殺した場所・時間を死亡の場所・時間としている．
原死因として「腰背部打撲傷」を記入しているが，これを省略して（ア）欄に「外傷性大動脈破裂」としてもよいだろう．
搬送された病院と死亡確認の日時とともに，死後CT検査にて大動脈損傷を確認した事実を，「その他特に付言すべきことがら」に記入している．

最寄りの市区町村に連絡する．

解剖が実施された事例において，死亡届に添付する死亡診断書（死体検案書）では，「検査中」あるいは肉眼所見で判明した死因名などを記載して交付することが多いだろう．そして解剖後に死因が確定した以降に，遺族から死亡診断書（死体検案書）の再交付の申請があった場合は，確定できた死因名などを記入すればよく，解剖前の死亡診断書（死体検案書）の訂正としなくてよい．この場合，厚生労働省通知[12)]に基づき，厚生労働省へ報告することが求められている．なお，異状死の解剖例では，法医解剖は大学法医学教室が担当し，死体検案書は警察嘱託医が作成・交付することが多いと思われる．検案医が適正な検案書を作成できるように，剖検医から検案医に対して，しかるべき情報提供がなされるべきである．

死亡診断書（死体検案書）の記載内容について，後日，遺族から疑義申し立てを受けることがまれながらあり，死亡したとき，死因あるいは死因の種類の変更についての場合が多い．特に外因死の死亡診断書（死体検案書）では，警察の情報（受傷の状況，自殺の動機など）を加味した上で，医学的な判断に基づき作成した公文書であるから，当然安易に変更に応ずる必要はない．死亡の日時や死因を問わず変更を申し立てる正当な理由がありそうな場合（ない場合でも）は，まず警察に相談するように伝えればよい．

6．死産証書（死胎検案書）の作成と発行

死産児の死体検案・法医解剖の事例では，死産証書または死胎検案書の作成・発行が必要となる(生産児であれば死体検案書)．いずれの書式も死体検案書に準じており，作成方法に大きな違いはないが，一般成人の死体検案とは異なる項目もある．細部は，「記入マニュアル」を参照してほしいが，ここでは法医学的な事例における留意点について簡単に述べる．

死産証書（死胎検案書）の作成は，「妊娠満12週以後の死産」で必要となるので，死産の経緯が不明な胎児死体を検案・剖検する上で，対象の児屍の週齢が確定されていなければならない．

問題はすべての事例で，生産・死産の区別が厳密に可能ではないことである．この両者の区別は重要で，生産児であれば死体検案書，死産児であれば死胎検案書を作成することになるが，死後変化が進行した嬰児死体では，浮遊試験などを実施しても，生死産の別は不詳とせざるを得ないであろう．

また解剖中に肺浮遊試験などで生死産の別が判断できても，すべての検査が完了し，死因などの確定にあわせてこれを最終確定したい場合もあるだろう．この場合，解剖直後では，「生死産の別は不詳（検査中）」となり，死体検案書あるいは死胎検案書のどちらを作成すればよいか迷いが生ずる．

本書第3版では，母親が判明している場合で，生産・死産の別が不明の事例では「死胎検案書」の作成を役所から指示された旨のケースが紹介していた．これらは戸籍事務の取り扱いにも絡む話であり，戸籍担当の役所側でも対応がいろいろと変わる可能性もあるかもしれない．あまり遭遇しないケースであろうから，事前に役所に対応方針を確認して，遅滞なく手続きが進められるようにするのがベストであろう．

なお生産児遺棄事例で，出生の届け出がされてない場合での死体検案では，出生証明書と死体検案書の発行が必要となる場合がある．死体検案医や剖検医による出生証明書の届け出が必要な場合も指摘されているが，出生証明書は出産に立ち会った医師などが作成するのが原則である．出産に立ち会っていない医師が，母体を診察の上，出生証明書に準ずるものとした証明書を作成して出生届に添付する運用もあるようである．検案医または剖検医として可能な事務対応として，参考になる運用方法と思われる．

[参考文献]

1）東京都監察医務院：東京都監察医務院50年史，1998.
2）若杉長英，他：異状死体の定義とわが国の検案体制，厚生省平成2年度事業報告書，1991.
3）西村明儒，他：厚生の指標42，30-36，1995.
4）厚生省大臣官房統計情報部・医政局編集：死亡診断書（死体検案書）記入マニュアル，平成25年度版，2013.
5）荒木文明，菅弘美：戸籍のためのQ & A「死亡届」のすべて，日本加除出版，2013.
6）厚生労働統計協会：厚生統計テキストブック 第7版，厚生労働統計協会，2020.
7）日本救急医学会：医学用語解説集（https://www.jaam.jp/dictionary/dictionary/word/0911.html），2009.
8）厚生労働省医政局医事課長通知：医師法第20条ただし書の適切な運用について（通知）（https://www.mhlw.go.jp/web/t_doc?dataId=00tb8648&dataType=1&pageNo=1），2012.
9）厚生労働省：令和3年度版死亡診断書（死体検案書）記入マニュアル，2021.（https://www.mhlw.go.jp/toukei/manual/ アクセス日：2021年10月5日）
10）厚生省大臣官房統計情報部・健康政策局監：死亡診断書・出生証明書・死産証書 記入マニュアル 平成7年版．厚生統計協会（現・厚生労働統計協会），1995.
11）日本法医学会：厚生労働省「平成29年度版死亡診断書（死体検案書）記入マニュアル」にみられる問題記述について（http://www.jslm.jp/topics/20170705_1.pdf），2017.
12）厚生労働省医政局長・政策統括官（統計・情報政策，政策評価担当）連名通知：医師による死因等確定・変更報告の取扱いについて（周知依頼）（https://www.mhlw.go.jp/toukei/manual/dl/181205-01.pdf），2018.

12 医と法

重要事項

1) 医療は人の生命の救済や健康の維持・回復を目的とするが，人の生命や健康は法によって保障される社会的あるいは個人的利益でもある．医療制度を枠づけ，医師の権利・義務を規律するのは，社会の秩序を維持し，人々の福祉を増進するという法の使命からして必然的なことである．
2) 医師の資格と業務は医師法に規定される．医師の資格を持たない者が，医師という名称を使用してはならず（名称独占），また医業を行ってはならない（業務独占）．
3) 生命や健康の社会的利益性にかんがみて，医師に対し，刑法の特別法である医師法は，診療義務，診断書等交付義務，異状死体等届出義務，処方せん交付義務，保健指導義務などを，また刑法自身は守秘義務，虚偽診断書作成禁止を義務づけている．これらの義務は，国に対する医師の義務（公法上の義務）である．
4) 医療行為とは，刑法にいう正当業務行為と評価される医師の行為である．医療行為であるためには，① 治療を目的とすること，② 現代医学により正当と認められる方法によること，③ 患者の承諾があること，という要件が満たされなければならない．
5) 医師が，末期状態にあり，肉体的苦痛に苦しむ患者の生命を，その依頼に基づき，積極的行為によって断絶したり（積極的安楽死），延命行為の中止によって死に至らすこと（尊厳死）ができるかについては議論がある．判例は両者について，厳格な要件の下で容認される可能性を示すが，問題点も多く，慎重な検討が必要である．
6) 医療は，一面において，医師と患者を当事者とする私法上の契約（医療契約）である．医療契約に基づき，医師には診療報酬請求権が発生し，同時に最善の注意義務をもって適正な医療行為を行う義務が生ずる．この義務に違反し，患者に損害が発生したときには，医療過誤として，民法上損害賠償責任が問われる可能性がある．

I 医師に必要な法律概念

1．法的な存在としての医療

医療は，一面においてきわめて法的な存在である．法の究極目的は，社会の秩序を維持し，人々の福祉の増進を図ることにある．近代市民社会における人々の福祉は，個人の独立と平等そして自由を確保することのうえに成り立つが，個人の生命や身体の不可侵性の尊重はその基本的要素である．医療は生命の救済や健康の回復を目的とするという点で人々の福祉に寄与するが，同時にその過程で大なり小なり身体的侵襲（医的侵襲）を伴うという点において，生命や身体の不可侵という基本的価値に抵触せざるを得ない．医師の資格をはじめ医療施設や健康保険制度など，医療制度の根本が法によって枠づけされているのは，適正かつ有効な医療を通じて人々の健康を確保するためであり，また医療過誤があった場合に，医師の民事責任や刑事責任が問われるのは，患者の生命や身体の不可侵性を保護するためである．

2．法と倫理

法は，社会における人々の行動の準則（社会規範）であるという点で，道徳（あるいは倫理）や慣習などと共通性を有するが，国家権力をその典型とする組織的社会力によって担保される強制規範であるという点に，ほかと異なる大きな特徴を持つ．本来，近代社会において人々は自由な存在であり，国家的強制は秩序維持のための最低限に抑えられることが望ましい．「法は最小限度の道徳」といわれるのはまさにこのことを表している．このことは，医療の分野においても同様である．医療は医学というきわめて専門性が高く，また日々進歩しつづける科学の実践の場であり，その過程に国家が詳細なコントロールを及ぼすことは，医療の応用性と進歩を妨げ，かえって人々の福祉を阻害する．それゆえ，どのような治療方法が用いられるべきか，どのような態度で患者に接するべきかということをはじめ，医療の現場における医療従事者の行動は，まず個々の医療従事者の倫理観によって，また場合によっては，その専門家集団の自律的な準則や指針によってコントロールされることが期待される．法が医療について介入するのは，現実には，医療の制度的側面の規制と，現実に患者に健康や生命の違法な侵害が出た場合の救済の場面に限られている．

3．法と法律

すでに述べたように，法とは組織的社会力によって担保される強制的社会規範である．このような規範がどのような形で表されるかは，各国によって一様ではない．ただ，生活関係が多様で複雑化した現代社会においては，ほとんどの国において，立法機関を通じて法が制定されるという形が採られている．わが国の場合も例外ではなく，立法機関である国会によって制定された法，国会制定法が法体系の中心になっている．わが国においては，国会制定法のことを「法律」といい，法律の実施の細目についてはさらに，行政（執行）機関が「命令」（政令・省令など）という形で取り決めている．これら法律や命令，これに各地方自治体に制定が認められている条例（地方議会）や規則（知事・市町村長）を加えて，法令と呼んでいる．

4．公法と私法

統治関係を規律する法を公法といい，それ以外の法を私法という．公法には，憲法や諸種の行政関係の法，さらに国家刑罰権の具体化である刑法，裁判の手続きを定める民事訴訟法や刑事訴訟法などが含まれ，私法には，市民の経済生活・家族生活全般について規定する民法，商業活動の基本法である商法などが含まれる．医療の分野についていえば，刑法の特別法である医師法や，行政法に属する医療法などは公法であり，医療過誤の民事責任については，私法である民法の規定の適用を受ける．なお，直接統治関係を規律してはいないため公法とはいえないが，憲法（25条）のいう健康で文化的な生活を実現する権利（生存権）を保障するために国家が市民生活に介入することを認める一群の法がある．これらの法は社会法と呼ばれ，各種社会保障の法をはじめ，老人保健法や健康保険法，介護保険法などがこれに含まれる．

5．法と裁判

権利義務関係をめぐって紛争が起きたときに，司法作用として，法を適用して紛争の解決を図ることを裁判という．法規定は抽象的であるため，具体的事件に当てはめるにはそれら法規定の内容を解釈する必要がある．裁判官が行った解釈とそれに基づく判断は，判例として蓄積され，特に最高裁判所の判断は，地方裁判所や高等裁判所の裁判を拘束する．判例は法ということはできないが，先例として人々の判断や行動の基準となりうる．

裁判には，犯罪について刑罰を科する刑事裁判と，市民相互の紛争の解決を図る民事裁判とがある．医療をめぐる裁判には，医療過誤につき，医療側（医師・法人）の責任（損害賠償）を問う民事裁判が多いが，例えば医師法違反は刑事事件であるし，医療過誤においても，それが過失致死や過失傷害などの構成要件に該当すれば刑事事件となりうる．刑事事件と民事事件は併存しうるが，過失や因果関係の認定についての判断基準が異なるため，医師は刑事責任を問われなくても，民事責任は問われるという場合は少なくない．

裁判は医療紛争を解決する唯一の場ではない．裁判では医師の刑事責任，民事責任に焦点があてられるが，患者側が望むのはむしろ，事実の真相の解明であり，また場合によって再発抑制であったりする．このことは医療側についても同様であり，まずなすべきは事故原因の究明であり，再発防止対策の整備である．患者側と医師側の向かう方向が一致しているにもかかわらず，裁判では対立構造がとられ，時間がかかるうえ，結果に対していずれの側にも不満が残りうる．そこで中立的な第三者の下で，患者側と医療側が協力し，真摯に対話しながら，事実の解明と金銭的補償について解決の道を付ける場が設けられるようになってきている．これが裁判外紛争解決手続き alternative dispute resolution（ADR）であり，各地の弁護士会などによって組織化されている．なお，産科医療については，このような考え方の延長上に，患者側，医療側の真摯な希望に基づいて，公的制度として，補償，原因分析，再発防止を目的とした産科医療保障制度が設けられ，機能している．

6．行政処分

司法作用である裁判に対し，行政機関が法令に基づいて権限の付与や制限，義務を負担させたりすることを，行政処分という．医療の分野においても，医療過誤や医師法違反・歯科医師法違反が裁判にかかりうることとは別に，医師法・歯科医師法は，心身の障害によって医師の業務を適正に行うことができなくなった者，麻薬などの中毒者，罰金以上の刑に処せられた者，医事に関して犯罪または不正の行為のあった者，あるいは医師としての品位を損するような行為を行った者について，厚生労働大臣が医師・歯科医師免許の取り消し，または期間を定めて医業の停止を命ずることができるとしている（医師法 7 条 2 項，歯科医師法 7 条 4 項）．

これらの行政処分は，厚生労働省に設置された医道審議会の医道分科会に諮問され，その答申を得て行われる（医師法 7 条 4 項，歯科医師法 7 条 4 項，医道審議会令 5 条）．

これまで処分の対象となった行為は，医師法や歯科医師法の違反のほか，薬事法違反（医薬品の無許可販売など），麻薬などの取締法違反（麻薬，向精神薬の不法譲渡，自己使用など），医療過誤（業務上過失致死など），所得税法違反，文書偽造（虚偽診断書作成・行使など）から，殺人・傷害，強制わいせつ，贈収賄まで多様であり，診療報酬の不正請求による処分も多い．

Ⅱ　医師の法的地位

1．医師の資格と名称独占

医師法によれば，医師とは，医師国家試験に合格し，厚生労働大臣の免許を受けた者である（医師法２条）．医師以外の者が，医師またはこれに紛らわしい名称を使用することは許されない（名称独占，医師法18条）．

未成年者には免許が与えられず（絶対的免許欠格事由，医師法３条），心身の障害により医師の業務を適当に行うものができない者，麻薬などの中毒者，罰金以上の刑に処せられた者，医事に関し犯罪または不正の行為のあった者には，免許が与えられない場合がある（相対的免許欠格事由，医師法４条）．したがって，すでに医師免許を取得している者であっても，これら免許欠格事由に該当するようになれば，免許が取り消され，あるいは医業の停止を命じられることがある（医師法７条）．また，取り消しの理由となった事項に該当しなくなれば再度免許が与えられる（医師法７条）．

2．医師の業務と業務独占

医師でなければ，医業をなしてはならない（業務独占，医師法17条）．医業とは何かについて定義する規定はないが，形式的には，医行為を業として行うことを意味する．

医行為とは，いわゆる医療行為とは目的を異にする概念である．医療行為は，医師が治療のために医学上一般に承認された手段や方法によって行う行為を意味するのに対し，医行為とは，国民の生命・身体の安全を図るために，医師が行うのでなければ保健衛生上危害を生ずるおそれがある行為のことをいう（最高裁 1955年５月24日判決）．具体的にどのような行為が医行為にあたるかは，行為の状況も勘案して個別に判断されなければならない．これまで判例や行政解釈で医行為に当たると判断されてきた行為の例としては，患者を診察し診断する行為，静脈注射の実施，麻酔行為の実施，コンタクトレンズ処方のための検眼や着脱の指導，美容のためレーザーを用いてアザなどを除去する行為，植毛などをあげることができ，また診断書や処方せんを交付することもこれに含まれる．

医行為を一般人に対して反復継続の意思をもって行えば，１回の医行為であっても，医業となる（最高裁 1953年11月20日決定）．無資格者に医業を禁じるのは，もっぱら国民の生命，身体の安全を図るためであるから，本業か副業か，有償か無償かを問わず，無資格者でありながら医業を行った者，また無資格者に医業を行わせた者は，処罰される（医師法31条１項）．

医師以外の者であっても，看護師や保健師，助産師，臨床検査技師，理学療法士など，法の規定する資格の下に医療にかかわる者は，医師の指導や指示の下に，一定の医行為を行うことができる．例えば，臨床検査技師には微生物学的検査や血清学的検査などの諸検査［臨床検査技師等に関する法律（臨床・衛生検査技法）２条１項］に加えて採血（同20条の２）が，理学療法士には電気刺激やマッサージなどの理学療法の実施［理学療法士及び作業療法士法（理作療法）２条］が認められている．特に看護師には，診療の補助として，医師の指示があれば広く医行為にかかわることが認められている［保健師助産師看護師法（保助看法）５条］．しかし，看護師も，医師の指示さえあればどのような行為でも行うことができるわけではなく，診療の補助の域を超えるとされる行為，例えば診断や治療方針の決定，眼圧計による眼圧測定，眼球注射，診療の補助の範囲を超える麻酔行為などは，医師の指示があっても行うことができないと解されている．しばしば問題となる静脈注射については，かつては診療の補助を超えると解されていたが，現在は，医師の指示の下で診療の補助行為として認められるようになっている［厚労省医政局長通知（2002年9月30日医政発0930002号）］．

3．医師ゆえに生ずる義務

1 意 義

健康で文化的な生活を営むことは基本的人権であり，それを保障することは国家の基本的義務である．それゆえ，国は，国民の生命・身体の安全や健康の確保のため，法律で，医師その他の医療従事者の資格を定め，同時に諸種の義務を課している．それらは公権力を背景として定められた公法上の義務であり，医師の場合，その内容は医師法に定められている．それらの医師の義務は患者に対する義務ではなく，国に対する義務であり，違反した場合には，刑事罰や行政処分に処される．

2 医師法上の義務

1．診療義務（医師法19条1項）

診療に従事する医師は，診察治療の求めがあった場合には，正当な事由がなければ，これを拒んではならない．これを診療義務または応招義務という．診療の拒絶には，初診の拒絶だけでなく，現に継続中の診療の拒絶も含まれる．医業を独占する医師に自由に診療の拒絶を許すと，必要な場合に医療を受けることができず，国民の生命や健康の確保が危うくなることから課される義務である．

「診療に従事する医師」とは，開業医か否かを問わず，現に診療を業としている医師のことであり，もっぱら研究のみに従事する医師はこの義務を負わない．また，正当事由があれば，診療を拒んでも義務違反とはならない．「正当事由」があるかどうかは，個別事案ごとに，社会観念に照らして判断せざるを得ない．一般には，医師自身が病気であったり，飲酒していたりした場合などは正当事由ありといえるが，専門外，診療時間外などの理由は，ただちに正当理由ありとはいえないとされる．近隣の医療環境も考慮に入れなければならないが，拒絶に正当事由ありといえる場合でも，他医の紹介や応急処置の実施が求められることはあり得よう．

診療義務の違反については，特別の罰則はない．しかし，この義務違反を繰り返すことは，医師の品位を損するような行為（医師法7条2項）に当たり，医師免許の取消しや停止といった行政処分を受ける可能性がある．また，この義務違反によって患者に損害が生じたときは，民事上，損害賠償責任が問われることがありうる．

2．診断書等の交付義務（医師法19条2項）

医師は，諸種の診断書，検案書，出生証明書，死産証明書の交付の求めがあった場合，正当の事由がなければ，これを拒んではならない．これらの書面は，人の健康状態に関する証明として重要であるだけでなく，戸籍の届出・抹消や埋葬のために必要とされるなど，法的，社会的に大きな意味を持つものであるからである．正当事由があれば交付を拒絶できるが，何が正当事由となるかは，請求者，証明文書の種類や内容，必要性などを考慮して判断されなければならない．診断書が詐欺や強迫など不正な目的で使用されるおそれがある場合や，交付によって本人の秘密が漏洩するおそれがある場合などのほか，医学的に診断を下し得ない場合なども正当事由となる可能性はある．この義務の違反についても罰則規定はないが，診療義務違反の場合と同様，行政処分を受ける可能性がある．

3．無診察治療の禁止（医師法20条）

医師は，自ら診察しないで治療をしたり，診断書や処方せんを交付してはならず，また，自ら出産に立ち会わないで出産証明書や死産証明書を交付したり，自ら検案をしないで検案書を交付してはならない．この義務に違反した者は，罰金に処される（医師法 33 条）．

診察の方法や内容についての定めはない．しかし，医療過誤の発生を防止し，また証明書の正確性を確保するために課される義務であるから，現代医学の水準に照らして一応の判断を下しうる程度の行為は必要と解されている．一般に，患者本人を診察しないで処方せんを交付することや，長期の治療中断の後，以前の診断に基づいて治療計画を定めることなどは禁止行為に当たるといわれるが，具体的には個別事案の状況に応じて判断せざるを得ない．例えば患者を継続して診療してきているような場合には，本人との電話だけで処方せんを書いたとしてもただちには違反とならないとされている．

4. 異状死体等の届出義務（医師法 21 条）

医師は，死体または妊娠 4 月以上の死産児を検案して異状があると認めたときは，24 時間以内に所轄警察署に届け出なければならない．犯罪の発見や証拠隠滅の防止などのために課される義務であり，ここに「異状」とは法医学上の異状をいい，死体または死産児自体または周囲の状況から判断される．違反者は罰金に処される（医師法 33 条）．

5. 処方せんの交付義務（医師法 22 条）

医師は，患者に対し治療上薬剤を投与するときは，原則として，患者または看護者に対して処方せんを交付しなければならず，違反者は罰金に処される（医師法 33 条）．

この義務は，いわゆる医薬分業を基礎として課されるものであるが，処方せんを交付することが診療または疾病の予後について患者に不安を与え，その疾病の治療を困難にするおそれがある場合など，特殊事情のあるいくつかの場合，またそれら特殊な事情がなくても，患者やその看護者が処方せんの交付を必要としない旨申し出た場合には，処方せんを交付しなくてよいとされている．医薬分業による処方せんの交付は，処方された薬剤の適切性を専門化の目でチェックするという点からも重要であるが，わが国ではまだ，患者は特に処方せんの交付を申し出ず，医師から直接薬剤の交付を受ける場合が多い．

6. 保健指導義務
（療養方法指導義務，医師法 23 条）

医師は，診療をしたときは，本人または保護者に対し，療養の方法その他保健の向上に必要な事項の指導をしなければならない．このような指導は本来医療行為の内容に含まれるといってよいが，医療が患者の協力のうえに効果を上げうるものであることから，まず医師に指導を義務づけ，患者がこれに従うことを期待している．この義務の違反にも罰則はないが，医師の当然の義務であることから，診療義務違反の場合と同様に，違反者は医師免許の取消しや停止といった行政処分を受ける可能性があり，また患者に損害が生じたときは，民事上，損害賠償責任を問われることがありうる．

7. 診療録の記載および保存の義務
（医師法 24 条）

医師は，診療をしたときは，診療に関する事項を診療録(カルテ)に記載しなければならず，違反者は罰金に処される（医師法 33 条）．診療録に記載される事項は，① 診療を受けた者の住所，氏名，性別，年齢，② 病名および主要症状，③ 治療方法（処方および処置），④ 診療の年月日，である［医師法施行規則（医師規則）23 条］．記載は，診療のたびに，遅滞なくなされなければならず，後日の記入や加除訂正などは，改ざんとみなされるおそれがある．

病院や診療所の管理者あるいは医師は，5 年間その診療録を保存しなければならない．病院や診療所が廃止されたときは廃止時の管理人が保存し，管理人がいないときは県や市などの行政機関が保存するのが適当であるとされる．診療録を個人で保存している医師が死亡したときには，その保存義務は相続人らに承継されないと解されており，その後の保存，管理に問題を残している．

3 その他の法令上の義務

1. 守秘義務

医師，薬剤師，助産師などの職にある者，あるいはそれらの職にあった者は，正当な理由がないのに，その業務上取り扱ったことについて知り得た人の秘密を漏らしてはならない．これを守秘義務といい，これに違反して秘密を漏らしたときは，刑法上，秘密漏示罪（刑法134条）として罰せられる．法定された届出義務（例えば異状死体などの届出義務など）の履行，犯罪の通報，裁判所における証言など，正当な理由があれば犯罪とはならない．

2. 虚偽診断書等作成の禁止

医師は，公務所に提出すべき診断書，検案書または死亡証書に虚偽の記載をしてはならない．この禁止に違反した場合，刑法上，虚偽診断書等作成罪（刑法160条）として，罰せられる．

Ⅲ 医師と患者の関係

1．医療行為

1 医療行為の意義

個人の尊厳を基本的価値とする現代社会において，人は理由なくその身体の完全性を損なわれることはない．人の身体に対する侵襲は，刑法上，傷害罪や暴行罪といった犯罪を構成し，民法上も不法行為となる可能性がある．医師は医療の過程において，患者に対して診察や手術，投薬など，さまざまな行為を実行するが，これらの行為には，大なり小なり，患者の身体に対する物理的，化学的侵襲が伴う．医師とて，他者である患者の身体に勝手に侵襲を加えてよいはずはないが，これらの医師の行為が犯罪とされないのは，それが刑法35条にいう医師の正当な業務行為と認められるからである．この正当業務行為と評価される医師の行為を，医療行為という．

2 医療行為の適法条件

医師の行為が医療行為として適法と評価されるためには，① 傷病の治療を目的としていること，② 現代医学によって一般に正当であると認められる方法によっていること，③ 患者の承諾があることという，3つの条件を満たす必要がある．これら3つの条件のいずれかを欠くときは，場合によって医師の行為は違法性を帯び，医師は，刑法上傷害罪や暴行罪，ときに過失致死罪や殺人罪に問われる可能性があり，民法的には不法行為（民法709条）として損害賠償を請求される可能性がある．以下，各条件につき分説しておこう．

1. 治療を目的とすること

治療目的という条件は，医療行為の主観的要件ともいわれる．しかし，治療かどうかは医師の主観のみで決まることではなく，医学的適応に沿い，治療として必要かつ相当であるかどうかの判断が重要である．また，治療かどうかは，形式的に疾病の治療が目的となっているかどうかだけで決せられるべきでもない．分娩や人工妊娠中絶は，厳密な意味で疾病の治療とはいえないが，母体および生まれてくる子の生命や健康と密接にかかわるという点で，医師のなすべき行為として承認されているし，美容整形も，専門医学的知識や技術の応用という点で，医療として是認される範囲にあるといってよいであろう．

2. 現代医学により正当と認められる方法によること

医療行為は，医学的適応を充足するとともに，現代医学によって一般に正当であると認められる水準（レーゲ・アルティス lege artis）に基づくことを必要とする．このような現代医学の水準に達していない行為は，患者の生命や健康に大きな危険を与えるおそれがあり，医師の正当な行為の範囲にあるとはいえない．しかし，医学は日々進歩の過程にあり，その中で開発される新たな治療方法や薬剤を人に応用することが全面的に禁止される場合には，単に医学の進歩が阻害されるというだけではなく，患者自身にとってより有効な治療の機会が奪われてしまう可能性がある．

このようなことを考慮して，世界医師会は，ヒトを対象とする医学研究の倫理的原則としてヘルシンキ宣言を採択し（1964年採択），その中で，「患者治療の際に，証明された予防，診断及び治療方法が存在しないときまたは効果がないとされているときに，その患者からインフォームド・コンセントinformed consentを得た医師は，まだ証明されていないまたは新しい予防，診断及び治療方法が，生命を救い，健康を回復し，あるいは苦痛を緩和する望みがあると判断した場合には，それらの方法を利用する自由があるというべきである」（第32原則，2000年に修正）と定めている．ヘルシンキ宣言は医師の倫理規範ではあるが，法的にもこれと異なって解する理由はない．法的にいうならば，このような一定の危険性を内包する行為であっても，それが社会的に必要とされる場合には，いわゆる「許された危険」として違法性が阻却される．ただし，そのような行為の採用に当たっては，標準的医療行為の場合以上に，その相当性が厳格に審査されなければならない．

3．患者の承諾があること

患者の承諾は，患者の，自己の身体に関する自己決定権を尊重することから導かれる要件である．すでに述べたように，医療行為は客観的には患者の身体に対する侵襲行為であり，身体の完全性に関する基本的権利を有する患者本人の意思に反してそれを実行することは，いかに治療のために有効かつ必要な行為であったとしても，原則として違法性を帯びる．承諾は，そのような侵襲的医療行為の違法性を阻却するが，単に形式的に存在すれば足りるものではない．患者は自己の身体に加えられる医療行為の内容を十分に理解してはじめて有効に判断できるというべきであり，そのため，承諾は医師による十分な説明のうえに与えられる必要がある．医療行為の説明と承諾は，医師と患者の関係の中核に位置する最も重要な要素の一つであり，項目を改めて詳述する．

3 安楽死，尊厳死

いかなる医療技術をもってしても回復の見込みがなく，死期が近い状態（末期状態）にあって，患者が病苦からの解放を望んで死を求めたり，単に死期を先延ばしするだけの医療行為を拒絶したりした場合，医師がこれに応ずることができるかという問題は，いわゆる安楽死の問題として古くから論じられてきた．安楽死という概念については，一般に，ドイツの刑法学者であるエンギッシュが行った，①生命を短縮することなく苦痛を緩和することをいう純粋安楽死，②苦痛緩和のために投与された薬剤（麻薬など）の副作用により死期が早まることをいう間接的安楽死，③延命措置を控えることによって死期が早まることをいう消極的安楽死，④積極的行為によって生命を断絶し，死苦から解放することをいう積極的安楽死，⑤生きる価値のない生命を断絶することをいう不任意の安楽死，という分類が用いられる．エンギッシュは，これらの類型のうち，①～③は合法，④，⑤は違法であるとするが，患者の自己の生命に関する自己決定と医療の目的との関係で問題となるのが④と③である．

まず④の積極的安楽死は，刑法上，殺人罪（刑法199条），嘱託殺人罪あるいは自殺幇助罪（刑法202条）などの構成要件に該当し，犯罪となりうる．しかし，従来から，患者の苦痛がはなはだしく，本人の真摯な希望があるときには，一定の要件の下にその違法性を阻却してもよいのではないかという議論があり，近時は，オランダや米国のオレゴン州（施行差止）のように，厳格な要件の下にではあるが，結果的にこれを容認する立法も現れてきている．わが国では，いくつかの裁判例はあるが，これまで積極的安楽死を容認したものはない．ただ，その中で，1995年3月28日の横浜地方裁判所判決（東海大安楽死事件）は，ⓐ患者の耐えがたい肉体的苦痛の存在，ⓑ死が不可避であり，死期が迫っていること，ⓒ苦痛の除去・緩和のために方法を尽くし，代替手段がないこと，ⓓ生命の短縮を承認する患者の明示や意思表示の存在，という4つの要件が満たされてはじめて，殺人罪の違法性が阻却されるという基準を示すものとして注目される．これらの要件を厳格に適用する限り，安楽死が現実に容認される場合はきわめて少ないと考えられるが，近時にも，24時間介護を必要とする筋萎縮性側索硬化症 amyotrophic lateral sclerosis（ALS）患者を，ソーシャルネットワーキングサービス social networking service（SNS）で患者から依頼を受けたという2人の医師が薬物を投与して死に至らしめた事件が起きている（実施は2019年11月，逮捕は2020年7月）．この事件の内容はこれから裁判で解明されることになるが，生命の救済を職分とする医師に積極的に患者の生命を断絶する行為を認めることは医師の精神的負担を重くすること，患者本人の意思を標榜して親族など，外部からの圧力も高まる可能性があることを考え合わせれば，十分に慎重な態度で臨むことが相当であろう．

③の消極的安楽死の概念は，近時，無駄な延命措置を打ちきって自然の死を迎えさせるということに集約され，患者の人間の尊厳を維持したうえでの死という意味で，用語上も尊厳死と呼ばれるようになってきた．米国各州をはじめ諸外国では立法もなされ，わが国でも，一定の要件の下で合法とみる者は多い．先の1995年横浜地裁判決も，人間としての尊厳性を保って自然の死を迎えたいという患者の自己決定の尊重と，意味のない治療行為まで行うことは医師の義務ではないという医師の治療義務の限界を根拠に，ⓐ患者が治癒不可能な病気に侵され，回復の見込みがなく死が避けられない末期状態にあること，ⓑ治療行為の中止を求める患者の意思表示が存在し，それが治療行為の中止の時点で存在すること，ⓒ中止の対象はすべての治療措置であることを要件に，容認できるとしている．しかし，これも要件の充足はむずかしい．最高裁は，1998年に起きた，医師が，重度の昏睡状態に陥った患者から，自然の死を迎えさせるためとして自発呼吸のために不可欠な気管内挿管チューブを抜いたという事件について，当該患者の余命が明らかではないうえ，その抜管が患者の家族の要請に基づくものであっても，その要請は患者の病状などについて適切な情報が伝えられたうえでされたものではなく，抜管行為が患者の推定的意思に基づくということもできないとして，法律上許容される治療中止には当たらず，殺人罪を構成すると判示している（川崎協同病院事件．2009年12月7日決定）．

この川崎協同病院事件が起きた後も，2006年3月には，富山県射水市の市民病院で終末期医療の患者7人が人工呼吸器を外され，死亡していたことが判明するという事件（2009年に不起訴）が起きた．この事件をきっかけとして，2007年に厚生労働省で「終末期医療の決定プロセスに関するガイドライン」が作成され，それが2018年に改訂されて，「人生の最終段階における医療の決定プロセスに関するガイドライン」として存在する．同ガイドラインは治療中止などの具体的要件を定めるものではないが，医療の中止を含む人生の最終段階における医療・ケアについては，医師などの医療従事者から適切な情報提供と説明がなされ，それに基づいて患者が医療従事者と話し合いを行ったうえで，患者本人による決定（推定的意思を含めて）を基本とすること，人生の最終段階における医療およびケアの方針を決定する際には，医師の独断ではなく，医療・ケアチームによって慎重に判断することを柱としている．

2．承諾と説明

1 インフォームド・コンセント

すでに述べたように，医療行為を行うには，原則として患者の承諾が必要である．医的侵襲を受けるのも，その効果を受けるのも患者自身であることからして，自己の健康ならびに身体の完全性に関する基本的権利を有する患者本人こそが，どのような医療を受けるのかの最終的決定権者であるべきと考えられるからである．しかし，患者は通常自己の身体に加えられる医療行為の内容を理解できるだけの専門的知識をもっておらず，それゆえ，医師から十分な情報を与えられなければ，的確に諾否を判断することができない．このような十分な説明のうえでの承諾を，インフォームド・コンセントという．

2 承諾権者

承諾は，原則として，個々の医療行為ごとに得なければならない．医師に診療を申し込んだときには，その申し込みの中に，ある程度の通常の診療行為（打診や聴診，注射や投薬，創傷の消毒や縫合など）に対する承諾が包括的に包含されていると考えることはできるが，手術など，侵襲性の強い行為については，それとは別に個別の承諾が必要である（例えば，判例では，乳腺がんに侵された右乳房切除の承諾を得て行った手術の過程で，乳腺症と診断された左乳房まで，将来がんに発展するおそれありとして切除することは違法とされている）．承諾の形式は，明確さという点からは文書であることが望ましいが，口頭であってもよく，場合によっては黙示の承諾であってもよい．

承諾は，当該医療行為の内容について理解し，判断できる精神的能力（承諾能力）を有する限り，患者本人によって与えられなければならない．患者自身が承諾能力を欠いている場合には，本人に代わって判断しうる者（年少の子の場合は親権者（父母），意識喪失者や高齢で判断能力を欠く者などの場合は近親者）の承諾（代諾）を得なければならない（成年後見人には，代諾権はないと解するのが一般的である）．

3 説明の内容と程度

説明の内容としては，患者の病状，予定される治療行為の内容，代替的治療方法，予想される結果とありうべき危険，当該治療を行わなかった場合の予後などをあげることができるが，具体的ケースにおいては，疾病の重さ，治癒の見込み，緊急性，患者の年齢や心身の状況などを考慮し，相当な方法と必要な範囲で説明することになる．

どの程度の範囲まで説明するかについては，平均的な医師ならば説明するであろう範囲を基準とする考え方（合理的医師説），一般的な患者ならば説明を必要とするであろう範囲を基準とする考え方（合理的患者説），当該患者が必要とする範囲を基準とする考え方（具体的患者説）など，考え方が分かれている．医師の負担は合理的医師説から具体的患者説に向かうに従って大きくなるが，患者の主観にのみ沿った基準は医師にとって過酷となるため，現在わが国では，平均的医師ならば当該患者が必要とするであろうと考える程度を基準とする考え方（折衷説・二重基準説）が有力である．

4 承諾・説明なき医療行為

法令上承諾が不要とされる場合［精神保健及び精神障害者福祉に関する法律（精神保健福祉法）27，29条，感染症の予防及び感染症の患者に対する医療に関する法律（感染症法）17～21条など］や緊急時をのぞき，承諾を得ずになされた医療行為（専断的医療行為）は違法性を帯び，理論上，傷害罪など刑法上の責任が問題となるとともに，不法行為として民事上の損害賠償責任が問題となりうる．しかし，現実に治療効果を生じていれば刑事責任が問われることはほとんどなく，民事責任も，自己決定の機会を失ったことに対する患者の精神的損害の賠償として，慰謝料の範囲にとどまることが多い．

承諾はあり，治療効果もあったが，説明義務に違反していれば，その承諾は無効となる．しかし，この場合も，十分な説明があったならば承諾はしなかったということが証明される必要があり，現実にはその立証は難しい（最高裁2000年2月29日判決は，宗教的理由から明示的に輸血を拒否している患者に輸血の可能性を十分説明せず手術をし，輸血を行った医師側に対し，患者の自己決定権を侵害するものとして慰謝料の支払を認めた）．

3．医療契約（診療契約）

1 医療の契約的構成

医療の過程は，患者が自己の傷病について医師に治療を求め，これに医師が応ずるという形で始まるのが通常である．このような医師と患者の間の関係につき，かつては，医療は医師の専門知識があって成り立つものである以上，依頼者である患者は医療の受け手，すなわち医療の客体として位置づけられればすむ，とする考え方が強かった．しかし，生命，身体，健康といった利益は何よりも患者自身のものであり，それらの利益が直接問題となる医療において患者が主体的地位を占めるのは当然であるという認識が深まり，現在では，医療は医師と患者を当事者とする契約であり，両者の相互的な権利義務のうえに成り立つ関係である，という考え方が支配的となっている．

2 医療契約の法的性質

診療を目的とする医療契約（診療契約）は，患者と医師もしくは医療機関の間で結ばれる契約であり，私人間の契約である．私法体系の中に医療契約を個別に規定する法律は存在しないため，医療契約については，その当事者関係や権利義務の内容など，すべてが私法の基本法である民法の解釈を通して論じざるを得ない．医療契約の法的性質自体もその例外ではなく，① 医療行為という一定の事実行為を，委任された者（医師）がその能力と一定の裁量によって果たすことを約する，準委任契約（民法643，656条）であると解する見解，② 患者と医師との一種の雇用契約（民法623条）であると解する見解，③ 医師が一定の仕事の完成を約する請負契約（民法632条）であると解する見解，④ 民法の定めるいかなる契約の類型にも当てはまらない特別の契約（無名契約）と解する見解などが対立的に主張されており，現在の判例や学説では，準委任契約と解する見解が有力である．

3 医療契約の成立

準委任契約とみた場合，医療契約は患者と医師側の合意（患者の申し込みの意思表示と医師側の承諾の意思表示の合致）があれば成立する．契約当事者の一方は患者である．患者が成年者であれば，原則として単独で，有効に契約を締結できる（行為能力がある）が，患者が未成年者であったり，成年者であっても事理弁識能力を欠き，家庭裁判所で後見開始の審判を受けている（成年被後見人）場合などには，その法定代理人である親権者や成年後見人が代理して契約を締結する．他方契約当事者は医師側ということになるが，医師が個人で当事者となる場合よりは，病院を経営する医療法人や，地方公共団体，場合によって国が当事者となることが多い．その場合，現実に診療に当たる勤務医は，法人などの被用者ということになる．準委任契約は請負契約などと異なり，一定の結果の実現を目的とするものではないから，治療の結果治癒しなくても契約違反とはならないが，受任者である医師は，専門家としての高度の注意義務（善良な管理者の注意義務，民法644条）をもって，治療のための適正な医療行為を行う義務を負う．準委任契約は，いつでも相互に自由に解除することが認められているが（民法651条），すでに述べたとおり，医師には公法上の義務として診療義務（医師法19条1項）があるため，患者の意思に反して解約することはできない．

4 医療契約に基づく医師の権利義務

1. 契約から生ずる権利

医療契約に基づく医師の権利として重要なものは，診療報酬請求権である．診療報酬とは，診察費，処置費，手術費，薬剤費，入院費など，診療のために要したすべての費用をいう．わが国では国民皆保険制度が採られ，多くの場合，診療は保険診療という形で行われている．保険診療においては，診療報酬は，各健康保険組合など保険者が支払うことになるが（被保険者は診療報酬の一部のみを負担），診療報酬の内容や手続きの煩雑さから，社会保険診療報酬支払基金が設立され，保険者に代わって支払いを行っている．

保険医療では，診療報酬の基準が定められており，医療機関が診療報酬の支払いを求めて社会保険診療報酬支払基金に提出する診療報酬請求書については，審査が行われる［社会保険診療報酬支払基金法（社会保険診療基金法）13条1項］．美容整形や人工妊娠中絶など，疾病の治療でないため保険診療の対象とならない医療行為については，私費診療（自由診療）となる．保険対象外の薬の使用や，高度の医療技術の利用に当たって，私費診療と保険診療を併用する混合診療については，認められないのが原則とされ，保険外診療の分に加えて保険対象の分も全額自己負担となると取り扱われてきている（保険医療機関及び保険医療養担当規則第18条の解釈）．近時この扱いについては裁判で争われたが，最高裁は，健康保険法全体の整合性の観点から相当と判示した（最高裁 2011年10月25日判決）．

2. 契約から生ずる義務

▶**適正な医療行為を行う義務**：準委任契約において，受任者には，当該職業あるいは地位にある者として普通に要求される程度の注意（善良な管理者の注意）をもって，委任された事務を処理する義務が生ずる（民法644条）．医療契約の成立により，医師もこの善良な管理者の注意義務に照らして適切な医療行為を行い，患者の治療に当たる必要がある．治療に当たり，医師がこの注意義務に違反し，悪結果が生じた場合には，本旨に従わない債務の履行（債務不履行）として，損害賠償が請求される場合がある（民法415条）．

医師にとっての善良な管理者の注意義務につき，最高裁は，「いやしくも人の生命及び健康を管理すべき業務（医業）に従事するものは，その業務の性質に照らし，危険防止のために実験上必要とされる最善の注意義務を要求されるのは已むを得ない」（1961年2月16日判決）と判示する．しかし，ここに最善の注意といっても，それは絶対的な意味での最善の注意ではない．医師が最善の注意を尽くしたかどうかは，一定の注意義務の水準に照らして判断される．このような医師の注意義務の水準について，最高裁は，医学の理論的水準ではなく，「診療当時のいわゆる臨床医学の実践における医療水準」であるとする（最高裁 1982年3月30日判決）．しかし，この注意義務の水準（一般にはこれを「医療水準」と呼ぶ）は，医学の進歩によって変動するし，当該医療が行われる医療環境によっても異なりうる．医療水準とは平均的医師が現に行っている医療慣行とは異なるものであり，医師が研鑽義務を尽くすことを前提に達せられる「あるべき水準」であり（最高裁 1988年1月19日判決補足意見），また医師の専門，医療機関の性格（専門病院かどうかなど）や所在地域の医療環境の特性などを考慮すれば，すべての医療機関について医療水準を一律に解するのは相当でなく，当該医療機関と類似の特性を備えた医療機関と比べて，当該医療機関に期待することが相当と認められる場合には，その水準が当該医療機関にとっての医療水準である（最高裁 1995年6月9日判決）．

▶**説明義務**：準委任契約の受任者は，委任者に対し事務処理の状況や顛末を報告する義務を負う（民法645条）．この報告義務の具体化として，医師は患者に対し，病状，治療の内容や経過などを説明すべき義務を負う．この説明は，患者の承諾の前提としての説明や，医師の保健指導義務の内容としての説明と性質を異にし，患者が自己の状況について知る権利に対応するものであるとされている．

5 契約によらない医療

1．事務管理による医療

交通事故などにより意識不明の状態の患者が病院に搬送されてきたような場合，患者は意思表示をすることができないから，医療契約を締結することはできない．しかし，このような場合にも，医師は事務管理として，一方的に診療を開始することができる．事務管理とは，義務なくして他人のために事務の管理をすることをいい（民法698条），管理者は善良な管理者としての注意義務を負うと解される．また事務の管理者は，それに要した費用の償還を本人に請求できる（民法702条）ほか，事務処理の状況に関する報告義務を負う（民法701条による645条の準用）．本人の身体に対する急迫の危害を免れさせるための事務管理は，特に緊急事務管理といわれ，たとえ悪結果が生じたとしても，それが故意または重大な過失によるものでなければ，損害賠償責任を免れる（民法698条）．緊急の救急救命医療の場合などは，この緊急事務管理に当たる場合が多いであろう．

2．法令による医療

法令の規定により医療行為を強制される場合がある．法定伝染病感染者の強制入院（感染症法17～21条），精神障害者の措置入院（精神保健福祉法29条，29条の2）など，公衆・社会衛生の見地から要請されるものである．

4．医療事故と医事紛争

1 医療事故，医事紛争とは

医療事故とは本来，医療機関の業務上の行為に伴い，患者に障害が発生した事態を広く指す用語である．医療機関側の過失によるもの（医療過誤）や，不可抗力によるものすべてが含まれる．また患者の障害の程度や，障害の継続性の有無は問われない．

医事紛争とは，医療行為に起因して，患者側が医療側にクレームをつけることをいう．典型的なものは民事訴訟であるが，訴訟に至らず自然消滅する事例，訴訟以外の処理［当事者間，あるいは保険会社・弁護士などを介した示談交渉，裁判所が任命した委員（医療・弁護士など）による調停，裁判外紛争解決手続*など］の対象となるような案件，さらには患者の障害を伴わないような医療者—患者関係上のトラブルなどをも含む広範な概念である．

なお2021年現在，医療法6条10項および関連する厚生労働省令において，医療事故は「医療機関の従事者が提供した医療（手術，処置，投薬，検査，医療機器の使用，医療上の管理など）に起因する，または起因が疑われる死亡あるいは死産であり，当該医療機関の管理者が予期しなかったもの」と定義されている．この法令上の定義は死亡事例に限定されているだけでなく，複数の条件がついたものとなっており，議論に混乱を招きかねないが，その経緯は医療事故調査制度の成立と密接に関連しているため，後にまとめて述べる．

2 医療事故の一般的な原因行為

医療事故はあらゆる医療行為によって生じうる．具体的には以下のような事故が挙げられる

＊裁判外紛争解決手続 alternative dispute resolution（ADR）：民事において専門家が仲裁人として間に入り，裁判によらずに当事者間の合意に基づき，紛争を解決する方法．訴訟に比べて迅速かつ簡便に紛争解決が可能とされる．医療事故例において，わが国では2007年に東京三弁護士会により医療ADRが設立され，2021年現在，10都道府県・12弁護士会で活動している．医事紛争の解決経験が豊富な弁護士が中心となることが多いが，医師などの医療関係者が調停委員・専門委員として関与しているところもある．

が，もちろんこれがすべてではない．

1) 診断によるもの：誤診(所見の見落とし・過小評価を含む)，診断の遅れ，手術適応の誤判断など
2) 薬剤一般によるもの：誤投与，過量投与（中毒），副作用，アレルギー（アナフィラキシー）など
3) 注射・穿刺によるもの：出血，感染，神経・筋麻痺(かつてのわが国では大腿四頭筋拘縮症が多発した)，複合性局所疼痛症候群 complex regional pain syndrome（CRPS：以前は反射性交感神経ジストロフィーと呼称)など
4) 麻酔によるもの：麻酔方法の選択ミス，酸素欠乏(吸入麻酔の流量設定ミスや誤配管による)，悪性高熱症など
5) 手術・分娩によるもの：手術部位の取り違え，健常部位の誤損傷，縫合不全，出血，感染，術後長期臥床による肺動脈血栓塞栓症など
6) その他の処置によるもの：気管挿管時の誤挿管，胃管の気道迷入，放射線照射ミス，血液型不適合輸血など
7) 管理責任上のもの：患者の取り違え，院内での自己転倒，介助中の誤嚥・転落・溺水など

3 医療事故に際しての医師の法的責任

1．民事責任

医療事故に関する民事訴訟において，医療関係者に科される損害賠償責任には，債務不履行責任（民法 415 条）と不法行為責任（民法 709 条）がある．

医療契約（準委任契約）によって結ばれた契約関係において，医療機関側に生じる債務（契約上の義務）とは，「診療当時の医療水準に従い，善管注意義務（専門家としての能力など，持てる力をすべて発揮して事に当たる義務）をもって診療を行うこと」とされている．この義務が遂行されないとみなされると，債務不履行責任が生じる．なおここでは，患者が治癒しなかった，という結果責任は問われない．

これに対し，医療者個人に対して課せられうる責任が不法行為責任である［実際には，使用者責任（民法 715 条）の有無を争い，医療機関を併せて訴えることが多い］．医療の場合，不法行為責任は，過失によって患者の権利が侵害され，これによって生じた損害に対して発生する．権利の侵害は患者の生命・身体・精神などに発生した障害として自然に認められることから，主として争われるのは過失の有無，ということになる．ここでいう過失とは，損害発生の予見を行う義務(結果予見義務)を認識しない，あるいは予見可能性があるのにこれを回避する義務(結果回避義務)を認識しないことであり，本質的には（善管）注意義務違反そのものである．

すなわち，医療民事訴訟について生じうるいずれの賠償責任についても，① 対象となる医療行為が医療水準に従っていたか否か（そして医療水準に基づき，適切な注意義務が払われていたかどうか)，② 医療行為と損害が原因と結果の関係にあるか(因果関係があるか)，の 2 点が主な争点となる．加えて，病院や医療関係者に科せられた説明義務違反の有無について独特の過失争点を形成することも多い．

なお，医療機関に損害賠償責任が生じた場合，病院賠償責任保険(病院あるいは診療所が，日本病院会および日本病院共済会などを介して加入）が取り扱われている．また医師あるいは医師の指示を受けて医療行為をなしたコメディカルなどに賠償責任が生じた際には，医師賠償責任保険（都道府県医師会・学会・医学部同窓会・任意団体を経由して加入）が取り扱われている．これらはいずれも保険会社により運用されているものであり，保険会社を介さずに医療機関が患者側と示談交渉を行ったケースなどでは，保険金が支払われないことがある．また，医療従事者の不法行為に関する医療機関の使用者責任に際しては，医療機関が医療従事者に求償権を求めることが可能であるため（民法 715

条の3），病院賠償責任保険・医師賠償責任保険では諸条件を含め，規定を定めている．裁判例を検索する限り，医療事故に関係して求償権請求に関する訴訟例はみられなかったが（2021年1月現在），一部は上記の保険規定によりカバーされているものと考えられる．

(1) 医療水準

ここでいう医療水準とは法的な概念であり，いわゆる「実践としての医療水準」である．すなわち一般的な臨床現場において，臨床医に診療の指針としてほぼ認識される程度に浸透した医療レベル，という意味合いであり，必ずしも学術上の最先端の医療は求められていない．また，全国いかなる医療機関について同一というわけではなく，医療機関の性格や地域の医療環境などの事情を考慮して形成されるべきもの，とされている．ただし，平均的な医師によりその時点で広く行われている医療行為（医療慣行）が，ただちに医療水準に達している，と法的に判断されるわけではない．また，仮に専門外である，などの理由により，医療水準に則った診療を自らが行えない場合，そのような医療を行える機関にコンサルト，あるいは転送を行う義務（転医義務）が別途生じることにも注意が必要である．

医療水準は参照・遵守すべき規範をもとに，社会一般の考えも包含して位置づけられるべき，というのが，法曹における近年の方向性である．例えば医薬品の添付文書はもともと，製薬会社が薬品の特徴を伝える目的で自主的に作成するものだが，薬機法52条では，記載すべき事項が細かく定められており（警告，禁忌，慎重投与，重大な基本的注意，副作用，相互作用と併用投与，高齢者・小児・妊婦などへの投与，過量投与など），またこれらの記載事項は，当該医薬品に関する最新の論文その他により得られた知見を根拠にすべき，と明示されている．添付文書が医療の絶対的な基準とみなされることには，臨床医から異論が提示されることもあるが，実際には薬剤投与に起因する医療事故において，添付文書の果たす役割は非常に大きく，添付文書に違反した医療行為は，特段の事情がない限り注意義務違反が推定されるのが現状である．

また臨床系の学会は，各種の診療ガイドライン（指針）を公表している．医療側はガイドラインについて，場合によっては実際の臨床における利用率が高くないこともあり，その他の医療文献（添付文書・論文・教科書など）と同じく，医療水準を判断する資料の一つに過ぎない，と考える傾向にある．一方，裁判所をはじめとする法曹側は，作成経緯や実施状況が医療水準としてふさわしいかを検討した上ではあるものの，民事責任の判断にあたって，医療水準を知るための有力な証拠とみなすことが多い．仮にガイドラインから外れた診療がなされたのであれば，その合理的な理由の説明が医療サイドに求められる，ということである．

(2) 因果関係

医療民事訴訟における因果関係は，相当因果関係の理論（「あれなければ，これなし」という事実的因果関係のうち，社会通念上，常識的に考えて導き出すことができる関係のみを相当因果関係として限定的にとらえ，賠償責任を一定の範囲に絞り込む考え）に基づいてなされる．ただその判断には特有の難しさがある．医療においては解明されていない事柄が多く，因果関係の有無の判断自体がしばしば争点になる上，適切な医療行為がなされなかったという不作為が争点になった場合は，不作為と損害の因果関係を評価することがさらに困難となる．また，患者側が論文や統計資料（治療成績など）をそのまま援用して，因果関係を立証しようとしても，個々のケース特有の事情に完全にあてはまることが少ないことや，そもそも患者側に医療知識が不足していることなどによって，立証不十分となり，患者側に不利な結果につながる，との事情がある．そのため裁判所は，民事訴訟上の因果関係の立証は，通常人が疑いを抱かない程度の高度の蓋然性（一般人の感覚に照らして，結果が生じた確率が80〜90%前後）で十分である，との立場をとっている．具体的には，医療行為と結果発生が時間的に近接している場合（投薬直後の死亡など），医療行為と結果発生に統計的可能性がある場合（過去にも同様の事例があるなど），重大または多数の不手際の存在，異常体質などがないこと，といった条件があれば因果関係を認めてきている．ここに科学的な厳密さは必ずしも要求されないため，医療側からすれば不満が生じる可能性が十分に考えられるが，民事訴訟の目的が，患者の救済をはじめとした現実的な紛争の解決であり，そのためにも一般社会の事情との調和を図りつつ公正に行われる必要があることは認識されなければならない．その一方で，医療の実態・実情を十分に考慮した運用も，今後求められていくものと考えられる．

(3) 説明義務とその範囲

医療機関や医療関係者は，医療契約に付随して，医療について必要かつ相当な説明を行う義務があると理解されている．この説明義務は，各種法規に直接的に，あるいは療養方法の指導義務などに関連して記載されているが（医師法23条，医療法1条の4の2項，療担規則13〜15条など），その本質は幸福追求権（憲法13条）に含まれる自己決定権にあると考えられている．例えば「エホバの証人」輸血拒否事件における最高裁判決（2000年2月）では，宗教上の理由による輸血拒否の権利が，人格権の内容として尊重されるとした上で，担当医らに，やむを得ない場合に輸血を行う方針を術前に患者に伝えるべきであったとし，手術自体は成功したが，輸血を受けたとの精神的苦痛そのものが損害賠償の対象になる，と判示されている．すなわち，たとえ医学的に適切な治療がなされ，生命・身体に損害が生じなかったとしても，自己決定権の侵害という結果が説明義務違反の根拠になる，という論理である．

説明義務の範囲は当初，人の生命・身体に危害をなしうる（侵襲的な）医療行為（手術・処置・検査）に限定されていたが，次第に拡大されるようになり，現在では特定の治療への同意を前提としないような病状・予後に関する説明も対象と考えられている．一般に説明すべき事項として，① 現在の症状および診断病名，② 予後，③ 処置および治療の方針，④ 処方する薬剤に関する薬剤名・服用方法・効能および特に注意を要する副作用，⑤ 代替的治療法がある場合にはその内容・利害得失，手術や侵襲的な検査を行う場合にはその概要（執刀者および助手の氏名を含む），危険性，実施しない場合の危険性や合併症の有無，治療目的以外の目的も有する場合，その旨や目的の内容，などが含まれる．もちろん説明義務の範囲は事例によりさまざまであり，緊急性の高い治療の場合は簡単な説明の内容で足りるが，行われる手術や処置が重大な危険を伴うケースについては，具体的な危険性の程度も示すべきとされる．また，疾患性の薄いもの（美容整形手術など）や緊急性のないもの（未破裂脳動脈瘤の予防手術など）に侵襲を加える際には，説明義務が加重されうることや，紛争発生の時点で標準的に確立していない（法的な医療水準を超えた）治療法であっても，医学的に明らかな誤りがなく，適切に臨床研究がなされているのであれば，説明の義務が課される場合があること（例：乳癌患者に対する乳房温存手術の説明義務違反事件．2001年最高裁判決）も知っておく必要がある．

なお，説明は診療録によって立証されることが多いため，当然ながらその内容を具体的に診療録に記載しておくこと，また説明内容に対する患者の同意（インフォームド・コンセント）を文書（同意書）の形で残しておくことが求められる．ただし，インフォームド・コンセントを単なる法的な，文書上の手続きととらえるのは決して適切ではない．むしろここでは，患者固有の同意能力や理解力を把握した上で，医療者側が冷静かつ丁寧に説明を行い，それを受けて患者が自発的に医療行為に同意するという，医療者—患者関係の形成，あるいは信頼の醸成といったコミュニケーションの過程が重視されるべきである．ちなみに，インフォームド・コンセントは患者本人との間で行うのが原則だが，同意能力がない，あるいは限定された患者（理解力・判断力を備えていない小児や精神障害者，認知症患者など）を診療する際には，可能な限り代諾者（小児であれば親，精神障害者や認知症患者であれば近しい親族，あるいは成年後見人など）を交え，患者にとっての最善の治療方針をとるのが基本となる．一方，救急蘇生行為をはじめ，インフォームド・コンセントの適用が免除されうる事例もある．

2. 刑事責任

医療行為には侵襲性のものが含まれるが，その侵襲は，治療目的であること，医療水準に準じていること，医師などの有資格者により行われていること，患者の同意があること，といった条件に基づき，違法性が阻却される（正当行為：刑法35条）．しかし，医療行為の方法に誤りがあった場合は違法性を帯びることがある．ほとんどの場合は，患者の生命・身体に侵害を与えたとする業務上過失致死傷罪（刑法211条）の成立が問題となる．医療事故における業務上過失致死傷罪は，一般人ならば当然予見でき，患者への侵害を回避できる状態であったにもかかわらず，集中を欠いたために結果を回避せず（注意義務違反，すなわち過失），それにより患者への侵害（死傷）という結果が生じた（因果関係）場合に成立しうる．

本来ならば，「疑わしきは罰せず」との刑法の原則，また刑事責任を追及された場合の医療従事者の不利益（逮捕・拘留などによる時間的・精神的拘束，社会的信用の低下など）から，医療行為の刑事責任については，過失が重大である場合（誤薬や不適合輸血，患者の取り違えなどにより，患者に死をはじめとした重大な不利益がもたらされるケース）に限定して認定すべきであり，またここでいう因果関係についても，合理的な疑いをさしはさむ余地がない程度に厳密な立証が求められるはずである（民事の場合の蓋然性程度では足りないとされる）．ただし後述するが，2000年代の一時期，わが国ではこれらの要求を無視するかのように，医療刑事訴訟の件数が急速に増加し，これが萎縮医療・医療崩壊につながったとの批判もある．

3. 行政責任

医師に対する行政処分として，厚生労働大臣による戒告，医業の停止，免許取り消しの処分が挙げられる（医師法7条）．厚生労働省の分科会である医道審議会により，処分の決定とその手続きが行われる．現状では，罰金刑以上の刑事処分が確定した者や，保険医登録を取り消されたものに対して実施されることがほとんどである．ただし例外として，医療過誤を繰り返すリピーター医師に対して，2012年に「医事に関する不正」として処分がなされたことは注目に値する．医事紛争一般についても，刑事事件化しなかったもの，あるいは刑事事件化する前に行政処分を行うのが適切な事案につき，システムの改善や再教育に重点を置いた行政処分を拡大しようという動きがみられるが，現在のところはまれである．

4 医療事故発生の背景と医療安全対策

かつては医療の分野でも，医療事故発生の責任は個人に帰せられると考えられており，対策として，当事者に対する単純な追及（警告あるいは処罰など）がしばしば行われていた．これに対して1999年，米国医療の質委員会が発表した報告書「人は誰でも間違える—より安全なシステムを目指して（To Err is Human：Building a Safer Health System）」は，医療安全というテーマにつき，医療界や政策立案団体，一般市民の意識を大きく変えた．すなわち，ヒューマンエラーは個人の不注意による医療事故の原因ではなく，むしろ医療システムの不備による結果として，エラーが生じるのだ，という考えである．したがって医療事故防止のためには，決して犯人探し・あら探しを行うのではなく，失敗は常に，誰の上にも起こりうるという前提の上で，本来なら回避できたはずのエラーを，システムレベルの弱点を発見・改善することにより防ぐこと，また仮にエラーが生じたとしても，患者の生命・身体や権利に侵害を与えるリスクを減少させるためのシステムを構築することが最も重要となる．

なお，医療事故発生を説明する際に，スイス・チーズモデルが用いられることが多い．医療システムの運営のためには，危険を回避するための「防護壁」が何重にも張られているのが通常であるが，この壁は完全ではなく，ところどころに穴があり，偶然にもこの穴が重なったときに事故が生じる，というのがスイス・チーズモデルの概念である．ここでいう防護壁にはいくつかの種類があり，例えば，機器あるいはシステム設計の際，誤った使い方などの異常事態が生じた際に，安全側に移行する仕組みになっているものをフェイルセーフといい（例：フリーフローストッパー付きの自動輸液ポンプなど），異常事態を受け付けない仕組みになっているものをフールプルーフと呼ぶ（例：医療用ガスの接続など）．

また上記報告書では，学習モデルに基づく医療事故報告制度の確立も同時に提唱された．これは，医療機関・医療従事者が自発的に事故（インシデント・アクシデント）を報告し，これをフィードバックすることで再発防止・システム改善に役立てる，というものである．ここでいう事故のうち，インシデントとは，重大事故につながる可能性があったが，事故に至らなかった事象（いわゆる「ニアミス」「ヒヤリ・ハット」）のことであり，これに対し，実際に発生した事故のことをアクシデントという．1つの重大事故の背後に29の軽微な事故があり，さらに，その背景には300の異常事象が存在するというハインリッヒの法則に従うならば，インシデントがいかに軽微なものであっても，対処することは必須である．ここで重要なのは，インシデント・アクシデントの報告も，決して個人の責任追及ではなく，システムの改善のために行うのだ，という姿勢であり，そのため，特定の医療従事者や医療機関の処罰のために事故情報を用いないことや，報告にあたって匿名性を確保することなどが求められている．

以上の考えに基づき，米国では，医療安全対策の理念を実現するために，国家としての取り組みを早期から宣言し，専門的国家機関（National Center for Patient Safety）を設置した上で，医療安全推進を積極的に実施している．

一方わが国においても，医療安全対策の動きが21世紀初頭に本格化した．2001年の厚生労働省医療安全推進室設置・同省医療安全対策検討会議の開催に始まり，2003年には特定機能病院・臨床研修病院に医療安全管理者の配置を義務付けたほか，2004年10月には医療事故情報の収集・分析制度を開始し（第三者機関である公益財団法人日本医療機能評価機構が担当），2006年には医療法6条および同施行規則の一部改正（2007年に施行）により，医療安全体制の充実・強化，および医薬品・医療機器の安全管理体制の確保を全医療機関の管理者の義務として規定されたほか，各自治体に医療安全支援センターの設置を努力目標として位置付けられた．またこれに伴い，2012年には医療安全対策に関する診療報酬の加算も行われている．2021年現在，全医療機関において，安全指針の策定，専門委員会の設置，職員研修，および事故（インシデント・アクシデント）の報告などが求められている．なお特定機能病院では，安全管理部門・患者相談窓口の設置，専任の安全管理者の配置も義務付けられている．また2020年4月現在，医療安全支援センターは都道府県や保健所設置市区，二次医療圏などに計393か所が設置されている．

5 医療事故・医事紛争の統計的事項

医療事故の実数を正確に把握することはきわめて困難であるが，これまでに抽出調査がいくつか行われてきている．諸外国での調査研究のうち，最も早い時期に行われたハーバード医療行為研究（1984年に51の急性期医療機関を退院した患者のカルテを調査）によると，退院患者の約3.7%に，医療行為による有害事象が生じており，手術などの処置中の事象が47.7%，処方関連の事象が19.4%であったという．また，有害事象が生じた患者のうち，2.6%が永続的かつ重篤な後遺障害をきたし，また13.6%が死亡したとの結果であった．

わが国については，医事紛争の中で民事訴訟に至り，件数として把握されるケースは1割に満たず，医事紛争全体でみると年間約1万2,000件が発生しているものと見込まれている．日本医療機能評価機構の年報によると，報告を義務付けられている274の医療機関において，2019年に4,049件の医療事故が発生し，そのうち死亡事例は315例（7.0%），また障害残存の可能性が高い事例は463例（10.2%）であった．発生要因（複数回答あり）についてみると，当事者の行動に関わる要因（確認・観察の怠り，報告の遅れなど）が47.7%，またヒューマンファクター（知識・技術の不足，繁忙な勤務状況など）が19.5%，患者側の状況を含めた環境・設備機器によるものが17.7%を占めていた．

一方，裁判所の医療訴訟統計によると，民事医療訴訟の新受件数については，2004年に1,110件とピークを迎えたのち若干減少したものの，2013年以降は新受件数が800件台と，ほぼ横ばいで推移している(2019年：845件)．なお，訴訟上の認容率（患者側勝訴率）が減少傾向にある（2005年：37.6%，2019年：17.0%）のに対し，和解率はほぼ横ばいである2005年：49.8%，2019年：55.7%）．一方，刑事事件としての医事紛争数をみると，1999年の東京都立広尾病院事件を機に，後述する社会の風潮を背景として急激に増加したものの（立件送致数：1998年8件，2004年91件），2008年における福島県立大野病院事件の無罪確定を機に，数年間ほぼ横ばいとなり（2013年までの立件送致数：年間70〜90件前後），2014年の医療事故調査制度の創設ののち，若干減少傾向となっている（立件送致数：年間30〜50件前後）．一方，遺族側から警察への届け出数は年間20〜40件前後で推移しており，明確な減少傾向はみられない［2015〜2017年には一過性に減少したが（年間10件台），2018・2019年はそれぞれ年間30件・25件と，数を戻している］．なお近年は略式手続による解決が増加しているが，正式な裁判に比べて罰金額が安価であり，医療者側が結果を受け入れやすいことが背景にあると考えられている．また，医療訴訟においては，平均審理期間が長期にわたる傾向にあり（2018年：23.5か月；民事訴訟平均の約2.6倍），その間，関係者が拘束されるという問題が生じる．審理期間の短縮のため，大都市の地方裁判所などでは，専門の部署（医療集中部あるいは医事部）を設けているところもある．

6 死亡事例に対する医療事故調査制度成立までの経緯

わが国で医療事故，およびそれによる死亡（医療関連死）に関する議論の契機となったのは，1999年1月の横浜市立大学病院事件，および同年3月の東京都立広尾病院事件である．横浜市大病院事件では，心臓弁膜症手術予定の患者と肺切除術予定の患者が取り違えられて手術室に搬送され，お互いに必要のない手術を受けたとして，関与した看護師2名が，業務上過失致傷にて有罪となった．また広尾病院事件では，看護師の誤薬投与による死亡に際し，看護師が業務上過失致死で有罪となり，また医師法21条に基づく異状死体届出義務に違反したとして病院長が有罪となっている．これをきっかけに，医療事故に関する医療関係者の刑事訴追，あるいは事故に関しての（臨床への非難を含む）報道が急増していき（この間，2001年の東京女子医大病院事件，2002年の慈恵医大青戸病院事件なども生じている），2006年には，癒着胎盤に対する帝王切開手術の結果，妊婦が死亡した事例において，執刀医が業務上過失致死・異状死届出義務違反の疑いで逮捕されるという事態に至った（福島県立大野病院事件：2008年に無罪が確定）．

もともと臨床サイドは，診療行為に合併症として「予期される」死亡は異状死に含まれず，警察への届け出は不当である，との立場を示しており（2001年に日本外科学会など13学会が声明），すべての医療関連死を司法機関届出の対象とする医師法21条，および異状死ガイドライン（1994年，日本法医学会）の存在を含め，医療関連死の法的な取り扱いに対して不満を抱いていたのだが，この大野病院事件により，それに火がつく形となった．その根底には，あらゆる診療行為を司法の対象にすると，法の拡大解釈による司法機関の介入が助長され，萎縮医療の蔓延による国民的喪失や，医療の公平性・発展の阻害につながる，との懸念があったと考えられる．加えて，司法は医療に関して専門外である上，業務として個人の責任追及に走らざるを得ないことから，事故の再発防止や医療安全システムの改善にはそもそもなじまない，との声も強く挙がった．そこで，かねてより医療側（日本医師会・各学会）や日弁連などから提唱されていた第三者機関，すなわち個人の責任追及を目的とせず，事故の再発防止・システム改善を目的とし，かつ専門性・中立性が担保された独立組織の創設の動きが加速していった．

具体的には2005年，日本内科学会を運営主体に，厚生労働省補助事業「診療行為に関連した死亡の調査分析モデル事業」が開始された．2010年には一般社団法人日本医療安全調査機構が設立され，このモデル事業を継承し，2014年に医療法の一部改正により，医療の安全確保を目的とした「医療事故調査制度」が創設され，2015年10月に改正法の施行・調査制度の開始に至った，という経緯である．なお上記の第三者機関の役割は，日本医療安全調査機構内の医療事故調査・支援センターが担うこととなった．

7 死亡事例に対する医療事故調査制度の概要と現状

前述のとおり，本制度上の（法令上の）医療事故は，「医療機関の従事者が提供した医療に起因する，または起因が疑われる死亡あるいは死産であり，当該医療機関の管理者が予期しなかったもの」と定義される．これは，本制度があくまでも医療安全のための原因調査・再発防止を目的としており，個人や医療機関の責任追及を目的とはしない，との理念に準じたものである．

本制度にはもう一つ，医療事故の原因調査や医療事故調査・支援センターへの報告は原則，当事者の医療機関が主体となって行う，という特徴がある．医療機関は医療事故が発生した場合，まず遺族に説明を行い，当該医療機関の管理者が医療事故調査・支援センターに報告する．その後速やかに，外部の医療の専門家（医療事故調査等支援団体：都道府県の医師会，大学病院，各学会など）の支援を受けつつ，院内で事故調査を行う．調査の内容には，診療記録の確認や関係者からのヒアリング，解剖（必須ではない．また，遺族の同意が必要）や画像診断の実施，検体の検査，医薬品・医療機器・設備などの確認が含まれる．調査の終了後，医療機関は結果を遺族に説明するとともに，医療事故調査・支援センターに報告する．センターは医療機関から集積した情報を整理・分析し，再発防止に関する知見を提供する，というのが原則的な流れである．なお，遺族または医療機関が依頼した際には，センターが独自に調査を行うことも可能である．

なお，届出の主体はあくまでも医療機関であるため，遺族の希望のみでは本制度の対象にならない．センターは遺族からの相談を医療機関管理者に伝達することとされているが，調査開始の強制力はもっていない．これも医療システム改善を主眼とした制度の理念に則った扱いではあるのだが，一方で，遺族の医療サイドへの不満に対処する仕組みはいまだに整備されていない．

また本制度は，医師法21条に基づく警察への届出とは独立（無関係）となっており，医療関連死についても，異状死か否かの判断は個々の医師に委ねられている．一部の臨床医や弁護士などは，広尾病院事件の最高裁判決などを根拠に，死体の外表に異状のない医療関連死について，医師法21条に基づく届け出の義務はない，と主張している（外表異状説）．ただし法医学の立場からの意見を述べると，外表異状説は，①経過に明らかな過誤があるのに，外表上は損傷がない例（誤薬など）が見逃されるおそれがある，②医療事故以外の犯罪死の見逃しにつながりうる，③医療関連死とその他の死を法的に分けないまま，医療関連死のみにこの説を援用することが適切でない（ダブルスタンダードの）可能性がある，といった問題を抱えている．

本制度の開始後，2019年までの現状として，医療機関から医療事故調査・支援センターへ報告された医療関連死例の件数は年間350～400件前後で推移しており，ほぼ横ばいといってよい．報告例についてのその他の統計をみると，病床数300台の中規模病院による届け出が比較的多いほか，起因した医療（疑いを含む）では，手術・分娩が全体の4～5割を占め，圧倒的に多く，処置がそれに次ぐ．一方，医療機関・遺族からセンターへの相談件数については，医療機関からの相談が横ばいないしやや減少傾向にある（2016年979件，2019年854件）のに対し，遺族からの相談数は明らかに増加している（2016年593件，2019年1,065件）．遺族側から警察への届け出数に明確な減少傾向がみられないこととともに，遺族の不満を慰撫する体制が不十分なことの表れである．

なお本制度において行われる解剖は，基本的に病理解剖が想定されている．2019年の統計上，院内調査結果報告のあった医療事故死亡例364件のうち，解剖実施数は139件（39.6%）であったが，このうち病理解剖が101件（解剖例中73.4%）を占めており，法医解剖は30件（21.6%）にとどまっている．筆者の所属機関では，本制度該当例についての解剖の経験は（病理解剖も含め）これまでになく，たまたま制度外で異状死の届け出がなされ，司法機関から嘱託を受けた医療関連死例の解剖をときに行うのみとなっている（多くは誤診後の急死であり，ほかには年に1例ほど，気管切開チューブによる出血，術後縫合不全，薬剤性アナフィラキシーなどを扱う程度である）．

いずれにしても，本制度はようやく緒についた段階であり，運用面の改善などは今後の課題である．

[参考文献]

1）飯田英男：刑事医療過誤Ⅱ，判例タイムズ社，2006.
2）飯田英男：刑事医療過誤Ⅲ，判例タイムズ社，2012.
3）吉田謙一：事例に学ぶ法医学・医事法　改訂第3版，有斐閣，2010.
4）日経メディカル編：50の医療事故・判例の教訓，日経BP社，2004.
5）宇津木伸，町野　朔，平林勝政，他編：医事法判例百選，別冊ジュリスト　No. 183，有斐閣，2006.
6）石津日出雄，高津光洋監，池田典昭，他編：標準法医学　第7版，医学書院，2013.
7）大磯義一郎，大滝恭弘，山田奈美恵編：医療法学入門　第2版，医学書院，2016.
8）塚田敬義，前田和彦編著：改訂版　生命倫理・医事法，医療科学社，2018.
9）池田典昭，加藤良夫責任編：シリーズ生命倫理学18　医療事故と医療人権侵害，丸善出版，2012.
10）日本医師会ホームページ．https://www.med.or.jp
11）裁判所ホームページ．https://www.courts.go.jp/index.html
12）公益財団法人日本医療機能評価機構ホームページ．https://jcqhc.or.jp
13）平野哲郎：立命館法学　373，348-378，2017.
14）厚生労働省ホームページ：https://www.mhlw.go.jp/index.html

15）高アンナ：日米における刑事医療過誤：過失の内容及び判断基準．北大法学論集，63，363–420，2013.
16）飯田修平編：医療安全管理テキスト　第4版，日本規格協会，2019.
17）Brennan, T. A., Leape, L. L., Laird, N. M., et al.：Incidence of adverse events and negligence in hospitalized patients. Results of the Harvard Medical Practice Study Ⅰ. N Engl J Med 324, 370–376, 1991.
18）Leape, L. L., Brennan, T. A., Laird, N.M., et al.：The nature of adverse events in hospitalized patients. Results of the Harvard Medical Practice Study Ⅱ. N Engl J Med 324, 377–384, 1991.
19）嶋森好子：医療安全に関する用語の定義．JOHNS 34，1394–1398，2018.
20）医療安全支援センター総合支援事業ホームページ：http://www.anzen-shien.jp
21）岩井完：医療訴訟の現状と医事紛争を防ぐために留意すべきこと．内分泌甲状腺外会誌 33，2–6，2016.
22）小松秀樹：医師の自律．日臨麻会誌 30，1067–1075，2010.
23）医師法21条に対する日本医学会の立場（声明文），2006.
24）一般社団法人日本医療安全調査機構ホームページ：https://www.medsafe.or.jp
25）医療事故調査・支援センター2019年年報．一般社団法人日本医療安全調査機構，2020.

資　料

関連法規集

（一部抜粋）

1. 医　師　法

医師法

昭和23年制定
平成30年最終改正

第1条　【職分】　医師は，医療及び保健指導を掌ることによって公衆衛生の向上及び増進に寄与し，もつて国民の健康な生活を確保するものとする．

第2条　【医師の免許】　医師になろうとする者は，医師国家試験に合格し，厚生労働大臣の免許を受けなければならない．

第3条　【絶対的欠格事由】　未成年者には，免許を与えない．

第4条　【相対的欠格事由】　次の各号のいずれかに該当する者には，免許を与えないことがある．

1）心身の障害により医師の業務を適正に行うことができない者として厚生労働省令で定めるもの
2）麻薬，大麻又はあへんの中毒者
3）罰金以上の刑に処せられた者
4）前号に該当する者を除くほか，医事に関し犯罪又は不正の行為のあつた者

第5条　【医籍】　厚生労働省に医籍を備え，登録年月日，第7条第1項の規定による処分に関する事項その他の医師免許に関する事項を登録する．

第6条　【免許の賦与】

1．免許は，医師国家試験に合格した者の申請により，医籍に登録することによって行う．
2．厚生労働大臣は，免許を与えたときは，医師免許証を交付する．
3．医師は，厚生労働省令で定める2年ごとの年の12月31日現在における氏名，住所（医業に従事する者については，更にその場所）その他厚生労働省令で定める事項を，当該年の翌年1月15日までに，その住所地の都道府県知事を経由して厚生労働大臣に届け出なければならない．

第7条　【医業停止】

1．医師が第4条各号のいずれかに該当し，又は医師としての品位を損するような行為のあつたときは，厚生労働大臣は，次に掲げる処分をすることができる．
　1）戒告
　2）3年以内の医業の停止
　3）免許の取消し
2．前項の規定による取消処分を受けた者（第4条第3号もしくは第4号に該当し，又は医師としての品位を損するような行為のあつた者として前項の規定による取消処分を受けた者にあつては，その処分の日から起算して5年を経過しない者を除く．）であつても，その者がその取消しの理由となつた事項に該当しなくなつたとき，その他その後の事情により再び免許を与えるのが適当であると認められるに至つたときは，再免許を与えることができる．この場合においては，第6条第1項及び第2項の規定を準用する．
3．厚生労働大臣は，前2項に規定する処分をするに当つては，あらかじめ，医道審議会の意見を聴かなければならない．
4．厚生労働大臣は，第1項の規定による免許の取消処分をしようとするときは，都道府県知事に対し，当該処分に係る者に対する意見の聴取を行うことを求め，当該意見の聴取をもつて，厚生労働大臣による聴聞に代えることができる．

第8条　【政令への委任】　この章に規定するもののほか，免許の申請，医籍の登録，訂正及び抹消，免許証の交付，書換交付，再交付，返納及び提出並びに住所の届出に関して必要な事項は政令で，第7条第1項の処分，第7条の2第1項の再教育研修の実施，同条第2項の医籍の登録並びに同条第3項の再教育研修修了登録証の交付，書換交付及び再交付に関して必要な事項は厚生労働省令で定める．

第9条　【医師国家試験の内容】　医師国家試験は，臨床上必要な医学及び公衆衛生に関して，医師として具有すべき知識及び技能について，これを行う．

第10条　【試験の施行】　医師国家試験及び医師国家試験予備試験は，毎年少くとも1回，厚生労働大臣が，これを行う．

第11条　【受験資格】　医師国家試験は，次の各号の1に該当する者でなければ，これを受けることができない．

1）大学において，医学の正規の課程を修めて卒業した者

2）医師国家試験予備試験に合格した者で，合格した後1年以上の診療及び公衆衛生に関する実地修練を経たもの

4）外国の医学校を卒業し，又は外国で医師免許を得た者で，厚生労働大臣が前2号に掲げる者と同等以上の学力及び技能を有し，かつ，適当と認定したもの

第12条　【同前―予備試験】　医師国家試験予備試験は，外国の医学校を卒業し，又は外国で医師免許を得た者のうち，前条第3号に該当しない者であって，厚生労働大臣が適当と認定したものでなければ，これを受けることができない．

第15条　【不正行為関係者に対する処分】　医師国家試験又は医師国家試験予備試験に関して不正の行為があつた場合には，当該不正行為に関係のある者について，その受験を停止させ，又はその試験を無効とすることができる．この場合においては，なお，その者について，期間を定めて試験を受けることを許さないことができる．

第16条　【省令への委任】　この章に規定するものの外，試験の科目，受験手続その他試験に関して必要な事項及び実地修練に関して必要な事項は，厚生労働省令でこれを定める．

第16条の2　【臨床研修―期間，研修施設】

1．診療に従事しようとする医師は，2年以上，都道府県知事の指定する病院又は外国の病院で厚生労働大臣の指定するものにおいて，臨床研修を受けなければならない．

2．前項の規定による指定は，臨床研修を行おうとする病院の開設者の申請により行う．

3．厚生労働大臣又は都道府県知事は，前項の申請に係る病院が，次に掲げる基準を満たすと認めるときでなければ，第1項の規定による指定をしてはならない．

1）臨床研修を行うために必要な診療科を置いていること．

2）臨床研修の実施に関し必要な施設及び設備を有していること．

3）臨床研修の内容が，適切な診療科での研修の実施により，基本的な診療能力を身に付けることのできるものであること．

4）前3号に掲げるもののほか，臨床研修の実施に関する厚生労働省令で定める基準に適合するものであること．

4．厚生労働大臣又は都道府県知事は，第1項の規定により指定した病院が臨床研修を行うについて不適当であると認めるに至つたときは，その指定を取り消すことができる．

5．厚生労働大臣は，第1項の規定による指定をし，もしくは前項の規定による指定の取消しをしようとするとき，又は第3項第4号の厚生労働省令の制定もしくは改廃の立案をしようとするときは，あらかじめ，医道審議会の意見を聴かなければならない．

6．都道府県知事は，第1項の規定による指定をし，又は第4項の規定による指定の取消しをしようとするときは，あらかじめ，医療法（昭和23年法律第205号）第30条の23第1項に規定する地域医療対策協議会（以下「地域医療対策協議会」という．）の意見を聴かなければならない．

7．都道府県知事は，前項の規定により地域医療対策協議会の意見を聴いたときは，第1項の規定による指定又は第4項の規定による指定の取消しに当たり，当該意見を反映させるよう努めなければならない．

第16条の5　【同前―厚生労働大臣への報告】　臨床研修を受けている医師は，臨床研修に専念し，その資質の向上を図るように努めなければならない．

第16条の6　【同前―省令への委任】

1．厚生労働大臣は，第16条の2第1項の規定による臨床研修を修了した者について，その申請により，臨床研修を修了した旨を医籍に登録する．

2．厚生労働大臣は，前項の登録をしたときは，臨床研修修了登録証を交付する．

第17条　【非医師の医業禁止】　医師でなければ，医業をなしてはならない．

第18条　【非医師の医師名称使用禁止】　医師でなければ，医師又はこれに紛らわしい名称を用いてはならない．

第19条　【診療義務等】

1．診療に従事する医師は，診察治療の求があつた場合には，正当な事由がなければ，これを拒んではならない．

2．診察もしくは検案をし，又は出産に立ち会つた医師は，診断書もしくは検案書又は出生証明書もしくは死産証書の交付の求があつた場合には，正当の事由がなければ，これを拒んではならない．

第20条 【無診察治療等の禁止】 医師は，自ら診察しないで治療をし，もしくは診断書もしくは処方せんを交付し，自ら出産に立ち会わないで出生証明書もしくは死産証書を交付し，又は自ら検案をしないで検案書を交付してはならない．但し，診療中の患者が受診後24時間以内に死亡した場合に交付する死亡診断書については，この限りでない．

第21条 【異状死体等の届出義務】 医師は，死体又は妊娠4月以上の死産児を検案して異状があると認めたときは，24時間以内に所轄警察署に届け出なければならない．

第22条 【処方せんの交付】 医師は，患者に対し治療上薬剤を調剤して投与する必要があると認めた場合には，患者又は現にその看護に当っている者に対して処方せんを交付しなければならない．ただし，患者又は現にその看護に当っている者が処方せんの交付を必要としない旨を申し出た場合及び次の各号の1に該当する場合においては，この限りでない．

1）暗示的効果を期待する場合において，処方せんを交付することがその目的の達成を妨げるおそれがある場合

2）処方せんを交付することが診療又は疾病の予後について患者に不安を与え，その疾病の治療を困難にするおそれがある場合

3）病状の短時間ごとの変化に即応して薬剤を投与する場合

4）診断又は治療方法の決定していない場合

5）治療上必要な応急の措置として薬剤を投与する場合

6）安静を要する患者以外に薬剤の交付を受けることができる者がいない場合

7）覚せい剤を投与する場合

8）薬剤師が乗り組んでいない船舶内において薬剤を投与する場合

第23条 【療養方法等の指導義務】 医師は，診療をしたときは，本人又はその保護者に対し，療養の方法その他保健の向上に必要な事項の指導をしなければならない．

第24条 【診療録】

1．医師は，診療をしたときは，遅滞なく診療に関する事項を診療録に記載しなければならない．

2．前項の診療録であつて，病院又は診療所に勤務する医師のした診療に関するものは，その病院又は診療所の管理者において，その他の診療に関するものは，その医師において，5年間これを保存しなければならない．

第24条の2 【医師に対する医療等に関する指示】

1．厚生労働大臣は，公衆衛生上重大な危害を生ずる虞がある場合において，その危害を防止するため特に必要があると認めるときは，医師に対して，医療又は保健指導に関し必要な指示をすることができる．

2．厚生労働大臣は，前項の規定による指示をするに当つては，あらかじめ，医道審議会の意見を聴かなければならない．

第27条 【医師試験委員】

1．医師国家試験及び医師国家試験予備試験に関する事務をつかさどらせるため，厚生労働省に医師試験委員を置く．

2．医師試験委員に関し必要な事項は，政令で定める．

第30条 【不正行為の禁止】 医師試験委員その他医師国家試験又は医師国家試験予備試験に関する事務をつかさどる者は，その事務の施行に当たって厳正を保持し，不正の行為のないようにしなければならない．

第30条の2 厚生労働大臣は，医療を受ける者その他国民による医師の資格の確認及び医療に関する適切な選択に資するよう，医師の氏名その他の政令で定める事項を公表するものとする．

第31条 【罰則】

1．次の各号のいずれかに該当する者は，3年以下の懲役もしくは100万円以下の罰金に処し，又はこれを併科する．

1）第17条の規定に違反した者

2）虚偽又は不正の事実に基づいて医師免許を受けた者

2．前項第1号の罪を犯した者が，医師又はこれに類似した名称を用いたものであるときは，3年以下の懲役もしくは200万円以下の罰金に処し，又はこれを併科する．

第32条 【同前】 第7条第2項の規定により医業の停止を命ぜられた者で，当該停止を命ぜられた期間中に，医業を行ったものは，1年以下の懲役もしくは50万円以下の罰金に処し，又はこれを併科する．

第33条 【同前】 第30条の規定に違反して故意もしくは重大な過失により事前に試験問題を漏らし，又は故意に不正の採点をした者は，1年以下の懲役又は50万円以下の罰金に処する．

医師法施行規則

昭和23年制定
平成30年最終改正

第20条

1．医師は，その交付する死亡診断書又は死体検案書に，次に掲げる事項を記載し，記名押印又は署名しなければならない．

1）死亡者の氏名，生年月日及び性別
2）死亡の年月日時分
3）死亡の場所及びその種別（病院，診療所，介護老人保健施設，介護医療院，助産所，養護老人ホーム，特別養護老人ホーム，軽費老人ホーム又は有料老人ホーム（以下「病院等」という．）で死亡したときは，その名称を含む．）
4）死亡の原因となつた傷病の名称及び継続期間
5）前号の傷病の経過に影響を及ぼした傷病の名称及び継続期間
6）手術の有無並びに手術が行われた場合には，その部位及び主要所見並びにその年月日
7）解剖の有無及び解剖が行われた場合には，その主要所見
8）死因の種類
9）外因死の場合には，次に掲げる事項
　イ．傷害発生の年月日時分
　ロ．傷害発生の場所及びその種別
　ハ．外因死の手段及び状況
10）生後1年未満で病死した場合には，次に掲げる事項
　イ．出生時の体重
　ロ．単胎か多胎かの別及び多胎の場合には，その出産順位
　ハ．妊娠週数
　ニ．母の妊娠時及び分娩時における身体の状況
　ホ．母の生年月日
　ヘ．母の出産した子の数
11）診断又は検案の年月日
12）当該文書を交付した年月日
13）当該文書を作成した医師の所属する病院等の名称及び所在地又は医師の住所並びに医師である旨

2．前項の規定による記載は，第4号書式によらなければならない．

第21条　医師は，患者に交付する処方せんに，患者の氏名，年齢，薬名，分量，用法，用量，発行の年月日，使用期間及び病院もしくは診療所の名称及び所在地又は医師の住所を記載し，記名押印又は署名しなければならない．

第22条　医師は，患者に交付する薬剤の容器又は被包にその用法，用量，交付の年月日，患者の氏名及び病院もしくは診療所の名称及び所在地又は医師の住所及び氏名を明記しなければならない．

第23条　診療録の記載事項は，左の通りである．
1）診療を受けた者の住所，氏名，性別及び年齢
2）病名及び主要症状
3）治療方法（処方及び処置）
4）診療の年月日

2．医　療　法

［昭和23年制定
令和元年最終改正］

第1条　【目的】　この法律は，医療を受ける者による医療に関する適切な選択を支援するために必要な事項，医療の安全を確保するために必要な事項，病院，診療所及び助産所の開設及び管理に関し必要な事項並びにこれらの施設の整備並びに医療提供施設相互間の機能の分担及び業務の連携を推進するために必要な事項を定めること等により，医療を受ける者の利益の保護及び良質かつ適切な医療を効率的に提供する体制の確保を図り，もつて国民の健康の保持に寄与することを目的とする．

第1条の2
1．医療は，生命の尊重と個人の尊厳の保持を旨とし，医師，歯科医師，薬剤師，看護師その他の医療の担い手と医療を受ける者との信頼関係に基づき，及び医療を受ける者の心身の状況に応じて行われるとともに，その内容は，単に治療のみならず，疾病の予防のための措置及びリハビリテーションを含む良質かつ適切なものでなければならない．
2．医療は，国民自らの健康の保持増進のための努力を基礎として，医療を受ける者の意向を十分に尊重し，病院，診療所，介護老人保健施設，介護医療院，調剤を実施する薬局その他の医療を提供する施設（以下「医療提供施設」という．），医療を受ける者の居宅等（居宅その他厚生労働省令で定める場所をいう．以下同じ．）において，医療提供施設の機能に応じ効率的に，かつ，福祉サービスその他の関連するサービスとの有機的な連携を図りつつ提供されなければならない．

第1条の3　国及び地方公共団体は，前条に規定する理念に基づき，国民に対し良質かつ適切な医療を効率的に提供する体制が確保されるよう努めなければならない．

第1条の4
1．医師，歯科医師，薬剤師，看護師その他の医療の担い手は，第1条の2に規定する理念に基づき，医療を受ける者に対し，良質かつ適切な医療を行うよう努めなければならない．
2．医師，歯科医師，薬剤師，看護師その他の医療の担い手は，医療を提供するに当たり，適切な説明を行い，医療を受ける者の理解を得るよう努めなければならない．
3．医療提供施設において診療に従事する医師及び

歯科医師は，医療提供施設相互間の機能の分担及び業務の連携に資するため，必要に応じ，医療を受ける者を他の医療提供施設に紹介し，その診療に必要な限度において医療を受ける者の診療又は調剤に関する情報を他の医療提供施設において診療又は調剤に従事する医師もしくは歯科医師又は薬剤師に提供し，及びその他必要な措置を講ずるよう努めなければならない．

4．病院又は診療所の管理者は，当該病院又は診療所を退院する患者が引き続き療養を必要とする場合には，保健医療サービス又は福祉サービスを提供する者との連携を図り，当該患者が適切な環境の下で療養を継続することができるよう配慮しなければならない．

5．医療提供施設の開設者及び管理者は，医療技術の普及及び医療の効率的な提供に資するため，当該医療提供施設の建物又は設備を，当該医療提供施設に勤務しない医師，歯科医師，薬剤師，看護師その他の医療の担い手の診療，研究又は研修のために利用させるよう配慮しなければならない．

第１条の５ 【病院，診療所等】

1．この法律において，「病院」とは，医師又は歯科医師が，公衆又は特定多数人のため医業又は歯科医業を行う場所であって，20 人以上の患者を入院させるための施設を有するものをいう．病院は，傷病者が，科学的でかつ適正な診療を受けることができる便宜を与えることを主たる目的として組織され，かつ，運営されるものでなければならない．

2．この法律において，「診療所」とは，医師又は歯科医師が，公衆又は特定多数人のため医業又は歯科医業を行う場所であつて，患者を入院させるための施設を有しないもの又は 19 人以下の患者を入院させるための施設を有するものをいう．

第１条の６ 【介護老人保健施設】

1．この法律において，「介護老人保健施設」とは，介護保険法（平成９年法律第 123 号）の規定による介護老人保健施設をいう．

2．この法律において，「介護医療院」とは，介護保険法の規定による介護医療院をいう．

第２条 【助産所】

1．この法律において，「助産所」とは，助産師が公衆又は特定多数人のためその業務（病院又は診療所において行うものを除く．）を行う場所をいう．

2．助産所は，妊婦，産婦又はじよく婦 10 人以上の入所施設を有してはならない．

第３条 【類似名称の禁止】

1．疾病の治療（助産を含む．）をなす場所であって，病院又は診療所でないものは，これに病院，病院分院，産院，療養所，診療所，診察所，医院その他病院又は診療所に紛らわしい名称を附けてはならない．

2．診療所は，これに病院，病院分院，産院その他病院に紛らわしい名称を附けてはならない．

3．助産所でないものは，これに助産所その他助産師がその業務を行う場所に紛らわしい名称を付けてはならない．

第４条 【地域医療支援病院】

1．国，都道府県，市町村，第 42 条の２第１項に規定する社会医療法人その他厚生労働大臣の定める者の開設する病院であつて，地域における医療の確保のために必要な支援に関する次に掲げる要件に該当するものは，その所在地の都道府県知事の承認を得て地域医療支援病院と称することができる．

1）他の病院又は診療所から紹介された患者に対し医療を提供し，かつ，当該病院の建物の全部もしくは一部，設備，器械又は器具を，当該病院に勤務しない医師，歯科医師，薬剤師，看護師その他の医療従事者（以下単に「医療従事者」という）の診療，研究又は研修のために利用させるための体制が整備されていること．

2）救急医療を提供する能力を有すること．

3）地域の医療従事者の資質の向上を図るための研修を行わせる能力を有すること．

4）厚生労働省令で定める数以上の患者を入院させるための施設を有すること．

5）第 21 条第１項第２号から第８号まで及び第 10 号から第 12 号まで並びに第 22 条第１号及び第４号から第９号までに規定する施設を有すること．

6）その施設の構造設備が第 21 条第１項及び第 22 条の規定に基づく厚生労働省令並びに同項の規定に基づく都道府県の条例で定める要件に適合するものであること．

2．都道府県知事は，前項の承認をするに当たっては，あらかじめ，都道府県医療審議会の意見を聴かなければならない．

3．地域医療支援病院でないものは，これに地域医療支援病院又はこれに紛らわしい名称を付けてはならない．

第４条の２ 【特定機能病院】

1．病院であって，次に掲げる要件に該当するものは，厚生労働大臣の承認を得て特定機能病院と称することができる．

1）高度の医療を提供する能力を有すること．

2）高度の医療技術の開発及び評価を行う能力を有すること．

3）高度の医療に関する研修を行わせる能力を有すること．

4）医療の高度の安全を確保する能力を有すること．

5）その診療科名中に，厚生労働省令の定めるところにより，厚生労働省令で定める診療科名を有すること．

6）厚生労働省令で定める数以上の患者を入院させるための施設を有すること．

7）その有する人員が第22条の2の規定に基づく厚生労働省令で定める要件に適合するものであること．

8）第21条第1項第2号から第8号まで及び第10号から第12号まで並びに第22条の2第2号，第5号及び第6号に規定する施設を有すること．

9）その施設の構造設備が第21条第1項及び第22条の2の規定に基づく厚生労働省令並びに同項の規定に基づく都道府県の条例で定める要件に適合するものであること．

2．厚生労働大臣は，前項の承認をするに当たつては，あらかじめ，社会保障審議会の意見を聴かなければならない．

3．特定機能病院でないものは，これに特定機能病院又はこれに紛らわしい名称を付けてはならない．

第6条の10　【医療事故の報告】

1．病院，診療所又は助産所（以下この章において「病院等」という．）の管理者は，医療事故（当該病院等に勤務する医療従事者が提供した医療に起因し，又は起因すると疑われる死亡又は死産であつて，当該管理者が当該死亡又は死産を予期しなかつたものとして厚生労働省令で定めるものをいう．以下この章において同じ．）が発生した場合には，厚生労働省令で定めるところにより，遅滞なく，当該医療事故の日時，場所及び状況その他厚生労働省令で定める事項を第6条の15第1項の医療事故調査・支援センターに報告しなければならない．

2．病院等の管理者は，前項の規定による報告をするに当たつては，あらかじめ，医療事故に係る死亡した者の遺族又は医療事故に係る死産した胎児の父母その他厚生労働省令で定める者（以下この章において単に「遺族」という．）に対し，厚生労働省令で定める事項を説明しなければならない．ただし，遺族がないとき，又は遺族の所在が不明であるときは，この限りでない．

第10条　【病院等の管理者】

1．病院（第3項の厚生労働省令で定める病院を除く．次項において同じ．）又は診療所の開設者は，その病院又は診療所が医業をなすものである場合は臨床研修等修了医師に，歯科医業をなすものである場合は臨床研修等修了歯科医師に，これを管理させなければならない．

2．病院又は診療所の開設者は，その病院又は診療所が，医業及び歯科医業を併せ行うものである場合は，それが主として医業を行うものであるときは臨床研修等修了医師に，主として歯科医業を行うものであるときは臨床研修等修了歯科医師に，これを管理させなければならない．

第11条　【助産所の管理者】　助産所の開設者は，助産師に，これを管理させなければならない．

第13条　【診療所の患者収容時間の制限】　患者を入院させるための施設を有する診療所の管理者は，入院患者の病状が急変した場合においても適切な治療を提供することができるよう，当該診療所の医師が速やかに診療を行う体制を確保するよう努めるとともに，他の病院又は診療所との緊密な連携を確保しておかなければならない．

3．刑事法関連

刑　法

明治40年制定
平成30年最終改正

第35条　【正当行為】　法令又は正当な業務による行為は，罰しない．

第39条　【心神喪失及び心神耗弱】

1．心神喪失者の行為は，罰しない．

2．心神耗弱者の行為は，その刑を減軽する．

第134条　【秘密漏示】

1．医師，薬剤師，医薬品販売業者，助産師，弁護士，弁護人，公証人又はこれらの職にあった者が，正当な理由がないのに，その業務上取り扱ったことについて知り得た人の秘密を漏らしたときは，6月以下の懲役又は10万円以下の罰金に処する．

2．宗教，祈祷もしくは祭祀の職にある者又はこれらの職にあった者が，正当な理由がないのに，その業務上取り扱ったことについて知り得た人の秘密を漏らしたときも，前項と同様とする．

第157条　【公正証書原本不実記載等】

1．公務員に対し虚偽の申立てをして，登記簿，戸籍簿その他の権利もしくは義務に関する公正証書の原本に不実の記載をさせ，又は権利もしくは義務に関する公正証書の原本として用いられる電磁的記録に不実の記録をさせた者は，5年以下の懲役又は50万円以下の罰金に処する．

2．公務員に対し虚偽の申立てをして，免状，鑑札又は旅券に不実の記載をさせた者は，1年以下の懲役又は20万円以下の罰金に処する．

3．前2項の罪の未遂は，罰する．

第160条　【虚偽診断書等作成】 医師が公務所に提出すべき診断書，検案書又は死亡証書に虚偽の記載をしたときは，3年以下の禁錮又は30万円以下の罰金に処する．

第161条　【偽造私文書等行使】

1．前2条の文書又は図画を行使した者は，その文書もしくは図画を偽造し，もしくは変造し，又は虚偽の記載をした者と同一の刑に処する．

2．前項の罪の未遂は，罰する．

第176条　【強制わいせつ】 13歳以上の者に対し，暴行又は脅迫を用いてわいせつな行為をした者は，6月以上10年以下の懲役に処する．13歳未満の者に対し，わいせつな行為をした者も，同様とする．

第177条　【強制性交等】 13歳以上の者に対し，暴行又は脅迫を用いて性交，肛門性交又は口腔性交（以下「性交等」という．）をした者は，強制性交等の罪とし，5年以上の有期懲役に処する．13歳未満の者に対し，性交等をした者も，同様とする．

第178条　【準強制わいせつ及び準強制性交等】

1．人の心神喪失もしくは抗拒不能に乗じ，又は心神を喪失させ，もしくは抗拒不能にさせて，わいせつな行為をした者は，第176条の例による．

2．人の心神喪失もしくは抗拒不能に乗じ，又は心神を喪失させ，もしくは抗拒不能にさせて，性交等をした者は，前条の例による．

第179条　【監護者わいせつ及び監護者性交等】

1．18歳未満の者に対し，その者を現に監護する者であることによる影響力があることに乗じてわいせつな行為をした者は，第176条の例による．

2．18歳未満の者に対し，その者を現に監護する者であることによる影響力があることに乗じて性交等をした者は，第177条の例による．

第180条　【未遂罪】 第176条から前条までの罪の未遂は，罰する．

第190条　【死体損壊等】 死体，遺骨，遺髪又は棺に納めてある物を損壊し，遺棄し，又は領得した者は，3年以下の懲役に処する．

第192条　【変死者密葬】 検視を経ないで変死者を葬った者は，10万円以下の罰金又は科料に処する．

第199条　【殺人】 人を殺した者は，死刑又は無期もしくは5年以上の懲役に処する．

第202条　【自殺関与及び同意殺人】 人を教唆しもしくは幇助して自殺させ，又は人をその嘱託を受けもしくはその承諾を得て殺した者は，6月以上7年以下の懲役又は禁錮に処する．

第204条　【傷害】 人の身体を傷害した者は，15年以下の懲役又は50万円以下の罰金に処する．

第209条　【過失傷害】

1．過失により人を傷害した者は，30万円以下の罰金又は科料に処する．

2．前項の罪は，告訴がなければ公訴を提起することができない．

第210条　【過失致死】 過失により人を死亡させた者は，50万円以下の罰金に処する．

第211条　【業務上過失致死傷等】 業務上必要な注意を怠り，よって人を死傷させた者は，5年以下の懲役もしくは禁錮又は100万円以下の罰金に処する．重大な過失により人を死傷させた者も，同様とする．

第218条　【保護責任者遺棄等】 老年者，幼年者，身体障害者又は病者を保護する責任のある者がこれらの者を遺棄し，又はその生存に必要な保護をしなかったときは，3月以上5年以下の懲役に処する．

第219条　【遺棄等致死傷】 前2条の罪を犯し，よって人を死傷させた者は，傷害の罪と比較して，重い刑により処断する．

軽犯罪法

［昭和23年制定
昭和48年最終改正］

第1条　【罪】 左の各号の1に該当する者は，これを拘留又は科料に処する．

18．自己の占有する場所内に，老幼，不具もしくは傷病のため扶助を必要とする者又は人の死体もしくは死胎のあることを知りながら，速やかにこれを公務員に申し出なかつた者

19．正当な理由がなくて変死体又は死胎の現場を変えた者

20．公衆の目に触れるような場所で公衆にけん悪の情を催させるような仕方でしり，ももその他身体の一部をみだりに露出した者

23．正当な理由がなくて人の住居，浴場，更衣場，便所その他人が通常衣服をつけないでいるような場所をひそかにのぞき見た者

26．街路又は公園その他公衆の集合する場所で，たんつばを吐き，又は大小便をし，もしくはこれをさせた者

第2条　【刑の免除・併科】 前条の罪を犯した者に対しては，情状に因り，その刑を免除し，又は拘留及び科料を併科することができる．

刑事訴訟法

［昭和23年制定
令和元年最終改正］

第105条　【業務上秘密と押収】 医師，歯科医師，助産師，看護師，弁護士（外国法事務弁護士を含む．），弁理士，公証人，宗教の職に在る者又はこれらの職に在つた者は，業務上委託を受けたた

め，保管し，又は所持する物で他人の秘密に関するものについては，押収を拒むことができる．但し，本人が承諾した場合，押収の拒絶が被告人のためのみにする権利の濫用と認められる場合（被告人が本人である場合を除く.）その他裁判所の規則で定める事由がある場合は，この限りでない.

第131条　【身体検査に関する注意，女子の身体検査と立会い】

1．身体の検査については，これを受ける者の性別，健康状態その他の事情を考慮した上，特にその方法に注意し，その者の名誉を害しないように注意しなければならない.

2．女子の身体を検査する場合には，医師又は成年の女子をこれに立ち会わせなければならない.

第139条　【身体検査の直接強制】　裁判所は，身体の検査を拒む者を過料に処し，又はこれに刑を科しても，その効果がないと認めるときは，そのまま，身体の検査を行うことができる.

第143条　【証人の資格】　裁判所は，この法律に特別の定のある場合を除いては，何人でも証人としてこれを尋問することができる.

第149条　【業務上秘密と証言拒絶権】　医師，歯科医師，助産師，看護師，弁護士（外国法事務弁護士を含む.），弁理士，公証人，宗教の職に在る者又はこれらの職に在つた者は，業務上委託を受けたため知り得た事実で他人の秘密に関するものについては，証言を拒むことができる．但し，本人が承諾した場合，証言の拒絶が被告人のためのみにする権利の濫用と認められる場合（被告人が本人である場合を除く.）その他裁判所の規則で定める事由がある場合は，この限りでない.

第165条　【鑑定】　裁判所は，学識経験のある者に鑑定を命ずることができる.

第168条　【鑑定と必要な処分，許可状】

1．鑑定人は，鑑定について必要がある場合には，裁判所の許可を受けて，人の住居もしくは人の看守する邸宅，建造物もしくは船舶内に入り，身体を検査し，死体を解剖し，墳墓を発掘し，又は物を破壊することができる.

2．裁判所は，前項の許可をするには，被告人の氏名，罪名及び立ち入るべき場所，検査すべき身体，解剖すべき死体，発掘すべき墳墓又は破壊すべき物並びに鑑定人の氏名その他裁判所の規則で定める事項を記載した許可状を発して，これをしなければならない.

3．裁判所は，身体の検査に関し，適当と認める条件を附することができる.

4．鑑定人は，第1項の処分を受ける者に許可状を示さなければならない.

5．前3項の規定は，鑑定人が公判廷でする第1項の処分については，これを適用しない.

6．第131条，第137条，第138条及び第140条の規定は，鑑定人の第1項の規定によってする身体の検査についてこれを準用する.

第174条　【鑑定証人】　特別の知識によって知り得た過去の事実に関する尋問については，この章の規定によらないで，前章の規定を適用する.

第223条　【第3者の任意出頭・取調べ・鑑定等の嘱託】

1．検察官，検察事務官又は司法警察職員は，犯罪の捜査をするについて必要があるときは，被疑者以外の者の出頭を求め，これを取り調べ，又はこれに鑑定，通訳もしくは翻訳を嘱託することができる.

2．第198条第1項但書及び第3項乃至第5項の規定は，前項の場合にこれを準用する.

第225条　【鑑定受託者と必要な処分，許可状】

1．第223条第1項の規定による鑑定の嘱託を受けた者は，裁判官の許可を受けて，第168条第1項に規定する処分をすることができる.

2．前項の許可の請求は，検察官，検察事務官又は司法警察員からこれをしなければならない.

3．裁判官は，前項の請求を相当と認めるときは，許可状を発しなければならない.

4．第168条第2項乃至第4項及び第6項の規定は，前項の許可状についてこれを準用する.

第229条　【検視】

1．変死者又は変死の疑のある死体があるときは，その所在地を管轄する地方検察庁又は区検察庁の検察官は，検視をしなければならない.

2．検察官は，検察事務官又は司法警察員に前項の処分をさせることができる.

児童買春，児童ポルノに係る行為等の処罰及び児童の保護等に関する法律

平成11年制定
平成26年最終改正

第1条　【目的】　この法律は，児童に対する性的搾取及び性的虐待が児童の権利を著しく侵害することの重大性に鑑み，あわせて児童の権利の擁護に関する国際的動向を踏まえ，児童買春，児童ポルノに係る行為等を規制し，及びこれらの行為等を処罰するとともに，これらの行為等により心身に有害な影響を受けた児童の保護のための措置等を定めることにより，児童の権利を擁護することを目的とする.

第2条　【定義】

1．この法律において「児童」とは，18歳に満たない者をいう.

2．この法律において「児童買春」とは，次の各号

に掲げる者に対し，対償を供与し，又はその供与の約束をして，当該児童に対し，性交等（性交もしくは性交類似行為をし，又は自己の性的好奇心を満たす目的で，児童の性器等（性器，肛門又は乳首をいう．以下同じ.）を触り，もしくは児童に自己の性器等を触らせることをいう．以下同じ.）をすることをいう．

1）児童

2）児童に対する性交等の周旋をした者

3）児童の保護者（親権を行う者，未成年後見人その他の者で，児童を現に監護するものをいう．以下同じ.）又は児童をその支配下に置いている者

3．この法律において「児童ポルノ」とは，写真，電磁的記録（電子的方式，磁気的方式その他人の知覚によっては認識することができない方式で作られる記録であって，電子計算機による情報処理の用に供されるものをいう．以下同じ.）に係る記録媒体その他の物であって，次の各号のいずれかに掲げる児童の姿態を視覚により認識することができる方法により描写したものをいう．

1）児童を相手方とする又は児童による性交又は性交類似行為に係る児童の姿態

2）他人が児童の性器等を触る行為又は児童が他人の性器等を触る行為に係る児童の姿態であって性欲を興奮させ又は刺激するもの

3）衣服の全部又は一部を着けない児童の姿態であって，殊更に児童の性的な部位（性器等もしくはその周辺部，臀部又は胸部をいう.）が露出され又は強調されているものであり，かつ，性欲を興奮させ又は刺激するもの

第3条　【適用上の注意】　この法律の適用に当たっては，学術研究，文化芸術活動，報道等に関する国民の権利及び自由を不当に侵害しないように留意し，児童に対する性的搾取及び性的虐待から児童を保護しその権利を擁護するとの本来の目的を逸脱して他の目的のためにこれを濫用するようなことがあってはならない．

第4条　【児童買春】　児童買春をした者は，5年以下の懲役又は300万円以下の罰金に処する．

4．民事法関連

民　法

明治29年制定
令和元年最終改正

第7条　【後見開始の審判】　精神上の障害により事理を弁識する能力を欠く常況にある者については，家庭裁判所は，本人，配偶者，四親等内の親族，未成年後見人，未成年後見監督人，保佐人，保佐監督人，補助人，補助監督人又は検察官の請求により，後見開始の審判をすることができる．

第11条　【保佐開始の審判】　精神上の障害により事理を弁識する能力が著しく不十分である者については，家庭裁判所は，本人，配偶者，四親等内の親族，後見人，後見監督人，補助人，補助監督人又は検察官の請求により，保佐開始の審判をすることができる．ただし，第7条に規定する原因がある者については，この限りでない．

第415条　【債務不履行による損害賠償】

1．債務者がその債務の本旨に従った履行をしないとき又は債務の履行が不能であるときは，債権者は，これによって生じた損害の賠償を請求することができる．ただし，その債務の不履行が契約その他の債務の発生原因及び取引上の社会通念に照らして債務者の責めに帰することができない事由によるものであるときは，この限りでない．

2．前項の規定により損害賠償の請求をすることができる場合において，債権者は，次に掲げるときは，債務の履行に代わる損害賠償の請求をすることができる．

1）債務の履行が不能であるとき．

2）債務者がその債務の履行を拒絶する意思を明確に表示したとき．

3）債務が契約によって生じたものである場合において，その契約が解除され，又は債務の不履行による契約の解除権が発生したとき．

第418条　【過失相殺】　債務の不履行又はこれによる損害の発生もしくは拡大に関して債権者に過失があったときは，裁判所は，これを考慮して，損害賠償の責任及びその額を定める．

第623条　【雇用】　雇用は，当事者の一方が相手方に対して労働に従事することを約し，相手方がこれに対してその報酬を与えることを約することによって，その効力を生ずる．

第632条　【請負】　請負は，当事者の一方がある仕事を完成することを約し，相手方がその仕事の結果に対してその報酬を支払うことを約することによって，その効力を生ずる．

第643条　【委任】　委任は，当事者の一方が法律行為をすることを相手方に委託し，相手方がこれを承諾することによって，その効力を生ずる．

第644条　【受任者の注意義務】　受任者は，委任の本旨に従い，善良な管理者の注意をもって，委任事務を処理する義務を負う．

第645条　【受任者による報告】　受任者は，委任者の請求があるときは，いつでも委任事務の処理の状況を報告し，委任が終了した後は，遅滞なくそ

の経過及び結果を報告しなければならない．

第651条　【委任の解除】

1．委任は，各当事者がいつでもその解除をすることができる．

2．前項の規定により委任の解除をした者は，次に掲げる場合には，相手方の損害を賠償しなければならない．ただし，やむを得ない事由があったときは，この限りでない．

1）相手方に不利な時期に委任を解除したとき．

2）委任者が受任者の利益（専ら報酬を得ることによるものを除く.）をも目的とする委任を解除したとき．

第698条　【緊急事務管理】　管理者は，本人の身体，名誉又は財産に対する急迫の危害を免れさせるために事務管理をしたときは，悪意又は重大な過失があるのでなければ，これによって生じた損害を賠償する責任を負わない．

第701条　【委任の規定の準用】　第645条から第647条までの規定は，事務管理について準用する．

第702条　【管理者による費用の償還請求等】

1．管理者は，本人のために有益な費用を支出したときは，本人に対し，その償還を請求することができる．

2．第650条第2項の規定は，管理者が本人のために有益な債務を負担した場合について準用する．

3．管理者が本人の意思に反して事務管理をしたときは，本人が現に利益を受けている限度においてのみ，前2項の規定を適用する．

第709条　【不法行為による損害賠償】　故意又は過失によって他人の権利又は法律上保護される利益を侵害した者は，これによって生じた損害を賠償する責任を負う．

第710条　【財産以外の損害の賠償】　他人の身体，自由もしくは名誉を侵害した場合又は他人の財産権を侵害した場合のいずれであるかを問わず，前条の規定により損害賠償の責任を負う者は，財産以外の損害に対しても，その賠償をしなければならない．

第711条　【近親者に対する損害の賠償】　他人の生命を侵害した者は，被害者の父母，配偶者及び子に対しては，その財産権が侵害されなかった場合においても，損害の賠償をしなければならない．

第715条　【使用者等の責任】

1．ある事業のために他人を使用する者は，被用者がその事業の執行について第三者に加えた損害を賠償する責任を負う．ただし，使用者が被用者の選任及びその事業の監督について相当の注意をしたとき，又は相当の注意をしても損害が生ずべきであったときは，この限りでない．

2．使用者に代わって事業を監督する者も，前項の責任を負う．

3．前2項の規定は，使用者又は監督者から被用者に対する求償権の行使を妨げない．

第733条　【再婚禁止期間】

1．女は，前婚の解消又は取消しの日から起算して100日を経過した後でなければ，再婚をすることができない．

2．前項の規定は，次に掲げる場合は，適用しない．

1）女が前婚の解消又は取消しの時に懐胎していなかった場合

2）女が前婚の解消又は取消しの後に出産した場合

第734条　【近親者間の婚姻の禁止】

1．直系血族又は三親等内の傍系血族の間では，婚姻をすることができない．ただし，養子と養方の傍系血族との間では，この限りでない．

2．第817条の9の規定により親族関係が終了した後も，前項と同様とする．

第772条　【嫡出の推定】

1．妻が婚姻中に懐胎した子は，夫の子と推定する．

2．婚姻の成立の日から200日を経過した後又は婚姻の解消もしくは取消しの日から300日以内に生まれた子は，婚姻中に懐胎したものと推定する．

第773条　【父を定めることを目的とする訴え】　第733条第1項の規定に違反して再婚をした女が出産した場合において，前条の規定によりその子の父を定めることができないときは，裁判所が，これを定める．

第774条　【嫡出の否認】　第772条の場合において，夫は，子が嫡出であることを否認することができる．

第775条　【嫡出否認の訴え】　前条の規定による否認権は，子又は親権を行う母に対する嫡出否認の訴えによって行う．親権を行う母がないときは，家庭裁判所は，特別代理人を選任しなければならない．

第777条　【嫡出否認の訴えの出訴期間】　嫡出否認の訴えは，夫が子の出生を知った時から1年以内に提起しなければならない．

第779条　【認知】　嫡出でない子は，その父又は母がこれを認知することができる．

第789条　【準正】

1．父が認知した子は，その父母の婚姻によって嫡出子の身分を取得する．

2．婚姻中父母が認知した子は，その認知の時から，嫡出子の身分を取得する．

3．前2項の規定は，子が既に死亡していた場合について準用する．

戸籍法

〔昭和 22 年制定
令和元年最終改正〕

第 49 条 【出生届】

1．出生の届出は，14 日以内（国外で出生があつたときは，3 箇月以内）にこれをしなければならない．

2．届書には，次の事項を記載しなければならない．

1）子の男女の別及び嫡出子又は嫡出でない子の別

2）出生の年月日時分及び場所

3）父母の氏名及び本籍，父又は母が外国人であるときは，その氏名及び国籍

4）その他法務省令で定める事項

3．医師，助産師又はその他の者が出産に立ち会つた場合には，医師，助産師，その他の者の順序に従つてそのうちの一人が法務省令・厚生労働省令の定めるところによって作成する出生証明書を届書に添付しなければならない．ただし，やむを得ない事由があるときは，この限りでない．

第 86 条 【死亡届】

1．死亡の届出は，届出義務者が，死亡の事実を知つた日から 7 日以内(国外で死亡があつたときは，その事実を知つた日から 3 箇月以内）に，これをしなければならない．

2．届書には，次の事項を記載し，診断書又は検案書を添付しなければならない．

1）死亡の年月日時分及び場所

2）その他法務省令で定める事項

3．やむを得ない事由によって診断書又は検案書を得ることができないときは，死亡の事実を証すべき書面を以てこれに代えることができる．この場合には，届書に診断書又は検案書を得ることができない事由を記載しなければならない．

民事訴訟法

〔平成 8 年制定
令和 2 年最終改正〕

第 212 条 【鑑定義務】

1．鑑定に必要な学識経験を有する者は，鑑定をする義務を負う．

2．第 196 条又は第 201 条第 4 項の規定により証言又は宣誓を拒むことができる者と同一の地位にある者及び同条第 2 項に規定する者は，鑑定人となることができない．

第 214 条 【忌避】

1．鑑定人について誠実に鑑定をすることを妨げるべき事情があるときは，当事者は，その鑑定人が鑑定事項について陳述をする前に，これを忌避することができる．鑑定人が陳述をした場合であっても，その後に，忌避の原因が生じ，又は当事者がその原因があることを知ったときは，同様とする．

2．忌避の申立ては，受訴裁判所，受命裁判官又は受託裁判官にしなければならない．

3．忌避を理由があるとする決定に対しては，不服を申し立てることができない．

4．忌避を理由がないとする決定に対しては，即時抗告をすることができる．

第 281 条 【控訴をすることができる判決等】

1．控訴は，地方裁判所が第一審としてした終局判決又は簡易裁判所の終局判決に対してすることができる．ただし，終局判決後，当事者双方が共に上告をする権利を留保して控訴をしない旨の合意をしたときは，この限りでない．

2．第 11 条第 2 項及び第 3 項の規定は，前項の合意について準用する．

弁護士法

〔昭和 24 年制定
令和 2 年最終改正〕

第 23 条の 2 【報告の請求】

1．弁護士は，受任している事件について，所属弁護士会に対し，公務所又は公私の団体に照会して必要な事項の報告を求めることを申し出ることができる．申出があつた場合において，当該弁護士会は，その申出が適当でないと認めるときは，これを拒絶することができる．

2．弁護士会は，前項の規定による申出に基き，公務所又は公私の団体に照会して必要な事項の報告を求めることができる．

5．医療関連

死体解剖保存法

〔昭和 24 年制定
令和 3 年最終改正〕

第 2 条 【保健所長の許可】 死体の解剖をしようとする者は，あらかじめ，解剖をしようとする地の保健所長の許可を受けなければならない．ただし，次の各号のいずれかに該当する場合は，この限りでない．

1）死体の解剖に関し相当の学識技能を有する医師，歯科医師その他の者であつて，厚生労働大臣が適当と認定したものが解剖する場合

2）医学に関する大学（大学の学部を含む．以下同じ．）の解剖学，病理学又は法医学の教授又は准教授が解剖する場合

3）第８条の規定により解剖する場合
4）刑事訴訟法（昭和 23 年法律第 131 号）第 129 条（第 222 条第１項において準用する場合を含む.），第 168 条第１項又は第 225 条第１項の規定により解剖する場合
5）食品衛生法（昭和 22 年法律第 233 号）第 64 条第１項又は第２項の規定により解剖する場合
6）検疫法（昭和 26 年法律第 201 号）第 13 条第２項の規定により解剖する場合
7）警察等が取り扱う死体の死因又は身元の調査等に関する法律（平成 24 年法律第 34 号）第６条第１項(同法第 12 条において準用する場合を含む.）の規定により解剖する場合

2．保健所長は，公衆衛生の向上又は医学の教育もしくは研究のため特に必要があると認められる場合でなければ，前項の規定による許可を与えてはならない.
3．第１項の規定による許可に関して必要な事項は，厚生労働省令で定める.

第７条　【遺族の承諾】　死体の解剖をしようとする者は，その遺族の承諾を受けなければならない．ただし，次の各号のいずれかに該当する場合においては，この限りでない.
1）死亡確認後30日を経過しても，なおその死体について引取者のない場合
2）2人以上の医師（うち１人は歯科医師であつてもよい.）が診療中であつた患者が死亡した場合において，主治の医師を含む２人以上の診療中の医師又は歯科医師がその死因を明らかにするため特にその解剖の必要を認め，かつ，その遺族の所在が不明であり，又は遺族が遠隔の地に居住する等の事由により遺族の諾否の判明するのを待つていてはその解剖の目的がほとんど達せられないことが明らかな場合
3）第２条第１項第３号又，第４号又は第７号に該当する場合
4）食品衛生法第64条第2項の規定により解剖する場合
5）検疫法第13条第2項後段の規定に該当する場合

第８条　【監察医の検案・解剖】
1．政令で定める地を管轄する都道府県知事は，その地域内における伝染病，中毒又は災害により死亡した疑のある死体その他死因の明らかでない死体について，その死因を明らかにするため監察医を置き，これに検案をさせ，又は検案によっても死因の判明しない場合には解剖させることができる．但し，変死体又は変死の疑がある死体については，刑事訴訟法第 229 条の規定による検視があつた後でなければ，検案又は解剖させることができない.
2．前項の規定による検案又は解剖は，刑事訴訟法の規定による検証又は鑑定のための解剖を妨げるものではない.

第 11 条　【犯罪に関係する異状の届出】　死体を解剖した者は，その死体について犯罪と関係のある異状があると認めたときは，24 時間以内に，解剖をした地の警察署長に届け出なければならない.

警察等が取り扱う死体の死因又は身元の調査等に関する法律（死因・身元調査法）

［平成 24 年制定］

第１条　【目的】　この法律は，警察等（警察及び海上保安庁をいう．以下同じ.）が取り扱う死体について，調査，検査，解剖その他死因又は身元を明らかにするための措置に関し必要な事項を定めることにより，死因が災害，事故，犯罪その他市民生活に危害を及ぼすものであることが明らかとなった場合にその被害の拡大及び再発の防止その他適切な措置の実施に寄与するとともに，遺族等の不安の緩和又は解消及び公衆衛生の向上に資し，もって市民生活の安全と平穏を確保することを目的とする.

第４条　【死体発見時の調査等】
1．警察官は，その職務に関して，死体を発見し，又は発見した旨の通報を受けた場合には，速やかに当該死体を取り扱うことが適当と認められる警察署の警察署長にその旨を報告しなければならない.
2．警察署長は，前項の規定による報告又は死体に関する法令に基づく届出に係る死体（犯罪行為により死亡したと認められる死体又は変死体（変死者又は変死の疑いがある死体をいう．次条第３項において同じ.）を除く．次項において同じ.）について，その死因及び身元を明らかにするため，外表の調査，死体の発見された場所の調査，関係者に対する質問等の必要な調査をしなければならない.
3．警察署長は，前項の規定による調査を実施するに当たっては，医師又は歯科医師に対し，立会い，死体の歯牙の調査その他必要な協力を求めることができる.

第５条　【検査】
1．警察署長は，前条第１項の規定による報告又は死体に関する法令に基づく届出に係る死体（犯罪捜査の手続が行われる死体を除く．以下「取扱死体」という.）について，その死因を明らかにするために体内の状況を調査する必要があると認めるときは，その必要な限度において，体内から体液

を採取して行う出血状況の確認，体液又は尿を採取して行う薬物又は毒物に係る検査，死亡時画像診断（磁気共鳴画像診断装置その他の画像による診断を行うための装置を用いて，死体の内部を撮影して死亡の原因を診断することをいう．第13条において同じ.）その他の政令で定める検査を実施することができる．

2．前項の規定による検査は，医師に行わせるものとする．ただし，専門的知識及び技能を要しない検査であって政令で定めるものについては，警察官に行わせることができる．

3．第1項の場合において，取扱死体が変死体であるときは，刑事訴訟法（昭和23年法律第131号）第229条の規定による検視があった後でなければ，同項の規定による検査を実施することができない．

第6条　【解剖】

1．警察署長は，取扱死体について，第3項に規定する法人又は機関に所属する医師その他法医学に関する専門的な知識経験を有する者の意見を聴き，死因を明らかにするため特に必要があると認めるときは，解剖を実施することができる．この場合において，当該解剖は，医師に行わせるものとする．

2．警察署長は，前項の規定により解剖を実施するに当たっては，あらかじめ，遺族に対して解剖が必要である旨を説明しなければならない．ただし，遺族がないとき，遺族の所在が不明であるとき又は遺族への説明を終えてから解剖するのではその目的がほとんど達せられないことが明らかであるときは，この限りでない．

第8条　【身元を明らかにするための措置】

1．警察署長は，取扱死体について，その身元を明らかにするため必要があると認めるときは，その必要な限度において，血液，歯牙，骨等の当該取扱死体の組織の一部を採取し，又は当該取扱死体から人の体内に植え込む方法で用いられる医療機器を摘出するために当該取扱死体を切開することができる．

2．前項の規定による身元を明らかにするための措置は，医師又は歯科医師に行わせるものとする．ただし，血液の採取，爪の切除その他組織の採取の程度が軽微な措置であって政令で定めるものについては，警察官に行わせることができる．

3．第5条第3項の規定は，第1項の規定による身元を明らかにするための措置について準用する．

死因究明等推進基本法

〔令和元年法律第33号〕

第1条　【目的】　この法律は，死因究明等に関する施策に関し，基本理念を定め，国及び地方公共団体等の責務を明らかにし，死因究明等に関する施策の基本となる事項を定め，並びに死因究明等に関する施策に関する推進計画の策定について定めるとともに，死因究明等推進本部を設置すること等により，死因究明等に関する施策を総合的かつ計画的に推進し，もって安全で安心して暮らせる社会及び生命が尊重され個人の尊厳が保持される社会の実現に寄与することを目的とする．

第2条　【定義】　この法律において「死因究明」とは，死亡に係る診断もしくは死体（妊娠四月以上の死胎を含む．以下同じ.）の検案もしくは解剖又はその検視その他の方法によりその死亡の原因，推定年月日時及び場所等を明らかにすることをいう．

2．この法律において「身元確認」とは，死体の身元を明らかにすることをいう．

3．この法律において「死因究明等」とは，死因究明及び身元確認をいう．

第3条　【基本理念】　死因究明等の推進は，次に掲げる死因究明等に関する基本的認識の下に，死因究明等が地域にかかわらず等しく適切に行われるよう，死因究明等の到達すべき水準を目指し，死因究明等に関する施策について達成すべき目標を定めて，行われるものとする．

1）死因究明が死者の生存していた最後の時点における状況を明らかにするものであることに鑑み，死者及びその遺族等の権利利益を踏まえてこれを適切に行うことが，生命の尊重と個人の尊厳の保持につながるものであること．

2）死因究明の適切な実施が，遺族等の理解を得ること等を通じて人の死亡に起因する紛争を未然に防止し得るものであること．

3）身元確認の適切な実施が，遺族等に死亡の事実を知らせること等を通じて生命の尊重と個人の尊厳の保持につながるものであるとともに，国民生活の安定及び公共の秩序の維持に資するものであること．

4）死因究明等が，医学，歯学等に関する専門的科学的知見に基づいて，診療において得られた情報も活用しつつ，客観的かつ中立公正に行われなければならないものであること．

2．死因究明の推進は，高齢化の進展，子どもを取り巻く環境の変化等の社会情勢の変化を踏まえつつ，死因究明により得られた知見が疾病の予防及び治療をはじめとする公衆衛生の向上及び増進に資する情報として広く活用されることとなるよう，行われるものとする．

3．死因究明の推進は，災害，事故，犯罪，虐待その他の市民生活に危害を及ぼす事象が発生した場合における死因究明がその被害の拡大及び予防可能な死亡である場合における再発の防止その他適切な措置の実施に寄与することとなるよう，行われるものとする．

第6条　【大学の責務】 大学は，基本理念にのっとり，大学における死因究明等に関する人材の育成及び研究を自主的かつ積極的に行うよう努めるものとする．

第7条　【連携協力】 国，地方公共団体，大学，医療機関，関係団体，医師，歯科医師その他の死因究明等に関係する者は，死因究明等に関する施策が円滑に実施されるよう，相互に連携を図りながら協力しなければならない．

医学及び歯学の教育のための献体に関する法律

〔昭和58年制定
平成11年最終改正〕

第4条　【献体に係る死体の解剖】 死亡した者が献体の意思を書面により表示しており，かつ，次の各号のいずれかに該当する場合においては，その死体の正常解剖を行おうとする者は，死体解剖保存法（昭和24年法律第204号）第7条本文の規定にかかわらず，遺族の承諾を受けることを要しない．

1）当該正常解剖を行おうとする者の属する医学又は歯学に関する大学（大学の学部を含む．）の長（以下「学校長」という．）が，死亡した者が献体の意思を書面により表示している旨を遺族に告知し，遺族がその解剖を拒まない場合

2）死亡した者に遺族がない場合

食品衛生法

〔昭和22年制定
平成30年最終改正〕

第28条　【死体の解剖】

1．厚生労働大臣，内閣総理大臣又は都道府県知事等は，必要があると認めるときは，営業者その他の関係者から必要な報告を求め，当該職員に営業の場所，事務所，倉庫その他の場所に臨検し，販売の用に供し，もしくは営業上使用する食品，添加物，器具もしくは容器包装，営業の施設，帳簿書類その他の物件を検査させ，又は試験の用に供するのに必要な限度において，販売の用に供し，もしくは営業上使用する食品，添加物，器具もしくは容器包装を無償で収去させることができる．

2．前項の規定により当該職員に臨検検査又は収去をさせる場合においては，これにその身分を示す証票を携帯させ，かつ，関係者の請求があるときは，これを提示させなければならない．

3．第1項の規定による権限は，犯罪捜査のために認められたものと解釈してはならない．

4．厚生労働大臣，内閣総理大臣又は都道府県知事等は，第1項の規定により収去した食品，添加物，器具又は容器包装の試験に関する事務を登録検査機関に委託することができる．

検疫法

〔昭和26年制定
令和3年最終改正〕

第13条　【診察及び検査】

1．検疫所長は，検疫感染症につき，前条に規定する者に対する診察及び船舶等に対する病原体の有無に関する検査を行い，又は検疫官をしてこれを行わせることができる．

2．検疫所長は，前項の検査について必要があると認めるときは，死体の解剖を行い，又は検疫官をしてこれを行わせることができる．この場合において，その死因を明らかにするため解剖を行う必要があり，かつ，その遺族の所在が不明であるか，又は遺族が遠隔の地に居住する等の理由により遺族の諾否が判明するのを待っていてはその解剖の目的がほとんど達せられないことが明らかであるときは，遺族の承諾を受けることを要しない．

麻薬及び向精神薬取締法

〔昭和28年制定
令和元年最終改正〕

第2条　【用語の定義】 この法律において次の各号に掲げる用語の意義は，それぞれ当該各号に定めるところによる．

1．麻薬　別表第1に掲げる物をいう．

2．あへん　あへん法（昭和29年法律第71号）に規定するあへんをいう．

3．けしがら　あへん法に規定するけしがらをいう．

4．麻薬原料植物　別表第2に掲げる植物をいう．

5．家庭麻薬　別表第1第76号イに規定する物をいう．

6．向精神薬　別表第3に掲げる物をいう．

7．麻薬向精神薬原料　別表第4に掲げる物をいう．

第27条　【施用，施用のための交付及び麻薬処方せん】

1．麻薬施用者でなければ，麻薬を施用し，もしくは施用のため交付し，又は麻薬を記載した処方せんを交付してはならない．但し，左に掲げる場合は，この限りでない．

1）麻薬研究者が，研究のため施用する場合
2）麻薬施用者から施用のため麻薬の交付を受けた者が，その麻薬を施用する場合
3）麻薬小売業者から麻薬処方せんにより調剤された麻薬を譲り受けた者が，その麻薬を施用する場合

2．前項ただし書の規定は，麻薬施用者から交付された麻薬又は麻薬処方せんが第3項又は第4項の規定に違反して交付されたものであるときは，適用しない．

3．麻薬施用者は，疾病の治療以外の目的で，麻薬を施用し，もしくは施用のため交付し，又は麻薬を記載した処方せんを交付してはならない．ただし，精神保健指定医が，第58条の6第1項の規定による診察を行うため，N-アリルノルモルヒネ，その塩類及びこれらを含有する麻薬その他政令で定める麻薬を施用するときは，この限りでない．

4．麻薬施用者は，前項の規定にかかわらず，麻薬又はあへんの中毒者の中毒症状を緩和するため，その他その中毒の治療の目的で，麻薬を施用し，もしくは施用のため交付し，又は麻薬を記載した処方せんを交付してはならない．ただし，第58条の8第1項の規定に基づく厚生労働省令で定める病院において診療に従事する麻薬施用者が，同条の規定により当該病院に入院している者について，6-ジメチルアミノ-4・4-ジフェニル-3-ヘプタノン，その塩類及びこれらを含有する麻薬その他政令で定める麻薬を施用するときは，この限りでない．

5．何人も，第1項，第3項又は第4項の規定により禁止される麻薬の施用を受けてはならない．

6．麻薬施用者は，麻薬を記載した処方せんを交付するときは，その処方せんに，患者の氏名（患畜にあつては，その種類並びにその所有者又は管理者の氏名又は名称），麻薬の品名，分量，用法用量，自己の氏名，免許証の番号その他厚生労働省令で定める事項を記載して，記名押印又は署名をしなければならない．

第28条　【所持】

1．麻薬取扱者，麻薬診療施設の開設者又は麻薬研究施設の設置者でなければ，麻薬を所持してはならない．ただし，次に掲げる場合は，この限りでない．
1）麻薬施用者から施用のため麻薬の交付を受け，又は麻薬小売業者から麻薬処方せんにより調剤された麻薬を譲り受けた者が，その麻薬を所持する場合
2）麻薬施用者から施用のため麻薬の交付を受け，又は麻薬小売業者から麻薬処方せんにより調剤された麻薬を譲り受けた者が死亡した場合において，その相続人又は相続人に代わつて相続財産を管理する者が，現に所有し，又は管理する麻薬を所持するとき．

2．前項ただし書の規定は，麻薬施用者から交付された麻薬又は麻薬処方せんが前条第3項又は第4項の規定に違反して交付されたものであるときは，適用しない．

3．家庭麻薬製造業者は，コデイン，ジヒドロコデイン及びこれらの塩類以外の麻薬を所持してはならない．

第33条　【麻薬診療施設及び麻薬研究施設における麻薬の管理】

1．2人以上の麻薬施用者が診療に従事する麻薬診療施設の開設者は，麻薬管理者1人を置かなければならない．但し，その開設者が麻薬管理者である場合は，この限りでない．

2．麻薬管理者（麻薬管理者のいない麻薬診療施設にあつては，麻薬施用者とする．以下この節及び次節において同じ.）又は麻薬研究者は，当該麻薬診療施設又は当該麻薬研究施設において施用し，もしくは施用のため交付し，又は研究のため自己か使用する麻薬をそれぞれ管理しなければならない．

3．麻薬施用者は，前項の規定により麻薬管理者の管理する麻薬以外の麻薬を当該麻薬診療施設において施用し，又は施用のため交付してはならない．

第34条　【保管】

1．麻薬取扱者は，その所有し，又は管理する麻薬を，その麻薬業務所内で保管しなければならない．

2．前項の保管は，麻薬以外の医薬品（覚せい剤を除く.）と区別し，かぎをかけた堅固な設備内に貯蔵して行わなければならない．

第39条

1．麻薬管理者は，麻薬診療施設に帳簿を備え，これに左に掲げる事項を記載しなければならない．
1）当該麻薬診療施設の開設者が譲り受け，又は廃棄した麻薬の品名及び数量並びにその年月日
2）当該麻薬診療施設の開設者が譲り渡した麻薬（施用のため交付したコデイン，ジヒドロコデイン，エチルモルヒネ及びこれらの塩類を除く.）の品名及び数量並びにその年月日
3）当該麻薬診療施設で施用した麻薬(コデイン，ジヒドロコデイン，エチルモルヒネ及びこれらの塩類を除く.)の品名及び数量並びにその年月日
4）第35条第1項の規定により届け出た麻薬の品名及び数量

2．麻薬管理者は，前項の帳簿を閉鎖したときは，すみやかにこれを当該麻薬診療施設の開設者に引き渡さなければならない．

3．麻薬診療施設の開設者は，前項の規定により帳簿の引渡を受けたときは，最終の記載の日から2年間，これを保存しなければならない．

第58条の2 【医師の届出等】

1．医師は，診察の結果受診者が麻薬中毒者であると診断したときは，すみやかに，その者の氏名，住所，年齢，性別その他厚生労働省令で定める事項をその者の居住地（居住地がないか，又は居住地が明らかでない者については，現在地とする．以下この章において同じ．）の都道府県知事に届け出なければならない．

2．都道府県知事は，前項の届出を受けたときは，すみやかに厚生労働大臣に報告しなければならない．

覚醒剤取締法

昭和26年制定
令和元年最終改正

第3条 【指定の要件】

1．覚醒剤製造業者の指定は製造所ごとに厚生労働大臣が，覚醒剤施用機関又は覚醒剤研究者の指定は病院もしくは診療所又は研究所ごとにその所在地の都道府県知事が，次に掲げる資格を有するもののうち適当と認めるものについて行う．

1）覚醒剤製造業者については，医薬品，医療機器等の品質，有効性及び安全性の確保等に関する法律（昭和35年法律第145号．以下「医薬品医療機器等法」という．）第12条第1項（医薬品の製造販売業の許可）の規定による医薬品の製造販売業の許可及び医薬品医療機器等法第13条第1項（医薬品の製造業の許可）の規定による医薬品の製造業の許可を受けている者（以下「医薬品製造販売業者等」という．）

2）覚醒剤施用機関については，精神科病院その他診療上覚醒剤の施用を必要とする病院又は診療所

3）覚醒剤研究者については，覚醒剤に関し相当の知識を持ち，かつ，研究上覚醒剤の使用を必要とする者

2．覚醒剤施用機関又は覚せい剤研究者の指定に関する基準は，厚生労働省令で定める．

第20条 【施用の制限】

1．覚醒剤施用機関において診療に従事する医師は，その診療に従事している覚醒剤施用機関の管理者の管理する覚醒剤でなければ，施用し，又は施用のため交付してはならない．

2．前項の医師は，他人の診療以外の目的に覚醒剤を施用し，又は施用のため交付してはならない．

3．第1項の医師は，覚醒剤の中毒者に対し，その中毒を緩和し又は治療するために覚醒剤を施用し，又は施用のため交付してはならない．

4．第1項の医師が覚醒剤を施用のため交付する場合においては，交付を受ける者の住所，氏名，年齢，施用方法及び施用期間を記載した書面に当該医師の署名をして，これを同時に交付しなければならない．

5．覚醒剤研究者は，厚生労働大臣の許可を受けた場合のほかは，研究のため他人に対して覚醒剤を施用し，又は施用のため交付してはならない．

6．覚醒剤研究者は，前項の規定により覚醒剤の施用又は交付の許可を受けようとするときは，厚生労働省令の定めるところにより，その研究所の所在地の都道府県知事を経て厚生労働大臣に申請書を出さなければならない．

7．覚醒剤研究者が覚せい剤を施用のため交付する場合には，第4項の規定を準用する．

第28条 【帳簿】

1．覚醒剤製造業者，覚醒剤施用機関の管理者及び覚醒剤研究者は，それぞれその製造所もしくは覚醒剤保管営業所，病院もしくは診療所又は研究所ごとに帳簿を備え，次に掲げる事項を記入しなければならない．

1）製造し，譲り渡し，譲り受け，保管換し，施用し，施用のため交付し，又は研究のため使用した覚醒剤の品名及び数量並びにその年月日

2）譲渡又は譲受の相手方の氏名（法人にあつてはその名称）及び住所並びに製造所もしくは覚醒剤保管営業所，覚醒剤施用機関又は研究所の名称及び所在場所

3）第23条（事故の届出）の規定により届出をした覚醒剤の品名及び数量

2．前項に規定する者は，同項の帳簿を最終の記入をした日から2年間保存しなければならない．

あへん法

昭和29年制定
令和元年最終改正

第1条 【目的】 この法律は，医療及び学術研究の用に供するあへんの供給の適正を図るため，国があへんの輸入，輸出，収納及び売渡を行い，あわせて，けしの栽培並びにあへん及びけしがらの譲渡，譲受，所持等について必要な取締を行うことを目的とする．

第2条 【国の独占権】 あへんの輸入，輸出，けし耕作者及び甲種研究栽培者からの一手買取並びに麻薬製造業者及び麻薬研究施設の設置者への売渡の権能は，国に専属する．

第3条 【定義】 この法律において次の各号に掲げる用語の意義は，それぞれ当該各号に定めるところによる．

1）けし　パパヴェル・ソムニフェルム・エル，パパヴェル・セティゲルム・ディーシー及びその他のけし属の植物であつて，厚生労働大臣が指定するものをいう．
2）あへん　けしの液汁が凝固したもの及びこれに加工を施したもの（医薬品として加工を施したものを除く.）をいう．
3）けしがら　けしの麻薬を抽出することができる部分（種子を除く.）をいう．

第4条　【けしの栽培の禁止】　けし栽培者でなければ，けしを栽培してはならない．

第9条　【吸食の禁止】　何人も，あへん又はけしがらを吸食してはならない．

第12条　【栽培の許可】

1．採取したあへんを国に納付する目的で，又はあへんの採取を伴う学術研究のため，けしを栽培しようとする者は，あらかじめ栽培地及び栽培面積並びにあへんの乾そう場及び保管場を定めて，厚生労働大臣の許可を受けなければならない．
2．あへんの採取を伴わない学術研究のため，けしを栽培しようとする者は，あらかじめ栽培地及び栽培面積を定めて，厚生労働大臣の許可を受けなければならない．

大麻取締法

昭和23年制定
令和元年最終改正

第1条　【大麻】　この法律で「大麻」とは，大麻草（カンナビス・サティバ・エル）及びその製品をいう．ただし，大麻草の成熟した茎及びその製品（樹脂を除く.）並びに大麻草の種子及びその製品を除く．

第2条　【大麻取扱者，大麻栽培者，大麻研究者】

1．この法律で「大麻取扱者」とは，大麻栽培者及び大麻研究者をいう．
2．この法律で「大麻栽培者」とは，都道府県知事の免許を受けて，繊維もしくは種子を採取する目的で，大麻草を栽培する者をいう．
3．この法律で「大麻研究者」とは，都道府県知事の免許を受けて，大麻を研究する目的で大麻草を栽培し，又は大麻を使用する者をいう．

第3条　【大麻取扱者以外の者の所持・栽培・譲渡等の禁止，大麻所持者の目的以外の禁止】

1．大麻取扱者でなければ大麻を所持し，栽培し，譲り受け，譲り渡し，又は研究のため使用してはならない．
2．この法律の規定により大麻を所持することができる者は，大麻をその所持する目的以外の目的に使用してはならない．

第4条　【禁止行為】

1．何人も次に掲げる行為をしてはならない．
1）大麻を輸入し，又は輸出すること（大麻研究者が，厚生労働大臣の許可を受けて，大麻を輸入し，又は輸出する場合を除く.）．
2）大麻から製造された医薬品を施用し，又は施用のため交付すること．
3）大麻から製造された医薬品の施用を受けること．
4）医事もしくは薬事又は自然科学に関する記事を掲載する医薬関係者等（医薬関係者又は自然科学に関する研究に従事する者をいう．以下この号において同じ.）向けの新聞又は雑誌により行う場合その他主として医薬関係者等を対象として行う場合のほか，大麻に関する広告を行うこと．
2．前項第1号の規定による大麻の輸入又は輸出の許可を受けようとする大麻研究者は，厚生労働省令で定めるところにより，その研究に従事する施設の所在地の都道府県知事を経由して厚生労働大臣に申請書を提出しなければならない．

サリン等による人身被害の防止に関する法律

平成7年制定
平成29年最終改正

第1条　【目的】　この法律は，サリン等の製造，所持等を禁止するとともに，これを発散させる行為についての罰則及びその発散による被害が発生した場合の措置等を定め，もってサリン等による人の生命及び身体の被害の防止並びに公共の安全の確保を図ることを目的とする．

第2条　【定義】　この法律において「サリン等」とは，サリン（メチルホスホノフルオリド酸イソプロピルをいう．以下同じ.）及び次の各号のいずれにも該当する物質で政令で定めるものをいう．

1）サリン以上の又はサリンに準ずる強い毒性を有すること．
2）その原材料，製法，発散させる方法，発散したときの性状その他その物質の特性を勘案して人を殺傷する目的に供されるおそれ並びに発散した場合の人の生命及び身体に対する危害の程度が大きいと認められること．
3）犯罪に係る社会状況その他の事情を勘案して人の生命及び身体の保護並びに公共の安全の確保を図るためにその物質についてこの法律の規定により規制等を行う必要性が高いと認められること．

第3条　【製造等の禁止】　何人も，次の各号のいずれかに該当する場合を除いては，サリン等を製造し，輸入し，所持し，譲り渡し，又は譲り受けてはならない.

1）国又は地方公共団体の職員で政令で定めるものが試験又は研究のため製造し，輸入し，所持し，譲り渡し，又は譲り受けるとき.

2）化学兵器の禁止及び特定物質の規制等に関する法律（平成7年法律第65号．以下「化学兵器禁止法」という.）又は外国為替及び外国貿易法（昭和24年法律第228号）の規定により化学兵器禁止法第2条第3項に規定する特定物質の製造，所持，譲渡しもしくは譲受け又は輸入をすることができる場合に該当して，製造し，所持し，譲り渡し，もしくは譲り受け，又は輸入するとき.

第5条 【罰則】

1．サリン等を発散させて公共の危険を生じさせた者は，無期又は2年以上の懲役に処する.

2．前項の未遂罪は，罰する.

3．第1項の罪を犯す目的でその予備をした者は，5年以下の懲役に処する．ただし，同項の罪の実行の着手前に自首した者は，その刑を減軽し，又は免除する.

臓器の移植に関する法律

平成9年制定
平成21年最終改正

第1条 【目的】 この法律は，臓器の移植についての基本的理念を定めるとともに，臓器の機能に障害がある者に対し臓器の機能の回復又は付与を目的として行われる臓器の移植術（以下単に「移植術」という.）に使用されるための臓器を死体から摘出すること，臓器売買等を禁止すること等につき必要な事項を規定することにより，移植医療の適正な実施に資することを目的とする.

第2条 【基本的理念】

1．死亡した者が生存中に有していた自己の臓器の移植術に使用されるための提供に関する意思は，尊重されなければならない.

2．移植術に使用されるための臓器の提供は，任意にされたものでなければならない.

3．臓器の移植は，移植術に使用されるための臓器が人道的精神に基づいて提供されるものであることにかんがみ，移植術を必要とする者に対して適切に行われなければならない.

4．移植術を必要とする者に係る移植術を受ける機会は，公平に与えられるよう配慮されなければならない.

第4条 【医師の責務】 医師は，臓器の移植を行うに当たっては，診療上必要な注意を払うとともに，移植術を受ける者又はその家族に対し必要な説明を行い，その理解を得るよう努めなければならない.

第5条 【定義】 この法律において「臓器」とは，人の心臓，肺，肝臓，腎臓その他厚生労働省令で定める内臓及び眼球をいう.

第6条 【臓器の摘出】

1．医師は，次の各号のいずれかに該当する場合には，移植術に使用されるための臓器を，死体（脳死した者の身体を含む．以下同じ.）から摘出することができる.

1）死亡した者が生存中に当該臓器を移植術に使用されるために提供する意思を書面により表示している場合であって，その旨の告知を受けた遺族が当該臓器の摘出を拒まないとき又は遺族がないとき.

2）死亡した者が生存中に当該臓器を移植術に使用されるために提供する意思を書面により表示している場合及び当該意思がないことを表示している場合以外の場合であって，遺族が当該臓器の摘出について書面により承諾しているとき.

2．前項に規定する「脳死した者の身体」とは，脳幹を含む全脳の機能が不可逆的に停止するに至ったと判定された者の身体をいう.

第7条 【臓器の摘出の制限】 医師は，第6条の規定により死体から臓器を摘出しようとする場合において，当該死体について刑事訴訟法（昭和23年法律第131号）第229条第1項の検視その他の犯罪捜査に関する手続が行われるときは，当該手続が終了した後でなければ，当該死体から臓器を摘出してはならない.

母体保護法

昭和23年制定
平成25年最終改正

第1条 【この法律の目的】 この法律は，不妊手術及び人工妊娠中絶に関する事項を定めること等により，母性の生命健康を保護することを目的とする.

第3条

1．医師は，次の各号の1に該当する者に対して，本人の同意及び配偶者（届出をしていないが，事実上婚姻関係と同様な事情にある者を含む．以下同じ.）があるときはその同意を得て，不妊手術を行うことができる．ただし，未成年者については，この限りでない.

1）妊娠又は分娩が，母体の生命に危険を及ぼすおそれのあるもの

2）現に数人の子を有し，かつ，分娩ごとに，母体の健康度を著しく低下するおそれのあるもの

2．前項各号に掲げる場合には，その配偶者についても同項の規定による不妊手術を行うことができ

る.

3．第1項の同意は，配偶者が知れないとき又はその意思を表示することができないときは本人の同意だけで足りる.

第14条 【医師の認定による人工妊娠中絶】

1．都道府県の区域を単位として設立された公益社団法人たる医師会の指定する医師（以下「指定医師」という.）は，次の各号の1に該当する者に対して，本人及び配偶者の同意を得て，人工妊娠中絶を行うことができる.

1）妊娠の継続又は分娩が身体的又は経済的理由により母体の健康を著しく害するおそれのあるもの

2）暴行もしくは脅迫によって又は抵抗もしくは拒絶することができない間に姦淫されて妊娠したもの

2．前項の同意は，配偶者が知れないときもしくはその意思を表示することができないとき又は妊娠後に配偶者がなくなつたときには本人の同意だけで足りる.

第25条 【届出】 医師又は指定医師は，第3条第1項又は第14条第1項の規定によって不妊手術又は人工妊娠中絶を行つた場合は，その月中の手術の結果を取りまとめて翌月10日までに，理由を記して，都道府県知事に届け出なければならない.

第27条 【秘密の保持】 不妊手術又は人工妊娠中絶の施行の事務に従事した者は，職務上知り得た人の秘密を，漏らしてはならない．その職を退いた後においても同様とする.

保健師助産師看護師法

昭和23年制定
平成30年最終改正

第5条 【看護師】 この法律において「看護師」とは，厚生労働大臣の免許を受けて，傷病者もしくはじよく婦に対する療養上の世話又は診療の補助を行うことを業とする者をいう.

第39条 【助産師】

1．業務に従事する助産師は，助産又は妊婦，じよく婦もしくは新生児の保健指導の求めがあつた場合は，正当な事由がなければ，これを拒んではならない.

2．分べんの介助又は死胎の検案をした助産師は，出生証明書，死産証書又は死胎検案書の交付の求めがあつた場合は，正当な事由がなければ，これを拒んではならない.

予防接種法

昭和23年制定
令和2年最終改正

第6条 【臨時の予防接種】

1．都道府県知事は，A類疾病及びB類疾病のうち厚生労働大臣が定めるもののまん延予防上緊急の必要があると認めるときは，その対象者及びその期日又は期間を指定して，臨時に予防接種を行い，又は市町村長に行うよう指示することができる.

2．厚生労働大臣は，前項に規定する疾病のまん延予防上緊急の必要があると認めるときは，政令の定めるところにより，同項の予防接種を都道府県知事に行うよう指示することができる.

児童虐待の防止等に関する法律

平成12年制定
令和2年最終改正

第1条 【目的】 この法律は，児童虐待が児童の人権を著しく侵害し，その心身の成長及び人格の形成に重大な影響を与えるとともに，我が国における将来の世代の育成にも懸念を及ぼすことにかんがみ，児童に対する虐待の禁止，児童虐待の予防及び早期発見その他の児童虐待の防止に関する国及び地方公共団体の責務，児童虐待を受けた児童の保護及び自立の支援のための措置等を定めることにより，児童虐待の防止等に関する施策を促進し，もって児童の権利利益の擁護に資することを目的とする.

第2条 【児童虐待の定義】 この法律において，「児童虐待」とは，保護者（親権を行う者，未成年後見人その他の者で，児童を現に監護するものをいう．以下同じ.）がその監護する児童（18歳に満たない者をいう．以下同じ.）について行う次に掲げる行為をいう.

1）児童の身体に外傷が生じ，又は生じるおそれのある暴行を加えること.

2）児童にわいせつな行為をすること又は児童をしてわいせつな行為をさせること.

3）児童の心身の正常な発達を妨げるような著しい減食又は長時間の放置，保護者以外の同居人による前2号又は次号に掲げる行為と同様の行為の放置その他の保護者としての監護を著しく怠ること.

4）児童に対する著しい暴言又は著しく拒絶的な対応，児童が同居する家庭における配偶者に対する暴力（配偶者（婚姻の届出をしていないが，事実上婚姻関係と同様の事情にある者を含む.）の身体に対する不法な攻撃であって生命又は身体に危害を及ぼすもの及びこれに準ずる心身に有害な影響を及ぼす言動をいう．第16条において同じ．）その他の児童に著しい心理的外傷を与える言動を行うこと．

性同一性障害者の性別の取扱いの特例に関する法律

［平成15年制定
平成30年改正］

第2条 【定義】 この法律において「性同一性障害者」とは，生物学的には性別が明らかであるにもかかわらず，心理的にはそれとは別の性別（以下「他の性別」という．）であるとの持続的な確信を持ち，かつ，自己を身体的及び社会的に他の性別に適合させようとする意思を有する者であって，そのことについてその診断を的確に行うために必要な知識及び経験を有する2人以上の医師の一般に認められている医学的知見に基づき行う診断が一致しているものをいう．

第3条 【性別の取扱いの変更の審判】

1．家庭裁判所は，性同一性障害者であって次の各号のいずれにも該当するものについて，その者の請求により，性別の取扱いの変更の審判をすることができる．
 1）20歳以上であること．
 2）現に婚姻をしていないこと．
 3）現に未成年の子がいないこと．
 4）生殖腺せんがないこと又は生殖腺の機能を永続的に欠く状態にあること．
 5）その身体について他の性別に係る身体の性器に係る部分に近似する外観を備えていること．
2．前項の請求をするには，同項の性同一性障害者に係る前条の診断の結果並びに治療の経過及び結果その他の厚生労働省令で定める事項が記載された医師の診断書を提出しなければならない．

医師の関係届出義務一覧

◆医籍・施設関係

届　出　義　務	根拠となる法令（規定）	届出期限	届出先	罰　則
2年ごとの届出（当該年12月31日現在）	医師法（6条）	翌年1月15日まで	知事経由厚生労働大臣	罰金50万円以下
医籍の登録事項の変更，登録抹消，医師の死亡・失踪時	医師法（5条）同規則（6条）	30日以内	知事経由厚生労働大臣	——
診療所開設の届出	医療法（8条）	10日以内	知事	罰金20万円以下
病院，診療所の休廃止届	医療法（8条）同規則（9条）	10日以内	知事	罰金20万円以下

◆検案関係

届　出　義　務	根拠となる法令（規定）	届出期限	届出先	罰　則
異状死体（胎）の検案時	医師法（21条）	24時間以内	警察署	罰金50万円以下
解剖死体に犯罪性の異状を認めた時	死体解剖保存法（11条）	24時間以内	警察署長	——

◆産科関係

届　出　義　務	根拠となる法令（規定）	届出期限	届出先	罰　則
不妊手術・人工妊娠中絶施行時	母体保護法（25条），同規則（32条）	翌月10日まで	知事	罰金10万円以下
出生の届出を父母等ができない時	戸籍法（49条，52条）	14日以内	市町村長	5万円以下の過料
死産の届出を父母等ができない時	死産の届出に関する規程（7条），同令（1条）	7日以内	市町村長	500円以下の過料

◆感染症関係

届　出　義　務	根拠となる法令（規定）	届出期限	届出先	罰　則
食中毒患者，その疑ある者の診断・検案時	食品衛生法（63条）	直ちに	保健所長	懲役1年以下もしくは罰金100万円以下
一類感染症（ペスト，エボラ出血熱など） 二類感染症（結核，SARS，MARS，ジフテリアなど） 三類感染症（コレラ，腸管出血性大腸菌感染症） 四類感染症（マラリア，A型肝炎，エキノコックス症）の診断時 五類感染症（梅毒，後天性免疫不全症候群など） 新型インフルエンザ等感染症（新型インフルエンザ，再興型インフルエンザ）	感染症の予防・患者に対する医療の法律（12条）	直ちに（五類の一部は7日以内）	知事	罰金50万円以下

◆中毒関係

届出義務	根拠となる法令（規定）	届出期限	届出先	罰則
麻薬中毒者の診断時	麻薬及び向精神薬取締法（58条の2）	すみやかに	知事	懲役6カ月以下もしくは罰金20万円以下又はこれを併科
麻薬施用者，同管理者，同研究者が麻薬の滅失・盗取・所在不明その他の事故時	麻薬及び向精神薬取締法（35条）	すみやかに	知事	懲役6カ月以下もしくは罰金20万円以下又はこれを併科
麻薬診療施設，同研究施設の免許が失効した場合の届出	麻薬及び向精神薬取締法（36条）	15日以内	知事	懲役6カ月以下もしくは罰金20万円以下又はこれを併科
麻薬管理者の年次届出	麻薬及び向精神薬取締法（48条）	毎年11月30日まで	知事	罰金20万円以下
麻薬研究者の年次届出	麻薬及び向精神薬取締法（49条）	毎年11月30日まで	知事	罰金20万円以下
覚せい剤施用機関，同研究者の覚せい剤廃棄の届出	覚せい剤取締法（22条の2）	——	知事	懲役1年以下もしくは罰金20万円以下又はこれを併科
覚せい剤の喪失・盗取・所在不明等の事故時	覚せい剤取締法（23条）	すみやかに	知事経由 厚生労働大臣	懲役1年以下もしくは罰金20万円以下又はこれを併科
覚せい剤施用機関，同研究者が指定の失効の場合の報告	覚せい剤取締法（24条）	15日以内	知事経由 厚生労働大臣	懲役1年以下もしくは罰金20万円以下又はこれを併科
覚せい剤施用機関管理者，同研究者の年次報告	覚せい剤取締法（30条）	毎年12月15日まで	知事	懲役1年以下もしくは罰金20万円以下又はこれを併科

日本語索引

あ

い

う

え

お

か

き

く

け

こ

さ

し

す

せ

そ

た

ち

つ・て

と

な

に

ね

の

は

ひ

ふ

外国語索引

A

B

C

D

M

N

O

P

R

S

Memo

Memo

Memo

Memo

— 著者略歴 —

監　修

福島弘文

1972 年　岐阜大学医学部卒業
1976 年　岐阜大学大学院修了
1978 年　米国ミズーリ大学留学
1980 年　岐阜大学医学部助手
1982 年　岐阜大学医学部講師
1984 年　信州大学医学部助教授
1991 年　信州大学医学部法医学教授
2008 年　信州大学名誉教授
　　　　科学警察研究所長
2015 年　科学警察研究所退職

編　集

舟山眞人

1982 年　東北大学医学部卒業
1986 年　東北大学大学院修了，同大学医学部法医学教室助手
1988 年　東京都監察医務院常勤監察医
1992 年　札幌医科大学法医学教室講師
1994 年　札幌医科大学法医学教室准教授
1998 年～ 東北大学大学院医学系研究科公共健康医学講座法医学分野教授

齋藤一之

1984 年　獨協医科大学医学部　卒業
1989 年　獨協医科大学大学院医学研究科修了
1984 年　東京都監察医（非常勤）現在まで
1989 年　埼玉医科大学法医学講座助手
1999 年　埼玉医科大学法医学講座教授
2013 年～ 順天堂大学大学院医学研究科法医学教授／埼玉医科大学客員教授

法医学

2002年4月9日　1版1刷
2015年1月15日　3版1刷
2016年11月15日　2刷
2022年1月10日　4版1刷

監修者　編者
福島弘文　舟山眞人　齋藤一之

発行者
株式会社 南山堂　代表者 鈴木幹太
〒113-0034　東京都文京区湯島4-1-11
TEL 代表 03-5689-7850　www.nanzando.com

ISBN 978-4-525-19074-3